Concepts fondamentaux de l'informatique

D1712342

IN.

ALFRED AHO • JEFFREY ULLMAN

Concepts fondamentaux de l'informatique

Traduit de l'américain par
Xavier Cazin, Ivon Gourhant et Jean-Pierre Le Narzul

RETIRÉ DE LA
COLLECTION · UQO
Université du Québec à Hull
1 2 AOUT 1994
Bibliothèque

DUNOD

L'édition originale de ce livre a été publiée aux Etats-Unis par W.H. Freeman and Company, New York, sous le titre *Foundations of Computer Science.*

© W.H. Freeman and Company, 1992

Dessin de couverture d'après Douglas Smith

QA
76
A5614
1993

Edition : Peter Burch

© DUNOD, Paris, 1993
ISBN 2 10 001683 0

Toute représentation ou reproduction, intégrale ou partielle, faite sans le consentement de l'auteur, ou de ses ayants droit, ou ayants cause, est illicite (loi du 11 mars 1957, alinéa 1er de l'article 40). Cette représentation ou reproduction, par quelque procédé que ce soit, constituerait une contrefaçon sanctionnée par les articles 425 et suivants du Code pénal. La loi du 11 mars 1957 n'autorise, aux termes des alinéas 2 et 3 de l'article 41, que les copies ou reproductions strictement réservées à l'usage privé du copiste et non destinées à une utilisation collective d'une part, et, d'autre part, que les analyses et les courtes citations dans un but d'exemple et d'illustration.

Table des matières

Préface

La motivation principale de ce livre fut notre désir, et celui d'autres personnes, de faire évoluer le cours fondamental d'informatique. Plusieurs départements américains ont modifié leurs programmes pour répondre aux suggestions proposées par le « rapport Denning » (P.J. Denning, D.E. Comer, D. Gries, M.C. Mulder, A. Tucker, J. Turner, et P.R. Young, « Computing as a discipline », *Comm. ACM* **32**:1, p. 9-23, Janvier 1989). Ce rapport attire l'attention sur trois méthodes de travail — théorie, abstraction, et conception — considérées comme fondamentales pour tous les programmes d'études de deuxième cycle. Plus récemment, le rapport *Computing Curricula 1991* tiré de ACM/IEEE-CS Curriculum Task Force reprenait le rapport Denning en identifiant les concepts-clés incontournables qui sont fondamentaux en informatique, et en particulier, les modèles conceptuels et formels, l'efficacité, et les niveaux d'abstraction. Les thèmes de ces deux rapports résument ce que nous avons tenté de proposer aux étudiants dans ce livre.

Objectifs

Ce livre a pour origine un cours donné à l'université de Stanford — *Introduction to Computer Science* — qui poursuit un certain nombre d'objectifs. Le premier est de donner aux étudiants débutant en informatique des bases solides pour leurs études ultérieures. Par ailleurs, l'informatique prend une place de plus en plus importante dans les disciplines scientifiques et d'ingénierie. Un deuxième objectif est de donner aux étudiants qui ne souhaitent pas approfondir l'étude de l'informatique les outils conceptuels offerts par cette discipline. Enfin, une préoccupation permanente est de présenter à tous les étudiants non seulement les concepts de programmation, mais aussi les bases intellectuelles fertiles de cette discipline.

Concepts fondamentaux de l'informatique aborde des notions actuellement dispersées entre cours de mathématiques discrètes et un cours de deuxième année d'informatique, des structures de données à l'architecture du matériel. Nous avons voulu emprunter aux mathématiques ce qui est vraiment nécessaire aux informaticiens, et non ce qu'un mathématicien pourrait choisir. Nous avons donc essayé d'intégrer utilement les bases mathématiques et informatiques, en espérant donner une meilleure approche de ce qu'est vraiment l'informatique que dans un cours de programmation, un cours de mathématiques discrètes ou un cours d'une sous-spécialité de l'informatique. Nous espérons qu'avec le temps, tous les scientifiques et ingénieurs auront accès à un cours d'informatique fondamentale comme celui de l'université de Stanford, qui est à l'origine de ce livre. Nous espérons aussi qu'un tel cours d'informatique deviendra un standard, comme ses aînés de la physique ou du calcul.

Pré-requis

A Stanford et dans d'autres universités, comme l'Université de Waterloo, et les universités d'Etat de Boise, et de Montana, où furent utilisées des pré-publications de ce livre, les étudiants allaient du niveau DEUG au niveau troisième cycle, avec une expérience de la programmation en Pascal. Les premiers sont censés avoir bien réussi le test d'orientation avancé en informatique. Les étudiants familiarisés avec la programmation et qui ont déjà travaillé avec des concepts tels que les procédures récursives et les structures de données en listes chaînées seront à l'aise avec les exemples de programmation de ce livre. Nous ne supposons aucun autre bagage de connaissances.

Suggestions pour l'ossature des cours d'informatique fondamentale

En termes de programme traditionnel pour les cours d'informatiques, le livre comprend un premier cours sur les structures de données et un cours de mathématiques discrètes. Nous pensons que l'intégration de ces deux matières est extrêmement souhaitable, pour deux raisons :

1. Elle permet de motiver l'apprentissage des mathématiques en le reliant plus étroitement à celui de l'informatique.

2. L'informatique et les mathématiques peuvent se renforcer mutuellement. Citons comme exemple la manière dont la programmation récursive et la récurrence mathématique sont reliées dans le chapitre 2 et le rapprochement effectué au chapitre 14 entre la distinction variables libres/variables liées de la logique et la notion de variables d'une procédure.

On peut utiliser ce livre de nombreuses manières.

Un cours sur deux trimestres

Le cours d'introduction à l'informatique de Stanford est représentatif de ce que l'on peut faire en deux trimestres. Au premier trimestre, on couvre les chapitres 1 à 3 et 5 à 8. Nous n'abordons pas le chapitre 4 sur l'architecture des machines, parce qu'il fait l'objet d'un autre cours du programme de Stanford. Le premier trimestre aborde donc trois domaines importants :

1. *Récursivité et récurrence* (chapitre 2), environ 25%. On fait comprendre aux étudiants que la récurrence mathématique et la programmation récursive sont des outils puissants et naturels dans diverses applications.

2. *Analyse des algorithmes* (chapitre 3), environ 25%. Le sujet est traité de manière assez austère ; on essaye le plus possible de donner des recettes permettant de trouver le temps d'exécution des programmes. Cependant, nous ne traitons pas les bornes inférieures, préférant la notion informelle de bornes « continues et approchées » pour le temps d'exécution.

3. *Modèles de données fondamentaux* (chapitre 5 à 8), environ 50%. Cette partie du cours nous permet d'aborder les principales structures de données associées aux listes, arbres, et ensembles, tout en donnant au lecteur le bagage de mathématiques nécessaire, comme une théorie élémentaire des ensembles et des relations. Nous traitons également des algorithmes fondamentaux, depuis la recherche binaire jusqu'au principe du « diviser-pour-régner ».

Dans le cours du deuxième trimestre, nous continuons comme suit :

1. *Théorie des graphes et algorithmes* (chapitre 9), environ 25%. Ici l'étudiant apprend un bon nombre d'algorithmes importants et largement utilisés, ainsi qu'une appréciation des critères pertinents qui président au choix d'un algorithme. L'apprentissage est émaillé de définitions fondamentales à propos des graphes et des propriétés des graphes utilisées lors de la résolution des problèmes.

2. *Recherche et parcours de motifs* (chapitres 10 et 11), environ 35%. Plusieurs modèles fondamentaux — automates, expressions régulières, et grammaires — sont abordés. On montre aux étudiants comment les représentations abstraites comme les expressions régulières et les grammaires non-contextuelles peuvent servir d'outils de programmation de très haut niveau dans des applications telles que la mise en correspondance et l'analyse de chaînes de caractères.

3. *Logique* (chapitre 12 à 14), environ 40%. Nous commençons avec le calcul propositionnel, qui nous sert à expliquer bon nombre d'idées fondamentales : preuves, conceptions d'expressions logiques (simples), et règles de raisonnement (par exemple les preuves par contre-apposée). Ces concepts sont appliqués à la conception de circuits numériques, et nous faisons en même temps ressortir comment les paradigmes algorithmiques comme le principe diviser-pour-régner peuvent servir aux concepteurs de circuits aussi bien qu'aux concepteurs de programmes. Nous abordons également la résolution comme technique de preuve, et nous expliquons sa puissance. Enfin nous abordons de nombreux sujets communs avec la logique des prédicats (calculs du premier ordre).

Un cours sur une année entière

Comme les trimestres à Stanford sont relativement longs, le même programme pourrait aussi faire l'objet de deux semestres. Nous suggérons également d'y ajouter le thème du chapitre 4 s'il est cohérent avec le programme des cours.

Un cours d'informatique sur un semestre

Il est possible d'utiliser ce livre comme support de cours pour un semestre, qui abordera les sujets d'un cours sur les structures de données. Ce livre est bien sûr trop important pour être parcouru en un seul semestre, et nous proposons donc l'ossature suivante :

1. *Les algorithmes et programmes récursifs* aux paragraphes 2.7 et 2.8.

2. *L'analyse grand O et le temps d'exécution des programmes* : tout le chapitre 3, à l'exception du paragraphe 3.11 sur la résolution des relations de récurrence. S'il

a assez de temps, l'enseignant pourra aborder les paragraphes 4.8 à 4.10 sur la relation entre les instructions machine et le temps d'exécution des programmes Pascal.

3. *Les arbres* aux paragraphes 5.2, 5.3, 5.4, 5.6, et 5.8 à 5.11.

4. *Les listes* : tout le chapitre 6. Certains préféreront traiter les listes avant les arbres, ce qui est plus traditionnel. Pour notre part, nous considérons que les arbres traduisent une notion plus fondamentale, mais inverser l'ordre n'est pas très important. La seule dépendance significative est que le chapitre 6 parle du type de données abstrait « dictionnaire » (initialisé avec les opérations *insert, delete,* et *lookup*), qui est un concept introduit au paragraphe 5.8 en relation avec les arbres binaires de recherche.

5. *Les ensembles et les relations.* Les structures de données pour les ensembles et les relations sont développées aux paragraphes 7.2 à 7.9, et 8.2 à 8.6.

6. *Les algorithmes sur les graphes*, abordés aux paragraphes 9.2 à 9.9.

Un cours de mathématiques discrètes sur un semestre

Pour un cours d'un semestre essentiellement porté sur les bases des mathématiques, l'enseignant pourra aborder :

1. *La récurrence mathématique et les programmes récursif* au chapitre 2.

2. *L'analyse grand O, le temps d'exécution, et les relations de récurrence* aux paragraphes 3.4 à 3.11.

3. *Les aspects mathématiques des arbres* aux paragraphes 5.2 à 5.6.

4. *Les aspects mathématiques des ensembles* aux paragraphes 7.2, 7.3, 7.7, 7.10, et 7.11.

5. *L'algèbre des relations* aux paragraphes 8.2, 8.7, et 8.9.

6. *Les algorithmes sur les graphes et la théorie des graphes* au chapitre 9.

7. *Les automates et les expressions régulières* au chapitre 10.

8. *Les grammaires non-contextuelles* aux paragraphes 11.2 à 11.4.

9. *La logique propositionnelle et la logique des prédicats* respectivement aux chapitres 12 et 14.

Les caractéristiques de ce livre

Pour aider les étudiants à assimiler les choses importantes, nous avons ajouté les supports suivants :

1. Chaque chapitre commence par un paragraphe donnant un aperçu général, et se termine par un résumé, soulignant les points importants.

2. Les concepts et définitions importants sont imprimés en caractères gras italiques.

3. Les « encadrés » sont séparés du texte par des doubles barres. Ces courtes annotations servent plusieurs objectifs :

    ✦ Certaines permettent d'approfondir certains points du texte, ou de détailler certains aspects d'un programme ou d'un algorithme.

    ✦ D'autres permettent de résumer ou de mettre en valeur des aspects du texte voisin.

    ✦ Quelques-unes sont utilisées pour donner des exemples d'arguments *fallacieux*, et nous espérons que cette séparation d'avec le texte permettra d'éviter efficacement les confusions.

    ✦ D'autres encore donnent de brèves introductions à des thèmes importants, comme l'indécidabilité, ou l'histoire des ordinateurs, que nous aurions aimé traiter dans un paragraphe entier.

4. La plupart des paragraphes se terminent par des exercices. En tout, plus de 600 exercices sont disséminés dans tout le livre. Parmi ceux-ci, environ 30% sont marqués d'une étoile, indiquant qu'ils demandent plus de réflexion que les autres. Encore 10% environ se voient attribuer une double étoile, indiquant que ce sont les plus difficiles.

5. Les chapitres se terminent par des notes bibliographiques. Nous n'avons pas essayé d'être exhaustifs, mais de donner des suggestions pour des textes plus complets sur le sujet du chapitre, et de mentionner les articles s'y rapportant ayant la plus grande importance historique.

La couverture

Les ouvrages américains d'informatique ont traditionnellement sur leur couverture un dessin qui symbolise le contenu du livre. Ici, nous avons utilisé le mythe de la carapace de tortue représentant le monde, mais notre monde est peuplé par les figures emblématiques d'autres ouvrages plus avancés de l'informatique, que ce livre est censé soutenir. Ce sont :

L'ours en peluche : R. Sethi, *Programming Languages: Concepts and Constructs*, Addison Wesley, Reading, Mass., 1989.

Le joueur de base-ball : J. D. Ullman, *Principles of Database and Knowledge-Base Systems*, Computer Science Press, New York, 1988.

La colonne : J. L. Hennessy et D. A. Patterson, *Computer Architecture: a Quantitative Approach*, Morgan-Kaufmann, San Mateo, Calif., 1990.

Le dragon : A. V. Aho, R. Sethi, et J. D. Ullman, *Compilateurs. Principes, techniques, et outils*, InterEditions, Paris, 1989.

Le tricératops : J. L. Peterson et A. Silberschatz, *Operating systems Concepts*, deuxième édition, Addison Wesley, Reading, Mass, 1985.

Remerciements

Nous sommes profondément reconnaissants à tous nos collègues et étudiants qui ont lu cet ouvrage et nous ont donné des suggestions utiles pour en améliorer la présentation. Nous sommes particulièrement redevables à Brian Kernighan, Don Knuth, Apostolos Lerios, et Bob Martin, qui ont lu le manuscrit de manière approfondie et nous ont fourni de nombreux commentaires perspicaces. Nous avons reçu, et nous les en remercions vivement, des rapports de cours testés à partir des notes de ce livre, de la part de Michael Anderson, Margaret Johnson, Udi Manber, Joseph Naor, Prabhakar Ragde, Rocky Ross, et Shuky Sagiv.

Nous tenons également à remercier Susan Aho, Michael Anderson, Lonnie Eldridge, Steve Friedland, Christopher Fuselier, Mike Genstil, Paul Grubb III, Hakan Jakobson, Arthur Keller, James Kuffner Jr., Steve Lindell, Richard Long, Hugh McGuire, Monnia Oropeza, Stuart Reges, Steve Swenson, Sanjai Tiwari, Eric Traut, et Lynzi Ziegenhagen pour leurs suggestions très utiles. Par ailleurs, nous voudrions remercier les nombreux responsables d'édition dont les commentaires et les corrections nous ont été transmis.

Les personnes suivantes ont droit à nos remerciements pour avoir relevé les erreurs contenues dans l'édition originale de ce livre : Michael Anderson, Aaron Edsinger, Barry Hayes, John Hwang, Dean Kelley, Mark MacDonald, Alan Morgan, Rodrigo Philander, Andrew Quan, et Keith Swanson.

Bon nombre de figures reproduites dans ce livre sont dues à Peter Ullman. Nous sommes reconnaissants à Dan Clayton, Anthony Dayao, Nat Howard, et Ron Underwood pour leur aide concernant les fontes TEX, et à Hester Glynn pour son aide concernant le manuscrit.

Enfin, nous remercions la Fondation AT&T, Digital Equipment Corp., et IBM Corp., pour le matériel donné à l'Université de Stanford, qui a facilité la préparation de ce manuscrit.

A. V. A.
Chatham, NJ

J. D. U.
Stanford, CA

Décembre 1991

CHAPITRE 1

L'informatique :
la mécanisation
de l'abstraction

Bien qu'elle soit une science nouvelle, l'informatique a déjà fait son entrée dans pratiquement tous les domaines de notre vie quotidienne. Son impact sur la société se manifeste par la multiplication des ordinateurs, des systèmes d'information, des éditeurs de textes, des tableurs et de toutes ces applications étonnantes qui ont été développées afin de rendre les ordinateurs plus productifs et plus faciles à utiliser. Un aspect important de l'informatique est la manière de rendre la programmation plus facile et les logiciels plus fiables. Mais l'informatique est avant tout une science de l'*abstraction* — il s'agit de créer le bon modèle pour un problème et d'imaginer les bonnes techniques automatisables et appropriées pour le résoudre.

Toutes les autres sciences considèrent l'univers tel qu'il est. Par exemple, le travail d'un physicien est de comprendre comment fonctionne le monde et non pas d'inventer un monde dans lequel les lois de la physique seraient plus simples et auxquelles il serait plus agréable de se conformer. A l'opposé, les informaticiens doivent créer des abstractions des problèmes du monde réel qui pourraient être représentées et manipulées dans un ordinateur.

Parfois, le processus conduisant à l'abstraction est simple. Par exemple, nous pouvons très bien modéliser le comportement de circuits électroniques utilisés pour fabriquer des ordinateurs par une abstraction appelée « logique des propositions ». La modélisation des circuits par des expressions logiques n'est pas exacte ; elle simplifie, ou néglige nombre de détails — comme le temps mis par les électrons pour traverser des circuits et des portes. Néanmoins, le modèle de logique des propositions est suffisamment satisfaisant pour nous permettre de bien concevoir des circuits d'ordinateurs. Nous parlerons davantage de la logique des propositions au chapitre 12.

Autre exemple : supposons que nous soyons confrontés au problème de l'établissement du **planning des examens** de fin d'enseignement. Cela signifie que nous devons allouer des créneaux horaires aux examens de manière que deux cours puissent se voir allouer un même créneau horaire seulement s'il n'y a pas un étudiant participant aux deux. Au premier abord, la façon de modéliser ce problème peut ne pas apparaître

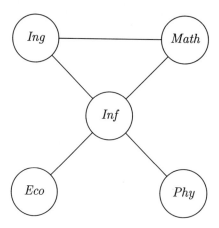

Figure 1.1 : Graphe de conflits pour cinq cours. Un arc entre deux cours indique qu'il y a au moins un étudiant qui suit les deux.

évidente. Une approche est de dessiner un cercle, appelé un *nœud*, pour chaque cours et de dessiner une ligne, appelée un *arc*, reliant deux nœuds si les cours correspondants ont un étudiant en commun. La figure 1.1 propose un exemple de dessin pour cinq cours ; le dessin est appelé un *graphe de conflits de cours*.

Etant donné le graphe de conflits de cours, nous pouvons résoudre le problème de l'établissement du planning des examens en répétant la séquence « trouver et enlever du graphe les ensembles indépendants et maximaux ». Un ensemble indépendant est une collection de nœuds qui n'a pas d'arc les interconnectant. Un **ensemble indépendant maximal** est une collection de nœuds à laquelle on ne peut pas ajouter un autre nœud du graphe sans inclure un arc entre deux nœuds de la collection. En terme de cours, un ensemble indépendant maximal est n'importe quel ensemble maximal de cours n'ayant pas d'étudiant en commun. Dans la figure 1.1, *Eco, Ing, Phy* est un exemple d'ensemble indépendant maximal. Le premier créneau horaire est alloué à l'ensemble des cours correspondant à l'ensemble maximal indépendant sélectionné.

Nous enlevons du graphe les nœuds du premier ensemble indépendant maximal ainsi que tous les arcs qui s'y rattachent ; nous trouvons ensuite un ensemble indépendant maximal parmi les cours restants. Un choix possible pour le prochain ensemble indépendant maximal est l'ensemble singleton *Inf*. Le second créneau horaire est alloué au cours de cet ensemble indépendant maximal.

Nous répétons le processus consistant à trouver et enlever les ensembles indépendants maximaux jusqu'à ce qu'il n'y ait plus de nœud dans le graphe de conflits de cours. A ce moment, tous les cours seront affectés à des créneaux horaires. Dans notre exemple, après deux itérations, le seul nœud restant dans le graphe de conflits de cours est *Math* ; il forme l'ensemble indépendant maximal final et le troisième créneau horaire lui est alloué.

Ne soyez pas effrayé par le terme « abstraction »

Le lecteur peut être effrayé lorsqu'on lui parle d'« abstraction »; en effet, nous avons tous à l'idée que les choses abstraites sont difficiles à comprendre; par exemple, l'algèbre abstraite (l'étude des groupes, des anneaux, etc.) est plus difficile que l'algèbre apprise au collège. Cependant, l'abstraction au sens où nous l'utilisons implique souvent simplification, le remplacement d'une situation complexe et détaillée du monde réel par un modèle compréhensible grâce auquel nous pouvons résoudre un problème. Cela signifie que nous faisons abstraction des détails dont l'impact sur la solution à un problème est minimal ou inexistant, créant par là un modèle qui nous permet de nous consacrer à l'essence du problème.

Le planning des examens qui en résulte est alors

Créneau horaire	Examens
1	*Eco, Ing, Phy*
2	*Inf*
3	*Math*

Cet algorithme ne répartit pas nécessairement les cours sur le plus petit nombre possible de créneaux horaires, mais il est simple et tend à produire un planning proche du plus petit nombre de créneaux horaires. C'est aussi un algorithme qui peut être facilement programmé en utilisant les techniques présentées au chapitre 9.

Notons que cette approche fait abstraction de quelques détails du problème qui peuvent être importants. Par exemple, elle pourrait conduire à ce qu'un étudiant ait cinq examens dans cinq créneaux horaires consécutifs. Nous pourrions créer un modèle incluant des bornes sur le nombre d'examens pouvant être suivi d'affilée par un étudiant, mais le modèle et la solution au problème du planning des examens seraient plus compliqués.

Trouver une bonne abstraction peut souvent être assez difficile parce que nous sommes tenus de confronter les restrictions fondamentales sur les tâches que peuvent accomplir les ordinateurs avec la vitesse à laquelle ils peuvent les accomplir. Aux premiers jours de l'informatique, quelques optimistes croyaient que les robots allaient rapidement acquérir les capacités et les facilités d'adaptation prodigieuses du robot C3PO de la *« guerre des étoiles »*. Depuis lors, nous avons appris qu'avant d'obtenir un comportement « intelligent » de la part d'un ordinateur (ou robot), il fallait lui inculquer un modèle du monde qui était pour l'essentiel aussi détaillé que celui perçu par les hommes, incluant non seulement des faits (« le numéro de téléphone de Sally est le 555-1234 »), mais aussi des principes et des relations (« Si vous lâchez quelque chose, ce quelque chose tombe généralement par terre »).

Nous avons fait beaucoup de progrès sur ce problème de la **« représentation des connaissances »**. Nous avons imaginé des abstractions pouvant être utilisées pour fa-

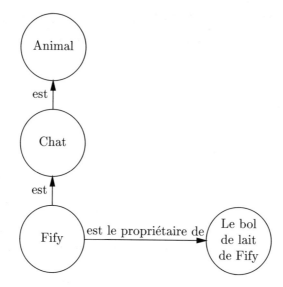

Figure 1.2 : Un graphe représentant ce que l'on sait de Fify.

ciliter la construction de programmes établissant une certaine forme de raisonnement. Un exemple d'une telle abstraction est le graphe orienté, dans lequel les nœuds représentent des entités (« l'espèce des chats » ou « Fify ») et les flèches (appelées *arcs*) partant d'un nœud vers un autre représentent des relations (« Fify est un chat, » « les chats sont des animaux, » « Fify est le propriétaire du bol de lait de Fify ») ; la figure 1.2 représente un tel graphe.

Une autre abstraction utile est la logique formelle qui nous permet de manipuler des faits en appliquant des règles d'inférence telles que « si X est un chat et Y est la mère de X, alors Y est un chat. » Néammoins, le progrès dans la modélisation, ou l'abstraction, du monde réel ou de ses principaux composants reste un défi majeur de l'informatique qui a peu de chance d'être totalement relevé dans un futur proche.

1.1   Le propos de ce livre

Ce livre présentera au lecteur, qui devra avoir une connaissance pratique du langage de programmation Pascal, les sujets et thèmes principaux de l'informatique. Ce livre met l'accent sur trois outils importants permettant de résoudre des problèmes :

1.   Les *modèles de données*, les abstractions utilisées pour décrire les problèmes. Nous avons déja évoqué deux modèles : la logique et les graphes. Nous en rencontrerons beaucoup d'autres tout au long de ce livre.

2.   Les *structures de données*, les constructions des langages de programmation utilisées pour représenter des modèles de données. Par exemple, Pascal fournit des abstractions toutes faites comme les tableaux, les structures d'enregistrement et les pointeurs, qui nous permettent de construire des structures de données pour représenter des abstractions plus complexes comme les graphes.

3. Les *algorithmes*, les techniques utilisées pour obtenir des solutions en manipulant les modèles de données ou les structures de données associées.

Modèles de données

Nous rencontrons des modèles de données dans deux contextes. Les modèles de données, tels que les graphes discutés en introduction de ce chapitre, sont des abstractions fréquemment utilisées pour formuler des problèmes. Nous verrons plusieurs modèles de données dans ce livre : les arbres au chapitre 5, les listes au chapitre 6, les ensembles au chapitre 7, les relations au chapitre 8, les graphes au chapitre 9, les automates à états finis au chapitre 10, les grammaires au chapitre 11 et la logique aux chapitres 12 et 14.

Les modèles de données sont aussi associés à des langages de programmation et aux ordinateurs. Par exemple, Pascal a un modèle de données qui inclut des abstractions telles que les entiers et les nombres réels (à cause de la précision limitée disponible sur les ordinateurs, aucune d'entre elles ne se comporte exactement comme son équivalent mathématique). Le modèle de données de Pascal inclut aussi des procédures, des tableaux, des structures d'enregistrement et bien d'autres concepts. Nous discuterons plus en détail du modèle de données de Pascal dans le paragraphe 1.4. Le chapitre 4 est consacré aux modèles de données associés à un ordinateur classique. Nous verrons en quoi le modèle de données de Pascal est une extension naturelle du modèle de données d'un ordinateur classique.

Structures de données

Lorsque le modèle de données d'un langage utilisé pour écrire un programme est insuffisant pour représenter les problèmes auxquels nous sommes confrontés, nous devons en imaginer de nouveaux modèles conçus à partir de ceux supportés par le langage. Dans ce but, nous étudions les *structures de données* qui sont des méthodes pour représenter des abstractions dans le modèle de données du langage que celui-ci ne supporte pas explicitement. Les langages de programmation peuvent proposer des modèles de données fort disparates. Lisp par exemple, à la différence de Pascal, supporte les arbres et Prolog met à notre disposition tout un arsenal logique.

Algorithmes

Un *algorithme* est une spécification précise et non ambiguë d'une séquence d'étapes pouvant être exécutées de façon automatique. La notation utilisée pour exprimer un algorithme peut être n'importe quel langage suffisamment répandu ; cependant, en informatique les algorithmes sont la plupart du temps exprimés de manière formelle en tant que programmes dans un langage de programmation, ou dans un style informel, par une séquence de constructions d'un langage de programmation mélangées avec des phrases en langue anglaise. Vous avez très probablement déja rencontré plusieurs algorithmes importants durant votre apprentissage de la programmation. Il y a par exemple quantité d'algorithmes pour *trier* les éléments d'un tableau, c'est-à-dire pour placer les plus petits éléments en tête. Il existe des algorithmes de recherche ingénieux comme la recherche *dichotomique*, qui trouve rapidement un élément donné dans un tableau trié en répétant plusieurs fois la division par moitié de la portion du tableau dans laquelle l'élément pourrait se trouver.

Ces algorithmes, ainsi que bien des « astuces » de résolution de problèmes couramment rencontrés, font partie des outils que l'informaticien utilise lorsqu'il conçoit des programmes. Dans ce livre, nous étudions de telles techniques ; elles incluent les méthodes essentielles de tri et de recherche. De plus, nous apprendrons ce qui fait qu'un algorithme est meilleur qu'un autre. Souvent, le *temps d'exécution*, ou le temps pris par un algorithme, évalué en fonction de la quantité de ses données en entrée, détermine sa « qualité » ; nous discutons du temps d'exécution au chapitre 3.

D'autres aspects des algorithmes sont importants, particulièrement leur simplicité. Idéalement, un algorithme doit être facile à comprendre et facile à transformer en programme opérationnel. Ainsi, le programme résultant doit être compréhensible par une personne lisant le code qui réalise l'algorithme. Malheureusement, nos vœux d'un algorithme rapide et simple sont souvent contradictoires et nous devons choisir judicieusement notre algorithme.

Notions sous-jacentes

Au fur et à mesure que nous progresserons dans ce livre, nous rencontrerons souvent et systématiquement les mêmes principes. Nous attirons l'attention du lecteur sur deux d'entre eux :

1. Les *algèbres de conception*. Dans certains domaines où les modèles sous-jacents sont bien connus, nous pouvons développer des notations grâce auxquelles les alternatives de conception peuvent être exprimées et évaluées. Grâce à cette compréhension, nous pouvons développer une théorie de la conception avec laquelle des systèmes ingénieux peuvent être construits. La logique des propositions, avec la notation associée appelée *algèbre booléenne* que nous rencontrerons au chapitre 12, est un bon exemple de ce type d'algèbre de conception. Grâce à elle, nous pouvons concevoir des circuits efficaces pour des sous-systèmes tels que ceux rencontrés dans les ordinateurs numériques. D'autres exemples d'algèbres trouvés dans ce livre sont l'algèbre des ensembles au chapitre 7, l'algèbre des relations au chapitre 8 et l'algèbre des expressions régulières au chapitre 10.

2. La *récursivité* est une technique tellement utile pour définir des concepts et résoudre des problèmes qu'il convient de lui consacrer une attention toute particulière. Nous discuterons en détail de la récursivité au chapitre 2 et nous l'utiliserons tout au long de ce livre. Chaque fois que nous aurons à définir précisément un objet ou à résoudre un problème, nous devrons constamment nous demander, « à quoi ressemble la solution récursive ? » Cette solution offre fréquemment des propriétés de simplicité et d'efficacité qui en font la méthode appropriée.

1.2   Le propos de ce chapitre

Le reste de ce chapitre met en scène l'étude de l'informatique. Les concepts essentiels étudiés sont :

+ les modèles de données (paragraphe 1.3),

+ le modèle de données du langage de programmation Pascal (paragraphe 1.4),

+ les principales étapes du processus de création d'un logiciel (paragraphe 1.5).

Nous donnerons différents exemples de mise en œuvre de l'abstraction et de la modélisation dans les systèmes informatiques. En particulier, nous évoquerons les modèles rencontrés dans les langages de programmation, dans certains types de programmes tels que les systèmes d'exploitation, et dans les circuits constituant les ordinateurs. Le logiciel étant un composant indissociable des systèmes informatiques actuels, son processus de création, les rôles des modèles et algorithmes et les mécanismes de conception doivent être parfaitement compris.

1.3 Les modèles de données

N'importe quel concept mathématique peut être qualifié de modèle de données. En informatique, un modèle de données comporte habituellement deux aspects :

1. Les valeurs pouvant être attribuées aux objets. Par exemple, bon nombre de modèles de données contiennent des objets qui ont des valeurs entières. Cet aspect du modèle de données est *statique* ; il nous informe sur les valeurs que peuvent prendre les objets.

2. Les opérations sur les données. Par exemple, nous appliquons habituellement aux entiers des opérations telles que l'addition. Cet aspect du modèle est *dynamique* ; il nous informe sur les moyens mis à notre disposition pour changer des valeurs et pour créer de nouvelles valeurs.

Nous avons évoqué le modèle de données de Pascal qui contient des entiers, des nombres réels, des caractères, des tableaux, des enregistrements et des pointeurs ainsi que bien d'autres concepts. Ces notions constituent l'aspect statique du langage. Les opérations autorisées sur les données comprennent les opérations arithmétiques habituelles sur les entiers et les nombres réels, les opérations permettant d'accéder aux éléments des tableaux ou des structures d'enregistrement, et l'*action de déréférencer* un pointeur, qui consiste à trouver l'élément pointé par un pointeur. Ces opérations font partie de l'aspect dynamique du modèle de données de Pascal.

Dans un cours sur la programmation, on étudierait des modèles de données importants qui ne font pas partie de Pascal comme les listes, les arbres et les graphes. En termes mathématiques, une **liste** est une séquence de n éléments, que nous pourrions écrire $(a_1, a_2, \ldots, a_n)$, où a_1 est le premier élément, a_2 le second et ainsi de suite. Les opérations sur les listes comprennent l'insertion de nouveaux éléments, la destruction d'éléments, et la *concaténation* de listes (c'est-à-dire, ajouter une liste à la fin d'une autre).

+ **Exemple 1.1.** En Pascal, le modèle de données liste peut être représenté par une structure de données appelée une *liste chaînée* dans laquelle les éléments de la liste peuvent être stockés dans des enregistrements de la forme

Modèles de données contre structures de données

Malgré leur appellation voisine, une « liste » et une « liste chaînée » sont des concepts très différents. Une liste est une abstraction mathématique ou un modèle de données. Une liste chaînée est une structure de données. En particulier, c'est la structure de données que nous utilisons habituellement en Pascal et dans d'autres langages similaires pour représenter les listes abstraites dans les programmes. Il existe d'autres langages pour lesquels il n'est pas nécessaire d'utiliser une structure de données pour représenter des listes abstraites. Par exemple, la liste $(a_1, a_2, \ldots, a_n)$ peut être représentée directement dans le langage Lisp, et d'une façon similaire dans le langage Prolog par $[a_1, a_2, \ldots, a_n]$.

```
type CELL = record
    element: ETYPE;
    next: LIST
end
```

à condition d'avoir défini au préalable

```
type LIST = ^CELL
```

Ici, chaque enregistrement contient deux champs. Le premier est `element` qui prend la valeur d'un élément de la liste et qui est du type de ces éléments. Dans la déclaration de `CELL`, nous avons précisé que ce type est un `ETYPE`, qui peut être un type spécifique défini par l'utilisateur ou encore un `integer`, un `real` ou tout autre type de Pascal. Le second champ de chaque enregistrement `CELL` est `next` de type `LIST`, qui est un pointeur vers un autre enregistrement de type `CELL`. Ainsi, les enregistrements de type `CELL` peuvent être chaînés entre eux par leurs champs `next` pour former ce que nous considérons habituellement comme une liste chaînée (voir la figure 1.3). Les cellules sont représentées par des rectangles, la partie gauche étant l'élément et la partie droite détenant le pointeur, représenté par une flèche vers la cellule pointée. Un point dans la boîte détenant le pointeur signifie que le pointeur est `NIL`. Les listes seront étudiées plus en détail au chapitre 6. ✦

Figure 1.3 : Une liste chaînée représentant la liste $(a_1, a_2, \ldots, a_n)$.

Les modèles de données d'un logiciel système

Les modèles de données ne se trouvent pas uniquement dans les langages de programmation mais aussi dans les **systèmes d'exploitation** et les applications. Vous êtes

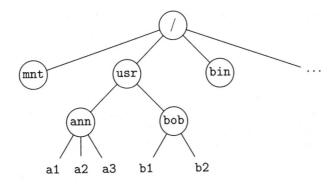

Figure 1.4 : Une structure répertoire/fichier classique dans UNIX.

probablement familier d'un système d'exploitation tel que UNIX ou MS-DOS[1]. La fonction d'un système d'exploitation est de gérer et d'organiser le partage des ressources d'un ordinateur. Le modèle de données d'un système d'exploitation comme UNIX comprend des concepts tels que les fichiers, les répertoires et les processus.

1. Les données elles-mêmes sont stockées dans des **fichiers** qui dans UNIX, sont des chaînes de caractères.

2. Les fichiers sont classés dans des **répertoires** qui sont des collections de fichiers et/ou d'autres répertoires. Les répertoires et les fichiers forment un arbre dont les feuilles sont des fichiers[2]. La figure 1.4 est un exemple d'arbre qui pourrait représenter la structure hiérarchique d'un système d'exploitation UNIX classique. Les répertoires sont représentés par des cercles. Le répertoire racine / contient des répertoires appelés `mnt`, `usr`, `bin` et ainsi de suite. Le répertoire `/usr` contient les répertoires **ann** et **bob** ; le répertoire **ann** contient trois fichiers : a1, a2 et a3.

3. Les **processus** sont des exécutions individuelles de programmes. Les processus prennent zéro ou plusieurs flots de données en entrée et produisent zéro ou plusieurs flots de données en sortie. Dans le système UNIX, les processus peuvent être combinés par des **tubes de communication**, où la sortie d'un processus sert d'entrée du processus suivant. La composition résultante des processus peut être vue comme un simple processus avec ses propres entrées et sorties.

✦ **Exemple 1.2.** Considérons la ligne de commande UNIX

```
bc | word | speak
```

---

[1] Si les systèmes d'exploitation ne vous sont pas familiers, vous pouvez passer les paragraphes suivants. Cependant, la plupart des lecteurs ont probablement rencontré un système d'exploitation, peut-être sous un autre nom. Bien qu'une terminologie différente soit utilisée, « l'environnement » Macintosh, par exemple, est un système d'exploitation. Dans le vocabulaire du Macintosh, un répertoire devient un « dossier ».

[2] Des « liens » peuvent permettre qu'un fichier ou un répertoire apparaisse dans plusieurs répertoires différents.

Le symbole | indique un *tube de communication*, une opération qui définit la sortie du processus à la gauche de ce symbole comme l'entrée du processus à sa droite. Le programme `bc` est une calculatrice de bureau qui prend en entrée des expressions arithmétiques telles que $2 + 3$ et produit en sortie le résultat 5. Le programme `word` traduit des nombres en mots ; `speak` traduit les mots en séquences de phonèmes, qui sont ensuite retransmis par un haut-parleur après avoir été traités par un synthétiseur vocal. Le fait de connecter ensemble ces trois programmes par des tubes de communication transforme cette ligne de commande UNIX en un seul processus qui se comporte comme une calculatrice de bureau douée de parole. Il prend en entrée des expressions arithmétiques typées et produit en sortie des réponses vocales. Cet exemple montre ainsi qu'une tâche complexe peut être plus facilement réalisée par une composition de plusieurs fonctions simples. ✦

Un système d'exploitation offre beaucoup d'autres facettes, comme par exemple la gestion de la sécurité des données et l'interaction avec l'utilisateur. Cependant, même ces quelques observations devraient montrer que le modèle de données d'un système d'exploitation est très différent du modèle de données d'un langage de programmation.

On rencontre dans les **éditeurs de textes** un autre type de modèle de données. Tous les modèles de données des éditeurs de textes comprennent une notion de chaînes textuelles et d'opérations d'éditions sur le texte. Le modèle de données inclut habituellement la notion de *lignes*, qui, comme la plupart des fichiers, sont des chaînes de caractères. Cependant, à la différence des fichiers, les lignes ont des numéros associés. Les lignes peuvent aussi être organisées en des unités plus grandes comme des paragraphes ; par ailleurs, les opérations sur les lignes sont normalement applicables n'importe où dans la ligne — et non pas seulement au début, comme la plupart des opérations habituelles sur les fichiers. Un éditeur classique supporte la notion de ligne « courante » (là où est le curseur) et probablement une position courante dans la ligne. Les opérations effectuées par l'éditeur comprennent diverses modifications des lignes comme la destruction ou l'insertion de caractères dans la ligne, la destruction et la création de nouvelles lignes. Dans les éditeurs classiques, il est également possible de rechercher des caractéristiques, comme des chaînes de caractères spécifiques parmi les lignes du fichier en cours d'édition.

En fait, l'examen de n'importe quel logiciel, tableur ou jeu vidéo, permet de dégager un schéma directeur. Tout programme conçu pour être utilisé par d'autres programmes possède son propre modèle de données que l'utilisateur doit respecter. Nous rencontrons souvent des modèles de données radicalement différents du point de vue des primitives utilisées dans la représentation des données, et également du point de vue des opérations possibles associées à ces données. Et pourtant, chacun de ces modèles de données est réalisé grâce à des structures de données et aux programmes qui les utilisent, dans un langage de programmation particulier.

Le modèle de données des circuits

Nous rencontrerons aussi dans ce livre, un modèle de données pour les circuits des ordinateurs. Ce modèle, appelé *logique des propositions*, est souvent utile dans la conception des ordinateurs. Les ordinateurs sont constitués de composants élémentaires, appelés des *portes*. Chaque porte a une ou plusieurs entrées et une sortie ; la valeur d'une entrée ou d'une sortie ne peut être que 0 ou 1. Une porte accomplit une fonction simple telle que ET, où la sortie est 1 si toutes les entrées sont à 1 et la sortie est 0 si une entrée ou plus est à 0. A un certain niveau d'abstraction, la conception d'un ordinateur revient à décider de la connexion de ces portes de manière à réaliser les opérations élémentaires d'un ordinateur. Il existe aussi bien d'autres niveaux d'abstraction associés à la conception d'un ordinateur.

Figure 1.5 : Une porte ET et sa table de vérité.

La figure 1.5 représente le symbole habituel pour une porte ET, ainsi que sa *table de vérité*, qui indique la valeur de sortie de la porte pour chaque paire de valeurs en entrée [3]. Nous discuterons des tables de vérité au chapitre 12, des portes et de leurs interconnexions au chapitre 13.

◆ **Exemple 1.3.** Pour exécuter l'instruction d'affectation a:= b+c de Pascal, un ordinateur effectue l'addition avec un circuit *additionneur*. Dans l'ordinateur, tous les nombres sont représentés avec une notation binaire en utilisant les deux chiffres 0 et 1 (appelés *chiffres binaires*, ou **bits** pour simplifier). L'algorithme le plus connu pour additionner des nombres décimaux, qui consiste à additionner les digits de droite, à reporter la retenue à la place immédiatement à gauche et à additionner cette retenue et les digits en place, à générer une retenue à la place immédiatement à gauche, et ainsi de suite, fonctionne également en binaire.

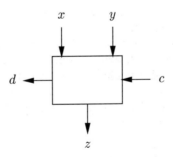

Figure 1.6 : Un additionneur un-bit ; dz est la somme $x + y + c$.

---

[3] Notons que si nous considérons que 1 correspond à « vrai » et que 0 correspond à « faux » alors la porte ET accomplit la même opération logique que l'opérateur AND en Pascal.

Avec quelques portes, nous pouvons construire un circuit **additionneur un-bit** ; celui-ci est représenté par la figure 1.6. La somme de deux bits x et y d'entrée et d'un bit c de *retenue entrante* résulte en un bit z de *somme* et en un bit d de *retenue sortante*. Pour être précis, d est à 1 si deux ou plus des c, x et y sont à 1, tandis que z est à 1 si un nombre impair (un ou trois) de c, x et y sont à 1 ; cela est représenté par la table de la figure 1.7. Le bit de retenue sortante suivi du bit de somme — c'est-à-dire dz — forment un nombre binaire à deux bits qui est le nombre total de x, y et c qui sont à 1. En ce sens, l'additionneur un-bit additionne ses entrées.

x	y	c	d	z
0	0	0	0	0
0	0	1	0	1
0	1	0	0	1
0	1	1	1	0
1	0	0	0	1
1	0	1	1	0
1	1	0	1	0
1	1	1	1	1

Figure 1.7 : Table de vérité pour un additionneur un-bit.

De nombreux ordinateurs représentent les entiers avec des nombres de 32 bits. Un circuit additionneur peut alors être composé de 32 additionneurs un-bit, comme représenté par la figure 1.8. Ce circuit est souvent appelé un **additionneur avec propagation de retenue** parce que la retenue se propage bit par bit de la droite vers la gauche.

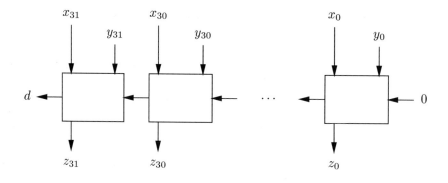

Figure 1.8 : Un additionneur avec propagation de retenue :
$$dz_{31}\, z_{30} \cdots z_0 = x_{31}x_{30} \cdots x_0 + y_{31}y_{30} \cdots y_0.$$

L'algorithme d'addition par propagation de la retenue

Nous avons tous utilisé l'algorithme par propagation de la retenue pour additionner les nombres décimaux. Par exemple, pour additionner $456 + 829$, nous accomplissons les étapes ci-dessous :

```
  1             0
4 5 6         4 5 6         4 5 6
8 2 9         8 2 9         8 2 9
-------       -------       -------
    5           8 5       1 2 8 5
```

Cela signifie qu'à la première étape, nous additionnons les chiffres les plus à droite, $6 + 9 = 15$. Nous écrivons 5 et propageons le 1 à la deuxième colonne. A la deuxième étape, nous additionnons la retenue entrante 1 et les deux chiffres à la deuxième place à partir de la droite, pour obtenir $1 + 5 + 2 = 8$. Nous écrivons 8 et la retenue est 0. A la troisième étape, nous additionnons la retenue entrante 0 et les chiffres à la troisième place à partir de la droite, pour obtenir $0 + 4 + 8 = 12$. Nous écrivons 2 mais puisque nous sommes à la place la plus à gauche, nous ne propageons pas 1 ; nous l'écrivons en tant que chiffre le plus à gauche de la réponse.

L'addition binaire par propagation de retenue fonctionne de la même manière. Cependant, à chaque place, la retenue et les « chiffres binaires » additionnés sont tous soit 0 soit 1. L'additionneur un-bit décrit ainsi complètement la table d'addition pour une seule place. Ceci signifie que si les trois bits sont 0, alors la somme est 0 et nous écrivons alors 0 et propageons 0. Si l'un des trois est 1, la somme est 1 ; nous écrivons 1 et propageons 0. Si deux des trois sont 1, la somme est 2, ou 10 en binaire, nous écrivons 0 et propageons 1. Si les trois sont 1, alors la somme est 3, ou 11 en binaire ; nous écrivons alors 1 et propageons 1. Par exemple, pour additionner 101 et 111 en utilisant l'addition binaire par propagation de retenue, les étapes sont :

```
  1             1
1 0 1         1 0 1         1 0 1
1 1 1         1 1 1         1 1 1
-------       -------       -------
    0           0 0       1 1 0 0
```

Remarquons que la retenue de l'additionneur un-bit le plus à droite (bit de poids faible) vaut toujours 0. La séquence des bits $x_{31}x_{30} \cdots x_0$ représente les bits du premier nombre additionné, et $y_{31}y_{30} \cdots y_0$ est le second opérande de l'addition. La somme est $dz_{31}z_{30} \cdots z_0$; ceci veut dire que le bit de tête est la retenue sortante de l'additionneur un-bit le plus à gauche, et les bits suivants de la somme sont, en partant de la gauche, les bits de somme des additionneurs.

Le circuit de la figure 1.8 est bien un algorithme dans le modèle de données des bits et des opérations élémentaires des portes. Cependant, ce n'est pas un algorithme particulièrement bon car nous ne pouvons pas calculer z_1 ou la retenue sortante de la deuxième place avant d'avoir calculé la retenue sortante de la place la plus à droite. Nous ne pouvons pas calculer z_2 ou la retenue sortante de la troisième place avant d'avoir calculé la retenue sortante de la deuxième place et ainsi de suite. Ainsi, le temps dépensé par l'algorithme est la longueur des nombres additionnés — 32 dans notre cas — multipliée par le temps nécessaire à un additionneur un-bit.

On pourrait penser que le besoin de propager la retenue d'un additionneur un-bit à l'autre est inhérent à la définition de l'addition. Nos lecteurs peuvent ainsi être surpris d'apprendre que les ordinateurs ont un moyen plus rapide pour additionner des nombres. Nous étudierons un tel algorithme amélioré pour l'addition au cours de la discussion sur la conception de circuits au chapitre 13. ✦

EXERCICES

1.3.1 : Expliquez la différence entre les aspects statiques et dynamiques d'un modèle de données.

1.3.2 : Décrivez le modèle de données de votre jeu vidéo favori. Distinguez les aspects statiques des aspects dynamiques du modèle de données. *Une indication* : les parties statiques ne sont pas seulement les parties du tableau de jeu qui ne bougent pas. Par exemple, dans PacMan, la partie statique inclut non seulement le labyrinthe mais aussi les « pilules d'énergie », les « monstres », et ainsi de suite.

1.3.3 : Décrivez le modèle de données de votre éditeur de texte favori.

1.3.4 : Décrivez le modèle de données d'un tableur.

1.4   Le modèle de données de Pascal

Dans ce paragraphe, nous résumons le modèle de données utilisé par le langage de programmation Pascal. Nous commençons par la partie statique du modèle, qui, dans un langage de programmation, est souvent appelé **système de types**, parce que l'aspect statique du modèle est en fait constitué des types que les données peuvent avoir. Nous étudions ensuite la dynamique du modèle de données de Pascal, c'est-à-dire des opérations pouvant être appliquées sur les données.

Le système de types de Pascal

Le principe de base qui régit le rapport entretenu par Pascal (et par la plupart des autres langages de programmation) avec les données est que tout programme accède à des « boîtes ». Chaque boîte a un type, comme `integer` ou le type `CELL` défini dans l'exemple 1.1. Dans une boîte, nous pouvons stocker n'importe quelle valeur du type approprié associé à cette boîte. Nous utiliserons souvent le terme **objets données**[4] pour désigner les valeurs pouvant être stockées dans des boîtes.

Nous pouvons aussi nommer les boîtes. En général, un **nom** pour une boîte est n'importe quelle expression qui décrit la boîte. Souvent, nous considérons que les variables d'un programme sont les noms des boîtes ; cela n'est pas tout à fait exact. Par exemple, si x est une variable locale à une procédure récursive P, alors il peut y avoir

---

[4]   Ndt : le terme « objet contenant des données » serait plus approprié ; nous préférerons cependant « objet données » afin de ne pas alourdir le texte.

plusieurs boîtes nommées **x**, chacune d'elle étant associée à un appel distinct à *P*. Le véritable nom d'une telle boîte est alors la combinaison de **x** avec l'appel distinct à *P*.

Prenons un autre exemple : la fonction prédéfinie **new** de Pascal peut être appliquée à une variable pointeur, disons **p**. Après que **new(p)** eut été exécutée, **p** pointe vers une nouvelle boîte du type approprié. Par exemple, si **p** est un pointeur vers des entiers, alors la boîte est du type **integer**. Le seul nom pour cette boîte est **p^**.

En Pascal, il y a un ensemble infini de types ; n'importe lequel d'entre eux peut être le type associé à une boîte spécifique. Ces types, et les règles suivant lesquelles ils sont construits, forment le *système de types de Pascal*. Le système de types contient des types élémentaires comme les entiers ainsi qu'une collection de règles de formation de types grâce auxquelles on peut progressivement construire des types plus complexes à partir des types déjà connus. Dans le paragraphe 2.6, nous discuterons des définitions récursives en général ; la définition du système de types de Pascal en est un exemple. Dans les définitions récursives, nous commençons par une *base* (ici, les types élémentaires de Pascal), et continuons avec une étape par *récurrence*, où nous appliquons, aussi souvent que nous le voulons, les règles de formation pour construire tous les objets qui nous intéressent.

LA BASE. En Pascal, les types élémentaires sont :

1. Les entiers.

2. Les nombres réels.

3. Les caractères.

4. Les booléens (**TRUE** et **FALSE**).

5. Les ensembles finis d'éléments, qui sont :

   a. soit des *types intervalles* d'entiers (**10..20**) ou de caractères (**'a'..'z'**) ;

   b. soit des *types énumérés*, comme

      ```
      (Joyeux, Timide, Grincheux, Prof, Atchoum,
      Simplet, Dormeur)
      ```

LA RÉCURRENCE. Les règles de formation des types supposent que nous ayons déjà quelques types, qui peuvent être des types élémentaires ou d'autres types que nous avons déjà construits en utilisant ces règles. La définition d'un type *T* peut aussi inclure directement ou indirectement l'utilisation de *T* lui-même. Par exemple, la définition de **CELL** dans le paragraphe 1.1 utilisait un champ du type **LIST**, avec **LIST = ^CELL**. En Pascal, nous créons de nouveaux types en utilisant les règles suivantes :

1. Les *types tableaux*. Nous pouvons former un tableau dont les éléments sont d'un type donné, disons *T*. Le tableau est indexé par un ensemble fini *I*, défini par la règle (5) ci-dessus. Ainsi,

   array [*I*] **of** *T*

est un type tableau. Par exemple, si notre type d'index est `1..100` et le type T pour les éléments du tableau est le type `CELL` discuté précédemment, alors

```
array [1..100] of CELL
```

est un type tableau.

2. Les *types structures d'enregistrement*. Nous pouvons former un enregistrement dont les champs sont de types arbitraires, élémentaires ou définis. Des champs différents peuvent avoir des types différents, mais chaque champ doit avoir des éléments d'un seul type. La règle pour former des structures d'enregistrement est : si $T_1, T_2, \ldots, T_n$ sont des types arbitraires et $F_1, F_2, \ldots, F_n$ sont des noms de champs alors

> **record**
> $\quad F_1 : T_1;$
> $\quad F_2 : T_2;$
> $\quad \ldots$
> $\quad F_n : T_n$
> **end**

définit un type avec n champs. Le $i$ème champ a le nom F_i et une valeur de type T_i, pour $i = 1, 2, \ldots, n$.

3. Les *types pointeurs*. Si T est un type quelconque, alors $\hat{\ }T$ représente le type « pointeur vers un objet de type T ». Notons que si `p` nomme une boîte de type $\hat{\ }T$, alors la valeur contenue dans la boîte `p` est, non pas un objet du type T lui-même, mais un pointeur, souvent représenté par une flèche. Quand nous étudierons l'architecture d'un ordinateur au chapitre 4, nous verrons que ce qui apparaît dans la boîte nommée `p` est l'adresse ou l'emplacement auquel un certain objet de type T est stocké dans l'ordinateur. La figure 1.9 illustre la représentation traditionnelle d'une variable dont la valeur est un pointeur.

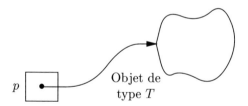

p Objet de
       type T

Figure 1.9 : La variable p est du type $\hat{\ }T$.

4. Les *types fichiers*. Si T est un type quelconque, alors `file of` T définit un type qui est un fichier d'objets de type T.

5. Les *types ensembles*. Si T est un type qui décrit un « petit » ensemble d'éléments, comme un type intervalle avec un intervalle suffisamment petit (la limite réelle sur l'intervalle dépend du compilateur Pascal utilisé), alors `set of` T définit un type qui est un ensemble d'objets de type T.

✦ **Exemple 1.4.** Considérons les quatre définitions de types de la figure 1.10. Selon la représentation traditionnelle des données en Pascal, un objet du type `TYPE1` est un tableau avec 10 emplacements dont chacun contient un entier ; cela est représenté par la figure 1.12(a). De même, comme cela est montré à la figure 1.12(b), les objets de type `TYPE2` sont des pointeurs vers de tels tableaux. Les objets enregistrements, comme ceux de `TYPE3`, sont visualisés dans la figure 1.12(c), avec un emplacement pour chaque champ ; notons que le nom du champ (par exemple `field1`) n'apparaît pas vraiment avec la valeur du champ. Enfin, les objets de `TYPE4` ont 5 emplacements ; chacun d'eux contient un objet de `TYPE3`, une structure représentée dans la figure 1.12(d). ✦

```
TYPE1 = array [1..10] of integer;

TYPE2 = ^TYPE1;

TYPE3 = record
    field1: integer;
    field2: TYPE2
end;

TYPE4 = array [0..4] of TYPE3;
```

Figure 1.10 : Quelques déclarations de types en Pascal.

✦ **Exemple 1.5.** L'exemple 1.4 est classique de ce que nous pouvons construire comme objets d'un type donné pourvu que ce dernier ne soit pas défini en fonction de lui-même. Si un type est défini en fonction de lui-même, les objets de ce type peuvent quand même avoir une signification. Un bon exemple est la liste chaînée définie dans l'exemple 1.1 et représentée par la figure 1.3 (une liste chaînée classique terminée par un pointeur `NIL`). Techniquement parlant, et comme cela est suggéré par la figure 1.11, les objets du type `CELL` de cet exemple peuvent aussi pointer sur eux-mêmes ; dans la pratique, nous essayerons cependant de ne pas utiliser de telles structures. ✦

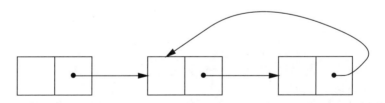

Figure 1.11 : Une liste chaînée ne se terminant pas par `NIL`.

Procédures et fonctions

Les procédures ont aussi des types associés, même si nous ne leur associons pas de boîtes ou de « valeurs » comme nous le faisons avec les variables des programmes. Pour n'importe quelle liste de types $T_1, T_2, \ldots, T_n$, nous pouvons définir une procédure avec

n paramètres correspondant respectivement à ces types. Cette liste de types est le « type » de la procédure. Une procédure peut aussi renvoyer une valeur, auquel cas nous qualifions la procédure de fonction [5]. Le type d'une fonction est la liste des types de ses arguments, suivie par le type de la valeur retournée (qui est appelée la **valeur de retour**).

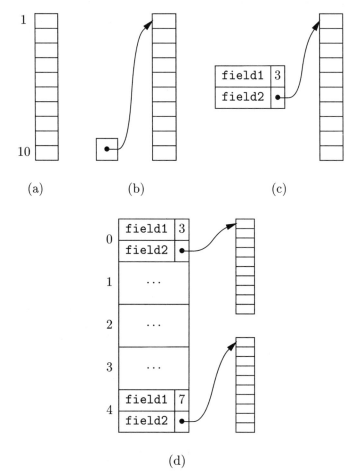

Figure 1.12 : Représentation des déclarations de types de la figure 1.10.

Il y a quelques contraintes sur la façon dont on peut construire des types à partir d'autres types. En général, nous pouvons construire des types en appliquant arbitrairement les règles de construction de types. Cependant, comme nous l'avons souligné, le constructeur de types ensembles, règle (5) (page 16), ne peut être appliqué qu'à une classe restreinte de types. Il est également normal que l'on ne puisse pas utiliser des

---

[5] Par la suite, nous utiliserons souvent le terme « procédure » en lieu et place de « procédure ou fonction ».

Types, noms, variables et identificateurs

Les termes associés aux objets données ont des significations différentes mais sont souvent confondus. Premièrement, un type décrit la « forme » des objets données ; dans ce paragraphe, nous avons présenté le système de types de Pascal, ou plutôt une collection de types possibles, mais d'autres langages de programmation peuvent avoir d'autres systèmes de types. En Pascal, les types sont définis en utilisant le mot clé `type`, comme dans :

```
type T = <descripteur de type>
```

Le *descripteur de type* est une expression qui nous donne la forme des objets du type T, comme `array [1..10] of ^integer`, qui est un tableau de 10 pointeurs vers des entiers.

Une définition de type pour le type T ne crée pas d'objets de ce type. Un objet du type T est créé par une déclaration de la forme

```
var x: T;
```

Ici, `x` est un *identificateur*, ou un « nom de variable », associé avec une procédure P (cas particulier, P peut être tout le programme). Quand P est appelé, une boîte est créée ; son nom est « le `x` associé avec cet appel à P ». Rappelons qu'un « nom » est n'importe quelle expression pouvant être utilisée pour référencer la boîte. Comme mentionné dans le texte, puisque P peut être récursif, il peut y avoir plusieurs boîtes dont le nom comprend l'identificateur `x`. Il peut même y avoir d'autres procédures qui utilisent aussi l'identificateur `x` pour nommer une de leurs variables. De plus, les noms sont souvent plus généraux que les identificateurs ; il peut en effet y avoir beaucoup d'autres sortes d'expressions utilisées pour nommer des boîtes. Nous avons mentionné que `p^` pourrait être le nom d'un objet pointé par un pointeur `p` ; d'autres noms sont des expressions complexes comme `p^.f[2]`. La dernière expression référence le deuxième élément du tableau du champ `f` d'un enregistrement pointé par le pointeur `p`.

types fichiers, construits selon la règle (4) (page 16), et des types procédures ou fonctions, comme nous venons de les décrire, pour construire des types plus complexes. Cela signifie que nous ne pouvons pas construire, par exemple, un « tableau de procédures ».

Opérations dans le modèle de données de Pascal

Dans le modèle de données de Pascal, les opérations sur les données peuvent être divisées en trois catégories :

1. Les opérations qui créent, détruisent ou modifient un objet données.

2. Les opérations qui accèdent à des parties d'un objet données.

3. Les opérations qui combinent les valeurs des objets données pour former une nouvelle valeur pour un objet données.

La création de données en Pascal

Pascal fournit deux mécanismes pour la création de données. Quand une procédure ou une fonction est appelée, des boîtes sont créées pour chacune des variables locales et paramètres ; elles contiennent les nouveaux objets données. Initialement, seuls les paramètres ont une valeur qui est, soit un pointeur vers l'argument passé (pour les paramètres `var`), soit une copie de la valeur passée. Le second mécanisme de création de données est la fonction `new`, qui, lorsqu'elle est appliquée à une variable p de type pointeur vers un objet de type T, crée un *nouvel objet de type* T sans valeur initiale. Le pointeur `p` pointe alors vers cet objet, qui peut ainsi recevoir une valeur.

Modification des données

En Pascal, l'action de modifier ou d'*écrire* des valeurs est principalement réalisée par l'opérateur d'affectation, qui permet de changer soit entièrement une valeur, soit une des parties qui constituent une valeur, comme un élément isolé d'un tableau ou un champ d'une structure d'enregistrement. Nous pouvons aussi accéder à des parties des parties, et ainsi de suite. En affectant la valeur lue à un objet données, l'instruction de lecture modifie aussi les données.

Les mécanismes de Pascal pour accéder ou *lire* les composants des objets sont ceux illustrés par l'exemple 1.6. Nous utilisons `a[i]` pour accéder au $i$ème élément d'un tableau `a`, `x.f` pour accéder au champ `f` d'un enregistrement nommé `x` et `p^` pour accéder à l'objet pointé par le pointeur `p`.

✦ **Exemple 1.6.** Si a est une variable de type `TYPE4` défini dans l'exemple 1.4, alors

```
a[0].field2^[3] := 99;
```

affecte la valeur 99 au troisième élément du tableau pointé par `field2` dans la structure d'enregistrement qui est le premier élément du tableau `a`. ✦

Formellement, Pascal n'a pas de mécanisme pour détruire les objets données, si ce n'est la règle qui veut que les variables locales et les paramètres d'un appel à une procédure cessent d'exister lorsque la procédure termine. Cependant, la plupart des mises en œuvre de Pascal ont une procédure prédéfinie appelée `dispose` pour détruire un objet créé par une invocation de `new`. L'effet de `dispose(p)` est de détruire un objet pointé par le pointeur `p` (mais `p` lui-même n'est pas détruit).

La combinaison des données

En Pascal, les opérateurs pour combiner les valeurs s'appliquent aux objets d'un certain type élémentaire et dans certains cas aux ensembles. Ces opérateurs sont :

1. Les *opérations arithmétiques* ($+$, $-$, $*$, $/$) sur les nombres réels et les entiers. Pascal distingue la division d'entiers, en utilisant l'opérateur `DIV`, de la division de réels, qui se sert de l'opérateur `/`. Cela signifie que `DIV` oublie le reste de façon que le résultat soit toujours un entier, alors que `/` donne un résultat exact dans les limites du degré de précision offert par la machine. Pascal permet aussi de calculer les restes, grâce à l'expression `i MOD j` qui donne le reste de la division de `i` par `j`.

Par contre, contrairement à d'autres langages, Pascal ne fournit pas un opérateur de calcul d'exponentielle. En Pascal, on doit écrire une fonction pour calculer x^y.

2. Les *opérateurs de coercition.* La coercition est le processus qui consiste à convertir une valeur d'un certain type en une valeur équivalente d'un autre type. Par exemple, si x est un réel et i un entier, alors x := i a pour effet de convertir la valeur entière de i en un nombre réel avec la même valeur. Ici l'opérateur de coercition n'est pas montré explicitement ; cependant le compilateur Pascal sait que la conversion d'un entier en un réel est nécessaire ; il peut alors insérer l'étape requise. (Dans l'ordinateur, la représentation interne d'une valeur entière de type **integer** est différente de celle de cette même valeur entière codée dans le type **real** ; voir paragraphes 4.11 et 4.12.) Pascal fournit un opérateur de coercition explicite **ORD** pour convertir un caractère en son code entier (utilisé par la machine), et l'opérateur **CHR** pour convertir les entiers en leurs caractères correspondants. Ce genre de conversion est discutée au chapitre 4.

3. Les *opérateurs de comparaison.* Le résultat de l'application de l'un des six opérateurs de comparaison (=, <>, <, >, <=, et >=) à deux valeurs entières ou réelles est une valeur de type Booléen (soit **TRUE** soit **FALSE**). Cas particulier : les opérateurs de comparaison s'appliquent aussi aux chaînes de caractères (qui en Pascal sont des tableaux de caractères) de la même longueur ; une comparaison alphabétique ou *lexicographique* des chaînes est alors requise. Ceci signifie que les premiers éléments respectifs des tableaux sont convertis de caractères en leurs codes entiers ; ces entiers sont alors comparés d'une façon normale. S'ils sont égaux, le processus est répété avec les deuxièmes éléments et ainsi de suite ; les chaînes de caractères sont déclarées égales seulement si toutes les positions sont les mêmes[6]. La comparaison de chaînes de caractères est discutée aux paragraphes 2.2 et 2.6.

4. Les *opérateurs logiques.* Les opérateurs **AND**, **OR** et **NOT** s'appliquent aux valeurs booléennes qui sont, soit des objets données de type booléen, soit des valeurs construites par des opérateurs produisant des résultats booléens, comme les opérateurs logiques ou de comparaison. Leur résultat est une valeur boléenne **TRUE** ou **FALSE**, calculée de façon usuelle.

5. Les *opérateurs ensemblistes.* Nous pouvons effectuer les unions, intersections et différences d'ensembles en appliquant les opérateurs +, * et − aux ensembles. Nous pouvons aussi tester l'appartenance de x à l'ensemble S avec l'expression x **IN** S, dont le résultat est une valeur booléenne.

EXERCICES

1.4.1 : Expliquez la différence entre un identificateur dans un programme Pascal et un nom (pour une « boîte » ou un objet données).

1.4.2 : Trouvez un exemple d'objet données Pascal qui a plus d'un seul nom.

1.4.3 : Si vous connaissez un autre langage de programmation que Pascal, décrivez son système de types et ses opérations.

---

[6] Plusieurs versions de Pascal permettent aussi la comparaison de chaînes de caractères de longueur différente.

1.5   Les algorithmes et la conception de programmes

L'étude des modèles de données, de leurs propriétés et de leur utilisation appropriée est un pilier de l'informatique. Un second pilier tout aussi important est l'étude des algorithmes et de leurs structures de données associées. Nous avons besoin de connaître les meilleurs moyens d'accomplir les tâches courantes, et nous avons besoin d'apprendre les techniques principales de conception de bons algorithmes. Par ailleurs, nous avons besoin d'apprendre comment l'utilisation des structures de données et des algorithmes permet de créer des programmes utiles. Les thèmes des modèles de données, algorithmes, structures de données, et leur mise en œuvre dans les programmes sont interdépendants, et chacun d'eux apparaît plusieurs fois tout au long du livre. Dans ce paragraphe, nous mentionnerons quelques généralités concernant la conception et la réalisation de programmes.

La création du logiciel

Si on vous donne un problème dans un cours de programmation vous concevrez probablement un algorithme pour résoudre le problème, vous programmerez l'algorithme dans un langage, vous compilerez et vous exécuterez le programme sur quelques échantillons de données, et ensuite vous soumettrez le programme pour qu'il soit noté.

Dans un contexte commercial, les circonstances sont bien différentes. Les algorithmes, ou au moins ceux qui sont suffisamment simples et répandus pour être répertoriés, sont habituellement des petites parties d'un programme complet. A leur tour, les programmes sont habituellement les composants d'un grand système, mettant en œuvre aussi bien le matériel que le logiciel. Les programmes et les systèmes complets dans lesquels ils sont impliqués sont développés par des équipes de programmeurs et d'ingénieurs ; il peut y avoir des centaines de personnes dans une telle équipe.

Le **développement d'un système logiciel** passe habituellement par plusieurs phases. Bien que ces phases puissent révéler quelques ressemblances avec les étapes impliquées dans la résolution d'un problème donné dans un cours de programmation, le plus gros de l'effort de construction d'un système logiciel pour résoudre un problème donné n'a pas grand chose à voir avec la programmation. Voici un scénario idéalisé.

Définition du problème et spécification. La plus difficile, mais la plus importante part du travail de création d'un logiciel est la définition du problème et ensuite la spécification des moyens nécessaires pour le résoudre. Habituellement, la définition du problème commence par une analyse des besoins des utilisateurs, mais ces besoins sont souvent imprécis et difficiles à exprimer. L'architecte du système peut avoir besoin de consulter les futurs utilisateurs du logiciel et itérer les spécifications ; cette itération s'arrête lorsque architecte et utilisateurs sont tous deux satisfaits de la spécification qui définit et résoud le problème. Dans une phase de spécification, il peut être utile de construire un simple **prototype** ou modèle du système final, pour mieux comprendre le comportement et l'utilisation recherchée. La modélisation des données est aussi un outil important dans la phase de définition du problème.

Conception. La spécification étant complète, une architecture de haut niveau du système est créée et les composants principaux identifiés. Un document résumant l'architecture est préparé, et des exigences de performances du système sont aussi incluses durant cette phase. Une conception d'un bon rapport rendement-prix requiert souvent la **ré-utilisation** ou modification des composants précédemment construits.

Réalisation. L'architecture étant fixée, la réalisation des composants peut commencer. Beaucoup d'algorithmes discutés dans ce livre sont utiles à la réalisation de nouveaux composants. Après avoir réalisé un composant, il est soumis à des séries de tests afin de s'assurer qu'il se comporte comme spécifié.

Intégration et test du système. Quand les composants ont été réalisés et testés individuellement, le système entier est assemblé et testé.

Installation et test sur le terrain. Quand le développeur est convaincu que le système fonctionnera comme le désire le client, le système est installé chez le client et le test final commence.

Maintenance. A ce stade, nous pourrions penser que le gros du travail a été réalisé. Cependant, il reste la maintenance et dans bien des cas, la maintenance peut représenter plus de la moitié du coût de développement du système. La maintenance peut impliquer la modification de composants pour éliminer des effets de bords imprévisibles, pour corriger ou améliorer les performances du système, ou pour ajouter des fonctionnalités. La maintenance étant une part si importante de la conception de systèmes logiciels, il est important d'écrire des programmes qui soient corrects, robustes, efficaces, modifiables et — quand cela est possible — portables d'un ordinateur à l'autre.

Il est important de détecter les erreurs le plus tôt possible, de préférence durant la phase de définition du problème. A chaque étape successive, le coût de correction d'une erreur de conception ou d'un bogue de programmation augmente considérablement.

Style de programmation

Un programmeur peut grandement faciliter le travail de maintenance en écrivant des programmes faciles à lire et à modifier par d'autres programmeurs. Un bon style de programmation s'acquiert seulement avec de l'expérience et nous recommandons d'essayer d'ores et déjà d'écrire des programmes faciles à comprendre par d'autres programmeurs. Il n'existe pas de formule magique qui garantisse l'écriture de programmes lisibles, mais il y a plusieurs règles de bon sens à observer :

1. Découper un programme en modules cohérents.

2. Organiser un programme de manière que sa structure soit claire.

3. Ecrire des commentaires intelligents pour expliquer un programme. Décrire clairement et précisément les modèles de données sous-jacents, les structures de données sélectionnées pour les représenter et l'opération accomplie par chaque procédure. Lors de l'écriture d'une procédure, établir les hypothèses faites sur ses entrées et dire comment la sortie se rapporte à l'entrée.

4. Utiliser des noms ayant un sens pour les procédures et les variables.

5. Lorsque c'est possible, éviter les constantes explicites. Par exemple, ne pas utiliser 7 pour le nombre de nains. A la place, il est préféreable de **définir une constante**

comme `NombreDeNains` de façon à ce que l'on puisse facilement changer toutes les utilisations de cette constante en 8 si on décide d'ajouter un autre nain.

6. Eviter d'utiliser des « **variables globales** » — c'est-à-dire des variables définies pour tout le programme — sauf si les données représentées par cette variable sont effectivement utilisées par la plupart des procédures du programme.

Un autre bon exercice de programmation est de maintenir un **jeu d'essais** destinés à tester chaque ligne de code pendant que vous développez un programme. Quand de nouvelles fonctionnalités sont ajoutées à un programme, la suite de tests peut être exécutée pour s'assurer que le nouveau programme a le même comportement que l'ancien sur les entrées qui fonctionnaient précédemment.

1.6   Résumé du chapitre 1

Maintenant, vous devriez avoir assimilé les concepts suivants :

✦ L'utilisation des modèles de données, des structures de données et des algorithmes pour résoudre des problèmes.

✦ La distinction entre une liste en tant que modèle de données et une liste chaînée en tant que structure de données.

✦ La présence de quelques formes de modèle de données que ce soit dans tout système logiciel, qu'il soit langage de programmation, système d'exploitation ou programme applicatif.

✦ Les éléments-clés du modèle de données supporté par le langage de programmation Pascal.

✦ Les étapes essentielles du développement d'un système logiciel.

1.7   Notes bibliographiques du chapitre 1

Keller [1982] et Reges [1987] sont deux des nombreux excellents livres sur le langage de programmation Pascal. Sethi [1989] est une introduction aux modèles de données de quelques langages de programmation répandus. Brooks [1974] décrit de façon éloquente les difficultés techniques et de gestion rencontrées dans le développement de systèmes logiciels de grande envergure. Kernighan et Plauger [1978] donnent de bons conseils pour améliorer votre style de programmation.

Brooks, F. P. [1974]. *The Mythical Man Month*, Addison-Wesley, Reading, Mass.

Keller, A. M. [1982]. *A First Course in Computer Programming Using Pascal*, McGraw-Hill, New York.

Kernighan, B.W. et P. J. Plauger [1978]. *The Elements of Programming Style*, 2ème édition, McGraw-Hill, New York.

Reges, S. [1987]. *Building Pascal Programs*, Little Brown, Boston.

Sethi, R. [1989]. *Programming Languages: Concepts and Constructs*, Addison-Wesley, Reading, Mass.

CHAPITRE 2

Itération, récurrence et récursivité

La puissance des ordinateurs vient de leur capacité à répéter l'exécution d'une même tâche ou de différentes versions d'une même tâche. En informatique, le thème de l'*itération* se rencontre sous différents aspects. Bien des concepts issus des modèles de données, comme les listes, sont des formes de répétition, par exemple : « une liste est soit vide soit constituée d'un élément suivi d'un autre, puis d'un autre et ainsi de suite ». Les programmes et les algorithmes utilisent l'itération pour accomplir des tâches répétitives et évitent ainsi d'avoir à spécifier individuellement un grand nombre d'étapes similaires, comme par exemple, « exécuter mille fois la prochaine étape ». Les langages de programmation utilisent des constructions de boucles, comme les instructions `while`, `for` et `repeat` de Pascal pour mettre en œuvre des algorithmes itératifs.

Une notion proche de la répétition est la *récursivité*, une technique où un concept est défini, directement ou indirectement, en fonction de lui-même. Par exemple, nous pouvons définir une liste par « une liste est soit vide soit constituée d'un élément suivi d'une liste ». La récursivité est présente dans de nombreux langages de programmation. En Pascal, une procédure P peut s'appeler elle-même, soit en s'appelant directement depuis son corps, soit indirectement en appelant une autre procédure qui en appelle une autre, puis une autre jusqu'à ce qu'une procédure de la chaîne appelle P. Une autre notion importante, la *récurrence*, est très proche de la « récursivité » et elle est utilisée dans bon nombre de preuves mathématiques.

L'itération, la récurrence et la récursivité sont des concepts fondamentaux qui apparaissent sous de multiples formes dans les modèles de données, les structures de données et les algorithmes. La liste suivante donne quelques exemples d'utilisation de ces concepts ; chacun d'eux sera expliqué en détail dans ce livre.

1. *Techniques itératives.* Le moyen le plus simple pour répéter l'exécution d'une séquence d'opérations est d'utiliser une construction itérative telle que l'instruction `for` de Pascal.

2. *Programmation récursive.* Pascal, comme beaucoup d'autres langages, autorise les

Notation : les symboles de somme et de produit

La lettre capitale grecque surdimensionnée, sigma, est souvent utilisée pour dénoter une somme, comme, par exemple, dans $\sum_{i=1}^{n} i$. Cette expression particulière représente la somme des entiers de 1 à n; c'est-à-dire, qu'elle représente la somme $1 + 2 + 3 + \cdots + n$. Plus généralement, nous pouvons sommer n'importe quelle fonction $f(i)$ de l'indice de somme i (l'indice pourrait bien évidemment être un symbole quelconque autre que i.) L'expression $\sum_{i=a}^{b} f(i)$ représente

$$f(a) + f(a + 1) + f(a + 2) + \cdots + f(b)$$

Par exemple, $\sum_{j=2}^{m} j^2$ représente la somme $4 + 9 + 16 + \cdots + m^2$.

Cas particulier : si $b < a$, alors il n'y a pas de terme dans la somme $\sum_{i=a}^{b} f(i)$ et, par convention, la valeur de l'expression est 0. Si $b = a$, alors il y a exactement un terme, celui pour $i = a$. Ainsi, la valeur de la somme $\sum_{i=a}^{a} f(i)$ est seulement $f(a)$.

La notation équivalente pour les produits utilise la lettre capitale surdimensionnée pi. L'expression $\prod_{i=a}^{b} f(i)$ représente le produit $f(a) \times f(a + 1) \times f(a + 2) \times \cdots \times f(b)$; si $b < a$, le produit est 1.

---

procédures récursives qui s'appellent elles-mêmes directement ou indirectement. Souvent, les programmeurs débutants sont plus à l'aise dans l'écriture de programmes itératifs que dans l'écriture de programmes récursifs; un objectif important de ce livre est néanmoins d'habituer le lecteur à penser et à programmer de manière récursive quand cela est approprié. Les programmes récursifs peuvent être plus simples à écrire, à analyser et à comprendre.

3.   *Preuves par récurrence.* La « preuve par récurrence » est une technique importante pour montrer qu'une assertion est vraie. Nous étudierons en détail les preuves par récurrence dès le paragraphe 2.3 mais l'exemple suivant donnera déjà au lecteur une idée de quoi il s'agit. Dans une preuve par récurrence, nous essayons de prouver qu'une assertion $S(n)$ impliquant une variable n est vraie. Nous prouvons $S(n)$ en commençant par prouver une **base**, c'est-à-dire que l'instruction $S(n)$ est vraie pour une certaine valeur de n. Par exemple, nous pouvons poser $n = 0$ et prouver l'assertion $S(0)$. Ensuite, nous devons prouver une **étape de récurrence**, au cours de laquelle nous prouvons que l'assertion S, pour une valeur de son argument, résulte de la même assertion S pour les valeurs précédentes de son argument. Dans la forme la plus simple de la récurrence, nous montrons que $S(n)$ implique $S(n+1)$ pour tout $n >= 0$. Par exemple, $S(n)$ peut être la formule de somme bien connue :

$$\sum_{i=1}^{n} i = n(n+1)/2 \tag{2.1}$$

qui signifie que la somme des entiers de 1 à n est égale à $n(n + 1)/2$. La base peut être $S(1)$ — c'est-à-dire l'équation (2.1) avec 1 à la place de n — qui est simplement l'égalité $1 = 1 * 2/2$. L'étape de récurrence consiste à montrer que $\sum_{i=1}^{n} i = n(n+1)/2$ implique $\sum_{i=1}^{n+1} i = (n+1)(n+2)/2$; le premier terme est $S(n)$, qui est l'équation (2.1) elle-même, alors que le dernier terme est $S(n+1)$, qui est l'équation (2.1) avec $n+1$ remplaçant n partout où n apparaît. Le paragraphe 2.3 nous montrera comment construire de telles preuves.

4. *Preuves de l'exactitude d'un programme.* En informatique, on souhaite souvent prouver, de façon formelle ou informelle, qu'une assertion $S(n)$ concernant un programme est vraie. L'assertion $S(n)$ peut, par exemple, représenter ce qui est vrai lors de la $n^{ième}$ itération d'une boucle ou ce qui est vrai du $n^{ième}$ appel récursif à une procédure. Les preuves de cette nature se font généralement par récurrence.

5. *Définitions par récurrence.* Bien des concepts importants de l'informatique, essentiellement ceux concernant les modèles de données, sont mieux définis par une récurrence dans laquelle nous donnons une règle de base, précisant le ou les exemples les plus simples du concept, et une ou des règles récurrentes, où nous construisons des instances plus grandes du concept à partir des petites. Par exemple, nous remarquons qu'une liste peut être définie par une règle de base énonçant qu'une liste vide est une liste, et par une règle de récurrence énonçant qu'un élément suivi d'une liste est aussi une liste.

6. *Analyse du temps d'exécution.* Un critère important pour déterminer la « qualité » d'un algorithme est le temps qu'il met pour traiter des entrées de diverses dimensions (son « temps d'exécution »). Quand l'algorithme utilise la récursivité, nous utilisons une formule appelée une *équation de récurrence*, qui est une définition par récurrence prévoyant le temps que met l'algorithme pour traiter des entrées de diverses dimensions.

Chacun de ces sujets, excepté le dernier, est introduit dans ce chapitre ; le temps d'exécution d'un programme est le sujet du chapitre 3.

2.1 Le propos de ce chapitre

Dans ce chapitre, nous rencontrons les principaux concepts suivants.

✦ La programmation itérative (paragraphe 2.2).

✦ Les preuves par récurrence (paragraphes 2.3 et 2.4).

✦ Les définitions par récurrence (paragraphe 2.6).

✦ La programmation récursive (paragraphes 2.7 et 2.8).

✦ La preuve de l'exactitude d'un programme (paragraphes 2.5 et 2.9).

De plus au travers d'exemples de ces concepts, nous mettrons en avant plusieurs idées importantes et intéressantes de l'informatique. Parmi elles, nous retrouvons :

✦ Les algorithmes de tri, y compris le tri par sélection (paragraphe 2.2) et le tri par fusion (paragraphe 2.8).

Thèmes répandus : auto-définition et base-récurrence

Puisque vous étudiez ce chapitre, nous devons attirer votre attention sur deux thèmes que vous rencontrerez au cours de l'étude de divers concepts. Le premier est l'auto-définition, où un concept est défini, ou construit, en fonction de lui-même. Par exemple, nous avons mentionné qu'une liste pouvait être définie comme étant vide ou comme étant constituée d'un élément suivi d'une liste.

Le second thème est la base-récurrence. Les procédures récursives ont habituellement une sorte de test pour un cas « de base » sans appel récursif et un cas « de récurrence » avec un ou plusieurs appels récursifs. Il est bien connu que tant les preuves par récurrence que les définitions par récurrence sont constituées d'une étape de base et d'une étape de récurrence. Cet couple base-récurrence est si important que ces mots sont mis en évidence dans le texte à chaque occurence d'un cas de base ou d'une étape de récurrence.

Ne voyez pas de paradoxe ou de cercle vicieux dans l'utilisation de l'auto-définition ; en effet, les sous-parties auto-définies sont toujours « plus petites » que l'objet en cours de définition. De plus, après un nombre fini d'étapes vers des parties plus petites, nous arrivons au cas de base, là où l'auto-définition se termine. Par exemple, une liste L est construite à partir d'un élément et d'une liste qui est d'un élément plus petite que L. En outre, lorsque nous atteignons une liste avec zéro élément, nous avons le cas de base de la définition d'une liste : « la liste vide est une liste. ».

Un autre exemple : si une procédure récursive fonctionne, les arguments de l'appel doivent en quelque sorte être plus petits que les arguments de la copie appelante de la procédure. De plus, après un certain nombre d'appels récursifs, nous devons arriver à des arguments si petits que la procédure ne fait plus d'appel récursif.

✦   La vérification de parité et la détection des erreurs dans les données (paragraphe 2.3).

✦   Les expressions arithmétiques et leur transformation en utilisant des lois algébriques (paragraphes 2.4 et 2.6).

✦   Les parenthèses équilibrées (paragraphe 2.6).

2.2   L'itération

Tout programmeur débutant apprend à utiliser l'itération en employant des constructions de boucles comme les instructions **for**, **while** et **repeat** de Pascal. Dans ce paragraphe, nous présentons un exemple d'algorithme itératif, appelé « tri par sélection ». Dans le paragraphe 2.5, nous prouverons par récurrence que cet algorithme fait réellement un tri et nous analyserons son temps d'exécution dans le paragraphe 3.6. Dans le paragraphe 2.8, nous montrerons en quoi la récursivité peut nous aider à imaginer un algorithme de tri plus efficace en utilisant une technique appelée « diviser pour régner ».

Ordre lexicographique

La manière habituelle de comparer deux chaînes de caractères s'appuye sur leur *ordre lexicographique*. Soit $c_1 c_2 \cdots c_k$ et $d_1 d_2 \cdots d_m$ deux chaînes, où chaque c et d représente un seul caractère. Les longueurs des chaînes k et m ne sont pas nécessairement les mêmes. Nous supposons qu'il existe un ordre $<$ sur les caractères ; par exemple, en Pascal, nous pouvons convertir les caractères en entiers en leur appliquant la fonction ORD et ensuite nous pouvons utiliser la relation conventionnelle $<$ sur les entiers pour déterminer le caractère qui est « plus petit » que l'autre. Cet ordre inclut la notion naturelle qui veut que les lettres minuscules apparaissant plus tôt dans l'alphabet sont « plus petites » que celles apparaissant plus loin dans l'alphabet ; la chose est également vraie pour les lettre majuscules.

Nous pouvons alors définir un ordre sur les chaînes de caractères, appelé l'ordre *lexicographique, dictionnaire,* ou *alphabétique* de la manière qui suit. Nous disons que $c_1 c_2 \cdots c_k < d_1 d_2 \cdots d_m$ si l'une des choses suivantes est vraie :

1. La première chaîne est un **préfixe propre** de la seconde, ce qui signifie que pour $k < m$ et pour $i = 1, 2, \ldots, k$ nous avons $c_i = d_i$. Selon cette règle, joue $<$ joueur. Cas particulier : nous pouvons avoir $k = 0$, auquel cas la première chaîne n'a pas de caractère. Nous utiliserons la lettre grecque epsilon, ϵ, pour représenter la chaîne avec zéro caractère : la **chaîne vide**. Lorsque $k = 0$, la règle (1) dit que $\epsilon < s$ pour toute chaîne non vide s.

2. Quelle que soit la valeur de $i > 0$, les $i - 1$ premiers caractères des deux chaînes coïncident, mais le $i$ème caractère de la première chaîne est plus petit que le $i$ème caractère de la seconde chaîne. C'est-à-dire, $c_j = d_j$ pour $j = 1, 2, \ldots, i - 1$, et $c_i < d_i$. Selon cette règle, balle $<$ ballon, parce que les deux mots diffèrent pour la première fois à la cinquième position, et à cette position balle a un e qui précède le caractère o trouvé en cinquième position de ballon.

Notons que $<$ sur les chaînes de caractères en Pascal (réellement des tableaux de caractères d'une longueur fixée) est définie seulement sur des chaînes de longueur identique. Ainsi, seule la règle (2) est nécessaire en Pascal. Cependant, la règle (1) est essentielle si, par exemple, nous voulons ordonner les mots d'un dictionnaire ou les noms d'un annuaire téléphonique.

Trier

Pour trier une liste de n éléments, nous devons permuter les éléments de la liste de manière qu'ils apparaissent dans un ordre non décroissant.

✦ **Exemple 2.1.** Supposons que nous ayons la liste d'entiers $(3, 1, 4, 1, 5, 9, 2, 6, 5)$. Nous trions cette liste pour obtenir la séquence $(1, 1, 2, 3, 4, 5, 5, 6, 9)$. Remarquons que non seulement l'action de trier ordonne les valeurs de manière que chacune soit inférieure ou égale à la suivante, mais préserve également le nombre d'occurrences de chaque valeur.

Ainsi, la liste triée possède deux 1, deux 5 et une occurrence de chacun des nombres qui apparaît une fois dans la liste originale. ✦

Nous pouvons trier une liste d'éléments de n'importe quel type pourvu qu'il existe un ordre « plus petit que » entre eux, habituellement représenté par le symbole <. Par exemple, si les valeurs sont des nombres réels ou des entiers, alors le symbole < représente la relation habituelle « plus petit que » sur les réels ou les entiers ; si les valeurs sont des chaînes de caractères, nous utiliserons l'ordre lexicographique sur les chaînes (reportez-vous à l'encadré sur « l'ordre lexicographique »). Parfois, lorsque les éléments sont complexes, comme des structures d'enregistrement, nous pouvons utiliser pour la comparaison seulement une partie de chaque élément, comme par exemple, un champ particulier.

La comparaison $a \leq b$ signifie, comme toujours, soit que $a < b$ soit que a et b ont la même valeur. Une **liste** $(a_1, a_2, \ldots, a_n)$ est dite **triée** si $a_1 \leq a_2 \leq \cdots \leq a_n$; c'est-à-dire si les valeurs sont dans un ordre non décroissant. *Trier* est une opération qui consiste à prendre une liste arbitraire $(a_1, a_2, \ldots, a_n)$ et à produire une liste $(b_1, b_2, \ldots, b_n)$ de sorte que :

1. La liste $(b_1, b_2, \ldots, b_n)$ soit triée.

2. La liste $(b_1, b_2, \ldots, b_n)$ soit une permutation de la liste originale. C'est-à-dire que chaque valeur apparaît dans la liste $(a_1, a_2, \ldots, a_n)$ exactement autant de fois qu'elle apparaît dans la liste $(b_1, b_2, \ldots, b_n)$.

Un *algorithme de tri* accepte en entrée une liste arbitraire et produit en sortie une liste triée qui est une permutation de l'entrée.

✦ **Exemple 2.2.** Considérons la liste de mots

> `joue, joueur, balle, ballon, bateau, terrain`

Avec cette entrée et en utilisant l'ordre lexicographique, un algorithme de tri produit cette sortie : `balle, ballon, bateau, joue, joueur, terrain`. ✦

Tri par sélection : un algorithme de tri itératif

Supposons que nous ayons un tableau `A` de n entiers que nous voulions trier en ordre non décroissant. Nous pouvons faire cela en itérant une étape au cours de laquelle nous repérons un plus petit élément [1] ne faisant pas encore partie de la portion triée, que nous échangeons avec l'élément figurant en première position de la portion non triée du tableau. A la première itération, nous trouvons (« sélectionnons ») un plus petit élément parmi les valeurs trouvées dans `A[1..n]` et l'échangeons avec `A[1]`. A la seconde itération, nous trouvons un plus petit élément dans `A[2..n]` et l'échangeons avec `A[2]`. Nous continuons ces itérations. Au début de la *i*ème itération, `A[1..i-1]` contient les $i - 1$ plus petits éléments de `A` triés en ordre non décroissant ; les éléments restants sont dans un ordre quelconque. La figure 2.1 représente une image de `A` juste avant la *i*ème itération.

---

[1] Nous utilisons le terme « *un* plus petit élément » et non pas « *le* plus petit élément » car il peut y avoir plusieurs occurrences de la plus petite valeur ; nous nous contentons de n'importe laquelle de ces occurrences.

Conventions sur les noms et les valeurs

Nous pouvons nous représenter une variable comme une boîte avec un nom et une valeur. Quand nous faisons référence à cette variable, comme `abc`, nous utilisons pour son nom la fonte en largeur fixe ou « style courrier » comme nous l'avons fait dans cette phrase. Quand nous faisons référence à la valeur de la variable `abc`, nous utilisons l'italique, comme *abc*. Pour résumer, `abc` se réfère au nom de la boîte et *abc* à son contenu.

Figure 2.1 : Le tableau avant la *i*ème itération du tri par sélection.

À la *i*ème itération, nous trouvons un plus petit élément dans `A[i..n]` et l'échangeons avec `A[i]`. Ainsi, après la *i*ème itération, `A[1..i]` contient les *i* plus petits éléments triés en ordre non décroissant. Après la $(n-1)$ème itération, le tableau entier est trié.

Une procédure Pascal pour le tri par sélection est montrée dans la figure 2.2. Cette procédure, `SelectionSort`, accepte comme premier argument un tableau `A` avec de la place pour au moins *n* éléments. Le type `INTARRAY` peut être défini ainsi

```
type INTARRAY = array[1..MAX] of integer
```

où `MAX` est une constante définie de façon appropriée. Le second argument *n* est le nombre d'éléments à trier ; nous présumons que *n* n'est pas plus grand que *MAX*.

La sélection d'un plus petit élément dans la portion non triée du tableau, `A[i..n]`, est réalisée par les lignes (2) à (5), où la variable `small` se voit affecter l'indice de la première occurrence du plus petit élément dans cette portion du tableau. Après avoir choisi une valeur pour l'indice `small`, nous échangeons (lignes (6) à (8)) l'élément à cette position avec l'élément en `A[i]`. Si *small* = *i*, l'échange est effectué mais n'a pas d'effet sur le tableau. Notons que pour échanger deux éléments, nous avons besoin d'une place temporaire pour stocker l'un d'eux. Ainsi, nous déplaçons la valeur de `A[small]` vers `temp` à la ligne (6), nous déplaçons la valeur de `A[i]` vers `A[small]` à la ligne (7), et finalement nous déplaçons la valeur de `temp` vers `A[i]` à la ligne (8).

✦ **Exemple 2.3.** Étudions le comportement de `SelectionSort` sur diverses entrées. Observons d'abord ce qui arrive lorsque nous exécutons `SelectionSort` sur un tableau sans élément. Quand *n* = 0, le corps de la boucle `for` de la ligne (1) n'est pas exécuté ; `SelectionSort` ne fait donc « rien », bien heureusement.

Considérons maintenant le cas d'un tableau avec un seul élément. Là encore, le corps de la boucle `for` de la ligne (1) n'est pas exécuté. Ceci est satisfaisant car un tableau d'un seul élément est toujours trié. Les cas où *n* vaut 0 ou 1 sont des conditions limites

```
        procedure SelectionSort(var A: INTARRAY; n: integer);

        var i, j, small, temp: integer;

        begin
(1)         for i := 1 to n-1 do begin
                (* affecte à small l'indice de la première occurrence
                   du plus petit élément restant *)
(2)             small := i;
(3)             for j := i+1 to n do
(4)                 if A[j] < A[small] then
(5)                     small := j;
                (* quand nous atteignons cet endroit, small est
                   l'indice du premier plus petit élément dans A[i..n];
                   nous échangeons maintenant A[small] avec A[i] *)
(6)             temp := A[small];
(7)             A[small] := A[i];
(8)             A[i] := temp
            end
        end;
```

Figure 2.2 : Tri sélection itératif.

importantes, pour lesquelles il est essentiel de vérifier les performances de n'importe quel algorithme ou programme.

Enfin, exécutons `SelectionSort` sur un petit tableau de quatre éléments, où `A[1]` à `A[4]` valent

	1	2	3	4
A	40	30	20	10

Nous commençons la boucle extérieure avec $i = 1$ et à la ligne (2), nous affectons 1 à `small`. Les lignes (3) à (5) forment une boucle intérieure, où `j` reçoit tour à tour les valeurs 2, 3 et 4. Avec $j = 2$, le test de la ligne (4) est positif, puisque $A[2]$, qui est égal à 30, est plus petit que $A[small]$, qui vaut $A[1]$ ou 40. Ensuite, à la ligne (5), nous affectons 2 à `small`. A la seconde itération des lignes (3) à (5), avec $j = 3$, le test de la ligne (4) est à nouveau positif puisque $A[3] < A[2]$; à la ligne (5), nous affectons 3 à `small`. A la dernière itération des lignes (3) à (5), avec $j = 4$, le test de la ligne (4) est positif, puisque $A[4] < A[3]$, et à la ligne (5), nous affectons 4 à `small`.

Nous sortons maintenant de la boucle intérieure à la ligne (6). Nous affectons 10 (c'est-à-dire $A[small]$) à `temp`, ensuite $A[1]$ ou 40 à `A[4]` (ligne (7) et 10 à `A[1]` (ligne (8)). Maintenant, la première itération de la boucle extérieure est complète et le tableau `A` apparaît ainsi

	1	2	3	4
A	10	30	20	40

Trier selon les clés

Quand nous trions, nous appliquons une opération de comparaison sur les valeurs à trier. La comparaison est souvent faite uniquement sur des parties spécifiques des valeurs ; la partie utilisée pour la comparaison est appelée la *clé*.

Un tableau de classement peut être un tableau d'enregistrements Pascal du type

```
type ETUDIANT = record
        numeroEtudiant: integer;
        nom: array [1..30] of char;
        note: char
     end;
```

Nous pouvons trier par identificateur d'étudiant, par nom ou par note ; chacun d'eux serait tour à tour la clé. Par exemple, si nous souhaitons trier les enregistrements par identificateur d'étudiant, nous utilisons la comparaison

```
A[j].numeroEtudiant < A[small].numeroEtudiant
```

à la ligne (4) de `SelectionSort`. Le type du tableau A et de la variable temporaire `temp` utilisée lors de l'échange serait `STUDENT` au lieu de `integer`. Remarquons que les enregistrements entiers sont échangés, et non pas seulement les champs clés.

La seconde itération de la boucle extérieure, avec $i = 2$, affecte 2 à `small` (ligne (2)). La boucle intérieure affecte initialement 3 à `j` et puisque $A[3] < A[2]$, la ligne (5) affecte 3 à `small`. Avec $j = 4$, le test de la ligne (4) échoue puisque $A[4] \geq A[3]$. Ainsi, $small = 3$ quand nous atteignons la ligne (6). Les lignes (6) à (8) échangent `A[2]` avec `A[3]`, conduisant au tableau

$$
\begin{array}{ccccc}
 & 1 & 2 & 3 & 4 \\
A & \boxed{10} & \boxed{20} & \boxed{30} & \boxed{40}
\end{array}
$$

Bien que le tableau semble maintenant être trié, nous itérons la boucle extérieure une fois de plus, avec $i = 3$. Nous affectons 3 à `small` à la ligne (2) et la boucle intérieure est exécutée seulement avec $j = 4$. Puisque le test de la ligne (4) échoue, *small* reste à 3, et aux lignes (6) à (8), nous « échangeons » `A[3]` avec lui-même. Le lecteur devra vérifier que l'échange n'a pas d'effet lorsque $small = i$. ◆

La figure 2.3 montre comment la procédure `SelectionSort` peut être utilisée dans un programme complet pour trier une séquence de n entiers, avec $n \leq 100$. Nous lisons n à la ligne (1) et cette valeur nous donne le nombre d'éléments du tableau A que nous lisons aux lignes (3) et (4). Cependant, nous vérifions d'abord que $n \leq MAX$ à la ligne (2) et si ce n'est pas le cas, nous réduisons n à MAX, pour éviter de lire plus d'éléments que ne peut en contenir le tableau A. Un message avertissant l'utilisateur que n est trop grand serait utile ici mais nous l'avons omis.

La ligne (5) appelle la procédure `SelectionSort` pour trier le tableau. Les lignes (6) et (7) affichent le tableau en ordre trié et la ligne (8) termine le travail en envoyant un retour chariot sur la sortie.

```
program sort(input, output);

const MAX = 100;
type INTARRAY = array[1..MAX] of integer;
var A: INTARRAY;
    k, n: integer;

procedure SelectionSort(var A: INTARRAY; n integer);

var i, j, small, temp: integer;

begin
    for i := 1 to n-1 do begin
        small := i;
        for j := i+1 to n do
                if A[j] < A[small] then
                    small := j;
        temp := A[small];
        A[small] := A[i];
        A[i] := temp
    end
end;


begin (* programme principal *)
(1)     readln(n);
(2)     if n > MAX then n := MAX; (* pour empêcher le dépassement
            de capacité du tableau A *)
(3)     for k := 1 to n do
(4)         read(A[k]);
(5)     SelectionSort(A,n);
(6)     for k := 1 to n do
(7)         write(A[k]);
(8)     writeln
    end.
```

Figure 2.3 : Un programme de tri utilisant le tri par sélection.

EXERCICES

2.2.1 : Simulez la procédure `SelectionSort` sur un tableau contenant les éléments

a) 6, 8, 14, 17, 23

b) 17, 23, 14, 6, 8

c) 23, 17, 14, 8, 6

Combien de comparaisons et d'échanges d'éléments sont effectués dans chacun des cas ?

2.2.2 : ** Quels sont les nombres minimaux et maximaux de (a) comparaisons et (b) d'échanges, que `SelectionSort` peut faire lors du tri d'une séquence de n éléments ?

2.2.3 : Ecrivez une fonction Pascal qui prend deux listes chaînées de caractères comme arguments et retourne `TRUE` si la première chaîne précède la seconde dans l'ordre lexicographique. *Une indication* : mettez en œuvre l'algorithme décrit dans ce paragraphe pour comparer les chaînes de caractères. Utilisez la récursivité en faisant en sorte que la fonction s'appelle elle-même lorsqu'elle trouve que les premiers caractères des deux chaînes sont les mêmes. Par ailleurs, vous pouvez aussi développer un algorithme itératif qui fait la même chose.

2.2.4 : * Modifiez votre programme de l'exercice 2.2.3 en vous arrangeant pour qu'il ne tienne pas compte de la casse des lettres comparées. *Une indication* : rappelez-vous que, lorsque `ORD` leur est appliquée, les lettres minuscules ont des valeurs consécutives ; il en est de même pour les lettres majuscules.

2.2.5 : Que fait le tri par sélection lorsque tous les éléments sont identiques ?

2.2.6 : Modifiez le programme de la figure 2.3 pour réaliser le tri par sélection quand les éléments du tableau ne sont pas des entiers mais des enregistrements de type `ETUDIANT` comme cela est défini dans l'encadré « Trier selon les clés ». Supposez que le champ clé est `numeroEtudiant`.

2.2.7 : * Modifiez encore la figure 2.3 de sorte que le programme trie les éléments d'un type arbitraire T. Vous pouvez cependant supposer qu'il existe une fonction *key* qui prenne en argument un élément du type T et retourne la clé pour cet élément d'un type arbitraire K. Supposez aussi qu'il existe une fonction *lt* qui prenne en argument deux éléments de type K et retourne `TRUE` si le premier est « plus petit que » le second et `FALSE` sinon.

2.2.8 : Ecrivez un programme itératif pour afficher les éléments distincts d'un tableau d'entiers.

2.2.9 : Utilisez les notations $\sum$ et $\prod$ décrites au début de ce chapitre pour exprimer les choses suivantes :

a) La somme des entiers impairs de 1 à 377.
b) La somme des carrés des entiers pairs de 2 à n (supposez que n est pair).
c) Le produit des puissances de 2 à partir de 8 jusqu'à 2^k.

2.2.10 : Montrez que lorsque *small* $= i$, les lignes (6) à (8) de la figure 2.2 (les instructions d'échange) n'ont aucun effet sur le tableau A.

2.3 Preuves par récurrence

La *récurrence mathématique* est une technique utile pour prouver qu'une assertion $S(n)$ est vraie pour tous les entiers non négatifs n, ou, plus généralement pour tous les entiers égaux ou supérieurs à une certaine limite. Par exemple, en introduction de ce chapitre, nous suggérions que l'assertion $\sum_{i=1}^{n} i = n(n+1)/2$ pouvait être démontrée pour tous les $n \geq 1$ par une récurrence sur n.

Donner un nom au paramètre de récurrence

Il est souvent utile d'expliquer une récurrence en donnant la signification intuitive de la variable n dans l'assertion $S(n)$ que nous sommes en train de prouver. Si n n'a pas de signification particulière, comme dans l'exemple 2.4, nous énonçons simplement « la preuve est par récurrence sur n ». En d'autres termes, n peut avoir une signification physique, comme dans l'exemple 2.6, où n est le nombre de bits dans les mots codes. Alors, nous pouvons énoncer « la preuve est par récurrence sur le nombre de bits dans les mots codes ».

Maintenant, supposons que $S(n)$ soit une assertion arbitraire quelconque sur un entier n. Dans la forme la plus simple d'une preuve par récurrence sur l'assertion $S(n)$, nous devons prouver deux faits :

1. Le cas *de base*, qui est fréquemment $S(0)$. Cependant, la base peut être $S(k)$ pour tout entier k, étant entendu alors que l'assertion $S(n)$ est prouvée seulement pour $n \geq k$.

2. L'*étape de récurrence* où nous prouvons que pour tout $n \geq 0$ [ou pour tout $n \geq k$, si la base est $S(k)$], $S(n)$ implique $S(n+1)$. Dans cette partie de la preuve, nous supposons que l'assertion $S(n)$ est vraie. $S(n)$ est appelée **l'hypothèse de récurrence** et en supposant qu'elle soit vraie, nous devons prouver que $S(n+1)$ est vraie.

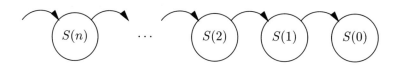

Figure 2.4 : Dans une preuve par récurrence, chaque instance de l'assertion $S(n)$ dépend de l'assertion sur la valeur immédiatement inférieure à n.

La figure 2.4 illustre une récurrence commençant à 0. Pour tout entier n, il y a une assertion $S(n)$ à prouver. La preuve pour $S(1)$ utilise $S(0)$, la preuve pour $S(2)$ utilise $S(1)$ et ainsi de suite, comme cela est représenté par les flèches. La manière selon laquelle chaque assertion dépend de la précédente est uniforme. C'est-à-dire que *par une preuve de l'étape de récurrence, nous prouvons chacune des étapes impliquées par les flèches de la figure 2.4.*

✦ **Exemple 2.4.** Comme exemple de récurrence mathématique, prouvons :

ASSERTION $S(n): \sum_{i=0}^{n} 2^i = 2^{n+1} - 1$, pour tout $n \geq 0$

C'est-à-dire la somme des puissances de 2, depuis la 0ème puissance jusqu'à la $n^{ième}$

puissance, est 1 ôtée de la $(n+1)^{ième}$ puissance de 2. Par exemple, $1+2+4+8 = 16-1$. La preuve se déroule comme suit [2].

LA BASE. Pour prouver la base, nous remplaçons n par 0 dans l'équation $S(n)$. Ainsi $S(n)$ devient :

$$\sum_{i=0}^{0} 2^i = 2^1 - 1 \tag{2.2}$$

Du côté gauche de l'équation (2.2), il y a seulement un terme pour $i = 0$; le côté gauche de (2.2) résulte en la somme 2^0 ou 1. Le côté droit de l'équation (2.2), qui est $2^1 - 1$ ou $2 - 1$, a donc aussi la valeur 1. Nous avons montré que l'égalité est vraie pour $n = 0$; nous avons donc prouvé la base de $S(n)$.

LA RÉCURRENCE. Maintenant, nous devons prouver l'étape de récurrence ; nous supposons que $S(n)$ est vraie et nous prouvons la même égalité avec n remplacé par $n + 1$. L'équation à prouver, $S(n+1)$, est :

$$\sum_{i=0}^{n+1} 2^i = 2^{n+2} - 1 \tag{2.3}$$

Pour prouver l'équation (2.3), nous commençons par considérer la somme du côté gauche, $\sum_{i=0}^{n+1} 2^i$. Cette somme est pratiquement la même que la somme du côté gauche de $S(n)$, qui est $\sum_{i=0}^{n} 2^i$; la différence est que (2.3) a également un terme pour $i = n+1$, qui est 2^{n+1}.

Pour prouver l'équation (2.3) nous sommes autorisés à supposer que l'hypothèse de récurrence $S(n)$ est vraie, nous devons donc trouver un moyen pour utiliser $S(n)$ à notre avantage. Nous le faisons en séparant la somme dans (2.3) en deux parties, dont l'une est la somme dans $S(n)$. Nous séparons l'autre terme, avec $i = n + 1$ et écrivons :

$$\sum_{i=0}^{n+1} 2^i = \sum_{i=0}^{n} 2^i + 2^{n+1} \tag{2.4}$$

Maintenant nous pouvons utiliser $S(n)$ en remplaçant son côté droit, $\sum_{i=0}^{n} 2^i$ par $2^{n+1} - 1$ dans l'équation (2.4) :

$$\sum_{i=0}^{n+1} 2^i = 2^{n+1} - 1 + 2^{n+1} \tag{2.5}$$

---

[2] $S(n)$ peut être prouvée sans récurrence, en utilisant la formule pour la somme d'une série géométrique. C'est cependant un exemple simple de la technique de récurrence mathématique. De plus, les preuves des formules pour la somme d'une série géométrique ou arithmétique, que vous avez probablement vues au lycée, sont plutôt informelles, et à vrai dire, la récurrence mathématique devrait être utilisée pour prouver ces formules.

Substituer des variables

Les gens sont souvent désemparés lorsqu'ils ont à substituer à une variable telle que n dans $S(n)$, une expression mettant en jeu la même variable. Par exemple, nous substituons $n+1$ à n dans $S(n)$ pour obtenir l'équation (2.3). Pour faire la substitution, nous devons d'abord marquer toute occurrence de n dans S. Une façon intelligente de le faire est de remplacer n par une variable nouvelle — disons m — qui n'apparaît nulle part ailleurs dans S. Par exemple, $S(n)$ devient

$$\sum_{i=0}^{m} 2^i = 2^{m+1} - 1$$

Nous substituons alors littéralement l'expression voulue, $n+1$ dans ce cas, à chaque occurrence de m. Cela nous donne :

$$\sum_{i=0}^{n+1} 2^i = 2^{(n+1)+1} - 1$$

Lorsque nous simplifions $(n+1)+1$ en $n+2$, nous avons (2.3).

Remarquez que nous pourrions mettre des parenthèses autour de l'expression de substitution pour éviter de changer accidentellement l'ordre des opérations. Par exemple, si nous avions substitué $n+1$ à m dans l'expression $2 \times m$, sans avoir placé de parenthèses autour de $n+1$, nous aurions obtenu $2 \times n + 1$ au lieu de l'expression correcte $2 \times (n+1)$, qui est égale à $2 \times n + 2$.

Quand nous simplifions le côté droit de l'équation (2.5), il devient $2 \times 2^{n+1} - 1$ ou $2^{n+2} - 1$. Maintenant nous voyons que la somme du côté gauche de (2.5) est la même que le côté gauche de (2.3), et le côté droit de (2.5) est égal au côté droit de (2.3). Nous avons ainsi prouvé la validité de l'équation (2.3) en utilisant l'égalité $S(n)$; cette preuve est l'étape de récurrence. Nous en concluons que $S(n)$ est vraie pour toute valeur non négative de n. ✦

Pourquoi la preuve par récurrence fonctionne-t-elle ?

Dans une preuve par récurrence, nous prouvons d'abord que $S(0)$ est vraie. Ensuite, nous montrons que si $S(n)$ est vraie, alors $S(n+1)$ l'est aussi. Mais pourquoi pouvons-nous en conclure que $S(n)$ est vraie pour tout $n \geq 0$? Nous allons proposer deux « preuves ». Un mathématicien nous ferait remarquer que chacune de nos « preuves » du fonctionnement de la récurrence requiert elle-même une preuve par récurrence et que par conséquent nous ne prouvons rien du tout. Néammoins, beaucoup d'entre vous seront intéressés par ce qui suit.

Dans ce qui suit, nous supposons que la valeur de base est $n = 0$. C'est-à-dire que nous savons que $S(0)$ est vraie et que pour tout n supérieur à 0, si $S(n)$ est vraie alors $S(n+1)$ est vraie. Des arguments semblables sont valables si la valeur de base est n'importe quel autre entier.

Première « preuve » : *Itération de l'étape de récurrence.* Supposons que nous souhaitions montrer que $S(a)$ est vraie pour un entier a non négatif. Si $a = 0$, nous faisons seulement appel à la véracité de la base, $S(0)$. Si $a > 0$, alors nous argumentons comme il suit. Nous savons grâce à la base que $S(0)$ est vraie. L'assertion « $S(n)$ implique $S(n+1)$ », avec 0 à la place de n, donne « $S(0)$ implique $S(1)$ ». Puisque nous savons que $S(0)$ est vraie, nous savons maintenant que $S(1)$ est vraie. De la même manière, si nous remplaçons n par 1, nous obtenons « $S(1)$ implique $S(2)$ » et ainsi nous savons que $S(2)$ est vraie. En remplaçant n par 2, nous avons « $S(2)$ implique $S(3)$ » et ainsi $S(3)$ est vraie et ainsi de suite. Peu importe la valeur de a, nous atteindrons certainement $S(a)$ et le tour est joué.

Seconde « preuve » : *Par l'absurde.* Supposons que $S(n)$ ne soit pas vraie pour au moins une valeur de n. Soit a, le premier entier non négatif pour lequel $S(a)$ est faux. Si $a = 0$, alors nous contredisons la base, $S(0)$, et nous en déduisons que a doit être plus grand que 0. Mais si $a > 0$ et si a est le premier entier non négatif pour lequel $S(a)$ est fausse, alors $S(a-1)$ doit être vraie. Maintenant, l'étape de récurrence, avec n remplacé par $a-1$, nous dit que $S(a-1)$ implique $S(a)$. Puisque $S(a-1)$ est vraie, $S(a)$ doit être vraie, ce qui est une autre contradiction. Puisque nous avons supposé qu'il n'y avait pas de valeur non négative de n pour laquelle $S(n)$ est fausse et puisque nous sommes arrivés à une contradiction, nous en déduisons que $S(n)$ doit être vraie pour tout $n \geq 0$.

Codes détecteurs d'erreurs

Nous allons maintenant discuter des « codes détecteurs d'erreurs », un concept qui est intéressant en soi et qui amène aussi à développer une intéressante preuve par récurrence. Quand nous transmettons de l'information sur un réseau de données, nous codons les caractères (lettres, chiffres, ponctuations et ainsi de suite) dans des chaînes de bits, c'est-à-dire des 0 et des 1. Nous discuterons plus en détail de cela au paragraphe 4.3, mais pour le moment supposons que les caractères soient représentés par sept bits. Il est cependant normal de transmettre plus de sept bits par caractère et un huitième bit peut être utilisé pour faciliter la détection de quelques simples erreurs de transmission. Occasionnellement, à cause du bruit durant la transmission, l'un des 0 ou des 1 est changé et est transformé en son opposé ; un 0 émis sur la ligne de transmission devient un 1 et vice-versa. Il est intéressant que le système de communication puisse s'apercevoir que l'un des huit bits a été changé ; il peut alors demander une retransmission.

Pour détecter un changement dans un seul bit, nous devons nous assurer que deux caractères ne sont pas représentés par des séquences de bits ne différant qu'en une seule position. En effet, si cette position était changée, le résultat serait le code d'un autre caractère et nous ne pourrions pas détecter qu'une erreur est survenue. Par exemple, si le code pour un caractère est la séquence de bits 01010101, et le code pour un autre est 01000101, alors un changement dans la quatrième position à partir de la gauche transforme le premier code en l'autre code.

Un moyen de s'assurer qu'il n'y a pas de caractère ayant des codes qui diffèrent seulement en une seule position est de précéder le code conventionnel à 7 bits pour le caractère par un **bit de parité**. Si le nombre total de 1 dans un groupe de bits est impair, alors on dit que le groupe a une *parité impaire*. Si le nombre total de 1 dans le groupe est pair, alors on dit que le groupe a une *parité paire*. Le schéma de codage que nous choisissons est de représenter chaque caractère par un code sur 8 bits avec une parité paire ; nous pourrions aussi bien avoir choisi d'utiliser seulement les codes avec une parité impaire. Nous forçons la parité paire en choisissant judicieusement le bit de parité.

◆ **Exemple 2.5.** Le code standard ***ASCII*** (prononcez « ask-i » ; il signifie « American Standard Code for Information Interchange ») sur 7 bits pour le caractère A est 1000001. Cette séquence de sept bits a déjà un nombre pair de 1 ; nous le préfixons donc par 0 pour obtenir 01000001. Le code conventionnel pour C est 1000011 qui diffère du code sur 7 bits de A seulement en sixième position. Cependant, ce code a une parité impaire et nous le préfixons donc par 1, ce qui donne le code sur 8 bits 11000011 avec une parité paire. Notons qu'après avoir préfixé les bits de parité aux codes de A et C, nous avons 01000001 et 11000011 qui diffèrent en deux positions, la première et la septième, comme cela est représenté par la figure 2.5. ◆

$$\text{A:} \quad 0 \quad 1 \quad 0 \quad 0 \quad 0 \quad 0 \quad 0 \quad 1$$

$$\text{C:} \quad 1 \quad 1 \quad 0 \quad 0 \quad 0 \quad 0 \quad 1 \quad 1$$

Figure 2.5 : Nous pouvons choisir le bit initial de parité de sorte que le code sur 8 bits ait toujours une parité paire.

On peut toujours trouver un bit de parité à attacher à un code sur 7 bits de manière que le nombre de 1 dans le code sur 8 bits soit pair. Nous prenons un bit 0 de parité si le code sur 7 bits pour le caractère considéré a une parité paire et nous prenons le bit 1 de parité si le code sur 7 bits a une parité impaire. Dans l'un ou l'autre des cas, le nombre de 1 dans le code sur 8 bits est pair.

Il ne peut pas y avoir deux séquences de bits ayant une parité paire qui puissent différer en seulement une position. Si deux de ces séquences de bits diffèrent exactement en une position, alors l'une d'elles a exactement un 1 de plus que l'autre. Ainsi, une séquence doit avoir une parité impaire et l'autre une parité paire, ce qui contredit notre hypothèse suivant laquelle les deux avaient une parité paire. Nous en concluons que l'addition d'un bit de parité pour rendre pair le nombre de 1 permet de créer un code de détection des erreurs pour les caractères.

Le schéma bit de parité est très « efficace », en ce sens qu'il nous permet de transmettre beaucoup de caractères différents. Remarquons qu'il y a 2^n séquences différentes de n bits, puisque nous pouvons choisir l'une des deux valeurs (0 ou 1) pour la première position, l'une des deux valeurs pour la deuxième position, et ainsi de suite, soit un total de $2 \times 2 \times \cdots \times 2$ (n facteurs) chaînes possibles. Ainsi, on peut escompter représenter jusqu'à $2^8 = 256$ caractères avec 8 bits.

Cependant, avec le schéma de parité, nous pouvons choisir seulement sept des bits ; le huitième est ensuite forcé à notre insu. Nous pouvons ainsi représenter jusqu'à 2^7 ou 128 caractères et détecter encore les erreurs. Ce n'est pas si mal ; nous pouvons utiliser 128/256, ou la moitié des codes sur 8 bits possibles comme des codes légaux pour les caractères et détecter encore une erreur dans un bit.

De même, si nous utilisons des séquences de n bits, en choisissant l'un d'entre eux pour être le bit de parité, nous pouvons représenter 2^{n-1} caractères en prenant des séquences de $n-1$ bits et en les préfixant avec le bit de parité approprié dont la valeur est déterminée par les $n-1$ autres bits. Puisqu'il y a 2^n séquences de n bits, nous pouvons représenter $2^{n-1}/2^n$, ou la moitié du nombre possible de caractères et détecter toujours une erreur dans n'importe lequel des bits d'une séquence.

Est-il possible de détecter des erreurs et d'utiliser plus de la moitié des séquences possibles de bits comme codes légaux ? Notre prochain exemple nous dit que non. La preuve par récurrence utilise une assertion qui n'est pas vraie pour 0 et pour laquelle nous devons choisir une base plus grande, soit 1.

◆ **Exemple 2.6.** Nous allons prouver l'assertion suivante par récurrence sur n.

> **ASSERTION** $S(n)$: Si C est un ensemble quelconque de chaînes de bits de longueur n qui est **détecteur d'erreurs** (autrement dit, s'il n'y a pas deux chaînes qui diffèrent d'exactement une position), alors C contient au plus 2^{n-1} chaînes.

Cette assertion n'est pas vraie pour $n = 0$. $S(0)$ stipule que n'importe quel ensemble détecteur d'erreurs comprenant des chaînes de longueur 0 a au plus 2^{-1} chaînes, c'est-à-dire la moitié d'une chaîne. En toute rigueur, l'ensemble C comprenant seulement la chaîne vide (chaîne sans position) est un ensemble détecteur d'erreurs de longueur 0, puisqu'il n'y pas deux chaînes dans C qui diffèrent en seulement une position. L'ensemble C a plus de la moitié d'une chaîne ; il a exactement une chaîne. Ainsi, $S(0)$ est faux. Cependant, comme nous allons le voir, $S(n)$ est vraie pour tout $n \geq 1$.

LA BASE. La base est $S(1)$; cela signifie que n'importe quel ensemble détecteur d'erreurs comprenant des chaînes de longueur un a au plus $2^{1-1} = 2^0 = 1$ chaîne. Il y a seulement deux chaînes de bits de longueur un, la chaîne 0 et la chaîne 1. Cependant, nous ne pouvons pas avoir les deux dans un code détecteur d'erreurs, parce qu'elles diffèrent en exactement une position. Ainsi, tout ensemble détecteur d'erreurs pour $n = 1$ doit avoir au plus une chaîne.

LA RÉCURRENCE. Soit $n \geq 1$, et supposons que l'hypothèse de récurrence — un ensemble détecteur d'erreurs comprenant des chaînes de longueur n a au plus 2^{n-1} chaînes — soit vraie. Nous devons montrer, en utilisant cette hypothèse, que tout ensemble détecteur d'erreurs C comprenant des chaînes de longueur $n+1$ a au plus 2^n chaînes. Ainsi, divisons C en deux ensembles C_0, l'ensemble des chaînes de C qui commencent par un 0, et C_1, l'ensemble des chaînes de C qui commencent par un 1. Par exemple, supposons que $n = 2$ et que C soit le code avec chaînes de longueur $n+1 = 3$ construites en utilisant un bit de parité. Alors, comme cela est représenté dans la figure 2.6, C contient les chaînes 000, 101, 110 et 011 ; C_0 contient les chaînes 000 et 011 et C_1 contient les deux autres chaînes 101 et 110.

Considérons l'ensemble D_0 comprenant les chaînes de C_0 auxquelles on a enlevé le 0 de tête. Dans notre exemple ci-dessus, D_0 contient les chaînes 00 et 11. Nous prétendons que D_0 ne peut avoir deux chaînes différant seulement d'un bit. En effet, s'il existait deux telles chaînes — disons $a_1 a_2 \cdots a_n$ et $b_1 b_2 \cdots b_n$ — alors en restituant

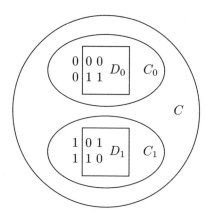

Figure 2.6 : L'ensemble C est éclaté en C_0, comprenant les chaînes qui commencent par un 0 et C_1 comprenant les chaînes qui commencent par un 1. D_0 et D_1 sont formés en enlevant respectivement les 0 et 1 de tête.

leur 0 de tête nous obtiendrions deux chaînes dans C_0, $0a_1a_2 \cdots a_n$ et $0b_1b_2 \cdots b_n$, et ces deux chaînes différeraient également de seulement une position. Mais les chaînes de C_0 sont également dans C et nous savons que C ne contient pas deux chaînes ne différant que d'une seule une position. Et il en est de même pour D_0 ; D_0 est donc un ensemble détecteur d'erreurs.

Maintenant, nous pouvons appliquer l'hypothèse de récurrence pour conclure que D_0, étant un code détecteur d'erreurs comprenant des chaînes de longueur n, a au plus 2^{n-1} chaînes. Ainsi, C_0 a au plus 2^{n-1} chaînes.

Nous pouvons tenir un raisonnement similaire au sujet de l'ensemble C_1. Soit D_1, l'ensemble des chaînes de C_1 auxquelles on a enlevé le 1 de tête. D_1 est ensemble détecteur d'erreurs comprenant des chaînes de longueur n, et par hypothèse de récurrence, D_1 a au plus 2^{n-1} chaînes. Ainsi, C_1 a au plus 2^{n-1} chaînes. Cependant, toute chaîne de C est soit dans C_0 soit dans C_1. Ainsi, C_1 a au plus $2^{n-1} + 2^{n-1}$, ou 2^n chaînes.

Nous avons prouvé que $S(n)$ implique $S(n+1)$ et ainsi nous pouvons conclure que $S(n)$ est vraie pour tout $n \geq 1$. Nous excluons $n = 0$ de cette affirmation parce que la base est $n = 1$ et non pas $n = 0$. Nous voyons maintenant que des ensembles détecteur d'erreurs construits par vérification de parité sont aussi grands que possible puisqu'ils ont exactement 2^{n-1} chaînes lorsque des chaînes de n bits sont utilisées. ◆

EXERCICES

2.3.1 : Il est bien connu que la somme des n premiers entiers est égale à $n(n+1)/2$; vous pourriez prouver ceci en utilisant la formule pour la somme d'une progression arithmétique. Cependant, pour les besoins de l'exercice, vous allez prouver par récurrence sur n que $\sum_{i=1}^{n} i = n(n+1)/2$. Pour la base, vous utiliserez $n = 1$.

2.3.2 : Les nombres de la forme $t_n = n(n+1)/2$ sont appelés **des nombres triangulaires** ; la raison est que nous pouvons mettre $\sum_{i=1}^{n} i$ billes (ce qui comme nous l'avons vu à l'exercice 2.3.1 est la même chose que t_n) dans un triangle équilatéral de

Comment inventer des preuves par récurrence

Il n'y a pas de recette miracle qui vous garantisse d'avoir une preuve par récurrence pour n'importe quelle assertion (vraie) $S(n)$. Trouver des preuves par récurrence, comme trouver des preuves de n'importe quelle nature, ou comme écrire des programmes qui fonctionnent, est une tâche difficile demandant beaucoup de réflexion, et nous pouvons seulement vous donner quelques conseils. Si vous examinez les étapes de récurrence des exemples 2.4 et 2.6, vous remarquerez que dans chacun des cas, nous avons eu a retravailler l'assertion $S(n + 1)$ que nous essayions de démontrer de manière qu'elle incorpore l'hypothèse de récurrence, $S(n)$ avec un petit quelque chose en plus. Dans l'exemple 2.4, nous avons exprimé la somme

$$1 + 2 + 4 + \cdots + 2^n + 2^{n+1}$$

comme étant la somme

$$1 + 2 + 4 + \cdots + 2^n$$

qui nous permettait d'utiliser l'hypothèse de récurrence, plus le terme 2^{n+1}. Dans l'exemple 2.6, nous avons exprimé l'ensemble C, avec des chaînes de longueur $n + 1$, en fonction de deux ensembles de chaînes (que nous avons appelé D_0 et D_1) de longueur n, de façon que nous puissions appliquer l'hypothèse de récurrence à ces ensembles et conclure que ces deux ensembles étaient d'une taille limitée.

Bien sûr, travailler avec l'assertion $S(n = 1)$ pour appliquer l'hypothèse de récurrence n'est rien d'autre qu'un cas particulier de l'adage universel de résolution de problèmes « utilisez ce qui vous est donné ». La partie difficile vient toujours de ce qu'il faut faire de la partie supplémentaire de $S(n + 1)$ pour compléter la preuve de $S(n + 1)$ à partir de $S(n)$.

---

côté n (billes). Par exemple, les quilles d'un jeu de bowling sont disposées dans un triangle de côté 4 et il y a $t_4 = 4 \times 5/2 = 10$ quilles. Montrez par récurrence sur n que $\sum_{j=1}^{n} t_j = n(n + 1)(n + 2)/6$.

2.3.3 : Montrez par récurrence sur n que

$$\sum_{i=1}^{n} i^2 = n(n + 1)(2n + 1)/6$$

2.3.4 : Montrez par récurrence sur n que

$$\sum_{i=1}^{n} i^3 = n^2(n + 1)^2/4$$

2.3.5 : Identifiez la parité de chacune des séquences suivantes de bits (paire ou impaire) :

a) 01101

b) 111000111

c) 010101

2.3.6 : Supposons que nous utilisions trois chiffres — disons 0, 1 et 2 — pour coder des symboles. Un ensemble C de chaînes formées de 0, 1 et 2 est *détecteur d'erreurs* si il n'y a pas deux chaînes de C qui ne diffèrent que d'une seule une position. Par exemple, $\{00, 11, 22\}$ est un ensemble détecteur d'erreurs comprenant des chaînes de longueur deux utilisant les chiffres 0, 1 et 2. Montrez que pour tout $n \geq 1$, un ensemble détecteur d'erreurs comprenant des chaînes de longueur n utilisant les digits 0, 1 et 2, ne peut pas avoir plus de 3^{n-1} chaînes.

2.3.7 : * Montrez que pour tout $n \geq 1$, il existe un ensemble détecteur d'erreurs comprenant des chaînes de longueur n utilisant les digits 0, 1 et 2 qui a 3^{n-1} chaînes.

2.3.8 : * Montrez que si nous utilisons k symboles, pour tout $k \geq 2$, il existe un ensemble détecteur d'erreurs comprenant k^{n-1} chaînes de longueur n, utilisant k symboles différents pour les « chiffres ». Montrez que cet ensemble ne peut pas contenir plus de k^{n-1} chaînes.

2.3.9 : * Si $n \geq 1$, le nombre de chaînes utilisant les chiffres 0, 1 et 2 et n'ayant pas deux places consécutives avec le même chiffre est $3 \times 2^{n-1}$. Par exemple, il existe 12 telles chaînes de longueur trois : 010, 012, 020, 021, 101, 102, 120, 121, 201, 202, 210 et 212. Prouvez cette affirmation par récurrence sur la longueur des chaînes. La formule est-elle vraie pour $n = 0$?

2.3.10 : * Prouvez que l'algorithme d'addition avec propagation de la retenue étudié au paragraphe 1.3 produit la bonne réponse. *Une indication* : montrez par récurrence sur i qu'après avoir considéré les i premiers bits de droite, la somme des chaînes de i bits correspondant aux deux opérandes est égale au nombre dont la représentation binaire est le bit de retenue suivi des i bits de la réponse générée auparavant.

2.3.11 : * La formule pour la somme d'une série géométrique est

$$\sum_{i=0}^{n} ar^i = (ar^{n+1} - a)/(r - 1)$$

Prouvez cette formule par récurrence sur n. Remarquez qu'il faut supposer $r \neq 1$ pour que la formule soit vraie. Où utilisez-vous cette hypothèse dans votre preuve ?

2.3.12 : Donnez deux preuves de nature informelle que la récurrence commençant à 1 « fonctionne » même si l'assertion $S(0)$ peut être fausse.

2.3.13 : Montrez par récurrence sur la longueur des chaînes que le code avec chaînes de parité impaire détecte les erreurs.

2.3.14 : ** S'il n'y a pas deux chaînes dans un code qui diffèrent en moins de trois positions, alors nous pouvons corriger une erreur simple, en trouvant l'unique chaîne du code qui diffère de la chaîne reçue en seulement une position. Il en résulte alors qu'il existe un code de chaînes de 7 bits qui corrige des erreurs isolées et qui contient 16 chaînes. Trouvez un tel code. *Une indication* : Raisonner de façon abstraite est probablement meilleur mais si vous êtes bloqué, alors écrivez un programme qui cherche un tel code.

2.3.15 : * Le code de parité paire détecte-t-il toutes les « doubles erreurs », c'est-à-dire des changements dans deux bits différents ? Peut-il corriger toutes les erreurs simples ?

2.4 Récurrence complète

Jusqu'à présent, dans les exemples, nous avons prouvé que $S(n+1)$ est vraie en utilisant seulement $S(n)$ comme hypothèse de récurrence. Cependant, puisque nous prouvons notre assertion S pour des valeurs de son paramètre commençant à la valeur de base et que nous procédons de façon ascendante, nous sommes autorisés à utiliser $S(i)$ pour toutes les valeurs de i, depuis la valeur de base jusqu'à n. Cette forme de récurrence est appelée **récurrence complète** (ou parfois **parfaite** ou **forte**). De façon formelle, nous prouvons en deux étapes que $S(n)$ est vraie pour tout $n \geq 0$:

1. Nous prouvons d'abord la base, $S(0)$.

2. Comme hypothèse de récurrence, nous supposons que tous les $S(0), S(1), \ldots, S(n)$ sont vraies. De ces assertions nous prouvons que $S(n+1)$ est également vraie.

Comme pour la récurrence ordinaire décrite dans le paragraphe précédent, nous pouvons également prendre pour base une valeur a autre que 0. Dans ce cas, pour la base, nous prouvons $S(a)$ et dans l'étape de récurrence nous sommes autorisés à supposer seulement $S(a), S(a+1), \ldots, S(n)$. Remarquez que la récurrence ordinaire est un cas particulier de la récurrence complète dans laquelle nous nous interdisons d'utiliser toute autre assertion que $S(n)$ pour prouver $S(n+1)$.

La figure 2.7 montre comment la récurrence complète fonctionne. Pour prouver toute instance de l'assertion $S(n)$, on peut (au choix) utiliser de plein droit n'importe laquelle des instances indicées par un nombre plus petit .

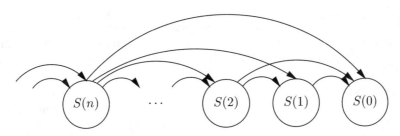

Figure 2.7 : La récurrence complète permet à chaque instance d'utiliser pour sa preuve une, plusieurs ou toutes les instances précédentes.

Comme la récurrence ordinaire, la récurrence complète peut être justifiée intuitivement par une preuve technique, en utilisant un argument du type « au moins un contre-exemple ». Soit $S(a)$ la base ; supposons que nous ayons montré que pour tout $n \geq a$, $S(a), S(a+1), \ldots, S(n)$ implique $S(n+1)$. Maintenant, supposons que $S(n)$ ne soit pas vraie pour au moins une valeur de $n \geq a$, et soit b le plus petit entier supérieur ou égal à a, pour lequel $S(b)$ est faux. Donc b ne peut pas être a ou alors la base $S(a)$ serait contredite. De plus b ne peut pas être supérieur à a, **donc tous les $S(a), \ldots, S(b-1)$ doivent être vraies**. Mais la preuve par récurrence nous dit maintenant que $S(b)$ doit être vraie. Nous arrivons donc à une contradiction.

Associativité et commutativité

Rappelons que la *loi associative* pour l'addition stipule que nous pouvons additionner trois valeurs soit en additionnant les deux premières et ensuite en ajoutant la troisième au résultat, soit en additionnant la première au résultat de l'addition de la deuxième et de la troisième ; le résultat sera le même. De façon formelle,

$$(E_1 + E_2) + E_3 = E_1 + (E_2 + E_3)$$

où E_1, E_2, et E_3 sont des expressions arithmétiques quelconques. Par exemple,

$$(1 + 2) + 3 = 1 + (2 + 3)$$

Ici, $E_1 = 1$, $E_2 = 2$, et $E_3 = 3$. Ainsi,

$$\big((xy) + (3z - 2)\big) + (y + z) = xy + \big((3z - 2) + (y + z)\big)$$

Ici, $E_1 = xy$, $E_2 = 3z - 2$, et $E_3 = y + z$. Rappelons également que la *loi commutative* pour l'addition stipule que nous pouvons additionner deux expressions dans n'importe quel ordre. De façon formelle,

$$E_1 + E_2 = E_2 + E_1$$

Par exemple, $1 + 2 = 2 + 1$, et $xy + (3z - 2) = (3z - 2) + xy$.

Formes normales pour les expressions arithmétiques

Un compilateur pour un langage de programmation peut tirer parti des propriétés algébriques des opérateurs arithmétiques pour changer l'ordre d'évaluation des opérandes d'une expression arithmétique. Le but est de produire un code machine plus efficace pour évaluer l'expression (reportez-vous au chapitre 4 pour une discussion sur le code machine).

Dans ce paragraphe, nous considérons les expressions arithmétiques contenant un simple opérateur commutatif et associatif, comme +, et nous examinons les permutations possibles des opérandes. Nous prouverons que pour toute expression mettant en jeu seulement l'opérateur +, la valeur de l'expression est égale à la valeur de toute expression dans laquelle + est appliqué aux mêmes opérandes, ordonnés et/ou groupés de n'importe quelle manière. Par exemple,

$$\big(a_3 + (a_4 + a_1)\big) + (a_2 + a_5) = a_1 + \Big(a_2 + \big(a_3 + (a_4 + a_5)\big)\Big)$$

Nous prouverons cette affirmation en effectuant deux récurrences distinctes, la première d'entre elles étant une récurrence complète.

◆ **Exemple 2.7.** Nous prouverons l'assertion suivante par récurrence complète sur n (le nombre d'opérandes dans une expression)

ASSERTION $S(n)$: Si E est une expression mettant en jeu l'opérateur + et n opérandes, et si a est l'un de ces opérandes, alors E peut être transformée en utilisant les lois associatives et commutatives, en une expression de la forme $a + F$, où F est une expression impliquant tous les opérandes de E excepté a, groupés dans un certain ordre en utilisant l'opérateur $+$.

L'assertion $S(n)$ est vérifiée seulement pour $n \geq 2$, puisqu'il doit y avoir au moins une occurrence de l'opérateur $+$ dans E. Ainsi, nous utiliserons $n = 2$ pour notre base.

LA BASE. Soit $n = 2$. Alors E peut être seulement $a + b$ ou $b + a$, pour un opérande b autre que a. Dans le premier cas, nous posons F comme étant l'expression b et le tour est joué. Dans le second cas, nous notons que par une loi commutative, $b + a$ peut être transformé en $a + b$, et ainsi nous pouvons à nouveau poser $F = b$.

LA RÉCURRENCE. Considérons que E a $n + 1$ opérandes et supposons que $S(i)$ est vraie pour $i = 2, 3, \ldots, n$. Nous devons prouver l'étape par récurrence pour $n \geq 2$; nous pouvons ainsi supposer que E a au moins trois opérandes et ainsi au moins deux occurrences de $+$. E_1 et E_2 étant des expressions, nous pouvons écrire E comme $E_1 + E_2$. Puisque E a exactement $n + 1$ opérandes, et puisque E_1 et E_2 doivent avoir chacune au moins un de ces opérandes, il résulte que ni E_1 ni E_2 ne peuvent avoir plus de n opérandes. Ainsi, l'hypothèse de récurrence s'applique à E_1 et E_2, pourvu qu'elles aient chacune plus d'un opérande (parce que nous avons commencé avec une base à $n = 2$). Nous devons considérer quatre cas qui sont fonction, d'une part de l'appartenance de a à E_1 ou E_2 et, d'autre part, de la présence d'opérandes autres que a dans l'une ou l'autre des expressions E_1 et E_2.

a) E_1 est simplement a. Un exemple de ce cas se produit lorsque E est $a + (b + c)$; ici E_1 est a et E_2 est $b + c$. Dans ce cas, E_2 joue le rôle de F; c'est-à-dire que E est déjà de la forme $a + F$.

b) E_1 a plus d'un opérande et a est l'un d'eux. Par exemple,
$$E = \big(c + (d + a)\big) + (b + e)$$
avec $E_1 = c + (d + a)$ et $E_2 = b + e$. Ici, puisque E_1 n'a pas plus de n opérandes mais en a au moins deux, nous pouvons appliquer l'hypothèse de récurrence qui nous autorise à transformer E_1 en $a + E_3$ en utilisant les lois commutatives et associatives. Ainsi, E peut être transformée en $(a + E_3) + E_2$. Nous appliquons la loi associative et voyons que E peut être ensuite transformée en $a + (E_3 + E_2)$. Ainsi, nous pouvons choisir $E_3 + E_2$ pour F, ce qui prouve l'étape de récurrence dans ce cas. Pour notre exemple E ci-dessus, nous pouvons supposer que $E_2 = c + (d + a)$ est transformée par l'hypothèse de récurrence en $a + (c + d)$. Alors E peut être regroupée en $a + \big((c + d) + (b + e)\big)$.

c) E_2 est simplement a. Par exemple, $E = (b + c) + a$. Dans ce cas, nous utilisons la loi commutative pour transformer E en $a + E_1$, qui est de la forme souhaitée si nous considérons que F est E_1.

d) E_2 a plus d'un opérande, incluant a. Un exemple est $E = b + (a + c)$. Appliquons la loi commutative pour transformer E en $E_2 + E_1$. Ensuite, procédons comme dans le cas (b). Si $E = b + (a + c)$, nous transformons d'abord E en $(a + c) + b$. Grâce à l'hypothèse de récurrence, $a + c$ peut être mise dans la forme souhaitée ; en fait elle y est déjà. La loi associative transforme ensuite E en $a + (c + b)$.

Dans les quatre cas, nous avons transformé E en la forme souhaitée. Ainsi, l'étape de récurrence est prouvée et nous concluons que $S(n)$ est vraie pour tout $n \geq 2$. ✦

✦ **Exemple 2.8.** La preuve par récurrence de l'exemple 2.7 conduit directement à un algorithme qui met l'expression dans la forme souhaitée. Par exemple, considérons l'expression :

$$E = \big(x + (z + v)\big) + (w + y)$$

et supposons que v soit l'opérande que nous souhaitons « détacher », c'est-à-dire voir jouer le rôle de a dans la transformation de l'exemple 2.7. Initialement, nous avons un exemple du cas (b), avec $E_1 = x + (z + v)$, et $E_2 = w + y$.

Ensuite, nous devons travailler sur l'expression E_1 et détacher v. E_1 est un exemple du cas (d), et nous appliquons donc en premier la loi commutative pour transformer E_1 en $(z+v)+x$. Ceci étant une instance du cas (b), nous devons travailler sur l'expression $z + v$ qui est une instance du cas (c). Nous la transformons ensuite par commutativité en $v + z$.

Maintenant E_1 a été transformée en $(v + z) + x$; une nouvelle utilisation de la loi associative transforme E_1 en $v + (z + x)$. Ceci transforme E en $\big(v + (z + x)\big) + (w + y)$. Grâce à la loi associative, E peut être transformée en $v + \big((z + x) + (w + y)\big)$. Ainsi, $E = v + F$, où F est l'expression $(z+x)+(w+y)$. La séquence entière de transformation est résumée dans la figure 2.8. ✦

$$\big(x + (z + v)\big) + (w + y)$$
$$\big((z + v) + x\big) + (w + y)$$
$$\big((v + z) + x\big) + (w + y)$$
$$\big(v + (z + x)\big) + (w + y)$$
$$v + \big((z + x) + (w + y)\big)$$

Figure 2.8 : En utilisant les lois associatives et commutatives, nous pouvons « détacher » n'importe quel opérande, tel que v.

Maintenant, nous pouvons utiliser l'assertion prouvée dans l'exemple 2.7 pour prouver notre contention originale, c'est-à-dire que pour toute paire d'expressions mettant en jeu l'opérateur $+$ et une même liste d'opérandes distincts, nous pouvons transformer l'une en l'autre grâce aux lois associatives et commutatives. La preuve se fait par récurrence ordinaire, comme cela a été discuté au paragraphe 2.3, et non pas par récurrence complète.

✦ **Exemple 2.9.** Prouvons l'assertion suivante par récurrence sur n, le nombre d'opérandes dans une expression.

ASSERTION $T(n)$: Si E et F sont des expressions impliquant l'opérateur $+$ et le même ensemble de n opérandes distincts, alors il est possible de transformer E en F par une séquence d'applications des lois associatives et commutatives.

LA BASE. Si $n = 1$, alors les deux expressions doivent être toutes les deux un opérande simple a. Puisqu'elles sont la même expression, E est certainement « transformable » en F.

LA RÉCURRENCE. Supposons que $T(n)$ soit vraie, pour un $n \geq 1$. Nous allons maintenant prouver $T(n+1)$. Soient E et F des expressions impliquant le même ensemble de $n+1$ opérandes, et soit a l'un de ces opérandes. Puisque $n + 1 \geq 2$, $S(n+1)$ — l'assertion de l'exemple 2.7 — est vérifiée. Ainsi, nous pouvons transformer E en $a + E_1$ pour une expression E_1 impliquant les n autres opérandes de E. D'une façon similaire, nous pouvons transformer F en $a + F_1$, pour une expression F_1 impliquant les n mêmes opérandes que E_1. Le plus important, dans ce cas, est que nous pouvons aussi accomplir les transformations dans la direction opposée, en transformant $a + F_1$ en F en utilisant les lois associatives et commutatives.

Maintenant, nous invoquons l'hypothèse de récurrence $T(n)$ sur les expressions E_1 et F_1. Chacune a les mêmes n opérandes; l'hypothèse de récurrence s'applique donc. Ceci fait que nous pouvons transformer E_1 en F_1, et ainsi nous pouvons transformer $a + E_1$ en $a + F_1$. Nous pouvons alors procéder aux transformations

$$E \to \cdots \to a + E_1 \text{ en utilisant } S(n+1)$$
$$\to \cdots \to a + F_1 \text{ en utilisant } T(n)$$
$$\to \cdots \to F \qquad \text{ en utilisant } S(n+1) \text{ à l'envers}$$

pour transformer E en F. ✦

✦ **Exemple 2.10.** Transformons $E = (x+y)+(w+z)$ en $F = \big((w+z)+y\big)+x$. Nous commençons par choisir un opérande, disons w, à « détacher ». Si nous vérifions les cas de l'exemple 2.7, nous voyons que pour E, nous réalisons la séquence de transformations :

$$(x + y) + (w + z) \to (w + z) + (x + y) \to w + \big(z + (x + y)\big) \tag{2.6}$$

tandis que pour F nous faisons :

$$\big((w + z) + y\big) + x \to \big(w + (z + y)\big) + x \to w + \big((z + y) + x\big) \tag{2.7}$$

Désormais nous avons le sous-problème qui consiste à transformer $z + (x + y)$ en $(z + y) + x$. Nous allons faire ceci en détachant x. Les séquences de transformations sont :

$$z + (x + y) \to (x + y) + z \to x + (y + z) \tag{2.8}$$

et

$$(z + y) + x \to x + (z + y) \tag{2.9}$$

Cette fois, nous avons le sous-problème qui consiste à transformer $y+z$ en $z+y$. Nous faisons ceci en appliquant la loi commutative. A vrai dire, nous utilisons la technique de l'exemple 2.7 pour « détacher » y de chacune, laissant $y + z$ pour chaque expression. Ensuite, le cas de base de l'exemple 2.9 nous dit que l'expression z peut être transformée en elle-même.

Nous pouvons maintenant transformer $z + (x + y)$ en $(z + y) + x$ grâce aux étapes de la ligne (2.8), en appliquant ensuite la loi commutative à la sous-expression $y + z$, et finalement en utilisant à l'envers la transformation de la ligne (2.9). Nous utilisons ces transformations pour la partie médiane de la transformation de $(x + y) + (w + z)$ en $((w + z) + y) + x$. Nous appliquons d'abord les transformations de la ligne (2.6) et ensuite les transformations que nous venons de présenter pour changer $z + (x + y)$ en $(z + y) + x$, et finalement les transformations de la ligne (2.7) à l'envers. La séquence entière de transformations est résumée dans la figure 2.9. ✦

$(x + y) + (w + z)$	Expression E
$(w + z) + (x + y)$	Milieu de (2.6)
$w + \big(z + (x + y)\big)$	Fin de (2.6)
$w + \big((x + y) + z\big)$	Milieu de (2.8)
$w + \big(x + (y + z)\big)$	Fin de (2.8)
$w + \big(x + (z + y)\big)$	Loi commutative
$w + \big((z + y) + x\big)$	(2.9) à l'envers
$\big(w + (z + y)\big) + x$	Milieu de (2.7) à l'envers
$\big((w + z) + y\big) + x$	Expression F, fin de (2.7) à l'envers

Figure 2.9 : Transformer une expression en une autre en utilisant les lois associatives et commutatives.

EXERCICES

2.4.1 : Détachez chaque opérande de l'expression $E = (u + v) + \Big(\big(w + (x + y)\big) + z\Big)$ tour à tour. C'est-à-dire, partez de E dans chacune des six parties et utilisez les techniques de l'exemple 2.7 pour transformer E en une expression de la forme $u + E_1$. Ensuite, transformez E_1 en une expression de la forme $v + E_2$ et ainsi de suite.

2.4.2 : Utilisez la technique de l'exemple 2.9 pour transformer :

a) $w + \big(x + (y + z)\big)$ en $\big((w + x) + y\big) + z$

b) $(v + w) + \big((x + y) + z\big)$ en $\big((y + w) + (v + z)\big) + x$

2.4.3 : * Soit E une expression avec les opérateurs $+$, $-$, $*$ et $/$; chaque opérateur est seulement binaire ; c'est-à-dire qu'il prend deux opérandes. Montrez, en utilisant une récurrence complète sur le nombre d'occurrences des opérateurs dans E, que si E a n occurrences d'opérateurs, alors E a $n + 1$ opérandes.

2.4.4 : Donnez un exemple d'opérateur binaire qui est commutatif mais pas associatif.

2.4.5 : Donnez un exemple d'opérateur binaire qui est associatif mais pas commutatif.

2.4.6 : * Considérez une expression E dont les opérateurs sont tous binaires (c'est-à-dire prennent deux opérandes ; par exemple, $+$). La *longueur* de E est définie comme le nombre de symboles dans E en comptant un opérateur ou une parenthèse gauche ou droite comme un symbole et en comptant aussi tout opérande comme 123 ou abc comme un symbole. Prouvez que E doit avoir une longueur impaire. *Une indication :* prouvez l'affirmation par récurrence complète sur la longueur de l'expression E.

2.4.7 : Référons-nous au schéma de récurrence introduit au paragraphe 2.3 comme une « récurrence ordinaire ». Toute preuve par récurrence ordinaire est-elle aussi une preuve par récurrence complète ? Toute preuve par récurrence complète est-elle aussi une preuve par récurrence ordinaire ?

2.4.8 : * Nous avons montré dans ce paragraphe comment justifier la récurrence complète par un argument du type « au moins un contre-exemple ». Montrez comment la récurrence complète peut aussi être justifiée par une itération.

2.5   Prouver les propriétés des programmes

Dans ce paragraphe, nous allons explorer un domaine dans lequel les preuves par récurrence sont essentielles : il s'agit de prouver qu'un programme fait bien ce qu'il est supposé faire. Nous verrons une technique permettant d'expliquer le comportement d'un programme itératif tout au long de l'exécution d'une boucle. Si nous comprenons ce que fait la boucle, alors, généralement, nous comprendrons aussi ce que nous devons savoir d'un programme itératif. Au paragraphe 2.9, nous étudierons ce qui est nécessaire à l'établissement de preuves pour les propriétés des programmes récursifs.

Les invariants de boucles

Pour prouver une propriété d'une boucle dans un programme, le principe est de sélectionner un *invariant de boucle* ou **assertion par récurrence** qui est une assertion S vraie chaque fois que nous atteignons un endroit particulier dans la boucle. L'assertion S est alors prouvée par récurrence sur un paramètre qui, en quelque sorte, mesure le nombre de fois que nous avons parcouru la boucle. Par exemple, le paramètre peut être le nombre de fois que nous avons atteint un test d'une boucle `while`, il peut être la valeur d'un indice de boucle dans une boucle `for` ou il peut être une expression mettant en jeu les variables du programme qui sont supposées augmenter de 1 à chaque parcours de boucle.

✦ **Exemple 2.11.** Considérons l'exemple de la boucle intérieure de `SelectionSort` au paragraphe 2.2. Ces lignes, avec la numérotation initiale de la figure 2.2, sont

```
(2)           small := i;
(3)           for j := i+1 to n do
(4)               if A[j] < A[small] then
(5)                   small := j;
```

Rappelons que l'objectif de ces lignes est d'affecter à `small` l'indice d'un élément de `A[i..n]` ayant la plus petite valeur. Afin de comprendre en quoi ceci est vrai, considérons l'organigramme de notre boucle tel qu'il est montré dans la figure 2.10. Cet organigramme montre les cinq étapes nécessaires à l'exécution du programme :

1.   Premièrement, nous devons initialiser `small` à i (ligne (2)).

2.   Au début de la boucle `for` à la ligne (3), nous devons initialiser j à $i + 1$.

La vérité dans l'annonce

On rencontre beaucoup de difficultés, à la fois théorique et pratiques, dans les preuves du fonctionnement des programmes. Une question évidente est « que signifie *fonctionner* pour un programme ? » Comme nous l'avons mentionné dans le chapitre 1, dans la pratique, la plupart des programmes sont écrits pour satisfaire une spécification informelle. La spécification elle-même peut être incomplète ou incohérente. Même s'il existait une spécification formelle précise, nous pourrions montrer qu'il n'existe pas d'algorithme pour prouver qu'un programme donné est équivalent à une spécification donnée.

Cependant, en dépit de ces difficultés, il est utile de poser et de prouver des assertions sur les programmes. Les invariants de boucles d'un programme sont souvent la plus courte et utile explication qu'il est possible de donner sur le fonctionnement du programme. D'ailleurs, le programmeur devrait toujours réfléchir à un invariant de boucle lorsqu'il écrit un bout de code. Cela signifie qu'il doit y avoir une raison pour qu'un programme marche et cette raison est souvent liée à une hypothèse de récurrence qui est vérifiée chaque fois qu'un programme parcourt une boucle ou chaque fois qu'il fait un appel récursif. Le programmeur devrait être capable d'imaginer une preuve, même s'il peut s'avérer impossible d'écrire une telle preuve ligne par ligne.

3.   Ensuite, nous devons tester si $j > n$.

4.   Si tel n'est pas le cas, nous exécutons le corps de la boucle (lignes (4) et (5)).

5.   A la fin du corps de la boucle, nous devons incrémenter j et retourner au test.

Sur la figure 2.10, nous avons inséré une assertion d'invariant de boucle appelée $S(k)$; nous expliquons sans attendre la nature de cette assertion. La première fois que nous atteignons le test, j a la valeur $i + 1$ et small a la valeur i. La seconde fois que nous atteignons le test, j a la valeur $i + 2$, parce que j a été incrémenté une fois. Etant donné que le corps (lignes 4 et 5) affecte $i + 1$ à small si $A[i + 1]$ est plus petit que $A[i]$, nous voyons que small est l'indice de la plus petite [3] des deux valeurs $A[i]$ et $A[i + 1]$.

De même, la troisième fois que nous atteignons le test, la valeur de j est $i + 3$ et small est l'indice du plus petit élément dans A[i..i+2]. Nous essayons ensuite de prouver l'assertion suivante, qui apparaît comme étant la règle générale.

ASSERTION $S(k)$: Si nous atteignons le test pour $j > n$ dans l'instruction for de la ligne (3) avec k pour valeur de l'indice de boucle j, alors la valeur de small est l'indice du plus petit élément dans A[i..k-1].

Remarquez que nous utilisons la lettre k en lieu et place de la valeur prise par la variable j à chaque parcours de la boucle. Ceci est moins embarassant qu'essayer d'utiliser j comme valeur de j, car nous avons parfois besoin de ne pas modifier k pendant que la valeur de j change. Notez aussi que $S(k)$ a la forme « si nous atteignons $\cdots$ » ; en effet, pour certaines valeurs de k nous pouvons ne jamais atteindre le test de boucle,

---

[3] En cas d'égalité, *small* vaudra i. En général, nous prétendrons qu'il n'y a pas d'égalité et parlerons du « plus petit élément » alors que nous devrions dire « la première occurrence du plus petit élément ».

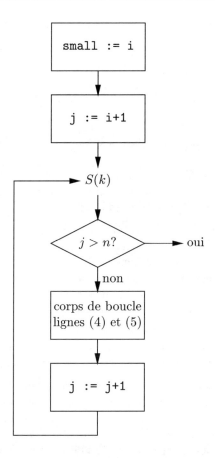

Figure 2.10 : Organigramme pour la boucle intérieure de
`SelectionSort`.

si nous en sortons pour une plus petite valeur de l'indice de boucle j. Si k est l'une de ces valeurs, alors $S(k)$ est certainement vraie, parce que toute instruction de la forme « si A alors B » est vraie quand A est faux.

LA BASE. Le cas de base est $k = i + 1$, où i est la valeur de la variable i à la ligne (3)[4]. Maintenant $j = i + 1$ quand nous commençons la boucle. C'est-à-dire que nous venons juste d'exécuter la ligne (2), qui a donné la valeur i à `small` et nous avons initialisé j à $i + 1$ pour commencer la boucle. $S(i + 1)$ dit que `small` est l'indice du plus petit élément dans `A[i..i]` ce qui signifie que la valeur de `small` doit être i. Mais nous venons juste d'observer que la ligne (2) avait donné la valeur i à `small`. En toute rigueur, il faut aussi montrer que j ne pourra jamais avoir la valeur $i + 1$ sauf la première fois que nous atteignons le test. Intuitivement, la raison est que chaque fois que nous bouclons, nous incrémentons j ; il ne sera donc jamais aussi petit que

---

[4] Tant que seules les lignes (3) à (5) sont concernées, i ne change pas. Il est donc approprié d'utiliser $i + 1$ comme constante pour la valeur de base.

$i + 1$. (Pour être tout à fait exact, nous devrions donner une preuve par récurrence de l'hypothèse selon laquelle $j > i + 1$ exceptée la première fois que nous passons le test.) Ainsi, la base $S(i + 1)$ est vraie.

LA RÉCURRENCE. Supposons maintenant que notre hypothèse de récurrence $S(k)$ soit vérifiée, pour un $k \geq i + 1$ et prouvons $S(k + 1)$. D'abord, si $k > n$, alors nous sortons de la boucle au plus tard quand j a la valeur k et ainsi nous sommes sûr de ne jamais atteindre le test de la boucle avec la valeur de j égale à $k + 1$. Dans ce cas, $S(k + 1)$ est certainement vraie.

Supposons donc que $k \leq n$ de manière que nous fassions le test avec j égal à $k + 1$. $S(k)$ dit que `small` est l'indice du plus petit élément de `A[i..k-1]` et $S(k+1)$ dit que `small` est l'indice du plus petit élément de `A[i..k]`. Considérons ce qui arrive dans le corps de la boucle (lignes 4 et 5) quand j prend la valeur k; il y a deux cas, selon le résultat du test de la ligne (4).

1. Si $A[k]$ n'est pas plus petite que la plus petite valeur dans `A[i..k-1]`, alors la valeur de `small` ne change pas. Cependant, dans ce cas, `small` est aussi l'indice de la plus petite valeur dans `A[i..k]` puisque $A[k]$ n'est pas la plus petite. La conclusion est donc que $S(k + 1)$ est vraie dans ce cas.

2. Si $A[k]$ est plus petite que la plus petite des valeurs de $A[i]$ à $A[k-1]$ alors k est affectée à `small`. A nouveau, la conclusion de $S(k + 1)$ est maintenant vérifiée, parce que k est l'indice de la plus petite valeur dans `A[i..k]`.

Ainsi, dans l'un ou l'autre des cas, `small` est l'indice de la plus petite valeur dans `A[i..k]`. A chaque parcours de `for`, nous incrémentons la variable j. Ainsi, juste avant le test de la boucle, quand j a la valeur $k + 1$, la conclusion de $S(k + 1)$ est vérifiée. Nous avons désormais montré que $S(k)$ implique $S(k+1)$. Nous avons terminé la récurrence et nous pouvons en conclure que $S(k)$ est vérifiée pour toutes les valeurs $k \geq i + 1$.

Ensuite, nous appliquons $S(k)$ pour faire notre déclaration au sujet de la boucle intérieure des lignes (3) à (5). Nous sortons de la boucle quand la valeur de j atteint $n+1$. Puisque $S(n+1)$ dit que `small` est l'indice de la plus petite valeur dans `A[i..n]`, nous avons une conclusion importante concernant la tâche de la boucle intérieure. Nous verrons comment elle est utilisée dans le prochain exemple. ✦

```
(1)          for i := 1 to n-1 do begin
(2)              small := i;
(3)              for j := i+1 to n do
(4)                  if A[j] < A[small] then
(5)                      small := j;
(6)              temp := A[small];
(7)              A[small] := A[i];
(8)              A[i] := temp
             end
```

Figure 2.11 : Le corps de la procédure `SelectionSort`.

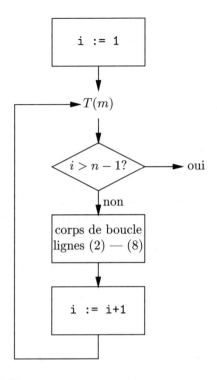

Figure 2.12 : Organigramme pour toute la procédure de tri par sélection.

◆ **Exemple 2.12.** Considérons maintenant la procédure entière `SelectionSort`, dont nous reproduisons le cœur dans la figure 2.11. Un organigramme de ce code est montré dans la figure 2.12, où le « corps » fait référence aux lignes (2) à (8) de la figure 2.11. Notre hypothèse de récurrence, que nous appelons $T(m)$, est à nouveau une assertion sur ce qui doit être vrai juste avant le test de terminaison de la boucle. De façon non formelle, quand i a la valeur m, nous avons sélectionné $m - 1$ des plus petits éléments et nous les avons triés au début du tableau. Plus précisément, nous prouvons l'assertion suivante $T(m)$ par récurrence sur m.

ASSERTION $T(m)$: Si nous atteignons le test de la boucle $i > n - 1$ de la ligne (1) avec la valeur de la variable i égale à m, alors

a)   `A[1..m-1]` sont en ordre trié ; c'est-à-dire $A[1] \leq A[2] \leq \cdots \leq A[m - 1]$.

b)   Toutes les valeurs de `A[m..n]` sont supérieures ou égales à n'importe laquelle des valeurs dans `A[1..m-1]`.

LA BASE. Le cas de base est $m = 1$. La base est vraie pour des raisons évidentes. Si nous regardons l'assertion $T(1)$, la partie (a) dit que `A[1..0]` est trié. Mais il n'y a pas d'élément dans l'intervalle $A[1], \ldots, A[0]$, et donc (a) doit être vraie. De même, la partie (b) de $T(1)$ dit que toutes les valeurs dans `A[1..n]` sont supérieures ou égales à n'importe laquelle des valeurs dans A[1..0]. Puisqu'il n'y a pas d'élément dans ce dernier, la partie (b) est aussi vraie.

LA RÉCURRENCE. Pour l'étape de récurrence, nous supposons que $T(m)$ est vraie pour un $m \geq 1$, et nous montrons que $T(m+1)$ est vérifiée. Comme dans l'exemple 2.11, nous tentons de prouver une instruction de la forme « si A alors B » et une telle instruction est vraie lorsque A est faux. Donc, $T(m+1)$ est vraie si l'hypothèse selon laquelle nous atteignons le test de la boucle for avec i égale à $m+1$ est fausse. Ainsi, nous devons supposer que nous atteignons le test avec i ayant la valeur $m+1$; c'est-à-dire que nous pouvons supposer $m < n$.

Quand i a la valeur m, le corps de la boucle trouve un plus petit élément dans A[m..n] (comme cela est prouvé par l'assertion $S(m)$ de l'exemple 2.11). Cet élément est échangé avec $A[m]$ aux lignes (6) à (8). La partie (b) de l'hypothèse de récurrence, $T(m)$, nous dit que l'élément choisi doit être au moins aussi grand que n'importe quel élément de A[1..m-1]. De plus, ces éléments étaient triés, donc maintenant tous les éléments de A[i..m] sont triés. Ceci prouve la partie (a) de l'assertion $T(m+1)$.

Pour prouver la partie (b) de $T(m+1)$, nous voyons que $A[m]$ a été sélectionné comme étant inférieure ou égale à n'importe quelle valeur dans A[m+1..n]. La partie (a) de $T(m)$ nous dit que les valeurs dans A[1..m-1] étaient déjà inférieures ou égales à n'importe quelle valeur dans A[m+1..n]. Ainsi, après avoir exécuté le corps des lignes (2) à (8) et après avoir incrémenté i, nous savons que toutes les valeurs dans A[m+1..n] sont supérieures ou égales à n'importe quelle valeur dans A[1..m]. Puisque maintenant la valeur de i est $m+1$, nous avons montré la véracité de l'assertion $T(m+1)$ et nous avons ainsi prouvé l'étape de récurrence.

Maintenant, posons $m = n$. Nous savons que nous sortons de la boucle extérieure for quand i a la valeur n, ainsi $T(n)$ sera vérifiée après que nous aurons fini la boucle. La partie (a) de $T(n)$ dit que toutes les valeurs dans A[1..n-1] sont triées, et la partie (b) dit que $A[n]$ est supérieur ou égal à tout autre élément. Ainsi, quand le programme se termine, les éléments dans A sont en ordre non décroissant; c'est-à-dire qu'ils sont triés. ✦

Invariants de boucle pour les boucles while

Lorsque nous avons une boucle while de la forme

```
while <Condition> do
    <Corps>
```

il est logique de trouver l'invariant de boucle approprié juste avant le test de la condition. Généralement, nous essayons de prouver que l'invariant de boucle est vérifié par récurrence sur le nombre de fois que nous parcourons la boucle. Ensuite, lorsque la condition devient fausse, nous pouvons utiliser l'invariant de boucle, ainsi que la négation de la condition, pour conclure quelque chose d'utile au sujet de ce qui est vrai après que la boucle while s'est terminée.

Cependant, à la différence des boucles for, il peut ne pas y avoir de variable dont la valeur compte le nombre de fois que nous avons parcouru la boucle while. Pire, alors qu'on est sûr que la boucle for ne dépassera pas la limite de la boucle (par exemple, jusqu'à n pour la boucle intérieure du programme `SelectionSort`), il n'y a aucune raison de croire que la condition de la boucle `while` deviendra fausse. Ainsi, une preuve du fonctionnement pour une boucle `while` est une preuve qu'elle terminera certainement. Habituellement, nous prouvons la terminaison en identifiant une expression E, mettant en jeu les variables du programme, telle que :

1. la valeur de E décroisse d'au moins 1 à chaque fois que nous parcourons la boucle et

2. la condition de boucle soit fausse si E est inférieure ou égale à une constante donnée, comme 0.

◆ **Exemple 2.13.** La fonction **factorielle**, écrite $n!$, est définie comme le produit des entiers $1 \times 2 \times \cdots \times n$. Par exemple, $1! = 1$, $2! = 1 \times 2 = 2$ et

$$5! = 1 \times 2 \times 3 \times 4 \times 5 = 120$$

La figure 2.13 montre un simple extrait de programme calculant $n!$ pour les entiers $n \geq 1$.

```
(1)          readln(n);
(2)          i := 2;
(3)          fact := 1;
(4)          while i <= n do begin
(5)              fact := fact*i;
(6)              i := i+1
             end;
(7)          writeln(fact)
```

Figure 2.13 : Un extrait du programme factorielle.

Pour commencer, prouvons que la boucle `while` des lignes (4) à (6) de la figure 2.13 doit terminer. Nous choisirons E comme étant l'expression $n-i$. Remarquez que chaque fois que nous parcourons la boucle `while`, `i` est incrémenté de 1 à la ligne (6) et `n` reste inchangé. Ainsi, E décroît de 1 à chaque tour de boucle. De plus, quand E vaut -1 ou moins, nous avons $n - i \leq -1$ ou $i \geq n + 1$. Ainsi, quand E devient négative, la condition de la boucle $i \leq n$ sera fausse et la boucle terminera. Nous ne connaissons pas la valeur initiale maximale de E, car nous ne savons pas quelle valeur de `n` sera lue. Cependant, quelle que soit cette valeur, E atteindra certainement une valeur aussi faible que -1 et la boucle terminera.

Maintenant, nous devons prouver que le programme de la figure 2.13 fait ce qu'il est supposé faire. L'assertion d'invariant de boucle appropriée que nous prouvons par récurrence sur la valeur de la variable `i`, est

ASSERTION $S(j)$: Si nous atteignons le test de la boucle $i \leq n$ avec la variable `i` ayant la valeur j, alors la valeur de la variable `fact` est $(j - 1)!$.

LA BASE. La base est $S(2)$. Nous atteignons le test avec i ayant la valeur 2 seulement quand nous entrons dans la boucle depuis l'extérieur. Avant la boucle, les lignes (2) et (3) de la figure 2.13 affectent 1 à `fact` et 2 à i. Puisque $1 = (2-1)!$, la base est prouvée.

LA RÉCURRENCE. Supposons $S(j)$ et prouvons $S(j+1)$. Si $j > n$, alors nous sortons de la boucle `while` au plus tard quand i a la valeur j, et ainsi nous n'atteignons jamais le test de la boucle avec i ayant la valeur $j+1$. Dans ce cas, $S(j+1)$ est évidemment vraie parce qu'elle est de la forme « Si nous atteignons $\cdots$ ».

Ainsi, supposons $j \leq n$ et considérons ce qui arrive quand nous exécutons le corps de la boucle `while` avec i ayant la valeur j. Par application de l'hypothèse de récurrence, et avant que la ligne (5) ne soit exécutée, `fact` a la valeur $(j-1)!$ et i a la valeur j. Ainsi, après que la ligne (5) a été exécutée, `fact` a la valeur $j \times (j-1)!$, qui est $j!$.

A la ligne (6), i est incrémentée de 1 et atteint donc la valeur $j+1$. Ainsi, quand nous atteignons le test de la boucle avec i ayant la valeur $j+1$, la valeur de `fact` est $j!$. L'assertion $S(j+1)$ dit que lorsque i est égale à $j+1$, `fact` est égale à $((j+1)-1)!$, ou $j!$. Ainsi, nous avons prouvé l'assertion $S(j+1)$ et achevé l'étape de récurrence.

Nous avons déjà montré que la boucle `while` terminera. Evidemment, elle termine quand i atteint une valeur plus grande que n. Puisque i est un entier et est incrémenté de 1 à chaque passage de boucle, i doit avoir la valeur $n+1$ quand la boucle termine. Ainsi, quand nous atteignons la ligne (7), l'assertion $S(n+1)$ doit être vérifiée. Mais cette assertion dit que `fact` a la valeur $n!$. Ainsi le programme affiche $n!$ comme nous voulions le prouver.

D'un point de vue pratique, nous devrions souligner que sur n'importe quel ordinateur le programme factorielle de la figure 2.13 affichera $n!$ comme réponse pour très peu de valeurs de n. Le problème est que la fonction factorielle croît si rapidement que la taille de la réponse dépasse très rapidement la taille maximum d'un entier sur n'importe quel ordinateur réel. ✦

EXERCICES

2.5.1 : Quel est l'invariant de boucle approprié pour le fragment de programme suivant, qui affecte à `sum` la somme des entiers de 1 à n ?

```
readln(n);
sum := 0;
for i := 1 to n do
    sum := sum + i
```

Prouvez votre invariant de boucle par récurrence sur i et utilisez-le pour prouver que le programme fonctionne bien comme prévu.

2.5.2 : Le fragment suivant calcule la somme des entiers dans le tableau `A[1..n]` :

```
sum := 0;
for i := 1 to n do
    sum := sum + A[i]
```

Quel est l'invariant de boucle approprié ? Utilisez-le pour montrer que le fragment fonctionne comme prévu.

2.5.3 : * Considérez le fragment suivant :

```
readln(n);
x := 2;
for i := 1 to n do
    x := x * x
```

Un invariant de boucle approprié pour le point juste avant le test pour $i > n$ est que si nous atteignons ce point avec la valeur k pour la variable i, alors $x = 2^{2^{k-1}}$. Prouvez par récurrence sur k que cet invariant est vérifié. Quelle est la valeur de x après que la boucle se sera terminée ?

```
sum := 0;
readln(x);
while x >= 0 do begin
    sum := sum + x;
    readln(x)
end
```

Figure 2.14 : Addition d'une liste d'entiers terminée par un entier négatif.

2.5.4 : * Le fragment de la figure 2.14 lit des entiers jusqu'à ce qu'il trouve un entier non négatif et affiche ensuite la somme résultante. Quel est l'invariant de boucle approprié pour le point juste avant le test de la boucle ? Utilisez l'invariant pour montrer que le fragment fonctionne comme prévu.

2.5.5 : Trouvez la plus grande valeur de n pour laquelle le programme de la figure 2.13 fonctionne sur votre ordinateur. Quelles sont les conséquences des entiers de longueur fixée sur la démonstration de l'exactitude de programmes ?

2.5.6 : Montrez par récurrence sur le nombre de parcours de la boucle de la figure 2.10 que $j > i + 1$ après le premier parcours de boucle.

2.6 Définitions récursives

Dans une **définition *récursive*** ou ***par récurrence***, nous définissons une classe d'objets (ou de faits) très proches les uns des autres en fonction d'eux-mêmes. Cette définition ne doit pas être sans signification, comme « un truc est un truc de telle couleur » ou paradoxale comme « quelque chose est un glotz si et seulement si il n'est pas un glotz ». En fait, une définition récursive met en jeu une base, où un ou plusieurs objets simples sont définis et une étape de récurrence où des objets de complexité supérieure sont définis en fonction des objets de la collection qui sont de moindre complexité.

✦ **Exemple 2.14.** Dans le paragraphe précédent, nous avons défini la fonction factorielle par un algorithme itératif : il s'agissait de multiplier $1 \times 2 \times \cdots \times n$ pour obtenir $n!$. Cependant, nous pouvons aussi définir récursivement la valeur de $n!$.

LA BASE. $1! = 1$.

LA RÉCURRENCE. $n! = n \times (n-1)!$.

Par exemple, la base nous dit que $1! = 1$. Nous pouvons utiliser ce fait dans l'étape de récurrence avec $n = 2$ pour trouver :

$$2! = 2 \times 1! = 2 \times 1 = 2$$

Avec $n = 3$, 4, et 5, nous obtenons :

$$3! = 3 \times 2! = 3 \times 2 = 6$$
$$4! = 4 \times 3! = 4 \times 6 = 24$$
$$5! = 5 \times 4! = 5 \times 24 = 120$$

et ainsi de suite. Remarquez que même si le terme « factorielle » est défini en fonction de lui-même, en réalité, la valeur de $n!$ ne peut être calculée pour une valeur de n qu'en termes des factorielles des valeurs inférieures à n. Ainsi, nous avons une définition significative de « factorielle ».

A vrai dire, il faut prouver que notre définition récursive de $n!$ donne le même résultat que notre définition initiale,

$$n! = 1 \times 2 \times \cdots \times n$$

Pour cela, nous prouverons l'assertion suivante :

ASSERTION $S(n)$: $n!$, telle que définie récursivement ci-dessus, est égale à $1 \times 2 \times \cdots \times n$.

Cette preuve se fera par récurrence sur n.

LA BASE. $S(1)$ est évidemment vérifiée. La base de la définition récursive nous dit que $1! = 1$ et le produit $1 \times \cdots \times 1$ (c'est-à-dire le produit des entiers « de 1 à 1 ») vaut évidemment aussi 1.

LA RÉCURRENCE. Supposons que $S(n)$ soit vérifiée ; c'est-à-dire que $n!$, tel qu'il nous est donné par la définition récursive, est égal à $1 \times 2 \times \cdots \times n$. Ensuite, la définition récursive nous dit que :

$$(n+1)! = (n+1) \times n!$$

Si nous utilisons la loi commutative pour la multiplication, nous voyons que :

$$(n+1)! = n! \times (n+1) \qquad (2.10)$$

Par hypothèse de récurrence,

$$n! = 1 \times 2 \times \cdots \times n$$

Ainsi, nous pouvons substituer $1 \times 2 \times \cdots \times n$ à $n!$ dans l'équation (2.10) pour obtenir :

$$(n+1)! = 1 \times 2 \times \cdots \times n \times (n+1)$$

qui est l'assertion $S(n+1)$. Nous avons donc prouvé l'hypothèse de récurrence et nous avons montré que notre définition récursive de $n!$ est la même que notre définition itérative. ✦

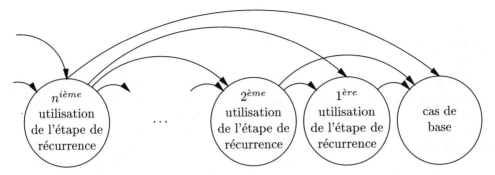

Figure 2.15 : Dans une définition récursive, nous construisons des objets dans des cercles ; les objets construits dans un cercle peuvent dépendre des objets construits dans tous les cercles précédents.

La figure 2.15 suggère la nature générale d'une définition récursive. Structurellement, elle est similaire à la récurrence complète ayant une séquence infinie de cas ; chacun d'eux pouvant dépendre de l'un des cas ou de tous les cas précédents. Nous commençons par appliquer la règle de base. Sur le cercle suivant, pour construire de nouveaux faits ou objets, nous appliquons la règle de récurrence à ce que nous avons déjà obtenu. Sur le cercle suivant, pour obtenir de nouveaux faits ou objets, nous appliquons à nouveau la règle de récurrence à ce que nous avons déjà obtenu, et ainsi de suite.

Dans l'exemple 2.14, où nous définissions la factorielle, nous avions découvert la valeur de $1!$ grâce au cas de base, la valeur de $2!$ par une application de l'étape de récurrence, la valeur de $3!$ par deux applications et ainsi de suite. La récurrence avait alors la forme d'une récurrence « ordinaire » ; nous utilisions dans un cercle seulement ce que nous avions découvert dans le cercle précédent.

✦ **Exemple 2.15.** Dans le paragraphe 2.2, nous avons défini la notion d'***ordre lexicographique*** sur les chaînes ; notre définition était de nature itérative. En gros, nous testons si une chaîne $c_1 \cdots c_n$ précède une chaîne $d_1 \cdots d_m$ en comparant les symboles correspondants c_i et d_i à partir de la gauche, jusqu'à ce que nous trouvions soit un i pour lequel $c_i \neq d_i$ ou jusqu'à ce que nous arrivions à la fin de l'une des chaînes. La définition récursive suivante définit ces paires de chaînes w et x de façon que w précède x selon l'ordre lexicographique. Intuitivement, la récurrence se fait sur le nombre de paires de caractères égaux aux débuts des deux chaînes considérées.

LA BASE. La base règle la question des chaînes pour lesquelles nous pouvons dire immédiatement celle qui vient en premier selon l'ordre lexicographique. La base contient deux parties.

1. $\epsilon < w$ pour toute chaîne w autre que ϵ elle-même. Rappelons que ϵ est la chaîne

vide (la chaîne sans caractère).

2.   Si $c < d$, où c et d sont des caractères, alors pour toutes chaînes w et x, nous avons $cw < dx$.

LA RÉCURRENCE. Si $w < x$ pour les chaînes w et x, alors pour tout caractère c nous avons $cw < cx$.

Par exemple, nous pouvons utiliser la définition ci-dessus pour montrer que `balle` < `bateau`. Grâce à la règle (2) de la base, avec $c = $ `l`, $d = $ `t`, $w = $ `le`, et $x = $ `eau`, nous avons `lle` < `teau`. Si nous appliquons une fois la règle récursive avec $c = $ `a`, $w = $ `lle` et $x = $ `teau`, nous en déduisons que `alle` < `ateau`. Finalement en appliquant la règle récursive une seconde fois avec $c = $ `b`, $w = $ `alle`, et $x = $ `ateau`, nous trouvons `balle` < `bateau`. C'est-à-dire que les étapes de base et de récurrence apparaissent ainsi :

`lle`	$<$	`teau`
`alle`	$<$	`ateau`
`balle`	$<$	`bateau`

Nous pouvons aussi montrer que `joue`<`joueur` comme il suit. La partie (1) de la base nous dit que $\epsilon <$`ur`. Si nous appliquons la règle récursive quatre fois — avec c tour à tour égal à `e`, `u`, `o` et `j` — nous déroulons la séquence d'inférences suivante :

ϵ	$<$	`ur`
`e`	$<$	`eur`
`ue`	$<$	`ueur`
`oue`	$<$	`oueur`
`joue`	$<$	`joueur`

Maintenant il nous faut prouver par récurrence sur le nombre de caractères que deux chaînes ont en commun sur leur côté gauche, qu'une chaîne précède l'autre selon la définition du paragraphe 2.2 si et seulement si elle la précède selon la définition récursive que nous venons d'énoncer. Nous laissons en exercices ces deux preuves par récurrence. ✦

Dans l'exemple 2.15, les groupes de faits suggérés par la figure 2.15 sont volumineux. Le cas de base nous donne tous les faits $w < x$ pour lesquels soit $w = \epsilon$ soit w et x commencent par des lettres différentes. Une utilisation de l'étape de récurrence nous donne tous les faits $w < x$ où w et x ont exactement une lettre initiale en commun, la seconde utilisation couvre le cas où w et x ont exactement deux lettres initiales en commun, et ainsi de suite.

Expressions

Les expressions arithmétiques de toute sorte sont naturellement définies de manière récursive. Pour la base de la définition, nous indiquons les opérandes atomiques possibles. Par exemple, en Pascal, les opérandes atomiques sont des variables ou des constantes. Ensuite, la récurrence nous indique les opérateurs pouvant être appliqués et pour chacun d'eux, le nombre d'opérandes mis en jeu. Par exemple, en Pascal, l'opérateur < peut être appliqué à deux opérandes, l'opérateur − peut être appliqué à un ou deux

Un peu plus de terminologie sur les opérateurs

Un opérateur unaire qui apparaît après son argument, par exemple l'opérateur factorielle ! dans des expressions comme $n!$, est qualifié d'**opérateur *postfixe***. Les opérateurs qui ont plus d'un opérande peuvent aussi être des opérateurs préfixes ou postfixes, s'ils apparaissent respectivement avant ou après tous leurs arguments. En Pascal ou en arithmétique, il n'existe pas d'opérateurs de ce type ; cependant, le paragraphe 5.4 donnera des notations pour lesquelles tous les opérateurs sont des opérateurs préfixes ou postfixes.

L'opérateur rarement rencontré et prenant trois arguments peut être appelé un opérateur *ternaire*. Dans bien des langages (mais pas en Pascal), il est juste de penser à « si C alors S_1 sinon S_2 » en terme d'opérateur ternaire prenant en argument une condition C et deux instructions S_1 et S_2. En général, si un opérateur prend k arguments, il est qualifié d'opérateur *k-aire*.

opérandes et l'opérateur d'application de fonction, représenté par une paire de parenthèses avec à l'intérieur autant de virgules que nécessaire, peut être appliqué à un ou plusieurs d'opérandes comme $f(a_1, \ldots, a_n)$.

✦ **Exemple 2.16.** Il est courant de qualifier d'« expressions arithmétiques » les expressions qui vont suivre.

LA BASE. Les types suivants d'opérandes atomiques sont des expressions arithmétiques :

1. Les variables.

2. Les entiers.

3. Les nombres réels.

LA RÉCURRENCE. Si E_1 et E_2 sont des expressions arithmétiques alors les énumérations suivantes sont aussi des expressions arithmétiques :

1. $(E_1 + E_2)$

2. $(E_1 - E_2)$

3. $(E_1 \times E_2)$

4. (E_1/E_2)

Les opérateurs $+$, $-$, $\times$ et $/$ sont appelés des **opérateurs *binaires*** parce qu'ils prennent deux arguments. Ils sont également qualifiés d'*infixes* parce qu'ils apparaissent entre leurs deux arguments.

Par ailleurs, nous autorisons qu'un signe moins représente aussi bien la négation (changement de signe) que la soustraction. Cette possibilité est traduite par la cinquième et dernière règle récursive :

5. Si E est une expression arithmétique alors $(-E)$ en est également une.

Un opérateur comme $-$ dans la règle (5) qui prend seulement un opérande est qualifié d'**opérateur unaire préfixe** parce qu'il apparaît avant son argument.

La figure 2.16 illustre quelques expressions arithmétiques et explique en quoi chacune d'elles est une expression. Remarquez que parfois les parenthèses ne sont pas nécessaires et que nous pouvons les omettre. Dans l'expression finale (vi) de la figure 2.16, les parenthèses extérieures et les parenthèses autour de $-(x+10)$ peuvent être omises et nous pourrions écrire $y \times -(x+10)$. Cependant, les parenthèses restantes sont essentielles, puisque $y \times -x + 10$ est, par convention, interprétée comme $(y \times -x) + 10$, qui n'est pas une expression équivalente (essayez par exemple $y = 1$ et $x = 0$) [5]. ✦

$i)$	x	Règle de base (1)
$ii)$	10	Règle de base (2)
$iii)$	$(x+10)$	Règle récursive (1) sur (i) et (ii)
$iv)$	$\left(-(x+10)\right)$	Règle récursive (5) sur (iii)
$v)$	y	Règle de base (1)
$vi)$	$\left(y \times \left(-(x+10)\right)\right)$	Règle récursive (3) sur (v) et (iv)

Figure 2.16 : Quelques expressions arithmétiques simples.

Parenthèses équilibrées

Les chaînes de parenthèses qui peuvent apparaître dans les expressions sont appelées des *parenthèses équilibrées*. Par exemple, le modèle $((()))$ apparaît dans l'expression (vi) de la figure 2.16 et l'expression :

$$\left((a+b) \times \left((c+d)-e\right)\right)$$

a le modèle $(()(()))$.

La chaîne vide, ϵ, est également une chaîne de parenthèses équilibrées ; elle est, par exemple, le modèle de l'expression x. De façon générale, une chaîne de parenthèses est équilibrée s'il est possible de faire correspondre chacune de ses parenthèses ouvrantes avec une parenthèse fermante apparaissant quelque part sur sa droite. Ainsi, une définition courante de « chaînes de parenthèses équilibrées » comprend deux règles :

1. Une chaîne équilibrée a un même nombre de parenthèses ouvrantes et fermantes.

---

[5] Les parenthèses sont redondantes lorsqu'elles sont impliquées par les précédences des opérateurs, établies par convention (le moins unaire a la plus forte précédence, ensuite viennent la multiplication et la division, puis l'addition et la soustraction) et par la convention de l'« associativité à gauche » qui dit que nous groupons à partir de la gauche les opérateurs de même niveau de précédence (par exemple, une chaîne de plus et de moins). Ces conventions ne surprendront pas ceux d'entre vous qui connaissent Pascal ou l'arithmétique classique.

2.   Lorsque nous nous déplaçons de la gauche vers la droite tout au long de la chaîne, le profil de la chaîne ne devient jamais négatif ; le *profil* est le nombre total de parenthèses ouvrantes lues moins le nombre de parenthèses fermantes lues.

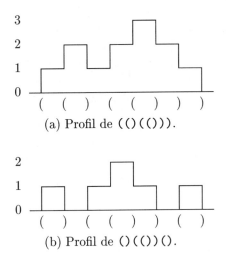

(a) Profil de $(()(()))$.

(b) Profil de $()(())()$.

Figure 2.17 : Profils de deux chaînes de parenthèses.

Remarquez que le profil doit commencer à 0 et terminer à 0. Par exemple, la figure 2.17(a) montre le profil de $(()(()))$ et la figure 2.17(b) montre le profil de $()(())()$.

Il existe de nombreuses définitions récursives pour le concept de « parenthèses équilibrées ». La suivante est assez subtile mais nous prouverons qu'elle est équivalente à la définition précédente non-récursive énoncée pour les profils.

LA BASE. La chaîne vide est une chaîne de parenthèses équilibrées.

LA RÉCURRENCE. Si x et y sont des chaînes de parenthèses équilibrées, alors $(x)y$ est aussi une chaîne de parenthèses équilibrées.

◆ **Exemple 2.17.** La base nous dit que la chaîne vide est une chaîne de parenthèses équilibrées. Si nous appliquons la règle récursive, avec x et y égaux à ϵ, alors nous en déduisons que $()$ est équilibrée. Remarquez que lorsque nous substituons la chaîne vide à une variable comme x ou y, cette variable « disparaît ». Ensuite, nous pouvons appliquer la règle récursive avec $x = ()$ et $y = \epsilon$ pour découvrir que $(())$ est équilibrée ; nous pouvons aussi appliquer la règle récursive avec $x = \epsilon$ et $y = ()$, pour découvrir que $()()$ est équilibrée. A nouveau, nous pouvons poser $x = y = ()$ pour la règle récursive et en déduire que $(())()$ est équilibrée. Et enfin, puisque nous savons que $(())$ et $()()$ sont équilibrées, nous pouvons les attribuer respectivement à x et y dans la règle récursive et montrer que $((())) ()()$ est équilibrée. ◆

Nous pouvons montrer que les deux définitions de « équilibrées » spécifient le même ensemble de chaînes. Pour clarifier les choses, référons-nous aux chaînes qui sont équilibrées selon la définition récursive simplement comme *équilibrées* et à celles qui sont équilibrées selon la règle non-récursive comme ***profil-équilibrées***. C'est-à-dire que les chaînes profil-équilibrées sont celles dont le profil se termine avec 0 et n'est jamais négatif. Nous devons montrer deux choses :

1.   Toute chaîne équilibrée est profil-équilibrée.

2.   Toute chaîne profil-équilibrée est équilibrée.

Ce sont les objectifs des preuves par récurrence des deux exemples suivants.

✦ **Exemple 2.18.** D'abord, prouvons la partie (1), c'est-à-dire que toute chaîne équilibrée est profil-équilibrée. La preuve est une récurrence complète qui reflète la récurrence utilisée pour définir la classe des parenthèses équilibrées. Il s'agit de prouver :

ASSERTION $S(n)$: Si la chaîne w est définie de façon à être équilibrée par n applications de la règle récursive, alors w est profil-équilibrée.

LA BASE. La base est $n = 0$. La seule chaîne qui puisse être montrée comme étant équilibrée sans aucune application de la règle récursive est ϵ, qui est équilibrée selon la règle de base. De toute évidence, le profil de la chaîne vide se termine en 0 et n'est jamais négatif, donc ϵ est profil-équilibrée.

LA RÉCURRENCE. Supposons que $S(i)$ soit vraie pour $i = 0, 1, \ldots, n$ et considérons une instance de $S(n+1)$, c'est-à-dire une chaîne w dont la preuve de l'équilibre requiert $n + 1$ utilisations de la règle récursive. Considérons la dernière utilisation, au cours de laquelle nous prenons deux chaînes x et y, dont nous savons déjà qu'elles sont équilibrées, et nous formons w avec $(x)y$. Nous avons utilisé $n + 1$ fois la règle récursive pour former w ; une de ces utilisations constituait la dernière étape, qui ne nous a permis ni de former x ni de former y. Ainsi, ni x ni y ne requièrent plus de n utilisations de la règle récursive. Ainsi, l'hypothèse de récurrence s'applique à x et à y, et nous pouvons en conclure que x et y sont profil-équilibrées.

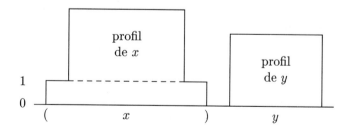

Figure 2.18 : Construction du profil de $w = (x)y$.

Le profil de w est suggéré par la figure 2.18. Il s'élève d'abord d'un niveau, en réponse à la première parenthèse ouvrante. Ensuite vient le profil de x, relevé d'un

Preuves sur les définitions récursives

Remarquons que l'exemple 2.18 prouve une assertion au sujet d'une classe d'objets définis récursivement (les chaînes de parenthèses équilibrées) par récurrence sur le nombre d'utilisations de la règle récursive pour établir qu'un objet est dans la classe définie. C'est une façon très courante de procéder avec des concepts définis récursivement ; en fait, c'est une des raisons pour lesquelles les définitions récursives sont utiles. L'exemple 2.14 en est une autre illustration ; nous avons montré une propriété des valeurs factorielles définies récursivement ($n!$ est le produit des entiers depuis 1 jusqu'à n) par récurrence sur n. Mais n est aussi 1 plus le nombre d'utilisations de la règle récursive dans la définition de $n!$, donc la preuve pourrait également être considérée comme une récurrence sur le nombre d'applications de la règle récursive.

niveau, comme indiqué par la ligne en pointillé. Nous avons utilisé l'hypothèse de récurrence pour en conclure que x était profil-équilibrée ; ainsi, son profil commence et se termine au niveau 0 et n'est jamais négatif. Puisque la portion x du profil de w est relevée d'un niveau dans la figure 2.18, cette portion commence et termine au niveau 1 et ne passe jamais sous le niveau 1.

La parenthèse fermante explicitement montrée entre x et y fait chuter le profil de w à 0. Ensuite, vient le profil de y. Grâce à l'hypothèse de récurrence, y est profil-équilibrée. Ainsi, la portion y du profil de w ne passe pas sous 0 et il termine à 0.

Nous avons maintenant construit le profil de w et nous voyons qu'il remplit la condition pour qu'elle soit une chaîne profil-équilibrée. C'est-à-dire qu'il commence et se termine en 0 et ne devient jamais négatif. Ainsi, nous avons prouvé que si une chaîne est équilibrée alors elle est profil-équilibrée. ✦

Maintenant, nous nous intéressons à l'autre sens de l'équivalence des deux définitions des « parenthèses équilibrées ». Nous montrons dans l'exemple suivant qu'une chaîne profil-équilibrée est équilibrée.

✦ **Exemple 2.19.** Nous prouvons la partie (2), c'est-à-dire que « profil-équilibrée » implique « équilibrée », par récurrence complète sur la longueur de la chaîne de parenthèses. De façon formelle, nous avons :

ASSERTION $S(n)$: Si une chaîne w de longueur n est profil-équilibrée, alors elle est équilibrée.

LA BASE. Si $n = 0$, alors la chaîne doit être ϵ. Nous savons que ϵ est équilibrée par la règle de base de la définition récursive.

LA RÉCURRENCE. Supposons que les chaînes profil-équilibrées de longueur inférieure ou égale à n soient équilibrées. Nous devons prouver $S(n + 1)$, c'est-à-dire que les chaînes profil-équilibrées de longueur $n + 1$ sont également équilibrées [6]. Considérons

---

[6] Remarquez que toutes les chaînes profil-équilibrées sont de longueur paire, ainsi si $n + 1$ est impair, nous ne pouvons rien dire. Cependant, nous n'avons pas besoin de la parité de n pour cette preuve.

une telle chaîne w. Puisque w est profil-équilibrée, elle ne peut pas commencer par une parenthèse fermante, car sinon son profil deviendrait immédiatement négatif. Ainsi, w commence par une parenthèse ouvrante.

Découpons w en deux parties. La première partie commence au début de w et se termine là où le profil de w passe pour la première fois à 0. La seconde partie est le reste de w. Par exemple, le profil de la figure 2.17(a) passe pour la première fois à 0 à la fin, donc si $w = (()(()))$, alors la première partie est la chaîne complète et la seconde partie est ϵ. Dans la figure 2.17(b), où $w = ()(())()$, la première partie est $()$ et la seconde partie est $(())()$.

La première partie ne peut pas se terminer par une parenthèse ouvrante parce que le profil serait alors négatif à la position immédiatement précédente. Ainsi, la première partie commence par une parenthèse ouvrante et se termine par une parenthèse fermante. Nous pouvons alors écrire w comme $(x)y$, où (x) est la première partie et y est la seconde partie. Les x et y sont plus courtes que w, donc si nous pouvons montrer qu'elles sont profil-équilibrées, alors on peut utiliser l'hypothèse de récurrence pour en déduire qu'elles sont équilibrées. Ensuite, nous pouvons utiliser la règle récursive de la définition de « équilibrée » pour montrer que $w = (x)y$ est équilibrée.

Il est facile de voir que y est profil-équilibrée. La figure 2.18 illustre également la relation entre les profils de w, x et y. C'est-à-dire que le profil de y est une queue du profil de w, commençant et terminant à une hauteur 0. Puisque w est profil-équilibrée, nous pouvons en conclure que y l'est aussi. Montrer que x est profil-équilibrée est pour ainsi dire la même chose. Le profil de x est une partie du profil de w ; il commence et se termine au niveau 1 dans le profil de w mais nous pouvons le descendre d'un niveau pour obtenir le profil de x. Nous savons que le profil de w n'atteint jamais 0 au cours de la mesure de x parce que nous avons choisi (x) comme étant le plus court préfixe de w se terminant avec le profil de w au niveau 0. Ainsi, le profil de x dans w n'atteint jamais le niveau 0, et le profil de x lui-même ne devient jamais négatif.

Nous avons désormais montré que x et y sont profil-équilibrées. Puisqu'elles sont de longueur inférieure à w, l'hypothèse de récurrence peut leur être appliquée, et elles sont donc chacune équilibrées. La règle récursive définissant « équilibrée » dit que si x et y sont équilibrées, alors il en est de même pour $(x)y$. Mais $w = (x)y$ et donc w est équilibrée. Nous avons désormais terminé l'étape de récurrence et montré que l'assertion $S(n)$ est vraie pour tout $n \geq 0$. ✦

EXERCICES

2.6.1 : * Prouvez que les définitions de l'ordre lexicographique données dans l'exemple 2.15 et dans le paragraphe 2.2 sont les mêmes. *Une indication* : la preuve comprend deux parties et chacune d'elles est une preuve par récurrence. Pour la première partie, supposez que $w < x$ selon la définition de l'exemple 2.15. Prouvez l'assertion suivante $S(i)$ par récurrence sur i : « s'il est nécessaire d'appliquer i fois la règle récursive pour montrer que $w < x$, alors w précède x selon la définition de *l'ordre lexicographique* du paragraphe 2.2 ». La base est $i = 0$. La seconde partie de l'exercice est de montrer que si w précède x dans l'ordre lexicographique selon la définition du paragraphe 2.2, alors $w < x$ selon la définition de l'exercice 2.15. Maintenant, la récurrence est sur le nombre de positions initiales que w et x ont en commun.

2.6.2 : Souvent, une définition récursive peut être directement et facilement transformée en un algorithme. A partir de la définition récursive de « inférieure à » sur les chaînes données dans l'exemple 2.15, écrivez une procédure récursive qui teste si la première des deux chaînes données est « inférieure à » l'autre. Supposez que les chaînes sont représentées par des liste chaînées de caractères.

2.6.3 : Dessinez les profils des chaînes de parenthèses suivantes :

a) (( ) (( ))
b) ( ) ( )) (( )
c) ((( ) ( )) ( ) ( ))
d) (( ) (( ) (( ))))

Lesquelles sont profil-équilibrées ? Pour celles qui sont profil-équilibrées, utilisez la définition récursive du paragraphe 2.6 afin de montrer qu'elles sont équilibrées.

2.6.4 : * Montrez que toute chaîne de parenthèses équilibrées (selon la définition récursive du paragraphe 2.6) correspond à la chaîne de parenthèses dans une expression arithmétique (voir exemple 2.16 pour une définition des expressions arithmétiques). *Une indication* : utilisez une preuve par récurrence sur le nombre de fois que la règle récursive de la définition des « parenthèses équilibrées » est utilisée pour construire la chaîne considérée de parenthèses équilibrées.

2.6.5 : Dites si chacun des opérateurs Pascal suivants est préfixe, postfixe ou infixe et s'ils sont unaires, binaires ou k-aires pour un $k > 2$:

a) <
b) MOD
c) NOT

2.6.6 : Si vous connaissez le système de fichiers d'UNIX ou d'un système similaire, donnez une définition récursive des structures répertoire/fichier.

2.6.7 : ** Un ensemble S d'entiers est défini récursivement par les règles suivantes.

LA BASE. 0 est dans S.

LA RÉCURRENCE. Si i est dans S, alors $i + 5$ et $i + 7$ sont dans S.

a) Quel est le plus grand entier qui n'est *pas* dans S ?
b) Appelons j votre réponse à la partie (a). Prouvez que tous les entiers supérieurs ou égaux à $j + 1$ sont dans S. *Une indication* : utilisez la récurrence avec une base comprenant les entiers de $j + 1$ à $j + 5$.

2.6.8 : * Définissez récursivement l'ensemble des chaînes de parité paire, par récurrence sur la longueur de la chaîne. *Une indication* : il est utile de définir simultanément deux concepts, les chaînes de parité paire et impaire.

2.6.9 : * Nous pouvons définir des listes triées d'entiers de la manière suivante.

LA BASE. Une liste comprenant un seul entier est triée.

LA RÉCURRENCE. Si L est une liste triée dans laquelle le dernier élément est a et si $b \geq a$, alors L suivie de b est une liste triée.

Prouvez que cette définition récursive d'une « liste triée » est équivalente à notre définition originale non-récursive stipulant que la liste comprend des entiers :

$$a_1 \leq a_2 \leq \cdots \leq a_n$$

Rappelez-vous que vous avez à prouver deux parties : (a) si une liste est triée selon la définition récursive alors elle est triée selon la définition non-récursive et (b) si une liste est triée par la définition non-récursive alors elle est triée selon la définition récursive. La partie (a) peut utiliser la récurrence sur le nombre d'utilisation de la règle récursive et la partie (b) peut utiliser la récurrence sur la longueur d'une liste.

2.6.10 : ** Comme cela est suggéré par la figure 2.15, lorsque nous avons une définition récursive, nous pouvons classer les objets en fonction du nombre d'étapes de récurrence qu'il fut nécessaire d'appliquer pour les obtenir. Dans les exemples 2.14 et 2.15, il était très facile de décrire les résultats générés à chaque parcours. Parfois, il est plus difficile de le faire. Comment caractériseriez-vous les objets générés au $n^{ième}$ parcours pour chacun des cas suivants :

a) Les expressions arithmétiques comme celles décrites dans l'exemple 2.16. *Une indication* : si vous connaissez bien les arbres, sujet du chapitre 5, vous pouvez considérer la représentation arborescente des expressions.

b) Les chaînes de parenthèses équilibrées. Remarquez que le « nombre d'applications utilisées », comme cela a été discuté dans l'exemple 2.18, n'est pas le même que le nombre de parcours nécessaires pour découvrir une chaîne. Par exemple, (())() utilise trois fois la règle de récurrence mais elle est découverte au 2ème parcours.

2.7   Procédures récursives

Une procédure récursive [7] est une procédure appelée depuis son propre corps. Souvent, l'appel est *direct* ; par exemple, le corps d'une procédure `foo` contient un appel à *foo* elle-même. Cependant, l'appel est parfois **indirect** : une procédure P_1 appelle directement une procédure P_2 qui appelle directement P_3 et ainsi de suite jusqu'à ce qu'une procédure P_k de la séquence appelle P_1.

Beaucoup de gens croient qu'il est plus facile d'apprendre à programmer de façon itérative, ou d'utiliser des appels de procédures non-récursifs, que d'apprendre à programmer de façon récursive. Quoique nous ne puissions conclure de façon définitive sur ce point de vue, nous pensons que la programmation récursive est facile dès lors qu'on a eu l'opportunité de la pratiquer. Les programmes récursifs sont souvent plus succints ou plus faciles à comprendre que leurs équivalents itératifs. Plus important

---

[7]   Rappelez-vous que depuis le paragraphe 1.4, nous avons adopté une convention suivant laquelle le terme « procédure » inclut également la fonction au sens Pascal du terme.

Encore plus de vérité dans l'annonce

Sur certaines machines, un inconvénient potentiel de l'utilisation de la récursivité est le coût des appels récursifs ; pour un même problème, l'exécution d'un programme récursif peut ainsi prendre plus de temps que l'exécution d'un programme itératif. Cependant, sur bien des architectures modernes, les appels de procédures sont très efficaces ; cet argument contre l'utilisation de programmes récursifs devient ainsi moins important. Même sur des machines avec des mécanismes d'appels de procédures peu efficaces, il est possible de **tracer le profil** d'un programme pour trouver la proportion de temps passé sur chaque partie du programme. On peut alors réécrire les parties du programme où la majorité du temps est passée, en remplaçant si nécessaire la récursivité par l'itération. De cette façon, on a les avantages de la récursivité sur la majeure partie du programme excepté pour une petite fraction de code où le facteur vitesse est plus important.

encore, certains problèmes sont plus faciles à aborder par des programmes récursifs que par des programmes itératifs [8].

Souvent, il est possible de développer un algorithme récursif en imitant une définition récursive comprise dans la spécification du programme que nous cherchons à implanter. Une procédure récursive qui respecte une définition récursive aura une partie de base et une partie par récurrence. La plupart du temps, la partie de base teste une entrée simple qui peut être résolue par la base de la définition sans qu'il soit nécessaire d'effectuer des appels récursifs ; la partie par récurrence requiert un ou plusieurs appels récursifs à la procédure elle-même. Quelques exemples devraient clarifier ces points.

```
          function fact(n: integer): integer;
          begin
(1)           if n <= 1 then
(2)               fact := 1 (* la base *)
              else
(3)               fact := n * fact(n-1) (* la récurrence *)
          end;
```

Figure 2.19 : Une fonction récursive calculant $n!$.

✦ **Exemple 2.20.** La figure 2.19 présente une fonction récursive qui calcule $n!$, n étant un entier positif. Cette fonction est une transcription immédiate de la définition récursive de $n!$ de l'exemple 2.14. C'est-à-dire que la ligne (1) de la figure 2.19 distingue le cas de base du cas de récurrence. Nous supposons $n \geq 1$, donc le test de la ligne (1) teste

---

[8] De tels problèmes concernent souvent ce qui a trait à la recherche d'éléments. Par exemple, au chapitre 5, nous étudierons quelques algorithmes récursifs pour des arbres de recherche ; de tels algorithmes n'ont pas d'équivalent itératif aussi direct (bien qu'il existe des algorithmes itératifs équivalents utilisant des piles).

Programmation prudente

Le programme de la figure 2.19 illustre un point important de l'écriture de programmes récursifs et plus précisément sur la manière d'éviter qu'il ne parte dans une séquence infinie d'appels. Nous supposons tacitement que `fact` ne sera jamais appelé avec un argument inférieur à 1. Le mieux, bien sûr, serait de commencer `fact` en testant si $n \geq 1$ et, s'il ne l'est pas, d'afficher un message d'erreur et de retourner une valeur particulière comme 0. Cependant, même si nous croyons très fortement que `fact` ne sera jamais appelé avec $n < 1$, nous serions avisé d'inclure tous les « cas d'erreurs » dans le cas de base. Si nous procédions ainsi, un appel à la fonction `fact` avec une entrée erronée retournerait simplement la valeur 1 ; cette réponse est fausse mais ne serait pas une catastrophe (en fait, 1 est même correct pour $n = 0$, puisque 0! vaut 1 par convention).

Cependant, supposons que nous ignorions les cas d'erreurs et écrivons la ligne (1) de la figure 2.19 telle que

```
if n = 1 then
```

Si nous appelons `fact(0)`, c'est une instance du cas de récurrence et nous appellons ensuite `fact(-1)`, puis `fact(-2)` et ainsi de suite pour finalement obtenir une erreur quand la capacité mémoire de l'ordinateur est dépassée (elle n'est plus suffisante pour enregistrer les appels récursifs).

réellement si $n = 1$. Si c'est le cas, nous appliquons la règle de base, $1! = 1$ à la ligne (2). Si $n > 1$, alors nous appliquons la règle de récurrence, $n! = n \times (n-1)!$ à la ligne (3).

Par exemple, si nous appelons `fact(4)`, le résultat est un appel à `fact(3)`, qui appelle `fact(2)`, qui appelle `fact(1)`. A ce stade, nous avons $n \leq 1$, donc `fact(1)` applique la règle de base et retourne la valeur 1 à `fact(2)`. Cet appel à `fact` termine la ligne (3) en retournant 2 à `fact(3)`. A son tour, `fact(3)` retourne 6 à `fact(4)` qui termine la ligne (3) en retournant 24. La figure 2.20 suggère le modèle d'appel et de retour. ◆

```
Appel ↓                                          ↑ Retour 24
    fact(4)                                           fact(4)
    Appel ↓                                    ↑ Retour 6
        fact(3)                                    fact(3)
        Appel ↓                          ↑ Retour 2
            fact(2)                          fact(2)
            Appel ↓      ↑ Retour 1
                fact(1)
```

Figure 2.20 : Appels et retours résultant de l'appel `fact(4)`.

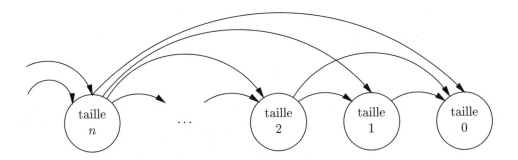

Figure 2.21 : Une procédure récursive s'appelle elle-même avec des arguments de taille plus petite.

Nous pouvons représenter une récursivité comme nous avons représenté les preuves et les définitions par récurrence. Dans la figure 2.21, nous avons supposé l'existence d'une notion de « **taille** » des **arguments** pour une procédure récursive. Par exemple, pour la procédure *fact* de l'exemple 2.20 la valeur de l'argument n est la taille appropriée. Nous discuterons davantage de cette histoire de taille au paragraphe 2.9. Cependant, remarquons ici qu'il est essentiel qu'une récursivité fasse uniquement des appels avec des arguments de taille inférieure. Ainsi, nous devons atteindre le cas de base — c'est-à-dire que nous devons terminer la récursivité — quand nous atteignons un cas particulier, qui dans la figure 2.21 est la taille 0.

Dans le cas de la procédure `fact`, les appels ne sont pas d'ordre aussi général que ce qui est suggéré par la figure 2.21. Un appel `fact(n)` résulte en un appel direct `fact(n-1)`, mais `fact(n)` n'appelle pas `fact` directement avec un argument plus petit quelconque.

◆ **Exemple 2.21.** Nous pouvons transformer la procédure `SelectionSort` de la figure 2.2 en une procédure récursive si nous exprimons ainsi l'algorithme sous-jacent.

1. Extraire un plus petit élément de la queue du tableau A, c'est-à-dire de `A[i..n]`.

2. Echanger l'élément sélectionné à l'étape (1) avec `A[i]`.

3. Trier le reste du tableau `A[i+1..n]`.

Avec les données à trier dans `A[1..n]`, nous pouvons exprimer le tri par sélection selon l'algorithme récursif suivant.

LA BASE. Si $i = n$, alors il reste seulement le dernier élément du tableau à trier. Puisque n'importe quel élément isolé est déjà trié, nous n'avons rien à faire.

LA RÉCURRENCE. Si $i < n$, alors trouver le plus petit élément dans `A[i..n]`, l'échanger avec `A[i]` et trier récursivement `A[i+1..n]`.

Si nous considérons i comme étant le paramètre de la récurrence précédente, c'est un cas de *récurrence arrière* ; nous commençons avec une base élevée et, par la règle de récurrence, nous trouvons les instances des valeurs plus petites en fonction des instances des valeurs les plus hautes. C'est une forme de récurrence parfaitement correcte, bien que nous n'ayons pas mentionné son existence précédemment. Cependant, nous pouvons aussi voir cette récurrence comme une récurrence ordinaire ou « avant » sur un paramètre $k = n - i + 1$ représentant le nombre d'éléments du tableau restant à trier.

Si on considère la figure 2.21, $n - i + 1$ est la notion appropriée de « taille » pour les arguments de la procédure SelectionSort. La base est alors $k = 1$ — c'est-à-dire le tri d'un élément au cours duquel aucun appel récursif n'est effectué — et l'étape de récurrence nous dit comment trier k éléments en extrayant le plus petit et ensuite en triant les $k - 1$ éléments restants.

```
      procedure SelectionSort(var A: INTARRAY; i, n: integer);

      var j, small, temp: integer;

      begin
(1)       if i < n then (* la base correspond à i = n, auquel cas la
                 procédure retourne sans changer le tableau A *)
              begin (* récurrence *)
(2)               small := i;
(3)               for j := i+1 to n do
(4)                   if A[j] < A[small] then
(5)                       small := j;
(6)               temp := A[small];
(7)               A[small] := A[i];
(8)               A[i] := temp;
(9)               SelectionSort(A, i+1, n)
              end
      end;
```

Figure 2.22 : Tri sélection récursif.

Considérons la figure 2.22 ; le tri par sélection récursif fonctionne de la façon suivante. Rappelons d'abord que le type INTARRAY a été défini au paragraphe 2.2 comme étant un tableau d'entiers, indicés depuis 1 jusqu'à une constante MAX. Nous supposons que n est inférieur ou égal à MAX ; le paramètre n indique la taille d'un tableau A à trier.

Le paramètre i nous donne le nombre d'éléments restant à trier dans le tableau ; nous devons trier A[i..n]. Ainsi, l'appel SelectionSort(A,1,n) triera le tableau entier A[1..n]. A la ligne (1), nous testons le cas de base, où il reste un seul élément à trier (une fois de plus, nous sommes prudent de telle sorte que si nous effectuons un appel avec $i > n$, nous n'entrerons pas dans une séquence infinie d'appels). Dans le cas de base, nous n'avons rien à faire, donc nous faisons un simple return.

Le reste de la procédure est le cas de récurrence. Les lignes (2) à (8) sont copiées directement depuis la version itérative du tri par sélection. Comme dans ce programme,

Diviser pour régner

Un moyen d'aborder un problème est d'essayer de le découper en sous-problèmes, de résoudre les sous-problèmes pour ensuite combiner leurs solutions en une solution pour le problème global.

Le terme *diviser pour régner* est utilisé pour décrire cette technique de résolution de problème. Si les sous-problèmes sont similaires à l'original, alors nous sommes capables d'utiliser la même procédure pour résoudre récursivement les sous-problèmes.

Il y a deux exigences pour que cette technique fonctionne. La première est que les sous-problèmes doivent être plus simples que le problème initial. La seconde est qu'après un nombre fini de sous-divisions, nous devons rencontrer un sous-problème qui puisse être complétement résolu. Si ces critères ne sont pas satisfaits, un algorithme récursif continuera à subdiviser indéfiniment le problème, sans trouver de solution.

Remarquez que la procédure récursive `SelectionSort` de la figure 2.22 satisfait les deux critères. Elle est à chaque fois invoquée sur un sous-tableau qui a moins d'éléments et lorsqu'elle est invoquée sur un sous-tableau contenant un seul élément, elle retourne sans s'invoquer à nouveau.

D'une façon similaire, le programme factorielle de la figure 2.19 contient des appels avec une valeur entière plus petite à chaque appel et la récursivité s'arrête lorsque l'argument de l'appel atteint 1. Le paragraphe 2.8 discute une utilisation plus puissante de la technique diviser pour régner, appelé le « tri par fusion » dans lequel la taille des tableaux à trier diminue très rapidement : le tri par fusion fonctionne en divisant la taille de moitié et non pas en soustrayant 1 à chaque appel récursif.

---

ces lignes affectent à `small` l'indice du tableau `A[i..n]` qui détient un plus petit élément et échangent ensuite cet élément avec $A[i]$. Finalement, la ligne (9) est l'appel récursif, qui trie le reste du tableau. ✦

EXERCICES

2.7.1 : Nous pouvons définir récursivement n^2 de la façon suivante.

LA BASE. Pour $n = 1$, $1^2 = 1$.

LA RÉCURRENCE. Si $n^2 = m$, alors $(n+1)^2 = m + 2n + 1$.

a) Ecrivez une fonction Pascal récursive pour mettre en œuvre cette récursivité.

b) Prouvez par récurrence sur n que cette définition calcule correctement n^2.

2.7.2 : Supposons que nous ayons un tableau `A[1..5]`, avec les éléments 10, 13, 4, 7, 11 dans cet ordre. Selon la procédure récursive de la figure 2.22, quel est le contenu du tableau `A` juste avant chaque appel récursif à `SelectionSort`.

2.7.3 : Supposons que nous définissions des cellules pour une liste chaînée, comme étudié au paragraphe 1.3 :

```
type CELL = record
       element: integer;
       next: LIST
   end
```

et que le type LIST soit un pointeur vers une cellule :

```
type LIST = ^CELL
```

Ecrivez une fonction récursive **find** qui prend un argument de type LIST et retourne TRUE si une cellule de la liste contient l'entier 1698 comme élément et retourne FALSE si non.

2.7.4 : Ecrivez une fonction récursive **add** qui prend un argument de type LIST, tel que défini dans l'exercice 2.7.3, et retourne la somme des éléments de la liste.

2.7.5 : Ecrivez une version du tri par sélection récursif qui prend en argument une liste d'entiers ; ce programme devra utiliser les cellules de l'exercice 2.7.3.

2.7.6 : * Dans l'exercice 2.2.7, nous vous avons suggéré de généraliser le tri par sélection utilisant des fonctions *key* et *lt* pour comparer les éléments. Réécrivez cet algorithme de tri par sélection récursif pour inclure cette généralisation.

2.7.7 : * Donnez un algorithme récursif qui prend un entier i et produit la représentation binaire de i, une séquence de 0 et de 1 avec les bits de poids faible en tête.

2.7.8 : * Le *plus grand commun diviseur* (**PGCD**) de deux entiers i et j est le plus grand entier qui divise i et j. Par exemple, $pgcd(24,30) = 6$ et $pgcd(24,35) = 1$. Ecrivez une fonction récursive qui prend deux entiers i et j avec $i > j$ et retourne $pgcd(i,j)$. *Une indication* : vous pouvez utiliser la définition récursive suivante de *pgcd*. Elle suppose que $i > j$.

LA BASE. Si i est un multiple de j, alors j est le PGCD de i et j.

LA RÉCURRENCE. Si i n'est pas un multiple de j, posons k le reste de la divison quand i est divisé par j. Alors $pgcd(i,j)$ est égale à $pgcd(j,k)$.

2.7.9 : ** Prouvez que la définition récursive du PGCD donnée dans l'exercice 2.7.8 donne le même résultat que la définition non-récursive (plus grand entier divisant i et j)

2.7.10 : Le nombre de *combinaisons de m choses parmi n* s'écrit $\binom{n}{m}$ et est souvent lu « m **parmi** n » ; c'est le nombre de façons possibles de choisir m choses parmi n choses distinctes. Par exemple, il y a 52 cartes dans un jeu, toutes distinctes. Le nombre de mains au poker est $\binom{52}{5}$, c'est-à-dire le nombre de choix possibles de cinq cartes dans le jeu. Il y a une définition récursive pour $\binom{n}{m}$; la voici

LA BASE. $\binom{n}{0} = 1$. C'est-à-dire qu'il y a seulement une manière de prendre zéro chose parmi n : ne rien prendre. De la même façon, $\binom{n}{n} = 1$; c'est-à-dire, la seule possibilité de prendre n choses parmi n est de tout prendre.

LA RÉCURRENCE. Si $0 < m < n$, alors $\binom{n}{m} = \binom{n-1}{m} + \binom{n-1}{m-1}$. Cela signifie que si nous souhaitons prendre m choses parmi n, nous pouvons :

i) soit ne pas prendre le premier élément et ensuite prendre m choses parmi les $n-1$ restantes, ce qui est le terme $\binom{n-1}{m}$,

ii) soit prendre le premier élément et choisir $m-1$ choses parmi les $n-1$ restantes, ce qui est le terme $\binom{n-1}{m-1}$.

$$
\begin{array}{ccccccccc}
 & & & & 1 & & & & \\
 & & & 1 & & 1 & & & \\
 & & 1 & & 2 & & 1 & & \\
 & 1 & & 3 & & 3 & & 1 & \\
1 & & 4 & & 6 & & 4 & & 1
\end{array}
$$

Figure 2.23 : Les premières rangées d'un triangle de Pascal.

Cette récursivité est souvent affichée par un **triangle de Pascal** illustré par la figure 2.23, où les côtés sont tous à 1 (pour la base) et chaque entrée intérieure est la somme des deux nombres au-dessus de lui au nord-est et au nord-ouest (pour la récurrence). Ensuite, $\binom{n}{m}$ peut être lu depuis la $(m+1)^{ième}$ entrée de la $(n+1)^{ième}$ rangée. Cependant, nous pouvons aussi appliquer directement la définition récursive (bien que ce ne soit pas efficace, puisque nous allons calculer répétitivement les mêmes valeurs). Ecrivez une fonction récursive $comb(n, m)$ qui calcule $\binom{n}{m}$.

2.7.11 : ** Il y a une formule pour $\binom{n}{m}$ en terme de factorielles :

$$
\binom{n}{m} = \frac{n!}{m!(n-m)!}
$$

Prouvez que cette formule donne le même résultat que la définition récursive de l'exercice 2.7.10.

2.8   Tri par fusion : un algorithme de tri récursif

Nous allons maintenant considérer un algorithme de tri, appelé *tri par fusion*, radicalement différent du tri par sélection. Le tri par fusion est plus facile à décrire récursivement et il illustre une utilisation puissante de la technique **diviser pour régner** ; nous trions une liste $(a_1, a_2, \ldots, a_n)$ en « divisant » le problème en deux problèmes similaires dont la « taille » est réduite de moitié. En principe, nous pourrions commencer par diviser la liste en deux listes de même taille arbitrairement choisies, mais dans le programme que nous développons, nous fabriquerons une liste avec les éléments numérotés impairs $(a_1, a_3, a_5, \ldots,)$ et l'autre avec les éléments numérotés pairs $(a_2, a_4, a_6, \ldots)$ [9]. Nous trions ensuite séparément chacune des listes dont la taille est réduite de moitié.

---

[9]   Rappelons que « numérotés pairs » et « numérotés impairs » désignent les positions des éléments dans la liste et non pas les valeurs de ces éléments.

Pour terminer le tri de la liste initiale de n éléments, nous fusionnons les deux listes dont la taille a été réduite de moitié par un algorithme qui sera décrit dans notre prochain exemple.

Dans le chapitre suivant, nous verrons que le temps requis pour le tri par fusion croît beaucoup plus lentement — c'est une fonction de la longueur n de la liste à trier — que celui du tri par sélection. Ainsi, même si les appels récursifs prennent plus de temps, le tri par fusion est de loin préférable au tri par sélection quand n est grand. Au chapitre 3, nous examinerons les performances relatives de ces deux algorithmes de tri.

Fusion

« Fusionner » revient à produire une seule liste triée à partir de deux listes triées ; elle contient tous les éléments des deux listes considérées et seulement ces éléments. Par exemple, étant donné les listes $(1, 2, 7, 7, 9)$ et $(2, 4, 7, 8)$, la fusion de ces listes est $(1, 2, 2, 4, 7, 7, 8, 9)$. Remarquez que parler de fusion de listes qui ne sont pas déjà triées n'a aucun sens.

Un moyen simple de fusionner deux listes est de les examiner à partir du début. A chaque étape, nous trouvons le plus petit des deux éléments en tête des listes, nous choisissons cet élément comme le prochain élément de la liste combinée, et l'enlevons de sa liste, exposant ainsi un nouveau « premier » élément sur cette liste. Les égalités peuvent être séparées arbitrairement ; nous prenons cependant un élément de la première liste quand les éléments de tête des listes sont identiques.

✦ **Exemple 2.22.** Considérons la fusion des deux listes

$$L_1 = (1, 2, 7, 7, 9) \text{ et } L_2 = (2, 4, 7, 8)$$

Les premiers éléments des listes sont respectivement 1 et 2. Puisque 1 est plus petit, nous l'élisons premier élément de la liste fusionnée M et enlevons 1 de L_1. La nouvelle L_1 est alors $(2, 7, 7, 9)$. Maintenant, L_1 et L_2 ont 2 comme premier élément. Nous pouvons prendre l'un ou l'autre. Supposons que nous adoptions la politique qui consiste à prendre toujours l'élément de L_1 en cas d'égalité. Alors, la liste fusionnée M devient $(1, 2)$, la liste L_1 devient $(7, 7, 9)$ et la liste L_2 devient $(2, 4, 7, 8)$. La table de la figure 2.24 montre les étapes de fusion jusqu'à épuisement des listes L_1 et L_2. ✦

Nous allons voir qu'il est facile de concevoir un algorithme de fusion récursif si nous représentons les listes suivant la forme chaînée suggérée au paragraphe 1.3. Les listes chaînées seront revues en détail au chapitre 6. Dans ce qui suit, nous supposerons que les éléments des listes sont des entiers. Ainsi, chaque élément peut être représenté par une « cellule » ou un enregistrement du type :

```
type CELL = record
        element: integer;
        next: LISTTYPE
    end
```

où

```
type LISTTYPE = ^CELL
```

L_1	L_2	M
$1, 2, 7, 7, 9$	$2, 4, 7, 8$	vide
$2, 7, 7, 9$	$2, 4, 7, 8$	1
$7, 7, 9$	$2, 4, 7, 8$	$1, 2$
$7, 7, 9$	$4, 7, 8$	$1, 2, 2$
$7, 7, 9$	$7, 8$	$1, 2, 2, 4$
$7, 9$	$7, 8$	$1, 2, 2, 4, 7$
9	$7, 8$	$1, 2, 2, 4, 7, 7$
9	8	$1, 2, 2, 4, 7, 7, 7$
9	vide	$1, 2, 2, 4, 7, 7, 7, 8$
vide	vide	$1, 2, 2, 4, 7, 7, 7, 8, 9$

Figure 2.24 : Un exemple de fusion.

Le champ `element` de chaque cellule contient un entier et le champ `next` contient un pointeur vers la prochaine cellule de la liste. Si l'élément considéré est le dernier de la liste, alors le champ `next` contient la valeur `NIL`, qui traduit l'absence de pointeur. Une liste d'entiers est alors représentée par un pointeur vers la première cellule de la liste, c'est-à-dire par une variable de type `LISTTYPE`. Une liste vide est représentée par une variable avec la valeur `NIL`, et non pas par un pointeur vers le premier élément.

La figure 2.25 est une réalisation en Pascal de l'algorithme récursif de fusion. La fonction `merge` prend pour arguments deux listes et retourne la liste fusionnée. C'est-à-dire que les paramètres formels `list1` et `list2` sont des pointeurs vers deux listes et la valeur de retour est un pointeur vers la liste fusionnée. L'algorithme récursif peut être décrit de la manière suivante :

LA BASE. Si l'une des listes est vide, alors l'autre liste est le résultat attendu. Cette règle est mise en oeuvre par les lignes (1) et (2) de la figure 2.25. Remarquez que si les deux listes sont vides, alors `list2` sera retournée. Ceci est correct puisque la valeur de `list2` est alors `NIL` et la fusion de deux listes vides est une liste vide.

LA RÉCURRENCE. Si aucune des listes n'est vide, alors chacune a un premier élément et nous pouvons désigner ces deux éléments par `list1^.element` et `list2^.element`, c'est-à-dire les champs `element` des cellules pointées respectivement par `list1` et `list2` ; la figure 2.26 représente cette structure de données. La liste résultante commence avec la cellule du plus petit élément. Le reste de la liste est formée en fusionnant tous les éléments sauf celui-là.

Par exemple, les lignes (4) et (5) prennent en compte le cas où le premier élément de la liste 1 est le plus petit. La ligne (4) est un appel récursif à `merge`. Le premier argument de cet appel est `list1^.next`, c'est-à-dire un pointeur vers le second élément de la première liste (ou `NIL` si la première liste a seulement un élément). Ainsi, l'appel

```
      function merge(list1, list2: LISTTYPE): LISTTYPE;
      begin
(1)       if list1 = NIL then merge := list2
(2)       else if list2 = NIL then merge := list1
(3)       else if list1^.element <= list2^.element then begin
              (* Ici, ni l'une ni l'autre des listes n'est vide et
              la première liste a le premier plus petit élément. La
              réponse est le premier élément de la première
              liste suivie de la fusion des éléments restants. *)
(4)           list1^.next := merge(list1^.next, list2);
(5)           merge := list1
          end
          else begin (* list2 a le plus petit élément *)
(6)           list2^.next := merge(list1, list2^.next);
(7)           merge := list2
          end
      end;
```

Figure 2.25 : Fusion récursive.

récursif est fait avec une liste comprenant tous les éléments sauf le premier de la première liste. Le second argument est la seconde liste complète. Par conséquent, l'appel récursif à **merge** de la ligne (4) retournera un pointeur vers la liste fusionnée de tous les éléments restants et stockera un pointeur vers cette liste fusionnée dans le champ **next** de la première cellule de la liste 1. A la ligne (5), nous retournons un pointeur vers cette cellule, maintenant première cellule de la liste fusionnée de tous les éléments.

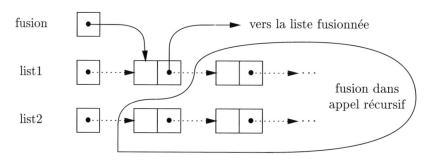

Figure 2.26 : Etape de récurrence de l'algorithme de fusion.

La figure 2.26 illustre les modifications. Les flèches en pointillé sont présentes lorsque **merge** est appelée. Les flèches en continu sont créées par **merge**. Plus précisément, la valeur de retour de **merge** est un pointeur vers la cellule du plus petit élément et le champ **next** de cet élément pointe vers la liste retournée par l'appel récursif à **merge** à la ligne (4).

Finalement, les lignes (6) et (7) prennent en compte le cas où le plus petit élément provient de la seconde liste. Le comportement de l'algorithme est exactement celui des lignes (4) et (5), mais le rôle des deux listes est inversé.

✦ **Exemple 2.23.** Supposons que nous appelions `merge` sur les listes $(1, 2, 7, 7, 9)$ et $(2, 4, 7, 8)$ de l'exemple 2.22. La figure 2.27 illustre la séquence d'appels faits à `merge` si nous lisons la première colonne de haut en bas. Nous omettons les virgules séparant les éléments des listes car elles sont utilisées pour séparer les arguments de `merge`.

Appel	Retour
merge(12779, 2478)	122477789
merge(2779, 2478)	22477789
merge(779, 2478)	2477789
merge(779, 478)	477789
merge(779, 78)	77789
merge(79, 78)	7789
merge(9, 78)	789
merge(9, 8)	89
merge(9, NIL)	9

Figure 2.27 : Appels récursifs à `merge`.

Par exemple, puisque le premier élément de la liste 1 est plus petit que le premier élément de la liste 2, la ligne (4) de la figure 2.25 est exécutée et nous fusionnons récursivement tous les éléments sauf le premier de la liste 1. C'est-à-dire que le premier argument est la queue de la liste 1, soit $(2, 7, 7, 9)$ et le second argument est la liste entière 2, soit $(2, 4, 7, 8)$. Maintenant, les éléments de tête des deux listes sont les mêmes. Puisque le test de la ligne (3) dans la figure 2.25 favorise la première liste nous enlevons le 2 de la liste 1, et notre appel suivant à `merge` a pour premier argument $(7, 7, 9)$ et pour second argument $(2, 4, 7, 8)$.

Les listes retournées sont indiquées dans la seconde colonne, en lisant de bas en haut. Remarquez que, contrairement à la description itérative de la fusion suggérée par la figure 2.24, l'algorithme récursif assemble la liste fusionnée à partir de la fin, tandis que l'algorithme itératif l'assemble à partir du début. ✦

Décomposer des listes

Une autre tâche importante requise pour le tri par fusion est la décomposition d'une liste en deux parties égales ou en parties dont les longueurs diffèrent de 1 si la liste initiale est de longueur impaire. Une façon de faire est de compter le nombre d'éléments de la liste, de le diviser par 2 et de séparer la liste au milieu. Au lieu de cela, nous allons donner une procédure récursive simple `split` qui traite les éléments de deux listes, l'une comprenant les premier, troisième et cinquième éléments et ainsi de suite

Base à cas multiples

Remarquez que la base pour l'algorithme `split` comprend deux valeurs 0 et 1. Bien que nous n'ayons pas discuté d'une telle possibilité précédemment, c'est une généralisation naturelle des récurrences à une valeur de base unique pour permettre la prise en compte de plusieurs petites valeurs de la récurrence en tant que cas de base. L'exercice 2.6.7 est un autre exemple où il est nécessaire de considérer plus d'un cas de base.

et l'autre comprenant les éléments aux positions paires. Plus précisément, la fonction `split` enlève les éléments numérotés pairs de la liste qu'elle reçoit en argument et retourne une nouvelle liste comprenant les éléments numérotés pairs.

```
     function split(list: LISTTYPE): LISTTYPE;

     var SecondCell: LISTTYPE;

     begin
(1)      if list = NIL then split := NIL
(2)      else if list^.next = NIL then split := NIL
         else begin (* il y a au moins deux cellules *)
(3)          SecondCell := list^.next;
(4)          list^.next := SecondCell^.next;
(5)          SecondCell^.next := split(SecondCell^.next);
(6)          split := SecondCell
         end
     end;
```

Figure 2.28 : Séparer une liste en deux parties égales.

Le code Pascal de la fonction `split` est montré à la figure 2.28. Il utilise les types LISTTYPE et CELL définis en même temps que la fonction `merge`. Remarquez que la variable locale SecondCell est du type LISTTYPE. Nous utilisons en réalité Second-Cell comme un pointeur vers la deuxième cellule d'une liste et non pas en tant que liste ; mais bien sûr le type LISTTYPE est en fait un pointeur vers une cellule.

Il est important d'observer que `split` est une fonction comportant un effet de bord. Elle enlève les cellules aux positions paires de la liste reçue en argument et assemble ces cellules en une nouvelle liste qui devient la valeur de retour.

L'algorithme de séparation peut être décrit par récurrence de la manière qui suit. La récurrence se fait sur la longueur de la liste.

LA BASE. Si la liste est de longueur 0 ou 1, alors nous ne faisons rien. Cela signifie qu'une liste vide est séparée en deux listes vides et une liste d'un seul élément est séparée en laissant l'élément sur la liste donnée et en retournant une liste vide pour les éléments numérotés pairs, c'est-à-dire aucun. La base est prise en compte par les lignes (1) et (2) de la figure 2.28. La ligne (1) prend en compte le cas où `list` est vide et la ligne (2) prend en compte le cas où elle est constituée d'un seul élément. Remarquez que nous faisons attention à ne pas examiner `list^.next` à la ligne (2) à moins que nous n'ayons au préalable déterminé à la ligne (1) que `list` n'est pas `NIL`.

LA RÉCURRENCE. L'étape de récurrence s'applique lorsqu'il y a au moins deux éléments dans `list`. A la ligne (3), nous conservons dans la variable locale `SecondCell` un pointeur vers la seconde cellule de la liste. A la ligne (4), le champ `next` de la première cellule évite la seconde cellule et pointe vers la troisième cellule (ou devient `NIL` s'il y a seulement deux cellules dans la liste). A la ligne (5), nous appelons récursivement `split` sur la liste comprenant tous les éléments sauf les deux premiers. La valeur retournée par cet appel est un pointeur vers le quatrième élément (ou `NIL` si la liste comprend moins de quatre éléments) et nous plaçons ce pointeur dans le champ `next` de la seconde cellule pour terminer la liaison des éléments aux positions paires. A la ligne (6), `split` retourne un pointeur vers la seconde cellule ; ce pointeur nous donne accès à la liste chaînée de tous les éléments aux positions paires de la liste initiale.

Les changements effectués par `split` sont suggérés par la figure 2.29. Les pointeurs initiaux sont en pointillé et les nouveaux pointeurs sont en continu. Nous indiquons également le numéro de la ligne qui a créé chacun des nouveaux pointeurs.

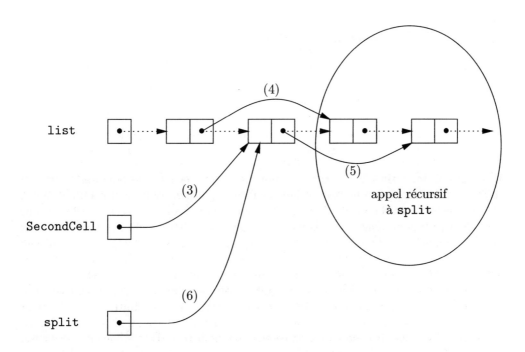

Figure 2.29 : Action de la fonction `split`

L'algorithme de tri

L'algorithme de tri récursif est représenté dans la figure 2.30. Il prend un paramètre `list` (par référence) et remplace la liste non triée pointée par `list` par sa version triée. L'algorithme peut être décrit par la base et l'étape de récurrence suivantes.

LA BASE. Si la liste à trier est vide ou de longueur 1, alors ne rien faire ; la liste est déjà triée. La base est prise en compte par les lignes (1) et (2) de la figure 2.30.

```
      procedure MergeSort(var list: LISTTYPE);

      var SecondList: LISTTYPE;

      begin
(1)       if list <> NIL then
(2)           if list^.next <> NIL then
                  begin (* au moins deux éléments sur la liste *)
(3)                   SecondList := split(list);
                          (* Remarquez l'effet de bord : la moitié
                            des éléments sont enlevés de la liste *)
(4)                   MergeSort(list);
(5)                   MergeSort(SecondList);
(6)                   list := merge(list, SecondList)
                  end
      end;
```

Figure 2.30 : L'algorithme de tri par fusion.

LA RÉCURRENCE. Si la liste est au moins de longueur 2, utiliser la fonction `split` à la ligne (3) pour enlever de `list` les éléments aux positions paires et pour les utiliser de façon à former une autre liste pointée par la variable locale `SecondList`. Les lignes (4) et (5) trient récursivement les listes aux tailles réduites de moitié, et à la ligne (6) nous utilisons la fonction `merge` pour remplacer la liste initiale par sa version triée.

✦ **Exemple 2.24.** Utilisons le tri par fusion pour trier la liste de nombres à un seul chiffre 742897721. Nous omettons à nouveau les virgules entre les chiffres pour ne pas alourdir le texte. Initialement, la liste est séparée en deux listes ; ceci est effectué par l'appel à `split` à la ligne (3) de `MergeSort`. L'une des listes résultantes comprend les positions impaires et l'autre les paires ; autrement dit `list` = 72971 et `SecondList` = 4872. Ensuite, aux lignes (4) et (5), ces listes sont triées ; on obtient alors les listes 12779 et 2478. La ligne (6) fusionne ces listes et produit la liste triée 122477789.

Cependant, le tri des deux listes aux tailles réduites de moitié ne s'est pas opéré par magie mais par application méthodique de l'algorithme récursif. Initialement, `Merge-Sort` sépare la liste si elle est de longueur supérieure à 1. La figure 2.31(a) montre la séparation récursive des listes jusqu'à ce que chaque liste soit de longueur 1. Ensuite, les listes séparées sont fusionnées par paires, en remontant dans l'arbre, jusqu'à ce que la liste entière soit triée. Ce processus est suggéré par la figure 2.31(b).

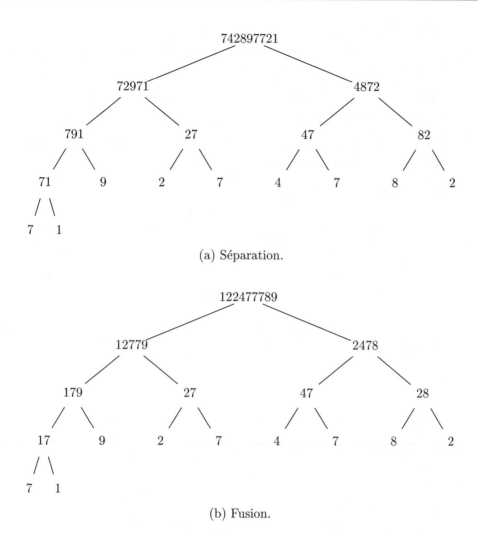

(a) Séparation.

(b) Fusion.

Figure 2.31 : Séparation et fusion récursives.

Cependant, il est important de remarquer que les séparations et les fusions se produisent en ordre mélangé ; toutes les séparations ne sont pas suivies par toutes les fusions. Par exemple, la première demi-liste, 72971 est complètement séparée et fusionnée avant que nous ne commencions la seconde demi-liste, 4872. ✦

Le programme complet

Pour voir comment l'algorithme de tri par fusion fonctionne dans la pratique, nous montrons dans la figure 2.32 un programme analogue au programme de la figure 2.3 qui était basé sur le tri par sélection. Un tableau A pouvant contenir 100 entiers est lu en entrée aux lignes (9) et (10) du programme principal. A la ligne (11), une procédure annexe `MakeList` convertit le tableau en une liste chaînée par un algorithme récursif simple. `MakeList(i,n)` transforme la queue du tableau `A[i..n]` en une liste chaînée. Ainsi, le fonctionnement de `MakeList` peut être décrit de la sorte :

LA BASE. Si $i > n$, c'est-à-dire s'il ne reste plus d'éléments, alors retourner la liste vide ; cf. ligne (1) de la figure 2.32(b).

LA RÉCURRENCE. S'il y a encore un ou plusieurs éléments, construisez une liste dont la première cellule contient `A[i]` et dont les éléments restants sont le résultat de la transformation de `A[i+1..n]` en une liste par appel récursif à `MakeList` ; cf. les lignes (2) à (4) de la figure 2.32(b).

La ligne (12) du programme principal est un appel à `MergeSort`. Le résultat est une liste `list` triée. Nous affichons la liste à la ligne (13) en utilisant une autre procédure annexe `PrintList`. L'algorithme de `PrintList` peut être décrit simplement de la manière suivante.

LA BASE. Si la liste est vide, ne rien faire, comme à la ligne (6) de la figure 2.32(b).

LA RÉCURRENCE. S'il y a des éléments, afficher le premier élément (ligne 7) et ensuite afficher le reste de la liste (ligne 8) par un appel récursif à `PrintList`.

EXERCICES

2.8.1 : Montrez le résultat de l'application de la fonction `merge` aux listes $(1, 2, 3, 4, 5)$ et $(2, 4, 6, 8, 10)$.

2.8.2 : Supposez que nous commencions avec la liste $(8, 7, 6, 5, 4, 3, 2, 1)$. Montrez la séquence d'appels à `merge`, `split` et `MergeSort` qui en résulte.

2.8.3 : * Un ***tri par fusion multiple*** divise une liste en k morceaux de taille égale (ou approximativement égale), les trie récursivement et ensuite fusionne les k listes en comparant tous leurs premiers éléments respectifs et en prenant le plus petit. Le tri par fusion décrit dans ce paragraphe est le cas $k = 2$. Modifiez le programme de la figure 2.32 de manière à ce qu'il devienne un tri par fusion multiple pour le cas $k = 3$.

2.8.4 : * Réécrivez le programme de tri par fusion pour utiliser les fonctions *lt* et *key* décrites à l'exercice 2.2.7 de manière à ordonner des éléments de type quelconque.

2.8.5 : Reliez chacune des procédures (a) `merge` (b) `split` (c) `MakeList` (d) `Print-List` à la figure 2.21. Quelle est la notion de taille appropriée pour chacune de ces procédures ?

2.9   Prouver les propriétés des programmes récursifs

Lorsque nous voulons prouver une propriété quelconque d'une procédure récursive, nous avons généralement besoin de prouver une assertion concernant l'effet d'un appel à cette procédure. Par exemple, cet effet peut être une relation entre les arguments et la valeur de retour, comme « la procédure appelée avec l'argument i retourne $i!$ ».

```
program sort(input, output);


const MAX = 100;

type LISTTYPE = ^CELL;
    CELL = record
        element: integer;
        next: LISTTYPE
    end;

var A: array[1..MAX] of integer;
    k, n: integer;
    list: LISTTYPE;


procedure MergeSort(var list: LISTTYPE);

var SecondList: LISTTYPE;

begin
    if list <> NIL then
        if list^.next <> NIL then
            begin (* au moins deux éléments sur la liste *)
                SecondList := split(list);
                MergeSort(list);
                MergeSort(SecondList);
                list := merge(list, SecondList)
            end
end;


function merge(list1, list2: LISTTYPE): LISTTYPE;
begin
    if list1 = NIL then merge := list2
    else if list2 = NIL then merge := list1
    else if list1^.element <= list2^.element then begin
        list1^.next := merge(list1^.next, list2);
        merge := list1
    end
    else (* list2 a le plus petit élément *) begin
        list2^.next := merge(list1, list2^.next);
        merge := list2
    end
end;
```

Figure 2.32 : (a) Un programme de tri utilisant le tri par fusion (début).

```
        function split(list: LISTTYPE): LISTTYPE;
        var SecondCell: LISTTYPE;
        begin
            if list = NIL then split := NIL
            else if list^.next = NIL then split := NIL
            else (* il y a au moins deux cellules *) begin
                SecondCell := list^.next;
                list^.next := SecondCell^.next;
                SecondCell^.next := split(SecondCell^.next);
                split := SecondCell
            end
        end;


        function MakeList(i, n: integer): LISTTYPE;
        var NewCell: LISTTYPE; (* pointeur vers nouvelle cellule *)
        begin
(1)         if i > n then MakeList := NIL
            else (* un ou plusieurs éléments du tableau *) begin
(2)             new(NewCell);
(3)             NewCell^.next := MakeList(i+1,n);
(4)             NewCell^.element := A[i];
(5)             MakeList := NewCell
            end
        end;


        procedure PrintList(list: LISTTYPE);
        begin
(6)         if list <> NIL then begin
            (* on ne fait rien si la liste a la valeur NIL *)
(7)             write(list^.element);
(8)             PrintList(list^.next)
            end
        end;


        begin (* programme principal *)
(9)         readln(n);
(10)        for k := 1 to n do read(A[k]);
(11)        list := MakeList(1,n);
(12)        MergeSort(list);
(13)        PrintList(list);
(14)        writeln
        end.
```

Figure 2.32 : (b) Un programme de tri utilisant le tri par fusion (fin).

Nous définissons souvent une notion de « taille » des arguments de la procédure et nous accomplissons une preuve par récurrence sur cette taille. Quelques-unes des manières possibles pour définir la taille des arguments sont :

1.   La valeur d'un argument. Par exemple, pour le programme récursif de factorielle de la figure 2.19, la taille appropriée est la valeur de l'argument n.

2.   La longueur d'une liste pointée par un argument. La procédure récursive `split` de la figure 2.28 est un exemple où la longueur de la liste est la taille appropriée.

3.   Une fonction des arguments. Par exemple, nous avons dit que le tri par sélection récursif de la figure 2.22 accomplissait une récurrence sur le nombre d'éléments restant à trier dans le tableau. En fonction des arguments n et i, cette fonction est $n - i + 1$. Un autre exemple : la taille appropriée pour la fonction `merge` de la figure 2.25 est la somme des longueurs des listes pointées par les deux arguments de la fonction.

Quelle que soit la notion de taille choisie, il est essentiel qu'une procédure appelée avec des arguments de taille s ne fasse que des appels de procédure avec des arguments de taille inférieure ou égale à $s - 1$. Ceci de manière que nous puissions faire une récurrence sur la taille pour prouver une propriété du programme. De plus, quand la taille atteint une certaine valeur fixée — disons 0 — la procédure ne doit plus faire d'appel récursif. Cette condition permet de démarrer notre preuve par récurrence avec le cas de base.

✦ **Exemple 2.25.** Considérons le programme de factorielle de la figure 2.19 du paragraphe 2.7. L'assertion à prouver par récurrence sur i, pour $i \geq 1$ est

ASSERTION $S(i)$: Lorsque `fact` est appelée avec la valeur i pour son argument `n`, elle retourne $i!$.

LA BASE. Pour $i = 1$, le test de la ligne (1) de la figure 2.19 entraine l'exécution de la base (ligne 2). Le résultat est une valeur de retour égale à 1, c'est-à-dire 1!.

LA RÉCURRENCE. Supposons que $S(i)$ soit vraie, c'est-à-dire, que `fact` retourne $i!$ lorsqu'elle est appelée avec un argument $i \geq 1$. Maintenant, considérons ce qui arrive lorsque `fact` est appelée avec la valeur $i+1$ pour la variable `n`. Si $i \geq 1$, alors $i+1$ vaut au moins 2, donc le cas de récurrence s'applique (ligne 3). La valeur de retour est alors $n \times fact(n-1)$; ou, puisque la variable `n` a la valeur $i+1$, le résultat $(i+1) \times fact(i)$ est retourné. Par hypothèse de récurrence, $fact(i) = i!$. Puisque $(i+1) \times i! = (i+1)!$, nous avons prouvé l'étape de récurrence, c'est-à-dire que `fact`, avec l'argument $i+1$ retourne $(i+1)!$. ✦

✦ **Exemple 2.26.** Examinons maintenant la procédure `MakeList`, l'une des procédures auxiliaires de la figure 2.32(b) au paragraphe 2.8. La procédure transforme un tableau `A[1..n]` en une liste chaînée. L'assertion que nous allons prouver est :

ASSERTION $S(j)$: Si $0 \leq j \leq n$, alors lorsque `MakeList` est appelée avec les j derniers éléments du tableau `A` à convertir en liste (c'est-à-dire quand la valeur de l'argument `i` est $n - j + 1$), elle retourne une liste avec les j derniers éléments.

LA BASE. La base est $j = 0$, c'est-à-dire, $i = n + 1$. Le test $i > n$ à la ligne (1) de `MakeList` affecte NIL à la valeur de retour. Ainsi, `MakeList` retourne bien une liste vide.

LA RÉCURRENCE. Supposons que $S(j)$ soit vraie pour un $j \geq 0$, et considérons ce qui se passe lorsque `MakeList` est appelée sur un tableau de $j+1$ éléments, c'est-à-dire avec $i = n - j$. Si $j \geq n$, alors il n'y a rien à prouver, puisque $S(j+1)$ commence par « Si $0 \leq j + 1 \leq n \cdots$ » et est ainsi certainement vraie si $j \geq n$. Considérons donc le cas $j < n$. Maintenant, $i \geq 1$ fait partie de nos hypothèses puisque i a été définie comme étant $n - j$. Puisque nous supposons $j \geq 0$, nous savons aussi que $i \leq n$ et donc $1 \leq i \leq n$. C'est-à-dire que `A[i]` est certainement un des éléments du tableau `A`.

Puisque $i \leq n$, le cas de récurrence des lignes (2) à (5) de la figure 2.32(b) est exécuté. La ligne (2) crée une nouvelle cellule et la ligne (3) a pour effet de faire pointer cette nouvelle cellule vers la valeur de retour de `MakeList` appelée avec l'argument $i+1$. Cet appel se fait ainsi avec les j derniers éléments de `A` devant être transformés en une liste et par hypothèse de récurrence, il le fait correctement. La ligne (4) place le $(j+1)$ème élément à partir de la fin, c'est-à-dire, $A[i]$ dans la nouvelle cellule. Ainsi, un pointeur vers la nouvelle cellule, tel qu'il est retourné à la ligne (5), est un pointeur vers la liste des $j + 1$ derniers éléments du tableau.

Nous avons prouvé l'étape de récurrence et nous en concluons que lorsque `Make-List` est appelée sur les j derniers éléments du tableau, elle retourne une liste de ces éléments. En particulier, lorsque `MakeList` est appelée avec $i = 1$, c'est-à-dire $j = n$, elle transforme en liste le tableau entier. ✦

✦ **Exemple 2.27.** Pour notre dernier exemple, prouvons la validité du programme de tri par fusion de la figure 2.30 en supposant que les fonctions `split` et `merge` accomplissent leurs tâches respectives.

La récurrence se fera sur la longueur de la liste donnée en argument à `MergeSort`. L'assertion à prouver par récurrence complète sur $n \geq 0$ est

ASSERTION $S(n)$: Lorsque `MergeSort` est appelée sur une liste `list` de longueur n alors elle retourne `list`, une version triée de la liste.

LA BASE. Nous prenons $S(0)$ et $S(1)$ comme base. Lorsque `list` est de longueur 0 sa valeur est NIL, le test de la ligne (1) de la figure 2.30 échoue et la procédure entière ne fait rien. De même, si `list` est de longueur 1, le test de la ligne (2) échoue et la procédure ne fait rien. Ainsi, `MergeSort` laisse `list` inchangée quand n est 0 ou 1, ce qui prouve les assertions $S(0)$ et $S(1)$ car une liste de longueur 0 ou 1 est déjà triée.

LA RÉCURRENCE. Supposons que $n \geq 1$ et que $S(i)$ soit vraie pour tout $i = 0, 1, \ldots, n$. Nous devons prouver $S(n+1)$. Considérons donc une liste de longueur $n + 1$. Puisque $n \geq 1$, cette liste a une longueur au moins égale à 2, donc nous atteignons la ligne (3) de la figure 2.30. Ici `split` divise la liste en deux listes de longueur $(n+1)/2$ si $n+1$ est pair et de longueur $(n/2) + 1$ et $n/2$ si $n + 1$ est impair. Puisque $n \geq 1$, aucune de ces listes ne peut être aussi longue que $n + 1$. Ainsi, l'hypothèse de récurrence peut leur être appliquée et nous en concluons que les demi-listes sont correctement triées par les appels à `MergeSort` aux lignes (6) et (5). Finalement, à la ligne (6), les deux listes triées sont fusionnées en une liste qui devient la valeur de l'argument `list`. Nous avions supposé que `merge` fonctionnait correctement donc la liste résultante est triée. ◆

EXERCICES

2.9.1 : Prouvez que la procédure `PrintList` de la figure 2.32(b) affiche les éléments de la liste passée en argument. Quelle assertion $S(i)$ prouvez-vous par récurrence ? Quelle est la valeur de base pour i ?

```
type LIST = ^CELL;
    CELL = record
        element: integer;
        next: LIST
    end;

function sum(L: LIST): integer;
begin
    if L = NIL then sum := 0
    else sum := L^.element + sum(L^.next)
end;

function find0(L: LIST): Boolean;
begin
    if L = NIL then find0 :=FALSE
    else if L^.element = 0 then find0 :=TRUE
    else find0 := find0(L^.next)
end
```

Figure 2.33 : Deux fonctions récursives, `sum` et `find0`.

2.9.2 : La fonction `sum` de la figure 2.33 calcule la somme des éléments de la liste en additionnant le premier élément à la somme des éléments restants ; la dernière étant calculée par un appel récursif sur le reste de la liste. Prouvez que `sum` calcule correctement la somme des éléments de la liste. Quelle assertion $S(i)$ prouvez-vous par récurrence ? Quelle est la valeur de base pour i ?

2.9.3 : La fonction `find0` de la figure 2.33 retourne `TRUE` si au moins un des éléments de sa liste est 0 et retourne `FALSE` sinon. Elle retourne `FALSE` si la liste est vide, retourne `TRUE` si le premier élément est 0 et fait sinon un appel récursif sur le reste de la liste et retourne quelle que soit la réponse produite pour le reste. Prouvez que `find0` détermine correctement la présence ou l'absence de 0 dans la liste. Quelle assertion $S(i)$ prouvez-vous par récurrence ? Quelle est la valeur de base pour i ?

2.9.4 : * Prouvez que les fonctions :

a) `merge` de la figure 2.25, et
b) `split` de la figure 2.28

font bien ce qu'elles sont supposées faire (paragraphe 2.8).

2.9.5 : Donnez une preuve intuitive de type « preuve par l'absurde » de la raison pour laquelle la récurrence commençant à une base incluant 0 et 1 est valide.

2.9.6 : ** Prouvez la validité (de votre implémentation en Pascal) des algorithmes récursifs donnés en

a)   PGCD dans l'exercice 2.7.8

b) $\binom{n}{m}$ dans l'exercice 2.7.10

2.10   Résumé du chapitre 2

Voilà les quelques notions importantes du chapitre 2 que vous devez retenir.

✦   Les preuves par récurrence, les définitions récursives et les programmes récursifs sont des notions très proches les unes des autres. Chacune a besoin d'une base et d'une étape de récurrence pour « fonctionner ».

✦   Dans les récurrences « ordinaires », les étapes successives dépendent seulement de l'étape précédente. Nous avons souvent besoin d'accomplir une preuve par récurrence complète, où chaque étape dépend de toutes les précédentes.

✦   Il existe plusieurs façons de trier. Le tri par sélection est un algorithme de tri simple mais lent ; le tri par fusion est un algorithme plus performant mais aussi plus complexe.

✦   La récurrence est essentielle pour prouver qu'un programme ou un fragment de programme fonctionne correctement.

✦   Diviser-pour-régner est une technique utile pour concevoir de bons algorithmes, comme le tri par fusion. Il fonctionne en divisant le problème en sous-parties indépendantes et en combinant ensuite les résultats.

✦   Les expressions sont définies naturellement de façon récursive en fonction de leurs opérandes et opérateurs. Les opérateurs peuvent être classifiés en fonction du nombre d'arguments qu'ils acceptent : unaire (un argument), binaire (deux arguments) et k-aire (k arguments). Par ailleurs, un opérateur binaire apparaissant entre ses opérandes est infixe, un opérateur apparaissant avant ses opérandes est préfixe et un opérateur apparaissant après ses opérandes est postfixe.

2.11   Notes bibliographiques du chapitre 2

Une excellente approche de la récursivité est traitée dans Roberts [1986]. Pour plus d'informations sur les algorithmes de tri, la source classique est Knuth [1973]. Berlekamp [1968] décrit des techniques pour détecter et corriger les erreurs dans les chaînes de bits — le schéma détecteur d'erreurs du paragraphe 2.3 en est l'exemple le plus simple.

Berlekamp, E. R. [1968]. *Algebraic Coding Theory*, McGraw-Hill, New York.

Knuth, D. E. [1973]. *The Art of Computer Programming*, Vol. III: *Sorting and Searching*, Addison Wesley, Reading, Mass.

Roberts, E. [1986]. *Thinking Recursively*, Wiley, New York.

CHAPITRE 3

Le temps d'exécution des programmes

Au chapitre 2, nous avons vu deux algorithmes de tri très différents : le tri par sélection et le tri par fusion. Il existe en fait bien d'autres algorithmes de tri. Cette situation est classique : tout problème peut être résolu par plus d'un algorithme.

Dans ce cas, comment faut-il choisir un algorithme pour résoudre un problème donné ? Une règle générale est de prendre un algorithme qui soit facile à comprendre, à mettre en œuvre et à documenter. Quand l'aspect performance est important, comme c'est souvent le cas, nous devons alors choisir un algorithme rapide qui utilise de manière efficace les ressources disponibles. Nous sommes ainsi amenés à poser un problème souvent subtil : comment peut-on mesurer le temps d'exécution d'un programme ou d'un algorithme, et quelles sont les étapes à suivre afin de rendre un programme plus performant ?

3.1 Le propos de ce chapitre

Dans ce chapitre, nous étudierons les points suivants :

✦ les principales techniques de mesures de performances des programmes,

✦ les méthodes d'évaluation des performances des programmes,

✦ la notation « grand O »,

✦ l'estimation du temps d'exécution des programmes grâce à la notation grand O,

✦ et l'utilisation des relations de récurrence pour évaluer le temps d'exécution des programmes récursifs.

La notation grand O introduite aux paragraphes 3.4 et 3.5 facilite l'estimation du temps d'exécution des programmes car elle nous évite d'avoir à prendre en considération des constantes qui sont la plupart du temps impossibles à estimer, comme par exemple le nombre d'instructions machine qui seront générées par un compilateur Pascal pour un programme source donné.

Nous introduisons petit à petit les techniques nécessaires à l'estimation du temps d'exécution des programmes. Aux paragraphes 3.6 et 3.7, nous présentons les méthodes utilisées pour analyser des programmes ne comportant pas d'appel de procédure. Le paragraphe 3.8 étend notre expertise aux programmes comportant des appels à des procédures non-récursives. Ensuite, aux paragraphes 3.9 et 3.10, nous traitons le cas des procédures récursives. Enfin, le paragraphe 3.11 étudie des solutions aux relations de récurrence, qui sont des définitions par récurrence des fonctions utilisées pour l'analyse du temps d'exécution des procédures récursives.

3.2   Choisir un algorithme

Si vous devez écrire un programme qui ne sera utilisé qu'une seule fois sur une quantité réduite de données et qui sera ensuite mis de côté, il faut alors choisir le plus simple des algorithmes que vous connaissez, puis écrire et déboguer le programme pour en-suite passer à autre chose. Cependant, si vous avez besoin d'écrire un programme qui doit être utilisé et maintenu par plusieurs personnes sur une longue période, d'autres problèmes se posent. L'un d'eux est l'intelligibilité ou la **simplicité** de l'algorithme sous-jacent. Les algorithmes simples sont souhaitables pour de nombreuses raisons. La plus importante est probablement qu'un algorithme simple est plus facile à mettre en œuvre correctement que ne l'est un algorithme complexe. Le programme résultant est aussi moins sujet aux bogues vicieux, qui apparaissent souvent pendant le traitement de données qui n'avaient pas été prévues, et après que le programme aura été utilisé pendant longtemps.

Les programmes devraient être écrits de façon **claire** et judicieusement commentés afin qu'ils soient plus faciles à maintenir par d'autres personnes. Si un programme est simple et intelligible, il est alors plus facile à décrire. Avec une bonne documentation, les modifications au programme original peuvent être facilement effectuées par quelqu'un d'autre que l'auteur (qui souvent ne sera pas disponible pour les faire lui-même), ou même par celui-ci, s'il a écrit le programme depuis longtemps. Il y a quantité d'histoires sur des programmeurs qui écrivent des algorithmes efficaces et intelligents, quittent ensuite l'entreprise, et voient leurs algorithmes mis de côté par les nouveaux programmeurs, qui remplacent le code par quelque chose de plus lent mais aussi de plus compréhensible.

Quand un programme est régulièrement exécuté, son **efficacité** et celle de son algorithme sous-jacent deviennent importantes. Généralement, on confond efficacité et temps d'exécution ; un programme doit toutefois économiser d'autres ressources, comme, par exemple :

1. la quantité d'espace occupé par ses variables,

2. la quantité de trafic généré sur un réseau d'ordinateurs,

3. la quantité de données devant être déplacées depuis le disque et vers le disque[1].

Cependant, pour les gros problèmes, c'est le temps d'exécution qui détermine si un programme donné peut être utilisé ; le temps d'exécution est le sujet principal de ce

---

[1] Le chapitre 4 explique en quoi les disques sont nécessaires à la plupart des programmes et pourquoi l'échange des informations avec le disque peut devenir un goulot d'étranglement.

chapitre. En fait, nous considérerons que l'efficacité d'un programme est relative à son temps d'exécution ; celui-ci sera mesuré en fonction de la dimension de ses entrées.

Souvent, l'intelligibilité et l'efficacité sont des objectifs conflictuels. Par exemple, il est assez évident que le programme de tri par fusion de la figure 2.32 est non seulement plus long mais aussi un peu plus difficile à comprendre que le programme de tri par sélection de la figure 2.3. Ce serait encore vrai si nous résumions l'explication donnée aux paragraphes 2.3 et 2.8 en plaçant des commentaires pertinents dans les programmes. Cependant, comme nous le verrons, le tri par fusion est bien plus efficace que le tri par sélection, surtout si le nombre d'éléments à trier dépasse la centaine. Malheureusement, cette situation est très classique : les algorithmes efficaces pour de grandes quantités de données sont généralement plus complexes à écrire et à comprendre que les algorithmes relativement inefficaces.

L'intelligibilité et la simplicité d'un algorithme est quelque chose de subjectif. Dans une certaine mesure, nous pouvons pallier au manque de simplicité en expliquant bien l'algorithme par des commentaires et en documentant le programme. Celui qui écrit la documentation devrait tout le temps penser à la personne qui lit le code et ses commentaires : une personne raisonnablement intelligente est-elle à même de comprendre ce qui est dit, ou bien des explications, détails, définitions et exemples supplémentaires sont-ils nécessaires ?

En revanche, l'efficacité d'un programme est quelque chose d'objectif : un programme prend le temps qu'il prend et il n'y a pas lieu d'en discuter. Malheureusement, nous ne pouvons pas tester le programme sur toutes les entrées possibles — dont le nombre est en général infini. Ainsi, nous sommes tenus de faire des mesures du temps d'exécution d'un programme et de résumer les performances de ce dernier pour toutes les entrées possibles avec une simple expression, comme par exemple « n^2 ». La manière on peut s'y prendre est le sujet de ce chapitre.

3.3   Mesurer le temps d'exécution

Puisque nous sommes d'accord sur le fait qu'on peut évaluer un programme en mesurant son temps d'exécution, il nous faut déterminer ce qu'est réellement le temps d'exécution. Les deux principales approches résumant le temps d'exécution sont :

1.   le jeu d'essais.

2.   l'analyse.

Nous les étudierons tour à tour ; l'accent sera toutefois mis en priorité sur les techniques d'analyse d'un programme ou d'un algorithme.

Le jeu d'essais

Quand nous comparons deux ou plusieurs programmes conçus pour réaliser le même ensemble de tâches, il est courant de préparer une petite collection d'entrées représentatives servant de *jeu d'essais*. Cela signifie que nous acceptons de considérer que les entrées du jeu d'essais sont représentatives du ***l'éventail des travaux possibles*** ; un programme qui se comporte bien sur les entrées d'un jeu d'essais est supposé bien se comporter sur toutes les entrées.

La règle des 90-10

En parallèle avec le jeu d'essais, il est souvent utile de déterminer là où le programme considéré passe son temps. Cette méthode d'évaluation des performances d'un programme est appelé *l'établissement de son profil*; la plupart des environnements de programmation ont des outils appelés des *profileurs* qui associent chaque instruction du programme avec la proportion du temps total prise par cette instruction. Un utilitaire appelé, *compteur d'instructions*, est un outil déterminant pour chaque instruction d'un programme source le nombre de fois qu'il est exécuté sur un ensemble donné d'entrées. Pour de nombreux programmes, on peut observer que la plupart de leur temps d'exécution est passé dans une petite fraction du code source. Il existe une règle informelle exprimant que 90% du temps d'exécution est passé dans 10% du code. Bien que le pourcentage exact varie d'un programme à l'autre, la « règle des 90-10 » énonce qu'en général, l'activité d'un programme est très localisée. Un des moyens les plus simples pour rendre un programme plus rapide est d'établir son profil et d'améliorer le code en ses « points chauds », qui sont des portions du programme dans lesquelles il passe le plus clair de son temps. Par exemple, nous avons dit au chapitre 2 qu'il était possible d'améliorer la vitesse d'un programme en remplaçant une procédure récursive par une procédure itérative équivalente. Il est toutefois utile de faire ce remplacement seulement si la procédure récursive est appelé dans ces parties du programme où la plupart du temps est passé.

Un cas extrême est de réduire à zéro le temps pris par les 90% du code dans lequel seulement 10% du temps est passé; nous aurons réduit le temps d'exécution total du programme de seulement 10%. Par ailleurs, diviser de moitié le temps d'exécution de 10% du programme dans lequel 90% du temps est passé réduit le temps d'exécution total de 45%.

Par exemple, un jeu d'essais pour évaluer les programmes de tri pourrait contenir un petit ensemble de nombres, comme les 20 premiers chiffres de π, un ensemble intermédiaire, comme l'ensemble des codes postaux du Texas et un grand ensemble, comme l'ensemble des numéros de téléphone dans l'annuaire téléphonique de Paris. Nous pourrions aussi vouloir vérifier qu'un programme fonctionne efficacement (et correctement) quand on lui donne un ensemble vide à trier, un singleton et une liste déjà ordonnée. Il est intéressant de constater que certains algorithmes de tri se comportent mal lorsqu'on leur donne une liste d'éléments déjà triée[2].

Analyse d'un programme

Pour analyser un programme, nous commençons par grouper les entrées en fonction de leur taille. Ce que nous choisissons d'appeler la taille d'une entrée peut varier d'un programme à l'autre (nous en avons discuté au paragraphe 2.9 au sujet de la preuve des propriétés des programmes récursifs). Pour un programme de tri, une bonne me-

---

[2] Ni le tri par sélection ni celui par fusion n'en font partie; ils prennent approximativement le même temps sur une liste triée que sur une autre liste de la même longueur.

sure de la taille est le nombre d'éléments à trier. Pour un programme qui résoud n équations linéaires avec n inconnues, il est normal de prendre n pour la taille du problème. D'autres programmes pourraient utiliser la valeur d'une entrée particulière, ou la longueur d'une liste en entrée d'un programme, ou la taille d'un tableau en entrée, ou une combinaison quelconque de ces quantités.

Le temps d'exécution

Il est pratique d'utiliser une fonction $T(n)$ pour représenter le nombre d'unités de temps prises par un programme ou un algorithme sur n'importe quelle entrée de taille n. Nous appellerons $T(n)$ le *temps d'exécution* du programme. Par exemple, un programme peut avoir un temps d'exécution $T(n) = cn$, c étant une constante. Exprimé différemment, le temps d'exécution de ce programme est linéairement proportionnel à la taille des entrées sur lesquelles il est exécuté. Un tel programme ou algorithme est dit **linéaire en temps**, ou simplement *linéaire*.

Nous pouvons considérer le temps d'exécution $T(n)$ comme un nombre d'instructions Pascal exécutées par le programme ou comme le temps mis pour exécuter le programme sur un ordinateur standard. La plupart du temps, nous ne spécifierons pas les unités de $T(n)$. En fait, comme nous le verrons dans le paragraphe suivant, il est juste de parler du temps d'exécution d'un programme seulement en terme d'un facteur constant multiplié par $T(n)$.

Très souvent, le temps d'exécution d'un programme dépend d'une entrée particulière et non pas seulement de la taille d'une entrée. Pour ces cas, nous définissons $T(n)$ comme étant le temps d'exécution **au pire**, c'est-à-dire le temps d'exécution maximum pour n'importe quelle entrée parmi toutes les entrées de taille n.

Une autre mesure de performance courante est $T_{avg}(n)$, le temps d'exécution moyen du programme pour toutes les entrées de taille n. Le temps d'exécution moyen est parfois une mesure plus réaliste de l'efficacité constatée dans la pratique, mais il est souvent plus difficile à calculer que le temps d'exécution au pire. La notion du temps d'exécution « moyen » implique aussi que toutes les entrées de taille n soient semblables, ce qui peut être vrai ou faux dans une situation donnée.

```
(2)        small := i;
(3)        for j := i+1 to n do
(4)            if A[j] < A[small] then
(5)                small := j;
```

Figure 3.1 : Boucle intérieure du tri par sélection.

✦ **Exemple 3.1.** Estimons le temps d'exécution de l'extrait de `SelectionSort` montré à la figure 3.1. Les instructions ont les numéros de lignes initiales de la figure 2.2. L'objectif de ce code est d'affecter à `small` l'index du plus petit des éléments trouvé dans la portion du tableau `A` allant de `A[i]` à `A[n]`.

Pour commencer, nous devons développer une notion simple des unités de temps. Nous examinerons le problème en détail plus tard, mais pour le moment, le simple schéma suivant est suffisant. Nous compterons une unité de temps pour chaque exécution d'une instruction d'affectation. A la ligne (3), nous comptons une unité pour l'initialisation de j au début de la boucle for une unité pour incrémenter j et une unité pour tester si $j > n$ chaque fois que nous parcourons la boucle. Finalement, nous comptons une unité pour le test de la ligne (4).

Premièrement, considérons le corps de la boucle intérieure (lignes (4) et (5)). Le test de la ligne (4) est toujours exécuté mais l'affectation à la ligne (5) est exécutée seulement si le test réussit. Le corps prend donc soit 1 soit 2 unités de temps en fonction des données dans le tableau A. Si nous voulons prendre le cas au pire, alors nous pouvons supposer que le corps prend 2 unités. Nous parcourons la boucle for $n - i$ fois ; à chaque parcours, nous exécutons le corps (2 unités) et nous incrémentons j et testons si $j > n$ (encore 2 unités). Le nombre d'unités de temps passées à parcourir la boucle est donc $4(n - i)$. A ce nombre, nous devons ajouter 1 pour l'initialisation de small à la ligne (2), 1 pour l'initialisation de j à la ligne (3) et 1 pour le premier test $j > n$ à la ligne (3) qui n'est pas associé à la fin d'une itération de la boucle. Le temps total pris par l'extrait de programme à la figure 3.1 est donc $4(n - i) + 3$.

Il est naturel de considérer que la « taille » des données sur lesquelles opèrent le code de la figure 3.1 est $n - i + 1$ puisque c'est la longueur du tableau A[i..n]. Soit $m = n - i + 1$. Le temps d'exécution $4(n - i) + 3$ peut être écrit $4(n - i + 1) - 1$, qui est égal à $4m - 1$. Le temps d'exécution $T(m)$ pour la figure 3.1 est donc $4m - 1$. ◆

Comparaison de différents temps d'exécution

Supposons que pour un problème, nous ayons le choix entre un programme A en temps linéaire dont le temps d'exécution est $T_A(n) = 100n$ et un programme B en temps quadratique dont le temps d'exécution est $T_B(n) = 2n^2$. Supposons que ces deux temps d'exécution soient le nombre de millisecondes prises par un ordinateur pour une entrée de taille n [3]. Les graphes des temps d'exécution sont représentés à la figure 3.2.

La figure 3.2 nous apprend que pour des entrées de taille inférieure à 50, le programme B est plus rapide que le programme A. Quand l'entrée dépasse 50, le programme A devient plus rapide ; à partir de ce stade, plus l'entrée est grande, plus l'avantage de A par rapport à B est grand. Pour des entrées de taille 100, A est deux fois plus rapide que B et pour des entrées de taille 1000, A est 20 fois plus rapide.

Exprimer sous forme d'une fonction du temps d'exécution d'un programme permet en définitive de déterminer la taille maximum du problème pouvant être résolu avec ce programme. A mesure que la vitesse des ordinateurs augmente, la taille des problèmes qu'il est possible de résoudre croît plus vite avec des programmes dont les temps d'exécution augmentent lentement qu'avec ceux dont les temps d'exécution augmentent rapidement.

A nouveau, en supposant que les temps d'exécution des programmes montrés à la figure 3.2 sont en millisecondes, la table de la figure 3.3 indique la taille maximimum du problème que peut résoudre chacun des programmes sur le même ordinateur grâce à différentes durées exprimées en secondes. Par exemple, supposons que nous puissions

---

[3] Cette situation ressemble à celle où l'algorithme A est le tri par fusion et l'algorithme B est le tri par sélection. Cependant, comme nous le verrons au paragraphe 3.10, le temps d'exécution du tri par fusion croît en $n \log n$.

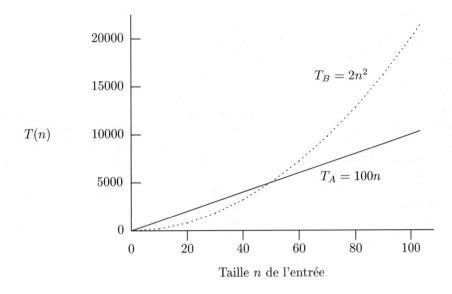

Figure 3.2 : Les temps d'exécution d'un programme linéaire et d'un
programme quadratique.

nous offrir 100 secondes de temps de calcul. Si les ordinateurs deviennent 10 fois plus rapides, alors en 100 secondes nous pouvons traiter des problèmes d'une taille qui demanderaient 1000 secondes. Avec l'algorithme A, nous pouvons maintenant résoudre des problèmes 10 fois plus grands mais avec l'algorithme B, nous pouvons seulement résoudre des problèmes qui soient 3 fois plus grands. Ainsi, puisque les ordinateurs sont de plus en plus rapides, nous avons un encore plus intérêt à utiliser des algorithmes et des programmes avec des taux de croissance plus faibles.

TEMPS sec.	TAILLE MAXIMUM DU PROBLEME RESOLUBLE AVEC LE PROGRAMME A	TAILLE MAXIMUM DU PROBLEME RESOLUBLE AVEC LE PROGRAMME B
1	10	22
10	100	70
100	1000	223
1000	10000	707

Figure 3.3 : La taille du problème en fonction du temps disponible.

Ne vous souciez jamais de l'efficacité d'un algorithme ; contentez-vous d'attendre quelques années

Souvent, on entend l'argument selon lequel il n'est pas nécessaire d'améliorer le temps d'exécution des algorithmes ou de choisir des algorithmes efficaces car les vitesses des ordinateurs doublent tous les ans et que le temps n'est pas loin où n'importe quel algorithme prendra si peu de temps que personne ne s'en préoccupera. Les gens ont dit cela pendant des dizaines d'années alors qu'il est impossible de prévoir l'évolution de la demande en ressources de calcul. Nous rejetons l'idée selon laquelle les améliorations du matériel rendront superflue l'étude d'algorithmes efficaces.

Il existe toutefois des situations pour lesquelles n'avons pas besoin de nous préoccuper de l'efficacité. Par exemple, à la fin de chaque trimestre, une école peut reporter sur les dossiers de scolarité des étudiants, lesquels seraient tous stockés sur ordinateur, les notes disponibles sur des feuilles de relevés électroniques. Le temps pris par cette opération est probablement proportionnel au nombre de diplômes reportés (comme l'algorithme hypothétique A). Si l'école remplace son ordinateur par un autre 10 fois plus rapide, elle peut faire le travail en dix fois moins de temps. Il y a cependant peu de chances pour que l'école accueille 10 fois plus d'étudiants ou demande à chaque étudiant de suivre 10 fois plus de cours. L'amélioration de la vitesse de l'ordinateur n'affectera pas la taille de l'entrée pour le programme de répartition des notes, car cette taille est limitée par d'autres facteurs.

Par ailleurs, il existe quelques problèmes dont on commence à envisager le traitement, grâce à l'émergence de nouvelles ressources informatiques mais dont la « taille » est trop importante pour être prise en compte par la technologie actuelle. Certains de ces problèmes sont relatifs à la compréhension du langage naturel, la reconnaissance d'images numérisées et la communication homme-machine dans quelque domaine que ce soit. Les accroissement de la vitesse de traitement, soit par l'amélioration des algorithmes, soit l'amélioration des machines, augmentera notre capacité à traiter ces problèmes dans les années à venir. Mieux, quand ils deviendront des problèmes « simples », une nouvelle génération de défis, que nous avons maintenant du mal à imaginer, prendront leur place sur la frontière de ce qu'il est possible de faire avec les ordinateurs.

EXERCICES

3.3.1 : Considérez l'extrait du programme factorielle à la figure 2.13 ; considérez également que la taille de l'entrée est la valeur de n qui est lue. En comptant une unité de temps pour chaque instruction d'affectation, de lecture et d'écriture et une unité de temps chaque fois que la condition de l'instruction **while** est vérifiée, calculez le temps d'exécution du programme.

3.3.2 : Pour les extraits de programme de

a) l'exercice 2.5.1 et

b) la figure 2.14,

donnez une taille appropriée pour l'entrée. En utilisant les règles de comptage de l'exercice 3.3.1, déterminez les temps d'exécution des programmes.

3.3.3 : Supposez que le programme A prenne $2^n/1000$ unités de temps et que le programme B prenne $1000n^2$ unités. Pour quelles valeurs de n le programme A prend-il moins de temps que le programme B ?

3.3.4 : Pour chacun des programmes de l'exercice 3.3.3, quelle est la taille maximum du problème pouvant être résolu en

a) 10^6 unités de temps ?

b) 10^9 unités de temps ?

c) 10^{12} unités de temps ?

3.3.5 : Refaites les exercices 3.3.3 et 3.3.4 si le programme A prend $1000n^4$ unités de temps et si le programme B prend n^{10} unités de temps.

3.4   Grand O et temps d'exécution approximatif

Supposons que nous ayons écrit et débogué un programme Pascal et que nous ayons choisi une entrée particulière sur laquelle nous voulons exécuter le programme. Le temps d'exécution du programme sur cette entrée dépend toujours de deux facteurs :

1.   L'ordinateur sur lequel le programme est exécuté. Certains ordinateurs exécutent les instructions plus rapidement que d'autres ; le rapport entre les vitesses des gros calculateurs les plus rapides et des ordinateurs personnels les moins rapides dépasse 1000.

2.   Le compilateur Pascal utilisé pour générer les instructions machine de l'ordinateur[4]. Sur les machines classiques, il existe plusieurs façons possibles de réaliser une même instruction Pascal et le nombre d'instructions machine utilisées pour exécuter une instruction donnée varie d'un compilateur à l'autre.

Le résultat est que nous ne pouvons pas prendre un programme Pascal et son entrée et dire « cette tâche prendra 3,21 secondes » à moins que nous ne connaissions la machine et le compilateur utilisés. De plus, même si nous connaissons le programme, l'entrée, la machine et le compilateur, il est généralement trop complexe de prédire le nombre d'instructions machine qui seront exécutées pour une tâche.

Pour ces raisons, nous exprimons généralement le temps d'exécution d'un programme en utilisant la notation « grand O », qui est conçue de manière à pouvoir cacher des facteurs constants comme

1.   Le nombre moyen d'instructions machine générées par un compilateur particulier.

2.   Le nombre moyen d'instructions machine qu'une machine particulière exécute par seconde.

---

[4]   Voir chapitre 4 pour une discussion concernant les instructions machine exécutées par un ordinateur et la façon dont ces instructions réalisent les tâches spécifiées par les instructions Pascal. C'est le travail du compilateur que de sélectionner les instructions machine nécessaires à la réalisation du programme Pascal.

Par exemple, au lieu de dire, comme nous l'avons fait dans l'exemple 3.1, que l'extrait de `SelectionSort` étudié prend un temps de $4m - 1$ pour un tableau de longueur m, nous dirons qu'il prend un temps $O(m)$, ce qui se lit « grand O de m » ou simplement « en O de m », et qui signifie « une constante multipliée par m ».

La notion « une constante multipliée par m » nous permet non seulement d'ignorer les constantes inconnues associées au compilateur et à la machine mais nous permet également de faire des hypothèses simplificatrices. Par exemple, à l'exemple 3.1, nous avons supposé que toutes les instructions d'affectation, le test de terminaison de la boucle `for`, l'incrémentation de `j` à chaque tour de boucle, l'initialisation et ainsi de suite prenaient le même temps. Comme nous le verrons au chapitre 4, aucune de ces hypothèses n'est valide. Ainsi, les constantes 4 et -1 dans la formule du temps d'exécution $T(m) = 4m - 1$ sont de simples approximations et il serait donc plus juste de dire « une constante multiplié par m plus ou moins une autre constante ».

La notation grand O

Soit $T(n)$ le temps d'exécution d'un programme mesuré en fonction de la taille n de l'entrée. Comme il convient pour une fonction mesurant le temps d'exécution d'un programme, nous supposerons que

1. l'argument n est un entier positif ou nul, et

2. $T(n)$ est positif ou nul pour tous les arguments n.

Maintenant, soit $f(n)$ une fonction définie pour des entiers n non négatifs. Nous dirons « $T(n)$ est en $O\big(f(n)\big)$ » si $T(n)$ est égal à au plus une constante multipliée par $f(n)$, sauf peut-être pour quelques petites valeurs de n. Formellement, nous disons que $T(n)$ est en $O\big(f(n)\big)$ s'il existe un entier n_0 et une constante $c > 0$ tels que pour tout entier $n \geq n_0$, nous avons $T(n) \leq cf(n)$.

Nous pouvons appliquer la définition de « grand O » pour prouver que $T(n)$ est en $O\big(f(n)\big)$ pour des fonctions particulières T et f. Nous faisons ceci en choisissant un n_0 et un c et en prouvant ensuite que $T(n) \leq cf(n)$, en supposant seulement que n est un entier non négatif et que n est au moins aussi grand que notre n_0 choisi. Généralement, la preuve met en jeu seulement de l'algèbre et la manipulation d'inégalités.

✦ **Exemple 3.2.** Supposons que nous ayons un programme dont le temps d'exécution est $T(0) = 1$, $T(1) = 4$, $T(2) = 9$, et en général $T(n) = (n + 1)^2$. Nous pouvons dire que $T(n)$ est $O(n^2)$, ou que $T(n)$ est *quadratique*, parce que nous pouvons poser $c = 4$ et $n_0 = 1$ dans la définition ci-dessus. Ensuite nous verrons que $(n + 1)^2 \leq 4n^2$ pour $n \geq 1$. Dans la preuve, développons $(n + 1)^2$ en $n^2 + 2n + 1$. Tant que $n \geq 1$, nous savons que $n \leq n^2$ et $1 \leq n^2$. Ainsi

$$n^2 + 2n + 1 \leq n^2 + 2n^2 + n^2 = 4n^2$$

Un autre choix possible serait de prendre $c = 2$ et $n_0 = 3$ car, comme le lecteur peut le vérifier, $(n + 1)^2 \leq 2n^2$, pour tout $n \geq 3$. Cependant, nous ne pouvons pas prendre $n_0 = 0$ avec n'importe quel c, puisqu'avec $n = 0$, nous aurions à montrer que $(0 + 1)^2 \leq c0^2$, c'est-à-dire que 1 est inférieur ou égal à c multiplié par 0. Puisque $c \times 0 = 0$ quelle que soit la valeur de c et puisque $1 \leq 0$ est fausse, nous sommes perdus si nous prenons $n_0 = 0$. Toutefois, cela n'est pas très grave car, pour montrer que $(n+1)^2$ est $O(n^2)$, nous avions juste à choisir un c et un n_0 qui fonctionnent. ✦

Il peut sembler étrange que bien que $(n+1)^2$ soit plus grand que n^2, on puisse toujours écrire que $(n+1)^2$ est $O(n^2)$. En fait, nous pouvons également écrire que $(n+1)^2$ est un grand O de n'importe quelle fraction de n^2, comme par exemple, $O(n^2/100)$. Pour voir pourquoi, posons $n_0 = 1$ et $c = 400$. Ensuite, si $n \geq 1$, nous savons que

$$(n+1)^2 \leq 400(n^2/100) = 4n^2$$

par le même raisonnement que celui utilisé dans l'exemple 3.2.

Les principes généraux qui sous-tendent ces observations sont :

1. *Les facteurs constants ne sont pas importants.* Pour toute constante positive d et pour toute fonction $T(n)$, $T(n)$ est un $O\big(dT(n)\big)$ que d soit un grand nombre ou une très petite fraction dès lors que $d > 0$. Pour comprendre pourquoi, posons $n_0 = 0$ et $c = 1/d$. Ensuite $T(n) \leq c\big(dT(n)\big)$ puisque $cd = 1$. De même, si nous savons que $T(n)$ est un $O\big(f(n)\big)$, alors nous savons aussi que $T(n)$ est un $O\big(df(n)\big)$ pour tout $d > 0$, même un très petit d. La raison est que nous savons que $T(n) \leq c_1 f(n)$ pour une constante c_1 et pour tous les $n \geq n_0$. Si nous choisissons $c = c_1/d$, nous voyons que $T(n) \leq c\big(df(n)\big)$ pour $n \geq n_0$.

2. *Les termes d'ordre inférieur sont négligeables.* Supposons que $T(n)$ soit une fonction polynômiale de la forme

$$a_k n^k + a_{k-1} n^{k-1} + \cdots + a_2 n^2 + a_1 n + a_0$$

le coefficient de tête, a_k, étant positif. Nous pouvons alors écarter tous les termes sauf le premier (le terme avec l'exposant le plus élevé k) et grâce à la règle (1), nous ignorons la constante a_k et nous la remplaçons par 1. C'est-à-dire que nous pouvons en conclure que $T(n)$ est $O(n^k)$. Pour la preuve, posons $n_0 = 1$ et posons c comme étant la somme de tous les coefficients positifs parmi les a_i, $0 \leq i \leq k$. Si un coefficient a_j est 0 ou est négatif, alors certainement $a_j n^j \leq 0$. Si a_j est positif, alors $a_j n^j \leq a_j n^k$, pour tout $j < k$, tant que $n \geq 1$. Ainsi, $T(n)$ n'est pas plus grand que n^k multiplié par la somme des coefficients positifs, ou cn^k.

✦ **Exemple 3.3.** Comme exemple de la règle (1) («les constantes ne sont pas importantes»), nous pouvons voir que $2n^3$ est un $O(0,001n^3)$. Soit $n_0 = 0$ et $c = 2/0,001 = 2000$. Alors il est clair que $2n^3 \leq 2000(0,001n^3) = 2n^3$, pour tout $n \geq 0$.

Comme exemple de la règle (2) («les termes d'ordre inférieurs sont négligeables»), considérons le polynôme

$$T(n) = 3n^5 + 10n^4 - 4n^3 + n + 1$$

Le terme d'ordre supérieur est n^5, et nous affirmons que $T(n)$ est en $O(n^5)$. Pour vérifier l'affirmation, soit $n_0 = 1$ et soit c la somme des coefficients positifs. Les termes avec des coefficients positifs sont ceux avec les exposants 5, 4, 1 et 0 dont les coefficients sont respectivement 3, 10, 1 et 1. Ainsi, nous posons $c = 15$. Nous affirmons que pour $n \geq 1$,

$$3n^5 + 10n^4 - 4n^3 + n + 1 \leq 3n^5 + 10n^5 + n^5 + n^5 = 15n^5 \tag{3.1}$$

Arguments fallacieux à propos de grand O

La définition de « grand O » est astucieuse dans la mesure où elle nous demande (après examen de $T(n)$ et de $f(n)$) de choisir une fois pour toutes c et n_0 et ensuite de montrer que $T(n) \leq cf(n)$ pour tout $n \geq n_0$. Il n'est pas permis de prendre de nouveaux c et/ou n_0 pour chaque valeur de n. Par exemple, nous voyons parfois la « preuve » fallacieuse suivante selon laquelle n^2 est $O(n)$. « Prendre $n_0 = 0$, et pour chaque n, prendre $c = n$. Ensuite $n^2 \leq cn$ ». C'est un argument invalide parce que nous devons prendre c une fois pour toutes sans connaître n.

En fait, nous pouvons montrer que n^2 n'est absolument pas un $O(n)$ de la manière suivante. Supposons qu'il le soit. Alors il y aurait des constantes $c > 0$ et n_0 telles que $n^2 \leq cn$ pour tout $n \geq n_0$. En divisant les deux côtés par n, nous avons $n \leq c$ pour tout $n \geq n_0$. Mais si nous prenons n_1 égal au plus grand de $2c$ et n_0, alors l'inégalité $n_1 \leq c$ doit être vérifiée (car nous prétendons que $n_1 \geq n_0$ et $n \leq c$ sont vérifiée pour $n \geq n_0$). Nous en concluons que n_1, qui vaut au moins $2c$, doit aussi être plus petit que c. Puisque c doit être positif, c'est impossible. Donc, les constantes c et n_0 qui auraient dû montrer que n^2 est un $O(n)$ n'existent pas et nous en concluons que n^2 n'est pas un $O(n)$.

Nous pouvons vérifier que l'inégalité (3.1) est vérifiée si l'on fait correspondre les termes positifs ; c'est-à-dire, $3n^5 \leq 3n^5$, $10n^4 \leq 10n^5$, $n \leq n^5$, et $1 \leq n^5$. Ainsi, le terme négatif du côté gauche de l'équation 3.1 peut être ignoré, puisque $-4n^3 \leq 0$. Ainsi, le côté gauche de l'équation 3.1, qui est $T(n)$, est plus petit où égal au côté droit, qui est $15n^5$, ou cn^5. Nous pouvons en conclure que $T(n)$ est $O(n^5)$.

En fait, le principe selon lequel les termes d'ordre inférieurs peuvent être détruits s'applique non seulement aux polynômes mais aussi à n'importe quelle somme d'expressions. C'est-à-dire que si le rapport $h(n)/g(n)$ approche 0 lorsque n approche l'infini, alors $h(n)$ « croît moins vite » que $g(n)$, ou « a un **taux de croissance** plus faible » que $g(n)$ et nous pouvons négliger $h(n)$. C'est-à-dire que $g(n) + h(n)$ est un $O(g(n))$.

Par exemple, soit $T(n) = 2^n + n^3$. Il est connu que tout polynôme, comme n^3, croît plus lentement que toute exponentielle, comme 2^n. Puisque $n^3/2^n$ approche 0 quand n croît, nous pouvons écarter le terme d'ordre inférieur et conclure que $T(n)$ est un $O(2^n)$.

Pour prouver formellement que $2^n + n^3$ est $O(2^n)$, soit $n_0 = 10$ et $c = 2$. Nous devons montrer que pour $n \geq 10$, nous avons

$$2^n + n^3 \leq 2 \times 2^n$$

Si nous soustrayons 2^n des deux côtés, on voit qu'il suffit de montrer que pour $n \geq 10$, on a $n^3 \leq 2^n$.

Pour $n = 10$ nous avons $2^{10} = 1024$ et $10^3 = 1000$, et donc $n^3 \leq 2^n$ pour $n = 10$. Chaque fois que nous ajoutons 1 à n, 2^n double, tandis que n^3 est multiplié par une quantité $(n+1)^3/n^3$ qui est inférieur à 2 quand $n \geq 10$. Ainsi, quand n dépasse 10, n^3 devient progressivement inférieur à 2^n. Nous en concluons que $n^3 \leq 2^n$ pour tout $n \geq 10$, et donc que $2^n + n^3$ vaut $O(2^n)$. ✦

EXERCICES

3.4.1 : Considérons les quatre fonctions

a) $f_1: n^2$

b) $f_2: n^3$

c) $f_3: n^2$ si n est impair, et n^3 si n pair

d) $f_4: n^2$ si n est premier, et n^3 si n est composé

Pour tout i et j égal à 1, 2, 3, 4, déterminez si $f_i(n)$ est un $O\big(f_j(n)\big)$. De deux choses l'une ; soit vous donnez des valeurs n_0 et c prouvant la relation grand O, soit vous supposez qu'il existe de telles valeurs n_0 et c et vous arrivez à une contradiction prouvant que $f_i(n)$ n'est pas un $O\big(f_j(n)\big)$. *Une indication*: Rappelez-vous que tous les nombres premiers sauf 2 sont impairs. Rappelez-vous aussi qu'il existe un nombre infini de nombres premiers et un nombre infini de nombres composés (non premiers).

3.4.2 : Voici quelques relations grand O. Pour chacune d'elles, donnez des valeurs pour n_0 et c pouvant être utilisées pour prouver les relations.

a) n^2 est un $O(0,001n^3)$

b) $25n^4 - 19n^3 + 13n^2 - 106n + 77$ est un $O(n^4)$

c) 2^{n+10} est un $O(2^n)$

d) n^{10} est un $O(3^n)$

e) $\log_2 n$ est un $O(\sqrt{n})$

3.4.3 : * Prouvez que si $f(n) \leq g(n)$ pour tout n, alors $f(n) + g(n)$ est $O\big(g(n)\big)$.

3.4.4 : ** Supposez que $f(n)$ est $O\big(g(n)\big)$ et que $g(n)$ est $O\big(f(n)\big)$. Que pouvez-vous dire au sujet de $f(n)$ et $g(n)$? Est-il nécessairement vrai que $f(n) = g(n)$? La limite $f(n)/g(n)$ existe-t-elle quand n tend vers l'infini ?

3.5   Simplifications des expressions en grand O

Comme nous l'avons vu au paragraphe précédent, il est possible de simplifier les expressions en grand O en écartant les facteurs constants et les termes d'ordre inférieur. Nous verrons combien il est important de réaliser de telles simplifications lorsqu'on analyse des programmes. Le temps d'exécution d'un programme est souvent attribuable à différentes instructions ou fragments d'un programme ; il n'est pas moins vrai que certains de ces fragments sont parfois responsables de la majeure partie du temps d'exécution (règle des « 90-10 »). En écartant les termes d'ordre inférieur, et en combinant les termes égaux ou approximativement égaux, nous pouvons souvent grandement simplifier l'expression du temps d'exécution.

La loi transitive pour les expressions en grand O

Pour commencer, nous allons nous intéresser à une règle utile concernant les expressions en grand O. Une relation comme $\leq$ est dite *transitive* car elle obéit à la loi « si $A \leq B$ et $B \leq C$, alors $A \leq C$ ». Par exemple, puisque $3 \leq 5$ et $5 \leq 10$, nous pouvons

Expressions en grand O polynômiales et exponentielles

Le *degré* d'un polynôme est l'exposant le plus élevé trouvé parmi ses termes. Par exemple, le degré du polynôme $T(n)$ mentionné dans les exemples 3.3 et 3.4 est 5, car $3n^5$ est son terme d'ordre le plus élevé. Grâce aux deux principes que nous avons énoncés (les facteurs constants importent peu et les termes d'ordre inférieur importent peu), et grâce à la loi transitive pour les expressions grand O, nous savons les choses suivantes :

1. Si $p(n)$ et $q(n)$ sont des polynômes et si le degré de $q(n)$ est égal ou supérieur à celui de $p(n)$, alors $p(n)$ est $O\big(q(n)\big)$.

2. Si le degré de $q(n)$ est inférieur au degré de $p(n)$, alors $p(n)$ *n'est pas en* $O\big(q(n)\big)$.

3. Les *exponentielles* sont des expressions de la forme a^n pour $a > 1$. Toute exponentielle croît plus rapidement que tout polynôme. Autrement dit, il est possible de montrer pour tout polynôme $p(n)$ que $p(n)$ est en $O(a^n)$. Par exemple, n^5 est en $O\big((1,01)^n\big)$.

4. Réciproquement, aucune exponentielle a^n, pour $a > 1$, n'est en $O\big(p(n)\big)$ pour n'importe quel polynôme $p(n)$.

être certains que $3 \leq 10$. La relation « est en grand O de » est un autre exemple de relation transitive. C'est-à-dire, si $f(n)$ est en $O\big(g(n)\big)$ et $g(n)$ est en $O\big(h(n)\big)$, il s'en suit que $f(n)$ est en $O\big(h(n)\big)$. Pour comprendre pourquoi, supposons d'abord que $f(n)$ soit en $O\big(g(n)\big)$. Il y a donc des constantes n_1 et c_1 telles que $f(n) \leq c_1 g(n)$ pour tout $n \geq n_1$. De même, si $g(n)$ est en $O\big(h(n)\big)$, alors il existe des constantes n_2 et c_2 telles que $g(n) \leq c_2 h(n)$ pour tout $n \geq n_2$. Soit n_0, le plus grand de n_1 et n_2, et soit $c = c_1 c_2$. Alors tant que $n \geq n_0$, nous savons que $f(n) \leq c_1 g(n)$ et $g(n) \leq c_2 h(n)$. Ainsi, $f(n) \leq c_1 c_2 h(n)$, ce qui prouve que $f(n)$ est en $O\big(h(n)\big)$.

✦ **Exemple 3.4.** Nous savons grâce à l'exemple 3.3 que

$$T(n) = 3n^5 + 10n^4 - 4n^3 + n + 1$$

est en $O(n^5)$. Nous savons aussi grâce à la règle suivant laquelle « les facteurs constants ne sont pas importants » que n^5 est en $O(0,01n^5)$. Grâce à la loi transitive pour les expressions en grand O, nous savons que $T(n)$ est en $O(0,01n^5)$. ✦

Décrire le temps d'exécution d'un programme

Nous dirons que le temps d'exécution, $T(n)$, d'un programme est le nombre d'unités de temps prises par n'importe quelle entrée de taille n. Nous prétendons également que trouver une formule précise pour $T(n)$ est une tâche difficile sinon impossible. Souvent, on peut considérablement simplifier le problème si nous utilisons une expression grand O $O(f(n))$ comme limite supérieure de $T(n)$. Ceci signifie qu'il existe des constantes c

et n_0 telles que le temps d'exécution du programme est au plus $cf(n)$ pour toutes les entrées de taille $n \geq n_0$.

Par exemple, supposons que nous déterminions qu'une borne supérieure sur le temps d'exécution $T(n)$ de `SelectionSort` soit an^2, pour une constante a, comme c'est en fait le cas. Nous pouvons alors dire que le temps d'exécution de `SelectionSort` est en $O(n^2)$. Etant donnée la nature de la notation grand O, nous pouvons également affirmer que le temps d'exécution est en $O(0,01n^2)$, ou $O(7n^2 - 4n + 26)$, ou en fait en grand O de n'importe quel polynôme quadratique. La raison est que n^2 est un grand O de n'importe quel polynôme quadratique, et donc la loi transitive ajoutée au fait que $T(n)$ est en $O(n^2)$ nous disent que $T(n)$ est en grand O de n'importe quel quadratique.

Pire, n^2 est en grand O de n'importe quel polynôme de degré supérieur ou égal à 3 ou de n'importe quelle exponentielle. Donc, grâce à la transitivité, $T(n)$ est en $O(n^3)$, $O(2^n + n^4)$, et ainsi de suite. Cependant, nous expliquerons pourquoi $O(n^2)$ est la meilleure façon d'exprimer le temps d'exécution de `SelectionSort`.

Proximité

Premièrement, nous voulons généralement la limite « la plus approchée » en grand O que l'on puisse trouver. Autrement dit, si $T(n)$ est en $O(n^2)$, nous préférerons ce résultat à celui techniquement vrai mais moins fort, selon lequel $T(n)$ est en $O(n^3)$. Par ailleurs, cette recherche peut être sans fin, parce que si nous sommes séduits par $O(n^2)$ comme expression du temps d'exécution, nous devrions préférer $O(0,5n^2)$, qui est plus « approchée », et nous préférer encore plus $O(0,01n^2)$, etc. Toutefois, puisque les facteurs constants ne sont pas importants dans les expressions en grand O, il n'y a aucune raison de chercher à resserrer l'estimation du temps d'exécution en réduisant le facteur constant. Donc, lorsque c'est possible, nous essayons d'utiliser une expression grand O qui a un facteur constant de 1.

GRAND O	NOM INFORMEL
$O(1)$	constant
$O(\log n)$	logarithmique
$O(n)$	linéaire
$O(enn \log n)$	$n \log n$
$O(n^2)$	quadratique
$O(n^3)$	cubique
$O(2^n)$	exponentiel

Figure 3.4 : Noms informels pour quelques temps d'exécution courants en grand O.

La figure 3.4 recense quelques-uns des temps d'exécution les plus courants pour les programmes ainsi que leurs noms informels. Remarquez qu'en particulier $O(1)$ est un raccourci idiomatique pour « une constante » et nous utiliserons $O(1)$ dans ce but.

Utilisation de la notation grand O dans les expressions mathématiques

Du point de vue strictement mathématique, la seule façon correcte d'utiliser une expression en grand O est de la placer après les mots « est en », comme dans « $2n^2$ est en $O(n^3)$ ». Cependant, dans l'exemple 3.7 et dans le reste de ce chapitre, nous prendrons plus de liberté et utiliserons les expressions en grand O comme opérandes pour l'addition et d'autres opérateurs arithmétiques, comme dans $O(n) + O(n^2)$. Nous devrions interpréter une expression en grand O utilisée de cette manière comme signifiant « une fonction qui est en grand O de ». Par exemple, $O(n) + O(n^2)$ signifie « la somme d'une fonction linéaire et d'une fonction quadratique ». Ainsi, $O(n) + T(n)$ devrait être interprétée comme étant la somme d'une fonction linéaire et d'une fonction particulière $T(n)$.

Plus précisément, nous dirons que $f(n)$ est une borne *approchée* de $T(n)$ si

1. $T(n)$ est en $O(f(n))$, et

2. si $T(n)$ est en $O(g(n))$, alors il est également vrai que $f(n)$ est en $O(g(n))$. De façon informelle, on ne peut pas trouver de fonction $g(n)$ croissant au moins aussi rapidement que $T(n)$, mais plus lentement que $f(n)$.

◆ **Exemple 3.5.** Soit $T(n) = 2n^2 + 3n$ et $f(n) = n^2$. Nous affirmons que $f(n)$ est une borne approchée pour $T(n)$. Pour comprendre pourquoi, supposons que $T(n)$ soit en $O(g(n))$. Il existe alors des constantes c et n_0 telles que pour tout $n \geq n_0$, nous avons $T(n) = 2n^2 + 3n \leq cg(n)$. Donc $g(n) \geq (2/c)n^2$ pour $n \geq n_0$. Puisque $f(n)$ est n^2, nous avons $f(n) \leq (c/2)g(n)$ pour $n \geq n_0$. Ainsi, $f(n)$ est en $O(g(n))$.

Par ailleurs, $f(n) = n^3$ n'est pas une borne approchée en grand O pour $T(n)$. Maintenant, nous pouvons prendre $g(n) = n^2$. Nous avons vu que $T(n)$ est en $O(g(n))$, mais nous ne pouvons pas montrer que $f(n)$ est en $O(g(n))$, puisque n^3 n'est pas en $O(n^2)$. Donc, n^3 n'est pas une borne approchée en grand O pour $T(n)$. ◆

Simplicité

L'autre objectif nous ayant conduit à choisir une borne en grand O est de simplifier l'expression d'une fonction. Contrairement aux problèmes de proximité, la simplicité peut être parfois une question de goût. Cependant, nous considérerons généralement une fonction $f(n)$ comme étant *simple* si elle est constituée d'un seul terme et si le coefficient de ce terme est 1.

◆ **Exemple 3.6.** La fonction n^2 est simple ; $2n^2$ et $n^2 + n$ ne le sont pas. ◆

Il existe cependant des situations où la proximité d'une borne supérieure en grand O et la simplicité de cette borne sont des objectifs conflictuels. L'exemple suivant est un exemple où une borne simple ne traduit pas la réalité. Heureusement, dans la pratique, de tels cas sont rares.

Des logarithmes pour les temps d'exécution

Le lecteur qui pense que les logarithmes ont quelque chose à voir avec le calcul intégral ($\log_e a = \int_1^a \frac{1}{x}dx$), ou qui les considèrent comme un concept ancien permettant d'expliquer le fonctionnement des règles à calcul, sera surpris de les voir apparaître souvent lors de l'étude d'algorithmes. Dans le calcul par ordinateur, on utilise souvent les logarithmes en base 2, de préférence aux logarithmes en base e ou 10, et pour les informaticiens, « $\log n$ » signifie généralement $\log_2 n$. On remarquera que $\log_2 n$ représente le nombre de fois qu'il faut diviser n par 2 pour arriver à 1 ou, si l'on veut, le nombre de 2 qu'il faut multiplier entre eux pour obtenir n. Le lecteur pourra facilement vérifier que $n = 2^k$ équivaut à dire $\log_2 n = k$; il suffit de prendre le logarithme en base 2 des deux membres.

La fonction `PowersOfTwo` divise bien n par 2 autant de fois qu'elle le peut, au moins pour les n qui sont des puissances de 2, ce qui explique pourquoi les logarithmes apparaissent dans l'analyse de son temps d'exécution. Toutefois, les logarithmes apparaissent de façon beaucoup plus naturelle en informatique lors de l'analyse des algorithmes diviser-pour-régner, comme le tri par fusion, qui divisent leur entrée en deux parties égales, ou presque égales, à chaque nouvelle étape. Si l'on commence avec une entrée de taille n, le nombre d'étapes pendant lesquelles on peut diviser l'entrée en 2 jusqu'à ce que les morceaux aient une taille égale à 1, vaut $\log_2 n$, ou, si n n'est pas une puissance de 2, le plus petit entier supérieur à $\log_2 n$.

✦ **Exemple 3.7.** Considérons la procédure `PowersOfTwo` de la figure 3.5, qui prend un argument n différent de zéro et compte le nombre de fois que 2 divise n. C'est-à-dire que le test de la ligne (2) vérifie si n est pair ; si c'est le cas, un facteur 2 est ôté à la ligne (3) dans le corps de la boucle. Dans cette boucle, on incrémente également i, qui compte le nombre de facteurs qui ont été ôtés à la valeur initiale de n.

```
          function PowersOfTwo(n: integer): integer;

          var i: integer;

          begin
(1)           i := 0;
(2)           while NOT ODD(n) do begin
(3)               n := n DIV 2;
(4)               i := i + 1
              end;
(5)           PowersOfTwo := i
          end
```

Figure 3.5 : Comptage des facteurs de 2.

Considérons que la taille de l'entrée est la valeur de n lui-même. Le corps de la boucle **while** comprend deux instructions Pascal d'affectation (lignes (3) et (4)) ; nous pouvons donc dire que le temps d'exécuter une fois le corps est en $O(1)$, c'est-à-dire une quantité constante de temps, indépendante de n. Si la boucle est exécutée m fois, alors le temps total passé à parcourir la boucle sera en $O(m)$, soit une quantité de temps proportionnelle à m. A cette quantité, nous devons ajouter $O(1)$, soit une constante, pour les simples exécutions des lignes (1) et (5), plus le premier test de la condition du `while`, qui ne fait techniquement pas partie d'une itération de la boucle. Le temps dépensé par le programme est donc en $O(m) + O(1)$. En suivant la règle selon laquelle les termes d'ordre inférieurs peuvent être négligés, le temps est en $O(m)$, à moins que $m = 0$, auquel cas, il est en $O(1)$. Enoncé différemment, le temps dépensé sur une entrée n est proportionnel à 1 plus le nombre de fois que 2 divise n.

Combien de fois n peut-il être divisé par 2 ? Pour tout n impair, la réponse est 0, et le coût en temps de la fonction `PowersOfTwo` est en $O(1)$ pour tout n impair. En revanche, lorsque n est une puissance de 2, c'est-à-dire quand $n = 2^k$ pour un certain k, 2 divise n exactement k fois. Lorsque $n = 2^k$, on pourrait prendre le logarithme en base 2 de chacun des membres et conclure que $\log_2 n = k$. Autrement dit, m est aux mieux logarithmique en n, ou $m = O(\log n)$.[5]

On pourrait donc dire que le temps d'exécution de `PowersOfTwo` est $O(\log n)$. Cette borne est en accord avec notre définition de simplicité. Pourtant, il existe une autre manière, plus précise, d'établir une bonne supérieure pour le temps d'exécution de `PowersOfTwo`, qui consiste à dire qu'il est en grand O de la fonction $f(n) = m + 1$, où m est le nombre de fois que 2 divise n. Cette fonction n'est pas des plus simples, comme le montre la figure 3.6. Elle oscille beaucoup mais ne dépasse jamais $1 + \log_2 n$.

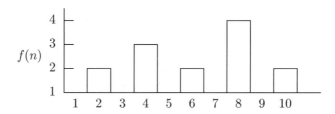

Figure 3.6 : La fonction $f(n) = m + 1$, où m est le nombre de fois que 2 divise n.

Comme le temps d'exécution de `PowersOfTwo` vaut $O\big(f(n)\big)$, mais que $\log n$ ne vaut pas $O\big(f(n)\big)$, nous pouvons affirmer que $\log n$ n'est pas une borne approchée du temps d'exécution. D'autre part, $f(n)$ est une borne approchée, mais elle n'est pas simple. ✦

---

[5]   On remarquera que lorsqu'on parle de logarithmes dans une expression en grand O, il est inutile de spécifier la base. En effet, si a et b sont deux bases, alors $\log_a n = (\log_b n)(\log_a b)$. Comme $\log_a b$ est une constante, on voit que $\log_a n$ et $\log_b n$ ne diffèrent que d'un facteur constant. Du coup, les fonctions $\log_x n$ sur différentes bases x sont en grand O les unes par rapport aux autres, et on peut, en appliquant la loi de transitivité, remplacer dans une expression en grand O n'importe quel $\log_a n$ par $\log_b n$, où b est une base différente de a.

La règle de sommation

Il existe une technique générale permettant de combiner deux expressions en grand O. Supposons qu'un programme soit constitué de deux parties, dont l'une a un coût en $O(n^2)$ et l'autre un coût en $O(n^3)$. On peut « additionner » ces deux ordres de grandeurs pour obtenir le temps d'exécution du programme entier. Dans de nombreux cas, comme celui-ci, on peut « additionner » des expressions en grand O en utilisant la *règle de sommation* suivante.

Supposons que $T_1(n)$ ait un coût en $O\big(f_1(n)\big)$, et $T_2(n)$ un coût en $O\big(f_2(n)\big)$. Par ailleurs, supposons que la croissance de f_2 ne soit pas plus rapide que f_1 ; autrement dit, $f_2(n)$ est en $O\big(f_1(n)\big)$. On peut alors conclure que $T_1(n) + T_2(n)$ vaut $O\big(f_1(n)\big)$.

Pour la démonstration, nous savons qu'il existe des constantes n_1, n_2, n_3, c_1, c_2, et c_3 telles que

1. Si $n \geq n_1$, alors $T_1(n) \leq c_1 f_1(n)$.

2. Si $n \geq n_2$, alors $T_2(n) \leq c_2 f_2(n)$.

3. Si $n \geq n_3$, alors $f_2(n) \leq c_3 f_1(n)$.

Soit n_0 le plus grande des trois constantes n_1, n_2, et n_3, telle que (1), (2), et (3) soient vraies pour $n \geq n_0$. Alors, pour $n \geq n_0$, on a

$$T_1(n) + T_2(n) \leq c_1 f_1(n) + c_2 f_2(n)$$

Si l'on utilise (3) pour fournir une borne supérieure pour $f_2(n)$, on peut carrément se débarasser de $f_2(n)$ et conclure que

$$T_1(n) + T_2(n) \leq c_1 f_1(n) + c_2 c_3 f_1(n)$$

Du coup, pour tout $n \geq n_0$, on a

$$T_1(n) + T_2(n) \leq c f_1(n)$$

où $c = c_1 + c_2 c_3$. Cette assertion est exactement ce qu'il nous faut pour conclure que $T_1(n) + T_2(n)$ vaut $O\big(f_1(n)\big)$.

✦ **Exemple 3.8.** Considérons le morceau de programme de la figure 3.7. Ce programme transforme A en une matrice identité $n \times n$. Les lignes (2) à (4) placent la valeur 0 dans toutes les cellules d'un tableau $n \times n$, et les lignes (5) et (6) placent des 1 dans toutes les positions diagonales entre A[1,1] et A[n,n]. Le résultat est une matrice identité A avec la propriété

$$A \times M = M \times A = M$$

pour toute matrice M $n \times n$.

La ligne (1), qui lit n, prend un temps en $O(1)$, c'est-à-dire une quantité de temps constante, indépendante de la valeur n. L'instruction d'affectation à la ligne (6) prend aussi un temps en $O(1)$, et nous empruntons la boucle des lignes (5) et (6) exactement n fois, pour un coût total en $O(n)$ dans cette boucle. De même, l'affectation à la ligne (4) a un coût en $O(1)$. On emprunte la boucle des lignes (3) et (4) n fois, pour un coût total en $O(n)$. On emprunte la boucle extérieure, aux lignes (2) à (4), n fois, avec un temps en $O(n)$ à chaque itération, pour un coût total de $O(n^2)$ fois.

```
(1)            readln(n);
(2)            for i := 1 to n do
(3)                for j := 1 to n do
(4)                    A[i,j] := 0;
(5)            for i := 1 to n do
(6)                A[i,i] := 1;
```

Figure 3.7 : Programme qui transforme A en une matrice identité.

Ainsi, le coût en temps du programme de la figure 3.7 est en $O(1) + O(n^2) + O(n)$, respectivement pour l'instruction (1), la boucle des lignes (2) à (4), et celle des lignes (5) et (6). De manière plus formelle, si

$T_1(n)$ est le temps dépensé par la ligne (1),
$T_2(n)$ est le temps dépensé par les lignes (2) à (4), et
$T_3(n)$ est le temps dépensé par les lignes (5) et (6),

alors

$T_1(n)$ vaut $O(1)$,
$T_2(n)$ vaut $O(n^2)$, et
$T_3(n)$ vaut $O(n)$.

Il nous faut donc trouver une borne supérieure pour $T_1(n) + T_2(n) + T_3(n)$ pour en déduire le temps dépensé par le programme tout entier.

Comme la constante 1 est à coup sûr en $O(n^2)$, on peut appliquer la règle de sommation pour conclure que $T_1(n) + T_2(n)$ est en $O(n^2)$. Puis, comme n est aussi en $O(n^2)$, on peut appliquer la règle de sommation à $(T_1(n) + T_2(n))$ et $T_3(n)$, pour conclure que $T_1(n) + T_2(n) + T_3(n)$ est en $O(n^2)$. Autrement dit, l'extrait de programme de la figure 3.7 a un coût d'ensemble en $O(n^2)$. De manière informelle, il passe pratiquement tout son temps dans la boucle des lignes (2) à (4), comme on pouvait s'y attendre, simplement parce que, pour de grande valeurs de n, la surface de la matrice, n^2, est beaucoup plus grande que sa diagonale, qui n'est composée que de n cellules. ✦

L'exemple 3.8 n'est qu'une application de la règle qui veut que les termes d'ordres inférieurs sont négligeables : nous avons éliminé les termes 1 et n, qui sont des polynômes de moindre degré que n^2. Cependant, la règle de sommation ne nous permet pas seulement d'éliminer les termes d'ordres inférieurs. Si nous avons un nombre constant de termes qui ont même ordre de grandeur, comme une séquence de dix instructions d'affectation, chacune ayant un coût en $O(1)$, on peut alors « additionner » dix $O(1)$ pour obtenir $O(1)$. De manière moins formelle, la somme de dix constantes donne encore une constante. Pour vous en persuader, notez que 1 est en $O(1)$, et donc chacun des dix $O(1)$ peut être ajouté à n'importe quel autre pour donner $O(1)$. On continue à combiner les termes jusqu'à ce qu'il ne reste plus qu'un seul $O(1)$.

Toutefois, il faut faire attention de ne pas confondre « un nombre constant » de termes comme $O(1)$ avec un nombre de ces termes qui pourrait varier avec la taille donnée en entrée. Par exemple, on pourrait être tenté d'observer qu'un seul parcours de la boucle des lignes (5) et (6) de la figure 3.7 a un coût en $O(1)$. Le nombre de fois que nous empruntons cette boucle est n, et donc le temps d'exécution des lignes (5) et (6) est $O(1) + O(1) + O(1) + \cdots$ (n fois). La règle de sommation nous dit que la somme de deux $O(1)$ est $O(1)$, et par récurrence, on peut montrer que la somme de n'importe quel nombre constant de $O(1)$ donne $O(1)$. En revanche, dans ce programme, n n'est pas une constante ; il varie avec la taille donnée en entrée. Donc aucune répétition de l'application de la règle de sommation ne pourra nous dire que $n\, O(1)$ prend une valeur fixe. Bien sûr, quand on y réfléchit, on sait que la somme de $n\, c$, où c est une constante, donne cn, une fonction qui est en $O(n)$, et qui est le temps d'exécution réel des lignes (5) et (6).

Fonctions incommensurables

Il serait sympathique de pouvoir comparer deux fonctions $f(n)$ et $g(n)$ quelconques via leur ordre de grandeur ; autrement dit, soit $f(n)$ vaut $O\big(g(n)\big)$, soit $g(n)$ vaut $O\big(f(n)\big)$ (ou les deux, étant donné, comme nous l'avons vu, qu'il existe des fonctions comme $2n^2$ et $n^2 + 3n$ qui sont chacune grand O de la seconde). Malheureusement, il existe des couples de fonctions *incommensurables*, aucune des deux n'étant grand O de l'autre.

✦ **Exemple 3.9.** Considérons la fonction $f(n)$ qui vaut n quand n est impair, et n^2 quand n est pair. Autrement dit, $f(1) = 1$, $f(2) = 4$, $f(3) = 3$, $f(4) = 16$, $f(5) = 5$, etc. De même, soit $g(n)$ qui vaut n^2 pour les n impairs et n pour les n pairs. Alors $f(n)$ ne peut pas être en $O\big(g(n)\big)$, à cause des n pairs. D'après ce que nous avions vu au paragraphe 3.4, n^2 ne peut absolument pas être en $O(n)$. Pour les mêmes raisons, $g(n)$ ne peut pas être en $O\big(f(n)\big)$, à cause des n impairs, pour lesquels les valeurs de g rendent négligeables les valeurs correspondantes de f. ✦

EXERCICES

3.5.1 : Démontrez les assertions suivantes :

a) n^a n'est pas en $O(n^b)$ si $a \leq b$.

b) n^a n'est pas en $O(n^b)$ si $a > b$.

c) a^n est en $O(b^n)$ si $1 < a \leq b$.

d) a^n n'est pas en $O(b^n)$ si $1 < b < a$.

e) n^a est en $O(b^n)$ pour tout a, et pour tout $b > 1$.

f) a^n n'est pas en $O(n^b)$ pour tout b, et pour tout $a > 1$.

g) $(\log n)^a$ est en $O(n^b)$ pour tout a, et pour tout $b > 0$.

h) n^a n'est pas en $O\big((\log n)^b\big)$ pour tout b, et pour tout $a > 0$.

3.5.2 : Montrez que $f(n) + g(n)$ est en $O\Big(\max\big(f(n), g(n)\big)\Big)$.

3.5.3 : Supposons que $T(n)$ soit en $O\big(f(n)\big)$ et que $g(n)$ soit une fonction dont la valeur n'est jamais négative. Démontrez que $g(n)T(n)$ est en $O\big(g(n)f(n)\big)$.

3.5.4 : Supposons que $S(n)$ soit en $O\big(f(n)\big)$ et que $T(n)$ soit en $O\big(g(n)\big)$. On suppose également qu'aucune de ces fonctions n'est négative pour tout n. Démontrez que $S(n)T(n)$ est en $O\big(f(n)g(n)\big)$.

3.5.5 : Supposons que $f(n)$ soit en $O\big(g(n)\big)$. Montrez que $\max\big(f(n), g(n)\big)$ est en $O\big(g(n)\big)$.

3.5.6 : * Montrez que si $f_1(n)$ et $f_2(n)$ sont toutes deux des bornes approchées d'une fonction $T(n)$, alors $f_1(n)$ et $f_2(n)$ sont chacune grand O de la seconde.

3.5.7 : * Montrez que $\log_2 n$ n'est pas en $O\big(f(n)\big)$, où $f(n)$ est la fonction de la figure 3.6.

3.5.8 : Dans le programme de la figure 3.7, nous avons créé une matrice identité en commençant par mettre des 0 partout, puis en plaçant des 1 le long de la diagonale. On pourrait penser que cette tâche peut être réalisée plus rapidement en replaçant la ligne (4) par un test qui regarde si $i = j$, et en plaçant 1 dans A[i,j] si oui, et 0 sinon. On pourrait alors éliminer les lignes (5) et (6). Ecrivez ce programme.

3.5.9 : * On considère les programmes de la figure 3.7 et de votre réponse à l'exercice 3.5.8. En faisant des hypothèses de simplification comme celles de l'exemple 3.1, calculez le nombre d'unités de temps dépensées par chacun de ces programmes. Lequel est plus rapide ? Exécutez les deux programmes sur des tableaux de tailles diverses et tracez le graphique de leurs temps d'exécution.

3.6 Analyse du temps d'exécution d'un programme

Armés du concept du grand O et des règles de manipulation des expressions en grand O données aux paragraphes 3.4 et 3.5, nous allons apprendre à présent à déduire des bornes grand O les temps d'exécution de programmes classiques. Chaque fois que possible, nous rechercherons des bornes grand O simples et approchées. Dans ce paragraphe, nous considérerons uniquement les programmes sans appel de procédure, en laissant le problème des procédures aux paragraphes ultérieurs.

De même qu'il est possible de traduire un problème difficile de mathématiques quelconque sous la forme d'une question de démonstration qu'un programme particulier est correct, on peut également exprimer n'importe quel problème sous la forme d'une question du type « Le temps d'exécution de ce programme «est-il en $O\big(f(n)\big)$ pour une fonction particulière $f(n)$? » Nous ne nous attendons donc pas à pouvoir analyser des programmes arbitraires. D'un autre coté, la plupart des programmes rencontrés en pratique ne sont pas durs à analyser, une fois connues quelques règles simples.

Le temps d'exécution d'instructions simples

Le premier principe dont nous avons besoin est que toute affectation en Pascal, lecture, écriture, ou instruction **goto** a un coût en temps de $O(1)$, c'est-à-dire une quantité de temps constante à moins que l'instruction contienne un appel de fonction [6]. En effet, une affectation se compose d'un nombre fini d'opérations, chacune représentée par

---

[6] Il existe des versions du Pascal qui autorisent des affectations mettant en œuvre des tableaux entiers ; par exemple, A := B pourra affecter à chaque élément du tableau A la valeur de l'élément correspondant dans le tableau B. Une affectation comme celle-ci n'a pas un coût en $O(1)$, car celui-ci dépend de la taille des tableaux utilisés. Pourtant, nous supposerons qu'on utilise le Pascal standard, et que de telles affectations, qui sont en fait des abréviations pour des boucles, sont remplacées par ces boucles.

1. une occurrence d'un signe arithmétique comme +, ou

2. un opérateur d'accès à une structure comme les crochets, qui indiquent un accès à un tableau, le circonflexe, qui indique un accès à un pointeur, ou le point qui représente la sélection d'un champ d'une structure d'enregistrement.

Après l'évaluation de l'expression située à droite, intervient l'opération finale qui affecte une valeur à l'objet indiqué à gauche de l'opérateur d'affectation.

De même, chaque instruction de lecture ou d'écriture copie un nombre de valeurs fixé, depuis un fichier d'entrée ou vers un fichier de sortie. Le chapitre 4 entrera plus en détail dans les coûts de ce genre d'opérations, mais pour le moment, considérons comme acquis que chaque affectation sans fonction, chaque lecture ou écriture, et chaque `goto`, ont un coût en $O(1)$.

♦ **Exemple 3.10.** Nous avons vu à l'exemple 3.8 que l'instruction `read` de la ligne (1) de la figure 3.7 et les affectations des lignes (4) et (6) sont toutes en $O(1)$. Autre exemple, considérons le morceau de programme de tri par sélection montré à la figure 3.8. Les affectations des lignes (2), (5), (6), (7), et (8) sont toutes en $O(1)$. ♦

```
(1)              for i := 1 to n-1 do begin
(2)                  small := i;
(3)                  for j := i+1 to n do
(4)                      if A[j] < A[small] then
(5)                          small := j;
(6)                  temp := A[small];
(7)                  A[small] := A[i];
(8)                  A[i] := temp
             end
```

Figure 3.8 : Extrait d'un tri par sélection.

On rencontre fréquemment un bloc d'instructions simples qui sont exécutées consécutivement. Si le temps d'exécution de chacune de ces instructions est en $O(1)$, alors le bloc tout entier est en $O(1)$, par la règle de sommation. Autrement dit, la somme d'un nombre quelconque constant de $O(1)$ donne $O(1)$.

♦ **Exemple 3.11.** Les lignes (6) à (8) de la figure 3.8 forment un bloc, puisqu'elles sont exécutées consécutivement. Comme chacune a un temps en $O(1)$, le bloc composé des lignes (6) à (8) a un temps en $O(1)$.

On remarquera que nous ne devons pas inclure la ligne (5) dans le bloc, car elle fait partie de l'instruction `if` de la ligne (4). Autrement dit, les lignes (6) à (8) sont parfois exécutées sans que la ligne (5) le soit. ♦

Le temps d'exécution des boucles `for`

L'analyse d'une boucle `for` n'est pas beaucoup plus difficile que celle des instructions simples. Les limites de la boucle `for` nous donnent une borne supérieure pour le nombre de fois que nous empruntons la boucle ; cette borne supérieure est exacte, à moins qu'il existe des moyens de sauter hors de la boucle via une instruction `goto`. Pour borner le temps d'exécution de la boucle `for`, il faut obtenir une borne supérieure pour la quantité de temps passé dans une seule itération du corps de la boucle. On notera que le temps passé pour une itération comprend le temps d'incrémentation de l'indice de boucle (par exemple, le `j := j+1` sous-entendu à la ligne (3) de la figure 3.8), qui est en $O(1)$, et le temps de comparaison de l'indice de boucle avec la limite supérieure (par exemple, le $j > n$ sous-entendu à la ligne (3) de la figure 3.8), qui est aussi en $O(1)$. Dans tous les cas, hormis ceux où le corps de la boucle est vide, ces $O(1)$ peuvent être éliminés par la règle de sommation.

Dans le cas le plus simple, où le temps passé dans le corps de la boucle est le même à chaque itération, on peut multiplier la borne supérieure grand O du corps par le nombre de fois que la boucle est empruntée. En toute rigueur, il faut additionner ensuite le temps en $O(1)$ servant à initialiser l'indice de boucle, et celui de la première comparaison de l'indice de boucle avec la limite, puisqu'il faut vérifier si l'on doit emprunter la boucle une fois supplémentaire. Cependant, à moins qu'il soit possible d'exécuter la boucle zéro fois, le temps d'initialisation de la boucle et la vérification de la limite est un terme d'ordre inférieur qu'on peut éliminer en utilisant la règle de sommation.

◆ **Exemple 3.12.** Considérons la boucle `for` des lignes (3) et (4) de la figure 3.7, à savoir

```
(3)              for j := 1 to n do
(4)                  A[i,j] := 0;
```

Nous savons que la ligne (4) a un coût en $O(1)$. Manifestement, la boucle sera empruntée n fois, ce qu'on peut déterminer en soustrayant la limite inférieure de la limite supérieure présente à la ligne (3), et en ajoutant 1. Comme le corps, ligne (4), est en $O(1)$, on peut négliger le temps d'incrémentation de `j` et le temps de comparaison de j avec n, tous deux étant également en $O(1)$. Ainsi, le temps d'exécution des lignes (3) et (4) est le produit de n et de $O(1)$, c'est-à-dire $O(n)$.

De la même manière, on peut borner le temps d'exécution de la boucle extérieure constituée des lignes (2) à (4), à savoir

```
(2)              for i := 1 to n do
(3)                  for j := 1 to n do
(4)                      A[i,j] := 0;
```

Nous avons déjà établi que la boucle des lignes (3) et (4) avait un coût en $O(n)$. On peut donc négliger le temps en $O(1)$ nécessaire à l'incrémentation de `i` et au test de $i > n$ pour chaque itération, ce qui amène à conclure que le coût de la boucle extérieure est en $O(n)$. L'initialisation `i := 1` de la boucle extérieure et les $(n+1)$ tests de la condition $i > n$ ont un temps d'exécution en $O(1)$ et peuvent être négligés. Enfin, on remarque que nous empruntons la boucle extérieure n fois, avec pour chaque itération un coût en $O(n)$, ce qui donne un temps d'exécution total en $O(n^2)$. ◆

◆ **Exemple 3.13.** A présent, considérons la boucle `for` des lignes (3) à (5) de la figure 3.8. Ici, le corps est une instruction `if`, une construction que nous apprendrons à analyser par la suite. Il n'est pas difficile de déduire que la ligne (4) effectue le test avec un coût en $O(1)$, et que la ligne (5), quand elle est exécutée, a un coût en $O(1)$ car c'est une affectation sans appel de fonction. Du coup, l'exécution du corps de la boucle **for** se fait en $O(1)$, que la ligne (5) soit exécutée ou non. L'incrémentation et le test de la boucle ajoutent un temps en $O(1)$, et le temps total d'une seule itération se résume donc à $O(1)$.

Il faut à présent calculer le nombre de fois que nous empruntons la boucle. Le nombre d'itérations ne dépend pas seulement de n, la taille de l'entrée. En revanche, la formule « limite supérieure moins limite inférieure, plus un » nous donne $n - (i+1) + 1$, ou $n - i$, comme nombre de passages dans la boucle. En toute rigueur, cette formule s'applique seulement pour $i \leq n$. Heureusement, on peut voir à la ligne (1) de la figure 3.8 que i ne dépasse jamais $n - 1$, donc non seulement $n - i$ est le nombre d'itérations, mais nous savons aussi que ce nombre ne peut pas être nul. Le temps passé dans la boucle est donc $(n - i) \times O(1)$, soit $O(n - i)$ [7]. Nous n'avons pas à ajouter $O(1)$ pour l'initialisation de j, puisque nous avons établi que $n - i$ ne pouvait être nul. Si nous n'avions pas vu que $n - i$ était positif, nous aurions dû écrire la borne supérieure pour le temps d'exécution comme valant $O\big(\max(1, n - i)\big)$. ✦

Le temps d'exécution des instructions conditionnelles

Une instruction if-then-else de la forme

```
if <condition> then
    <partie-if>
else
    <partie-else>
```

est constituée de

1.   une condition à tester,

2.   une partie **if**, qui n'est exécutée que si la condition est vraie, et

3.   une partie (optionnelle) **else**, qui n'est exécutée que si la condition est fausse.

Normalement, la condition s'exécute dans un temps en $O(1)$, à moins qu'elle ne comporte des appels de fonction. Comme pour les affectations, la raison pour laquelle elle prend un temp constant pour tester une condition sera expliquée complètement au chapitre 4. Pour autant, notre intuition nous dit qu'une condition, quelle que soit sa complexité, ne nécessite de la part de l'ordinateur qu'un nombre constant d'opérations arithmétiques, d'opérations d'accès aux structures, de comparaisons de valeurs (par exemple, $<$), et d'opérations logiques (par exemple AND).

Supposons que la condition ne contienne aucun appel de fonction, et que les parties **if** et **else** aient respectivement pour bornes supérieures grand O $f(n)$ et $g(n)$. Supposons également que $f(n)$ et $g(n)$ ne soient pas toutes les deux nulles ; autrement dit, alors que la partie else peut faire défaut, la partie **then** est autre chose qu'un bloc

---

[7] Techniquement parlant, nous n'avons pas étudié l'application de l'opérateur grand O à une fonction de plus d'une variable. Dans ce cas, on peut voir $O(n - i)$ comme ayant la signification « au plus un nombre de fois $n - i$ constant ». Autrement dit, on peut considérer $n - i$ comme un succédané d'une variable unique.

vide. Nous laissons en exercice la question de savoir ce qui arriverait si les deux parties manquaient ou étaient réduites à des blocs vides.

Si $f(n)$ est en $O\big(g(n)\big)$, alors on peut prendre $O\big(g(n)\big)$ comme borne supérieure du temps d'exécution de l'instruction conditionnelle. En effet,

1. on peut négliger le $O(1)$ de la condition,

2. si la partie `else` est exécutée, on sait que $g(n)$ est une borne du temps d'exécution, et

3. si la partie `if` est exécutée à la place de la partie `else`, le temps d'exécution sera en $O\big(g(n)\big)$ à cause de $f(n)$ qui vaut $O\big(g(n)\big)$.

Pour les mêmes raisons, si $g(n)$ est en $O\big(f(n)\big)$, on peut borner le temps d'exécution de l'instruction conditionnelle par $O\big(f(n)\big)$. On remarquera que quand la partie `else` fait défaut, comme c'est souvent le cas, $g(n)$ vaut 0, qui est à coup sûr en $O\big(f(n)\big)$.

Le cas délicat est celui où ni f ni g ne sont grand O l'une de l'autre. On sait que soit la partie `if`, soit la partie `else`, sera exécutée, mais pas les deux. Une borne supérieure sûre pour le temps d'exécution sera plus grande que $f(n)$ et $g(n)$. Celle des deux qui sera la plus grande peut dépendre de n, comme nous l'avons vu dans l'exemple 3.9. Nous devons donc écrire le temps d'exécution de l'instruction conditionnelle ainsi :
$O\Big(\max\big(f(n), g(n)\big)\Big)$.

✦ **Exemple 3.14.** Comme nous l'avons observé dans l'exemple 3.11, la conditionnelle des lignes (4) et (5) de la figure 3.8 possède une partie if, la ligne (5), dont le temps est en $O(1)$, et une partie `else` manquante, qui dépense un temps nul. Donc, $f(n)$ vaut 1 et $g(n)$ vaut 0. Comme $g(n)$ est en $O\big(f(n)\big)$, on obtient $O(1)$ comme borne supérieure sur le temps d'exécution des lignes (4) et (5). Remarquez que le temps en $O(1)$ pris par la réalisation du test `A[j] < A[small]` à la ligne (4) peut être négligé. ✦

```
(1)              if A[1,1] = 0 then
(2)                  for i := 1 to n do
(3)                      for j := 1 to n do
(4)                          A[i,j] := 0
                 else
(5)                  for i := 1 to n do
(6)                      A[i,i] := 1;
```

Figure 3.9 : Exemple d'instruction conditionnelle.

✦ **Exemple 3.15.** Pour prendre un exemple plus compliqué, arrêtons-nous sur le fragment de code de la figure 3.9, qui effectue la tâche (relativement sans intérêt) soit de mettre à zéro la matrice `A`, soit de remplir sa diagonale avec des 1. Comme nous l'avons appris à l'exemple 3.12, le temps d'exécution des lignes (2) à (4) est en $O(n^2)$, tandis que celui des lignes (5) et (6) est en $O(n)$. Ici, $f(n)$ vaut donc n^2, et $g(n)$ vaut n. Comme n est en $O(n^2)$, on peut négliger le temps de la partie `else` et prendre $O(n^2)$

comme borne du temps d'exécution de tout l'extrait reproduit à la figure 3.9. Autrement dit, nous ne savons absolument pas si, ni quand, la condition de la ligne (1) sera vraie, mais la seule borne supérieure raisonnable est le résultat de l'hypothèse la pire, à savoir que la condition est vraie et que la partie `if` sera exécutée. ✦

Le temps d'exécution des blocs

Nous avons déjà mentionné qu'une séquence d'affectations, de lectures, et d'écritures, prenaient chacune un temps en $O(1)$, et prenaient ensemble un temps en $O(1)$. Plus généralement, on doit pouvoir combiner des séquences d'instructions, certaines pouvant être des **instructions complexes**, c'est-à-dire des instructions conditionnelles ou des boucles. Une telle séquence d'instructions simples et complexes est appelée un *bloc*. Le temps d'exécution d'un bloc est calculé en prenant la somme des bornes supérieures grand O de chaque instruction (éventuellement complexe) du bloc. Avec de la chance, on peut utiliser la règle de sommation pour éliminer tous les termes de la somme sauf un.

✦ **Exemple 3.16.** Dans l'extrait de tri par sélection de la figure 3.8, on peut voir le corps de la boucle extérieure, c'est-à-dire les lignes (2) à (8), comme un bloc. Ce bloc est composé de cinq instructions :

1.   L'affectation de la ligne (2).
2.   La boucle des lignes (3), (4), et (5).
3.   L'affectation de la ligne (6).
4.   L'affectation de la ligne (7).
5.   L'affectation de la ligne (8).

On notera que l'instruction conditionnelle des lignes (4) et (5), et l'affectation de la ligne (5), ne sont pas visibles au niveau de ce bloc ; elles sont cachées à l'intérieur d'une instruction plus grande, la boucle `for` des lignes (3) à (5).

On sait que les quatres instructions d'affectation prennent chacune un temps en $O(1)$. Dans l'exemple 3.12, nous avons appris que le temps d'exécution de la deuxième instruction du bloc, c'est-à-dire les lignes (3) à (5), était en $O(n-i)$. Le temps d'exécution du bloc est donc

$$O(1) + O(n-i) + O(1) + O(1) + O(1)$$

Comme 1 est en $O(n-i)$ (souvenez-vous que nous avons aussi établi que i n'était jamais supérieur à $n-1$), on peut éliminer tous les $O(1)$ en appliquant la règle de sommation. Le bloc tout entier a donc un coût total en $O(n-i)$.

Pour prendre un autre exemple, considérons une fois encore l'extrait de programme de la figure 3.7. On peut le considérer comme un bloc unique composé de trois instructions :

1.   L'instruction de lecture de la ligne (1).
2.   La boucle des lignes (2) à (4).
3.   La boucle des lignes (5) et (6).

On sait que le coût de la ligne (1) est en $O(1)$. D'après l'exemple 3.12, les lignes (2) à (4) prennent $O(n^2)$; les lignes (5) et (6) prennent $O(n)$. Le bloc lui-même prend

$$O(1) + O(n^2) + O(n)$$

Grâce à la règle de sommation, on peut éliminer $O(1)$ et $O(n)$ en faveur de $O(n^2)$. On en conclut que l'extrait de la figure 3.7 a un coût en $O(n^2)$. ✦

Le temps d'exécution des boucles while et repeat

L'analyse d'une boucle while ou repeat ressemble à celle d'une boucle for. Cependant, le nombre de parcours d'une boucle while ou repeat est illimité, et une partie de l'analyse est souvent un argument qui fournit une borne supérieure sur le nombre d'itérations de la boucle. Ces démonstrations suivent habituellement le modèle que nous avions adopté au paragraphe 2.5. Autrement dit, on démontre une assertion à l'aide d'une récurrence sur le nombre de fois qu'on emprunte la boucle, et l'assertion implique que la condition de la boucle finisse par prendre la valeur faux (pour une boucle while) ou vrai (pour une boucle repeat) après que le nombre d'itération ait atteint une certaine limite.

Il faut également trouver une borne sur le temps d'exécution d'une seule itération de la boucle. On examine donc le corps et on obtient une borne pour son exécution. Ensuite, on doit ajouter un temps en $O(1)$ pour prendre en compte le test de la condition après l'exécution du corps de la boucle, mais à moins que le corps de la boucle ne fasse défaut, on peut négliger ce terme en $O(1)$. On obtient une borne sur le temps d'exécution de la boucle en multipliant une borne supérieure pour le nombre d'itérations par notre borne supérieure pour le temps d'une seule exécution. En toute rigueur, si la boucle est une boucle while et non une boucle repeat, il faut ajouter le temps nécessaire au test de la condition while la première fois, avant d'entrer dans le corps, mais ce terme en $O(1)$ peut normalement être négligé.

```
(1)            i := 1;
(2)            while x <> A[i] do
(3)                i := i+1
```

Figure 3.10 : Fragment de programme de recherche linéaire.

✦ **Exemple 3.17.** Considérons l'extrait de programme montré à la figure 3.10. Le programme parcourt un tableau A[1..n] à la recherche de l'emplacement d'un élément x dont on pense qu'il appartient au tableau.

Les deux instructions d'affectation (1) et (3) de la figure 3.10 ont un temps d'exécution en $O(1)$. La boucle while des lignes (2) et (3) peut être exécutée jusqu'à n fois, mais pas plus, car on suppose que l'un des éléments du tableau contient x. Comme le corps de la boucle nécessite un temps en $O(1)$, le temps d'exécution de la boucle while est en $O(n)$. D'après la règle de sommation, le temps d'exécution de l'extrait de programme tout entier est en $O(n)$, le maximum de temps pour la première instruction d'affectation et le temps de la boucle `while`. Au chapitre 6, on verra comment ce programme en $O(n)$ peut être remplacé par un programme en $O(\log n)$ utilisant la recherche binaire. ✦

EXERCICES

3.6.1 : Dans la boucle `for`

```
for i := a to b do
```

combien de fois empruntons-nous la boucle, en fonction de a et b ? Et pour cette autre boucle `for`

```
for i := a downto b do
```

3.6.2 : Donnez une borne supérieure grand O pour le temps d'exécution d'une instruction conditionnelle dégénérée

if C **then begin end**

où C est une condition qui ne met en jeu aucun appel de fonction.

3.6.3 : Répétez l'exercice 3.6.2 pour la boucle `while` dégénérée

while C **begin end**

3.6.4 : * Donnez une règle pour le temps d'exécution d'une instruction `case` en Pascal.

3.6.5 : Donnez une règle pour le temps d'exécution d'une conditionnelle dans laquelle on connaît le branchement suivi, comme dans

```
if 1 = 2 then
     quelque chose en O(f(n))
else
     quelque chose en O(g(n))
```

3.6.6 : Donnez une règle pour le temps d'exécution d'une boucle `while` triviale dont on sait dès le départ que la condition est fausse, comme pour

```
while 1 <> 1
     quelque chose en O(f(n))
```

3.7   Une règle récursive pour borner le temps d'exécution

Au paragraphe précédent, nous avons décrit de façon informelle quelques règles permettant de définir le temps d'exécution de certaines constructions de programmes, en les examinant morceaux par morceaux. Par exemple, nous avons dit que le temps pris par une boucle `for` était en gros le temps pris par le corps de la boucle, multiplié par le nombre d'itérations. Derrière ces règles se trouve cachée la notion selon laquelle les programmes sont élaborés au moyen de règles de récurrence, grâce auxquelles on peut construire des instructions complexes à partir d'une base constituée d'instructions simples comme des instructions d'affectation, de lecture, d'écriture, et de branchement.

Une programmation plus prudente

Si vous pensez que le tableau A de l'exemple 3.17 contiendra toujours l'élément x, simplement parce que vous croyez qu'il en est ainsi, nous aimerions vous révéler une astuce. Vous remarquerez que si x n'apparaît pas dans le tableau, la boucle de la figure 3.10 ne s'arrêtera jamais. Heureusement, il existe un moyen simple d'éviter ce problème sans perdre trop de temps supplémentaire à chaque itération de la boucle. On alloue une $(n+1)$ème cellule à la fin du tableau, et avant de commencer la boucle, on y place x. On peut alors être sûr que x apparaîtra quelque part dans le tableau. Lorsque la boucle se termine, on teste si $i = n+1$. Si c'est le cas, x ne se trouvait effectivement pas dans le tableau initial, et nous avons abouti finalement à la copie de x que nous avions placée en **sentinelle**. Si $i \leq n$, alors i indique bien une position où x apparaît. Voici un exemple de programme comportant cette fonctionnalité de protection :

```
A[n+1] := x;
i := 1;
while x <> A[i] do
    i := i+1;
if i = n+1 then (* on fait quelque chose d'approprié au cas
                    où x ne se trouve pas dans le tableau *)
else (* on fait quelque chose d'approprié au cas
                    où x est trouvé à la position i *)
```

Les règles de récurrence permettent la formation de boucles, les instructions conditionnelles, et les blocs, qui sont des séquences d'instructions complexes [8].

Nous établirons les règles d'élaboration des instructions du Pascal comme une définition récursive. Ces règles correspondent aux règles grammaticales définies pour le Pascal, et qu'on peut lire fréquemment dans les textes parlant du Pascal. En fait, nous montrerons au chapitre 11 que les grammaires peuvent servir de notation récursive condensée pour la spécification de la syntaxe des langages de programmation.

LA BASE. Une affectation, une lecture, une écriture, ou un **goto** est une instruction.

LA RÉCURRENCE. Les règles suivantes nous permettent de construire des instructions à partir d'instructions plus petites :

1. *Instruction While.* Si S est une instruction et C une condition, alors

    while C **do** S

    est une instruction.

---

[8] Il existe beaucoup d'autres façons de construire des instructions complexes en Pascal, notamment les instructions with, dont le temps d'exécution est le même que celui du bloc à l'intérieur du with, et les instructions case, qui peuvent être analysées comme des instructions conditionnelles à choix multiples. Nous n'étudierons pas ces générateurs d'instructions ici.

2. *Instruction Repeat.* Si $S_1, \ldots, S_n$ sont des instructions et C une condition, alors

      repeat $S_1; \cdots ; S_n$ **until** C

est une instruction.

3. *Instruction For.* Si S est une instruction, alors

      for I **do** S

est une instruction, où I est un *itérateur* approprié pour la boucle, c'est-à-dire une séquence de caractères ayant la forme i := a to b ou bien i := a downto b. Ici, i est une variable, et a et b sont des expressions qui peuvent être évaluées par des entiers ou un autre type simple sur lequel on peut effectuer une énumération.

4. *Instruction conditionnelle.* Si S_1 et S_2 sont des instructions et C une condition, alors

      if C **then** S_1 **else** S_2

est une instruction, et

      if C **then** S_1

est aussi une instruction.

5. *Bloc.* Si $S_1, \ldots, S_n$ sont des instructions, alors

      begin $S_1; \cdots ; S_n$ **end**

est une instruction.

A l'aide de cette définition récursive des instructions, on peut analyser un programme en identifiant ses composants. Autrement dit, on commence avec des instructions simples, et on les regroupe progressivement en instructions plus importantes.

◆ **Exemple 3.18.** Considérons l'extrait de programme de tri par sélection montré à la figure 3.11. Pour la base, chacune des affectations, lignes (2), (5), (6), (7), et (8), est une instruction en elle-même. Les lignes (4) et (5) sont ensuite regroupées dans une instruction conditionnelle. Puis, les lignes (3) à (5) sont regroupées dans une instruction for. Puis les lignes (2) à (8) sont regroupées dans un bloc. Enfin, l'extrait de programme est tout entier regroupé dans une instruction for.

On peut représenter la structure de ce programme à l'aide de l'arbre de la figure 3.12, dont les feuilles (les cercles) sont des instructions simples, et dont les autres nœuds sont les instructions composées [9]. Les nœuds sont étiquetés par la constructions qu'ils représentent, sauf pour les feuilles, qui dans cet arbre représentent toutes des affectations. Les feuilles sont étiquetées par le numéro d'instruction qu'elles représentent, et les autres nœuds par un intervalle de numéros d'instruction. ◆

---

[9] Les arbres seront étudiés en détail au chapitre 5. L'arbre montré à la figure 3.12 est représentatif de la manière dont sont analysées les instructions.

```
(1)              for i := 1 to n-1 do begin
(2)                  small := i;
(3)                  for j := i+1 to n do
(4)                      if A[j] < A[small] then
(5)                          small := j;
(6)                  temp := A[small];
(7)                  A[small] := A[i];
(8)                  A[i] := temp
                 end
```

Figure 3.11 : Fragment de tri par sélection.

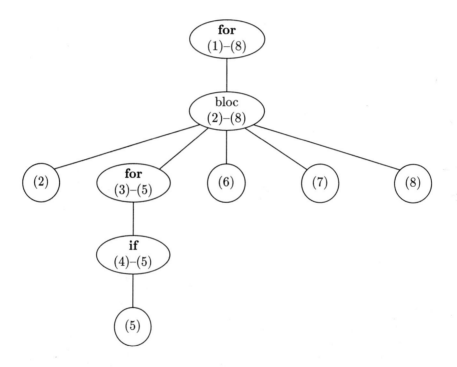

Figure 3.12 : Arbre montrant le regroupement d'instructions.

De même que les structures d'un programme sont construites de manière récursive, on peut définir des bornes supérieures grand O sur le temps d'exécution des programmes, à l'aide d'une méthode récursive analogue. Comme au paragraphe 3.6, on suppose qu'il n'existe aucun appel de procédure à l'intérieur des blocs, ni d'appel de fonction à l'intérieur des affectations, des instructions d'impression, ou des conditions.

LA BASE. La borne pour une instruction simple — c'est-à-dire pour une affectation, une lecture, une écriture, ou un branchement — est $O(1)$.

LA RÉCURRENCE. Pour les cinq constructions données plus haut, on définit les bornes suivantes :

1. *Instruction While.* Soit $O\big(f(n)\big)$ la borne supérieure du temps d'exécution du corps de l'instruction `while` construite par l'application récursive de ces règles. Soit $g(n)$ une borne supérieure pour le nombre de fois que la boucle est empruntée, avec $g(n)$ au moins égal à 1 quel que soit n. Alors $O\big(f(n)g(n)\big)$ est une borne supérieure pour le temps d'exécution de la boucle `while`.

2. *Instsruction Repeat.* Comme pour les boucles `while`, si $O\big(f(n)\big)$ est notre borne supérieure pour le corps de la boucle [10], et que $g(n)$ est une borne supérieure pour le nombre de fois que nous parcourons la boucle, alors $O\big(f(n)g(n)\big)$ est une borne supérieure pour le temps d'exécution de la boucle `repeat`. On notera que pour une boucle `repeat`, $g(n)$ vaut toujours au moins 1.

3. *Instruction For.* Si $O\big(f(n)\big)$ est notre borne supérieure pour le temps d'exécution du corps et que $g(n)$ est une borne supérieure sur le nombre de parcours de la boucle, mais au moins égale à 1 pour tout n, alors $O\big(f(n)g(n)\big)$ est une borne supérieure sur le temps d'exécution de la boucle `for`.

4. *Instruction conditionnelle.* Si $O\big(f_1(n)\big)$ et $O\big(f_2(n)\big)$ sont les bornes supérieures pour le temps d'exécution respectif de la partie `if` et de la partie `else` ($f_2(n)$ vaut 0 si la partie `else` fait défaut), alors $O\big(\max\big(f_1(n), f_2(n)\big)\big)$ est une borne supérieure sur le temps d'exécution de l'instruction conditionnelle. Si $f_1(n)$ ou $f_2(n)$ est grand O de l'autre, cette expression peut se simplifier en ne gardant que celle des deux fonctions qui est la plus grande, comme indiqué à l'exercice 3.5.5.

5. *Bloc.* Si $O\big(f_1(n)\big)$, $O\big(f_2(n)\big), \ldots, O\big(f_k(n)\big)$ sont les bornes supérieures pour les instructions du bloc, alors $O\big(f_1(n) + f_2(n) + \cdots + f_k(n)\big)$ est une borne supérieure pour le temps d'exécution du bloc. Si possible, on utilise la règle de sommation pour simplifier cette expression.

En général, on applique ces règles en traversant l'arbre qui représente la construction d'instructions complexes à partir d'instructions plus petites. On peut aussi appliquer ces règles en commençant avec les instructions simples prévues dans la base et en construisant progressivement des instructions complexes plus grandes, en appliquant celle des cinq règles de récurrence qui convient à chaque étape. Quelle que soit la manière dont on voit le processus de calcul de la borne supérieure en temps d'exécution, on analyse une instruction complexe seulement après avoir analysé toutes les instructions qui la composent.

◆ **Exemple 3.19.** Reprenons notre programme de tri par sélection, montré à la figure 3.11, et dont la structure était suggérée par la figure 3.12. Pour commencer, on sait que chacune des instructions d'affectation situées sur les feuilles de la figure 3.12 prennent un temps en $O(1)$. En remontant l'arbre, on arrive à l'instruction `if` des

---

[10] En toute rigueur, pour obtenir la borne supérieure d'une boucle `repeat` constituée de plus d'une instruction, il faudrait traiter le corps comme un bloc et appliquer la règle (5) pour faire la somme des temps d'exécution des différentes instructions.

lignes (4) et (5). On a vu à l'exemple 3.14 que cette instruction complexe prend un temps en $O(1)$.

En continuant notre parcours de l'arbre (ou notre emboîtement de petites instructions dans des instructions plus grandes), on doit analyser la boucle `for` des lignes (3) à (5). C'est ce que nous avons fait à l'exemple 3.12, où nous avons vu que le coût en temps était en $O(n-i)$. Ici, nous avons choisi d'exprimer le temps d'exécution comme une fonction de deux variables `n` et `i`. Ce choix nous confronte à des difficultés de calcul et, comme nous le verrons, on pourrait avoir choisi la mauvaise borne supérieure en prenant $O(n)$. En prenant comme borne $O(n-i)$, on doit maintenant apprendre de la ligne (1) de la figure 3.11 que i ne peut jamais être aussi grand que n. $n-i$ est donc strictement supérieur à 0. Il est donc inutile d'ajouter un terme en $O(1)$ pour traduire l'initialisation de l'indice `j` de la boucle `for`, car $O(1)$ est dominé par $O(n-i)$.

On arrive maintenant au bloc des lignes (2) à (8). Comme nous l'avons vu à l'exemple 3.16, son temps d'exécution est la somme de quatre $O(1)$ correspondant aux quatre instructions d'affectation, plus le terme $O(n-i)$ qui vient de l'instruction complexe des lignes (3) à (5). D'après la règle de sommation, et l'observation que $i < n$, on élimine les $O(1)$, en gardant $O(n-i)$ comme temps d'exécution pour le bloc.

Enfin, il faut se pencher sur la boucle `for` des lignes (1) à (8). Cette boucle n'était pas analysée au paragraphe 3.6, mais on peut appliquer la règle de récurrence (3). Cette règle nous dit comment déterminer une borne supérieure pour le temps d'exécution du corps, qui est le bloc de lignes (2) à (8). Nous nous sommes contenté de déterminer la borne $O(n-i)$ pour ce bloc, qui nous amène dans une situation que nous n'avions pas encore vue. Bien que `i` soit constant à l'intérieur de ce bloc, `i` est l'indice de la boucle `for` extérieure, et varie donc à l'intérieur de cette boucle. La borne de $O(n-i)$ n'a donc plus de sens si on la voit comme temps d'exécution de toutes les itérations de la boucle. Heureusement, on peut voir d'après la ligne (1) que i n'est jamais inférieur à 1, et donc que $O(n-1)$ est une borne supérieure de $O(n-i)$ et, d'après la loi de transitivité de grand O, est aussi une borne supérieure du temps pris par chaque itération de la boucle extérieure. Mieux, grâce à la règle selon laquelle les termes d'ordre inférieur sont négligeables, on peut simplifier $O(n-1)$ en $O(n)$.

Ensuite, on doit déterminer le nombre de fois que l'on emprunte la boucle. Comme `i` est incrémenté entre 1 et $n-1$, on emprunte manifestement la boucle $n-1$ fois. Lorsqu'on multiplie $n-1$ par $O(n)$, on obtient $O(n^2-n)$. En éliminant une fois encore les termes d'ordres inférieurs, on voit que $O(n^2)$ est une borne supérieure du temps d'exécution total pour le programme de tri par sélection. On peut donc dire que le tri par sélection possède une borne supérieure quadratique pour son temps d'exécution. La borne supérieure quadratique est la plus rapprochée possible, étant donné qu'on peut montrer que si les éléments sont initialement triés dans l'ordre inverse, le tri par sélection effectue $n(n-1)/2$ étapes de comparaison. ✦

Comme nous le verrons, on peut montrer que le temps d'exécution du tri par fusion est en $n \log n$. En pratique, le tri par fusion est plus efficace que le tri par sélection pour toutes les valeurs de n, hormis pour quelques valeurs faibles. La raison pour laquelle le tri par fusion est parfois plus lent que le tri par sélection est que la borne supérieure en $O(n \log n)$ peut cacher une constante plus grande que la borne en $O(n^2)$ du tri par sélection. Cette situation est représentée par un couple de fonctions qui se croisent, comme le montre la figure 3.2 du paragraphe 3.3.

Des bornes supérieures plus précises pour les temps d'exécution de boucles

Nous avons suggéré que pour évaluer le temps d'exécution d'une boucle il nous fallait trouver une borne unique, qui s'applique à chaque itération de la boucle. Cependant, une analyse plus attentive d'une boucle nous amènerait à traiter chaque itération séparément. On pourrait alors additioner les bornes supérieures pour chaque itération. En toute rigueur, il faudrait inclure le temps d'incrémentation de l'indice (si la boucle est une boucle `for`), ainsi que le temps de test de la condition dans les rares situations où le coût de ces opérations n'est pas négligeable. Généralement, l'analyse plus attentive ne modifie pas la réponse, bien qu'il existe certaines boucles inhabituelles pour lesquelles la plupart des itérations prennent très peu de temps, mais une ou quelques-unes en prennent beaucoup. Alors la somme des coûts de chaque itération pourrait être nettement inférieure au produit du nombre d'itérations par le temps maximum que peut prendre une itération.

◆ **Exemple 3.20.** Nous allons effectuer cette analyse plus précise sur la boucle extérieure du tri par sélection pour voir si elle induit une différence, sachant que nous en sommes encore à une borne supérieure quadratique. Comme l'a démontré l'exemple 3.19, le temps d'exécution de l'itération de la boucle extérieure avec la valeur i pour la variable d'indice i est en $O(n - i)$. Une borne supérieure pour le temps pris par toutes les itérations, sachant que i varie entre sa valeur initiale de 1 jusqu'à $n - 1$, sera donc $O\big(\sum_{i=1}^{n-1}(n-i)\big)$. Les termes de cette somme forment une progression arithmétique, on peut donc utiliser la formule « premier terme plus dernier terme, par la moitié du nombre de termes ». Cette formule nous dit que

$$\sum_{i=1}^{n-1}(n-i) = n(n-1)/2 = 0,5n^2 - 0,5n$$

Si l'on néglige les termes d'ordre inférieur et les facteurs constants, il est facile de voir que $O(0,5n^2 - 0,5n)$ est identique à $O(n^2)$. On en conclut encore que ce tri par sélection a un temps d'exécution borné par une fonction quadratique. ◆

La différence entre la simple analyse de l'exemple 3.19 et l'analyse plus détaillée de l'exemple 3.20 est illustré par la figure 3.13. Dans l'exemple 3.19, nous avons pris pour chaque itération le temps maximum pris par une itération, ce qui nous a donné comme temps d'exécution total de la boucle `for` extérieure de la figure 3.11 la surface d'un carré. Dans l'exemple 3.20, nous avons borné le temps d'exécution de chaque itération par une ligne diagonale, parce que le temps pris par chaque itération décroît linéairement avec i. Nous avons donc obtenu la surface d'un triangle comme estimation du temps d'exécution. On sait bien cependant que la surface du triangle vaut la moitié de celle du carré. Comme le facteur 2 est perdu avec les autres facteurs constants qui sont de toute façon cachés par la notation grand O, les deux bornes supérieures du temps d'exécution sont en fait les mêmes.

Pour terminer, nous devrions mettre en avant le fait qu'en pratique ces facteurs constants peuvent induire une grande différence dans le comportement des programmes. Si l'on souhaite écrire un programme efficace, une bonne stratégie est de choisir un algorithme dont le temps d'exécution est le plus petit possible, pour les tailles de données appropriées. Ensuite, une fois que l'algorithme a été implémenté, on compare

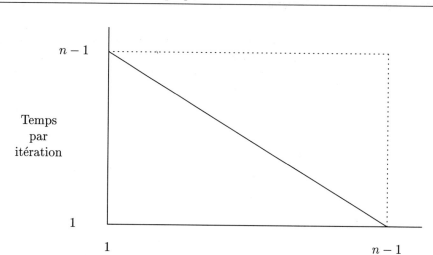

Figure 3.13 : Estimations simples et précises du temps d'exécution de la boucle.

les temps d'exécutions à différents endroits du programme (à l'aide d'un « profileur ») et on essaie de condenser le plus possible le code des points cruciaux.

```
(1)     begin
(2)         sum := 0;
(3)         for i := 1 to n do
(4)             sum := sum + a[i];
(5)         avg := sum/n;
(6)         closest := 1;
(7)         i := 2;
(8)         while i <= n do begin
(9)             if (A[i]-avg)*(A[i]-avg) <
                    (A[closest]-avg)*(A[closest]-avg) then
(10)                    closest := i;
(11)            i := i+1
            end
        end
```

Figure 3.14 : Programme de l'exercice 3.7.1.

EXERCICES

3.7.1 : La figure 3.14 contient un code Pascal qui fait la moyenne des éléments d'un tableau A[1..n] et trouve l'élément dont la valeur est la plus proche de la moyenne (le premier élément est légèrement favorisé). Construisez un arbre comme celui de la figure 3.12, montrant comment les instuctions sont regroupées progressivement dans des instuctions plus complexes, et donnez une borne supérieure en grand O approchée et simple pour le temps d'exécution de chacune des instructions de l'arbre. Quel est le temps d'exécution du programme tout entier ?

```
(1)   for i := 1 to n-1 do
(2)       for j := i+1 to n do
(3)           for k := i to n do
(4)               A[j,k] := A[j,k] - A[i,k]*A[j,i]/A[i,i]
```

Figure 3.15 : Programme de l'exercice 3.7.2.

3.7.2 : L'extrait présenté à la figure 3.15 sert à transformer une matrice A n par n en une matrice triangulaire, c'est-à-dire une matrice où tous les éléments situés en-dessous de la diagonale ont la valeur 0. Montrez, sous la forme donnée à la figure 3.12, l'arbre représentant l'organisation des instructions. Donnez une borne supérieure en grand O pour le temps d'exécution de chacune des instructions complexes suivantes :

a) Les deux boucles intérieures en fonction de n et i.

b) Toutes les boucles en fonction de n uniquement.

Pour le programme tout entier, existe-t-il une différence en grand O entre vos réponses aux parties (a) et (b) ?

```
(1)           for i := 1 to n do begin
(2)               m := 0;
(3)               j := i;
(4)               while NOT ODD(j) do begin
(5)                   j := j DIV 2;
(6)                   m := m+1
                  end
          end
```

Figure 3.16 : Programme de l'exercice 3.7.3.

3.7.3 : * La figure 3.16 propose un extrait de programme qui applique l'opération sur les puissances de 2 étudiée à l'exemple 3.7 aux entiers i de 1 à n. Montrez, sous la forme donnée à la figure 3.12, l'arbre représentant la structure des instructions. Donnez une borne supérieure en grand O pour le temps d'exécution de chacune des instructions complexes suivantes :

a) La boucle **while** en fonction de (facteurs de) i.

b) La boucle **while** en fonction de n uniquement.

Pour le programme tout entier, existe-t-il une différence en grand O entre vos réponses aux parties (a) et (b) ?

3.7.4 : Dans la figure 3.17, la fonction détermine si l'argument n est un nombre premier. On notera que si n n'est pas premier, alors il est divisible à coup sûr par un entier i situé entre 2 et $\sqrt{n}$. Montrez, comme sur la figure 3.12, l'arbre représentant la structure des instructions. Donnez en fonction de n une borne supérieure en grand O pour le temps d'exécution de chaque instruction complexe. Quel est le temps d'exécution de la fonction toute entière ?

```
       function prime(n: integer): Boolean;

       label 99;

       var i: integer;

       begin
(1)        prime := TRUE;
(2)        i := 2;
(3)        while i*i <= n do
(4)            if n MOD i = 0 then begin
(5)                prime := FALSE;
(6)                goto 99
               end
               else
(7)                i := i+1;
           99:
       end
```

Figure 3.17 : Programme de l'exercice 3.7.4.

3.8   Analyse de programmes avec appels de procédure

Nous allons montrer à présent comment analyser le temps d'exécution d'un programme ou d'un extrait de programme qui contient des appels de procédure. Comme précédemment, nous incluons les fonctions quand nous parlons des procédures en général. Pour commencer, si toutes les procédures sont non-récursives, on peut déterminer le temps d'exécution de celles qui composent le programme une par une, en commençant par celles qui n'appellent aucune autre procédure. Puis nous évaluons les temps d'exécution des procédures qui n'appellent que les procédures dont les temps d'exécution ont déjà été déterminés. On procède de la sorte jusqu'à ce que nous ayons évalué le temps d'exécution de toutes les procédures.

Des difficultés supplémentaires sont dues au fait que pour des procédures différentes, il peut y avoir différentes mesures naturelles de la taille de l'entrée. En général, l'entrée d'une procédure est la liste des arguments de cette procédure. Si la procédure P appelle une procédure Q, il faut relier la mesure de la taille des arguments de Q à la mesure de la taille utilisée pour P. Il est difficile de donner des généralités utiles, mais certains exemples de ce paragraphe et du suivant vous aideront à comprendre pourquoi le processus d'encadrement du temps d'exécution fonctionne dans les cas simples.

Supposons que nous ayons trouvé une bonne borne supérieure pour le temps d'exécution d'une procédure P, soit $O\big(f(n)\big)$, où n est la mesure de la taille des arguments de P. Ainsi, pour des procédures qui appellent P, on peut borner le temps pris par une instruction d'appel à P par $O(f(n))$. On peut donc inclure ce temps dans un bloc contenant l'appel, dans le corps d'une boucle contenant l'appel, ou dans la partie `if` ou `else` d'une instruction conditionnelle contenant l'appel.

Les fonctions sont similaires, mais les appels de fonction peuvent aussi apparaître dans des affectations ou des conditions, et il peut y en avoir plusieurs dans une seule affectation ou condition. Pour une affectation ou une instruction d'écriture contenant un ou plusieurs appels de fonction, on prend comme borne du temps d'exécution de l'instruction la somme des bornes trouvées pour chaque appel de fonction. Lorsqu'un appel de fonction de borne supérieure $O(f(n))$ apparaît dans une condition, ou dans l'initialisation ou la limite d'une boucle `for`, le temps de cet appel de fonction est pris en compte de la manière suivante :

1. Si l'appel de fonction se trouve dans la condition d'une boucle `while` ou `repeat`, on ajoute $f(n)$ à la borne trouvée pour le temps de chaque itération. Puis on multiplie ce temps par la borne sur le nombre d'itération, comme d'habitude. Dans le cas d'une boucle `while`, on ajoute $f(n)$ au coût du premier test de la condition si la boucle peut être itérée zéro fois.

2. Si l'appel de fonction se trouve dans l'initialisation ou la limite d'une boucle `for`, on ajoute $f(n)$ au coût total de la boucle.

3. Si l'appel de fonction se trouve dans la condition d'une instruction `if`, on ajoute $f(n)$ au coût de l'instruction.

✦ **Exemple 3.21.** Analysons le programme (dépourvu d'intérêt) de la figure 3.18. Commençons par remarquer que ce n'est pas un programme récursif. La procédure `main` appelle la procédure `foo` et la fonction `bar`, et `foo` appelle `bar`, mais c'est tout. Le diagramme de la figure 3.19, appelé **graphe d'appel**, indique comment les procédures s'appellent l'une l'autre. Comme il n'y a ni cycle, ni récursivité, et comme nous pouvons évaluer les procédures en commençant par le « groupe 1 », qui contient celles qui n'appellent pas d'autres procédures (`bar` dans ce cas), puis en se penchant sur le « groupe 2 », qui contient les procédures n'appelant que les procédures du groupe 1 (`foo` dans ce cas), puis sur le « groupe 3 », qui contient uniquement les procédures qui appellent celles des groupes 1 et 2 (`main` dans ce cas). A ce stade, nous avons terminé, puisque toutes les procédures se trouvent dans les groupes. En général, nous aurions à considérer un nombre plus important de groupes, mais tant qu'il n'existe pas de cycles, on finira par placer chaque procédure dans un groupe.

L'ordre dans lequel nous analysons le temps d'exécution des procédures est également celui dans lequel nous les examinerions si nous souhaitions comprendre comment le programme fonctionne. Commençons donc par étudier ce que fait la fonction `bar`. La boucle `for` des lignes (3) et (4) ajoute chacun des entiers compris entre 1 et n à x. Du coup, $bar(x,n)$ est égal à $x + \sum_{i=1}^{n} i$. L'expression $\sum_{i=1}^{n} i$ traduit une façon de sommer une progression arithmétique, que nous pouvons calculer en additionnant les premier et dernier termes, en multipliant par le nombre de termes et en divisant le tout par 2. Autrement dit, $\sum_{i=1}^{n} i = (1+n)n/2$. Du coup, $bar(x,n) = x + n(n+1)/2$.

```
       program main(input, output);

       var a, n: integer;

           procedure foo(var x,n: integer);

           var i: integer;

           begin
(1)            for i := 1 to n do
(2)                x := x + bar(i,n)
           end; (* foo *)

           function bar(x,n: integer): integer;

           var i: integer;

           begin
(3)            for i := 1 to n do
(4)                x := x + i;
(5)            bar := x
           end; (* bar *)

    begin (* programme principal *)
(6)     readln(n);
(7)     a := 0;
(8)     foo(a,n);
(9)     writeln(bar(a,n))
    end.
```

Figure 3.18 : Programme illustrant les appels de procédure non-récursifs.

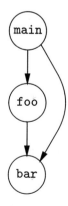

Figure 3.19 : Graphe d'appel pour la figure 3.18.

Preuves et compréhension du programme

Le lecteur pourrait remarquer que, par notre examen du programme de la figure 3.18, nous avons pu comprendre le fonctionnement du programme, mais nous n'avons rien prouvé de façon formelle comme au chapitre 2. Pourtant, beaucoup de preuves simples par récurrence y sont sous-entendues. Par exemple, il nous faut prouver, par une récurrence sur le nombre de fois que nous empruntons la boucle des lignes (3) et (4), que la valeur de x, juste avant de commencer l'itération avec la valeur i pour i, est la valeur initiale de x augmentée de $\sum_{j=1}^{i-1} j$. On notera que si $i = 1$, cette somme ne contient aucun terme et a donc la valeur 0.

Considérons à présent la procédure foo, qui ajoute à son argument x la somme

$$\sum_{i=1}^{n} bar(i,n)$$

D'après ce que nous avons compris de bar nous savons que $bar(i,n) = i + n(n+1)/2$. Donc foo ajoute à x la quantité $\sum_{i=1}^{n}(i + n(n+1)/2)$. Nous voilà avec une nouvelle progression arithmétique à sommer, et celle-ci nécessite un peu plus de manipulations algébriques. Cependant, le lecteur peut vérifier que la quantité que foo ajoute à son argument x est $(n^3 + 2n^2 + n)/2$.

Enfin, considérons la procédure main. On lit n à la ligne (6), on initialise a à 0 en ligne (7), et on applique ensuite foo à 0 et n en ligne (8). D'après ce que nous avons compris de foo, la valeur de a après la ligne (8) sera sa valeur initiale, 0, plus $(n^3 + 2n^2 + n)/2$. A la ligne (9), on écrit $bar(a,n)$, qui, d'après ce qu'on sait de bar ajoute $n(n+1)/2$ à la valeur courante de a et imprime le résultat. La valeur imprimée est donc $(n^3 + 3n^2 + 2n)/2$. ✦

✦ **Exemple 3.22.** Analysons à présent le temps d'exécution du programme de la figure 3.18, en allant de bar à foo puis à main, comme nous l'avons fait à l'exemple 3.21. Dans ce cas, nous poserons que n est la taille d'entrée pour les trois procédures. Autrement dit, bien qu'en général nous considérions la « taille » de tous les arguments d'une procédure, dans ce cas, le temps d'exécution des procédures ne dépendra que de n.

Pour analyser bar, on remarque que la ligne (4) prend un temps en $O(1)$. La boucle for des lignes (3) et (4) est itérée n fois, et le coût des lignes (3) et (4) est en $O(n)$. La ligne (5) est en $O(1)$, et le temps du bloc de lignes (3) à (5) est donc en $O(n)$.

On se tourne maintenant vers foo. L'affectation de la ligne (2) prend $O(1)$ plus le temps de l'appel à bar(i,n). Cet appel, on le sait déjà, à un coût en $O(n)$, et le temps de la ligne (2) est $O(n)$. La boucle des lignes (1) et (2) est itérée n fois, et on multiplie donc le $O(n)$ du corps par n pour obtenir $O(n^2)$ comme temps d'exécution total d'un appel à foo.

Enfin, on peut analyser main. Les lignes (6) et (7) ont chacune un coût en $O(1)$. L'appel à foo de la ligne (8) coûte $O(n^2)$, comme nous venons de le voir. L'instruction write de la ligne (9) prend $O(1)$ plus le temps d'un appel à `bar`. Celui-ci coûte $O(n)$, et la ligne (9) a donc un coût en $O(n)$. Le temps total pour le bloc des lignes (6) à (9) est donc $O(1)+O(1)+O(n^2)+O(n)$. D'après la règle de sommation, on peut éliminer tous les termes sauf le troisième, ce qui nous donne pour la procédure `main` toute entière un temps en $O(n^2)$. Autrement dit, l'appel à `foo` de la ligne (8) est celui qui coûte le plus cher. ◆

EXERCICES

3.8.1 : Démontrez l'affirmation de l'exemple 3.21, selon laquelle

$$\sum_{i=1}^{n}(i + n(n + 1)/2) = (n^3 + 2n^2 + n)/2$$

3.8.2 : Supposons que *premier(n)* soit un appel de fonction de coût $O(\sqrt{n})$. Considérons une procédure dont le corps est

```
if premier(n) then
     A
else
     B
```

Donnez une borne supérieure grand O simple et approchée du temps d'exécution de cette procédure, en fonction de n, en supposant que

a) A coûte $O(n)$ et B coûte $O(1)$

b) A et B ont tous les deux un coût en $O(1)$

3.8.3 : Considérons une procédure dont le corps est

```
sum := 0;
for i := 1 to f(n) do
     sum := sum + i
```

où $f(n)$ est un appel de fonction. Donnez une borne supérieure simple et approchée en grand O pour le temps d'exécution de cette procédure, en fonction de n, en supposant que

a)   le temps d'exécution de $f(n)$ est $O(n)$, et la valeur de $f(n)$ est $n!$

b)   le temps d'exécution de $f(n)$ est $O(n)$, et la valeur de $f(n)$ est n

c)   le temps d'exécution de $f(n)$ est $O(n^2)$, et la valeur de $f(n)$ est n

d)   le temps d'exécution de $f(n)$ est $O(1)$, et la valeur de $f(n)$ est 0

3.8.4 : Dessinez le graphe d'appel pour les procédures du programme de tri par fusion du paragraphe 2.8. Ce programme est-il récursif ?

3.8.5 : * Supposons que la ligne (1) de la procédure `foo` de la figure 3.18 soit remplacée par

```
for i := 1 to bar(n,n) do
```

Quel serait alors le temps d'exécution de `main` ?

3.9   Analyse des procédures récursives

Déterminer le temps d'exécution d'une procédure qui s'appelle elle-même récursivement demande plus de travail que l'analyse des procédures non-récursives. L'analyse d'une procédure récursive demande qu'on associe à chaque procédure P d'un programme un temps d'exécution $T_P(n)$ inconnu qui définit le temps d'exécution de P en fonction de n, la taille de ses arguments. On établit ensuite une définition inductive appelée *relation de récurrence* pour $T_P(n)$, qui associe $T_P(n)$ à une fonction de la forme $T_Q(k)$ pour les autres procédures Q du programme et leur taille d'argument associée k. Si P est directement récursive, alors au moins une procédure Q sera la même que P.

La valeur de $T_P(n)$ est normalement établie par une récurrence sur la taille n des arguments. Il est donc nécessaire de prendre une acception de la taille d'argument qui garantisse que les procédures sont appelées avec des arguments de plus en plus petits au fur et à mesure que la récursivité se poursuit. Cette contrainte est la même que celle que nous avions rencontrée au paragraphe 2.9, lorsque nous avions essayé de prouver des assertions sur les programmes récursifs. Ce ne devrait pas être une surprise, car une assertion sur le temps d'exécution d'un programme est simplement un exemple de ce qu'on pourrait essayer de prouver au sujet d'un programme.

Une fois que nous avons une acception appropriée de la taille des arguments, on peut considérer deux cas :

1.   La taille des arguments est suffisamment réduite pour qu'aucun appel récursif ne soit fait par P. Ce cas correspond à la base d'une définition inductive de $T_P(n)$.

2.   La taille des arguments est suffisamment grande pour que des appels récursifs puissent apparaître. Cependant, on suppose que tout appel récursif ultérieur effectué par P, vers lui-même ou une autre procédure Q, sera effectué avec des arguments plus petits. Ce cas correspond à l'étape de récurrence de la définition de $T_P(n)$.

La relation de récurrence définissant $T_P(n)$ s'établit grâce à l'examen du code de la procédure P, et aux actions suivantes :

a)   Pour chaque appel à une procédure Q ou utilisation d'une fonction Q dans une expression (on notera que Q peut valoir P), on utilise $T_Q(k)$ comme temps d'exécution de l'appel, où k est la mesure appropriée de la taille des arguments de l'appel.

b)   On évalue le temps d'exécution du corps de la procédure P, à l'aide des techniques déjà vues dans les paragraphes précédents, mais en gardant les termes comme $T_Q(k)$ sous forme de fonctions inconnues, au lieu de les ramener à des fonctions concrètes comme n^2. Ces termes ne peuvent pas être en général combinés avec des fonctions concrètes au moyen d'astuces de simplification comme la règle de sommation. On doit analyser P deux fois — une fois en supposant que la taille n des arguments de P est suffisamment petite pour qu'aucun appel de procédure récursif ne soit effectué, et une autre fois en supposant que n a une taille plus grande. On obtient donc deux expressions pour le temps d'exécution de P — l'une servant de base pour la relation de récurrence de $T_P(n)$, et l'autre servant à la partie inductive.

c) Dans les expressions ainsi obtenues pour le temps d'exécution de P, on remplace les termes en grand O comme $O\big(f(n)\big)$ par une constante particulière, multipliée par la fonction en question — par exemple, $cf(n)$.

d) Si a est une valeur de base pour la taille d'entrée, on initialise $T_P(a)$ avec l'expression résultant de l'étape (c) en supposant qu'aucun appel récursif n'est effectué. On initialise aussi $T_P(n)$ avec l'expression obtenue en (c) pour le cas où n n'est pas une valeur de base.

Le temps d'exécution de la procédure entière est déterminé par la résolution de cette relation de récurrence. Au paragraphe 3.11, nous donnerons des techniques générales permettant de résoudre des récurrences comme celles qu'on rencontre quand on analyse des procédures récursives classiques. Pour le moment, on résout ces récurrences par des moyens correspondant à la situation courante.

```
         function fact(n: integer) : integer;
         begin
(1)          if n <= 1 then
(2)              fact := 1
             else
(3)              fact := n * fact(n-1)
         end;
```

Figure 3.20 : Programme qui calcule $n!$.

◆ **Exemple 3.23.** Arrêtons-nous à nouveau sur le programme récursif du paragraphe 2.7 qui calcule la fonction factorielle ; le code apparaît à la figure 3.20. Comme il ne met en jeu qu'une seule procédure, `fact`, nous utiliserons $T(n)$ pour le temps d'exécution inconnu de cette procédure. Nous utiliserons n, la valeur de l'argument, comme taille de l'entrée. Manifestement, les appels récursifs effectués par `fact` lorsque l'argument est n ont un argument plus petit, $n-1$ pour être précis.

Pour la base de la définition inductive de $T(n)$, nous prendrons $n = 1$, puisqu'aucun appel récursif n'est effectué par `fact` lorsque l'argument vaut 1. Avec $n = 1$, la condition de la ligne (1) est vraie, et l'appel à `fact` exécute donc les lignes (1) et (2). Chacune ayant un coût en $O(1)$, le temps d'exécution de `fact` dans le cas de base est en $O(1)$. Autrement dit $T(1)$ vaut $O(1)$.

Maintenant, on considère ce qui se passerait dans le cas où $n > 1$. La condition de la ligne (1) est fausse, et on exécute uniquement les lignes (1) et (3). La ligne (1) prend $O(1)$, et la ligne (3) coûte $O(1)$ pour la multiplication et l'affectation, plus $T(n-1)$ pour l'appel récursif à `fact`. Autrement dit, pour $n > 1$, le temps d'exécution de `fact` est $O(1) + T(n-1)$. On peut donc définir $T(n)$ avec la relation de récurrence suivante :

LA BASE. $T(1) = O(1)$.

LA RÉCURRENCE. $T(n) = O(1) + T(n-1)$, pour $n > 1$.

On invente maintenant des symboles constants qui représenteront les constantes cachées à l'intérieur des diverses expressions en grand O, comme le suggérait la règle

(c) ci dessus. Dans ce cas, on remplace le $O(1)$ dans la base par une constante a, et le $O(1)$ dans l'induction par une constante b. Cela nous donne la relation de récurrence suivante.

LA BASE. $T(1) = a$.

LA RÉCURRENCE. $T(n) = b + T(n-1)$, pour $n > 1$.

Il faut maintenant résoudre cette récurrence en $T(n)$. On peut calculer les premières valeurs facilement. $T(1) = a$ d'après la base. Ensuite, d'après la règle d'induction, nous avons

$$T(2) = b + T(1) = a + b$$

En continuant d'utiliser la règle d'induction, on obtient

$$T(3) = b + T(2) = b + (a + b) = a + 2b$$

Puis

$$T(4) = b + T(3) = b + (a + 2b) = a + 3b$$

A ce stade, on peut deviner sans peine que $T(n) = a + (n-1)b$, pour tout $n \geq 1$. En fait, calculer des valeurs échantillons, puis deviner une solution, et enfin démontrer que notre supposition était correcte à l'aide d'une preuve par récurrence est une méthode fréquemment utilisée lorsqu'on a à faire avec des récurrences.

Dans ce cas, pourtant, on peut trouver la solution directement par une méthode connue sous le nom de *substitutions répétées*. On commence par faire une substitution de variables, m par n, dans l'équation récursive, qui devient

$$T(m) = b + T(m-1), \text{ pour } m > 1 \tag{3.2}$$

On peut maintenant substituer $n, n-1, n-2, \ldots, 2$ à la place de m dans l'équation (3.2), pour obtenir la série d'équations

$$
\begin{array}{lll}
1) & T(n) & = b + T(n-1) \\
2) & T(n-1) & = b + T(n-2) \\
3) & T(n-2) & = b + T(n-3) \\
& \cdots & \\
n-1) & T(2) & = b + T(1)
\end{array}
$$

Ensuite, on peut utiliser la ligne (2) ci-dessus pour la substituer à $T(n-1)$ dans (1), et obtenir l'équation

$$T(n) = b + \big(b + T(n-2)\big) = 2b + T(n-2)$$

On utilise maintenant la ligne (3), qu'on substitue à $T(n-2)$ dans l'équation ci-dessus, pour obtenir

$$T(n) = 2b + \big(b + T(n-3)\big) = 3b + T(n-3)$$

On continue ainsi, en remplaçant chaque fois $T(n-i)$ par $b + T(n-i-1)$, jusqu'à ce que nous arrivions à $T(1)$. A ce stade, nous avons l'équation

$$T(n) = (n-1)b + T(1)$$

On peut alors utiliser la base pour remplacer $T(1)$ par a, et conclure que $T(n) = a + (n-1)b$.

Pour rendre cette analyse plus formelle, il faut prouver par récurrence nos observations intuitives à propos de ce qui arrive lorsqu'on remplace $T(n-i)$ à chaque étape. Nous allons donc prouver par récurrence sur i:

ASSERTION $S(i)$: Si $1 \leq i < n$, alors $T(n) = ib + T(n-i)$.

LA BASE. On prend comme base $i = 1$. $S(1)$ donne $T(n) = b + T(n-1)$. C'est la partie inductive de la relation de récurrence sur $T(n)$ et on sait par conséquequent qu'elle est vraie.

LA RÉCURRENCE. Si $i \geq n-1$, il n'y a rien à prouver. En effet, dans ce cas, l'assertion $S(i+1)$ commence par « Si $1 \leq i+1 < n \cdots$ » et la supposition selon laquelle $i+1 < n$ est fausse.

Supposons donc que $i \leq n-2$. $S(i)$ donne $T(n) = ib + T(n-i)$. On peut alors appliquer la règle de récurrence pour T, c'est-à-dire (3.2) avec $n-i$ à la place de m, pour obtenir l'équation $T(n-i) = b + T(n-i-1)$. Lorsqu'on substitue $b + T(n-i-1)$ à $T(n-i)$ dans l'équation $T(n) = ib + T(n-i)$, on obtient

$$T(n) = ib + \big(b + T(n-i-1)\big) = (i+1)b + T\big(n - (i+1)\big)$$

C'est l'assertion $S(i+1)$, et nous venons donc de prouver l'étape d'induction.

Nous avons démontré que $T(n) = a + (n-1)b$. Toutefois, a et b sont des constantes inconnues. On ne peut donc pas présenter la solution de cette façon. On peut en revanche exprimer $T(n)$ comme un polynôme en n, c'est-à-dire $bn + (a-b)$, et remplacer ensuite les termes par des expressions en grand O, ce qui donne $O(n) + O(1)$. A l'aide des règles de sommation, on peut éliminer $O(1)$, ce qui nous donne que $T(n)$ vaut $O(n)$. C'est logique; cela signifie que pour calculer $n!$, on fait de l'ordre de n appels à `fact` (le vrai nombre est exactement n), chacun prenant un temps en $O(1)$, en excluant le temps passé à effectuer l'appel récursif à `fact`. ✦

EXERCICES

3.9.1: Trouvez une relation de récurrence pour le temps d'exécution de la fonction `sum` mentionnée à l'exercice 2.9.2, en fonction de la longueur de la liste qui est l'entrée du programme. Remplacez les grand O par des constantes (inconnues), et essayez de résoudre votre récurrence. Quel est le temps d'exécution de `sum`?

3.9.2: Répétez l'exercice 3.9.1 pour la fonction `find0` de l'exercice 2.9.3. Que peut-on choisir comme mesure de la taille de l'entrée?

3.9.3: * Répétez l'exercice 3.9.1 pour le programme récursif de tri par sélection de la figure 2.22 au paragraphe 2.7. Que peut-on choisir comme mesure de la taille d'entrée?

3.9.4: ** Répétez l'exercice 3.9.1 pour la fonction de la figure 3.21, qui calcule la **suite de Fibonacci**. (Les deux premiers valent 1, et chaque nombre suivant est la somme des deux précédents. Les sept premiers nombres de Fibonacci sont 1, 1, 2, 3, 5, 8, 13.)

```
function fibonacci(n: integer): integer;
begin
   if n <= 2 then
      fibonacci := 1
   else
      fibonacci := fibonacci(n-1) + fibonacci(n-2)
end
```

Figure 3.21 : La fonction Pascal qui permet de calculer la suite de Fibonacci.

On notera que la valeur de n est la taille appropriée d'un argument, et que vous devez prendre comme cas de base à la fois de 1 et 2.

3.9.5 : * Ecrivez un programme récursif qui calcule $pgcd(i, j)$, le plus grand commun diviseur de deux entiers i et j, abordé à l'exercice 2.7.8. Montrez que le temps d'exécution du programme est $O(\log i)$. *Une indication*: Montrez qu'après deux appels, on invoque $pgcd(m, n)$ où $m \leq i/2$.

3.9.6 : Considérons le programme récursif qui calcule le $\binom{n}{m}$ décrit à l'exercice 2.7.10. Montrez que $O(2^n)$ est une borne supérieure pour le temps d'exécution du programme.

3.9.7 : ** Montrez que le programme de calcul de $\binom{n}{m}$ décrit à l'exercice 2.7.11 prend en fait un temps d'exécution proportionnel à $\binom{n}{m}$.

3.10 Analyse du tri par fusion

Nous allons maintenant analyser l'algorithme de tri par fusion que nous avions présenté au paragraphe 2.8. Pour commencer, on montrera que les procédures merge et split ont chacune un coût en $O(n)$ sur des listes de longueur n, et nous utiliserons ensuite ces bornes pour montrer que la procédure MergeSort coûte $O(n \log n)$ sur des listes de longueur n.

Analyse de la procédure merge

Nous commençons par l'analyse de la procédure récursive merge, dont nous reproduisons le code à la figure 3.22. La notion appropriée pour la taille n des arguments de merge est la somme des longueurs des listes *list*1 et *list*2. On prend donc pour $T(n)$ le temps pris par merge lorsque la somme des longueurs de ses listes arguments est n. Nous prendrons $n = 1$ pour le cas de base, et il faudra donc analyser la figure 3.22 en supposant que l'une des deux listes list1 et list2 est vide et que l'autre ne contient qu'un seul élément. Deux cas se présentent :

1. Si le test de la ligne (1) — c'est-à-dire, *list*1 = NIL — réussit, alors on exécute l'affectation merge := list2, qui a un coût en $O(1)$. Les lignes (2) à (7) ne sont pas exécutées. L'appel de procédure tout entier prend donc un temps en $O(1)$

pour tester la conditionnelle de la ligne (1) et un temps en $O(1)$ pour effectuer l'affectation de la ligne (1), ce qui donne au total un temps en $O(1)$.

2. Si le test de la ligne (1) échoue, alors *list*1 n'est pas vide. Comme on suppose que la somme des longueurs des listes est seulement 1, *list*2 doit donc être vide. Le test de la ligne (2) — c'est-à-dire *list*2 = NIL — doit réussir. On prend alors un temps en $O(1)$ pour effectuer le test de la ligne (1), $O(1)$ pour celui de la ligne (2), et $O(1)$ pour l'affectation merge := list1 de la ligne (2). Les lignes (3) à (7) ne sont pas exécutées. Là encore, le coût est en $O(1)$.

On conclut que dans le cas de base, merge a un temps d'exécution en $O(1)$.

```
       function merge(list1, list2: LISTTYPE): LISTTYPE;
       begin
(1)        if list1 = NIL then merge := list2
(2)        else if list2 = NIL then merge := list1
(3)        else if list1^.element <= list2^.element then begin
(4)            list1^.next := merge(list1^.next, list2);
(5)            merge := list1
           end
           else begin (* list2 possède le plus petit élément *)
(6)            list2^.next := merge(list1, list2^.next);
(7)            merge := list2
           end
       end;
```

Figure 3.22 : La procédure merge.

Considérons à présent le cas inductif, où la somme des longueurs de liste est supérieure à 1. Bien entendu, même si cette somme est 2 ou plus, l'une des deux listes devra quand même être vide. On pourra donc prendre n'importe lequel des quatre cas représentés par les instructions conditionnelles imbriquées. La structure d'arbre (au sens de la figure 3.12) pour le programme de la figure 3.22 est montré à la figure 3.23. Comme dans la figure 3.12, on peut analyser le programme en parcourant l'arbre à partir du bas.

La conditionnelle la plus interne commence au if de la ligne (3), où nous cherchons celle des deux listes qui contient le plus petit premier élément, ce qui amène à exécuter soit les lignes (4) et (5), soit les lignes (6) et (7). La condition de la ligne (3) a un temps d'évaluation en $O(1)$. La ligne (5) coûte $O(1)$ à évaluer, et la ligne (4) prend $O(1)$ plus $T(n-1)$ pour l'appel récursif à merge. On notera que $n-1$ est la taille des arguments de l'appel récursif, puisque nous avons éliminé exactement un élément de l'une des listes, et que nous avons laissé l'autre liste telle qu'elle était. Le bloc des lignes (4) et (5) coûte donc $O(1) + T(n-1)$.

L'analyse de la partie else des lignes (6) et (7) est exactement la même : la ligne (7) prend un temps en $O(1)$ et la ligne (6) prend un temps en $O(1) + T(n-1)$. Ainsi, quand on veut prendre le temps d'exécution maximum entre la partie if et la partie

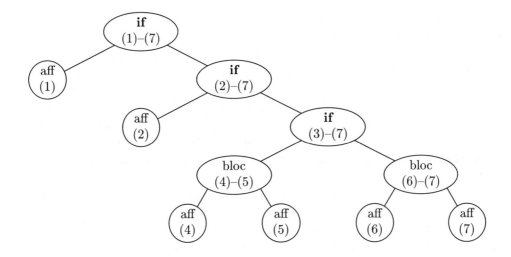

Figure 3.23 : Structure de `merge`.

else, on trouve que ces deux temps sont les mêmes. Le $O(1)$ du test de la condition peut être négligé, et on peut conclure que le temps d'exécution de la conditionnelle la plus interne est $O(1) + T(n-1)$.

Occupons-nous maintenant de la conditionnelle commençant à la ligne (2), où nous testons si $list2 = \text{NIL}$. Le temps pris pour tester cette condition est en $O(1)$, et celui de la partie **if**, qui se résume à l'affectation de la ligne (2), est aussi en $O(1)$. Par ailleurs, la partie **else** est l'instruction conditionnelle des lignes (3) à (7), dont on vient juste d'établir qu'elle prenait un temps en $O(1) + T(n-1)$. Le temps dépensé pour la conditionnelle des lignes (2) à (7) est donc

$$O(1) + \max\bigl(O(1), O(1) + T(n-1)\bigr)$$

Le second terme du maximum domine le premier et domine également le $O(1)$ dépensé par le test de la condition. Le temps pris par le début de l'instruction **if** à la ligne (2) est donc aussi en $O(1) + T(n-1)$.

Enfin, nous effectuons la même analyse pour l'instruction **if** la plus externe. En gros, le temps le plus long est pris par la partie **else**, constituée des lignes (2) à (7). Autrement dit, le temps pris par les cas dans lesquels on trouve un appel récursif, aux lignes (4) et (5) ou aux lignes (6) et (7), domine le temps pris par les cas dépourvus d'appels récursif, représentés par les lignes (1) et (2), et domine également les trois tests des lignes (1), (2), et (3). Le temps pris par la procédure **merge**, lorsque $n > 1$, est donc borné par $O(1) + T(n-1)$. Nous avons alors la relation de récurrence suivante pour définir $T(n)$:

LA BASE. $T(1) = O(1)$.

LA RÉCURRENCE. $T(n) = O(1) + T(n-1)$, pour $n > 1$.

Une forme fréquente de récursivité

Parmi les procédures récursives les plus simples, comme `fact` et `merge`, beaucoup effectuent des opérations en $O(1)$ et font ensuite un appel récursif à elle-même sur un argument de taille plus petite. En supposant que le cas de base soit en $O(1)$, on voit que cette sorte de procédure conduit toujours à la relation de récurrence $T(n) = O(1) + T(n-1)$. La solution de $T(n)$ est $O(n)$, c'est-à-dire linéaire selon la taille de l'argument. Au paragraphe 3.11, nous verrons quelques généralisations de ce principe.

Ces équations sont exactement les mêmes que celles établies pour la procédure `fact` à l'exemple 3.23. La solution est donc la même, et on peut conclure que $T(n)$ vaut $O(n)$. Ce résultat paraît logique, puisque `merge` travaille en éliminant un élément de l'une des listes, ce qui lui prend $O(1)$, puis en s'appelant elle-même de manière récursive sur le reste de la liste. Il s'ensuit que le nombre d'appels récursifs ne sera pas plus grand que la somme des longueurs des listes. Comme chaque appel a un coût en $O(1)$, en plus du temps pris par son appel récursif, on peut s'attendre à ce que `merge` ait un coût en $O(n)$.

```
      function split(list: LISTTYPE): LISTTYPE;

      var SecondCell: ^ CELL;

      begin
(1)       if list = NIL then split := NIL
(2)       else if list^.next = NIL then split := NIL
          else (* il existe aux moins deux cases *) begin
(3)           SecondCell := list^.next;
(4)           list^.next := SecondCell^.next;
(5)           SecondCell^.next := split(SecondCell^.next);
(6)           split := SecondCell
          end
      end;
```

Figure 3.24 : La procédure `split`.

Analyse de la procédure split

Considérons à présent la procédure `split`, que nous avons reproduite à la figure 3.24. L'analyse est parfaitement identique à celle de `merge`. On prend comme taille d'argument n la longueur de la liste, et on utilise ici $T(n)$ pour le temps dépensé par `split` sur une liste de longueur n.

Pour la base, on prend à la fois $n = 0$ et $n = 1$. Si $n = 0$ — c'est-à-dire que *list* est vide — le test de la ligne (1) réussit et on exécute l'affectation `split := NIL` sur la ligne (1). Les lignes (2) à (6) ne sont pas exécutées, et le temps global est donc en $O(1)$. Si $n = 1$, autrement dit *list* se réduit à un seul élément, le test de la ligne (1) échoue, mais celui de la ligne (2) réussit. On exécute alors l'affectation de la ligne (2), mais pas les lignes (3) à (6). Là encore, un temps en $O(1)$ est suffisant pour effectuer les deux tests et l'affectation.

Pour la récurrence, $n > 1$, on est à un carrefour conditionnel à trois voies, semblable à celui à quatre voies que nous avions rencontré pour `merge`. Pour gagner du temps d'analyse, on pourra observer — comme nous avons fini par le conclure pour `merge` — que les tests conditionnels des lignes (1) et (2) coûtent $O(1)$ qu'on emprunte un seul d'entre eux ou les deux à la suite. Au cas où l'un de ces deux tests réussit, on exécutera l'une des affectations des lignes (1) ou (2), ce qui ajoutera un temps en $O(1)$ seulement. Le temps dominant est le cas où les deux tests échouent, c'est-à-dire, où la liste est de longueur au moins égale à 2 ; dans ce cas, on exécute les affectations des lignes (3) à (6). Toutes, hormis l'appel récursif de la ligne (5) ont un coût en $O(1)$. L'appel récursif prend un temps en $T(n-2)$, puisque la liste argument est la valeur initiale de `list`, moins ses deux premiers éléments (pour comprendre pourquoi, reportez-vous aux explications du paragraphe 2.8, en particulier le diagramme de la figure 2.29). Dans le cas d'induction, $T(n)$ vaut donc $O(1) + T(n-2)$.

On peut établir la relation de récurrence suivante :

LA BASE. $T(0) = O(1)$ et $T(1) = O(1)$.

LA RÉCURRENCE. $T(n) = O(1) + T(n-2)$, pour $n > 1$.

Comme dans l'exemple 3.23, il faut ensuite inventer des constantes pour représenter les constantes de proportionnalité cachées derrière les $O(1)$. On appellera a et b les constantes représentées par $O(1)$ dans le cas de base pour les valeurs respectives de $T(0)$ et $T(1)$, et nous utiliserons c pour la constante représentée par le $O(1)$ de l'étape inductive. On pourra donc réécrire la définition récursive ainsi :

LA BASE. $T(0) = a$ et $T(1) = b$.

LA RÉCURRENCE. $T(n) = c + T(n-2)$ pour $n \geq 2$.

Calculons les premières valeurs de $T(n)$. Evidemment $T(0) = a$ et $T(1) = b$ d'après la base. On peut se servir de l'étape d'induction pour déduire

$$
\begin{array}{llll}
T(2) &=& c + T(0) &=& a + c \\
T(3) &=& c + T(1) &=& b + c \\
T(4) &=& c + T(2) &=& c + (a + c) &=& a + 2c \\
T(5) &=& c + T(3) &=& c + (b + c) &=& b + 2c \\
T(6) &=& c + T(4) &=& c + (a + 2c) &=& a + 3c
\end{array}
$$

Le calcul de $T(n)$ est composé de deux calculs séparés, l'un pour les n impairs, l'autre pour les n pairs. Pour ces derniers, on obtient $T(n) = a + cn/2$. C'est logique, puisque pour une liste de longueur paire, on élimine deux éléments à la fois, en prenant un temps c, et après $n/2$ appels récursifs, on se retrouve avec une liste vide, pour laquelle on ne fait plus d'appel récursif, et dont le traitement nécessite un temps a.

Pour une liste de longueur impaire, on élimine encore deux éléments à la fois, en prenant un temps c. Après $(n-1)/2$ appels, on se retrouve avec une liste de longueur

1, dont le traitement nécessite un temps b. Le temps dépensé par les listes impaires sera donc $b + c(n-1)/2$.

Les preuves par récurrence de ces observations sont calquées sur la preuve de l'exemple 3.23. Autrement dit, il faut prouver la chose suivante:

ASSERTION $S(i)$: Si $1 \leq i \leq n/2$, alors $T(n) = ic + T(n - 2i)$.

Dans la preuve, on utilise la règle de récurrence de la définition de $T(n)$, qu'on peut réécrire avec l'argument m ainsi

$$T(m) = c + T(m-2), \text{ pour } m \geq 2 \qquad (3.3)$$

On peut alors prouver $S(i)$ par récurrence comme suit:

LA BASE. $S(1)$ donne l'équation (3.3) avec n à la place de m.

LA RÉCURRENCE. Comme $S(i)$ a une forme si-alors, $S(i+1)$ est toujours vraie si $i \geq n/2$. L'étape d'induction — le fait que $S(i)$ implique $S(i+1)$ — ne nécessite donc aucune preuve.

Le cas difficile survient quand $1 \leq i < n/2$. Dans cette situation, on suppose que l'hypothèse de récurrence $S(i)$ est vraie, c'est-à-dire que $T(n) = ic + T(n-2i)$. On substitue $n - 2i$ à m dans (3.3), ce qui nous donne

$$T(n-2i) = c + T(n-2i-2)$$

Si l'on remplace $T(n-2i)$ dans $S(i)$, on obtient

$$T(n) = ic + \big(c + T(n-2i-2)\big)$$

Si nous regroupons les termes, on obtient

$$T(n) = (i+1)c + T\big(n - 2(i+1)\big)$$

qui est l'instruction $S(i+1)$. Nous avons ainsi prouvé l'étape d'induction, et on conclut que $T(n) = ic + T(n-2i)$.

Maintenant, si n est pair, soit $i = n/2$. Alors $S(n/2)$ nous dit que $T(n) = cn/2 + T(0)$, ce qui vaut $a + cn/2$. Si n est impair, soit $i = (n-1)/2$. $S((n-1)/2)$ nous dit que $T(n)$ vaut

$$c(n-1)/2 + T(1)$$

qui est égale à $b + c(n-1)/2$ puisque $T(1) = b$.

Enfin, il faut convertir les constantes a, b, et c, qui représentent des quantités dépendant de la machine et du compilateur, en notation grand O. Les polynômes $a + cn/2$ et $b + c(n-1)/2$ ont des termes d'ordre supérieur proportionels à n. Ainsi, la question de savoir si n est pair ou impair est en réalité sans fondement; le temps d'exécution de `split` est en $O(n)$ dans un cas comme dans l'autre. Encore une fois, c'est intuitivement la réponse correcte, puisque sur une liste de longueur n, `split` fait environ $n/2$ appels récursifs, prenant chacun un temps en $O(1)$.

```
        procedure MergeSort(var list: LISTTYPE);

        var SecondList: LISTTYPE;

        begin
(1)         if list <> NIL then
(2)             if list^.next <> NIL then
                    begin (* au moins deux éléments dans la liste *)
(3)                     SecondList := split(list);
(4)                     MergeSort(list);
(5)                     MergeSort(SecondList);
(6)                     list := merge(list, SecondList)
                    end
        end;
```

Figure 3.25 : L'algorithme de tri par fusion.

La procédure MergeSort

Nous arrivons enfin à la procédure `MergeSort`, reproduite à la figure 3.25. La mesure n appropriée pour la taille des arguments est ici aussi la longueur de la liste à trier. On utilisera $T(n)$ comme temps d'exécution de `MergeSort` sur une liste de longueur n. On prend $n = 1$ comme cas de base, et $n > 1$ comme cas de récurrence, dans lequel les appels récursifs sont effectués. Si l'on examine `MergeSort`, on observe que, à moins que l'appel à `MergeSort` ne soit effectué par une autre procédure avec une liste vide pour argument, il lui est impossible de s'appeler elle-même avec pour argument une liste vide. En effet, les lignes (4) et (5) ne sont exécutées que si `list` comporte au moins deux éléments, auquel cas les listes qui résultent de cette dislocation ont au moins un élément chacune. On ignore donc le cas où $n = 0$ et on commence notre récurrence avec $n = 1$.

LA BASE. Si `list` est constituée d'un seul élément, on exécute les tests des lignes (1) et (2), mais rien d'autre. Dans le cas de base, $T(1)$ vaut donc $O(1)$.

LA RÉCURRENCE. Dans le cas de récurrence, les tests des lignes (1) et (2) échouent tous les deux, et on exécute donc le bloc formé des lignes (3) à (6). Pour simplifier, supposons que n soit une puissance de 2. Cette supposition est pratique car, quand n est pair, la liste est séparée en deux morceaux de longueur exactement égale à $n/2$. Par ailleurs, si n est une puissance de 2, alors $n/2$ est également une puissance de 2, et les divisions par 2 produisent des morceaux d'égale longueur jusqu'à ce qu'on soit en présence de morceaux de 1 élément chacun, ce qui annoncera la fin de la récursivité. Le temps dépensé par `MergeSort` lorsque $n > 1$, est la somme des termes suivants :

1. $O(1)$ pour les deux tests

2. $O(1) + O(n)$ pour l'affectation et l'appel à `split` de la ligne (3)

3. $T(n/2)$ pour l'appel récursif à `MergeSort` de la ligne (4)

Récurrences qui sautent certaines valeurs

Le lecteur pourrait ne pas se sentir concerné par le nouveau type de récurrence mis en œuvre dans l'analyse de `MergeSort`, où l'on évite dans notre preuve toutes les valeurs sauf les puissances de 2. En général, si $i_1, i_2, \ldots$ est une séquence d'entiers sur lesquels on souhaite prouver une assertion S, on peut voir $S(i_1)$ comme une base et montrer alors pour la récurrence que $S(i_j)$ implique $S(i_{j+1})$, pour tous les j. C'est une récurrence ordinaire si on la considère comme une récurrence sur j. Plus précisément, définir l'assertion S' par $S'(j) = S(i_j)$. On prouve ensuite $S'(j)$ par récurrence sur j. Pour le cas qui nous concerne, $i_1 = 1$, $i_2 = 2$, $i_3 = 4$, et en général, $i_j = 2^{j-1}$.

On notera par ailleurs que $T(n)$, le temps d'exécution de `MergeSort`, ne décroît sûrement pas lorsque n croît. Montrer que $T(n)$ vaut $O(n \log n)$ pour n égal à une puissance de 2 montre aussi que $T(n)$ est en $O(n \log n)$ pour tout n.

4. $T(n/2)$ pour l'appel récursif à `MergeSort` de la ligne (5)

5. $O(1) + O(n)$ pour l'affectation et l'appel à `merge` à la ligne (6)

Si l'on additionne ces termes, et que l'on élimine les $O(1)$ en faveur des $O(n)$ plus grands qui viennent des appels à `split` et `merge`, on obtient la borne supérieure $2T(n/2) + O(n)$ pour le temps dépensé par `MergeSort` dans le cas de récurrence. Nous avons donc la relation de récurrence :

LA BASE. $T(1) = O(1)$.

LA RÉCURRENCE. $T(n) = 2T(n/2) + O(n)$, où n est une puissance de 2 supérieure à 1.

Notre prochaine étape consiste à remplacer les expressions en grand O par des fonctions comportant des constantes concrètes. On remplace le $O(1)$ de la base par la constante a, et le $O(n)$ de l'étape de récurrence par bn, pour une certaine constante b. Notre relation de récurrence devient donc

LA BASE. $T(1) = a$.

LA RÉCURRENCE. $T(n) = 2T(n/2) + bn$, où n est une puissance de 2 supérieure à 1.

Cette récurrence est un peu plus compliquée que celles que nous avions étudiées jusqu'ici, mais on peut appliquer les mêmes techniques. Commençons par calculer les valeurs de $T(n)$ pour quelques n petits. La base nous dit que $T(1) = a$. Puis l'étape d'induction nous enseigne que

$$
\begin{aligned}
T(2) &= 2T(1) + 2b &&&= 2a + 2b \\
T(4) &= 2T(2) + 4b &&= 2(2a + 2b) + 4b &= 4a + 8b \\
T(8) &= 2T(4) + 8b &&= 2(4a + 8b) + 8b &= 8a + 24b \\
T(16) &= 2T(8) + 16b &&= 2(8a + 24b) + 16b &= 16a + 64b
\end{aligned}
$$

Il n'est peut-être pas évident de se représenter ce qui se passe. Manifestement le coefficient de a suit l'évolution de la valeur de n; c'est-à-dire que $T(n)$ vaut n fois a plus un certain nombre de fois b. Mais le coefficient de b croît plus vite que n'importe quel multiple de n. La relation entre n et le coefficient de b est résumée ici:

Valeur de n	2	4	8	16
Coefficient de b	2	8	24	64
Rapport	1	2	3	4

Le rapport est le coefficient de b divisé par la valeur de n. Il apparaît donc que le coefficient de b vaut n fois un facteur particulier, qui augmente de 1 chaque fois que n double. En particulier, on peut voir que ce rapport vaut $\log_2 n$, puisque $\log_2 2 = 1$, $\log_2 4 = 2$, $\log_2 8 = 3$, et $\log_2 16 = 4$. On peut donc raisonnablement supposer que la solution de notre relation de récurrence est $T(n) = an + bn \log_2 n$, au moins quand n est une puissance de 2. Nous verrons que cette formule est correcte.

Pour obtenir une solution à cette récurrence, suivons la même stratégie que dans les exemples précédents. On écrit la règle de récurrence avec l'argument m, ainsi:

$$T(m) = 2T(m/2) + bm, \text{ pour m puissance de 2 et } m > 1 \tag{3.4}$$

On part ensuite de $T(n)$ et on utilise (3.4) pour remplacer $T(n)$ par une expression faisant intervenir des valeurs plus petites de l'argument; dans ce cas, l'expression de remplacement fait intervenir $T(n/2)$. Autrement dit, on commence avec

$$T(n) = 2T(n/2) + bn \tag{3.5}$$

Puis, on se sert de (3.4), avec $n/2$ à la place de m, pour remplacer $T(n/2)$ dans (3.5). Autrement dit, (3.5) nous indique que $T(n/2) = 2T(n/4) + bn/2$, et on peut remplacer (3.5) par

$$T(n) = 2\big(2T(n/4) + bn/2\big) + bn = 4T(n/4) + 2bn$$

Ensuite, on peut remplacer $T(n/4)$ par $2T(n/8)+bn/4$; cela est rendu possible par (3.4) avec $n/4$ à la place de m. Ce qui nous donne

$$T(n) = 4\big(2T(n/8) + bn/4\big) + 2bn = 8T(n/8) + 3bn$$

L'assertion que nous devons démontrer par récurrence sur i est

ASSERTION $S(i)$: Si $1 \leq i \leq \log_2 n$, alors $T(n) = 2^i T(n/2^i) + ibn$.

LA BASE. Pour $i = 1$, $S(1)$ donne $T(n) = 2T(n/2) + bn$. Cette égalité est la règle de récurrence de la définition de $T(n)$, le temps d'exécution de la fusion et du tri, on sait donc que cette base est vraie.

LA RÉCURRENCE. Comme pour les récurrences similaires où l'hypothèse de récurrence est de la forme si-alors, l'étape inductive est vraie pour tout i hors de l'intervalle supposé; ici, $i \geq \log_2 n$ est le cas simple pour lequel on constate que $S(i+1)$ est vrai.

Pour la partie difficile, supposons $i < \log_2 n$. On suppose également vraie l'hypothèse $S(i)$, c'est-à-dire $T(n) = 2^i T(n/2^i) + ibn$. On remplace $n/2^i$ par m dans (3.4) pour obtenir

$$T(n/2^i) = 2T(n/2^{i+1}) + bn/2^i \tag{3.6}$$

On substitue le membre droit de (3.6) par le $T(n/2^i)$ de $S(i)$, pour obtenir

$$
\begin{aligned}
T(n) &= 2^i\big(2T(n/2^{i+1}) + bn/2^i\big) + ibn \\
&= 2^{i+1}T(n/2^{i+1}) + bn + ibn \\
&= 2^{i+1}T(n/2^{i+1}) + (i+1)bn
\end{aligned}
$$

La dernière égalité est l'assertion $S(i+1)$, et nous avons donc démontré l'étape d'induction.

On en conclut que l'égalité $S(i)$ — c'est-à-dire $T(n) = 2^iT(n/2^i)+ibn$ — est valable pour tout i compris entre 1 et $\log_2 n$. Considérons maintenant la formule $S(\log_2 n)$, c'est-à-dire

$$ T(n) = 2^{\log_2 n}T(n/2^{\log_2 n}) + (\log_2 n)bn $$

On sait que $2^{\log_2 n} = n$ (souvenez-vous de la définition selon laquelle $\log_2 n$ est la puissance à laquelle il faut élever 2 pour égaler n). On sait aussi que $n/2^{\log_2 n} = 1$. On peut donc écrire $S(\log_2 n)$ ainsi :

$$ T(n) = nT(1) + bn\log_2 n $$

D'autre part, $T(1) = a$, d'après la base de la définition de T. Donc,

$$ T(n) = an + bn\log_2 n $$

Après cette analyse, il faut remplacer les constantes a et b par des expressions en grand O. En d'autres termes, $T(n)$ vaut $O(n) + O(n\log n)$ [11]. Comme n croît plus lentement que $n\log n$, on peut négliger le terme en $O(n)$ et dire que $T(n)$ vaut $O(n\log n)$. Autrement dit, le tri par fusion est un algorithme de tri en $O(n\log n)$. Rappelez-vous que nous avions établi que le tri par sélection avait un coût en $O(n^2)$. Bien qu'en toute rigueur, $O(n^2)$ ne soit qu'une borne supérieure, elle est en fait la borne simple la plus approchée pour le tri par sélection. On peut donc être sûr que, quand n devient grand, le tri par fusion s'exécutera toujours plus vite que le tri par sélection. En pratique, le tri par fusion est plus rapide que le tri par sélection pour des n plus grands que quelques douzaines.

EXERCICES

3.10.1 : Dessinez des arbres, en vous inspirant de la figure 3.12, qui montrent la structure des fonctions

a) `split`

b) `mergesort`

Indiquez le temps d'exécution pour chaque nœud de ces arbres.

3.10.2 : * Définissez une procédure k-mergesort qui divise une liste en k morceaux, trie chacun des morceaux, et fusionne ensuite le résultat.

a) Quel est le temps d'exécution de k-mergesort en fonction de k ?

---

[11] Il faut se souvenir qu'à l'intérieur d'une expression en grand O, il est inutile de spécifier la base d'un logarithme, car les logarithmes de toutes les bases sont les mêmes, à un facteur constant près.

b) Pour quelle valeur de k l'algorithme est-il le plus rapide?

3.11   Résolution des relations de récurrence

Il existe de nombreuses techniques de résolution des relations de récurrence. Dans ce paragraphe, nous en étudierons deux. La première, que nous avons déjà vue, consiste à effectuer des substitutions répétées de la règle de récurrence à l'intérieur d'elle-même, jusqu'à obtenir une relation entre $T(n)$ et $T(1)$ ou — si 1 n'est pas la base — entre $T(n)$ et $T(i)$ pour un certain i pris en compte dans la base. La seconde méthode que nous introduirons consiste à imaginer une solution et à vérifier son bien-fondé en la substituant dans la base et la règle de récurrence.

Dans les paragraphes précédents, nous avions trouvé des solutions exactes pour $T(n)$. Cependant, comme $T(n)$ est en fait une borne supérieure en grand O du temps d'exécution réel, il suffit de trouver une borne supérieure approchée pour $T(n)$. Nous nous contenterons donc, en particulier pour l'approche « deviner-vérifier », d'une solution qui soit une borne supérieure de la vraie solution de la récurrence.

Résoudre des récurrences par substitutions répétées

La forme de récurrence la plus simple que nous ayons rencontrée en pratique est probablement celle incarnée par l'exemple 3.23, où nous avions à faire avec la récurrence

LA BASE. $T(1) = a$.

LA RÉCURRENCE. $T(n) = T(n-1) + b$, pour $n > 1$.

On peut légèrement généraliser cette forme si l'on autorise l'addition d'une fonction $g(n)$ à la place de la constante b dans l'induction. Cette forme peut s'écrire

LA BASE. $T(1) = a$.

LA RÉCURRENCE. $T(n) = T(n-1) + g(n)$, pour $n > 1$.

On se trouve en présence de cette forme chaque fois qu'une procédure récursive a un coût $g(n)$ et s'appelle ensuite elle-même avec un argument plus petit d'une unité que l'argument avec lequel elle a été appelée. On citera la fonction factorielle de l'exemple 3.23, la procédure `merge` du paragraphe 3.10, et le tri récursif par sélection du paragraphe 2.7. Pour les deux premières, $g(n)$ est une constante, et pour la troisième, elle est linéaire en n. La procédure `split` du paragraphe 3.10 est le plus souvent de cette forme : elle s'appelle elle-même avec un argument dont la taille est divisée par 2. On verra que cette différence importe peu.

Résolvons cette récurrence par substitutions répétées. Comme dans l'exemple 3.23, on commence par écrire la règle de récurrence avec l'argument m, ainsi : $T(m) = T(m-1) + g(m)$, et on procède ensuite par substitutions répétées de T dans le membre droit de la règle de récurrence initiale. Ce faisant, on obtient la séquence d'expressions

$$
\begin{aligned}
T(n) &= T(n-1) + g(n) \\
&= T(n-2) + g(n-1) + g(n) \\
&= T(n-3) + g(n-2) + g(n-1) + g(n) \\
&\cdots \\
&= T(n-i) + g(n-i+1) + g(n-i+2) + \cdots + g(n-1) + g(n)
\end{aligned}
$$

En utilisant la technique de l'exemple 3.23, on peut prouver par récurrence sur i, pour $i = 1, 2, \ldots, n-1$, que

$$
T(n) = T(n-i) + \sum_{j=0}^{i-1} g(n-j)
$$

On souhaite prendre i tel que $T(n-i)$ soit justifié par la base ; on prend $i = n-1$. Comme $T(1) = a$, on a $T(n) = a + \sum_{j=0}^{n-2} g(n-j)$. Autrement dit, $T(n)$ vaut a plus la somme de toutes les valeurs de g de 2 à n, soit $a + g(2) + g(3) + \cdots + g(n)$. A moins que tous les $g(j)$ aient la valeur 0, le terme a sera négligeable lorsqu'on convertira cette expression en expression grand O, et on se contentera généralement de la somme des $g(j)$.

✦ **Exemple 3.24.** Considérons la procédure de tri récursif par sélection de la figure 2.11, dont nous reproduisons le corps dans la figure 3.26. Si l'on appelle $T(m)$ le temps d'exécution de la procédure `SelectionSort` quand on lui fournit un tableau de m éléments à trier (c'est-à-dire quand la valeur de son argument i est $n-m+1$), on peut développer une relation de récurrence pour $T(m)$ de la manière suivante. Premièrement, le cas de base est $m = 1$. Ici, seule la ligne (1) est exécutée, qui coûte $O(1)$.

```
(1)        if i < n then begin
(2)            small := i;
(3)            for j := i+1 to n do
(4)                if A[j] < A[small] then
(5)            small := j;
(6)            temp := A[small];
(7)            A[small] := A[i];
(8)            A[i] := temp;
(9)            SelectionSort(i+1)
           end
```

Figure 3.26 : Tri récursif par sélection.

Pour le cas inductif, $m > 1$, on exécute le test de la ligne (1) et les affectations des lignes (2), (6), (7), et (8), qui ont toutes un coût en $O(1)$. La boucle `for` des lignes (3) à (5) coûte $O(n-i)$, ou $O(m)$, d'après notre étude du programme de tri itératif par sélection à l'exemple 3.16. Pour s'en persuader à nouveau, on remarquera que le corps, les lignes (4) et (5), a un coût en $O(1)$, et que cette boucle est empruntée $m-1$ fois. Le temps de la boucle `for` domine donc celui des lignes (1) à (8), et on peut écrire $T(m)$, le temps de la procédure toute entière, sous la forme $T(m-1)+O(m)$. Le second terme, $O(m)$, prend en compte les lignes (1) à (8), et le terme $T(m-1)$ est le temps dépensé par la ligne (9), l'appel récursif. Si l'on remplace les facteurs constants cachés à l'intérieur des expressions en grand O, on obtient la relation de récurrence

LA BASE. $T(1) = a$.

LA RÉCURRENCE. $T(m) = T(m-1) + bm$, pour $m > 1$.

Cette récurrence est de la forme que nous avons étudiée, avec $g(m) = bm$. Autrement dit, la solution est

$$
\begin{aligned}
T(m) &= a + \sum_{j=0}^{m-1} b(m-j) \\
&= a + b + 2b + 3b + \cdots + mb \\
&= a + bm(m+1)/2
\end{aligned}
$$

Donc, $T(m)$ vaut $O(m^2)$. Comme ce qui nous intéresse est le temps d'exécution de la procédure `SelectionSort` sur le tableau de longueur n tout entier, autrement dit, lorsqu'on l'appelle avec $i = 1$, nous avons besoin de l'expression de $T(n)$ et on trouve qu'elle vaut $O(n^2)$. La version récursive du tri par sélection est donc quadratique, comme la version itérative. ✦

Une autre forme de récurrence fréquemment rencontrée généralise la récurrence que nous avions établie pour `MergeSort` au paragraphe précédent :

LA BASE. $T(1) = a$.

LA RÉCURRENCE. $T(n) = 2T(n/2) + g(n)$, pour n puissance de 2 supérieure à 1.

C'est la récurrence d'un algorithme récursif qui résoud un problème de taille n en le subdivisant en deux sous-problèmes, chacun de taille $n/2$. Ici, $g(n)$ est la quantité de temps dépensé pour créer le sous-problème et combiner les solutions. Par exemple, `MergeSort` divise un problème de taille n en deux problèmes de taille $n/2$. La fonction $g(n)$ vaut bn pour une certaine constante b, puisque le coût de `MergeSort`, sans compter les appels récursifs à lui-même, est $O(n)$, principalement à cause des algorithmes `split` et `merge`.

Pour résoudre cette récurrence, on substitue T dans le membre droit. Nous supposons ici que $n = 2^k$ pour un k donné. L'équation récursive peut être écrite avec l'argument m de cette manière : $T(m) = 2T(m/2) + g(m)$. Si l'on substitue $n/2^i$ à m, on obtient

$$
T(n/2^i) = 2T(n/2^{i+1}) + g(n/2^i) \tag{3.7}
$$

Si l'on part de la règle d'induction et qu'on avance en substituant T à l'aide de (3.7) en augmentant progressivement les valeurs de i, on trouve

$$
\begin{aligned}
T(n) &= 2T(n/2) + g(n) \\
&= 2\big(2T(n/2^2) + g(n/2)\big) + g(n) \\
&= 2^2 T(n/2^2) + 2g(n/2) + g(n) \\
&= 2^2\big(2T(n/2^3) + g(n/2^2)\big) + 2g(n/2) + g(n) \\
&= 2^3 T(n/2^3) + 2^2 g(n/2^2) + 2g(n/2) + g(n) \\
&\quad \cdots \\
&= 2^i T(n/2^i) + \sum_{j=0}^{i-1} 2^j g(n/2^j)
\end{aligned}
$$

Si $n = 2^k$, on sait que $T(n/2^k) = T(1) = a$. Donc, si $i = k$, c'est-à-dire si $i = \log_2 n$, on obtient la solution

$$
T(n) = an + \sum_{j=0}^{(\log_2 n)-1} 2^j g(n/2^j) \tag{3.8}
$$

pour notre récurrence.

Intuitivement, le premier terme de (3.8) représente la contribution de la valeur de base a. Autrement dit, il existe n appels à la procédure récursive avec un argument de taille 1. La sommation est la contribution de la récursivité, et elle représente le travail effectué par tous les appels dont la taille d'argument est supérieure à 1.

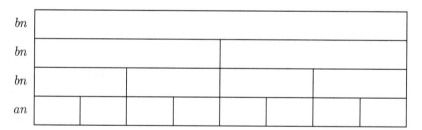

Figure 3.27 : Le temps dépensé par les appels à `mergesort`.

La figure 3.27 suggère le cumul du temps pendant l'exécution de `MergeSort`. Elle représente le temps nécessaire au tri de huit éléments. La première rangée représente le travail de l'appel le plus externe, qui met en jeux huit éléments ; la deuxième rangée montre le travail effectué par les deux appels portant chacun sur quatre éléments ; et la troisième rangée donne les quatre appels portant chacun sur deux éléments. Enfin, la rangée du bas représente les huit appels à `MergeSort` avec des listes de longueur un. En général, si la liste initiale contient n éléments non triés, il y aura $\log_2 n$ niveaux pour lesquels un travail bn sera effectué par les appels à `MergeSort` qui génèrent d'autres appels. Le temps cumulé de tous ces appels est donc $bn \log_2 n$. Il y aura un niveau pour lequel des appels seront faits sans provoquer d'appels ultérieurs, et an est le total de temps dépensé par ces appels. On remarquera que les $\log_2 n$ premiers niveaux représentent les termes de sommation de (3.8) et que le niveau le plus bas représente le terme an.

✦ **Exemple 3.25.** Dans le cas de `MergeSort`, la fonction $g(n)$ vaut bn pour une certaine constante b. La solution de (3.8) avec ces paramètres vaut donc

$$
\begin{aligned}
T(n) &= an + \sum_{j=0}^{(\log_2 n)-1} 2^j bn/2^j \\
&= an + bn \sum_{j=0}^{(\log_2 n)-1} 1 \\
&= an + bn \log n
\end{aligned}
$$

La dernière égalité vient du fait qu'il existe $\log_2 n$ termes dans la somme, et que chaque terme vaut 1. Lorsque $g(n)$ est linéaire, la solution de (3.8) est donc $O(n \log n)$. ✦

Résolution de récurrence par présomption

Une autre approche utile de la résolution de récurrence consiste à imaginer une solution $f(n)$ et à utiliser ensuite la récurrence pour montrer que $T(n) \leq f(n)$. Il est possible que cette méthode ne fournisse pas la valeur exacte de $T(n)$, mais si elle donne une borne supérieure, nous sommes satisfaits. On se contente souvent de faire des présomptions sur la forme fonctionnelle de $f(n)$, en omettant de spécifier certains paramètres ; par exemple, on pourra imaginer que $f(n) = an^b$, pour un certain a et un certain b. Les valeurs des paramètres peuvent être forcées, puisqu'on essaie de prouver $T(n) \leq f(n)$ pour tout n.

Bien que l'on puisse trouver bizarre de pouvoir imaginer des solutions avec précision, on peut fréquemment trouver le terme d'ordre supérieur en regardant les valeurs de $T(n)$ pour quelques petites valeurs de n. On ajoute ensuite quelques termes d'ordre inférieur, pour voir si leurs coefficients ne sont pas nuls [12].

✦ **Exemple 3.26.** Examinons à nouveau la relation de récurrence de `MergeSort` établie au paragraphe précédent, que nous avions écrite ainsi :

LA BASE. $T(1) = a$.

LA RÉCURRENCE. $T(n) = 2T(n/2) + bn$, pour n puissance de 2 supérieure à 1.

Nous allons présumer que $f(n) = cn \log_2 n + d$ est une borne supérieure de $T(n)$ pour certaines constantes c et d. N'oubliez pas que cette forme n'est pas exactement la bonne ; dans l'exemple précédent nous avions trouvé une solution qui comportait un terme en $O(n \log n)$ et un $O(n)$ au lieu d'un terme constant. Pourtant, cette présomption est assez bonne pour démontrer que $O(n \log n)$ est une borne supérieure de $T(n)$.

---

[12] Si cela peut rassurer, signalons que la théorie des équations différentielles, qui ressemble à beaucoup d'égards à celle des équations de récurrence, s'appuie également sur des solutions connues de quelques équations de formes fréquemment rencontrées, puis sur des présomptions éclairées, pour résoudre d'autres équations.

Manipulation des inégalités

Dans l'exemple 3.26, nous établissons une inégalité, $T(n) \leq cn \log_2 n + d$, à partir d'une autre, $T(n) \leq cn \log_2 n + (b-c)n + 2d$, et nous le faisons en trouvant un « excédent » qui devra valoir au plus 0. Le principe général est que lorsqu'on a une inégalité $A \leq B + E$, et que l'on souhaite montrer que $A \leq B$, il est suffisant de montrer que $E \leq 0$. Dans l'exemple 3.26, A vaut $T(n)$, B vaut $cn \log_2 n + d$, et E, l'excédent, vaut $(b-c)n + d$.

Nous nous servirons d'une récurrence complète sur n pour prouver ce qui suit, pour certaines constantes c et d :

ASSERTION $S(n)$: Si n est une puissance de 2 et $n \geq 1$, alors $T(n) \leq f(n)$, où $f(n)$ est la fonction $cn \log_2 n + d$.

LA BASE. Si $n = 1$, $T(1) \leq f(1)$ a donné $a \leq d$. En effet, le terme $cn \log_2 n$ de $f(n)$ vaut 0 quand $n = 1$, d'où $f(1) = d$, et on sait que $T(1) = a$.

LA RÉCURRENCE. Supposons $S(i)$ pour tout $i < n$, et démontrons $S(n)$ pour un certain $n > 1$ [13]. Si n n'est pas une puissance de 2, il n'y a rien à prouver, puisque la partie « si » de l'hypothèse « si-alors » $S(n)$ n'est pas vraie. Considérons donc le cas difficile, où n est une puissance de 2. On pourra supposer $S(n/2)$, c'est-à-dire

$$T(n/2) \leq (cn/2) \log_2(n/2) + d$$

parce qu'elle fait partie de l'hypothèse d'induction. Pour l'étape d'induction, il nous faut montrer que

$$T(n) \leq f(n) = cn \log_2 n + d$$

Lorsque $n \geq 2$, la partie inductive de la définition de $T(n)$ nous dit que

$$T(n) \leq 2T(n/2) + bn$$

A l'aide de l'hypothèse de récurrence sur la borne $T(n/2)$, on a

$$T(n) \leq 2[c(n/2) \log_2(n/2) + d] + bn$$

Comme $\log_2(n/2) = \log_2 n - \log_2 2 = \log_2 n - 1$, on peut simplifier cette expression en

$$T(n) \leq cn \log_2 n + (b-c)n + 2d \qquad (3.9)$$

On montre maintenant que $T(n) \leq cn \log_2 n + d$, sachant que la différence entre $cn \log_2 n + d$ et le membre droit de (3.9) vaut au plus 0 ; c'est-à-dire $(b-c)n + d \leq 0$. Comme $n > 1$, cette inégalité est vraie pour $d \geq 0$ et $b - c \leq -d$.

Nous avons maintenant trois contraintes à respecter pour que $f(n) = cn \log n + d$ soit une borne supérieure pour $T(n)$:

---

[13] Lors de récurrences plus complètes, on suppose $S(i)$ pour i inférieur ou égal à n et on démontre $S(n+1)$. Dans ce cas la notation fait qu'il est plus simple de démontrer $S(n)$ à partir de $S(i)$, $i < n$, ce qui revient au même.

1. la contrainte $a \leq d$ vient de la base.

2. $d \geq 0$ vient de la partie inductive, mais comme on sait que $a > 0$, cette inégalité est englobée par (1).

3. $b - c \leq -d$, ou $c \geq b + d$, vient aussi de la partie inductive.

Ces contraintes seront manifestement satisfaites si l'on prend $d = a$ et $c = a + b$. Nous avons donc démontré par récurrence sur n que pour tout $n \geq 1$ et puissance de 2,

$$T(n) \leq (a + b)n \log_2 n + a$$

Cet argument montre que $T(n)$ est en $O(n \log n)$, c'est-à-dire que $T(n)$ n'augmente pas plus vite que $n \log n$. Cependant, la borne $(a+b)n \log_2 n + a$ que nous avons obtenue est légèrement plus grande que la réponse exacte que nous avions trouvée à l'exemple 3.25, qui était $bn \log_2 n + an$. Au moins nous avons réussi à obtenir une borne. Si nous avions fait la supposition plus simple que $f(n) = cn \log_2 n$, nous aurions échoué, car il n'existe pas de valeur de c pour laquelle $f(1) \geq a$. En effet, $c \times 1 \times \log_2 1 = 0$, et donc $f(1) = 0$. Si $a > 0$, on ne peut évidemment pas avoir $f(1) \geq a$. ◆

◆ **Exemple 3.27.** Considérons à présent la relation de récurrence que nous étudierons plus tard dans ce livre :

LA BASE. $G(1) = 3$.

LA RÉCURRENCE. $G(n) = (2^{n/2} + 1)G(n/2)$, pour $n > 1$.

Cette récurrence utilise de vrais nombres, comme 3, et non des constantes symboliques comme a. Au chapitre 13, nous utiliserons ce genre de récurrence pour compter le nombre de voies d'un circuit, et les voies peuvent être comptées de manière exacte, sans qu'il soit nécessaire de recourir à la notation grand O pour cacher des facteurs constants impossibles à connaître.

Si nous réfléchissons à une solution qui utiliserait des substitutions répétées, on voit que nous aurions besoin de faire $\log_2 n - 1$ substitutions avant que $G(n)$ ne soit exprimé en fonction de $G(1)$. Pendant que nous faisons les substitutions, on génère les facteurs

$$(2^{n/2} + 1)(2^{n/4} + 1)(2^{n/8} + 1) \cdots (2^1 + 1)$$

Si nous négligeons le terme « +1 » de chaque facteur, on obtient approximativement le produit $2^{n/2} 2^{n/4} 2^{n/8} \cdots 2^1$, qui vaut

$$2^{n/2 + n/4 + n/8 + \cdots + 1}$$

ou 2^{n-1} si l'on somme les séries géométriques de l'exposant. Cela représente la moitié de 2^n, et on pourrait donc supposer que 2^n est un terme de la solution $G(n)$. Pourtant, si on suppose que $f(n) = c2^n$ est une borne supérieure de $G(n)$, on échouera, comme le lecteur pourra le vérifier. Autrement dit, on obtient deux inégalités mettant en jeu c, et qui n'ont pas de solution.

Nous allons donc maintenant supposer que la forme plus simple, $f(n) = c2^n + d$, est solution, et là, nous aurons raison. Autrement dit, on peut prouver l'assertion suivante par récurrence complète sur n, pour certaines constantes c et d :

ASSERTION $S(n)$: Si n est une puissance de 2 et que $n \geq 1$, alors $G(n) \leq c2^n + d$.

Résumé des solutions

Dans le tableau ci-dessous, nous reproduisons les solutions de certaines des relations de récurrence les plus fréquentes, y compris quelques-unes que nous n'avons pas abordées dans ce paragraphe. Pour chaque cas, on suppose que l'équation de base est $T(1) = a$ et que $k \geq 0$.

EQUATION INDUCTIVE	$T(n)$
$T(n) = T(n-1) + bn^k$	$O(n^{k+1})$
$T(n) = cT(n-1) + bn^k$, pour $c > 1$	$O(c^n)$
$T(n) = cT(n/d) + bn^k$, pour $c > d^k$	$O(n^{\log_d c})$
$T(n) = cT(n/d) + bn^k$, pour $c < d^k$	$O(n^k)$
$T(n) = cT(n/d) + bn^k$, pour $c = d^k$	$O(n^k \log n)$

Toutes les équations ci-dessus restent valables si bn^k est remplacé par un polynôme de degré k quelconque.

LA BASE. Si $n = 1$, il faut montrer que $G(1) \leq c2^1 + d$, c'est-à-dire que $3 \leq 2c + d$. Cette inégalité devient l'une des contraintes sur c et d.

LA RÉCURRENCE. Comme dans l'exemple 3.26, la seule difficulté survient quand n est une puissance de 2 et qu'il faut prouver $S(n)$ à partir de $S(n/2)$. L'équation dans ce cas est

$$G(n/2) \leq c2^{n/2} + d$$

On doit démontrer $S(n)$, qui vaut $G(n) \leq c2^n + d$. On part de la définition inductive de G,

$$G(n) = (2^{n/2} + 1)G(n/2)$$

et on substitue notre borne supérieure pour $G(n/2)$, ce qui transforme cette expression en

$$G(n) \leq (2^{n/2} + 1)(c2^{n/2} + d)$$

En simplifiant, on obtient

$$G(n) \leq c2^n + (c + d)2^{n/2} + d$$

Ce qui nous donne la borne supérieure souhaitée, $c2^n + d$, pour $G(n)$, sachant que l'excédent à droite, $(c + d)2^{n/2}$, ne vaut jamais plus de 0. Il suffit donc que $c + d \leq 0$.

Il faut choisir c et d pour satisfaire les deux inégalités

1. $2c + d \geq 3$, à partir de la base, et

2. $c + d \leq 0$, à partir de l'induction.

Par exemple, ces inégalités sont satisfaites si $c = 3$ et $d = -3$. On sait que $G(n) \leq 3(2^n - 1)$. $G(n)$ croît donc de façon exponentielle avec n. Il s'avère que cette fonction est la solution exacte, c'est-à-dire que $G(n) = 3(2^n - 1)$, comme le lecteur pourra le démontrer par récurrence sur n. ✦

EXERCICES

3.11.1 : Soit $T(n)$ une fonction définie par la récurrence

$$T(n) = T(n-1) + g(n), \text{ pour } n > 1$$

Démontrez par récurrence sur i que si $1 \le i < n$, alors

$$T(n) = T(n-i) + \sum_{j=0}^{i-1} g(n-j)$$

3.11.2 : Supposons que nous ayons une récurrence de la forme

$$T(1) = a$$
$$T(n) = T(n-1) + g(n), \text{ pour } n > 1$$

Donnez des bornes supérieures approchées en grand O de la solution, si $g(n)$ vaut

a) n^2

b) $n^2 + 3n$

c) $n^{3/2}$

d) $n \log n$

e) 2^n

3.11.3 : Supposons que l'on ait une récurrence de la forme

$$T(1) = a$$
$$T(n) = T(n/2) + g(n), \text{ pour } n \text{ puissance de 2 et } n > 1$$

Donnez des bornes supérieures approchées en grand O de la solution, si $g(n)$ vaut

a) n^2

b) $2n$

c) 10

d) $n \log n$

e) 2^n

3.11.4 : * Supposez que chacune des fonctions suivantes soit solution de la récurrence

$$T(1) = a$$
$$T(n) = 2T(n/2) + bn, \text{ pour } n \text{ puissance de 2 et } n > 1$$

a) $cn \log_2 n + dn + e$

b) $cn + d$

c) cn^2

Quelles sont les contraintes qui portent sur les constantes inconnues c, d, et e? Pour lesquelles de ces formes existe-t-il une borne supérieure $T(n)$?

3.11.5 : Montrez que si l'on suppose $G(n) \leq c2^n$ pour la récurrence de l'exemple 3.27, la recherche de la solution est un échec.

3.11.6 : * Montrez que si

$$T(1) = a$$
$$T(n) = T(n-1) + n^k, \text{ pour } n > 1$$

alors $T(n)$ vaut $O(n^{k+1})$. Vous pourrez supposer que $k \geq 0$. Montrez aussi que c'est la borne supérieure simple la plus approchée en grand O, c'est-à-dire que $T(n)$ n'est pas en $O(n^m)$ si $m < k + 1$. *Une indication* : Développez $T(n)$ en termes $T(n - i)$, pour $i = 1, 2, \ldots$, de manière à obtenir la borne supérieure. Pour la borne inférieure, montrez que $T(n)$ vaut au moins cn^{k+1} pour un $c > 0$ particulier.

3.11.7 : ** Montrez que si

$$T(1) = a$$
$$T(n) = cT(n-1) + p(n), \text{ pour } n > 1$$

où $p(n)$ est un polynôme quelconque en n et $c > 1$, alors $T(n)$ vaut $O(c^n)$. Montrez que c'est la borne supérieure simple en grand O la plus approchée, c'est-à-dire que $T(n)$ ne vaut pas $O(d^n)$ si $d < c$.

3.11.8 : ** Considérons la récurrence

$$T(1) = a$$
$$T(n) = cT(n/d) + bn^k, \text{ pour } n \text{ puissance de } d$$

Développez itérativement $T(n)$ en termes $T(n/d^i)$ pour $i = 1, 2, \ldots$. Montrez que

a) Si $c > d^k$, alors $T(n)$ vaut $O(n^{\log_d c})$.
b) Si $c = d^k$, alors $T(n)$ vaut $O(n^k \log n)$.
c) Si $c < d^k$, alors $T(n)$ vaut $O(n^k)$.

3.11.9 : Résolvez les récurrences suivantes, avec pour chacune $T(1) = a$:

a) $T(n) = 3T(n/2) + n^2$, pour n puissance de 2 et $n > 1$
b) $T(n) = 10T(n/3) + n^2$, pour n puissance de 3 et $n > 1$
c) $T(n) = 16T(n/4) + n^2$, pour n puissance de 4 et $n > 1$

Vous pourrez utiliser les solutions de l'exercice 3.11.8.

3.11.10 : Résolvez la récurrence

$$T(1) = 1$$
$$T(n) = 3^n T(n/2), \text{ pour } n \text{ puissance de } 2 \text{ et } n > 1$$

3.11.11 : La *récurrence de Fibonacci* est définie ainsi : $F(0) = F(1) = 1$, et

$$F(n) = F(n-1) + F(n-2), \text{ pour } n > 1$$

Les valeurs $F(0), F(1), F(2), \ldots$ forment la suite de Fibonacci, dans laquelle chaque nombre au-delà des deux premiers est la somme des deux nombres précédents. (Voir l'exercice 3.9.4). Soit $r = (1 + \sqrt{5})/2$. Cette constante r s'appelle le **nombre d'or** et vaut environ 1,62. Montrez que $F(n)$ est en $O(r^n)$. *Une indication*: Pour la récurrence, il est utile de supposer que $F(n) \leq ar^n$ pour un certain n, et d'essayer de démontrer cette inégalité à l'aide d'une récurrence sur n. La base doit prendre en compte les deux valeurs $n = 0$ et $n = 1$. Pour l'étape inductive, il est utile de remarquer que r satisfait à l'équation $r^2 = r + 1$.

3.12   Résumé du chapitre 3

Voici les concepts importants abordés au chapitre 3.

✦   De nombreux facteurs interviennent dans le choix d'un algorithme pour un programme, mais la simplicité, la facilité d'implémentation, et l'efficacité, sont souvent dominantes.

✦   Les expressions en grand O offrent une notation pratique pour les bornes supérieures des temps d'exécution des programmes.

✦   Il existe des règles récursives d'évaluation du temps d'exécution de diverses instructions complexes du Pascal, comme les boucles `for` et les conditions, en fonction du temps d'exécution de leurs composants.

✦   On peut évaluer le temps d'exécution d'une procédure en dessinant un arbre qui représente la structure imbriquée des instructions, et en évaluant le temps d'exécution des différentes parties, lors d'un parcours du bas vers le haut.

✦   Les relations de récurrence sont un moyen naturel de modéliser le temps d'exécution des programmes récursifs.

✦   On peut résoudre des équations de récurrence soit par substitutions répétées, soit en imaginant une solution et en vérifiant que notre supposition est correcte.

Diviser-pour-régner est une technique de conception d'algorithmes importante, qui permet de partitionner un problème en sous-problèmes, puis de combiner leurs solutions pour arriver à la solution du problème complet. Plusieurs formules peuvent être employées pour évaluer le temps d'exécution de l'algorithme résultant :

✦   Une procédure qui prend un temps n^k avant de s'appeler elle-même sur un sous-problème de taille $n - 1$, a un coût en $O(n^{k+1})$. Le cas où $k = 0$ est fréquent.

✦   Si une procédure s'appelle elle-même deux fois mais que la récursivité se poursuit sur $\log_2 n$ niveaux (comme pour le tri par fusion), alors le temps d'exécution total est $O(n \log n)$ fois le travail effectué à chaque appel, plus $O(n)$ fois le travail effectué pour la base.

✦   Si une procédure s'appelle elle-même deux fois, et que la récursivité se poursuit sur n niveaux (comme dans le programme $\binom{n}{m}$ de l'exercice 2.7.10), alors le temps d'exécution est exponentiel en n.

3.13   Notes bibliographique du chapitre 3

L'étude du temps d'exécution et de la complexité informatique des problèmes a été défrichée par Hartmanis et Stearns [1965]. Le livre de Knuth [1968] fut le premier à considérer l'étude du temps d'exécution des algorithmes comme un ingrédient essentiel de l'informatique.

Depuis ce temps, une théorie étoffée de la complexité des problèmes s'est développée. Beaucoup des idées principales sont trouvées dans Aho, Hopcroft, et Ullman [1974,1983].

Dans ce chapitre, nous nous sommes concentrés sur les bornes supérieures des temps d'exécution des programmes. Knuth [1976] décrit des notations analogues pour les bornes inférieures et les bornes exactes des temps d'exécution.

Pour une étude plus approfondie de la technique diviser-pour-régner au service de la conception d'algorithmes, voir Aho, Hopcroft, et Ullman [1974] ou Borodin et Munro [1975]. Des informations supplémentaires sur les techniques de résolution des équations de récurrence peuvent être trouvées dans Graham, Knuth, et Patashnik [1989].

Aho, A. V., J. E. Hopcroft, et J. D. Ullman [1974]. *The Design and Analysis of Computer Algorithms*, Addison Wesley, Reading, Mass.

Aho, A. V., J. E. Hopcroft, et J. D. Ullman [1987]. *Structures de données et algorithmes*, InterEditions, Paris.

Borodin, A. B., et I. Munro [1975]. *The Computational Complexity of Algebraic and Numeric Problems*, American Elsevier, New York.

Graham, R. L., D. E. Knuth, et O. Patashnik [1989]. *Concrete Mathematics: a Foundation for Computer Science*, Addison Wesley, Reading, Mass.

Hartmanis, J. et R. E. Stearns [1965]. «On the computational complexity of algorithms», *Trans. AMS* **117**, pp. 285–306.

Knuth, D. E. [1968]. *The Art of Computer Programming* Vol. I: *Fundamental Algorithms*, Addison Wesley, Reading, Mass.

Knuth, D. E. [1976]. «Big omicron, big omega, and big theta», *ACM SIGACT News* **8**:2, pp. 18–23.

CHAPITRE 4

Modèles de données
d'un ordinateur

Dans ce chapitre, nous nous intéresserons à un ordinateur classique, dont nous examinerons l'architecture tant au niveau matériel que logiciel. Nous verrons qu'un ordinateur et ses logiciels associés peuvent être observés à différents niveaux d'abstraction ; nous commencerons par les circuits qui le constituent, pour ensuite aller du langage machine au système d'exploitation, aux langages de programmation et jusqu'aux modules applicatifs qui s'exécutent sur la machine. A chaque niveau, on associera des types de données caractéristiques ainsi que des opérations sur ces types.

Au cours de notre examen de l'architecture d'un ordinateur, nous découvrirons des réponses à deux énigmes : la raison d'être du modèle de données de Pascal et la justification des temps d'exécution des instructions Pascal. Nous verrons que les types élémentaires de Pascal ressemblent aux types élémentaires d'un ordinateur classique lorsque ce dernier est vu depuis le langage machine. De même, les constructeurs de types — tableaux, enregistrements et pointeurs — sont liés aux caractéristiques élémentaires de l'ordinateur classique. Dans le chapitre 3, nous avions émis des hypothèses au sujet du temps nécessaire à l'exécution des instructions Pascal. Ces hypothèses seront justifiées lorsque nous étudierons la traduction des instructions Pascal en séquences d'instructions du langage machine.

4.1   Le propos de ce chapitre

Nous commençons au paragraphe 4.2 par un survol d'une hiérarchie d'abstractions appelées « machines virtuelles ». Nous développons ensuite les points suivants.

✦   L'architecture d'ensemble d'un ordinateur : l'unité centrale de traitement, les mémoires principale et secondaire, l'unité logique et arithmétique, et les capacités de communication entre ces unités (paragraphe 4.3).

✦   La mémoire principale et son organisation (paragraphe 4.4).

✦ Le fonctionnement des périphériques de stockage — disque magnétique et disque optique — (paragraphe 4.5).

✦ Le fonctionnement des bandes magnétiques (paragraphe 4.5).

✦ Les instructions machines et leur exécution (paragraphe 4.6).

✦ Le langage assembleur et des instructions machines classiques (paragraphes 4.6 et 4.7).

✦ Le rapport entre le modèle de données de Pascal et le modèle de données d'un ordinateur classique (paragraphes 4.8 à 4.10).

✦ La représentation des nombres dans un ordinateur et l'application des opérations arithmétiques à leurs formes codées (paragraphes 4.11 et 4.12).

✦ La représentation des fichiers dans un ordinateur (paragraphe 4.13).

4.2   La hiérarchie des abstractions dans un ordinateur

Un ordinateur et ses logiciels présentent une hiérarchie d'abstractions appelées des **machines virtuelles**. La figure 4.1 montre les principales abstractions de cette hiérarchie. Chaque niveau, excepté le plus bas, est implémenté par une traduction ou une interprétation de ses instructions en utilisant les instructions ou facilités offertes par les niveaux inférieurs. Dans ce chapitre, les termes *abstraction* et *niveau* sont utilisés comme des synonymes de « machine virtuelle ».

NIVEAU	ABSTRACTION
6	Programmes applicatifs
5	Langage de programmation
4	Langage assembleur
3	Noyau du système d'exploitation
2	Langage machine
1	Microprogramme
0	Logique numérique

Figure 4.1 : Niveaux d'abstraction présentés par un ordinateur et ses logiciels.

Le niveau inférieur, la **logique numérique**, est une abstraction des circuits électroniques d'un ordinateur. La logique numérique est implémentée par des circuits, appelés des *portes*, qui acceptent une ou plusieurs entrées numériques (habituellement représentées par des 0 et des 1) et qui produisent en sortie une fonction logique de ses entrées (comme ET ou OU). Les portes, que nous avons brièvement évoquées au paragraphe 1.3, sont faites de transistors et d'autres composants électroniques. Nous étudierons les portes et les circuits logiques au chapitre 13.

Evolution historique des ordinateurs

Le premier ordinateur à usage général fut un calculateur mécanique conçu par le mathématicien anglais Charles Babbage (1792–1871). Cette machine avait la forme élémentaire de l'ordinateur moderne avec une unité de traitement, une mémoire, un périphérique d'entrée et un périphérique de sortie. En 1940, George Stibbitz construisait un calculateur mécanique opérationnel au Collège de Dartmouth et en 1944, Howard Aiken réalisait un calculateur électromécanique à Harvard.

Après la deuxième guerre mondiale, apparaissaient les ordinateurs à lampes. Les plus gros constructeurs d'ordinateurs à cette époque étaient Eckert et Mauchley, avec leurs ENIAC (Electronical Numerical Integrator and Computer) et EDVAC (Electronical Discrete Variable Automatic Computer), Wilkes avec son EDSAC ainsi que von Neumann et Goldstine avec leur machine IAS à l'Institut d'Etude Avancée de Princeton. La conception de base de ces premiers ordinateurs est devenue connue sous le nom de *machine de von Neumann* et son architecture est toujours présente dans les ordinateurs d'aujourd'hui. Une machine de von Neumann a cinq parties : une unité arithmétique et logique, une mémoire, une unité de contrôle de programme, une unité d'entrée et une unité de sortie.

Les génération suivantes d'ordinateurs utilisèrent les transistors et les circuits intégrés. Dans les années 80, la technologie connue sous le nom de VLSI (Very Large Scale Integration) permit de placer un grand nombre de transistors sur une simple puce électronique. La technologie engendra le développement des ordinateurs individuels très connus et les ordinateurs très performants avec un ensemble réduit d'instructions (RISC) des années 90.

Le niveau 1, celui des **microprogrammes**, est le premier niveau de langage. Les ordinateurs ne possèdent pas tous ce niveau, mais pour ceux qui l'ont, c'est une séquence d'étapes utilisées pour réaliser les instructions de niveau 2 du **langage machine**. Une instruction de langage machine de niveau 2 peut, par exemple, ajouter deux nombres, déplacer des données d'un emplacement vers un autre, ou déterminer si un nombre est égal à zéro. Des instructions élémentaires comme celles-ci sont suffisantes pour exécuter n'importe quel programme ou application à des niveaux plus élevés.

Le niveau 3 représente le **noyau du système d'exploitation**. Les facilités de ce niveau permettent d'ordonnancer et allouer les ressources d'un ordinateur aux différents programmes s'exécutant sur la machine. MS-DOS, UNIX, l'« environnement » Macintosh et « Microsoft Windows » sont quelques systèmes d'exploitation répandus. Le noyau du système d'exploitation peut être programmé dans un langage de haut-niveau qui a été traduit en langage machine. Souvent, le système d'exploitation complet inclut davantage qu'un noyau ; il contient aussi divers programmes applicatifs (niveau 6) qui permettent à l'utilisateur d'éditer des fichiers, de gérer des fenêtres, etc.

Le niveau 4, le **langage d'assemblage**, est une représentation symbolique des instructions rencontrées aux niveaux inférieurs. Un programme en langage d'assemblage est converti en instructions du niveau inférieur par un traducteur appelé un *assembleur*.

Le niveau 5 représente les **langages de haut niveau** grâce auxquels les programmeurs d'applications peuvent résoudre les problèmes plus facilement qu'avec le langage d'assemblage. Quelques uns des langages de niveau 5 les plus couramment utilisés sont le Basic, le C, le Cobol, le Fortran, le Lisp et le Pascal, bien qu'il existe des milliers de langages de haut-niveau disponibles sur les ordinateurs modernes. Un programme qui traduit un langage de niveau 5 en niveaux inférieurs est appelé un *compilateur*.

Les applications du niveau 6 sont des collections de programmes — chacun avec son propre modèle de données — conçus pour résoudre des problèmes spécifiques dans un vaste choix de disciplines. Des modules applicatifs ont été écrits pour faire de l'algèbre, de la conception d'automobiles, gérer les horaires de train, et accomplir bien d'autres tâches. Le niveau 6 représente les raisons pour lesquelles les ordinateurs ont acquis le don d'ubiquité dans la vie moderne.

Beaucoup d'ordinateurs ont d'autres abstractions, comme les interfaces utilisateurs et les capacités de communication de données. Cependant, dans le reste de ce chapitre, nous focaliserons notre attention sur les niveaux inférieurs et nous verrons en quoi leurs facilités peuvent être utilisées pour exécuter des programmes écrits dans des langages de haut niveau comme Pascal.

4.3   Un regard sur un ordinateur classique

Dans la figure 4.2, on peut voir un diagramme montrant les parties importantes d'un ordinateur. La grande majorité des ordinateurs, qu'ils soient « portables », « individuels », « stations de travail », « mini-ordinateurs » ou « gros ordinateurs » (appelés aussi serveurs) ressemblent beaucoup à l'ordinateur représenté sur la figure 4.2 ; ces différents noms reflètent tout simplement la vitesse, la taille physique et la capacité de stockage de la machine, chacun d'eux augmentant lorsque l'on va du portable au gros ordinateur.

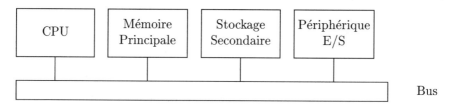

Figure 4.2 : Modèle d'un ordinateur classique.

Nous décrivons maintenant brièvement chacun de ces éléments. Ils seront examinés en détail dans les paragraphes suivants.

1. Le *bus* est l'artère centrale de communication de l'ordinateur. Les données et les instructions vont d'un périphérique à l'autre par le biais du bus qui leur est attaché.

2. L'*unité centrale de traitement*(CPU) est une collection de circuits qui gère l'activité de l'ordinateur. Une de ses fonctions premières est d'aller chercher les instructions depuis la mémoire principale, de les décoder et de les exécuter.

3. La *mémoire principale* stocke le programme en exécution et les données utilisées par ce programme.

4. La *mémoire secondaire* est un périphérique ou une collection de périphériques, comme des disques, capables de stocker bien plus d'informations que ne le peut la mémoire principale. Elle conserve les informations de façon permanente en ce sens que les données persisteront lorsque l'ordinateur sera éteint et seront disponibles lorsqu'il sera rallumé. Les données en mémoire principale disparaîtront probablement quand l'ordinateur sera éteint et rallumé. Comme les périphériques de stockage secondaire sont invariablement plus lents que la mémoire principale, l'ordinateur tente de garder les données (et programmes) les plus fréquemment utilisées dans sa mémoire principale.

5. Les *périphériques d'entrées/sorties*, comme une imprimante ou un périphérique de communication, sont connectés au bus soit directement soit au travers d'un contrôleur d'entrées/sorties. Les données se déplacent sur le bus entre les périphériques d'entrées/sorties et la mémoire principale ou secondaire.

L'unité centrale de traitement

L'unité centrale de traitement est le « cerveau » qui contrôle l'ordinateur. Elle est constituée de trois unités élémentaires : une **unité arithmétique et logique** (ou encore UAL), un ensemble de *registres* et une *unité de contrôle*, comme cela est représenté dans la figure 4.3. L'unité arithmétique et logique réalise des opérations arithmétiques (par exemple l'addition et la multiplication), des opérations logiques (par exemple ET et OU) et des comparaisons (par exemple $<$ et $\geq$) sur les données trouvées dans la mémoire principale ou dans les registres de l'ordinateur.

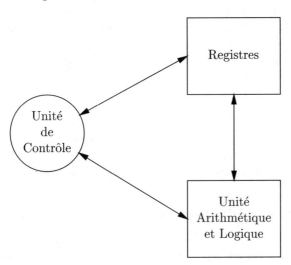

Figure 4.3 : L'unité centrale de traitement.

Les **registres** sont des emplacements de stockage dont l'accès au contenu est extrêmement rapide. L'accès aux registres est même plus rapide que l'accès à la mémoire principale ; sur bien des machines certaines opérations, arithmétiques par exemple, peuvent être réalisées sur des données dans des registres mais pas sur des données en mémoire principale. Il y a habituellement plusieurs registres particuliers. L'un d'eux, appelé le **compteur de programme** indique l'instruction suivante qui doit être exécutée. Un autre, le *registre d'instruction* contient l'instruction en cours d'exécution.

L'unité de contrôle exécute les instructions suivant un cycle appelé **chercher-décoder-exécuter**. C'est une succession d'étapes au cours desquelles

1. l'instruction suivante est recherchée en mémoire principale et conservée dans le registre d'instruction,

2. le type de l'instruction est décodé,

3. les données utilisées par l'instruction sont localisées et conservées dans les registres appropriés, et

4. l'instruction est exécutée.

Souvent, ce que nous appelons une « *puce microprocesseur* » est un circuit intégré sur lequel nous trouvons une CPU et rien d'autre. Lorsqu'elle est connectée à des puces de communication et mémoire et à des périphériques de stockage secondaire, une puce microprocesseur devient un vrai ordinateur.

Variation sur un thème

Quelques architectures diffèrent en bien des points de ce qui est montré dans la figure 4.2. Par exemple, une **station de travail sans disque** n'a pas de mémoire secondaire propre. Elle obtient des données permanentes, comme les programmes, d'un autre ordinateur, souvent appelé un *serveur de fichiers*, qui a un périphérique de stockage secondaire, et auquel la station de travail est connectée via un réseau local.

Un nombre croissant de gros ordinateurs sont des **multiprocesseurs**, encore appelés « processeurs parallèles ». Alors que nous ne montrions qu'une seule CPU, sur la figure 4.2, un multiprocesseur a plusieurs, peut-être des centaines ou des milliers, de *processeurs*, chacun étant constitué d'une CPU et habituellement d'un support de stockage local fonctionnant comme une mémoire principale privée[1]. Ils peuvent être connectés de différentes manières, y compris par une liaison de tous les composants de tous les processeurs à un seul bus grâce auquel ils communiquent par mémoire principale partagée et ainsi, indirectement les uns avec les autres.

4.4   La mémoire principale

L'unité de stockage pour la mémoire principale est l'**octet**. Nous pouvons considérer un octet comme une « boîte », qui contient les données des programmes Pascal. Chaque octet a une **adresse**, qui le distingue de tous les autres octets. Les adresses d'octets sont en fait des nombres, commençant à $0, 1, 2, \ldots$ et se terminant à $N - 1$, si N est le nombre d'octets en mémoire principale. En fait, la définition technique d'un octet est « la quantité minimum de stockage qui a sa propre adresse ».

---

[1]   Souvent, la mémoire principale est une petite mémoire très rapide appelée un cache. Nous examinons des caches dans le paragraphe 4.4.

Kilos, mégas et puissances de 2

En informatique, les « nombres ronds » sont des puissances de 2. Par exemple, la taille d'une mémoire principale est très souvent choisie comme une puissance de 2, bien qu'il n'y ait pas de raison fondamentale interdisant l'usage d'autres valeurs. La raison pour favoriser les puissances de 2 est que dans un ordinateur, les nombres sont représentés en binaire et si nous allouons un nombre déterminé de bits pour représenter les nombres d'un certain type (par exemple, les adresses mémoire), alors l'intervalle de nombres que ces bits peuvent représenter est toujours une puissance de 2. En particulier, si nous utilisons k bits, nous pouvons représenter les nombres de 0 à $2^k - 1$, un intervalle de 2^k nombres différents. Ainsi, dans un octet (8 bits), nous pouvons représenter de 0 à 255, ou $256 = 2^8$ nombres.

Une astuce très utile pour convertir des puissances de 2 en décimal est de remarquer que 2^{10}, ou 1024 est très proche de un millier. Ainsi 2^{30} est $(2^{10})^3$, soit à peu près 1000^3, c'est-à-dire un milliard. De même, $2^{32} = 4 \times 2^{30}$, soit environ quatre milliards. En fait, les informaticiens acceptent souvent quelque chose qui n'est que fiction, c'est-à-dire que 2^{10} vaut *exactement* 1000 et en parlent en disant « 1K » ; le K voulant dire « kilo ». Nous convertissons 2^{15}, par exemple, en « 32K », parce que

$$2^{15} = 2^5 \times 2^{10} = 32 \times « 1000 »$$

Mais 2^{20}, qui est exactement 1048576, nous l'appelons « 1M » ou « un million » au lieu de « 1000K » ou « 1024K ». La table ci-dessous donne les termes utilisés pour les différentes puissances de 10 et leurs équivalents approximatifs en puissances de 2.

PREFIXE	LETTRE	VALEUR
Kilo	K	10^3 ou 2^{10}
Méga	M	10^6 ou 2^{20}
Giga	G	10^9 ou 2^{30}
Téra	T	10^{12} ou 2^{40}

En pratique, les octets sont formés habituellement 8 bits. Rappelons qu'un **bit** est un emplacement dans lequel on peut stocker un 0 ou un 1 — et rien d'autre. Ainsi, la valeur d'un octet — c'est-à-dire, la quantité placée dans la « boîte » pour cet octet — est une séquence de huits 0 ou 1 ; un octet peut donc prendre 256 valeurs différentes.

Il est également courant de penser aux octets en termes de caractères. Dans le code ASCII (cf. notre discussion du paragraphe 2.3), la plupart des 256 séquences de huits bits ont une signification, soit en tant que caractère imprimable (par exemple, A représente 01000001, a représente 01100001, et ? représente 00111111), soit un caractère non imprimable (00001000 est le backspace, et 00000111 produit un bip sur la console) [2].

---

[2] Actuellement, le code ASCII donne une signification officielle seulement aux séquences de 7 bits ; ainsi, le code pour A est réellement 1000001. Le code est normalement étendu à huit bits en plaçant un 0 à la gauche, comme nous l'avons fait ici.

Mots

Les caractères Pascal peuvent être stockés sur un seul octet en utilisant le code ASCII. Cependant, il n'est pas possible de stocker des entiers sur un seul octet. Si nous le faisions, les variables entières ne pourraient prendre que 256 valeurs différentes. Pascal accepte des entiers dans un intervalle bien plus grand, environ quatre milliards d'entiers peuvent être représentés (2^{32}, pour être exact). Cet intervalle est choisi de façon que les entiers Pascal puissent être exprimés sur 32 bits. Ainsi, les entiers requièrent quatres octets et nous appelons quatre octets consécutifs un *mot*.

Les ordinateurs utilisent deux moyens différents pour ordonner les octets dans un mot. Une machine **big-endian** ordonne les octets de la gauche vers la droite ; une machine **little-endian** ordonne les octets de la droite vers la gauche [3].

Dans une machine big-endian, les octets 0, 1, 2 et 3 représentent le premier mot, les octets 4, 5, 6 et 7, le second mot et ainsi de suite, alors que dans une machine little-endian, les octets 3, 2, 1 et 0 représentent le premier mot, les octets 7, 6, 5 et 4 le second, etc. Dans les deux schémas, le numéro d'octet le plus faible est l'adresse du mot. Par exemple, dans une machine big-endian, l'entier 11 serait représenté par un mot dont l'adresse est 48 avec des 0 dans les octets 48, 49 et 50 et la séquence de bits 00001011 dans l'octet 51 :

000000000	00000000	00000000	00001011
48	49	50	51

Dans une machine little-endian, le même entier serait représenté par 00001011 dans l'octet 48 et des 0 dans les octets 49, 50 et 51. Peu importe le schéma utilisé par une machine. Toutefois, il y a un problème quand des données sont transférées d'une machine d'un certain type vers une machine du second type ; lors du transfert, l'ordre des octets dans un mot doit être inversé. Par la suite, nous utiliserons l'ordre big-endian.

Comment est construite une mémoire

La mémoire principale est construite à partir de « puces mémoires » ou « puces RAM » [4]. Une puce est un circuit intégré, de taille proche d'un centimètre carré, sur lequel sont placés des conducteurs et des composants électriques en grand nombre. Le circuit sur une puce mémoire est constitué d'un grand nombre de bits ; le nombre est toujours une puissance paire de 2, c'est-à-dire, 2^{2i} pour un entier quelconque i.

Chaque bit d'une puce mémoire a une adresse, qui va de 0 à un nombre égal au nombre de bits sur la puce, moins un. Comme cela est suggéré par la figure 4.4(a), quand on présente une adresse et le signal « lire », la puce trouve le bit à cette adresse et le ramène dans un « tampon » à partir duquel cette valeur peut être lue ou placée sur le bus de l'ordinateur. Nous pouvons aussi écrire une nouvelle valeur dans un bit désigné, en présentant à la puce l'adresse du bit accompagné de la nouvelle valeur à

---

[3] Ces termes proviennent du *voyage de Gulliver* de Jonathan Swift, dans lequel les politiciens se faisaient la guerre pour que les œufs soient cassés à l'extrémité la plus étroite ou la plus large.

[4] RAM signifie random access memory, qui signifie que tous les bits sont aussi facile à atteindre (en lecture ou en écriture). En comparaison, les périphériques utilisés pour le stockage secondaire, comme les bandes et les disques, sont des périphériques à *accès séquentiel*, puisque l'on ne peut accéder les bits que dans un certain ordre, si l'on souhaite éviter un temps d'accès trop important.

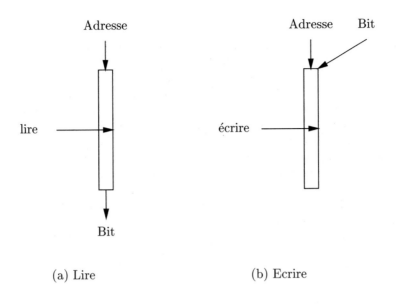

Figure 4.4 : Lire et écrire dans une puce mémoire.

écrire et du signal « écrire », comme cela est représenté par la figure 4.4(b). Chacune de ces opérations peut prendre de l'ordre d'un dixième du microseconde, c'est-à-dire, 10^{-7} sec.

On préfère bien sûr évaluer la mémoire en octets plutôt qu'en bits, et ainsi pour construire une mémoire de un mégaoctet (2^{20} octets, ou 1Moctets), il faut prendre huits puces de 1 mégabit et les aligner sur la même adresse. Cela est montré dans la figure 4.5, où une opération de lecture est illustrée. Chacune des 8 puces fournit un bit de l'octet désiré. Puisqu'ils sont lus (ou écrits) en même temps (« en parallèle »), il n'est pas plus long de lire un octet que de lire un bit.

Lire et écrire des mots

On a souvent besoin de lire ou écrire un mot, c'est-à-dire quatre octets consécutifs commençant à un octet dont l'adresse est divisible par 4. Nous pourrions lire tour à tour chacun des quatre octets et les assembler en un mot, mais cela prendrait quatre fois plus de temps que ce qui est nécessaire pour lire un seul octet. Un moyen d'écrire ou lire des mots en à peine plus de temps qu'il n'en faut pour lire un seul octet est suggéré par la figure 4.6. Les quatre boîtes représentent des unités de stockage en mégaoctets du type montré dans la figure 4.5. Toutefois, alors que les adresses d'octets pour chacune de ces unités vont en réalité de 0 à $2^{20} - 1$, on obtient un intervalle d'adresses plus grand en considérant la mémoire complète de 4 mégaoctets comme *entrelacée*.

Plus précisément, considérons que l'adresse à l'intérieur d'une unité soit une adresse

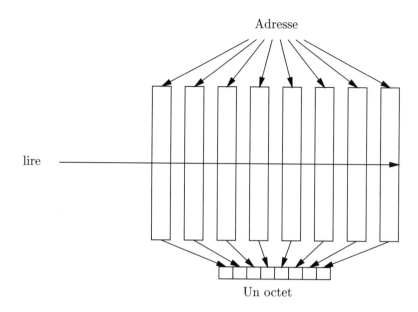

Figure 4.5 : Organisation d'une mémoire en octets.

interne et que l'adresse des octets dans la mémoire entière soit une adresse *externe*. Cela signifie que les adresses internes sont dans l'intervalle allant de 0 à 1M moins 1, alors que les adresses externes sont dans l'intervalle allant de 0 à 4M moins 1. Chaque octet dont l'adresse externe a est telle que a est divisible par 4, apparaît dans la première unité mémoire et son adresse interne sera b si $a = 4b$. Si l'adresse externe d'un octet est $a = 4b + 1$, c'est-à-dire une adresse dont le reste de la division par 4 est 1, alors l'octet apparaît dans la seconde unité et son adresse interne est toujours b. De même, les adresses externes de la forme $4b + 2$ et $4b + 3$ apparaissent respectivement dans les troisièmes et quatrièmes unités mémoire et leur adresse interne est b.

Lorsque l'on prend une adresse externe $a = 4b$, et les octets dont l'adresse interne est b dans chaque unité mémoire, on obtient les octets consécutifs dont les adresses externes sont a, $a + 1$, $a + 2$ et $a + 3$; autrement dit, le mot commençant à l'adresse a.

Si l'on voulait écrire au lieu de lire, on pourrait décomposer le mot en ses quatre octets et stocker chaque octet à l'adresse interne b de l'unité mémoire correspondante. Lorsque nous lisons ou écrivons, le temps pris pour lire ou écrire un mot est légèrement supérieur au temps pris pour lire ou écrire un octet, qui est à peu près égal au temps pris pour lire un bit. En effet, les 32 bits d'un mot sont lus ou écrits en même temps lorsque nous utilisons le schéma entrelacé. En fait, quand on y réfléchit, on voit que la figure 4.6 est très semblable à la figure 4.5, mais avec 32 bits sur 32 puces, au lieu de 8 bits sur 8 puces. La différence essentielle est que dans la figure 4.6, il fallait diviser l'adresse par 4 avant d'accéder à la mémoire.

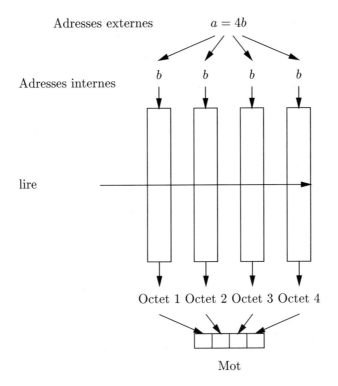

Figure 4.6 : Mémoire entrelacée.

Variations sur un thème

Dans la figure 4.6, nous avons construit une mémoire de quatre octets à partir de quatre « unités mémoire » de 1 mégaoctet. Supposons que l'on veuille disposer d'une mémoire plus grande, disons huit mégaoctets. Nous pouvons entrelacer d'un facteur huit au lieu de quatre, ce qui impose que tous les accès mémoire commencent à une adresse divisible par 8[5]. En fait, un plus grand entrelacement est souhaitable puisque lorsqu'un ordinateur accède à un octet, il y a une forte probabilité pour qu'il accède également à plusieurs des octets suivants[6].

Cependant, on ne peut pas entrelacer à la demande, et il arrive un point où entrelacer davantage ne rime plus à rien.

Un schéma qui autorise un accroissement indéfini dans la taille de mémoire est

---

[5] Si nous voulons un mot dont l'adresse n'est pas divisible par 8, disons 52, nous lisons les huit octets commençant à l'adresse immédiatement inférieure — ici, les octets de 48 à 55 — qui incluent le mot souhaité.

[6] Par exemple, nous verrons que les instructions de l'ordinateur sont habituellement exécutées dans l'ordre dans lequel elles sont stockées dans la mémoire, et donc lorsqu'une instruction est atteinte, on peut gagner du temps en lisant les instructions suivantes de la mémoire principale en une fois, puisque de toute façon elles seront nécessaires.

montré dans la figure 4.7. Si nous regardons la structure de la figure 4.6 comme une « super-unité », alors nous pouvons construire une mémoire avec un nombre quelconque de super-unités ; la mémoire de la figure 4.7 en utilise deux. La première super-unité contient les octets les plus faibles, la super-unité suivante contient les octets suivants et ainsi de suite, aussi loin que nous le voulons.

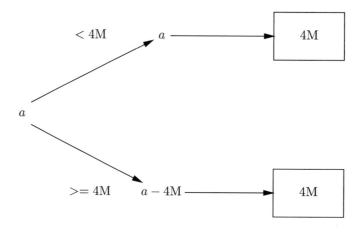

Figure 4.7 : Construction d'une plus grande mémoire.

✦ **Exemple 4.1.** Dans la figure 4.7, où les super-unités contiennent quatre mégaoctets chacune, la première super-unité contient les octets de 0 à $2^{22} - 1$ et la seconde contient ceux de 2^{22} à $2 \times 2^{22} - 1$. Pour trouver l'adresse a, nous testons d'abord si a est inférieur à 4M. Si tel est le cas, l'octet a est l'octet a de la première super-unité. Si a est 4M ou plus, alors nous soustrayons 4M de a ; dans ce cas, l'octet a sera l'octet $a - 4$M de la seconde unité.

Si nous examinons ce qui se passe dans les figures 4.5, 4.6 et 4.7, on voit que l'adresse a, qui est dans l'intervalle de 0 à 8M moins 1, peut être écrite comme un nombre binaire de 23 bits. Le bit le plus à gauche, ou bit de poids fort, détermine la super-unité à laquelle appartient l'octet, selon le schéma de la figure 4.7. Les deux bits les plus à droite, ou de bits de poids faible, déterminent l'unité de la figure 4.6 dans laquelle l'octet doit aller ; les bits restants, de 2 à 21, déterminent l'emplacement de l'octet dans les puces de mémoire (figure 4.6). La figure 4.8 illustre la manière dont une adresse mémoire sur 23 bits est interprétée. ✦

Le cache

Pour accélérer les accès, beaucoup d'ordinateurs possèdent un *cache*, qui est une petite mémoire rapide qui contient des copies de quelques-uns des mots de la mémoire principale. Dans la pratique, on s'aperçoit que lorsque l'on accède à un mot, il y a de grandes chances pour que l'on y accède une nouvelle fois peu après. Donc lorsque vous lisez un mot de la mémoire principale, une copie est faite dans le cache s'il n'y est pas déjà. Si l'ordinateur veut lire un mot, il vérifie d'abord s'il se trouve dans le cache et,

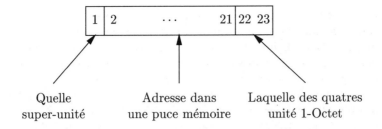

Figure 4.8 : Interpréter les bits d'adresse.

si tel est le cas, il obtient le mot en une fraction du temps nécessaire pour le lire dans la mémoire principale.

Au premier abord, il peut ne pas être évident de trouver un mot en particulier dans un cache. Si nous jetons simplement les mots dans un « panier », même avec une adresse les identifiant, il n'est pas plus facile de trouver un mot avec une adresse donnée que de trouver une aiguille dans une botte de foin. Il existe plusieurs schémas de cache ; l'un des plus simples est suggéré dans la figure 4.9. Le cache est une petite table — disons 1K mots — indexées par certains bits d'une adresse. S'il y a 1K ou 2^{10} mots dans le cache, alors l'index correspond aux dix bits de poids faible (les plus à droite) d'une adresse d'un mot. Puisqu'en binaire, toutes les adresses de mots se terminent par deux 0, nous prenons les 10 bits suivants à partir de la droite pour les bits de poids faible d'une adresse de mot. Par exemple, si la mémoire principale est la mémoire de 8 mégaoctets de la figure 4.7, où les adresses ont 23 bits, l'index du cache correspond aux bits de 12 à 21, en comptant à partir de la gauche.

	BITS de POIDS FORT	VALEUR
0		
1		
.		
.		
.		
1023		

Figure 4.9 : Un cache simple.

Avec ce schéma simple, un seul mot dont les bits d'adresse de poids faible sont donnés peut apparaître dans le cache. A l'entrée du cache pour les bits de poids faible donnés, on trouve

1. Les bits de poids fort de l'adresse pour le mot réellement trouvé dans le cache.

2. La valeur de ce mot.

◆ **Exemple 4.2.** Supposons que l'on dispose d'une mémoire principale de 8 mégaoctets dont les adresses sont sur 23 bits, comme dans l'exemple 4.1. Supposons aussi que l'on dispose du cache de la figure 4.9. Comme nous l'avons dit, les « bits de poids faible » sont en fait les bits de 12 à 21 des adresses, puisque les bits 22 et 23 sont à 0 pour les mots. Donc, les bits de poids fort sont 1 à 21. Supposons que l'on veuille lire le mot avec l'adresse 10000 (en base 10). Ce nombre, en binaire, est 10011100010000. Pour une adresse sur 23 bits, nous devons le compléter sur la gauche avec neuf zéros en tête, pour obtenir 00000000010011100010000. Pour les bits de poids faible, on élimine les deux derniers bits, qui doivent être des 0 et on prend les dix bits suivants à partir de la droite, soit 0111000100. Les bits de poids fort sont 00000000010.

Donc, pour voir si le mot souhaité est dans le cache, nous regardons dans l'emplacement (appelé une *ligne*) pour l'index 0111000100 et on vérifie que les bits de poids forts sont 00000000010. Si tel est le cas, nous prenons la valeur dans cette ligne comme valeur du mot souhaité. Sinon, nous allons chercher ce mot dans la mémoire principale, nous plaçons sa valeur dans la ligne avec l'index 0111000100 et nous changeons les bits de poids fort dans cette ligne en 00000000010. Quel qu'ait pu être le mot dans cette ligne, il n'est plus disponible dans le cache. ◆

EXERCICES

4.4.1 : Convertissez les nombres suivants en K ou M, en supposant que $2^{10} = 1K$, et $2^{20} = 1M$: (a) 2^{13}, (b) 2^{17}, (c) 2^{24}.

4.4.2 : Convertissez les puissances de 10 suivantes en des puissances de deux approximatives : (a) 10^{12}, (b) 10^{18}, (c) 10^{99}.

4.4.3 : Supposons que nous souhaitions avoir une mémoire de 64 mégaoctets (2^{26} octets) construite à partir de puces de 1-mégabit organisées en unités comme dans la figure 4.6.

a) De combien d'unités de ce genre avons-nous besoin ?

b) Combien de bits seraient nécessaires pour spécifier une adresse mémoire ?

c) Suggérez comment on pourrait séparer les bits d'une adresse en vous inspirant de l'organisation de la figure 4.8.

4.4.4 : Dans le cache de la figure 4.9, où trouverons-nous les mots avec les adresses (en base 10) suivantes : (a) 250, (b) 250 000, (c) 2 500 000 ?

4.4.5 : Supposons que l'on souhaite concevoir un cache tel que celui de la figure 4.9, mais avec 2^9 lignes au lieu de 2^{10} lignes, et avec une mémoire de taille 64M au lieu de 8M. Expliquez comment on vérifierait qu'un mot d'une adresse donnée est présent dans le cache.

4.4.6 : Montrez le contenu des 4 octets d'un mot si la convention (*i*) big-endian (*ii*) little-endian est utilisée pour représenter les entiers suivants : (a) 1000, (b) 1 000 000, (c) 1 000 000 000.

4.5   Périphériques de stockage secondaire

Dans ce paragraphe, nous examinons les trois plus importants périphériques de stockage secondaire : la bande, le disque magnétique et le disque optique. Pour chacun, nous expliquons brièvement les principes physiques relatifs à son fonctionnement et nous mentionnons les vitesses habituelles de ces périphériques et leur capacité de stockage.

Disque magnétique

Une unité de disque magnétique est constituée de un ou plusieurs plateaux circulaires recouverts de part et d'autre de matière magnétisable. Les plus petits d'entre eux, appelés **disquettes** ou *mini-disques*, ont un seul plateau, alors que les plus grandes unités peuvent avoir plus de dix plateaux, empilés le long d'un axe, comme on le voit sur la figure 4.10. Chacune des surfaces dispose de sa propre tête de lecture, et toutes les têtes se déplacent ensemble afin de lire les informations à différentes distances du centre. Cependant, sur la plupart des unités de disque, une seule tête peut lire à un instant donné.

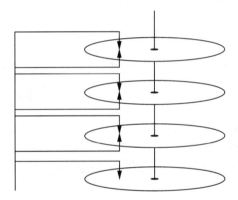

Figure 4.10 : Diagramme d'une unité de disque.

L'unité de disque dans sa totalité (sauf les têtes) tourne rapidement autour de son axe. Les vitesses classiques sont de plusieurs milliers de tours par minute ; un point de la surface passe donc sous la tête environ 60 fois par seconde.

Les informations sont organisées sur un disque dans des **pistes** qui sont des cercles concentriques ; la figure 4.11 est une vue aérienne de l'une des surfaces d'une unité de disque. Sur chaque piste, les bits sont représentés magnétiquement ; les 0 et les 1 sont représentés par des polarités opposées. Le nombre de bits sur une piste est de l'ordre de centaines de milliers. En fonction du format, ces bits sont répartis sur des secteurs, qui sont séparés par des « parts de camembert » sans polarité magnétique ; il peut également n'y avoir qu'une seule part de camembert, comme cela est suggéré dans la figure 4.11. L'intérêt de cette région non polarisée est de permettre de trouver le début des données sur une piste ou un secteur.

Le nombre de pistes sur une surface varie ; 40 est un nombre courant pour les disquettes alors que les unités plus grandes peuvent en avoir plus d'un millier. La

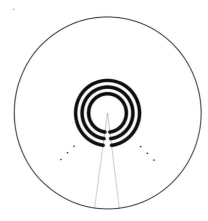

Figure 4.11 : Pistes de la surface d'un disque.

capacité totale d'un disque peut aller de quelques centaines de milliers d'octets à plusieurs gigaoctets (rappelons que « giga » signifie un milliard, c'est-à-dire 10^9 — ou, plus précisément dans le monde informatique, 2^{30}).

◆ **Exemple 4.3.** Une petite disquette « simple face » utilise seulement l'une des deux surfaces d'un seul plateau. Cette surface peut avoir 40 pistes, chacune contenant 80 000 bits, ou 10 000 octets. La capacité d'un tel disque est donc de 400K octets.

Une unité de disque de relativement grande peut avoir dix plateaux, avec vingt surfaces. Chaque surface peut avoir 1000 pistes et chaque piste peut contenir 50 000 octets. La capacité totale est donc de

$$20 \text{ surfaces} \times 1000 \text{ pistes} \times 50\ 000 \text{ octets/piste} = 1\ 000\ 000\ 000 \text{ octets}$$

◆

Lire et écrire sur un disque

Pour lire ou écrire un octet particulier sur un disque nous devons faire deux choses[7].

1.   Positionner les têtes de sorte qu'une tête soit sur la piste de l'octet souhaité.

2.   Attendre que l'octet désiré passe sous la tête au cours de la rotation.

Chacune de ces opérations peut prendre en moyenne plusieurs centièmes de secondes ; le temps réel dépend non seulement des caractéristiques de l'unité de disque mais aussi du nombre de pistes que la tête doit passer et de la position de l'octet par rapport aux têtes au moment où les têtes atteignent la piste appropriée. Ce temps est énorme, si on le compare avec le temps nécessaire pour lire un octet de la mémoire principale (une fraction de microseconde). Par ailleurs, quand on lit plusieurs octets consécutifs

---

[7] Nous ne parlerons que de la lecture. Le processus d'écriture est quasiment identique, excepté qu'il consiste à placer une information nouvelle à la position du ou des octets cibles au lieu de lire leurs valeurs.

d'une piste, une fois que nous avons trouvé le premier octet, les octets suivants passent rapidement sous la tête. L'exemple suivant donne une idée du temps nécessaire.

✦ **Exemple 4.4.** Supposons que nous ayons une unité de disque avec les caractéristiques suivantes :

1. La vitesse de rotation est 3600 tpm, c'est-à-dire 60 fois par seconde.

2. Les têtes de déplacent en $5 + 0,01 \times t$ millisecondes (rappelons qu'une milliseconde vaut 10^{-3} seconde, c'est-à-dire, un millième de seconde), si la distance parcourue est de t pistes.

3. Les bits sont groupés sur des pistes avec une densité de 1000 bits par degré d'arc soit 125 octets par degré.

De plus, supposons que l'on veuille lire 1000 octets consécutifs sur une piste se trouvant 500 pistes plus loin que la position courante des têtes. Le temps de positionnement des têtes (appelé ***temps de recherche***) est

$$5 + 500 \times 0,01 = 10 \text{ millisecondes}$$

Le temps d'attente du premier octet pour qu'il soit sous la tête (appelé *temps de latence de rotation*) peut varier de 0, si celle-ci se trouve juste au bon endroit, à 16,7 millisecondes si nous venons juste de le rater ; la moyenne sera 8,3 millisecondes, bien sûr, pour un temps de latence totale moyen de 18,3 millisecondes.

Maintenant, il faut attendre que les 1000 octets passent sous la tête. Pour calculer le temps de cette attente, on remarque qu'avec 125 octets par degré, 1000 octets prennent 8 degrés. On doit donc attendre $8/360 = 1/45$ d'une rotation du disque, avant que les 1000 octets soient passé sous la tête. Puisqu'une rotation complète s'effectue en $1/60$ sec., le temps pour lire les 1000 octets est de 0,37 millisecondes soit moins de la moitié d'une microseconde (rappelons qu'une microseconde vaut 10^{-6} seconde, soit $1/1000$ d'une milliseconde) par octet. ✦

Comme l'illustre l'exemple 4.4, le temps de latence, c'est-à-dire le temps nécessaire pour trouver un octet, a un ordre de grandeur supérieur au temps nécessaire pour lire un octet ou écrire un octet lorsque celui-ci se trouve sous la tête. On donne donc souvent à un disque le nom de ***périphérique à accès séquentiel***, puisqu'il est beaucoup plus efficace de lire les données d'un disque dans l'ordre suivant lequel elles apparaissent sur le périphérique que de les lire dans un ordre « aléatoire ». En comparaison, on dit que la mémoire principale est « à accès aléatoire » parce que l'ordre dans lequel nous lisons ou écrivons des octets n'affecte pas le temps par octet. Pour rendre le disque plus efficace, on a tendance à diviser les pistes en *blocs* de 1000 octets chacun et à lire ou écrire bloc par bloc. De plus, si plusieurs blocs constituent un fichier, il est utile que ces blocs soient sur le même ***cylindre***, qui est un groupe de pistes, une sur chaque surface, à une distance donnée du centre. Ainsi, tous les blocs peuvent atteints sans avoir à déplacer les têtes, ce qui réduit le temps de recherche à zéro.

Disque optique

Au début des année 90, le disque optique, utilisant une technologie similaire à celle du disque compact audio, est devenue un support de stockage essentiel. Comme le disque

Correction d'une erreur sur une bande

Les bandes sont plus sujettes aux erreurs de lecture que les disques magnétiques. Premièrement, la bande est un film magnétique flexible, qui est enroulé et déroulé autour de bobines. De plus, elle est plus exposée que le disque aux particules de poussière contenues dans l'air. Si une poussière recouvre un bit, celui-ci ne pourra probablement pas être lu correctement. Les pistes sont suffisamment larges (environ un demi-centimètre) ; il est improbable qu'une particule de poussière couvre deux bits d'une seule colonne. Une erreur sera donc rarement non détectée. Souvent, des octets supplémentaires sont périodiquement ajoutés à l'information sur une bande afin de permettre la correction des erreurs détectées par les bits de parité.

magnétique, le périphérique physique est un disque rotatif organisé en pistes, chacune d'elle contenant les bits. Cependant, au lieu d'un matériau magnétique, la surface est recouverte d'un matériau qui reflète la lumière. Un laser peut éclaire un petit point et si une réflection est perçue, nous en concluons qu'un 0 est présent. Pour écrire un 1, la surface est trouée en ce point de manière qu'elle ne réflète pas directement la lumière mais qu'elle la disperse. Lorsque l'on éclaire ce point avec un laser, aucune réflection significative n'est perçue et nous en concluons qu'un 1 a été écrit.

Les premiers disques optiques n'étaient pas réinscriptibles ce qui signifie qu'une fois que la surface était trouée à une position particulière, on ne pouvait plus la lisser, ce qui interdisait de changer un 1 en un 0. Ces disques sont encore très utiles pour certaines applications. Par exemple, nous pourrions acheter un système d'exploitation sur un disque optique non réinscriptible et utiliser les programmes écrits dessus aussi souvent que nécessaire. En général, on ne souhaite pas que l'utilisateur puisse réécrire le système d'exploitation. Une autre utilisation importante est *l'archivage*, qui consiste à faire des copies de sauvegarde des fichiers stockés sur le disque, de manière qu'ils puissent être récupérés si le disque tombe en panne ou si le propriétaire du fichier a besoin de le récupérer dans un état précédent pour corriger une modification erronée.

Les disques optiques les plus récents utilisent une technologie autorisant les réécritures (comme pour les disques magnétiques). L'écriture de 1 sur la surface est accomplie en altérant le matériau de façon électronique ; cette opération peut être inversée, ce qui permet de lisser la zone contenant un 1 pour y mettre un 0. L'avenir des disques optiques non réinscriptibles et réinscriptibles est grand car il est possible de stocker l'information de manière beaucoup plus dense (c'est-à-dire avec plus de bits par centimètre carré de surface) qu'avec les technologies basées sur le magnétisme.

4.5.1 Bande magnétique

La bande magnétique est une technologie de stockage déjà ancienne, mais toujours d'actualité. Les bits y sont généralement placés dans neuf pistes, comme cela est représenté dans la figure 4.12. Une colonne — c'est-à-dire, neuf bits à la même position sur la largeur de la bande — représente un octet. Les huit premiers bits représentent l'octet lui-même et le neuvième est un **bit de parité** choisi de sorte que le nombre

Un octet
- - - - - - - - 0 - - - - - - - -
- - - - - - - - 1 - - - - - - - -
- - - - - - - - 1 - - - - - - - -
- - - - - - - - 0 - - - - - - - -
- - - - - - - - 0 - - - - - - - -
- - - - - - - - 0 - - - - - - - -
- - - - - - - - 1 - - - - - - - -
- - - - - - - - 0 - - - - - - - -
- - - - - - - - 0 - - - - - - - -

Figure 4.12 : Format d'une bande magnétique.

total de 1 parmi les neuf bits soit impair. L'intérêt de ce bit de parité est de permettre la détection d'erreurs ; si un bit change dans une colonne, le nombre de 1 sera pair, ce qui indique une erreur (rappelez-vous notre étude de la parité au paragraphe 2.3.).

Les bits sur une piste sont regroupés beaucoup plus densément que les pistes elles-mêmes. Alors que les neuf pistes occupent une largeur de un pouce (environ 2,54 centimètres), les colonnes ou octets sont souvent regroupés avec 5600 bits par pouce sur la longueur d'une bande. La lecture ou l'écriture se fait en déplaçant les têtes de lecture et d'écriture. Si la bande se déplace de 100 pouces par seconde, nous pouvons lire ou écrire 560 000 octets par seconde, soit à peu près deux microsecondes par octet.

En revanche, il est largement plus difficile de retrouver un octet sur une bande que sur un disque. Sur un disque, il est possible de retrouver n'importe quel octet en nettement moins d'une seconde. Une bande peut être longue de plusieurs milliers de mètres. Pour se déplacer d'une extrémité à l'autre, à une vitesse standard de 100 pouces (environ 2,5 mètres) par seconde, il faut compter quelques minutes. Par conséquent, la bande est aujourd'hui utilisée pour stocker les copies des disques de manière que le contenu du disque puisse être restitué au cas où il tombe en panne.

EXERCICES

4.5.1 : Quelle est la capacité en octets d'un disque comportant :

a)   un plateau avec deux faces, 100 pistes par faces et 100 000 bits par piste ?

b)   dix plateaux (vingt faces), 2000 pistes par face et 400 000 bits par piste ?

4.5.2 : Supposez que le disque décrit dans l'exemple 4.4 ait 1001 pistes. Quel est (a) le temps d'accès maximum, (b) le temps de latence maximum, (c) le temps de latence totale ?

4.5.3 : Quel est le temps moyen nécessaire au disque de l'exemple 4.4 pour lire 10 000 octets sur une piste positionnée 200 pistes en avant par rapport à la tête.

4.5.4 : Supposez que l'on lise les données du disque de l'exemple 4.4 et que l'on les copie sur une bande magnétique à neuf pistes (comprenant une piste pour la parité) qui stocke 5000 bits par pouce. A quelle vitesse la bande doit-elle se dérouler afin d'être en phase avec le disque ?

4.5.5 : A une époque, il était courant de stocker les données sur une disquette simple face d'un diamètre de 5,5 pouces, comportant 40 pistes et environ 11 000 octets par piste. Au même moment, la largeur d'une bande magnétique caractéristique était de 1,25 pouce et elle pouvait stocker 5600 octets par pouce. Combien de place est prise par la disquette comparée à la place nécessaire sur une bande pour stocker la même quantité de données ?

4.5.6 : * Un satellite renvoie des données vers la terre à la vitesse de un gigabit (10^9 bits) par seconde. Nous voulons stocker les données comme elles arrivent sur un certain nombre de disques ayant les caractéristiques du disque de l'exemple 4.4 ; il faut prévoir assez de disques pour stocker les données envoyées par le satellite à la vitesse où elles arrivent. Nous admettons que pour chaque disque, on remplit un cylindre complètement, avec les têtes fixes, puis on déplace les têtes sur une piste adjacente et on enchaîne immédiatement avec le cylindre suivant (pas de temps de latence dû à la rotation). Un cylindre est constitué de 20 pistes ; autrement dit, l'unité de disque a 10 plateaux, avec des têtes des deux côtés. Notez que nous n'avons pas à savoir combien de pistes il y a sur un disque, bien qu'en pratique cela déterminera à quelle vitesse les disques seront remplis. Combien de disques nous faut-il pour que le débit de données en entré soit égal au débit de stockage sur les différents disques ?

4.5.7 : Un livre ordinaire contient deux millions de caractères. Approximativement,

a)   combien de disques caractéristiques « de taille relativement grande » de l'exemple 4.3, et

b)   combien de bandes, de 800 mètres de longueur et ayant les caractéristiques données dans ce paragraphe

faut-il pour stocker une bibliothèque de 10 millions de livres ? Cependant, pour conserver « l'aspect » d'un vieux livre, il faut selon les experts environ la moitié d'un milliard d'octets. Combien de bandes ou de disques faudra-t-il pour stocker la bibliothèque ?

4.5.8 : * Il existe une astuce utile, appelée **_règle de 70_**, qui aide à estimer l'effet de croissance exponentielle. Elle dit que si une quantité grandit x pourcent par an, alors sa valeur double environ tous les $70/x$ ans. Cette règle est utilisée pour la calcul des intérêts, par exemple. Si vous investissez votre argent à 7% par an, cela prend 10 années pour doubler, tandis qu'à 5%, cela prend 14 années. Supposons que la densité des disques s'accroisse de 3.4% par an, en partant des « disques de relativement grande » décrits dans l'exemple 4.3. Notons qu'au fur et à mesure que la densité s'accroît, nous pouvons augmenter à la fois le nombre de pistes et le nombre de bits par pistes. En 100 ans, quelle sera la capacité d'un « disque de taille relativement grande » ?

4.6   Instructions machines et leur exécution

Dans ce paragraphe ainsi que dans les quatre suivants, nous allons examiner comment les données et les opérations d'un programme Pascal sont liées aux données stockées et aux instructions exécutées par un ordinateur. La traduction de Pascal ou d'un autre langage de programmation est réalisée par un programme appelé **compilateur**, mais nous n'examinerons pas dans ce livre les algorithmes grâce auxquels s'effectue cette traduction ; nous nous contenterons d'en esquisser les idées principales.

Stockage des variables d'un programme

Avant de parler des opérations de la machine, penchons-nous sur la façon dont les variables Pascal sont représentées dans la mémoire principale de l'ordinateur. Pour chaque variable, on alloue le nombre d'octets nécessaires pour contenir sa valeur [8]. Toutefois, certains types de données, tels les nombres entiers et réels, ont besoin de commencer sur une frontière de mot (un octet dont l'adresse est divisible par 4). Dans ce cas leur placement ne sera pas forcément contigu.

```
i, j, k: integer;

r: record
        word: array[1..10] of char;
        count: integer
    end;

a: array [0..6] of real;
```

Figure 4.13 : Déclaration de variables.

✦ **Exemple 4.5.** Supposons qu'une procédure contienne les variables déclarées dans la figure 4.13. Nous pourrions allouer de la place pour les variables i, j, k, r et a dans cet ordre, en commençant à une adresse mémoire arbitraire que nous avons choisie être l'adresse 100 dans la figure 4.14. Donc, i qui est un entier et nécessite 4 octets, occupe les octets de 100 à 103. De même, j occupe les octets de 104 à 107, et k occupe les octets de 108 à 111.

L'enregistrement r commence à l'adresse 112. Son champ word, un tableau de 10 caractères, nécessite un octet par caractère, et donc occupe les octets de 112 à 121. Le champs count est un entier, et doit par conséquent commencer par un octet dont l'adresse est divisible par 4 ; on prend donc l'adresse 124. Donc r.count occupe les octets de 124 à 127, et les octets 122 et 123 sont inoccupés. Finalement, chacun des sept éléments du tableau a nécessite quatre octets, donc on les stocke dans les 28 octets suivants, avec a[0] de 128 à 131, a[1] de 132 à 135, et ainsi de suite. Chaque élément de *a* étant un nombre réel, il est supposé commencer commençant à une adresse divisible par 4, et cette condition est satisfaite par le modèle de la figure 4.14. ✦

Langage machine

Les instructions formant un programme sont, comme ses données, stockées en mémoire principale dans des octets consécutifs. Les instructions machines sont plutôt simples comparées aux déclarations Pascal. Par exemple, une instruction peut demander que le

---

[8]   La question : où se trouvent précisément les variables ? est assez complexe, particulièrement dans le cas de procédures récursives. Nous aborderons ce sujet brièvement au paragraphe 6.7.

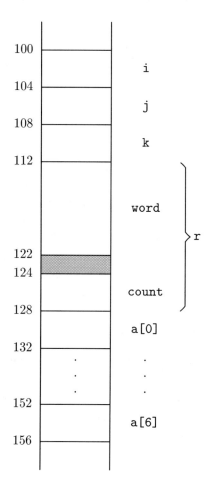

Figure 4.14 : Allocation mémoire pour les variables.

contenu d'un mot mémoire à telle adresse soit copié dans un certain registre. Une autre instruction peut demander que le contenu de ce registre soit additionné au contenu d'un autre registre, avec le résultat stocké dans le second.

De la même façon qu'un programme Pascal exécuté par l'ordinateur implique une notion de « déclaration courante », un ordinateur possède un registre spécial, appelé *compteur de programme,* ou PC, pour garder la trace de l'instruction machine en cours d'exécution. Comme dans la figure 4.15, le PC pointe sur le (ou contient l'adresse du) premier octet de l'instruction courante. Cet octet nous dit généralement le type d'instruction et combien d'octets supplémentaires sont nécessaires pour achever l'instruction.

◆ **Exemple 4.6.** Le code instruction 01101011, dans la figure 4.15, pourrait représenter l'instruction « ajouter le contenu d'un registre dans un autre, en admettant que les

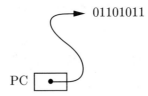

01101011

PC

Figure 4.15 : Le compteur de programme.

registres contiennent des mots qui représentent des entiers »[9]. Une telle instruction devrait nécessiter seulement un octet supplémentaire pour s'achever ; cet octet devrait se trouver à l'adresse suivant celui pointé par le PC. Par exemple, s'il n'y a pas plus de 16 registres dans la machine, nous pourrions représenter des registres par quatre bits. Alors le second octet d'instruction pourrait spécifier le premier registre par les quatre premiers bits et le second registre par les quatre derniers. Ainsi, un second octet de 00110100 voudrait dire « Additionner les contenus des registres 3 et 4, et laisser le résultat dans le registre 4 ». ✦

La plupart des instructions occupent plus de deux octets ; toute instruction qui met en jeu une ou plusieurs adresses en mémoire principale demande plus. Par exemple, si nous utilisons trois octets (24 bits) pour représenter des adresses mémoire, on peut représenter 2^{24}, ou 16M adresses différentes. Dans ce cas, une instruction additionnant deux entiers situés en mémoire nécessiterait au moins sept octets, un pour l'opération et trois pour les deux adresses. Une instruction de branchement, qui spécifie qu'une nouvelle adresse doit être stockée dans le PC (comme un goto en Pascal), nécessiterait au moins quatre octets[10].

Le cycle chercher-décoder-exécuter

Pour exécuter des instructions, la machine exécute la boucle de la figure 4.16. Ce cycle prend moins d'une micro seconde (10^{-6} seconde) sur la plupart des machines modernes, et sur certains « super-ordinateurs » le temps peut descendre à seulement quelques nano secondes (une *nanoseconde* vaut 10^{-9} seconde ou un millième de microseconde). Cela permet d'avancer instruction par instruction, dans l'ordre dans lequel elles apparaissent en mémoire principale, à moins que l'on rencontre une instruction de branchement.

Une **instruction de branchement** peut être soit *inconditionnelle*, comme un goto, soit *conditionnelle*. Dans un branchement conditionnel, un test est réalisé, et la prochaine instruction à exécuter est celle désignée par l'instruction de branchement, si la condition est vraie. Dans le cas contraire, l'instruction suivante exécutée, comme dans le cas d'une instruction sans branchement. Notons que ce modèle est reflété dans

---

[9] Comme nous le verrons aux paragraphes 4.11 et 4.12, le format des mots représentant des entiers et des réels est vraiment différent. Donc, une instruction d'addition doit indiquer le format utilisé pour les mots sur lesquels s'effectue l'opération.

[10] La plupart des machines utilisent un système bien plus compliqué pour représenter des adresses en mémoire principale, leur permettant de représenter de telles adresses sur deux octets (16 bits), même si la taille de la mémoire est considérablement plus grande que 2^{16}. Cependant, nous n'en parlerons pas ici.

Interruptions

Une *interruption* est un signal qui modifie temporairement le cycle chercher-décoder-exécuter. Certains événements, tels que la pression d'un bouton de la console, un « débordement » (situation où la valeur calculée est trop grande pour être contenue dans un registre) durant une opération arithmétique, ou le besoin urgent d'utiliser le bus par un périphérique de communication, déclenche des interruptions. Dans ce cas,

1. La valeur courante du PC est stockée dans un emplacement mémoire utilisé à cet effet.

2. Le PC est positionné à une adresse où sont conservées les instructions servant à traiter l'interruption.

3. Lorsque ces instructions sont terminées, la valeur du PC sauvegardée est remise dans le registre PC et l'exécution reprend normalement.

les séquence d'exécution Pascal, où les déclarations sont exécutées dans l'ordre où elles apparaissent dans le programme à moins qu'un `goto` ou un test (déclaration `if`, `while`, ou similaire) ne modifie cette séquence.

```
répéter toujours
    aller chercher l'instruction PC^;
    décoder l'instruction;
    exécuter l'instruction;
    Si l'instruction n'était pas un branchement
      (ne fournissait pas la valeur suivante du PC) alors
          incrémenter le PC à l'instruction suivante;
fin
```

Figure 4.16 : Cycle chercher-exécuter.

Par exemple, si nous exécutons l'instruction sur deux octets de l'exemple 4.6, nous incrémentons le PC avant d'aller chercher l'instruction suivante. Gardez à l'esprit que si un schéma de mémoire entrelacée est utilisé, comme au paragraphe 4.3, la machine ne va pas chercher un octet d'instruction à la fois. Dans ce cas, un mot — ou même plus, selon le degré d'entrelacement — est lu d'un seul coup, et le PC est déplacé le long des octets récupéré, permettant ainsi de décoder l'instruction.

EXERCICES

4.6.1 : Supposons que les réels prennent quatre octets et que les caractères n'en prennent qu'un. De même, admettons que les entiers et les réels doivent commencer sur une frontière de mot, c'est-à-dire, une adresse mémoire divisible par 4. Supposons que nous déclarions le type `BLOB` par

```
type BLOB = record
       x: real;
       c: char;
     end;
```

Déclarons également

```
type SPLAT = record
         a, b: BLOB
       end;
```

a) Décrivez comment le stockage pour **SPLAT** serait organisé en mémoire.

b) Décrivez l'organisation en mémoire d'un tableau de 12 **BLOB**.

4.6.2 : Si nous pouvions réorganiser les éléments de la structure **SPLAT** de l'exercice 4.6.1(a) ou le tableau de l'exercice 4.6.1(b), combien d'espace sauveriez-vous ? C'est-à-dire, en supposant que nous ayons l'opportunité d'ordonner en mémoire les éléments constitutifs des réels et des caractères comme nous le voulions. Dans quel ordre apparaîtraient-ils, et combien d'octets prendrait l'ensemble complet de données ?

4.6.3 : Décrivez comment les données pour le programme de tri sélection de la figure 2.3 seraient organisées en mémoire.

4.7   Un jeu d'instructions classique

Maintenant, présentons les types d'instruction que l'on trouve normalement dans un ordinateur. Cela inclut

1. *Des instructions de déplacement de données* déplaçant des données entre registres et emplacement en mémoire principale.

2. Des *instructions arithmétiques* et *logiques* pour réaliser les calculs dont l'UAL de l'ordinateur est capable.

3. Des *instructions de branchement* pour prendre des décisions et modifier la séquence normale d'instructions.

Le dispositif selon lequel ces instructions sont exécutées est montré à la figure 4.3 du paragraphe 4.3 : une unité de contrôle pour décoder et exécuter les instructions, une UAL pour exécuter les opérations arithmétiques et logiques, et des registres pour stocker des données et réaliser diverses tâches particulières, que nous verrons dans ce paragraphe. Dans notre ordinateur simple, nous admettons qu'il y a 16 registres, chacun contenant un mot — c'est-à-dire quatre octets ou 32 bits.

Langage assembleur

Aujourd'hui, il n'existe quasiment plus de programmeurs qui écrivent en langage machine. En revanche, une notation symbolique, appelée *langage assembleur*, est utilisée et traduite en langage machine par un programme appelé un **assembleur**, qui ressemble à un simple compilateur. Un langage assembleur utilise des noms à la place de séquences de bits arbitraires de deux façons.

1. Les codes opération de la machine sont remplacés par des mnémoniques appropriés tel que ADD.

2. Les adresses mémoires sont des noms donnés, appelés **adresses symboliques**, qui ressemblent aux variables d'un langage de programmation.

L'assembleur prend les instructions une par une, en remplaçant les mnémoniques par leur séquence de bits correspondante. Il sélectionne également, d'une manière que l'on décrira, des adresses pour toutes les adresses symboliques et les remplace par leur adresse réelle.

Les instructions d'un langage assembleur ont généralement la forme

    <opération> <opérande(s)>

Les mnémoniques particuliers utilisés pour les opérations traditionnelles varient. Nous allons présenter des mnémoniques qui sont, dans la plupart des cas, le nom complet de l'opération ; la plupart des langages assembleur réels utilisent des abréviations.

Déplacement de données

Pour copier un mot d'une adresse mémoire dans un registre, nous disons

    LOAD <adresse mémoire>, <registre>

Nous allons représenter le registre i par Ri en instruction assembleur. L'« adresse mémoire » montrée ici est normalement une adresse symbolique, mais elle pourrait être une adresse constante.

◆ **Exemple 4.7.** L'instruction assembleur

    LOAD foobar, R2

copie dans le registre 2 le mot commençant à l'adresse mémoire représentée par l'adresse symbolique **foobar**. Sa signification est assimilée à la déclaration Pascal

    R2 := foobar

Notons que, comme dans une affectation Pascal, lorsque nous chargeons un mot mémoire, le mot lui-même n'est pas modifié en mémoire, mais ce qui était dans le registre avant l'opération est perdu à jamais. ◆

Pour copier le contenu d'un registre en mémoire, nous disons

    STORE <registre>, <adresse mémoire>

Par exemple,

    STORE R12, baz

copie le contenu du registre 12 dans le mot mémoire dont l'adresse est représentée par l'adresse symbolique **baz**. Le contenu précédent de ce mot est perdu.

Pour copier le contenu d'un registre (disons, Ri) dans un autre registre (disons, Rj), nous écrivons

    MOVE Ri, Rj

Opérations arithmétiques

On peut appliquer les opérations arithmétiques courantes aux mots représentant des entiers. Par exemple, nous utilisons

> ADD <opérande>, <registre>

pour additionner l'opérande au contenu du registre, laissant le résultat dans le même registre. L'opérande peut être soit une adresse mémoire, soit un autre registre. De même, l'opérateur peut être

1. SUB, pour soustraire l'opérande du registre.

2. MULT, pour multiplier le registre par l'opérande.

3. DIV, pour diviser le registre par l'opérande. Puisque l'on suppose que l'on travaille sur des entiers, la division oublie le reste de la division.

Si nous voulons opérer sur des mots comme nombres réels, il faut utiliser respectivement les mnémoniques ADDFL, SUBFL, MULTFL et DIVFL. Comme nous le verrons au paragraphe 4.12, les nombres réels sont représentés différemment des entiers, dans une notation appelée « virgule flottante » ; indiquant que la machine devrait interpréter les mots comme des réels, ou nombres en virgule flottante.

✦ **Exemple 4.8.** Un approximation du sinus de l'angle x, mesuré en radian, est

$$x - x^3/6 + x^5/120$$

ou de manière équivalente

$$x\left(1 - \frac{x^2}{6}\left(1 - \frac{x^2}{20}\right)\right) \tag{4.1}$$

Le code assembleur de la figure 4.17 évalue cette formule, en admettant que x est l'adresse symbolique de la valeur de l'argument x ; le résultat est placé dans un mot mémoire d'adresse symbolique sinus. Dans ce code, nous utilisons également les adresses symboliques un, six et vingt pour les mots mémoire supposés contenir la représentation en virgule flottante des entiers 1, 6 et 20.[11]

La ligne (1) de la figure 4.17 copie x dans le registre 1, et la ligne (2) multiplie le registre 1 par x, donnant x^2 dans ce registre. A la ligne (3) nous copions le registre 1 dans le registre 2, laissant aussi x^2 dans le registre 1, pour une utilisation ultérieure. La ligne (4) divise le registre 2 par 20, en y laissant $x^2/20$. La ligne (5) met la valeur 1 dans le registre 3, et à la ligne suivante nous soustrayons le contenu du registre 2 à 1, laissant $1 - x^2/20$ dans le registre 3.

La ligne (7) multiplie cette quantité par x^2, qui a été préservée dans le registre 1, et à la ligne (8) nous divisons le résultat par 6, qui laisse $(x^2/6)(1 - x^2/20)$ dans le registre 3. La ligne (9) met la valeur 1 dans le registre 1 ; notez que nous n'avons plus besoin de x^2, et par conséquent nous pouvons réutiliser le registre 1. La ligne 10 soustrait $(x^2/6)(1 - x^2/20)$ de 1, laissant dans le registre 1 au moins la formule (4.1). Nous avons seulement à multiplier par x, ce qui est fait à la ligne (11). A la dernière

---

[11] Nous verrons brièvement comment introduire des constantes dans du code assembleur plus naturellement.

```
(1)   LOAD    x, R1
(2)   MULTFL  x, R1
(3)   MOVE    R1, R2
(4)   DIVFL   vingt, R2
(5)   LOAD    un, R3
(6)   SUBFL   R2, R3
(7)   MULTFL  R1, R3
(8)   DIVFL   six, R3
(9)   LOAD    un, R1
(10)  SUBFL   R3, R1
(11)  MULTFL  x, R1
(12)  STORE   R1, sinus
```

Figure 4.17 : Programme assembleur pour calculer le sinus.

ligne, la valeur de (4.1), qui était calculée dans le registre 1, est stockée à l'adresse mémoire appelée symboliquement `sinus`. ✦

Opérations logiques

Des opérations logiques telles que ET et OU sont réalisées sur des mots, en prenant les bits correspondants des deux mots, de manière indépendante. Le ET des deux bits vaut 1 seulement si les deux bits valent 1, tandis que le OU de deux bits vaut 1 seulement si l'un ou/et l'autre des bits vaut 1. Nous utiliserons le même format pour les instructions assembleur AND et OR que pour les instructions arithmétiques.

✦ **Exemple 4.9.** Supposons que nous exécutions l'instruction

    AND R1, R2

à un moment où les 32 bits du registre 1 commencent par $0011\cdots$ et les 32 bits du registre 2 commencent par $0101\cdots$. En ce qui concerne le premier bit, les deux mots ont tous deux un 0, et donc le résultat vaut 0. Pour les deuxièmes et troisième bits, un mot a un 0 et l'autre a 1 ; par conséquent, les deuxième et troisième bits du résultat vaudront aussi 0. Le quatrième bit des deux mots est à 1, et par conséquent le résultat aura 1 dans le quatrième bit. Donc, après exécution, le mot dans le registre 2 commencera par $0001\cdots$.

Si l'opération était

    OR R1, R2

et que les registres 1 et 2 valaient initialement $0011\cdots$ et $0101\cdots$, alors le résultat dans le registre 2 commencerait par $0111\cdots$. ✦

Instructions de branchement

Les instructions vues jusqu'à présent sont utiles pour implémenter des affectations. Nous avons encore besoin d'instructions capables de gérer le flot de contrôle — le test

Débordement

La taille des nombres pouvant être représentés soit en entiers soit dans le format virgule flottante, en utilisant des mots de 32 bits, est limitée. Ainsi, lorsque nous additionnons deux nombres positifs ayant presque la taille maximum, le résultat sera trop grand pour être représenté ; une soustraction ou une multiplication peut également produire des nombres non représentatifs, bien qu'un ordinateur soit souvent conçu pour stocker le résultat d'une multiplication dans deux registres, donc limitant le problème (mais ne l'éliminant pas pour les nombre en virgule flottante). Nous verrons aux paragraphes 4.11 et 4.12 exactement quel est l'intervalle des nombres permis. Pour le moment, notons juste que le résultat d'une opération arithmétique peut être non représentative, une condition généralement appelée un ***débordement***.

La possibilité de débordement donne une consonnance spéciale à l'arithmétique d'un ordinateur. Par exemple, de manière non formelle, l'associativité ne tient plus. Supposons qu'un ordinateur puisse représenter des entiers dans l'intervalle $-M$ à $+M$, pour un très grand nombre M. Nous sommes capables de calculer $(a + b) + c$ car b et c sont de très grands nombres positifs (disons que chacun vaut M) tandis que a est un très grand nombre négatif (disons $-M$). Dans ce cas, $a + b$ vaut 0 et $0 + c$ vaut M. Cependant, si nous essayons de calculer $a + (b + c)$, nous ne pouvons représenter $b + c$, car cette somme, $2M$, n'est pas représentable. Donc, dans l'arithmétique d'un ordinateur » on ne peut pas affirmer que $(a + b) + c = a + (b + c)$. Néanmoins, nous prétendrons souvent que les lois algébriques traditionnelles, telles que l'associativité, sont valables. Aussi longtemps que nous ne manipulons pas de très grands ou de très petits nombres, la différence ne se fera pas sentir.

qui apparaît dans des conditions (comme `if` ou `while`) et les déclarations qui modifient la séquence normale d'exécution. La manière traditionnelle dont les conditions sont testées s'appuie sur l'**instruction « compare »**

        COMPARE Ri, Rj

qui positionne certains bits appelés ***codes condition***, selon que le contenu du registre i est inférieur, égal ou supérieur à celui du registre j. Nous admettrons que les opérations COMPARE sont des mots représentant des entiers. Si nous avons besoin de comparer des mots en virgule flottante utilisés pour les nombres réels, nous utiliserons COMPAREFL.

Après l'exécution de l'instruction COMPARE, une des instructions de branchement est utilisée pour modifier le compteur de programme si un ou plusieurs codes condition particuliers ont été positionnés. Par exemple,

        BREQ <étiquette>

teste si le code condition « égal » est positionné (c'est-à-dire si la précédente comparaison s'est effectuée entre deux quantités égales) et dans ce cas, donne l'adresse indiquée par <étiquette> au PC. Si l'un des autres codes condition (< ou >) est positionné, alors le PC est avancé à l'instruction suivante, comme d'habitude.

Une ***étiquette*** est un nom symbolique préfixant une instruction en langage assembleur. L'étiquette remplace « n'importe quelle adresse mémoire à laquelle débute cette instruction ». Dans notre code assembleur, nous ajoutons le caractère deux-points derrière une étiquette pour ne pas la confondre avec un nom d'opération.

En plus de BREQ, nous utiliserons les mnémoniques suivants pour les autres possibilités.

1. BRNE pour aller à l'étiquette (*branch*) si le résultat de la comparaison est « différent de », c'est-à-dire si le code de comparaison est soit « plus petit que », soit « plus grand que ».

2. BRLT pour se brancher si le bit < est positionné.

3. BRLE pour se brancher l'un des bits < ou = est positionné.

4. BRGT pour se brancher si le bit > est positionné.

5. BRGE pour se brancher si l'un des bits = ou > est positionné.

6. BRANCH pour se brancher sans condition, c'est-à-dire, sans tenir compte des bits positionnés. Cette instruction se comporte comme un goto en Pascal.

```
(1)              LOAD      a, R1
(2)              LOAD      b, R2
(3)              COMPARE   R1, R2
(4)              BRGE      label1
(5)              ADD       R2, R1
(6)              STORE     R1, a
(7)              BRANCH    label2
(8)   label1:   SUB       R2, R1
(9)              STORE     R1, b
(10)  label2:             Code suivant
                          if-then-else
```

Figure 4.18 : Implémenter une construction if-then-else.

✦ **Exemple 4.10.** Le fragment Pascal

```
if a < b then
    a := a+b
else
    b := a-b
```

peut être transformé dans notre code assembleur, comme à la figure 4.18. Les lignes (1) et (2) chargent a et b dans les registres 1 et 2. Ces valeurs sont comparées à la ligne (3). Si nous trouvons que $a \geq b$ à la ligne (4), alors le cas « else » est appliqué. Nous nous branchons à l'affectation a := a+b, qui est transformée aux lignes (5) et (6) dans la figure 4.18. C'est-à-dire, si $a \geq b$, alors le branchement à label1 de la ligne (4) est effectué, et après la ligne (4), nous exécutons la ligne (8). Les lignes (8) et (9) implémentent l'affectation b := a-b.

Quelle que soit l'affectation, nous continuons à la ligne (10), que nous supposons être le début du code assembleur correspondant à ce qui suit la construction if-then-else. Autrement dit, si nous trouvons $a < b$, nous tombons sur les lignes (4) et (5), nous exécutons la partie « if », et finalement nous atteignons la ligne (7), qui nous branche immédiatement à la ligne (10), où se trouve `label2`. Si $a \geq b$, nous allons de la ligne (4) à la ligne (8) puis tombons sur la ligne (10). ✦

Modes d'adressage

Bien que les instructions examinées jusqu'à présent puissent traiter des opérations sur des types de données simples, principalement entiers ou réels, nous n'avons rien pour accéder à des tableaux enregistrements, ou pointeurs, qui sont tous importants dans le modèle de données de Pascal. Le modèle de données de la machine contient de telles caractéristiques, selon un schéma appelé *mode d'adressage*. Jusqu'à présent, nous avons considéré que chaque opérande ne représentant pas un registre représentait une adresse en mémoire. En réalité, les ordinateurs ont diverses interprétations différentes pour les opérandes. Les options diffèrent d'une machine à l'autre, mais la liste suivante, utilisée dans nos exemples, reflète l'idée principale.

1. *Adressage immédiat.* Dans le mode d'adressage immédiat, un opérande est pris littéralement, comme la valeur à être utilisée, et non comme l'adresse de cet opérande. Nous utiliserons #<**valeur**> pour désigner qu'un opérande est utilisé comme une adresse immédiate. Par exemple, l'instruction

    ```
    ADD #24, R1
    ```

    additionne l'entier 24 au contenu du registre 1 ; il n'additionne pas le registre 1 au contenu du mot à l'adresse 24, comme le ferait

    ```
    ADD 24, R1
    ```

2. *Adressage indexé.* En mode indexé, l'ordinateur additionne à l'adresse le contenu du registre désigné. Nous utiliserons

    ```
    <base>[<registre>]
    ```

    pour désigner une adresse formée en prenant l'adresse indiquée par <**base**> et lui additionnant le contenu de <**registre**>.

✦ **Exemple 4.11.** Supposons que nous ayons un tableau qui serait déclaré en Pascal

    ```
    a: array[1..100] of integer
    ```

et que nous voulions exécuter l'affectation

    ```
    x := a[i]
    ```

Puisque l'on considère que les entiers nécessitent chacun 4 octets, nous allouons un bloc de 400 octets consécutifs, dont le premier est représenté par l'adresse symbolique a, et qui contiendra ce tableau. Alors, a[1] devrait se trouver aux octets de a à $a + 3$, a[2] aux octets de $a + 4$ à $a + 7$, et ainsi de suite ; en général, a[i] se trouve aux octets compris entre $a + 4i - 4$ et $a + 4i - 1$.

```
(1)   LOAD    i, R1
(2)   MULT    #4, R1
(3)   LOAD    b[R1], R2
(4)   STORE   R2, x
```

Figure 4.19 : Code assembleur pour `x := a[i]`.

Supposons que $b = a - 4$ et que l'adresse mémoire b contienne l'entier b. Alors notre affectation en Pascal peut être réalisée en code assembleur comme montré dans la figure 4.19. La ligne (2), en utilisant l'adressage immédiat, calcule $4i$ dans le registre 1. A la ligne (3), l'adresse indexée `b[R1]` représente la valeur $b + 4i$, qui est égale à $a + 4i - 4$, c'est-à-dire l'adresse du mot réservé pour `a[i]`. Donc la ligne (3) met la valeur de `a[i]` dans le registre 2, et la valeur est stockée dans le mot x à la ligne (4). ◆

De nombreux assembleurs savent calculer à notre place. Dans ce cas, il n'est pas nécessaire de créer un nom symbolique b pour $a - 4$. Il suffit alors d'écrire les lignes (3) de la figure 4.19 ainsi

```
LOAD (a-4)[R1], R2
```

Allouer de la place pour les noms symboliques

Chaque nom symbolique doit être remplacé par une adresse en mémoire réelle, et ce travail est réalisé par l'assembleur. Les adresses des étiquettes sont calculées comme suit. Chaque instruction du programme en langage assembleur est examinée, séquentiellement, et on détermine combien d'octets elle occupe. Ainsi, en admettant que la première instruction commence à l'octet 0, nous pouvons calculer l'octet auquel chaque instruction commence. Puisque chaque étiquette représente le début d'une instruction, nous savons maintenant quelle valeur affecter à chaque adresse symbolique représentée par une étiquette.

D'autres adresses symboliques représentent des données. L'assembleur est capable de réserver de la place pour les variables représentées par ce type de nom. Généralement, les instructions et les données finiront dans des régions de mémoire différentes après « relocation » (voir l'encadré sur le « langage machine relogeable »). Cependant, pour simplifier, nous admettrons que les adresses des données suivent immédiatement les adresses utilisées pour les instructions.

Nous utiliserons l'instruction assembleur

```
<adresse symbolique>: BLOCK <longueur>
```

pour indiquer l'espace nécessaire à la valeur associée à l'adresse symbolique. Ainsi,

```
foo: BLOCK 1000
```

dit que l'adresse symbolique `foo` représente le début d'un bloc de 1000 octets, que nous réserverons pour un objet donnée que nous interprétons comme étant `foo` ; cet objet pourra être un tableau de 250 entiers, ou une structure d'enregistrement de deux champs, une chaîne de caractères de longueur 498 et un entier, par exemple.

Langage machine relogeable

Nous avons parlé des affectations d'adresses à des instructions et à des données comme si un programme commençait toujours à l'adresse 0. En fait, ceci est généralement impossible, car 0 et les autres adresses basses sont tradionnellement réservées pour des usages particuliers. Notons, par exemple, que l'encadré parlant des « interruptions », à la fin du paragraphe 4.6, où nous mentionnons le besoin d'un emplacement pour stocker la valeur du compteur de programme, ou d'autres pour aider à gérer le problème qui a causé l'interruption. De plus, nous avons souvent deux ou trois programmes résidant en mémoire principale au même moment, tandis que la machine exécute des instructions de chacun, en leur allouant des intervalles de temps réduits, chacun à leur tour. Pour ces raisons, on doit pouvoir charger des programmes en mémoire principale en commençant à n'importe quelle adresse spécifiée, qui n'est pas connue de l'assembleur au moment où ceui-ci travaille sur un programme.

Donc les assembleurs (et les compilateurs pour les langages de programmation comme Pascal) produisent du *langage machine relogeable*. Ce langage est tout à fait équivalent au langage machine qui serait généré si nous posions que les instructions commencent à l'adresse 0. Toutefois, avant qu'un programme en langage machine relogeable s'exécute, il est *chargé* en mémoire par un programme système appelé **chargeur**. Le chargeur reçoit une constante c qui doit être ajoutée à toutes les adresses, et le programme est alors chargé aux adresses commençant par c.

Pour dire au chargeur quelles sections d'instructions doivent être « relogées », c'est à dire, celles auxquelles on doit ajouter c, le code machine relogeable contient un bit pour chaque groupe d'adresses contenant les instructions, qui indique si elles sont relogeables ou non. On suppose que notre programme contient les deuxième et troisième instructions de la figure 4.19, qui commencent repectivement aux adresses 300 et 306. Soit $c = 1000$. Alors l'instruction (2), MULT #4, R1, serait la sortie de l'assembleur, qui n'a pas d'argument relogeable, le premier parce que c'est la constante 4, et le second parce que c'est un registre. Cependant sa propre adresse devra être ajoutée à c, et elle devra donc être chargée à partir de l'adresse 1300. La seconde instruction, LOAD b[R1], R2 devrait voir reloger son adresse b, qui est le premier opérande (la modification d'adresse utilisant le registre 1 sera exprimée comme faisant partie de l'opération). L'instruction elle-même commencera à l'adresse 1306. Si, b représente l'adresse 2000 dans le code machine relogeable, le chargeur devrait lui ajouter c et placer 3000 dans l'instruction.

En réalité, la relocation est un peu plus complexe. Le programme en code machine relogeable utilise deux séries d'adresses, toutes deux commençant à 0, appelées espaces I et D (respectivement, **espaces d'instructions et de données**). Le chargeur utilise deux constantes, c et d, qui sont additionnées respectivement aux adresses d'instructions et aux adresses de données. Donc c représente le début de l'espace I, et d le début de l'espace D.

Pour simplifier, nous allons supposer que toute adresse symbolique non déclarée par une instruction BLOCK, représente un bloc de quatre octets, qui pourra être utilisé pour un entier ou un réel. Nous admettrons aussi que l'espace pour chaque adresse symbolique est aligné de manière à commencer sur un octet divisible par 4.

◆ **Exemple 4.12.** Le programme de l'exemple 4.11 (figure 4.19) utilise les adresses symboliques x, i et a. La première représente un entier ou un réel, selon le cas, et la deuxième représente un entier. Dans l'exemple 4.11, nous établissions que le tableau a avait besoin de 400 octets. Donc, on devra déclarer pour ces trois objets données un espace tel que

```
x:    BLOCK    4
i:    BLOCK    4
a:    BLOCK    400
```

◆

Ce qu'il manque

Nous n'avons pas représenté un langage assembleur complet, qui correspondrait au jeu d'instructions complet d'une machine classique. Nous allons donc refermer ce paragraphe en mentionnant les points les plus importants qui manquent.

1. *Adressage caractère.* Traditionnellement, il existe une variante de LOAD et STORE pour accéder à la mémoire principale ou à un registre, octet par octet. Ces opérations sont nécessaires pour traiter efficacement les chaînes de caractères.

2. *Opérations de décalage.* Un ordinateur possède des instructions qui permettent de décaler, d'un certain nombre de bits, à gauche ou à droite les bits d'un registre. Dans la plupart des variations de cette instruction, les bits décalés à une extrémité du registre sont perdus.

3. *Support pour les appels de procédure.* Prenons par exemple une instruction qui stocke tous les registres dans un bloc de mémoire, et une qui restaure les registres à partir d'un bloc de mémoire. Une telle instruction permet à chaque procédure, lorsqu'elle est appelée, de disposer de tous les registres, sans se soucier des données, nécessaires à la procédure appelante, qui seront détruites par la procédure appelée. Naturellement, nous pouvons multiplier l'effet de ces instructions avec une série de LOAD et STORE, mais en perdant beaucoup d'efficacité lorsqu'il y a beaucoup de registres. Un type particulier de branchement inconditionnel, qui stocke « l'adresse de retour » dans un emplacement mémoire désigné, est une autre aide pour les appels procéduraux. La procédure appelée peut alors retourner à l'adresse qui a été stockée, permettant de reprendre le contrôle au point qui suit l'appel procédural, sans se soucier de qui à appelé la procédure.

4. *Opérations d'entrées/sorties.* Un ordinateur a besoin d'instructions pour initier des déplacements de données vers ou depuis du stockage secondaire et des périphériques de communication. Il lui faut aussi des instructions qui interrogent ces périphériques pour connaître leur capacité à recevoir ou envoyer des données.

EXERCICES

4.7.1 : Transformez les séquences de déclarations Pascal suivantes en assembleur. Essayez d'utiliser aussi peu d'instructions que possible, en tirant partie des valeurs de gauche dans les registres. Vous pouvez admettre que toutes les variables sont de type entier.

a) `a := b+c; d := a+b; a := d-c;`
b) `c := a*b; d := a*b; e := c+d;`

4.7.2 : Réécrivez le code de la figure 4.17 en utilisant l'adressage direct pour obtenir des constantes comme argument.

4.7.3 : Ecrivez un programme en langage assembleur pour calculer le plus grand entier parmi a, b et c, et le stocker dans d.

4.7.4 : Soient a, b et c, les adresses de trois mots contenant 32 bits. Ecrivez une séquence d'instructions logiques qui calcule un mot d ayant un 1 dans exactement les mêmes positions qu'au moins deux parmi a, b et c.

4.7.5 : Admettons que a soit un tableau d'entiers indexé de 1 à 100. Ecrivez le code assembleur pour ce qui suit. Vous supposerez que a est l'adresse symbolique pour le premier mot du tableau et que b est l'adresse symbolique pour $a - 4$.

a) `a[i] := x;`
b) `a[10] := a[20];`
c) `for i := 1 to 100 do a[i] := 0;`

4.7.6 : Admettons que l'instruction (1) de la figure 4.18 commence à l'adresse 0 d'espace I, et chaque instruction prenne 4 octets. Admettons aussi que l'emplacement de a est 0 dans l'espace D, et que celui de b est 4 dans l'espace D. Relogez le code de la figure 4.18 en additionnant 10000 à toutes les adresses d'instruction relogées et 50000 à toutes les adresses de données relogées.

4.8   Supporter le modèle de données de Pascal

Examinons maintenant comment des primitives de langages machine classiques sont utilisées pour implémenter les opérations fournies par Pascal. On peut se demander si Pascal utilise un tel modèle de données parce que ses caractéristiques sont facilement supportées par un ordinateur classique, ou bien si c'est le modèle de données de Pascal qui est « naturel », et les ordinateurs sont conçus pour implémenter ce modèle ou d'autres similaires. Il existe probablement une part de vérité dans les deux points de vue.

Pour voir les relations entre le modèle de données d'une machine classique et celui d'un langage classique comme Pascal, on pourra rappeler ce que nous avons vu au paragraphe 4.6, particulièrement la figure 4.14, à savoir comment organiser des octets consécutifs de stockage pour représenter des types de données simples. Nous généralisons cette idée aux types arbitraires Pascal au paragraphe 4.9, mais regardons d'abord comment les opérations de base de Pascal sont implémentées. Les opérations arithmétiques sur des entiers et des réels sont implémentées directement par les instructions machines correspondantes. Les opérations d'accès aux structures formées de pointeurs, de tableaux et d'enregistrement sont implémentées presque aussi trivialement, comme nous le verrons dans ce paragraphe et au paragraphe 4.9.

Accéder aux tableaux

Nous avons déjà vu dans l'exemple 4.11 comment implémenter une affectation telle que x := a[i], où a est un tableau dont les éléments sont d'un certain type, par exemple entier ou réel, qui nécessitent un seul mot pour leur représentation, et où l'index de a commence à 1. Nous pouvons généraliser la séquence en disant qu'il est possible que l'index de a commence par un nombre différent de 1. Par exemple, si l'intervalle pour l'index de a est [j..k], alors on peut implémenter x := a[i] par les instructions de la figure 4.20.

$$
\begin{array}{lll}
(1) & \text{LOAD} & \text{i, R1} \\
(2) & \text{MULT} & \text{\#4, R1} \\
(3) & \text{LOAD} & \text{(a-4*j)[R1], R2} \\
(4) & \text{STORE} & \text{R2, x}
\end{array}
$$

Figure 4.20 : Accès à un tableau de plus petit index j.

Notons que a à la ligne (3) de la figure 4.20 est une adresse symbolique représentant le premier octet du bloc utilisé pour stocker le tableau a. La valeur de l'expression $a - 4 * j$ à la ligne (3) est connue lorsque le tableau a est déclaré. Cependant, on admet que notre assembleur peut réaliser l'arithmétique nécessaire à l'évaluation des expressions telles que $a - 4 * j$, étant données les valeurs courantes aux variables a et j.

De même, notons que si l'index de a commence à j, alors l'adresse du mot contenant a[i] est $a + 4(i - j)$. Par exemple, si $i = j$, alors l'adresse est a lui-même ; si $i = j + 1$, l'adresse est $a+4$, et ainsi de suite. Puisque les lignes (1) et (2) de la figure 4.20 calculent $4i$ dans le registre 1, le résultat de l'addition du contenu du registre 1 à $a - 4j$ à la ligne (3) est $4i + (a - 4j)$, qui est égal à $a + 4(i - j)$, l'adresse de a[i]. Donc à la ligne (3), le registre 2 reçoit la valeur de a[i], comme prévu, et cette valeur est stockée dans x à la ligne (4).

De même, il est possible de stocker dans a[i]. Par exemple, nous pouvons exécuter a[i] := y par la séquence d'étapes montrées dans la figure 4.21. A nouveau, on admet que j est le premier index du tableau a.

$$
\begin{array}{lll}
(1) & \text{LOAD} & \text{i, R1} \\
(2) & \text{MULT} & \text{\#4, R1} \\
(3) & \text{LOAD} & \text{y, R2} \\
(4) & \text{STORE} & \text{R2, (a-4*j)[R1]}
\end{array}
$$

Figure 4.21 : Stocker dans un tableau.

On peut se demander ce qui se passerait si les éléments du tableau a n'avaient pas la taille d'un mot. Dans notre modèle de machine, nous ne pouvons stocker qu'un seul mot à la fois. Si, par exemple, nous avions un tableau a dont les éléments étaient d'un type τ nécessitant trois mots de mémoire et si x était une variable de type τ, alors nous pourrions effectuer l'affectation x := a[i] par la séquence d'étapes montrées dans la figure 4.22.

(1)	LOAD	i, R1
(2)	MULT	#12, R1
(3)	LOAD	(a-12*j)[R1], R2
(4)	STORE	R2, x
(5)	LOAD	(a-12*j+4)[R1], R2
(6)	STORE	R2, x+4
(7)	LOAD	(a-12*j+8)[R1], R2
(8)	STORE	R2, x+8

Figure 4.22 : Accès à un tableau contenant des éléments de 12 octets.

Pour comprendre la figure 4.22, on doit se rappeler que chaque élément de a, ainsi que la variable x, prend 12 octets ou trois mots. Donc a[i] est dans les 12 octets commençant à l'adresse $a+12*(i-j)$, où j est le premier index de a. Si nous remplaçons 4 par 12 dans la figure 4.20, nous obtenons les quatre premières lignes de la figure 4.22. Cependant, puisqu'un registre peut contenir seulement un mot, ou 4 octets, les lignes (3) et (4) copient seulement les trois premiers de a[i] dans les trois premiers de x. Les lignes (5) et (6) répètent cette opération, mais avec 4 ajouté à l'adresse lue et à l'adresse recevant la valeur dans le registre 2. Ainsi, les octets 5 à 8 de a[i] sont copiés dans le registre 2 puis dans les octets 5 à 8 de x. De même, les lignes (7) et (8) de la figure 4.22 déplacent les trois derniers de a[i] dans les trois derniers de x.

Avec cet exemple, nous devrions être capables d'inventer les instructions d'un langage assembleur pour copier un élément d'un tableau de n'importe quel taille dans une variable de la même taille, et aussi de stocker une valeur de la taille appropriée dans un élément du tableau.

Pointeurs

En Pascal, une variable peut être un pointeur sur des objets d'un type spécifique. Quel que soit ce type, nous pouvons représenter la valeur du pointeur Pascal par l'adresse de la chose sur laquelle il pointe. Rappelons que l'adresse de n'importe quoi est le premier octet qu'il occupe. Dans ce qui suit, nous allons admettre que les pointeurs occupent 4 octets, qui est une quantité d'espace adéquate pour contenir une adresse.

Supposons que p soit une variable pointant sur un entier ou un réel, c'est-à-dire une donnée d'un type occupant un mot. L'affectation Pascal

    x := p^

change la valeur de x en la valeur de la chose pointée par p. Ceci est exprimé en instruction de langage assembleur par

```
LOAD      p, R1
LOAD      0[R1], R2
STORE     R2, x
```

Pour comprendre ce qui se passe, notez que la première étape copie la valeur de p dans le registre 1. Donc le registre 1 contient l'adresse du mot que nous voulons copier dans x. Durant la seconde étape, l'opérande 0[R1] indique que nous devrons ajouter zéro au contenu du registre 1. Le résultat sera l'adresse du mot qui est chargé dans le registre 2. Cette adresse est ce qu'il y a dans le registre 1, et nous venons juste de remarquer que la première étape a placé dans ce registre l'adresse de la chose pointée par p. Du coup, la deuxième étape met dans le registre 2 la valeur de p^, c'est-à-dire la valeur que nous voulons affecter à x. La troisième étape stocke simplement cette valeur dans x.

De la même façon, si nous voulons stocker dans un pointeur, tel que dans l'affectation

    p^ := y

nous pouvons écrire en code assembleur

```
LOAD      y, R2
LOAD      p, R1
STORE     R2, 0[R1]
```

L'opérande 0[R1] utilisé à la troisième ligne représente toujours l'adresse pointée par p, car la valeur de p a été chargée dans le registre 1 durant l'étape précédente.

Si nous voulons traiter des pointeurs sur des types qui sont plus grands qu'un simple mot, nous devons nous arranger pour copier mot par mot, comme nous l'avons fait dans le cas précédent d'accès à un tableau. Nous laissons les détails de cette généralisation au lecteur intéressé ou au lecteur désintéressé auquel l'enseignant impose de faire l'exercice.

Structures d'enregistrements

Maintenant, considérons le problème d'accès aux champs d'une structure d'enregistrement. En général, Pascal associe un **déplacement** pour chaque champs d'un enregistrement, indiquant combien d'octets le sépare du début de l'enregistrement. L'idée a été introduite dans l'exemple 4.5 au début du paragraphe 4.6. En particulier, nous avons vu combien il est utile de placer le début de chaque champs sur une frontière de mots — c'est-à-dire, sur un octet dont l'adresse est divisible par 4 — et nous admettrons que c'est le cas général. Comme exemple, prenons un type d'enregistrement qui pourrait être utilisé pour représenter des arbres binaires (voir paragraphe 5.6) ayant une chaîne de caractères de longueur 10 à chaque nœud. Une définition appropriée est

```
type TREE = ^NODE;
     NODE = record
         string: array [1..10] of char;
         left, right: TREE
     end;
```

Nous allons admettre que l'enregistrement est constitué des champs string, left et right, dans cet ordre, comme sur la figure 4.23. Le premier champ a toujours un

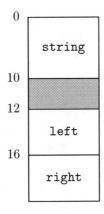

Figure 4.23 : Agencement de l'enregistrement du type NODE.

déplacement de 0, puisqu'il commence là où l'enregistrement commence. Le second champ aura un déplacement égal au nombre d'octets occupés par le premier champ, « arrondi » à un multiple de 4. Dans notre exemple, le champ left a pour déplacement 12, puisque string prend 10 octets. De même, le déplacement du troisième champ est égal au déplacement du second champ, plus la taille de celui-ci, arrondie, si nécessaire, au multiple de 4 suivant. Puisque les pointeurs sont supposés occuper 4 octets, right a pour déplacement 16, autrement dit 12 plus 4, c'est-à-dire, le déplacement de left plus la taille de left. Dans ce cas, il n'est pas nécessaire de l'arrondir à un multiple de 4, puisque la taille de left est un multiple de 4. La règle générale devrait maintenant être claire. Le déplacement de chaque champ est la somme des déplacements des champs précédents et de la taille du champ précédent, arrondi à un multiple de 4, si nécessaire.

Si n est une variable de type NODE et p est du type TREE (c'est-à-dire, un pointeur sur un nœud), nous pourrions affecter à p la valeur du champ right de n par l'affectation Pascal

```
p := n.right
```

En langage assembleur, nous réalisons la même affectation par

```
LOAD      n+16, R1
STORE     R1, p
```

La première instruction copie le mot commençant au déplacement de 16 à partir du début de n ; ce mot est n.right. La seconde instruction stocke cette valeur dans p.

De même, nous pouvons stocker une nouvelle valeur dans un champ. Supposons que nous voulions réaliser l'affectation

```
n.left := y
```

Une séquence appropriée d'instructions de langage assembleur est

```
LOAD      y, R1
STORE     R1, n+12
```

Notons que dans la seconde étape, nous utilisons le déplacement 12 pour left, plutôt que le déplacement 16 pour `right`, comme nous l'avons fait dans l'exemple précédent. La seconde instruction stocke le registre 1, qui contient la valeur de `y`, dans le mot commençant au déplacement 12 en partant de `n`. Ce mot est celui contenant le champ `n.left`.

EXERCICES

4.8.1 : Ecrivez le code assembleur analogue à la figure 4.22 pour stocker la valeur de `y` dans `a[i]`, où `a` est un tableau avec des éléments de 12 octets et le premier index j, comme dans la figure.

4.8.2 : Supposons que `p` soit un pointeur sur des objets d'un type qui prend 8 octets. Ecrivez le code assembleur pour

a) Stocker dans `x` la valeur de la chose pointée par `p`.

b) Stocker la valeur de `y` dans la chose pointée par `p`.

4.8.3 : Supposons que nous voulions faire pointer `p` sur la variable `z`. Comment peut-on réaliser ceci dans notre langage assembleur ? *Une indication*: Utilisez le mode d'adressage direct, avec une adresse de variable. Notez que cette opération n'est pas permise explicitement dans Pascal, mais elle est essentielle pour que la fonction *new* de Pascal fonctionne.

4.8.4 : * Soit `q` pointant sur un enregistrement de type `NODE`, comme dans la figure 4.23. Ecrivez le code assembleur réalisant les opérations suivantes :

a) Stocker la valeur de `x` dans le champ `q^.right`.

b) Copier la valeur de `q^.left` dans `q^.right`.

c) Faire que les champs `q^.left` et `q^.right` pointent tous les deux sur l'enregistrement pointé par `q`.

d) Faire en sorte que `q` pointe où `q^.left` pointe.

e) En admettant qu'un pointeur `NIL` est représenté par la valeur 0 dans un mot qui contient un pointeur (ce qui est significatif, puisque 0 n'est généralement pas une adresse qui peut stocker des données), trouvez le `NIL` le plus à gauche dans l'arbre de nœuds dont la racine est pointée par `q`.

4.8.5 : * Ecrivez le code assembleur réalisant le tri par sélection donné dans la figure 2.3.

4.9   Représenter des structures : le cas général

Dans ce paragraphe, nous allons montrer comment les techniques du paragraphe précédent peuvent être généralisées pour accéder aux structures Pascal comme les tableaux, des pointeurs et des enregistrements. C'est-à-dire, nous allons donner des règles générales pour organiser le stockage de telles structures, et pour accéder à n'importe quelle partie de n'importe quelle structure. Chacun de ces problèmes implique des règles récursives pour traduire de Pascal en code assembleur.

Règles de base pour l'allocation de place

D'abord, nous allons considérer la taille et l'agencement de blocs utilisés pour représenter des objets de divers types Pascal. Dans ce paragraphe, nous allons énumérer les types de base, ainsi que la place requise par chacun. La liste suivante inclut non seulement les types de base de Pascal, mais aussi deux cas spéciaux.

1. *Entiers.* Nous utilisons un mot pour chaque variable de type entier.

2. *Types énumérés et sous-types.* Ce sont en fait des ensembles d'entiers, nous les représentons aussi par un mot mémoire. Les intervalles comme 3..50 ont clairement des entiers pour valeurs. Des types énumérés tels que

    (Jan, Fév,..., Déc)

    peuvent facilement être mis en correspondance avec une liste d'entiers commençant par 1, tel que Jan corresponde à l'entier 1, Fév à 2, et ainsi de suite.

3. *Réels.* Nous représentons un nombre réel par un mot. Rappelons qu'il y a un code spécial, que nous présenterons au paragraphe 4.12, pour exprimer un nombre réel comme une séquence de bits. Dans notre exemple de machine, nous utilisons un code sur 32 bits pour les réels. Beaucoup de machines autorisent des codages plus longs — par exemple une représentation sur deux mots (64 bits).

4. *Caractères et booléens.* Nous représentons normalement chacun par un mot. Ainsi, un caractère occupe le dernier des quatres octets d'un mot, et un booléen occupe seulement le dernier bit du dernier octet d'un mot. Cette représentation **non-compactée** peut apparaître comme un gâchis de place. Sur la plupart des machines, cependant, lire un mot est au moins aussi efficace que lire un octet arbitraire ou un bit, et nous adoptons par conséquent cette représentation par défaut. Notons les types (5) et (6) ci-dessous, où l'on présente des cas spéciaux importants où les bits ou les octets sont **compactés** de manière aussi serrée que possible dans des mots.

5. *Tableaux de caractères.* Un type de la forme

    array [a..b] of char

    n'est généralement pas considéré comme un type de base. Cependant, il représente une chaîne de caractère de longueur fixe, et il est très utilisé en Pascal. Donc, nous suggérons qu'un tel tableau, dont la longueur est $b - a + 1$, soit compacté dans $\lceil (b - a + 1)/4 \rceil$ mots, en utilisant tous les octets des mots, avec les derniers octets du dernier mot ignoré si $b - a + 1$ n'est pas divisible par 4. Nous avons donné un exemple de compactage d'une chaîne de caractères dans l'exemple 4.5.

6. *Ensembles.* En Pascal, les ensembles peuvent seulement être des sous-ensembles d'un type énuméré ou de type intervalle. Le nombre d'éléments possibles dans un ensemble varie selon le compilateur Pascal, mais une approche classique est de n'allouer que des ensembles qui peuvent être représentés par un mot. En particulier, un mot de 32 bits peut servir à indiquer la présence ou l'absence de 32 éléments ou moins. A chaque élément est affectée une position de un bit, et un 1 signifie que l'élément est dans l'ensemble ; un 0 signifie qu'il n'y est pas.

Vecteurs caractéristiques

Une séquence comme celle de l'exemple 4.13, avec des 1 pour dire « présent dans l'ensemble » et des 0 pour dire « absent », est souvent appelée *vecteur caractéristique*. Lorsque nous représentons des ensembles par les vecteurs caractéristiques, complétés pour former des mots complets, nous pouvons réaliser l'union des ensembles en prenant le OU logique des mots, et nous réalisons l'intersection en prenant le ET des mots. Donc, lorsque nous pouvons représenter des ensembles par de courts vecteurs caractéristiques, il existe une façon très efficace de réaliser l'union et l'intersection, même si ces opérations donnent l'impression de nécessiter plus de calculs. Les vecteurs caractéristiques sont examinés au paragraphe 7.5.

Cette simplicité d'utilisation de l'union et de l'intersection est sans aucun doute l'origine de la limitation en Pascal portant sur la taille des intervalles et des types énumérés, à partir desquels les ensembles peuvent être construits. Pourtant, on pourrait quand même réaliser l'union ou l'intersection avec peu d'instructions si l'intervalle ou le type énuméré était plus grand que 32 éléments. Par exemple, si nous voulions représenter

```
set of 1..320
```

nous pourrions utiliser dix mots pour contenir le vecteur caractéristique d'un ensemble et réaliser l'union ou l'intersection en prenant le OU ou le ET des mots correspondants des deux vecteurs caractéristiques.

✦ **Exemple 4.13.** Supposons que nous voulions représenter des ensembles du type

```
set of 20..40
```

Alors l'entier 20 est représenté par le premier bit, 21 par le second, et en général, l'entier i dans l'intervalle 20 à 40 correspond au bit $i - 19$. Les derniers 11 bits du mot ne correspondent à aucun entier. Alors l'ensemble des nombres premiers dans l'intervalle 20 à 40 peut être représenté par la séquence de bits 000100000101000001000. En fait, cette séquence devrait être suivie par onze 0 pour faire un mot de 32 bits.

De même, nous pouvons affecter un code entier aux éléments d'un type enuméré. Si notre type est

```
set of (Jan, Fév,..., Déc)
```

et si nous affectons des positions dans l'ordre, alors l'ensemble des mois avec 31 jours pourrait être représenté par 101010110101, complétés par 20 zéros. ✦

Règles récursives pour l'allocation de place

Maintenant, regardons ce qui arrive lorsque l'on forme des types complexes avec des pointeurs, tableaux et enregistrements. Admettons que nous ayons déjà trouvé la quantité de place prise par certains types, peut-être types de base, ou peut-être construits avec des règles récursives. Admettons également que l'espace requis pour un type soit un nombre entier de mots, c'est-à-dire un nombre d'octets divisible par 4. Maintenant, appliquons à nouveau l'un des constructeurs de types. Grâce aux règles suivantes, nous calculons la quantité d'espace nécessaire aux nouveau type qui, comme on le verra, est aussi un multiple de 4.

1. *Pointeurs.* Supposons que nous ayons un type $\hat{} \; \tau$. Pour pour les objets de ce type, nous allouons un seul mot, pour contenir un pointeur sur un objet de ce type τ. Notons que la taille du pointeur $\hat{} \; \tau$ ne dépend pas du type τ. Il est raisonnable d'admettre que les pointeurs, qui sont des adresses mémoire, peuvent tenir dans un mot, puisque 32 bits sont suffisants pour représenter les 2^{32} adresses mémoires différentes.

2. *Tableaux.* Supposons que nous ayons un type

    ```
    array [a..b] of τ
    ```

    pour un type τ dont les éléments nécessitent k mots chacun. Alors, un tableau de ce type nécessite $(b - a + 1)k$ mots et sera organisé comme dans la figure 4.24.[12]

x	x[a]
$x + k$	x[a+1]
$x + 2k$	x[a+2]
$\cdot$	$\cdot$
$\cdot$	$\cdot$
$\cdot$	$\cdot$
$x + (b - a)k$	x[b]

Figure 4.24 : Agencement d'un tableau.

3. *Structures d'enregistrement.* Admettons une structure d'enregistrement ayant n champs appelés $F_1, \ldots, F_n$ de type $\tau_1, \ldots, \tau_n$. Soit $k_1, \ldots, k_n$ octets, la taille des objets de ce type. Nous admettons que chaque k est divisible par 4. Alors la taille d'un objet de cette structure d'enregistrement est $\sum_{i=1}^{n} k_i$. Le $j^{ème}$ champ, F_j, est situé à l'emplacement $\sum_{i=1}^{j-1} k_i$ octets après le début de l'enregistrement.[13]

L'agencement de l'enregistrement des n champs ressemble beaucoup à celui d'un tableau de n éléments. Pour la structure d'enregistrement, cependant, chaque champ peut avoir une taille différente, et chaque champ a un nom. Pour le tableau, tous les éléments ont la même taille, et ils sont seulement nommés par leur index.

A propos, nous avons déclaré que chaque type défini par ces trois règles avait une taille (en octets) divisible par 4. Nous pouvons prouver cette déclaration par récurrence

---

[12] Notons que les tableaux de caractères ne suivent pas cette règle, puisque nous stockons de tels tableaux compactés, un élément par octet. Nous avons déjà parlé des tableaux de caractères dans les règles de base, et donc τ ne peut pas être un **char** ici.

[13] Si $j = 1$, alors la somme va de $i = 1$ à $i = 0$, une expression non significative. Par convention, une telle somme vaut zéro, ce qui a un sens, puisque le déplacement du champ F_1 est 0 ; c'est-à-dire qu'il commence exactement où l'enregistrement commence.

sur le nombre de fois que nous devons utiliser un constructeur (pointeur, tableau, ou enregistrement) pour définir un type ; la preuve est laissée en exercice.

Accéder à des structures en langage assembleur

Maintenant, examinons une collection de règles récursives qui permettent d'accéder à des morceaux d'objets, de types arbitrairement complexes. Par exemple, considérons la séquence de déclarations de types du paragraphe 1.4, que nous répétons ici dans la figure 4.25. Si nous avons un tableau `a` de type `TYPE4`, nous pouvons réaliser une affectation telle que

```
a[3].field2^[2] := x
```

ou

```
y := a[3].field2^[2]
```

qui nécessite de

1. Trouver l'élément du tableau `a[3]`, qui est un objet de type `TYPE3`.

2. Trouver le champ `field2` de cet élément, qui est un objet de type `TYPE2`.

3. Suivre le pointeur dans ce champ sur un objet de type `TYPE1`, c'est-à-dire un tableau de 10 entiers.

4. Accéder au second élément de ce tableau.

Il nous faut un schéma qui nous permette de suivre des séquences arbitraires d'étapes de trois sortes :

a) Suivre un pointeur.

b) Trouver un élément de tableau.

c) Trouver un champ d'un enregistrement.

```
TYPE1 = array [1..10] of integer;
TYPE2 = ^ TYPE1;
TYPE3 = record
        field1: integer;
        field2: TYPE2
end;
TYPE4 = array [0..4] of TYPE3;
```

Figure 4.25 : Déclarations de types.

Un objet de type quelconque a une **adresse de base,** ou simplement une *adresse*, qui est le premier octet du bloc dans lequel il est stocké. Chacune des trois opérations ci-dessus implique le déplacement à partir de l'adresse de base de l'objet vers une nouvelle adresse de base pour l'un de ses sous-objets.

Pour établir une séquence d'étapes adaptée, on supposera que l'adresse de base d'un objet est dans un registre i, et que l'adresse de base du sous-objet sera calculée soit dans le registre i soit si ce n'est pas pratique, dans le registre $i + 1$. Puisque notre ordinateur possède un nombre limité de registres, nous allons manquer de registres, inévitablement. Il s'avère que les adresses de base ne sont utilisées qu'une fois durant une séquence d'accès, et donc deux registres suffisent si nous les utilisons alternativement. Par commodité nous allons admettre un nombre infini de registres disponibles.

Règles de base pour accéder aux structures

Ces règles s'appliquent lorsque le sous-objet est d'un type de base. Nous n'avons pas besoin de trouver l'adresse d'un sous-objet, mais il faut lire l'objet lui-même.

Supposons d'abord que le sous-objet, de type de base, utilise un mot mémoire. Si l'adresse de base est dans le registre i, nous pouvons mettre la valeur de ce sous-objet dans le registre $i + 1$ par

$$\text{LOAD} \quad \text{O[R}i\text{]}, \ \text{R}(i + 1)$$

et nous stockons la valeur dans cet objet en mettant la valeur dans le registre $i + 1$, puis en exécutant l'instruction

$$\text{STORE} \quad \text{R}(i + 1), \ \text{O[R}i\text{]}$$

Une exception survient lorsque le type de base est une chaîne de caractères. Nous avons choisi de stocker une **chaîne de caractères** (un tableau de caractères) compactée dans aussi autant de mots que pourra en contenir le tableau. Supposons que nous voulions lire le $j^{ème}$ d'un tel tableau. Pour lire ou écrire un seul octet dans un registre, nous avons besoin d'opérations spéciales pour charger ou stocker des octets, comme on l'a vu à la fin du paragraphe 4.7. Si les mnémoniques de ces instructions sont LOADB et STOREB, on lit l'octet j d'une chaîne de caractère dont l'adresse de base est dans le registre i par

$$\text{LOADB} \ (j - 1)\text{[R}i\text{]}, \ \text{R[}(i + 1)\text{]}$$

Nous pouvons stocker la valeur contenue dans le registre $i + 1$ dans l'octet j par

$$\text{STOREB R[}(i + 1)\text{]}, \ (j - 1)\text{[R}i\text{]}$$

Notons que le déplacement du $j^{ème}$ octet d'une chaîne ou d'un tableau de caractères est $j - 1$, et non pas j. Par exemple, le premier octet a la même adresse que le tableau lui-même, le second octet a l'adresse incrémentée de 1, et ainsi de suite.

Règles de récurrence pour calculer les adresses de base

Nous complétons notre étude des accès aux structures en montrant comment produire du code assembleur qui trouve les adresses de base pour les sous-structures. Les trois règles suivantes correspondent aux trois constructions de types de Pascal.

1. *Pointeurs.* Si nous avons un objet de type $\hat{\ } \ \tau$, pour un type τ, et que l'adresse de base de cet objet est dans le registre i, on utilise l'instruction

$$\text{LOAD} \quad \text{O[R}i\text{]}, \ \text{R}(i + 1)$$

pour suivre le pointeur. Autrement dit, le registre i a l'adresse d'un mot qui est un pointeur (c'est-à-dire qu'il contient l'adresse de base) sur un objet de type τ. Cette instruction place dans le registre $i+1$ le contenu du mot d'adresse zéro plus le contenu du registre i, c'est-à-dire le contenu du mot qui est le pointeur en question. Le registre $i+1$ contient maintenant l'adresse de base de l'objet de type τ.

2. *Tableaux.* Supposons que le registre i contienne l'adresse de base d'un objet de type

```
array [a..b] of  τ
```

et que nous voulions accéder à l'élément j de ce tableau. Nous pouvons nous arranger pour que l'adresse de base de cet élément apparaisse dans le registre i. Supposons que la taille des élément du type τ soit k octets. Si j est une variable, trouvée à l'emplacement d'adresse symbolique j, alors nous exécutons les étapes supplémentaires suivantes, qui utilisent le registre $i+1$ comme registre temporaire, pour calculer le déplacement de l'élément j.

```
LOAD      j, R(i + 1)
SUB       #a, R(i + 1)
MULT      #k, R(i + 1)
ADD       R(i + 1), Ri
```

Cependant, si j est une constante, nous pouvons calculer le déplacement $k(j-a)$ pour l'élément de tableau voulu au moment où nous composons le code assembleur, et nous pouvons utiliser l'unique instruction suivante pour le même effet.

```
ADD       #k(j − a), Ri
```

3. *Structures d'enregistrement.* Maintenant, supposons que le registre i contienne l'adresse de base d'une structure d'enregistrement et que nous voulions accéder à l'un de ses champs, qui a un déplacement de k octets. Alors nous avons seulement à calculer k plus l'adresse de base de l'enregistrement dans le registre i ; c'est-à-dire, nous pouvons utiliser l'instruction

```
ADD       #k, Ri
```

◆ **Exemple 4.14.** Supposons que nous ayons un tableau a de type TYPE4, correspondant aux définitions de type de la figure 4.25. Considérons l'affectation suivante :

```
a[j].field2^[7] := x
```

L'adresse de base du tableau a supposée est l'adresse symbolique a, donc nous devons commencer par l'instruction

```
LOAD      #a, R1
```

Pour obtenir l'élément j du tableau dont l'adresse de base est dans le registre 1, nous devons soustraire de j l'index bas du tableau (qui est 0 dans ce cas) puis multiplier par la taille des éléments. Puisque ces éléments sont du type TYPE3, qui consiste en un entier et un pointeur, la taille d'un élément est 8 octets. Ainsi, nous réalisons le calcul nécessaire dans le registre 2 et ajoutons le résultat dans le registre 1, selon la règle (2) ci-dessus. Les instructions sont :

```
LOAD      j, R2
SUB       #0, R2
MULT      #8, R2
ADD       R2, R1
```

Nous avons maintenant l'adresse de base de l'élément du tableau `a[j]` dans le registre 1. Nous avons besoin ensuite de l'adresse de base de `field2` de cet enregistrement. Puisque `field2` a un déplacement de 4 (il suit un champ de taille 4), nous avons seulement besoin d'exécuter l'instruction

```
ADD       #4, R1
```

et l'adresse de base pour `a[j].field2` apparaît dans le registre 1.

Ensuite, nous devons suivre le pointeur dans `field2`, et par la règle (1) ci-dessus, nous utilisons l'instruction

```
LOAD      0[R1], R2
```

pour mettre l'adresse de l'élément `TYPE1` dans le registre 2. Autrement dit, on dispose à présent de l'adresse de base pour le tableau de 10 entiers, qui est la valeur de l'expression `a[j].field2^`.

Nous devons maintenant trouver le septième élément du tableau, et nous pouvons facilement calculer que le déplacement approprié est 24. Donc, il nous suffit d'ajouter 24 au registre 2, par

```
ADD       #24, R2
```

Enfin, on charge la valeur de `x` dans le registre 3 et on stocke cette valeur à l'adresse trouvée dans le registre 2 ; cette adresse est l'emplacement de `a[j].field2^[7]`. Les dernières instructions sont

```
LOAD      x, R3
STORE     R3, 0[R2]
```

La séquence complète est montrée dans la figure 4.26.

```
(1)     LOAD      #a, R1
(2)     LOAD      j, R2
(3)     SUB       #0, R2
(4)     MULT      #8, R2
(5)     ADD       R2, R1
(6)     ADD       #4, R1
(7)     LOAD      0[R1], R2
(8)     ADD       #24, R2
(9)     LOAD      x, R3
(10)    STORE     R3, 0[R2]
```

Figure 4.26 : Instructions générées mécaniquement pour l'accès à une structure.

Les instructions de la figure 4.26 ne sont pas les meilleures possibles. D'abord, la ligne (3), une soustraction de zéro, n'est pas nécessaire et peut être enlevée. De même, il n'est pas nécessaire de charger a dans le registre à la ligne (1) puis de l'ajouter à la ligne (5). Nous ferions mieux de calculer d'abord $8j$ dans le registre 1 puis d'y ajouter la valeur de l'adresse a. Donc les lignes (1) à (5) peuvent être remplacées par

```
LOAD      j, R1
MULT      #8, R1
ADD       #a, R1
```

Maintenant, considérons les lignes (6) et (7) de la figure 4.26. Elles ajoutent 4 au registre 1 puis calculent une adresse 0[R1]. Nous aurions le même effet si nous n'ajoutions pas 4 au registre 1 et que l'on calculait l'adresse 4[R1]. Ces lignes peuvent donc être remplacées par l'instruction

```
LOAD      4[R1], R2
```

De même, les lignes (8) et (10) peuvent être remplacées par une seule instruction. Les 6 instructions résultantes sont montrées dans la figure 4.27. ✦

```
LOAD      j, R1
MULT      #8, R1
ADD       #a, R1
LOAD      4[R1], R2
LOAD      x, R3
STORE     R3, 24[R2]
```

Figure 4.27 : Amélioration de la séquence d'instructions.

EXERCICES

4.9.1 : Soit b un tableau de type TYPE4, comme défini dans la figure 4.25. Ecrivez le code assembleur pour stocker la valeur de l'entier x dans

a) b[4].field1

b) b[1].field2^[3]

en utilisant l'algorithme récursif de ce paragraphe.

4.9.2 : A nouveau, en utilisant l'algorithme récursif de ce paragraphe, écrivez du code assembleur pour stocker les entiers de l'exercice 4.9.1(a) et (b) dans la variable entière y.

4.9.3 : Trouvez des séquences d'instructions qui réalisent les mêmes tâches que dans l'exercice 4.9.1 et 4.9.2, en utilisant aussi peu d'instructions que possible.

4.9.4 : Nous avons affirmé que les types définis par les applications des règles pour les constructions de type pointeur, tableau et enregistrement demandait tous une taille, en octets, divisible par 4. Démontrez ce fait par récurrence sur le nombre de fois qu'un constructeur est utilisé.

Compilateur et optimisation

Le processus suivi dans l'exemple 4.14 illustre bien ce qui se passe en général dans un compilateur. De simples règles récursives génèrent une séquence d'instructions machine ou assembleur qui sont sûres de fonctionner, car il existe une interface triviale entre les applications des diverses règles. Dans l'exemple 4.14, cette interface était « Une adresse de base apparaît dans un registre "désigné", et nous devons calculer l'adresse de base suivante dans un registre désigné ». Ensuite, des « astuces » locales ou *optimisations*, sont appliquées pour améliorer le code en réduisant le nombre d'instructions en s'assurant que l'on aboutit au même résultat.

4.9.5 : * Nous avons aussi suggéré que les ensembles puissent être représentés par des vecteurs caractéristiques. Si S est un sous-ensemble d'un ensemble de 32 éléments, que nous appelons $1, 2, \ldots, 32$, alors nous pouvons représenter la présence ou l'absence de i dans S par le $i^{ème}$ bit du mot s. Pour tester, par exemple, si i est dans S, nous avons besoin d'isoler un bit d'un mot, de manière que le mot ne contienne soit que des 0 (si ce bit est 0), soit un seul 1 (si le bit est 1). Puis, nous pouvons faire un branchement sur non-zéro pour tester la valeur du bit. Pour réaliser cela, nous avons besoin de l'instruction **shift**

```
SHIFTL      Rm, D
SHIFTR      Rm, D
```

Le premier décale les bits du registre m à gauche de D bits, en insérant des 0 par la droite. Ici, D peut être soit un registre, dans quel cas le nombre de bits à décaler est le contenu de ce registre ou un nombre $\#j$, auquel cas, nous décalons de j positions. L'instruction SHIFTR est similaire, mais les bits sont décalés à droite. En utilisant ces instructions, peut-être avec des instructions logiques, il est possible d'écrire du code assembleur pour les opérations suivantes :

a) Supposons que s soit le vecteur caractérisque de l'ensemble S et que i contienne un entier entre 1 et 32. Se brancher à **oui** si l'entier i est un élément de S et se brancher à **non** sinon.

b) Modifier le vecteur caractéristique s tel que i soit un élément de l'ensemble S.

c) Dire si l'entier particulier 23 est un élément de l'ensemble S, représenté par le vecteur caractéristique s.

d) Enlever 23 de l'ensemble S représenté par le vecteur caractéristique s.

4.10   Le temps d'exécution des programmes

Au chapitre 3, nous avons fait un certain nombre d'hypothèses concernant le temps d'exécution de diverses instructions Pascal. Par exemple, nous avons dit que chaque affectation Pascal ou test conditionnel nécessitait « une certaine quantité de temps constante », indépendante des valeurs sur lesquelles les opérations sont effectuées ; autrement dit, chaque affectation et chaque test nécessite un temps en $O(1)$. Nous avons

Processeurs pipelines

Certaines machines modernes *pipelinent* les instructions, ce qui signifie qu'elles commencent à aller chercher, décoder et même exécuter en partie une instruction avant que l'exécution de la précédente ne soit terminée. Il y a toujours une vitesse constante à laquelle les instructions sont exécutées mais le temps entre les exécutions d'instructions est très petit, et plusieurs instructions peuvent se trouver en même temps dans le processus d'exécution.

Un inconvénient de cette architecture est que lorsqu'un branchement est effectué, les effets de toutes les instructions consécutives qui ont commencé à être exécutées, doivent être annulés et le pipeline doit recommencer à partir de l'instruction atteinte lors du branchement. Donc une instruction de branchement, où le branchement est vraiment suivi, prend en réalité un temps plus long que les autres instructions.

aussi déclaré que nous ne pourrions pas être plus précis que cela, pour diverses raisons. Nous sommes maintenant à même de comprendre d'où viennent ces hypothèses.

Chaque machine exécute ses cycles d'instructions (chercher, décoder et exécuter, comme décrit au paragraphe 4.6) dans un temps maximum fixé par instruction. Ce temps peut varier de 10^{-6} seconde à 10^{-7} seconde, ou même moins. En plus des différences de vitesses auxquelles les instructions sont exécutées, différentes machines possèdent différents jeux d'instructions et différents modes d'adressage.

Des machines peuvent exécuter une instruction avant que la précédente ne se termine (voir l'encadré sur les « processeurs pipeline »). Ces distinctions peuvent affecter le nombre d'instructions nécessaires pour des opérations arithmétiques ou d'accès aux structures. Finalement, nous avons vu dans l'exemple 4.14 comment le compilateur pouvait optimiser le code assembleur qu'il génère. Dans notre exemple simple, il y avait un rapport de 10/6 entre le nombre d'instructions générée par une application aveugle des règles de transformation du Pascal en code assembleur, et le nombre d'instructions d'un code généré plus attentivement.

Toutes ces raisons nous disent que nous ne pouvons pas considérer le nombre d'instructions exécutées comme étant autre chose qu'une approximation du temps d'exécution. Les différences en temps d'exécution dues aux variations dans

1.   le taux d'exécution d'instruction,

2.   le jeu d'instructions, et

3.   la qualité du code compilé

peuvent mener à des rapports élevés entre le temps pour une combinaison machine-compilateur et une autre combinaison.

Comptage d'instructions

Nous venons juste de voir que, à un facteur constant près, il est possible de mesurer le temps d'exécution des programmes en Pascal ou dans un autre langage, en transformant directement le programme en langage assembleur et en comptant le nombre d'instructions exécutées. Aux paragraphes suivants, nous ferons état d'observations fondamentales à propos du nombre d'instructions nécessaires pour diverses constructions. Le point essentiel est que, pour beaucoup de constructions Pascal importantes, comme les affectations, le nombre d'instructions exécutées peut dépendre d'une instance particulière de cette construction à la main, ou des types d'opérandes, mais en aucun cas de la valeur des données. Par conséquent, le temps d'exécution de ces constructions ne dépend pas de la taille d'entrée.

A chacun des points suivants, nous supposons qu'aucun opérande dans une expression n'entraine d'appel procédural. Nous parlerons des appels de procédure séparément, à la fin de ce paragraphe.

Accéder aux opérandes

Des expressions de divers types ont des opérandes qui peuvent être de simples variables, ou impliquer les opérateurs d'accès à un enregistrement, un pointeur, et un tableau (« . », « ^ » et « [ ] »), que nous avons examinés au paragraphe précédent. Ici, nous avons observé qu'au moins quatre instructions par opérateur d'accès étaient nécessaires, plus une pour prendre l'adresse de base initiale, et une autre pour charger et stocker la valeur impliquée (en supposant que la valeur occupe un seul mot). Si la valeur nécessite plusieurs mots, alors le nombre d'instructions nécessaires pour la lire ou la stocker, est une par mot. Cependant, puisque le type d'une variable Pascal est fixé avant que le programme tourne, le nombre d'instructions nécessaires pour lire ou stocker un opérande est une constante, indépendamment du nombre d'opérateurs d'accès qui l'utilisent et du type de la variable. Il est important de comprendre que cette quantité, bien qu'elle puisse être grande, ne dépend en aucun cas de la valeur lue ou stockée. Donc chaque accès à une donnée particulière prend un temps de $O(1)$, bien que les facteurs constants c impliqués par le O puisse varier pour différentes occurrences d'opérateurs d'accès.

Opérations arithmétiques

Des techniques pour traduire une expression arithmétique comme `a+b[i]*c` en assembleur seront vues au paragraphe 5.7. Cependant, sans connaître les détails de la traduction, nous pouvons observer que chaque opération arithmétique peut être réalisée en trois instructions : une pour charger le premier opérande, une pour exécuter l'opération, et une pour stocker le résultat. Si assez de registres sont disponibles, nous pouvons éliminer beaucoup de chargements et de stockage, par conséquent utiliser un peu moins de trois instructions par opération. Cependant, il faut ajouter au compte d'instructions ce dont nous avons besoin pour exécuter les accès aux opérandes tels que `b[i]`.

Pour produire le code en assembleur d'une expression arithmétique, nous devons d'abord décider d'un ordre correct des opérations, un ordre où l'on ne tente pas d'exécuter une opération tant que ses opérandes ne sont pas évalués. Dans notre exemple, nous devons multiplier `b[i]` par `c` avant d'ajouter ce produit à `a`. Au pire, le résultat de chaque opération doit être stocké dans son propre mot mémoire. Alors une opération peut être exécutée dans l'ordre suivant :

a)   Charger l'opérande dans le registre 1.

b)   Travailler sur le registre 1, en utilisant l'opérande droit.

c)   Stocker le résultat dans l'emplacement mémoire approprié.

Dans le cas de notre exemple d'expression, nous utilisons une adresse symbolique comme `temp1` pour `b[i]*c` et générons le code comme dans la figure 4.28. Nous utilisons aussi `temp2` pour contenir le résultat de l'expression totale, et `BsubI` pour contenir `b[i]`. Les lignes (1) à (3) de la figure 4.28 représentent l'application de l'opérateur multiplication, et les lignes (4) à (6) représentent l'addition. Les instructions pour accéder à `b[i]` et calculer `BsubI` sont comptabilisées dans le coût des structures d'accès.

> *Code pour évaluer*
> `b[i]` *et le stocker*
> *dans un emplacement*
> *temporaire* `BsubI`

```
(1)     LOAD     BsubI, R1
(2)     MULT     c, R1
(3)     STORE    R1, temp1
(4)     LOAD     a, R1
(5)     ADD      temp1, R1
(6)     STORE    R1, temp2
```

Figure 4.28 : Evaluer une expression arithmétique.

Opérations de comparaison

Considérons une comparaison, comme dans une expression conditionnelle d'une déclaration `if` ou d'une boucle `while` ; un exemple est `a[i].field1 < b`. Comme pour les expressions arithmétiques, des instructions sont requises pour accéder aux opérandes, mais le nombre de telles instructions est fini et dépend du nombre d'accès à des pointeurs, tableaux et enregistrements, et non pas de la valeur d'un objet données. Chaque opérateur de comparaison, tel que $<$ ou $=$, peut être exécuté par les trois instructions :

a)   Charger l'opérande droit dans un registre.

b)   Comparer l'opérande gauche avec le registre.

c)   Se brancher, selon le résultat de la comparaison.

La comparaison de chaînes de caractères est une exception, qui est permise en Pascal, avec « $<$ » signifiant «précède dans l'ordre lexicographique». Dans ce cas, nous avons à comparer octet par octet, jusqu'à ce que nous déterminions quelle chaîne vient avant dans l'ordre lexicographique. Cependant, le nombre de comparaisons et de branchements ne peut dépasser la longueur des chaînes comparées, et cette longueur est fixée lorsque le programme est écrit et que les types sont déclarés ; elle ne dépend pas des données. Nous concluons que le nombre maximum d'instructions nécessaires pour toute comparaison ne dépend pas de la valeur des objets comparés. De nouveau, le nombre d'instructions peut varier entre différentes comparaisons, mais pour chaque comparaison du programme, il y a une limite supérieure du nombre d'instructions exécutées. En fait, les comparaisons autres qu'entre chaînes de caractères se limitent à trois instructions.

Expressions conditionnelles

Des expressions telles que

        (a<b) AND (c=d)

se trouvant dans une déclaration **if**, dans une boucle **repeat**, ou dans une boucle **while**, nécessitent des instructions pour évaluer la comparaison, comme présenté au paragraphe précédent. La stratégie générale sort du champ de ce livre, mais la condition ci-dessus devrait être un exemple instructif.

D'abord, nous devons nous arranger pour trouver un emplacement, que nous appellerons **labelT**, si la condition est vraie, et un autre, **labelF**, si la condition est fausse. Nous testons la première moitié de la condition, $a < b$, dans les trois premières instructions de la figure 4.29. Si $a \geq b$, alors la condition est sûrement fausse et on ne se souciera pas du test de l'autre partie, $c = d$. Donc l'instruction (3) nous branche à **labelF** si $a < b$ est fausse.

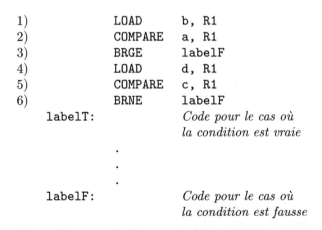

```
1)              LOAD      b, R1
2)              COMPARE   a, R1
3)              BRGE      labelF
4)              LOAD      d, R1
5)              COMPARE   c, R1
6)              BRNE      labelF
        labelT:           Code pour le cas où
                          la condition est vraie

                  .
                  .
                  .

        labelF:           Code pour le cas où
                          la condition est fausse
```

Figure 4.29 : Evaluer une condition.

Si $a < b$, alors le contrôle va à l'instruction (3) puis les trois suivantes, qui testent si $c = d$. Si $c \neq d$, alors à l'instruction (6) nous nous branchons à **labelF**, car la condition complète est fausse. Sinon, nous tombons sur le test et nous nous trouvons à **labelT**, qui est correct puisque les deux parties de la condition sont avérées.

En général, chaque comparaison peut être faite en trois instructions, excepté les instructions d'accès aux données. Ainsi, toute expression conditionnelle peut être évaluée en $O(1)$ instructions, bien que la constante impliquée varie pour différentes expressions conditionnelles.

Boucles

Nous avons examiné au paragraphe 3.6 comment on met des limites supérieures sur le temps d'exécution d'une boucle. Pour voir comment on justifie ces règles, nous allons examiner une simple **boucle for**,

```
for i := 1 to n do
    <Corps>
```

Le code commence par initialiser i à 1. Pour économiser quelques instructions, nous utilisons le registre 1 pour contenir la valeur de i pour la durée de la boucle. Nous chargeons également la valeur de n dans le registre 2. Ces registres ne doivent pas être utilisés dans le code qui implémente le corps de la boucle. Le code assembleur de la boucle `for` est donné dans la figure 4.30.

```
1)                  LOAD     #1, R1
2)                  LOAD     n, R2
3)   beginLoop:     COMPARE  R1, R2
4)                  BRGT     endLoop

                            Code du corps

5)                  ADD      #1, R1
6)                  BRANCH   beginLoop
     endLoop:               Code suivant la boucle
```

Figure 4.30 : Code assembleur pour une boucle for.

La ligne (1) initialise i à 1, et la ligne 2 met n dans le registre 2. Les lignes (3) et (4) sont vraiment le début de la boucle, et nous testons si $i > n$. Si c'est le cas, nous en avons terminé avec la boucle et nous nous branchons à ce qui suit la boucle, à l'emplacement indiqué par l'étiquette `endLoop`. Si $i \leq n$, nous exécutons le corps de boucle. Ensuite, à la ligne (5), nous ajoutons 1 à i, qui est intact dans le registre 1. Finalement, à la ligne (6), nous revenons par un branchement au début de la boucle, à l'instruction (3) dont l'étiquette est `beginLoop`.

Maintenant, nous pouvons voir comment le temps d'exécution de la boucle se rapporte au temps d'exécution du corps, que nous appelons $T_{Corps}(n)$. L'initialisation, aux instructions (1) et (2), prend un temps en $O(1)$, indépendant de n. Pour chaque itération de la boucle, nous trouvons les instructions (3), (4), (5) et (6) qui prennent un temps en $O(1)$ par itération. Dans l'hypothèse où le corps n'est pas vide, et prend donc au moins un temps en $O(1)$, la boucle prend un temps en $O(1)$ pour l'initialisation, plus un temps en $O\big(nT_{Body}(n)\big)$. Si $n > 0$, le terme $O(1)$ est négligeable, donnant un temps d'exécution de $O\big(nT_{Body}(n)\big)$.

Appel de procédure et de fonction

Nous n'avons pas toute l'information nécessaire pour décrire les instructions exécutées lorsqu'une procédure est appelée ou retourne. Cependant, nous prendrons le coût d'un appel procédural comme une constante plus le coût d'évaluation de ses paramètres et de leur stockage là où la procédure peut les trouver. Là aussi, dans une estimation en O, cette constante est négligeable, sauf si le nombre de paramètre est zéro. La constante représente les instructions qui accomplissent les choses suivantes :

1. Stocker dans un emplacement désigné en mémoire, « **l'adresse de retour** », à laquelle la procédure doit revenir.

2. Eventuellement, stocker les registres dans un emplacement sûr.

3. Eventuellement, manipuler une « pile » où se trouvera l'emplacement pour les variables locales à la procédure.

4. Si la procédure est une fonction, stocker « la valeur de retour » dans un emplacement où la procédure appelante peut la trouver.

5. Se brancher à l'adresse de retour.

Chacune de ces étapes nécessite un temps en $O(1)$. La manière dont s'accomplissent toutes ces étapes devrai être comprise à présent, sauf pour l'étape (3). Les piles et l'implémentation de procédures récursives sont examinées au paragraphe 6.7.

EXERCICES

4.10.1 : Développez le code de la figure 4.28 en ajoutant le code pour calculer $b[i]$ à l'emplacement BsubI. Ensuite, améliorez le code résultant en utilisant plusieurs registres et en économisant des chargements et du stockage si possible. Autrement dit, évitez si possible de stocker puis de charger la même valeur.

4.10.2 : Ecrivez le code assembleur pour évaluer les expressions arithmétiques suivantes, en laissant le résultat dans un registre quelconque. Vous pouvez admettre que chaque variable de l'expression est trouvée à une adresse symbolique de même nom. Vous pouvez également admettre que chaque tableau a des éléments entiers et que son index commence par 0.

a) `a+b*c`

b) `(a^+b.f)*(c-d)`

c) `a[i]+b[i]*c[i]`

4.10.3 : Produisez le code assembleur qui évalue les expressions conditionnelles suivantes. Vous devriez effectuer un branchement vers l'emplacement labelIF, si l'expression est fausse, et à labelIT si l'expression est vraie. Les hypothèses de l'exercice 4.10.2 s'appliquent ici aussi.

a) `(a[i]<b) OR (c<d)`

b) `(a[i]<b) AND (c>=d)`

c) `(a<b) AND ((c<d) OR (e<=f))`

4.10.4 : Ecrivez le code assembleur pour les boucles suivantes. Les hypothèses de l'exercice 4.10.2 tiennent toujours.

a) `for i := 1 to n do j := j*j;`

b) `while a[i]>0 do i := i+1;`

c) `repeat i := i+1 until a[i]>0;`

4.10.5 : Pour chaque boucle de l'exercice 4.10.4, comptez le nombre d'instructions exécutées. Pour (a), le total est une fonction de n ; pour (b) et (c), le total est une fonction du nombre d'éléments du tableau a qu'il faut examiner avant d'en trouver un positif. Notez qu'il est possible de compter le nombre exact d'instructions, et pas seulement une estimation en O. Cependant, le temps d'exécution réel est une fonction non seulement du nombre d'instructions, mais aussi du temps pris par la machine pour exécuter les instructions, et nous aurons encore une estimation en O du vrai temps d'exécution.

4.10.6 : * Pour un tableau de 100 éléments, estimez le nombre d'instructions exécutées par votre programme de tri par sélection de l'exercice 4.8.5 (c'est-à-dire le code assembleur de la figure 2.3).

4.11 Représentation des entiers par des mots

Il existe différentes représentations des entiers par des chaînes binaires ; les ordinateurs utilisent plusieurs notations différentes. La manière la plus simple et la plus immédiate est celle qui représente un **entier non signé** ; une chaîne binaire de 32 bits est traitée comme étant un nombre binaire.

✦ **Exemple 4.15.** Dans cet exemple ainsi que dans les suivants, nous n'utiliserons pas des chaînes de 32 bits. Nous utiliserons à la place des mots de six bits — ceci est largement suffisant pour illustrer les notions de ce paragraphe. La chaîne de 6 bits *abcdef* représente l'entier

$$32a + 16b + 8c + 4d + 2e + f$$

Par exemple, $(101100)_2 = (44)_{10}$. Ici, a, c, et d valent 1, tandis que b, e, et f valent 0.
✦

Grandeur signée

La notation entière non signée est appropriée si seuls les entiers non négatifs doivent être représentés. Les adresses mémoire, par exemple, ne sont jamais négatives ; cette notation peut donc être utilisée. Cependant, les entiers d'un programme sont généralement positifs ou négatifs ; ceci nous oblige à représenter le signe d'une manière ou d'une autre. La manière la plus simple est d'utiliser :

1. Le premier bit sert de **bit de signe** ; 1 signifie que le nombre est négatif et 0 signifie que le nombre est positif.

2. Les bits restants représentent la **grandeur** de la notation entière non signée.

Cette représentation est appelée notation en *grandeur signée* ou parfois une notation *signe et grandeur*.

✦ **Exemple 4.16.** Nous considérons encore des « mots » de 6 bits. En grandeur signée,

Les notations en base y

Nous aurons parfois besoin de mettre en valeur la base des entiers manipulés. Nous utiliserons la notation $(x)_y$ pour représenter « la valeur de la chaîne » x interprétée en tant qu'entier en base y. Le nombre y sera toujours représenté en notation décimale. Par exemple, $(10)_{10}$ est le nombre des commandements alors que $(10)_2$ est le nombre de « Marx brothers ».

le mot *abcdef* représente l'entier $(-1)^a(16b + 8c + 4d + 2e + f)$.[14] Ainsi, en grandeur signée, 101100 représente $(-12)_{10}$, et 001100 représente $(12)_{10}$. ✦

En grandeur signée à n bits, nous pouvons représenter les entiers de l'intervalle allant de $-(2^{n-1} - 1)$ à $2^{n-1} - 1$ (bornes comprises). Par exemple, les mots de 6 bits peuvent représenter les nombres allant de -31, c'est-à-dire 111111, à $+31$, c'est-à-dire 011111.

Complément à deux

La notation en grandeur signée pose plusieurs problèmes. Premièrement, zéro possède deux représentations, $00\cdots0$ et $10\cdots0$. Plus important encore, intéressons-nous au raisonnement que nous (ou les circuits de l'ordinateur) devons suivre pour calculer la somme $x + y$ en notation en grandeur signée. Si x et y ont le même signe, nous additionnons les grandeurs de x et y et conférons le signe des opérandes au résultat. Mais si x et y ont des signes différents, nous devons trouver lequel possède la plus grande valeur et soustraire le plus petit du plus grand. Le signe est le signe du plus grand. La soustraction $x - y$ est similaire si nous inversons le signe de y négatif et calculons ensuite la somme $x + (-y)$.

La notation en complément à deux, que nous allons présenter maintenant, ne pose pas ce type de problèmes. Il n'existe qu'une représentation pour n'importe quel nombre. Quand nous additionnons deux nombres, nous n'avons pas ni à nous préoccuper de leurs signes ni besoin de les comparer ; l'algorithme d'addition est le même dans tous les cas. Pour réaliser la soustraction, il existe une manière très facile d'inverser les bits du second terme et nous pourrons alors procéder comme pour l'addition.

Pour interpréter une chaîne de n bits comme un nombre en complément à deux, nous l'interprétons d'abord comme un entier non signé. Si le bit de tête de la chaîne est 0, nous en avons terminé. Mais si le bit de tête est 1, nous soustrayons 2^n. Donc, le bit de tête fonctionne comme un bit de signe et les nombres positifs sont les mêmes en grandeur signée qu'en complément à deux. Cependant, les nombres négatifs sont gérés différemment. Comme pour les entiers non signés, les chaînes de n bits commençant avec un 1 représentent les nombres allant de 2^{n-1} (si la chaîne est $10\cdots0$) à $2^n - 1$ (si la chaîne est $11\cdots1$). Quand nous soustrayons 2^n, nous obtenons les nombres allant de -2^{n-1} (pour $10\cdots0$) à -1 (pour $11\cdots1$).

Intéressons-nous à une autre manière de considérer le complément à deux. Soit a un entier quelconque dans l'intervalle allant de -2^{n-1} à $2^{n-1} - 1$. Si a est positif ou

---

[14] Remarquez que $(-1)^a$ est 1 si $a = 0$ et -1 si $a = 1$.

nul, convertissons a en un nombre binaire et, si nécessaire, complétons-le avec des 0 en tête de chaîne pour obtenir une chaîne de n bits. Si a est négatif, calculons $a + 2^n$ et convertissons cette valeur en un entier binaire non signé à n bits.

Remarquez qu'en complément à deux, les nombres négatifs courent dans l'ordre inverse. C'est-à-dire que $10 \cdots 0$, qui vaut zéro en grandeur signée, représente le nombre le plus négatif possible, -2^{n-1} alors que $11 \cdots 1$ représente le nombre négatif avec la plus petite grandeur -1. Remarquez aussi que zéro n'a qu'une représentation, soit $00 \cdots 0$. La chaîne $10 \cdots 0$, qui représente aussi zéro en grandeur signée, représente $-2n - 1$ en complément à deux ; le dernier entier n'a même pas de représentation en grandeur signée à n bits. Le lecteur devrait s'intéresser à la figure 4.31 qui illustre les différences entre les trois notations que nous avons mentionnées et les deux autres que nous présenterons rapidement.

	$00 \cdots 0$	$01 \cdots 1$	$10 \cdots 0$	$10 \cdots 01$	$11 \cdots 1$
Entier non signé	0	$2^{n-1} - 1$	2^{n-1}	$2^{n-1} + 1$	$2^n - 1$
Grandeur signée	0	$2^{n-1} - 1$	0	-1	$-(2^{n-1} - 1)$
Complément à deux	0	$2^{n-1} - 1$	2^{n-1}	$-(2^{n-1} - 1)$	-1
Complément à un	0	$2^{n-1} - 1$	$-(2^{n-1} - 1)$	$-(2^{n-1} - 2)$	0
Excess-2^{n-1}	-2^{n-1}	-1	0	1	$2^{n-1} - 1$

Figure 4.31 : Comparaison de cinq interprétations de chaînes de n bits.

◆ **Exemple 4.17.** Le mot de 6 bits $0bcdef$ en complément à deux représente l'entier

$$16b + 8c + 4d + 2e + f$$

et le mot $1bcdef$ représente $32 + 16b + 8c + 4d + 2e + f - 64$, ou, plus simplement,

$$16b + 8c + 4d + 2e + f - 32$$

Donc 001100 représente $(12)_{10}$, et 101100 représente $(44)_{10} - (64)_{10} = (-20)_{10}$. ◆

Addition en complément à deux

L'un des grands avantages de la notation en complément à deux est qu'elle permet d'additionner des nombres de n'importe quel signe en traitant leurs représentations comme des entiers non signés et en éliminant toute retenue provenant du bit de tête (le plus à gauche). Bien évidemment, puisque le nombre de bits est limité, il peut y avoir un dépassement de capacité, c'est-à-dire une situation telle que le résultat ne peut être représenté. Nous examinerons des dépassements de capacité et leur détection à la fin de ce paragraphe.

◆ **Exemple 4.18.** Considérons la somme $(12)_{10} + (-19)_{10}$. Dans la notation en complément à deux sur 6 bits, cette somme est $001100 + 101101$. Autrement dit, $(12)_{10} = (001100)_2$, et

$$(-19)_{10} + (64)_{10} = (45)_{10} = (101101)_2$$

La somme de 001100 et 101101, traités comme des entiers non signés, est $(111001)_2$; dans ce cas, il n'y a pas de retenue provenant de la première position et il n'y a donc rien à éliminer. La chaîne 111001 en complément à deux sur 6 bits représente $(-7)_{10}$, ce qui est la valeur correcte.

Considérons maintenant la somme $(-12)_{10} + (19)_{10}$, qui en complément à deux est

$$110100 + 010011$$

En les traitant comme des entiers non signés, cette somme est $(1000111)_2$. Il faut éliminer la retenue se trouvant à la septième position en partant de la droite ; nous conservons donc $(000111)_2$. La chaîne de bits 000111, qui représente $(7)_{10}$ en complément à deux, est à nouveau correcte.

Enfin, considérons la somme $(14)_{10} + (19)_{10}$ soit, en complément à deux,

$$001110 + 010011$$

Si nous calculons la somme des entiers non signés, nous obtenons $(1000001)_2$ ou, en éliminant la retenue à la première position, $(000001)_2$. Il semble que le résultat soit $(1)_{10}$; ceci est bien évidemment faux. Le problème est que nous avons « un dépassement de capacité », puisque la vraie somme $(33)_{10}$, n'est pas représentable en complément à deux sur 6 bits. Nous pouvons détecter le dépassement de capacité en observant que, bien qu'il y ait une retenue provenant de la première position, cette retenue n'existe plus. La raison pour laquelle ce test est valable sera examinée lorsque nous nous intéresserons aux dépassements de capacité. ✦

Cherchons maintenant à savoir pourquoi la règle selon laquelle il faut « éliminer une retenue provenant de la première place » nous permet d'obtenir la somme correcte (en supposant qu'il n'y a pas de dépassement de capacité). Observons qu'en complément à deux sur n bits, tout nombre est représenté soit par lui-même comme un entier non signé (si le nombre est positif), soit par lui-même additionné à 2^n (si le nombre est négatif). Lorsque l'on additionne $a + b$ en complément à deux, on doit considérer trois cas :

1. a et b sont tous deux positifs. Alors, a et b sont représentés par eux-mêmes. La somme est $a + b$ et cette somme (positive) est représentée par elle-même. Il n'y a pas de retenue provenant de la dernière place, à moins qu'il ait dépassement de capacité.

2. L'un — disons a — est positif et l'autre est négatif. Alors, selon la représentation en complément à deux, nous additions $a + (b + 2^n)$. Si a a une grandeur supérieure ou égale à b, alors la somme $a + b$ n'est pas négative et lorsque nous calculons $a + b + 2^n$ selon la représentation en complément à deux, nous obtenons une retenue provenant de la dernière position ; nous l'éliminons et conservons $a + b$. Puisque la somme n'est pas négative, $a + b$ sera sa représentation correcte en complément à deux. Si a a une grandeur inférieure à b, alors $a + b + 2^n$ ne génère pas de retenue provenant de la dernière position, puisqu'elle est inférieure à 2^n. Puisque $a + b$ est négatif, $a + b + 2^n$ est sa représentation correcte en complément à deux.

3. a et b sont tous deux négatifs. Alors, en représentation en complément à deux, nous additionnons $(a + 2^n) + (b + 2^n)$. S'il n'y a pas de dépassement de capacité,

alors $a + b \geq -2^{n-1}$ et il y a donc certainement une retenue provenant de la dernière position ; nous conservons $a + b + 2^n$. Puisque $a + b$ est négative, ceci est la représentation correcte de la somme en complément à deux.

Négation en complément à deux

Pour calculer la soustraction comme si c'était une addition, nous devons inverser le signe du second terme. La règle en complément à deux est simple : complémenter chaque bit, sauf le 1 le plus à droite ainsi que les 0 à sa droite. Il y a un cas particulier ; une chaîne constituée uniquement de 0 est sa propre négation. Ainsi, $10 \cdots 0$ n'a pas de négation, parce que la négation de l'entier -2^{n-1} qu'il représente est 2^{n-1} qui n'est pas représentable.

✦ **Exemple 4.19.** En complément à deux sur 6 bits, $(12)_{10}$ est représenté par 001100. Le 1 le plus à droite est à la troisième position à partir de la droite ; nous complémentons donc seulement les trois bits les plus à gauche et nous obtenons 110100, qui représente $(-12)_{10}$ (vous pouvez le vérifier).

$(-19)_{10}$ vaut 101101 en complément à deux. Pour trouver la représentation de $(19)_{10}$, nous devons complémenter toutes les positions sauf celle à l'extrémité droite (là où figure le 1 le plus à droite). Nous obtenons donc la représentation 010011 pour $(19)_{10}$, ce qui est le résultat correct. ✦

Pour comprendre pourquoi cette technique fonctionne, supposons que nous utilisions une notation en complément à deux sur n bits ; supposons également que a soit un nombre positif. La représentation de a est donc un nombre binaire de n bits commençant par 0. Il a également un 1 quelque part ; nous pouvons donc l'écrire $b_1 \cdots b_k 10 \cdots 0$, les $0 \cdots 0$ de la fin représentant zéro ou plusieurs 0 et les $b_1 \cdots b_k$ représentant une séquence de bits. La représentation en complément à deux de $-a$ est $2^n - a$, un entier non signé sur n bits. En binaire, 2^n vaut $10 \cdots 0$, les $0 \cdots 0$ représentant exactement n 0. Donc, lorsque nous calculons la soustraction $2^n - a$ en binaire :

$$
\begin{array}{ccccccccc}
1 & 0 & \cdots & 0 & 0 & 0 & \cdots & 0 \\
- & b_1 & \cdots & b_k & 1 & 0 & \cdots & 0
\end{array}
$$

nous devons avancer une retenue dès lors que nous atteignons le 1 le plus à droite, après quoi la soustraction ressemble à

$$
\begin{array}{ccccccccc}
0 & 1 & \cdots & 1 & 2 & 0 & \cdots & 0 \\
- & b_1 & \cdots & b_k & 1 & 0 & \cdots & 0
\end{array}
$$

Donc, à la place du 1 le plus à droite, la différence est 1 et aux places qui sont à sa gauche, la différence est $1 - b_i$, c'est-à-dire, le complément du bit b_i, à la $i^{ème}$ position.

Notation en complément à 1

Il existe une notation similaire au complément à deux qui a été utilisée dans certains ordinateurs, essentiellement parce que son algorithme de négation est plus simple que celui du complément à deux. Cette notation, appelée *complément à un*, n'étant plus très employée actuellement, nous ne ferons que la définir et donner quelques exemples ;

la preuve du fonctionnement de son algorithme d'addition et de négation sera laissée en exercice.

La représentation de zéro ou de plusieurs nombres positifs en complément à un sur n bits est la même qu'en complément à deux (ou en grandeur signée, dans ce cas) ; référez-vous à la figure 4.31. L'interprétation d'un nombre négatif, qui est une chaîne de bits avec un 1 en tête, est obtenue en traitant la chaîne comme un entier non signé et ensuite en soustrayant $2^n - 1$ (et non pas 2^n comme nous le faisions pour le complément à deux). En fait, nous représentons le nombre négatif a en construisant $a + 2^n - 1$, comme un entier non signé sur n bits.

Le complément à un permet de représenter des entiers de l'intervalle allant de $-(2^{n-1} - 1)$ à $2^{n-1} - 1$ par des chaînes de n bits. Zéro a deux représentations : que des 0 ou que des 1. La seconde possibilité vient du fait que $0 + 2^n - 1$ est égale à $1 \cdots 1$ en binaire (sur n bits).

Pour additionner des nombres en complément à un sur n bits, nous les additionnons comme des entiers non signés. Ensuite, s'il y a une retenue provenant de l'emplacement le plus à gauche, elle devient une **retenue rotationnelle**. Cela signifie que cette retenue est détruite et que 1 est ajouté à la place la plus à droite [15].

La négation en complément à 1 constitue le point fort de la notation ; l'algorithme de négation est en effet très simple. Nous calculons la négation en complémentant chaque bit du nombre.

✦ **Exemple 4.20.** $(19)_{10}$ en complément à un sur 6 bits est 010011. Pour obtenir la représentation en complément à un de $(-12)_{10}$, nous pouvons procéder de deux manières. Premièrement, la représentation en complément à un de $(12)_{10}$ est 001100. Pour la négation, nous complémentons chaque bit : 110011 est le complément à un sur 6 bits de $(-12)_{10}$. Une autre solution est de suivre la définition de la notation en complément à un et de trouver la représentation en entier non signé sur 6 bits de $-12 + 2^6 - 1$. Ce nombre, qui est $(51)_{10}$, a pour équivalent binaire $(110011)_2$.

Calculons maintenant la différence $(19)_{10} - (12)_{10}$. Premièrement, nous devons la convertir en la somme $(19)_{10} + (-12)_{10}$. Lorsque nous additionnons les représentations en complément à un sur 6 bits de ces nombres en tant qu'entiers non signés, nous réalisons l'addition $010011 + 110011 = 1000110$. Le bit de tête de la somme est une retenue sortante de la première position des valeurs sur 6 bits ; elle devient donc une retenue rotationnelle et est additionnée à la position la plus à droite. Cela signifie que nous réalisons l'addition $000110 + 000001 = 000111$. Puisque le résultat est la représentation en complément à un de $(7)_{10}$, nous avons obtenu la réponse correcte. ✦

Codes k-excès

Pour interpréter une chaîne de bits en *code k-excès*, il faut traiter la chaîne comme un entier non signé et soustraire k. De façon équivalente, pour représenter a en code k-excès sur n bits, il faut convertir $a + k$ en un entier non signé sur n bits. De cette

---

[15] Pour comprendre pourquoi la retenue rotationnelle est intéressante, vous remarquerez que la retenue sortante provenant de la première position des nombres à n bits a la valeur n^2. Si nous détruisons ce 1 et si nous ajoutons 1 à la position de poids faible, nous soustrayons effectivement $2^n - 1$.

manière, nous pouvons représenter les nombres allant de $-k$ à $2^n - k - 1$ (bornes incluses). Ce type de code est utilisé, par exemple, pour représenter les exposants des nombres à virgule flottante (nous le verrons au paragraphe 4.12).

Généralement, il est souhaitable que k soit à peu près égal à 2^{n-1} ; cela nous donne une répartition égale entre les nombres positifs et les nombres négatifs. En fait, dans un code 2^{n-1}-excès sur n bits, le bit de tête sert de bit de signe, mais il est l'inverse de ce qu'il était dans les quatre autres notations déjà présentées : 1 signifie positif et 0 signifie négatif.

Pour additionner les nombres sur n bits en code k-excès, nous les additionnons comme des entiers non signés en utilisant $n + 1$ bits si c'est nécessaire. Ensuite, nous soustrayons k au résultat et obtenons un entier sur n bits à moins qu'il n'y ait un dépassement de capacité. Cette méthode fonctionne car a et b sont respectivement représentés par les entiers non signés $a + k$ et $b + k$ et $a + b$ doit être représenté par $a + b + k$. Si nous calculons $(a + k) + (b + k)$ et qu'ensuite, nous soustrayons k, nous avons la représentation correcte de $a + b$. De même, si nous voulons calculer $a - b$, nous soustrayons leurs représentations en code k-excès et ensuite additionnons k.

◆ **Exemple 4.21.** Considérons le code en excès à 32 sur 6 bits. $(12)_{10}$ a la représentation $(12)_{10} + (32)_{10} = (44)_{10}$, convertie en binaire sur 6 bits, c'est-à-dire $(101100)_2$. De même, $(-19)_{10}$ est représenté en convertissant $(13)_{10}$ en binaire sur 6 bits, soit $(001101)_2$. Pour calculer la somme de ces nombres, nous les additionnons comme des entiers non signés :

$$(101100)_2 + (001101)_2 = (111001)_2$$

Ensuite, nous soustrayons $(32)_{10}$, c'est-à-dire $(100000)_2$, pour produire l'entier non signé $(011001)_2$, soit $(25)_{10}$. Pour voir ce que représente 011001 en excès à 32, nous soustrayons $(32)_{10}$ pour obtenir $(-7)_{10}$, la somme correcte de $(12)_{10}$ et $(-19)_{10}$. ◆

Dépassement de capacité

Quelle que soit la notation utilisée, il peut y avoir un dépassement de capacité, c'est-à-dire, une situation où le résultat d'une addition ou d'une soustraction ne peut être représenté dans la notation parce qu'il est plus grand ou plus petit que le plus grand nombre positif ou le plus petit nombre négatif représentable. Pour chacune des représentations examinées, il existe des règles simples permettant de détecter un dépassement de capacité. Dans ce qui suit, nous ne considérons que l'addition, puisque la soustraction peut être réalisée par une négation suivie d'une addition.

1. *Grandeur signée.* Prendre les grandeurs des opérandes qui sont des nombres sur $(n - 1)$ bits si un code sur n bits est utilisé. Si les signes sont différents, prendre la différence des grandeurs ; un dépassement de capacité est impossible. Si les signes sont les mêmes, prendre la somme des grandeurs. Si cette somme est inférieure à 2^{n-1} — c'est-à-dire, si le résultat peut être représenté sur $n - 1$ bits — il n'y a pas de dépassement de capacité. Si la somme est supérieure ou égale à 2^{n-1}, alors il y a un dépassement de capacité.

2. *Complément à deux.* Additionner les nombres comme des entiers non signés. Vérifier s'il y a une retenue à la position la plus à gauche ($n^{ème}$ position depuis la

droite) et s'il y a retenue sortant de la position la plus à gauche. Pour que le résultat soit correct, il doit y avoir soit deux retenues soit aucune. S'il y a seulement une retenue et pas l'autre, il y a un dépassement de capacité. Nous expliquerons pourquoi cette règle fonctionne dans le paragraphe suivant.

3. *Complément à un.* La même règle que pour le complément à deux est valable ; nous devons cependant nous rappeler que la retenue dans la position la plus à gauche peut ne pas apparaître avant que la retenue rotationnelle soit additionnée.

4. *Excès sur k.* Réaliser normalement l'addition, en autorisant temporairement un bit supplémentaire — c'est-à-dire avant de soustraire k. Le résultat doit être un entier non négatif inférieur à $2^n - 1$ si le code sur n bits en excès sur k est utilisé ; si tel n'est pas le cas, il y a un dépassement de capacité.

◆ **Exemple 4.22.** Supposons que nous utilisions un code sur 6 bits en complément à un et que nous souhaitions additionner $(-16)_{10} + (-15)_{10}$. Les représentations en complément à un de ces nombres sont respectivement 101111 et 110000 ; nous les additionnons donc comme des entiers non signés

$$(101111)_2 + (110000)_2 = (1011111)_2$$

Le résultat a une retenue provenant de la position la plus à gauche, et par conséquent il est rempli par rotation ; cela signifie que nous obtenons la réponse en réalisant l'addition

$$(011111)_2 + (000001)_2 = (100000)_2$$

La chaîne 100000 est la représentation en complément à un de $(-31)_{10}$, qui est la réponse correcte. Puisqu'il y a une retenue provenant du bit le plus à gauche au premier niveau, et qu'une retenue sur le bit le plus à gauche est générée au second niveau, nous en concluons qu'il n'y a pas de dépassement de capacité.

Considérons maintenant la somme $(-17) + (-15)$. En complément à un, nous calculons d'abord

$$(101110)_2 + (110000)_2 = (1011110)_2$$

La retenue rotationnelle nous impose ensuite de calculer la somme

$$(011110)_2 + (000001)_2 = (011111)_2$$

Ce résultat provoque un dépassement de capacité car il y a retenue provenant de la position la plus à gauche mais à aucun moment nous n'avons rencontré de retenue à cette position. ◆

Pourquoi la règle retenue-entrante/retenue-sortante fonctionne-t-elle ?

Nous allons expliquer pourquoi la règle « retenue dans la position la plus à gauche si et seulement si il y a retenue sortante de la position la plus à gauche » vérifie correctement qu'il n'y a pas de dépassement de capacité. Nous ne considérerons que le complément à deux sur n bits ; nous vous laissons le complément à un en exercice.

Premièrement, considérons l'addition des deux nombres positifs, a et b. Les deux ont un signe de bit (bit de tête) égal à 0. Il ne peut donc pas y avoir de retenue sortante de la position la plus à gauche. S'il y a une retenue à cette position, alors le résultat débutera par un 1. En complément à deux, une chaîne qui commence par un 1 représente un nombre négatif et ce ne peut pas être $a + b$. Donc, un dépassement de capacité doit s'être produit, comme notre règle l'indique. Autrement dit, la somme $a + b$ doit au moins valoir 2^{n-1}, et n'est donc pas représentable.

Supposons maintenant qu'il n'y ait pas de retenue à la position la plus à gauche. Alors, $a + b$ est inférieure à 2^{n-1}, et la somme que nous avons calculée représente correctement $a + b$ en complément à deux. Puisque nous savons qu'il n'y a pas de retenue sortante de la position la plus à gauche, notre règle nous indique correctement qu'il n'y a pas de dépassement de capacité.

Considérons maintenant le cas où exactement l'un des a et b — disons b — est négatif. Alors la représentation en complément à deux de a est $0a_2 \cdots a_n$ et la représentation de b est $1b_2 \cdots b_n$, où les a_i et b_i représentent les bits individuels. Lorsqu'il y a une retenue dans le bit le plus à gauche, il y aura une retenue sortante de ce bit, car il y a un 0 et un 1 dans cette position parmi les deux opérandes. Inversement, s'il n'y a pas de retenue dans le bit le plus à gauche, alors il n'y aura pas de retenue sortante. Notre règle nous dit donc qu'il n'y aura jamais de dépassement de capacité quand des nombres positifs et négatifs sont additionnés, une conclusion qu'il est aisé de vérifier, parce qu'une telle somme doit être plus proche de 0 que l'un des opérandes.

Enfin, considérons la somme de deux nombres négatifs, $a + b$, représentés en complément à deux respectivement par $1a_2 \cdots a_n$ et $1b_2 \cdots b_n$. Soit x l'entier $(a_2 \cdots a_n)_2$ et soit y l'entier $(b_2 \cdots b_n)_2$. Remarquez que la représentation de a en complément à deux est $x + 2^{n-1}$, qui doit être $a + 2^n$; donc $a = x - 2^{n-1}$. De même, $b = y - 2^{n-1}$.

Il y a toujours une retenue sortante du bit le plus à gauche lorsque nous additionnons $a+b$ en complément à deux. Il y a une retenue dans le bit le plus à gauche si et seulement si $x + y \geq 2^{n-1}$. Grâce aux relations du paragraphe précédent, $x + y = a + b + 2^n$. Il y a donc une retenue dans la position la plus à gauche si et seulement si $a + b \geq -2^{n-1}$. De même, il y a une retenue dans le bit le plus à gauche exactement lorsque le résultat est représentable en complément à deux sur n bits. Puisqu'il y a toujours une retenue sortante pour les opérandes négatifs, notre règle indique correctement qu'il n'y a pas de dépassement de capacité quand le résultat est représentable.

EXERCICES

4.11.1 : Quel est l'intervalle d'entiers représentables par des entiers sur 8 bits en (a) entier non signé (b) grandeur signée (c) complément à deux (d) complément à un (e) excès sur 128 ?

4.11.2 : Interprétez les entiers sur 8 bits

(i) 01100111 (ii) 11000100 (iii) 00100001 (iv) 10000111

dans les cinq notations de l'exercice 4.11.1.

4.11.3 : Convertissez chacun des entiers suivants en base 10 en chacune des notations sur 8 bits de l'exercice 4.11.1 : (i) 37 (ii) −37 (iii) 101.

4.11.4 : Convertissez les couples d'entiers suivants en base 10 en complément à deux sur 8 bits et ensuite additionnez-les. Indiquez si le résultat donne un dépassement de capacité.

a) $50 + 60$

b) $50 + (-60)$

c) $(-50) + (-78)$

d) $60 + 70$

e) $(-35) + (-105)$

4.11.5 : Refaites l'exercice 4.11.4 pour le complément à un sur 8 bits.

4.11.6 : Refaites l'exercice 4.11.4 pour la notation sur 8 bits en excès sur 128.

4.11.7 : Trouvez les négations des entiers sur 8 bits en complément à deux :

a)   10101010

b)   11111111

c)   10001000

4.11.8 : Refaites l'exercice 4.11.7 pour la notation en complément à un.

4.11.9 : Expliquez pourquoi la règle de retenue rotationnelle fonctionne pour la notation en complément à un.

4.11.10 : Ecrivez un programme qui prend un tableau de n bits et deux caractères comme arguments et convertit le tableau de la représentation entière indiquée par le premier caractère en celle indiquée par le second caractère, en utilisant le code suivant : s = grandeur signée, t = complément à deux, o = complément à un, et e = excès sur 2^{n-1}. Vous devrez indiquer un dépassement de capacité en retournant un signal d'échec lorsque la conversion ne peut être réalisée.

4.12   Représentation des nombres réels

Ce que nous appelons nombres réels en Pascal se limite en réalité à un ensemble de valeurs représentées suivant une notation proche de la « notation scientifique ». Si nous utilisons un mot de 32 bits pour représenter les nombres réels, alors nous ne pouvons pas représenter plus de 2^{32} nombres différents. Dans chacune des représentations entières du paragraphe précédent, nous représentons à peu près 2^{32} entiers, soit approximativement ceux de l'intervalle allant de -2^{31} à 2^{31}. Dans la notation en virgule flottante, nous pouvons représenter à peu près le même nombre de valeurs différentes ; celles-ci ne sont cependant pas uniformément réparties dans un intervalle. Plus exactement, la plus grande concentration est comprise entre -1 et 1 ; on y trouve environ la moitié des valeurs représentables. L'autre moitié des valeurs ont une grandeur supérieure à 1 ; la grandeur la plus élevée est bien supérieure à 2^{31}.

Les notations utilisées pour les nombres en virgule flottante sont très diverses ; chacune d'elles repose sur une notation scientifique. Dans la **notation scientifique**, les valeurs sont représentées par un signe, quelques chiffres significatifs, et une puissance de 10, comme par exemple $6,02 \times 10^{23}$. La notation en virgule flottante diffère seulement par les points suivants :

1.   La *mantisse* (les chiffres significatifs comme par exemple 6,02) doit se trouver dans un intervalle déterminé, par exemple entre 1 et 2.

2.   L'exposant (23 dans l'exemple) doit être une puissance de 2 et non de 10.

Le standard IEEE pour les nombres en virgule flottante

Alors que certaines machines utilisent leur propre notation pour les nombres en virgule flottante, un format particulier approuvé par l'IEEE (Institute of Electrical and Electronic Engineers) est en train de devenir un standard sur les ordinateurs les plus récents. Le standard IEEE inclut en fait trois formats. Le format de base, en **simple précision** utilise un mot de 32 bits. Il existe aussi des formats en **double précision** et en **quadruple précision** qui utilisent respectivement deux mots (64 bits) et quatre mots (128 bits). Nous donnerons seulement le format en simple précision ; les autres diffèrent seulement de par le nombre de bits réservés aux valeurs de l'exposant et de la mantisse.

Figure 4.32 : Format du standard IEEE en simple précision pour les nombres en virgule flottante.

Le format simple précision est représenté dans la figure 4.32.

1. Le premier bit, S, est le **bit de signe** avec l'interprétation habituelle : 1 signifie « moins » et 0 signifie « + ».

2. Les huit bits suivants sont l'**exposant**. Il est interprété comme étant un entier en code 127-excès [16].

3. Les 23 bits restants sont la **mantisse** M. La valeur de la mantisse est normalement considérée comme étant $(1, M)_2$, c'est-à-dire 1 auquel il faut ajouter la valeur de M en considérant que c'est une fraction binaire dont le point décimal est à l'extrémité gauche.

La valeur représentée par S, E et M est $(-1)^S(2^{E-127})(1.M)$. Il y a cependant une exception lorsque E vaut 00000000, c'est-à-dire, $(-127)_{10}$. M est alors interprété sans le « plus 1 » de la mantisse ; la valeur du nombre est alors $(-1)^S(2^{-127})(, M)$. En particulier, si E et M sont tous deux constitués de 0, alors la valeur représentée est zéro.

◆ **Exemple 4.23.** Considérons le mot de 32 bits

   1 10000111 10100000000000000000000

Les espaces sont simplement là pour faciliter la lecture de S, qui est 1 ou un signe négatif, suivit de E, qui est $(10000111)_2 = (135)_{10}$ et enfin M qui a la valeur $(5/8)_{10}$, ou $(0, 625)_{10}$. La valeur représentée par ce mot est $-2^{135-127} \times 1,625$, ou $-256 \times 1,625$, ou encore -416. Il se trouve que cette valeur est un entier. Cependant, si les bits de l'exposant étaient 01111000, qui représente $(120)_{10} - (127)_{10} = (-7)_{10}$ en code 127-excès, la valeur du nombre en virgule flottante serait $-2^{-7} \times 1,625$, soit à peu près $(, 0127)_{10}$.

---

[16] Remarquez que 127 est égal à $2^7 - 1$. Les huit bits de l'exposant représentent donc des nombres allant de -127 à 128.

Si les bits d'exposant étaient 00000000, alors la valeur serait $-2^{-127} \times 0,625$ soit à peu près $3,67 \times 10^{-39}$. Remarquez que l'on ne suppose pas de 1 au début de la mantisse lorsque l'exposant est constitué de 0. ✦

Le plus grand nombre représentable dans un format IEEE en simple précision est

     0 11111111 11111111111111111111111

qui a la valeur $2^{255-127} \times (1,11\cdots 1)_2 = 2^{128} \times (2 - 2^{-23})$. C'est approximativement 2^{129}, soit à peu près $6,81 \times 10^{38}$.

Le plus petit nombre positif est

     0 00000000 00000000000000000000001

La valeur de ce nombre est $2^{-127} \times 2^{-23} = 2^{-150}$, soit à peu près 7×10^{-46}. ✦

EXERCICES

4.12.1 : Evaluez chacun des nombres représentés par le standard IEEE en simple précision :

a)   0 01110101 01010100000000000000000
b)   0 10110000 10101000000000000000000
c)   1 00101010 11100000000000000000000

4.12.2 : Exprimez les nombres réels suivants de façon aussi précise que possible en suivant le standard IEEE des nombres en virgule flottante.

a)   2,5
b)   ,00005
c) 10^{-40}
d)   300

4.12.3 : ** Ecrivez un programme qui accepte en entrée une séquence de caractères constituée de chiffres et d'un point décimal et qui détermine si le nombre en entrée possède une représentation exacte dans le format du standard IEEE en simple précision. Si tel est le cas, affichez la représentation.

4.13   Le modèle de fichiers en stockage secondaire

Notre discussion concernant un modèle de données pour l'ordinateur mettait l'accent sur des aspects normalement associés avec des données résidant en mémoire principale. Nous avons appris à considérer la mémoire principale comme une collection de « boîtes » dans lesquelles des données de taille limitée pouvaient être stockés ; cela ressemblait beaucoup au modèle de données de Pascal. Bien que le stockage secondaire puisse également être considéré de la même manière, il est souvent utile d'imaginer que le stockage secondaire est divisé en *fichiers*, qui sont des longs flots d'objets d'un type donné. Dans ce paragraphe, nous nous intéressons à la représentation des fichiers dans un ordinateur.

Pour commencer, nous supposons qu'une unité de disque, ou peut-être une fraction d'une unité de disque, est organisée en *système de fichiers* dans lequel les octets disponibles sont partitionnés en *blocs* de taille fixe (par exemple, 1K octets). Chaque bloc du système de fichiers a une *adresse* constituée de quelques octets identifiant de manière unique l'emplacement du bloc dans le système de fichiers.

Les données sont déplacées par unité de bloc entre la mémoire principale et la mémoire secondaire. Cette restriction est motivée par les caractéristiques physiques des périphériques tels que les disques magnétiques et optiques. Comme nous l'avons vu au paragraphe 4.5, il est particulièrement long d'atteindre un point particulier d'un disque en rotation ; cependant, une fois arrivé, nous pouvons lire les octets suivants assez rapidement. Donc, si les blocs sont composés d'octets consécutifs sur une piste d'un disque, le temps pour lire un millier d'octets n'est pas tellement plus important que le temps pour lire un octet. Une politique consistant à lire des blocs entiers met l'accent sur une utilisation du stockage secondaire de sorte que lorsque nous avons besoin d'un octet d'un bloc, il y a de grandes chances pour que nous ayons besoin de tous ou de la plupart des octets de ce bloc.

Fichiers

Quelque chose d'utile que nous pouvons faire avec des blocs en stockage secondaire est de les organiser en *fichiers*. En général, un fichier est simplement une chaîne de caractères, de longueur arbitraire, qui peut être lue ou écrite seulement du début vers la fin. Cependant, nous pouvons aussi considérer un fichier comme un flot d'objets d'un type quelconque, comme le sont les fichiers en Pascal. En pratique, les objets d'un type complexe sont stockés comme une séquence d'octets dans un fichier, exactement comme ils seraient stockés dans une séquence d'octets ou de mots en mémoire principale.

A la différence des structures de données d'un langage de programmation, les fichiers ne sont pas perdus lorsque le programme se termine. Ils sont stockés de manière permanente en mémoire secondaire (ils sont **persistants**). Seul le stockage secondaire, qui survit à la plupart des pannes des machines ou à une coupure de courant, est adapté au stockage de fichiers ou d'autres structures persistantes. Il est donc normal d'utiliser les fichiers pour les programmes, les bases de données, les documents et autres choses dont la durée de vie dépasse l'exécution d'un simple programme.

Un fichier est composé d'une séquence de blocs dans lesquels sont stockés ses caractères. Si un fichier n'est pas trop long, il peut être stocké dans une structure de blocs comme celle de la figure 4.33. Il y a un bloc d'en-tête qui contient

1.   des informations concernant le fichier, par exemple sa longueur en octets, et

2.   des pointeurs vers une séquence de blocs dans lesquels la valeur chaîne de caractères du fichier est conservée.

Par exemple, si l'adresse d'un bloc — c'est-à-dire un pointeur vers un bloc tel que suggéré par les flèches de la figure 4.33 — requiert quatre octets, alors un bloc de 1K peut contenir 256 pointeurs vers d'autres blocs, et ainsi les fichiers de plus de 256K octets peuvent être gérés par le simple schéma de la figure 4.33. La longueur maximum réelle est légèrement inférieure parce que de la place dans l'en-tête est prise par les informations concernant le fichier et ne peut donc pas être utilisée pour des adresses de blocs. Si davantage de blocs sont nécessaires pour contenir un fichier, alors les blocs

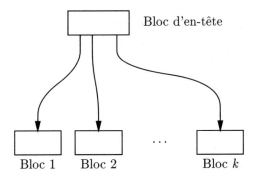

Figure 4.33 : Une structure de fichier simple.

du second niveau peuvent être utilisés pour contenir les pointeurs vers les blocs du troisième niveau et ainsi de suite.

Mémoire tampon pour les fichiers

Pour lire un fichier, on

1. *ouvre* le fichier. En faisant cela, nous réservons un espace (un *tampon*) pour le fichier en mémoire principale, de la taille égale à celle d'un bloc.

2. *lit* le fichier, bloc par bloc, dans l'ordre, en déplaçant les blocs successifs dans le tampon du fichier. Les opérations qui lisent un fichier, comme **read** en Pascal, opèrent en fait sur le tampon en lisant successivement les caractères. Nous pouvons considérer le tampon comme étant un tableau de caractères, avec un index servant à marquer le prochain caractère à lire, tel que suggéré par la figure 4.34. Quand l'index arrive au dernier octet du tampon, le bloc suivant du tampon est lu et l'index indique le premier octet.

3. *ferme* le fichier. Après que le dernier octet du fichier a été lu ou lorsque nous n'avons plus besoin de lire le fichier, nous pouvons fermer le fichier, rendant ainsi son tampon disponible pour un autre fichier.

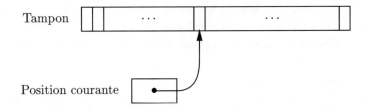

Figure 4.34 : Lecture à partir d'un tampon de fichier.

Ecrire un fichier se fait de la même manière. Nous ouvrons le fichier et nous créons un tampon pour écrire une nouvelle valeur de ce fichier. Quand le tampon est plein, nous le copions dans un bloc en stockage secondaire, qui devient le bloc suivant du fichier. Nous réinitialisons ensuite l'index du tampon au début et nous commençons à créer le bloc suivant du fichier dans le tampon. Lorsque nous avons fini d'écrire le fichier, le tampon courant est écrit et devient le bloc final du fichier — même si le tampon n'est pas plein — et nous fermons le fichier.

EXERCICES

4.13.1 : Supposez qu'en suivant le schéma suggéré par la figure 4.33, les blocs d'en-tête de 1K octets puissent contenir jusqu'à 250 pointeurs vers d'autres blocs. De quelle longueur (en octets) peut être un fichier représenté suivant le schéma de la figure 4.33 ?

4.13.2 : Les fichiers plus grands que ceux de la figure 4.33 peuvent être représentés par un schéma à trois niveaux, où le bloc d'en-tête contient des pointeurs vers des blocs intermédiaires, dont le nombre peut atteindre 250. Chaque bloc intermédiaire contient, non pas des données, mais des pointeurs vers des blocs de données d'un nombre allant jusqu'à 250.

a) De quelle longueur peut être un fichier représenté par un schéma à 3 niveaux ?

b) Quel serait un schéma à 4 niveaux pour représenter les fichiers ?

c) De quelle longueur peut être un fichier représenté par un schéma à 4 niveaux ?

4.14 Résumé du chapitre 4

Voici les principales notions du chapitre 4.

✦   Un système informatique traite l'information à différents niveaux d'abstraction. Chacun a son propre modèle de données, dans lequel les niveaux supérieurs sont implémentés.

✦   Les principaux composants d'un ordinateur sont la mémoire principale et la mémoire secondaire, une UAL (unité arithmétique et logique), des registres, du contrôle, les périphériques d'entrée/sortie et un bus pour la communication .

✦   La mémoire principale est composée d'octets de 8 bits et quatre octets sont souvent traités comme un mot utilisé pour stocker les entiers, les réels ou les pointeurs, par exemple. La mémoire principale est à « accès aléatoire » puisque nous pouvons lire ou écrire n'importe quel octet très rapidement et en à peu près le même temps que n'importe quel autre octet.

✦   Les périphériques de mémoire secondaire, principalement les disques et les bandes, stockent l'information de façon magnétique. Ce sont des périphériques à « accès séquentiels », en ce sens que nous pouvons lire ou écrire une grande quantité de données en des emplacements contigus plus rapidement que nous pouvons lire une quantité égale de données dispersées sur le périphérique.

✦   Les fichiers et les systèmes de fichiers nous permettent d'organiser la mémoire secondaire pour améliorer l'efficacité des accès.

✦ Les instructions machines classiques déplacent des mots de données ou accomplissent des opérations simples arithmétiques, logiques ou comparatives sur deux mots. Des codes binaires représentent ces opérations pour la machine, mais le programmeur écrit dans un « langage assembleur » avec des mnémoniques à la place des codes binaires.

✦ L'accès aux structures de données de Pascal, construites à partir de pointeurs, des tableaux et des enregistrements, est implémenté d'une manière simple par l'ensemble d'instructions des ordinateurs classiques.

✦ Il y a plusieurs manières de représenter les entiers de taille limitée par des mots. Le complément à deux est le plus courant, mais la grandeur signée, le complément à un et les codes k-excès sont également utilisés.

✦ La représentation des nombres à virgule flottante selon le standard IEEE est utilisée dans la plupart des ordinateurs modernes pour représenter les nombres réels. Nous pouvons représenter seulement un intervalle limité de nombres réels dans un mot.

4.15   Notes bibliographiques du chapitre 4

Pour une lecture avancée sur l'architecture des ordinateurs, nous suggérons Hennessy et Patterson [1990] ou Tanenbaum [1990]. Un bonne référence sur les systèmes d'exploitation et la façon dont le logiciel et la matériel interagissent est donné dans Peterson et Silberschatz [1985].

Pour un historique des ordinateurs depuis leur origine, nous suggérons Goldstine [1972]. Les premiers articles qui relatent de nombreux principes importants concernant les ordinateurs modernes ont été écrits par John von Neumann et ses collègues — Goldstine et von Neumann [1946], ainsi que Burks, Goldstine et von Neumann [1946] — bien que nous ayons mentionné dans un encadré au début de ce chapitre, que d'autres personnes construisaient des machines similaires à peu près au même moment.

Burks, A. W., H. H. Goldstine, et J. von Neumann [1946]. « Preliminary discussion of the logical design of an electronic computing instrument », réimprimé dans *John von Neumann: Collected Works*, Vol. 5, pp. 34–79, Macmillan, New York, 1961.

Goldstine, H. H. et J. von Neumann [1946]. « On the principles of large scale computing machines », réimprimé dans *John von Neumann: Collected Works*, Vol. 5, pp. 1–32, Macmillan, New York, 1961.

Goldstine, H. H. [1972]. *The Computer: From Pascal to von Neumann*, Princeton University Press, Princeton, New Jersey.

Hennessy, J. L. et D. A. Patterson [1990]. *Computer Architecture: a Quantitative Approach*, Morgan-Kaufmann, San Mateo, Calif.

Peterson, J. L. et A. Silberschatz [1985]. *Operating Systems Concepts*, 2d ed., Addison Wesley, Reading, Mass.

Tanenbaum, A. S. [1990]. *Structured Computer Organization*, 3d ed., Prentice-Hall, Englewood Cliffs, New Jersey.

CHAPITRE 5

Le modèle de données arbre

Dans de nombreuses situations, l'information a une structure hiérarchique ou imbriquée ; c'est notamment le cas pour les arbres généalogiques et les organigrammes. L'abstraction qui modélise une structure hiérarchique est appelée un *arbre* ; ce modèle de données est parmi les plus fondamentaux de l'informatique. C'est le modèle sous-jacent à plusieurs langages de programmations, dont le langage Lisp.

Des arbres de types divers apparaissent dans plusieurs chapitres de ce livre. Par exemple, au paragraphe 1.3, nous avons vu comment les répertoires et fichiers d'un système informatique étaient organisés en structure arborescente. Au paragraphe 2.8, nous avons utilisé des arbres pour montrer comment les listes sont éclatées récursivement et ensuite recombinées par l'algorithme de tri par fusion. Au paragraphe 3.7, nous avons utilisé les arbres pour illustrer une manière de combiner des instructions simples d'un programme pour en former de plus complexes.

5.1 Le propos de ce chapitre

Les thèmes suivants constituent les principaux sujets d'étude de ce chapitre :

✦ Les termes et concepts relatifs aux arbres (paragraphe 5.2).

✦ Les structures de données de base pour représenter les arbres dans des programmes (paragraphe 5.3).

✦ Les algorithmes récursifs qui travaillent sur les nœuds d'un arbre (paragraphe 5.4).

✦ Une méthode, appelée *récurrence de construction* pour faire des preuves par récurrence sur les arbres ; on procède de façon progressive à partir de petits arbres vers de plus grands (paragraphe 5.5).

✦ L'arbre binaire, qui est une variante d'arbre dans lequel les nœuds ont deux « emplacements » pour leurs fils. Nous donnons un exemple important de l'utilisation des arbres binaires pour la génération de code assembleur à partir d'expressions arithmétiques (paragraphes 5.6 et 5.7).

✦ L'arbre binaire de recherche, une structure de données pour gérer un ensemble acceptant insertions et suppressions d'éléments (paragraphes 5.8 et 5.9).

✦ La file de priorité, qui est un ensemble auquel on peut ajouter des éléments mais duquel on ne peut supprimer à chaque fois que l'élément maximum. Une structure de données efficace, appelée un *arbre partiellement ordonné*, est introduite pour implémenter des files de priorité et un algorithme en $O(n \log n)$, appelé *tri par tas*, pour trier n éléments est développé en utilisant une structure de données d'arbre équilibré partiellement ordonné, appelée un *tas* (paragraphes 5.10 et 5.11).

5.2   Terminologie de base

Nous pouvons définir un arbre comme un ensemble de points, appelés des **nœuds** et un ensemble de lignes, appelées des **arcs**, où un arc relie deux nœuds distincts. Un arbre a trois propriétés :

1. Il existe un nœud particulier appelé la **racine**.

2. Tout nœud c autre que la racine est relié par un arc à un autre nœud p appelé le *père* de c.

3. Un arbre est qualifié de *connexe* car si nous commençons à n'importe quel nœud n autre que la racine, puis si nous nous déplaçons vers le père de n, puis vers le père du père de n et ainsi de suite, nous atteindrons certainement la racine de l'arbre.

Si p est le **père** du nœud c, nous disons également que c est un **fils** de p. Un nœud peut avoir zéro ou plusieurs fils, mais tout nœud autre que la racine a exactement un père. De plus, la séquence des pères partant d'un nœud vers la racine est toujours unique.

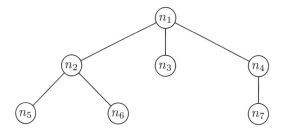

Figure 5.1 : Un arbre avec sept nœuds.

✦ **Exemple 5.1.** La figure 5.1 représente un arbre de sept nœuds ; un nœud est représenté par un cercle contenant son nom. Le nœud n_1 est la racine et aussi le père des nœuds n_2, n_3, et n_4. De même, les nœuds n_2, n_3 et n_4 sont les fils du nœud n_1. A son tour, n_2 est le père de n_5 et n_6, et n_4 est le père de n_7. Nous pouvons également dire que n_5 et n_6 sont les fils de n_2 et que n_7 est le seul fils de n_4. En informatique, les arbres sont souvent dessinés avec la racine en haut et avec les pères au-dessus de leurs fils. ✦

Une définition récursive des arbres

Il est également possible de définir récursivement les arbres par une définition par récurrence construisant des arbres plus grands à partir des plus petits.

LA BASE. Un nœud seul n est un arbre. Nous disons que n est la racine de cet arbre à un nœud.

LA RÉCURRENCE. Soit r un nouveau nœud et soient $T_1, T_2, \ldots, T_k$ des arbres (un ou plusieurs) ayant respectivement pour racines $c_1, c_2, \ldots, c_k$. Nous demandons à ce qu'aucun nœud n'apparaisse plus d'une fois dans les T_i ; r étant un « nouveau » nœud, il ne peut donc pas apparaître dans un de ces arbres. Nous formons un nouvel arbre T à partir de r et de $T_1, T_2, \ldots, T_k$ de la manière suivante :

1. Faire de r la racine de l'arbre T.

2. Ajouter un arc entre r et chacun des $c_1, c_2, \ldots, c_k$, de manière que chacun de ces nœuds soit un fils de la racine r. Une autre façon de voir cette étape est de considérer que nous avons fait de r le père de chacune des racines des arbres T_1, $T_2, \ldots, T_k$.

◆ **Exemple 5.2.** Nous pouvons utiliser cette définition récursive pour construire l'arbre de la figure 5.1. Cette construction vérifie également que la structure de la figure 5.1 est un arbre. Les nœuds n_5 et n_6 sont eux-mêmes des arbres car la règle de base nous dit qu'un simple nœud peut être considéré comme un arbre. Ensuite, nous pouvons appliquer la règle de récurrence pour créer un nouvel arbre avec n_2 pour la racine r, l'arbre T_1 comprenant seulement n_5, et l'arbre T_2 comprenant seulement n_6 comme fils de cette nouvelle racine. Les nœuds c_1 et c_2 sont respectivement n_5 et n_6, puisqu'ils sont les racines des arbres T_1 et T_2. Nous pouvons alors conclure que la structure

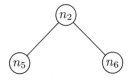

est un arbre ; sa racine est n_2.

De même, n_7 est un arbre (grâce à la règle de base) et par hypothèse de récurrence, la structure

est un arbre ; sa racine est n_4.

Le nœud n_3 est lui-même un arbre. Finalement, si nous prenons le nœud n_1 pour r et n_2, n_3 et n_4 pour les racines des trois arbres dont nous venons de parler, nous créons la structure de la figure 5.1, vérifiant ainsi qu'elle est bien un arbre. ◆

Chemins, ancêtres et descendants

La relation père-fils peut être naturellement étendue aux ancêtres et aux descendants. De manière informelle, les ancêtres d'un nœud sont trouvés en suivant le chemin unique partant du nœud vers son père, puis le père de son père et ainsi de suite. A vrai dire, un nœud est aussi son propre ancêtre. La relation de descendant est l'inverse de la relation d'ancêtre, de même que les relations père et fils sont inverses l'une de l'autre. C'est-à-dire que le nœud d est un descendant du nœud a si et seulement si a est un ancêtre de d.

Plus formellement, supposons que $m_1, m_2, \ldots, m_k$ soit une séquence de nœuds d'un arbre telle que m_1 est le père de m_2 qui est le père de m_3 et ainsi de suite jusqu'à m_{k-1} qui est le père de m_k. Alors $m_1, m_2, \ldots, m_k$ est appelé un *chemin* depuis m_1 jusqu'à m_k dans l'arbre. La **longueur du chemin** est $k-1$, le nombre de nœuds dans le chemin auquel on retire 1. Remarquez qu'un chemin peut ne passer que par un seul nœud (si $k = 1$), auquel cas la longueur du chemin est 0.

✦ **Exemple 5.3.** Dans la figure 5.1, n_1, n_2, n_6 est un chemin de longueur 2 depuis la racine jusqu'au nœud n_6 ; n_1 est un chemin de longueur 0 depuis n_1 jusqu'à lui-même.
✦

Si $m_1, m_2, \ldots, m_k$ est un chemin dans l'arbre, le nœud m_1 est appelé un *ancêtre* de m_k et le nœud m_k est un *descendant* de m_1. Si le chemin est de longueur 1 ou plus, alors m_1 est appelé un **ancêtre propre** de m_k et m_k est un **descendant propre** de m_1. Rappelez-vous qu'un chemin de longueur 0 est possible, auquel cas le chemin nous permet de conclure que m_1 est un ancêtre de lui-même ou un descendant de lui-même, bien qu'il ne soit pas un ancêtre ou un descendant propre. La racine est un ancêtre de chaque nœud dans l'arbre et chaque nœud est un descendant de la racine.

✦ **Exemple 5.4.** Dans la figure 5.1, les sept nœuds sont des descendants de n_1 et n_1 est un ancêtre de tous les nœuds. Ainsi, tous les nœuds, sauf n_1 lui-même, sont des descendants propres de n_1 et n_1 est un ancêtre propre de tous les nœuds de l'arbre sauf de lui-même. Les ancêtres de n_5 sont n_5, n_2 et n_1. Les descendants de n_4 sont n_4 et n_7. ✦

Les nœuds qui ont le même père sont parfois appelés des **frères**. Par exemple, dans la figure 5.1, les nœuds n_2, n_3 et n_4 sont des frères et n_5 et n_6 sont des frères.

Sous-arbres

Dans un arbre T, un nœud n accompagné de tous ses descendants propres, s'il en possède, est appelé un *sous-arbre* de T. Le nœud n est la racine de ce sous-arbre. Remarquez qu'un sous-arbre satisfait les trois conditions nécessaires pour être reconnu comme étant un arbre : il a une racine, tous les autres nœuds dans le sous-arbre ont un père unique dans le sous-arbre et en suivant les pères à partir d'un nœud de l'arbre, nous atteignons à coup sûr la racine de l'arbre.

✦ **Exemple 5.5.** Si l'on se réfère à nouveau à la figure 5.1, le nœud n_3 est lui-même un sous-arbre ; en effet, n_3 n'a pas d'autre descendant que lui-même. Prenons un autre exemple : les nœuds n_2, n_5 et n_6 forment un sous-arbre dont la racine est n_2 ; ces nœuds sont en effet exactement les descendants de n_2. Cependant, les deux nœuds n_2 et n_6 ne forment pas eux-mêmes un sous-arbre sans le nœud n_5. Finalement, l'arbre entier de la figure 5.1 est un sous-arbre de lui-même dont la racine est n_1. ✦

Feuilles et nœuds intérieurs

Une *feuille* est un nœud d'un arbre qui n'a pas de fils. Un *nœud intérieur* est un nœud qui a au moins un fils. Ainsi, tout nœud de l'arbre est soit une feuille soit un nœud intérieur, mais pas les deux. La racine de l'arbre est normalement un nœud intérieur mais si l'arbre comprend seulement un nœud, alors ce nœud est à la fois racine et feuille.

✦ **Exemple 5.6.** Dans la figure 5.1, les feuilles sont n_5, n_6, n_3, et n_7. Les nœuds n_1, n_2 et n_4 sont intérieurs. ✦

Hauteur et profondeur

Dans un arbre, la *hauteur* d'un nœud n est la longueur du plus long chemin depuis n jusqu'à une feuille. La *hauteur d'un arbre* est la hauteur de la racine. La *profondeur* ou le **niveau** d'un nœud n est la longueur du chemin depuis la racine jusqu'à n.

✦ **Exemple 5.7.** Dans la figure 5.1, le nœud n_1 a une hauteur de 2, n_2 a une hauteur de 1 et la feuille n_3 a une hauteur de 0. En fait, toute feuille a une hauteur de 0. L'arbre de la figure 5.1 a une hauteur de 2. La profondeur de n_1 est 0, la profondeur de n_2 est 1 et la profondeur de n_5 est 2. ✦

Arbres ordonnés

Bien que nous n'en ayons pas besoin, nous pouvons attribuer un ordre de la gauche vers la droite aux fils d'un nœud. Par exemple, l'ordre des fils de n_1 dans la figure 5.1 est, à partir de la gauche, n_2, puis n_3 et enfin n_4. Cet ordre de la gauche vers la droite peut être étendu de manière à ordonner tous les nœuds d'un arbre. Si m et n sont des frères et si m est à la gauche de n, alors tous les descendants de m sont à la gauche de tous les descendants de n.

✦ **Exemple 5.8.** Dans la figure 5.1, les nœuds du sous-arbre dont la racine est n_2 — c'est-à-dire n_2, n_5 et n_6 — sont tous à la gauche des nœuds des sous-arbres dont les racines respectives sont n_3 et n_4. Ainsi, n_2, n_5 et n_6 sont tous à la gauche de n_3, n_4 et n_7. ✦

Prenons deux nœuds x et y dans un arbre, aucun n'étant l'ancêtre de l'autre. D'après notre définition précédente établissant un ordre de la gauche vers la droite, nous pouvons dire que l'un des x et y sera à la gauche de l'autre. Pour savoir lequel, nous devons suivre les chemins partant de x et y et allant vers la racine. À un certain stade, peut-être à la racine, peut-être plus bas, les chemins se rencontreront à un nœud z (cf. figure 5.2). Les chemins partant de x et y atteignent z à partir de deux nœuds différents qui sont respectivement m et n; il est possible que $m = x$ et/ou $n = y$ mais on doit avoir $m \neq n$ car dans le cas contraire, les chemins auraient alors convergé quelque part sous z.

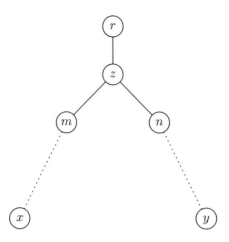

Figure 5.2 : Le nœud x est à la gauche du nœud y.

Supposons que m soit à la gauche de n. Alors, puisque x est dans le sous-arbre de racine m et puisque y est dans le sous-arbre de racine n, il en résulte que x est à la gauche de y. De même, si m était à la droite de n, alors x serait à la droite de y.

✦ **Exemple 5.9.** Puisqu'une feuille ne peut être ancêtre d'une autre feuille, il résulte que toutes les feuilles peuvent être ordonnées « à partir de la gauche ». Par exemple, l'ordre des feuilles de la figure 5.1 est n_5, n_6, n_3, n_7. ✦

Les arbres étiquetés

Un arbre *étiqueté* est un arbre dans lequel une étiquette ou une valeur est associée à chaque nœud de l'arbre. Nous pouvons considérer cette étiquette comme une information associée au nœud considéré. Cette étiquette peut être aussi simple qu'un entier seul ou aussi complexe que le texte d'un document entier. On peut changer l'étiquette d'un nœud mais on ne peut pas changer le nom d'un nœud.

Si le nom d'un nœud n'est pas important, nous pouvons le représenter par son étiquette. Cependant, l'étiquette ne produit pas toujours un nom unique car plusieurs nœuds peuvent avoir la même étiquette ; ainsi, en cas de doute, nous dessinerons un nœud avec à la fois son étiquette et son nom. Les paragraphes suivants illustrent le concept d'arbre étiqueté et donnent quelques exemples.

Arbres d'expressions — une classe d'arbres importante

On peut représenter les expressions arithmétiques avec des arbres étiquetés et il est souvent très utile de visualiser des expressions sous forme d'arbres. En fait, les *arbres d'expression*, comme on les appelle parfois, spécifient l'association des opérandes d'une expression et de ses opérateurs d'une manière uniforme, sans qu'il soit nécessaire de se préoccuper du placement des parenthèses ou des règles d'associativité et de précédence concernant les opérateurs impliqués.

Rappelons la discussion sur les expressions au paragraphe 2.6, et surtout l'exemple 2.16, où nous avions donné une définition récursive des expressions mettant en jeu les opérateurs arithmétiques usuels. Par analogie avec la définition récursive des expressions, nous pouvons définir récursivement l'arbre étiqueté correspondant. L'idée générale est qu'à chaque formation d'une expression plus grande par application d'un opérateur à des expressions plus petites, nous créons un nouveau nœud, étiqueté par cet opérateur. Le nouveau nœud devient la racine de l'arbre pour la grande expression et ses fils sont les racines des arbres pour les petites expressions.

Par exemple, nous pouvons définir les arbres étiquetés pour des expressions arithmétiques avec les opérateurs binaires $+$, $-$, $\times$ et $/$, ainsi que l'opérateur unaire $-$, de la manière qui suit.

LA BASE. Un opérande atomique seul (par exemple une variable, un entier ou un réel, comme au paragraphe 2.6) est une expression et son arbre est un seul nœud étiqueté par cet opérande.

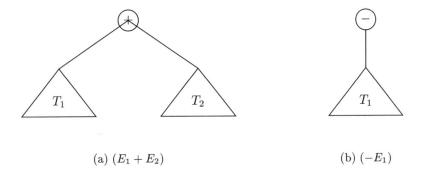

(a) $(E_1 + E_2)$ (b) $(-E_1)$

Figure 5.3 : Les arbres d'expressions pour $(E_1 + E_2)$ et $(-E_1)$.

LA RÉCURRENCE. Si E_1 et E_2 sont des expressions représentées respectivement par les arbres T_1 et T_2, alors l'expression $(E_1 + E_2)$ est représentée par l'arbre de la figure 5.3(a) dont la racine est étiquetée par $+$. Cette racine possède deux fils qui sont respectivement les racines de T_1 et T_2 (dans cet ordre). De même, les expressions $(E_1 - E_2)$, $(E_1 \times E_2)$, et (E_1/E_2) ont des arbres d'expressions dont les racines sont respectivement $-$, $\times$ et $/$, et dont les sous-arbres sont T_1 et T_2. Enfin, nous pouvons appliquer l'opérateur unaire $-$ à une expression E_1. Nous introduisons une nouvelle racine étiquetée $-$ et son seul fils est la racine de T_1 ; l'arbre pour $(-E_1)$ est montré dans la figure 5.3(b).

✦ **Exemple 5.10.** Dans l'exemple 2.16, nous avons parlé de la construction récursive d'une séquence de six expressions à partir des règles de base et de récurrence. Ces expressions, énumérées dans la figure 2.16, étaient :

Les expressions (i), (ii) et (v) sont des opérandes seuls ; la règle de base nous dit alors que les arbres des figures 5.4(a), (b) et (e) représentent respectivement ces expressions. Remarquez que chacun de ces arbres comprend un seul nœud auquel nous avons donné respectivement un nom — n_1, n_2 et n_5 — et une étiquette qui est l'opérande dans le cercle.

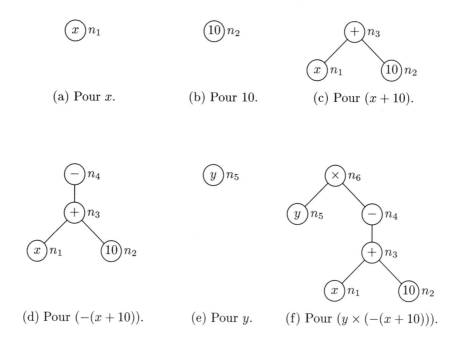

Figure 5.4 : Constructions d'arbres d'expressions.

L'expression (iii) est formée en appliquant l'opérateur $+$ aux opérandes x et 10 ; nous voyons l'arbre pour cette expression dans la figure 5.4(c), sa racine est étiquetée avec $+$ et les racines des arbres des figures 5.4(a) et (b) sont ses fils. L'expression (iv) est formée par application de l'opérateur unaire $-$ à l'expression (iii) ; nous voyons l'arbre pour l'expression $(-(x+10))$ dans la figure 5.4(d), sa racine est étiquetée avec $-$ et est située au dessus de l'arbre pour $(x+10)$. Enfin, l'arbre pour l'expression $(y \times (-(x+10)))$ est montré dans la figure 5.4(f) ; sa racine est étiquetée avec $\times$ et ses fils sont les racines des arbres des figures 5.4(e) et (d) (dans cet ordre). ◆

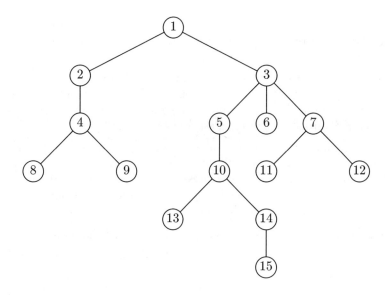

Figure 5.5 : Un arbre pour l'exercice 5.2.1.

EXERCICES

5.2.1 : La figure 5.5 représente un arbre. Cherchez ce que décrit chacune des phrases suivantes :

a) La racine de l'arbre.
b) Les feuilles de l'arbre.
c) Les nœuds intérieurs de l'arbre.
d) Les frères du nœud 6.
e) Le sous-arbre de racine 5.
f) Les ancêtres du nœud 10.
g) Les descendants du nœud 10.
h) Les nœuds à la gauche du nœud 10.
i) Les nœuds à la droite du nœud 10.
j) Le plus long chemin dans l'arbre.
k) La hauteur du nœud 3.
l) La profondeur du nœud 13.
m) La hauteur de l'arbre.

5.2.2 : Une feuille de l'arbre peut-elle avoir (a) des descendants (b) des descendants propres ?

5.2.3 : Prouvez qu'une feuille d'un arbre ne peut être l'ancêtre d'une autre feuille.

5.2.4 : * Prouvez que les deux définitions d'un arbre données dans ce paragraphe sont équivalentes. *Une indication :* pour montrer qu'un arbre selon la définition non-récursive est un arbre selon la définition récursive, utilisez la récurrence sur le nombre de nœuds dans l'arbre. Dans l'autre sens, utilisez la récurrence sur le nombre de cercles utilisés dans la définition récursive.

5.2.5 : Supposons que nous ayons un graphe avec quatre nœuds, r, a, b et c. Le nœud r est un nœud isolé et n'a pas d'arc le connectant. Les trois nœuds restants forment un cycle ; c'est-à-dire que nous avons un arc reliant a et b, un arc reliant b et c et un arc reliant c et a. Pourquoi ce graphe n'est-il pas un arbre ?

5.2.6 : Dans plusieurs sortes d'arbres, une distinction importante est faite entre les nœuds intérieurs et les feuilles (ou plutôt entre les étiquettes de ces deux sortes de nœuds). Par exemple, dans un arbre d'expression, les nœuds intérieurs représentent les opérateurs et les feuilles représentent les opérandes atomiques. Donnez la distinction entre les nœuds intérieurs et les feuilles pour chacune des sortes d'arbres suivants :

a) Les arbres représentant les structures de répertoires (cf. paragraphe 1.3).

b) Les arbres représentant l'éclatement et la fusion des listes pour le tri par fusion (cf. paragraphe 2.8).

c) Les arbres représentant la structure d'une procédure (cf. paragraphe 3.7).

5.2.7 : Donnez les arbres d'expressions pour les expressions suivantes. Remarquez que, comme cela est fréquent pour les expressions, nous avons omis les parenthèses redondantes. Vous devez d'abord restituer les paires appropriées de parenthèses en utilisant les règles habituelles de précédence et d'associativité des opérateurs.

a) $(x + 1) \times (x - y + 4)$.

b) $1 + 2 + 3 + 4 + 5 + 6$.

c) $9 \times 8 + 7 \times 6 + 5$.

5.2.8 : Montrez que si x et y sont deux nœuds distincts dans un arbre ordonné, alors une et une seule des conditions suivantes sont vraies :

a) x est un ancêtre propre de y.

b) x est un descendant propre de y.

c) x est à la gauche de y.

d) x est à la droite de y.

5.3 Structures de données pour les arbres

On peut utiliser beaucoup de structures de données pour représenter les arbres. Notre choix dépendra des opérations spécifiques que l'on souhaite réaliser. Prenons un exemple simple : si nous voulons seulement localiser les pères des nœuds, alors nous pouvons représenter chaque nœud par un enregistrement comprenant une étiquette et un pointeur vers l'enregistrement représentant son père.

En règle générale, les nœuds d'un arbre peuvent être représentés par des enregistrements dont les champs relient les nœuds entre eux d'une manière similaire à celle utilisée pour les interconnecter dans l'arbre abstrait ; l'arbre lui-même peut être représenté par un pointeur vers l'enregistrement de la racine. Ainsi, lorsque nous parlons de la représentation des arbres, nous nous intéressons d'abord à la représentation des nœuds.

On peut distinguer les représentations en fonction de l'«endroit» où sont placés les enregistrements des nœuds dans la mémoire de l'ordinateur. En Pascal, nous pouvons créer des enregistrements en utilisant la fonction **new** ; dans ce cas les enregistrements «flottent» en mémoire et sont accessibles seulement par des pointeurs à partir des autres nœuds. Une autre façon de faire est de créer un tableau d'enregistrements et d'utiliser les éléments du tableau pour représenter les nœuds. Les nœuds peuvent être encore liés selon leur position dans l'arbre mais il est également possible de visiter les nœuds en parcourant le tableau. Nous pouvons ainsi accéder aux nœuds sans suivre un chemin de l'arbre. L'inconvénient d'une représentation par tableau est que nous ne pouvons pas créer plus de nœuds qu'il n'y a d'éléments dans le tableau. Par la suite, nous supposerons que les enregistrements des nœuds sont créés par **new** ; cependant, n'oublions pas que si la taille des arbres est limitée, un tableau d'enregistrements de même type serait une solution sans doute préférable.

Représentation des arbres avec des tableaux de pointeurs

Une des manières les plus simples de représenter un arbre est d'utiliser un enregistrement pour chaque nœud ; cet enregistrement comprend un ou plusieurs champs pour l'étiquette du nœud, suivi d'un tableau de pointeurs vers les fils du nœud. Une telle structure est montrée dans la figure 5.6. La constante *bf* est la taille du tableau de pointeurs. Elle représente le nombre maximum de fils que peut avoir un nœud ; cette quantité est souvent appelée le ***facteur d'arborescence***. Le *i*ème composant du tableau d'un nœud contient un pointeur vers le *i*ème fils de ce nœud. Un fils absent peut être représenté par le pointeur NIL.

info			
p_1	p_2	$\cdots$	p_{bf}

Figure 5.6 : Un nœud représenté par un tableau de pointeurs.

En Pascal, cette structure de données peut être représentée par le type :

```
type PTRTONODE = ^NODE;
    NODE = record
        info: INFOTYPE;
        children: array[1..bf] of PTRTONODE
    end;
```

Ici, si nous considérons un arbre étiqueté, le champ **info** représente l'information constituant l'étiquette.

Un arbre peut être représenté par un pointeur vers le nœud racine. Ainsi, PTRTO-NODE sert aussi de type pour un arbre.

La représentation par tableau de pointeurs nous permet d'accéder au *i*ème fils de n'importe quel nœud en un temps en $O(1)$. Cependant, cette représentation gaspille

---

Essayez de vous rappeler « Trie »

Le terme « Trie » est tiré du mot anglais « reTrieval ». A l'origine, il était prononcé « tree ». Heureusement, la langue parlée lui a donné une prononciation différente : "try".

---

beaucoup d'espace mémoire lorsqu'il y a seulement quelques nœuds de l'arbre qui ont beaucoup de fils. Dans ce cas, la plupart des pointeurs dans les tableaux vaudront NIL.

✦ **Exemple 5.11.** Un arbre peut être utilisé pour représenter une collection de mots de sorte qu'il soit très efficace de vérifier si une séquence donnée de caractères est un mot valide ou pas. Dans ce type d'arbre, appelé un ***Trie***, tout nœud, excepté la racine, a une lettre associée. La chaîne de caractères représentée par un nœud n est la séquence des lettres rencontrées sur le chemin depuis la racine jusqu'à n. Etant donné un ensemble de mots, le Trie contient des nœuds pour les chaînes de caractères qui sont des préfixes d'un mot de l'ensemble. L'étiquette d'un nœud contient la lettre représentée par le nœud ainsi qu'un symbole indiquant si la chaîne allant de la racine au nœud représente un mot complet ; nous utiliserons ∗ si c'est le cas, et − sinon [1].

Par exemple, supposons que notre « dictionnaire » comprenne les quatre mots le, leur, lui, ses. Un Trie pour ces mots est montré dans la figure 5.7. Pour déterminer si le mot le est dans l'ensemble, nous commençons à la racine n_1, nous nous déplaçons au fils n_2 étiqueté l et ensuite depuis ce nœud nous nous déplaçons jusqu'à son fils n_4 étiqueté e. Puisque tous ces nœuds existent dans l'arbre et puisque l'étiquette de n_4 est une ∗, nous en concluons que le est dans l'ensemble.

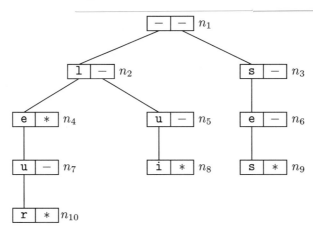

Figure 5.7 : Un Trie pour les mots le, leur, lui et ses.

---

[1] Au paragraphe précédent, nous avons considéré que l'étiquette était une simple valeur. Cependant, les valeurs peuvent être de n'importe quel type et les étiquettes peuvent être des enregistrements comprenant deux ou plusieurs champs. Dans notre exemple, l'étiquette a un champ qui est une lettre et un second champ choisi dans le type énuméré ('∗', '−'). Le second champ aurait également pu être un booléen.

Prenons un autre exemple : supposons que nous souhaitions déterminer si `les` est dans l'ensemble. Nous suivons le chemin depuis la racine vers n_2 puis n_4, qui représentent le préfixe `le` ; mais à n_4, nous ne trouvons pas de fils correspondant à la lettre `s`. Nous en concluons que `les` n'est pas dans l'ensemble. Enfin, si nous cherchons le mot `se`, nous trouvons un chemin depuis la racine jusqu'au nœud n_6. Ce nœud existe mais n'a pas de *. Ainsi, nous en concluons que `le` n'est pas dans l'ensemble malgré qu'il soit un préfixe propre du mot `ses` qui lui est dans l'ensemble.

Les nœuds d'un Trie ont un facteur d'arborescence égal au nombre de caractères différents trouvés dans l'alphabet utilisé pour la formation des mots. Par exemple, si nous ne distinguons pas les majuscules et les minuscules et si les mots ne contiennent pas de caractères particuliers comme les apostrophes alors nous pouvons prendre un facteur d'arborescence égal à 26. Le type d'un nœud, comprenant les deux champs pour l'étiquette, peut être défini comme cela est représenté par la figure 5.8.

```
type LETTERTYPE = 'a'..'z';

    PTRTONODE = ^NODE;

    NODE = record
            letter: LETTERTYPE;
            isWord: ('*', '-');
            children: array[LETTERTYPE] of PTRTONODE
    end;
```

Figure 5.8 : Définition d'un Trie alphabétique.

Le Trie abstrait de la figure 5.7 peut être représenté par la structure de données de la figure 5.9. Nous représentons les nœuds en montrant les deux premiers champs, `letter` et `isWord`, ainsi que les éléments du tableau `children` qui ont des pointeurs non NIL. Dans le tableau `children`, pour chaque élément non NIL, la lettre indexant le tableau est représentée au-dessus du pointeur vers le fils, mais la lettre n'est pas réellement présente dans l'enregistrement. Remarquez que le champ `letter` de la racine est sans signification, et nous utilisons la valeur − pour ce champ. A vrai dire, − devrait également être membre du type `LETTERTYPE` ; une autre solution serait d'utiliser une vraie lettre dans le champ `letter` de la racine. ✦

Une représentation fils-aîné–frère-droit pour les arbres

Utiliser des tableaux de pointeurs pour les nœuds n'est pas vraiment économique en place mémoire ; en effet, dans la plupart des cas, la grande majorité des pointeurs seront NIL. C'est certainement le cas de la figure 5.9 où aucun nœud n'a plus de deux pointeurs non NIL. En fait, quand on y réfléchit, on constate que le nombre de pointeurs dans un Trie basé sur l'alphabet de 26 lettres sera 26 fois la place allouée aux pointeurs associés aux nœuds existants. Puisqu'aucun nœud ne peut avoir deux pères et puisque la racine n'a pas du tout de père, il en résulte que pour les N nœuds il n'y a que $N-1$ pointeurs non NIL ; c'est-à-dire qu'en moyenne, on n'utilise même pas un pointeur sur 26.

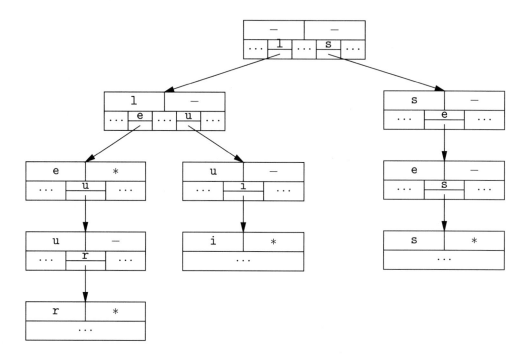

Figure 5.9 : Structures de données pour le Trie de la figure 5.7.

Une manière de pallier cette inefficacité (en terme d'espace mémoire) de la représentation d'un arbre par tableaux de pointeurs consiste à utiliser des listes chaînées pour représenter les fils d'un nœud. La place occupée par une liste chaînée pour un nœud est proportionnelle au nombre de fils de ce nœud. Cette représentation induit cependant une pénalité en terme de performances ; atteindre le $i$ème fils prend un temps en $O(i)$; il faut en effet traverser une liste de longueur $i - 1$ pour arriver au $i$ème nœud. En comparaison, avec un tableau de pointeurs vers les fils, nous arrivons au $i$ème fils en un temps en $O(1)$, indépendant de i. Dans la représentation des arbres appelée *fils-aîné[2]–frère-droit*, nous ne mettons dans chaque nœud qu'un pointeur vers son fils aîné ; un nœud n'a pas de pointeur vers ses autres fils. Pour trouver le second fils ainsi que les suivants d'un nœud n, nous créons une liste chaînée de ces fils, et chaque fils c pointe vers le fils de n qui est immédiatement à la droite de c. Ce nœud est appelé le **frère droit** de c.

✦ **Exemple 5.12.** Dans la figure 5.1, n_3 est le frère droit de n_2, n_4 le frère droit de n_3 et n_4 n'a pas de frère droit. Nous trouvons les fils de n_1 en suivant son pointeur fils-aîné vers n_2, puis le pointeur frère-droit vers n_3 et ensuite le pointeur frère-droit vers n_4. Ensuite, nous trouvons un pointeur frère-droit à NIL et savons que n_1 n'a plus de fils.

La figure 5.10 est un croquis de la représentation fils-aîné–frère-droit de l'arbre de la figure 5.1. Les flèches allant vers le bas sont les liens fils-aîné ; les flèches horizontales sont les liens frère-droit. ✦

---

[2] Ndt : nous appelons fils-aîné, le fils figurant le plus à gauche.

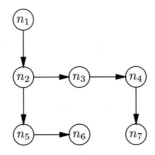

Figure 5.10 : Représentation fils-aîné–frère-droit de l'arbre de la
figure 5.1.

Dans une représentation fils-aîné–frère-droit d'un arbre, les nœuds peuvent être définis de la manière suivante :

```
type NODE = record
        info: INFOTYPE;
        leftmostChild, rightSibling: PTRTONODE
    end;
```

Comme avant, `PTRTONODE` est le type `^NODE`.

Le champ **info** contient l'étiquette associée au nœud. Les champs `leftmostChild` et `rightSibling` pointent vers le fils aîné et le frère droit du nœud considéré. Remarquez que alors que `leftmostChild` donne une information au sujet du nœud lui-même, le champ `rightSibling` d'un nœud fait réellement partie de la liste chaînée des fils du père de ce nœud.

◆ **Exemple 5.13.** Représentons le Trie de la figure 5.7 sous sa forme fils-aîné–frère-droit. Premièrement, le type des nœuds est :

```
type NODE = record
        letter: LETTERTYPE;
        isWord: ('*', '-');
        leftmostChild, rightSibling: PTRTONODE
    end;
```

Les deux premiers champs représentent l'information suivant le schéma décrit dans l'exemple 5.11. Le Trie de la figure 5.7 est représenté par une structure de données montrée dans la figure 5.11. Remarquez que chaque feuille a un pointeur fils-aîné qui est à NIL et chaque fils le plus à droite a un pointeur frère-droit qui est à NIL.

Un exemple de l'utilisation de la représentation fils-aîné–frère-droit est donné par la figure 5.12 : une fonction **seek** prend pour arguments une lettre *let* et un nœud *n* et retourne un pointeur vers le premier fils de *n* ayant *let* dans son champ **lettre** ou retourne NIL si un tel nœud n'existe pas. Dans la boucle while de la figure 5.12, chaque fils est examiné tour à tour. Nous atteignons l'étiquette 999 soit après avoir trouvé *let*, soit après avoir examiné tous les fils (ce qui termine la boucle). Dans l'un ou l'autre des cas, c contient la valeur correcte, c'est-à-dire un pointeur vers le fils contenant *let*

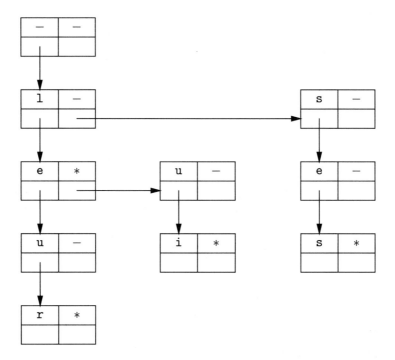

Figure 5.11 : Représentation fils-aîné–frère-droit du Trie de la figure 5.7.

s'il en existe un et NIL sinon.

Remarquez que **seek** prend un temps proportionnel au nombre de fils devant être examinés avant de trouver celui que nous cherchons ; si nous ne le trouvons jamais, alors le temps est proportionnel au nombre de fils. Si nous avions utilisé la représentation des arbres par tableaux de pointeurs, **seek** aurait simplement pu retourner l'élément du tableau pour la lettre *let*, avec un temps en $O(1)$. ✦

Les pointeurs de pères

Dans l'enregistrement d'un nœud, il est parfois utile de mettre un pointeur vers le père. La racine a un pointeur père qui est à NIL. Par exemple, la structure de l'exemple 5.13 pourrait devenir :

```
type NODE = record
       letter: LETTERTYPE;
       isWord: ('*', '-');
       leftmostChild, rightSibling, parent: PTRTONODE
end;
```

Avec cette structure, il devient possible de déterminer le mot représenté par un nœud donné. Nous suivons les pointeurs de père jusqu'à ce que nous arrivions à la racine ; nous pouvons l'identifier car elle seule a **parent** = NIL. Les champs **letter** rencontrés

```
function seek(let: LETTERTYPE; n: NODE): PTRTONODE;

var c: PTRTONODE; (* pointe vers chaque fils de n *)
label 999;

begin
    c := n.leftmostChild;
    while c <> NIL do
        if c^.letter = let then
            goto 999 (* sortie; c'est le bon fils *)
        else
            c := c^.rightSibling; (* jusqu'au fils suivant *)
999: seek := c (* c = NIL si let n'est jamais trouvé *)
end (* seek *)
```

Figure 5.12 : Trouver le fils pour une lettre souhaitée.

le long du chemin épellent le mot à l'envers.

EXERCICES

5.3.1 : Pour chaque nœud de la figure 5.5, indiquez le fils le plus à gauche et le frère droit.

5.3.2 : Représentez l'arbre de la figure 5.5 :

a) par un Trie avec un facteur d'arborescence de 3,
b) par des pointeurs fils-aîné et frère-droit.

Combien d'octets sont nécessaires dans l'une et l'autre des représentations ?

5.3.3 : Considérons l'ensemble de pronoms suivants : la, le, lui, les, leur, leurs, son, ses, vos, votre, ton, te, ta. Augmentez le Trie de la figure 5.7 en incluant ces treize mots.

5.3.4 : Supposons qu'un dictionnaire complet de français contienne 2 000 000 mots et que le nombre de préfixes de ces mots — c'est-à-dire des chaînes de lettres auxquelles peuvent être ajoutées 0 ou plusieurs lettres pour former un mot — est 10 000 000.

a) Quel sera le nombre de nœuds dans un Trie représentant un tel dictionnaire ?
b) Supposons que nous utilisions la structure de l'exemple 5.11 pour représenter les nœuds. Considérons que les pointeurs ont besoin de quatre octets et supposons que les champs d'information `letter` et `isWord` prennent un total de quatre octets. Combien d'octets sont nécessaires pour représenter le Trie ?
c) Sur le nombre d'octets calculé en (b), combien sont occupés par des pointeurs `NIL` ?

5.3.5 : Supposons que nous représentions le dictionnaire décrit à l'exercice 5.3.4 en utilisant la structure de l'exemple 5.13 (une représentation fils-aîné–frère-droit). En faisant les mêmes hypothèses sur l'espace occupé par les pointeurs et les champs d'information que l'exercice 5.3.4(b), combien de place occupe l'arbre pour le dictionnaire ? Quelle partie de cet espace est occupée par des pointeurs `NIL` ?

Comparaison des représentations d'arbres

Nous résumons les avantages relatifs des représentations des arbres par tableaux-de-pointeurs (Trie) et fils-aîné–frère-droit :

◆ La représentation par tableaux-de-pointeurs autorise un accès plus rapide aux fils ; cet accès requiert un temps en $O(1)$ pour atteindre n'importe quel fils et cela indépendamment du nombre total de fils.

◆ La représentation fils-aîné–frère-droit utilise moins d'espace. Par exemple, dans notre exemple de la figure 5.7, chaque nœud contient 26 pointeurs dans la représentation par tableau et deux pointeurs dans la représentation fils-aîné–frère-droit.

◆ La représentation fils-aîné–frère-droit ne nécessite pas une limite sur le facteur d'arborescence des nœuds. Nous pouvons représenter les arbres avec n'importe quel facteur d'arborescence, sans changer la structure de données. Cependant, si nous utilisons la représentation par tableau de pointeurs, une fois la taille du tableau choisie, nous ne pouvons pas représenter un arbre avec un facteur d'arborescence plus grand.

5.3.6 : Dans un arbre, un nœud c est l'ancêtre commun le plus proche des nœuds x et y si c est un ancêtre de x et y et s'il n'y a pas de descendant propre de c qui soit un ancêtre de x et y. Ecrivez un programme qui trouvera l'ancêtre commun le plus proche de toute paire de nœuds d'un arbre donné. Quelle est la bonne structure de données pour les arbres dans un tel programme ?

5.4   Récursivité sur les arbres

L'intérêt des arbres est mis en lumière par le nombre d'opérations récursives pouvant être écrites naturellement et proprement pour agir sur des arbres. La figure 5.13 suggère la forme générale d'une procédure récursive $P(n)$ qui prend pour argument un nœud n d'un arbre. P accomplit d'abord quelques étapes (peut-être aucune), que nous représentons par l'action A_0. Ensuite P s'appelle elle-même sur le premier fils, c_1 de n. Pendant cet appel récursif, P explorera le sous-arbre dont la racine est c_1, et accomplira ce que P doit accomplir sur un arbre. Quand cet appel retourne à l'appel au nœud n, une autre action — appelons-la A_1 — est accomplie. Ensuite P est appelée sur le second fils de n, résultant en une exploration du second sous-arbre et ainsi de suite, les actions sur n alternant avec les appels à P sur les fils de n.

◆ **Exemple 5.14.** Une récursivité simple sur un arbre produit une *liste* **pré-ordre** des étiquettes associées aux nœuds de l'arbre. Ici, l'action A_0 affiche l'étiquette du nœud et les autres actions ne font rien d'autre que des opérations de « comptabilité » nous permettant de visiter chaque fils d'un nœud donné. L'effet est d'afficher les étiquettes comme si nous les rencontrions en commençant à la racine et en parcourant l'arbre

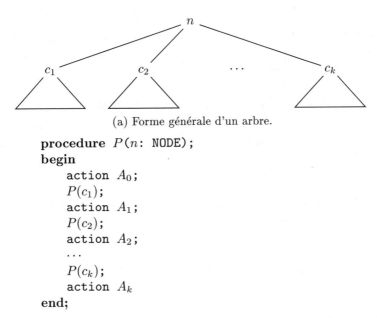

(a) Forme générale d'un arbre.

```
procedure P(n: NODE);
begin
    action A₀;
    P(c₁);
    action A₁;
    P(c₂);
    action A₂;
    ...
    P(cₖ);
    action Aₖ
end;
```

(b) Forme générale d'une procédure récursive sur un arbre.

Figure 5.13 : Procédures récursives sur les arbres.

en visitant tous les nœuds dans le sens des aiguilles d'une montre. Remarquez que nous affichons l'étiquette d'un nœud seulement la première fois que nous le visitons. Le parcours est suggéré par la flèche dans la figure 5.14, et l'ordre dans lequel les nœuds sont visités est $+a + * - b - c - *d * +$. La liste pré-ordre est la séquence des étiquettes des nœuds $+a * -bcd$.

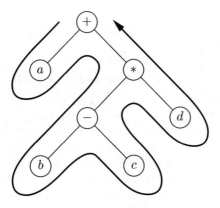

Figure 5.14 : Un arbre d'expression et son parcours.

Supposons que nous utilisions une représentation fils-aîné–frère-droit des nœuds dans un arbre d'expression, les étiquettes étant constituées d'un seul caractère. L'étiquette d'un nœud intérieur est un opérateur arithmétique et l'étiquette d'une feuille est une lettre représentant un opérande. Le type d'un nœud est le suivant :

```
type NODE = record
        nodelabel: char;
        leftmostChild, rightSibling: PTRTONODE
end;
```

où, comme précédemment, le type PTRTONODE est défini comme étant un pointeur vers un nœud, c'est-à-dire,

```
type PTRTONODE = ^NODE;
```

La procédure **preorder** est montrée dans la figure 5.15. Dans l'explication qui suit, il est commode de penser aux pointeurs vers des nœuds comme s'ils étaient eux-mêmes des nœuds.

```
      procedure preorder(n: PTRTONODE);

      var c: PTRTONODE; (* un fils d'un nœud n *)

      begin
(1)       writeln(n^.nodelabel);
(2)       c := n^.leftmostChild;
(3)       while c <> NIL do begin
(4)           preorder(c);
(5)           c := c^.rightSibling
          end
      end; (* preorder *)
```

Figure 5.15 : Procédure de parcours pré-ordre.

L'action « A_0 » inclut les parties suivantes du programme de la figure 5.15 :

1. Afficher l'étiquette du nœud n, à la ligne (1).

2. Initialiser c pour qu'il soit le fils aîné de n, à la ligne (2).

3. Effectuer le premier test pour c <> NIL, à la ligne (3).

La ligne (2) initialise une boucle dans laquelle c devient tour à tour chacun des fils de de n. Remarquez que si n est une feuille, alors c reçoit la valeur NIL à la ligne (2).

Nous exécutons la boucle **while** des lignes (3) à (5) jusqu'à ce que nous ayons épuisé tous les fils de n. Pour chaque fils, nous appelons récursivement la procédure **preorder** à la ligne (4) ; ensuite, à la ligne (5), nous avançons au fils suivant. Chacune des actions A_i, pour $i \geq 1$, inclut la ligne (5) qui tour à tour affecte à c chacun des fils de n et le test de la ligne (3) qui vérifie que nous avons épuisé tous les fils. Ces actions n'ont qu'un but de comptabilité ; en revanche, la ligne (1) de l'action A_0 effectue l'étape significative en affichant l'étiquette.

La séquence d'événements est résumée dans la figure 5.16. Le caractère à la gauche de chaque ligne est l'étiquette du nœud n auquel est appliqué l'appel à `preorder`. Deux nœuds ne pouvant pas avoir la même étiquette, il est pratique d'utiliser l'étiquette d'un nœud à la place de son nom ; cependant, en général, nous ne pouvons pas utiliser les étiquettes en lieu et place des noms. Remarquez que les caractères affichés sont $+a*-bcd$ dans cet ordre, ce qui est le même que l'ordre du parcours. ◆

```
(+)        affiche +
(+)        appel preorder(a)
(a)          affiche a
(+)        appel preorder(*)
(*)          affiche *
(*)          appel preorder(−)
(−)            affiche −
(−)            appel preorder(b)
(b)              affiche b
(−)            appel preorder(c)
(c)              affiche c
(*)          appel preorder(d)
(d)            affiche d
```

Figure 5.16 : Action de la procédure récursive `preorder` sur l'arbre de la figure 5.14.

◆ **Exemple 5.15.** Une autre façon courante d'ordonner les nœuds de l'arbre, appelée **post-ordre**, revient à parcourir l'arbre de la même manière qu'à la figure 5.14 mais en n'inscrivant un nœud que lorsqu'il est visité pour la dernière fois et non pas pour la première. Par exemple, dans la figure 5.14, la liste post-ordre est $abc - d * +$.

Pour produire une liste post-ordre des nœuds, il faut que ce soit la dernière action qui fasse l'affichage ; l'étiquette d'un nœud est donc affichée après que la procédure de liste post-ordre aura été appelée sur tous ses fils (en allant de la gauche vers la droite). Les autres actions correspondent à l'initialisation de la boucle de parcours des fils et au traitement du fils suivant. Remarquez que si un nœud est une feuille, nous ne faisons qu'inscrire son étiquette ; il n'y a pas d'appel récursif.

Si nous utilisons la représentation de l'exemple 5.14 pour les nœuds, nous pouvons créer des listes post-ordre en utilisant la procédure récursive `postorder` de la figure 5.17. La figure 5.18 montre l'action de cette procédure lorsqu'elle est appelée sur la racine de l'arbre de la figure 5.14. Pour ce qui est des noms des nœuds, nous utilisons la même convention que celle utilisée à la figure 5.16.◆

◆ **Exemple 5.16.** Notre prochain exemple exige que nous accomplissions des actions significatives entre chaque appel récursif sur les sous-arbres. Supposons que nous ayons un arbre d'expression avec des entiers pour opérandes et avec des opérateurs binaires ; nous souhaitons calculer la valeur numérique de l'expression représentée par l'arbre. Nous pouvons le faire en exécutant l'algorithme récursif suivant sur l'arbre d'expression.

```
      procedure postorder(n: PTRTONODE);

      var c: PTRTONODE; (* un fils du nœud n *)

      begin
(1)        c := n^.leftmostChild;
(2)        while c <> NIL do begin
(3)            postorder(c);
(4)            c := c^.rightSibling
           end;
(5)        writeln(n^.nodelabel)
      end; (* post-ordre *)
```

Figure 5.17 : Procédure récursive post-ordre.

```
(+)        appel postorder(a)
(a)            affiche a
(+)        appel postorder(*)
(*)            appel postorder(−)
(−)                appel postorder(b)
(b)                    affiche b
(−)                appel postorder(c)
(c)                    affiche c
(−)                affiche −
(*)            appel postorder(d)
(d)                affiche d
(*)            affiche *
(+)        affiche +
```

Figure 5.18 : Action de la procédure récursive `postorder` sur l'arbre de la figure 5.14.

LA BASE. La valeur d'un arbre réduit à une feuille est la valeur entière du nœud.

LA RÉCURRENCE. Supposons qu'on veuille calculer la valeur de l'expression formée par le sous-arbre dont la racine est un nœud n. Nous évaluons les sous-expressions pour les deux sous-arbres dont les racines sont les fils de n ; ce sont les valeurs des opérandes pour l'opérateur qui est en n. Ensuite, nous appliquons aux valeurs de ces deux sous-arbres l'opérateur étiquette de n et nous avons la valeur du sous-arbre complet dont la racine est n.

Pour les nœuds, nous utiliserons des enregistrements de la forme

```
      type NODE = record
              op: char;
              value: integer;
              leftmostChild, rightSibling: PTRTONODE
      end;
```

et, comme précédemment, nous supposons que `PTRTNODE` est le type `^NODE`. Le champ `op` contient soit le caractère pour un opérateur arithmétique, soit le caractère i pour « integer » et considère alors que le nœud est une feuille. Si un nœud est une feuille, alors le champ `value` contient l'entier représenté ; dans les nœuds intérieurs, `value` est utilisé pour le stockage temporaire.

Cette notation autorise des opérateurs ayant un nombre quelconque d'arguments ; nous écrirons cependant le code en faisant l'hypothèse simplificatrice que tous les opérateurs sont binaires. Le code apparaît dans la figure 5.19.

```
function eval(n: PTRTONODE): integer;

var secondChild: PTRTONODE; (* vers le second fils de n *)

       begin
(1)        if n^.op = 'i' then (* n pointe vers une feuille *)
(2)            eval := n^.value
           else begin (* n pointe vers un noeud intérieur *)
(3)            n^.value := eval(n^.leftmostChild);
(4)            secondChild := n^.leftmostChild^.rightSibling;
(5)            case n^.op of
(6)                '+': n^.value := n^.value + eval(secondChild);
(7)                '-': n^.value := n^.value - eval(secondChild);
(8)                '*': n^.value := n^.value * eval(secondChild);
(9)                '/': n^.value := n^.value / eval(secondChild);
               end;
(10)           eval := n^.value
           end
       end; (* eval *)
```

Figure 5.19 : Evaluation d'une expression arithmétique.

Si le nœud n est une feuille, alors le test de la ligne (1) est vérifié et nous retournons l'étiquette entière de cette feuille à la ligne (2). Si le nœud n'est pas une feuille, alors nous évaluons son opérande gauche à la ligne (3), et nous stockons le résultat dans `n^.value`. A la ligne (4), nous trouvons la racine de l'arbre représentant l'opérande droit de n, qui est le second fils de n. Les lignes (5) à (9) forment une instruction de sélection, où nous examinons l'opérateur qui est en n, où nous calculons l'opérande droit et où nous appliquons l'opération appropriée aux opérandes gauche et droit. Rappelons que la valeur de l'opérande gauche avait été placée dans `n^.value` à la ligne (3). Incidemment, la valeur du sous-arbre dont la racine est n apparaît dans le champ `value` de ce nœud ; nous retournons aussi cette valeur à la ligne (10).

Considérons par exemple l'arbre d'expression de la figure 5.20. Nous voyons dans la figure 5.21 la séquence d'appels et de retours effectués lors de l'évaluation de cette expression. Comme avant, nous avons utilisé le fait que les étiquettes sont uniques et nous avons nommé les nœuds par leur étiquette. ✦

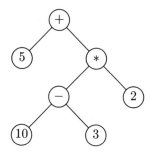

Figure 5.20 : Un arbre d'expression avec des opérandes entiers.

(+)	appel `eval(5)`
(5)	retourne 5
(+)	appel `eval(*)`
(*)	appel `eval(−)`
(−)	appel `eval(10)`
(10)	retourne 10
(−)	appel `eval(3)`
(3)	retourne 3
(−)	retourne 7
(*)	appel `eval(2)`
(2)	retourne 2
(*)	retourne 14
(+)	retourne 19

Figure 5.21 : Actions de la procédure récursive `eval` sur l'arbre de la
figure 5.20.

✦ **Exemple 5.17.** Parfois, nous devons déterminer la hauteur de chacun des nœuds d'un
arbre. La hauteur d'un nœud peut être définie récursivement par la procédure suivante :

LA BASE. La hauteur d'une feuille est 0.

LA RÉCURRENCE. La hauteur d'un nœud intérieur est supérieure de 1 à la plus élevée
des hauteurs de ses fils.

Nous pouvons traduire cette définition en un programme récursif qui calcule la hauteur
de chaque nœud dans un champ `height` :

LA BASE. Affecter la hauteur 0 à une feuille.

LA RÉCURRENCE. A un nœud intérieur, calculer récursivement les hauteurs des fils,
trouver le maximum, ajouter 1 et stocker le résultat dans le champ `height`.

```
            procedure computeHt(n: PTRTONODE);

            var c: PTRTONODE;

            begin
(1)             n^.height = 0;
(2)             c := n^.leftmostChild;
(3)             while c <> NIL do begin
(4)                 computeHt(c);
(5)                 if c^.height >= n^.height then
(6)                     n^.height := 1+c^.height;
(7)                 c := c^.rightSibling
                end
            end; (* computeHt *)
```

Figure 5.22 : Une procédure pour calculer la hauteur de tous les nœuds
d'un arbre.

Ce programme est montré dans la figure 5.22. Nous supposons que les nœuds sont
des enregistrements de la forme :

```
type NODE = record
        height: integer;
        leftmostChild, rightSibling: PTRTONODE;
end;
```

Comme d'habitude, nous supposons que le type PTRTONODE est ^NODE. La procédure
computeHt prend comme argument un pointeur vers un nœud et calcule la hauteur de
ce nœud dans le champ **height**. Si nous appelons cette procédure sur la racine d'un
arbre, elle calculera les hauteurs de tous les nœuds de cet arbre.

A la ligne (1), nous initialisons la hauteur de n à 0. Si n est une feuille, nous en
avons terminé car le test de la ligne (3) échoue immédiatement ; la hauteur de toute
feuille est donc 0. La ligne (2) affecte à c un pointeur vers le fils aîné de n. Lors de
l'exécution de la boucle (lignes (3) à (7)), c pointe tour à tour vers chacun des fils
de n. Nous calculons récursivement la hauteur de c à la ligne (4). En procédant ainsi,
la valeur dans n^.height sera supérieure de 1 à la hauteur du plus élevé des fils
examinés ; elle sera de 0 s'il n'y a pas de fils. Les lignes (5) et (6) nous permettent
donc d'incrémenter la hauteur de n si nous trouvons un nouveau fils qui est plus haut
que tous les fils précédemment examinés. Ainsi, pour le premier fils, le test de la ligne
(5) sera certainement vérifié et nous affectons à n^.height la valeur 1 plus la hauteur
du premier fils. Quand nous sortons de la boucle après avoir examiné tous les fils,
n^.height a reçu la valeur 1 plus la hauteur maximum de n'importe lequel des fils de
n. ✦

EXERCICES

5.4.1 : Ecrivez un programme récursif qui compte le nombre de nœuds dans un arbre
représenté par des pointeurs fils-aîné et frère-droit.

Expressions préfixées et postfixées

Si nous inscrivons les étiquettes d'un arbre d'expression en ordre pré-ordre, nous obtenons l'*expression préfixée* équivalente à l'expression considérée. De même, la liste des étiquettes d'un arbre d'expression en post-ordre résulte en une *expression postfixée* équivalente. Les expressions en notation ordinaire, où les opérateurs binaires apparaissent entre leurs opérandes, sont appelées des **expressions infixées**. Par exemple, l'arbre d'expression de la figure 5.14 a l'expression infixée $a + (b - c) * d$. Comme nous l'avons vu aux exemples 5.14 et 5.15, l'expression préfixée équivalente est $+a * -bcd$, et l'expression postfixée équivalente est $abc - d * +$.

A propos des notations préfixes et postfixes, il est intéressant de remarquer que lorsqu'un opérateur a un nombre unique d'arguments (par exemple, on ne peut pas utiliser le même symbole pour le moins binaire et le moins unaire), les parenthèses ne sont pas nécessaires ; nous pouvons toujours grouper sans ambiguïté les opérateurs et les opérandes.

Nous pouvons construire une expression infixée à partir d'une expression préfixée de la manière qui suit. Dans l'expression préfixée, nous trouvons un opérateur qui est suivi du nombre requis d'opérandes, sans opérateurs imbriqués. Par exemple, dans l'expression préfixée $+a * -bcd$, la sous-expression $-bc$ correspond à ce type de chaîne, puisque le signe moins, comme tous les opérateurs de notre exemple, attend deux arguments. Nous remplaçons cette sous-expression par un nouveau symbole, disons $x = -bc$, et répétons le processus d'identification d'un opérateur suivi de ses opérandes. Dans notre exemple, nous travaillons maintenant avec $+a * xd$. A ce stade, nous identifions la sous-expression $y = *xd$ et réduisons la chaîne restante à $+ay$. Maintenant, la chaîne restante est simplement une instance d'un opérateur et de ses opérandes ; nous pouvons alors la convertir en l'expression infixée $a + y$.

Nous pouvons maintenant reconstruire le reste de l'expression infixée en reprenant ces étapes en sens inverse. Nous observons que la sous-expression $y = *xd$ est $x * d$ infixée, et nous pouvons alors substituer y dans $a + y$ pour obtenir $a + (x * d)$. Remarquez qu'en général, les parenthèses sont nécessaires dans les expressions infixées, bien que dans le cas présent nous puissions les omettre en vertu de la convention selon laquelle $*$ précède $+$ lorsqu'on groupe les opérandes. Ensuite, nous substituons l'expression infixée $b - c$ à $x = -bc$; ainsi, notre expression finale est $a + ((b - c) * d)$, qui est la même que celle représentée par l'arbre de la figure 5.14.

Pour une expression postfixée, nous pouvons utiliser un algorithme similaire. La seule différence est que nous cherchons un opérateur précédé par le nombre requis d'opérandes afin de décomposer une expression postfixée.

5.4.2 : Ecrivez un programme récursif pour trouver l'étiquette maximum des nœuds d'un arbre. Supposez que l'arbre a des étiquettes entières et qu'il est représenté par des pointeurs fils-aîné et frère-droit.

Une programmation encore plus prudente

La figure 5.19 est révélatrice d'un style de programmation peu soigné que nous aurions évité si notre objectif n'avait pas été d'illustrer quelques points particuliers de façon concise. Plus précisément, nous suivons des pointeurs sans vérifier au préalable qu'ils ne sont pas à NIL. Nous devrions en fait commencer le programme par

```
if n <> NIL then (* exécuter lignes (1) à (10) *)
else (* afficher un message d'erreur *)
```

Même si n n'est pas à NIL, à la ligne (3), nous pourrions trouver que son champ leftmostChild est à NIL; nous devrions donc tester si n^.leftmostChild est NIL, et si tel était le cas, nous devrions afficher un message d'erreur et ne pas appeler **eval**. De même, même si le fils aîné de n existait, ce nœud pourrait ne pas avoir de frère droit et nous devrions donc vérifier avant la ligne (4) que :

```
n^.leftmostChild^.rightSibling <> NIL
```

Il est tentant de se reposer sur l'hypothèse selon laquelle toutes les données sont correctes. Par exemple, si un nœud est un nœud intérieur, il est étiqueté par un opérateur binaire et ainsi nous sommes sûr qu'il a deux fils et que les pointeurs suivis aux lignes (3) et (4) ne peuvent pas être à NIL. Cependant, faire le pari que les entrées des programmes seront toujours correctes est pour le moins simpliste; en réalité, «tout ce qui peut aller mal ira mal». Lorsqu'un programme est utilisé plus d'une fois, il est enclin à recevoir des données qui ne sont pas de la forme prévue par le programmeur. En général, on n'est jamais trop prudent, et suivre en aveugle des pointeurs à NIL est une erreur de programmation courante.

5.4.3 : Modifiez le programme de la figure 5.19 pour qu'il puisse gérer des arbres contenant des nœuds avec des moins unaires.

5.4.4 : * Ecrivez un programme récursif qui calcule, pour un arbre représenté par des pointeurs fils-aîné et frère-droit, le nombre de *paires gauche-droite*, c'est-à-dire des paires de nœuds n et m tels que n est à la gauche du nœud m. Par exemple, dans la figure 5.20, le nœud 5 est à la gauche des nœuds étiquetés $*$, $-$, 10, 3, et 2; le nœud 10 est à la gauche des nœuds 3 et 2; et le nœud $-$ est à la gauche du nœud 2. La réponse pour cet arbre est donc huit paires. *Une indication* : faites en sorte que votre fonction récursive retourne deux informations lorsqu'elle est appelée sur un nœud n : le nombre de paires gauche-droite dans le sous-arbre dont la racine est n et aussi le nombre de nœuds dans le sous-arbre dont la racine est n.

5.4.5 : Enumérez les nœuds de l'arbre de la figure 5.5 (référez-vous aux exercices du paragraphe 5.2) en (a) pré-ordre et (b) post-ordre.

5.4.6 : Pour chacune des expressions

i) $(x + y) * (x + z)$

ii) $\big((x-y)*z+(y-w)\big)*x$

iii) $\left(\big(\big((a*x+b)*x+c\big)*x+d\big)*x+e\right)*x+f$

faites les choses suivantes :

a) Construisez l'arbre d'expression.
b) Trouvez l'expression préfixée équivalente.
c) Trouvez l'expression postfixée équivalente.

5.4.7 : Convertissez l'expression postfixée $ab+c*de-/f+$ en (a) infixée et (b) préfixée.

5.4.8 : Ecrivez une fonction qui « contourne » un arbre, et affiche le nom d'un nœud à chaque fois qu'elle passe devant.

5.4.9 : Quelles sont les actions A_0, A_1, etc., pour la procédure **postorder** de la figure 5.17 ? (les « actions » sont telles qu'indiquées dans la figure 5.13).

5.5   Récurrence de construction

Aux chapitres 2 et 3, nous avons prouvé par récurrence quelques propriétés sur les entiers. Nous supposions qu'une assertion était vraie pour n ou pour tous les entiers inférieurs ou égaux à n et nous utilisions cette hypothèse de récurrence afin de prouver la même assertion pour $n+1$. Une forme de preuve similaire, mais non identique, permet de démontrer des propriétés concernant les arbres.

Supposons que nous souhaitions prouver qu'une assertion $S(T)$ est vraie pour tous les arbres T. En guise de base, nous montrons que $S(T)$ est vraie quand T comprend un seul nœud. En guise de récurrence, nous supposons que T est un arbre avec une racine r et des fils c_1, c_2, ..., c_k, avec $k \geq 1$. Soient T_1, T_2, ..., T_k les sous-arbres de T dont les racines respectives sont c_1, c_2, ..., c_k (cf. figure 5.23). L'étape de récurrence revient alors à supposer que $S(T_1), S(T_2), \ldots, S(T_k)$ sont toutes vraies et à prouver $S(T)$. Si nous y parvenons, alors nous pouvons en conclure que $S(T)$ est vraie pour tous les arbres T. Une telle argumentation est appelée *récurrence de construction*. Remarquez qu'une récurrence de construction ne fait pas référence au nombre exact de nœuds dans un arbre, sauf pour distinguer la base (un nœud) de l'étape de récurrence (plus d'un nœud).

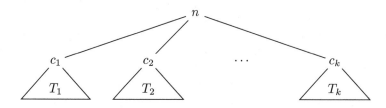

Figure 5.23 : Un arbre et ses sous-arbres.

```
(1)   if n^.op = 'i' then (* n pointe vers une feuille *)
(2)       eval := n^.value
      else begin (* n pointe vers un noeud intérieur *)
(3)       n^.value := eval(n^.leftmostChild);
(4)       secondChild := n^.leftmostChild^.rightSibling;
(5)       case n^.op of
(6)           '+': n^.value := n^.value + eval(secondChild);
(7)           '-': n^.value := n^.value - eval(secondChild);
(8)           '*': n^.value := n^.value * eval(secondChild);
(9)           '/': n^.value := n^.value / eval(secondChild);
      end;
(10)      eval := n^.value
      end
```

Figure 5.24 : Le corps de la fonction `eval(n)` de la figure 5.19.

✦ **Exemple 5.18.** Un récurrence de construction est généralement nécessaire pour prouver qu'un programme récursif agissant sur des arbres est correct. En guise d'exemple, reconsidérons la fonction `eval` de la figure 5.19, dont nous reproduisons le corps dans la figure 5.24. Lorsque cette fonction est appliquée à un arbre T (la valeur de son argument n est alors la racine de T), elle calcule la valeur de l'expression représentée par T. Nous prouverons l'assertion suivante par une récurrence de construction :

ASSERTION $S(T)$: Lorsque `eval` est appelée sur la racine de T, elle retourne une valeur égale à celle de l'expression arithmétique représentée par T.

LA BASE. Ici, T comprend seulement un nœud. Cela signifie que `eval(n)` est appelée, et n est un pointeur vers une feuille. Puisque le champ `op` a la valeur `'i'` lorsque le nœud représente un opérande, le test de la ligne (1) de la figure 5.24 réussit et la valeur de cet opérande est retournée (ligne (2)).

LA RÉCURRENCE. Supposons que le nœud n ne soit pas une feuille. L'hypothèse de récurrence est que $S(T')$ est vraie pour tout arbre T' dont la racine est l'un des fils de n. Nous devons utiliser cette hypothèse ainsi afin de prouver $S(T)$ pour tout arbre T dont la racine est n. Puisque nos opérateurs sont supposés être binaires, n a deux fils. Soient v_1 et v_2 les valeurs respectives des expressions dont les racines sont ces deux fils.

Initialement, nous invoquons l'hypothèse de récurrence pour en conclure que la valeur calculée à la ligne (3) et stockée dans `n^.value` est v_1. La justification est la suivante : à la ligne (3), `eval` est appelée sur le premier fils de n ; par hypothèse de récurrence, la valeur retournée par cet appel est la valeur de l'expression dont ce fils est la racine, c'est-à-dire v_1. Nous savons aussi par hypothèse de récurrence que l'appel à `eval(secondChild)` (effectué par l'une des lignes de (6) à (9)), produira la valeur v_2. Il nous suffit d'examiner les quatre cas de l'instruction de sélection des lignes (5) à (9).

Par exemple, si l'opérateur en n est +, alors la ligne (6) est exécutée et la valeur stockée dans `n^.value` est $v_1 + v_2$, ce qui est la valeur de l'expression entière dont

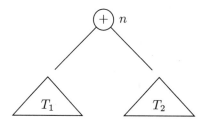

Figure 5.25 : L'appel `eval(n)` retourne la somme des valeurs de
T_1 et T_2.

la racine est en n (figure 5.25). De même, si l'opérateur en n est $-$, $*$, ou $/$, alors la valeur stockée dans `n^.value` aux lignes (7), (8), ou (9), est respectivement $v_1 - v_2$, $v_1 * v_2$, ou v_1/v_2, Dans n'importe lequel des quatre cas, la valeur retournée à la ligne (10), qui est la même que celle stockée dans `n^.value`, est la valeur de l'expression dont la racine est en n.

Nous avons maintenant terminé l'étape de récurrence. Nous en concluons que $S(T)$ est vraie pour tout arbre d'expression T et donc que la fonction `eval` évalue correctement les arbres représentant les expressions. ◆

```
(1)          n^.height = 0;
(2)          c := n^.leftmostChild;
(3)          while c <> NIL do begin
(4)              computeHt(c);
(5)              if c^.height >= n^.height then
(6)                  n^.height := 1+c^.height;
(7)              c := c^.rightSibling
             end
```

Figure 5.26 : Le corps de la procédure `computeHt(n)` de la figure 5.22.

◆ **Exemple 5.19.** Considérons maintenant la procédure `computeHt` de la figure 5.22, dont nous reproduisons le corps dans la figure 5.26. Cette procédure prend en argument un (pointeur vers un) nœud n et calcule la hauteur de n. Nous allons prouver l'assertion suivante par une récurrence de construction :

ASSERTION $S(T)$: Quand `computeHt` est appelée sur un pointeur de la racine de l'arbre T, la hauteur correcte de chacun des nœuds de T est stockée dans le champ `height` de ce nœud.

LA BASE. Si l'arbre T est un simple nœud n, alors c recevra la valeur NIL (ligne (2) de la figure 5.26) car n n'a pas de fils. Ainsi, le test de la ligne (3) échoue immédiatement et le corps de la boucle `while` n'est jamais exécuté. Puisque la ligne (1) affecte 0 à `n^.height`, qui est la valeur correcte pour une feuille, nous en concluons que $S(T)$ est vraie quand T a un seul nœud.

LA RÉCURRENCE. Supposons maintenant que n soit la racine d'un arbre T non réduit à un seul nœud. Alors n a au moins un fils. Grâce à l'hypothèse de récurrence, nous pouvons supposer que lorsque `computeHt(c)` est appelée à la ligne (4), la hauteur correcte est mise dans le champ `height` de chacun des nœuds du sous-arbre dont c est la racine (y compris c lui-même). Nous devons montrer que la boucle `while` des lignes (3) à (7) affecte bien à `n^.height` la valeur 1 plus le maximum des hauteurs des fils de n. Cela nous amène à rechercher le maximum des hauteurs des fils de n. Pour ce faire, nous devons accomplir une autre récurrence, qui est imbriquée « dans » la récurrence de construction (comme une boucle pourrait être imbriquée dans une autre boucle d'un programme). Cette récurrence est une récurrence « ordinaire », et non pas une récurrence de construction ; l'assertion est :

ASSERTION $S'(i)$: Après que la boucle des lignes (3) à (7) a été exécutée i fois, la valeur de `n^.height` est supérieure de 1 à la plus élevée des hauteurs des i premiers fils de n.

LA BASE. La base est $i = 1$. Puisque `n^.height` reçoit 0 à l'extérieur de la boucle — à la ligne (1) — et puisque aucune hauteur ne peut être inférieure à 0, le test de la ligne (5) est satisfait. La ligne (6) affecte à `n^.height` la valeur 1 plus la hauteur de son premier fils.

LA RÉCURRENCE. Supposons que $S'(i)$ soit vraie : c'est-à-dire qu'après i itérations de la boucle, `n^.height` soit supérieure de 1 à la plus élevée des hauteurs des i premiers fils. S'il existe un $(i + 1)^{\grave{e}me}$ fils, alors le test de la ligne (3) sera satisfait et nous exécuterons le corps une $(i + 1)^{\grave{e}me}$ fois. Le test de la ligne (5) compare la nouvelle hauteur avec la plus élevée des hauteurs précédentes. Si la nouvelle hauteur, `c^.height` est inférieure à 1 additionné à la plus élevée des i premières hauteurs, aucun changement n'affectera `n^.height` ; ceci est juste car la hauteur maximum des $i + 1$ premiers fils est la même que la hauteur maximum des i premiers fils. Cependant, si la nouvelle hauteur est plus élevée que le maximum précédent, alors le test de la ligne (5) sera satisfait et `n^.height` recevra 1 additionné à la hauteur du $(i + 1)^{\grave{e}me}$ fils.

Nous pouvons maintenant revenir à la récurrence de construction. Quand le test de la ligne (3) échoue, nous avons passé en revue tous les fils de n. La récurrence intérieure, $S'(i)$ nous dit que lorsque i est le nombre total de fils, `n^.height` est supérieure de 1 à la plus élevée des hauteurs de n'importe quel fils de n. C'est la hauteur correcte pour n. L'hypothèse de récurrence S appliquée à chacun des fils de n nous dit que la hauteur correcte a été stockée dans chacun de leur champ `height`. Puisque nous venons juste de voir que la hauteur de n a été également correctement calculée, nous en concluons que tous les nœuds de T ont bien reçu la hauteur qui est la leur.

Nous avons maintenant terminé l'étape de récurrence de la récurrence de construction et nous en concluons que `computeHt` calcule correctement la hauteur de chaque nœud de tout arbre sur lequel elle est appelée. ✦

Une relation entre la récurrence de construction et la récurrence ordinaire

En un sens, la récurrence de construction n'apporte rien de nouveau. Supposons qu'on ait une assertion $S(T)$ sur des arbres qu'on veuille démontrer par récurrence de construction. Nous pourrions à la place prouver

ASSERTION $S'(i)$: Pour tout arbre T de i nœuds, $S(T)$ est vraie.

$S'(i)$ a la forme d'une récurrence ordinaire sur l'entier i, avec la base $i = 1$. Elle peut être prouvée par récurrence complète; dans ce dernier cas, nous supposons $S'(j)$ pour tout $j \leq i$ et prouvons $S'(i + 1)$. Pourtant, cette preuve ressemblera exactement à la preuve de $S(T)$, si nous posons T comme étant un arbre arbitraire de $i + 1$ nœuds.

Pourquoi la récurrence de construction fonctionne-t-elle?

La justification de la validité d'une preuve par récurrence de construction est semblable à celle de la validité d'une preuve par récurrence ordinaire: si la conclusion est fausse, alors il existe au moins un contre-exemple et ce contre-exemple contredit la base ou la récurrence. Supposons qu'il existe une assertion $S(T)$ pour laquelle nous ayons prouvé la base et l'étape de récurrence de construction; supposons qu'il existe cependant un ou plusieurs arbres pour lesquels S est fausse. Soit T_0 un arbre tel que $S(T_0)$ est fausse, et considérons que T_0 n'a pas plus de nœuds que n'importe quel arbre pour lequel S est faux.

Il y a deux cas. D'abord supposons que T_0 ne comprenne qu'un seul nœud. Alors $S(T_0)$ est vraie grâce à la base et donc ce cas ne peut pas se produire.

La seule autre possibilité est que T_0 ait plus d'un nœud — disons, m nœuds — et ainsi T_0 comprend une racine r avec un ou plusieurs fils. Soient T_1, $T_2, \ldots, T_k$, les arbres qui ont les fils de r pour racines. Nous prétendons qu'aucun des $T_1, T_2, \ldots, T_k$ ne peut avoir plus de $m - 1$ nœuds. Si l'un d'eux — disons T_i — avait plus de m nœuds, alors T_0 qui comprend T_i et le nœud racine r, ainsi que probablement d'autres sous-arbres, aurait au moins $m + 1$ nœuds. Ceci contredit notre hypothèse selon laquelle T_0 a exactement m nœuds.

Maintenant, puisque chacun des sous-arbres T_1, $T_2, \ldots, T_k$ a au maximum $m - 1$ nœuds, nous savons que ces arbres ne peuvent pas contredire S, parce que nous avons choisi T_0 comme n'étant pas plus grand que n'importe quel arbre rendant S fausse. Ainsi, nous savons que $S(T_1)$, $S(T_2), \ldots, S(T_k)$ sont toutes vraies. L'étape de récurrence, que nous avons supposée vraie, nous dit que $S(T_0)$ est également vraie. A nouveau, nous contredisons l'hypothèse selon laquelle T_0 contredit S.

Nous avons considéré les deux cas possibles, un arbre d'un seul nœud ou un arbre avec plus d'un nœud, et nous avons trouvé que dans l'un ou l'autre des cas, T_0 ne peut pas contredire S. Ainsi, S ne peut pas être démentie et $S(T)$ doit être vraie pour tout arbre T.

EXERCICES

5.5.1 : Prouvez par récurrence de construction que :

a) La procédure de parcours pré-ordre de la figure 5.15 affiche les étiquettes de l'arbre en pré-ordre.

b) La procédure post-ordre de la figure 5.17 inscrit les étiquettes en post-ordre.

5.5.2 : * Supposez qu'un Trie avec un facteur d'arborescence b soit représenté par des nœuds dans le format de la figure 5.6. Prouvez par récurrence de construction que si un arbre T a n nœuds, alors il y a $1 + (b-1)n$ pointeurs NIL parmi ses nœuds. Combien y a-t-il de pointeurs non NIL ?

5.5.3 : * Le *degré* d'un **nœud** est le nombre de ses fils[3]. Prouvez par récurrence de construction que dans tout arbre T, le nombre de nœuds est supérieur de 1 à la somme des degrés des nœuds.

5.5.4 : * Prouvez par récurrence de construction que dans tout arbre T, le nombre de feuilles est supérieur de 1 au nombre de nœuds qui ont des frères droits.

5.5.5 : * Prouvez par récurrence de construction que dans tout arbre T, représenté par une structure de données fils-aîné–frère-droit, le nombre de pointeurs NIL est supérieur de 1 au nombre de nœuds.

5.6   Arbres binaires

Ce paragraphe présente une autre forme d'arbre, appelée un *arbre binaire*, différent de l'arbre « ordinaire » introduit au paragraphe 5.2. Dans un arbre binaire, un nœud peut avoir au plus deux fils ; on ne compte pas les fils à partir de la gauche mais on réserve deux emplacements, un pour un **fils gauche** et un autre pour un **fils droit**. L'un ou l'autre voire les deux emplacements peuvent être vides.

Figure 5.27 : Les deux arbres binaires avec deux nœuds.

◆ **Exemple 5.20.** La figure 5.27 montre deux arbres binaires. Chacun a un nœud n_1 pour racine. Le fils gauche de la racine du premier arbre est n_2 ; cet arbre n'a pas de fils droit. Le second arbre n'a pas de fils gauche ; le fils droit de sa racine est n_2. Dans les deux arbres, n_2 n'a ni fils gauche ni fils droit. Ils sont les deux seuls arbres binaires avec deux nœuds. ◆

Nous définirons récursivement les arbres binaires de la manière qui suit.

---

[3] Le facteur d'arborescence et le degré sont des concepts proches, mais non équivalents. Le facteur d'arborescence est le degré maximum de n'importe quel nœud dans l'arbre.

LA BASE. L'arbre vide est un arbre binaire.

LA RÉCURRENCE. Si r est un nœud et si T_1 et T_2 sont des arbres binaires, alors il existe un arbre binaire avec une racine r , un sous-arbre gauche T_1 et un sous-arbre droit T_2 (figure 5.28). C'est-à-dire que la racine de T_1 est le fils gauche de r à moins que T_1 ne soit l'arbre vide, auquel cas r n'a pas de fils gauche. De même, la racine de T_2 est le fils droit de r, à moins que T_2 ne soit vide, auquel cas r n'a pas de fils droit.

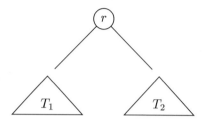

Figure 5.28 : Construction récursive d'un arbre binaire.

Terminologie pour les arbres binaires

Les notions de chemins, d'ancêtres et de descendants introduites au paragraphe 5.2 s'appliquent aussi aux arbres binaires. C'est-à-dire que les fils droits et gauches sont tous deux considérés comme « les fils ». Un chemin est toujours une séquence de nœuds $m_1, m_2, \ldots, m_k$ telle que m_{i+1} est un fils (droit ou gauche) de m_i, pour $i = 1, 2, \ldots, k - 1$. On dit de ce chemin qu'il va de m_1 jusqu'à m_k. Le cas $k = 1$ est permis ; dans ce cas le chemin ne passe que par un seul nœud.

Les deux fils d'un nœud, s'ils existent, sont des frères. Une feuille est un nœud qui n'a ni fils droit ni fils gauche ; on dira aussi qu'une feuille est un nœud dont les sous-arbres gauches et droits sont tous deux vides. Un nœud intérieur est un nœud qui n'est pas une feuille.

La longueur d'un chemin, la hauteur et la profondeur sont définies exactement comme pour les arbres ordinaires. La longueur d'un chemin dans un arbre binaire est inférieure de 1 au nombre de nœuds ; c'est-à-dire que la longueur est le nombre d'étapes pères-fils rencontrées tout au long du chemin. La hauteur d'un nœud n est la longueur du plus long chemin de n jusqu'à une feuille. La hauteur d'un arbre binaire est la hauteur de sa racine. La profondeur d'un nœud n est la longueur du chemin de la racine jusqu'à n.

✦ **Exemple 5.21.** La figure 5.29 montre les cinq formes que peut prendre un arbre binaire de trois nœuds. Dans chaque arbre binaire de la figure 5.29, n_3 est un descendant de n_1, et il y a un chemin de n_1 jusqu'à n_3. Le nœud n_3 est une feuille dans chaque arbre, alors que n_2 est une feuille dans l'arbre du milieu et un nœud intérieur dans les quatre autres arbres.

La hauteur de n_3 vaut 0 dans chaque arbre, alors que la hauteur de n_1 vaut 2 dans tous les arbres sauf celui du milieu pour lequel la hauteur de n_1 vaut 1. La hauteur

La différence entre les arbres (ordinaires) et les arbres binaires

Il est important de comprendre que contrairement aux arbres binaires qui nous obligent à distinguer un fils droit d'un fils gauche, les arbres ordinaires ne requièrent pas une telle distinction. Cela signifie que les arbres binaires ne sont pas seulement des arbres dont tous les nœuds ont au plus deux fils. Non seulement les deux arbres de la figure 5.27 sont différents l'un de l'autre mais en plus ils n'ont aucun rapport avec l'arbre ordinaire comprenant une racine et un seul fils :

Il y a une autre différence technique. Alors que les arbres sont définis comme ayant au moins un nœud, il est pratique d'inclure l'**arbre vide**, l'arbre sans nœud, parmi les arbres binaires.

de chaque arbre est la même que la hauteur de n_1 dans cet arbre. Le nœud n_3 est de profondeur 2 dans tous les arbres sauf celui du milieu, où il est d'une profondeur 1. ✦

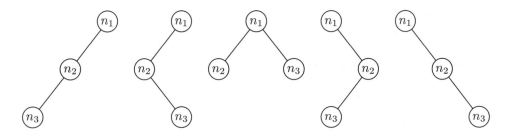

Figure 5.29 : Les cinq arbres binaires avec trois nœuds.

Les structures de données pour les arbres binaires

Il existe une représentation naturelle des arbres binaires. Les nœuds sont représentés par des enregistrements avec deux champs, `leftChild` et `rightChild`, pointant respectivement vers les fils gauche et droit du nœud. Un pointeur NIL dans l'un ou l'autre de ces champs indique que le sous-arbre droit ou gauche correspondant est absent — c'est-à-dire qu'il n'y a respectivement pas de fils gauche ou droit.

Un arbre binaire peut être représenté par un pointeur vers sa racine. L'arbre binaire vide est naturellement représenté par NIL. Ainsi, les déclarations de types suivantes représentent des arbres binaires :

```
type PTRTONODE = ^ NODE;
    NODE = record
        leftChild, rightChild: PTRTONODE
    end;
```

De manière optionnelle, nous pouvons ajouter un ou plusieurs champs d'étiquette à l'enregistrement pour un NODE et/ou nous pouvons ajouter un pointeur vers le père.

Remarquez la différence subtile entre les arbres binaires et les pointeurs vers les nœuds dans cette représentation. Puisque le type d'un arbre est un pointeur vers un nœud, nous pouvons interpréter les champs leftChild et rightChild, soit comme des pointeurs vers les fils, soit comme les sous-arbres gauches et droits eux-mêmes.

Récursivité sur les arbres binaires

Il existe beaucoup d'algorithmes naturels sur les arbres binaires qui peuvent être décrits récursivement. Le schéma des récursivités est plus limité que ne l'était le schéma de la figure 5.13 pour les arbres ordinaires, puisque les actions peuvent seulement s'effectuer avant l'exploration du sous-arbre gauche, entre l'exploration des sous-arbres ou après l'exploration des deux. Le schéma des récursivités sur les arbres binaires est suggéré par la figure 5.30.

begin
    action A_0;
    appel récursif sur le sous-arbre gauche;
    action A_1;
    appel récursif sur le sous-arbre droit;
    action A_2
end

Figure 5.30 : Modèle d'un algorithme récursif sur un arbre binaire.

✦ **Exemple 5.22.** Les arbres d'expressions avec des opérateurs binaires peuvent être représentés par des arbres binaires. Ces arbres binaires sont particuliers, parce que les nœuds ont soit deux fils soit aucun. (En général, les arbres binaires peuvent avoir des nœuds avec un fils.) Par exemple, l'arbre d'expression de la figure 5.14, reproduit ici dans la figure 5.31 peut être vu comme un arbre binaire.

Supposons que nous utilisions le type :

```
type PTRTONODE = ^ NODE
    NODE = record
        nodelabel: char;
        leftChild, rightChild: PTRTONODE
    end;
```

pour les nœuds et que nous utilisions PTRTONODE comme type d'un arbre. La figure 5.32 montre alors une procédure récursive qui énumère les étiquettes des nœuds d'un arbre binaire T en pré-ordre.

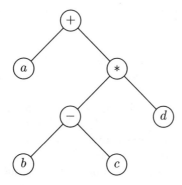

Figure 5.31 : L'expression $a + (b - c) * d$ représentée par un arbre binaire.

```
     procedure preorder(t: PTRTONODE);
     begin
(1)      if t <> NIL then begin
(2)          writeln(t^.nodelabel);
(3)          preorder(t^.leftChild);
(4)          preorder(t^.rightChild)
         end
     end; (* preorder *)
```

Figure 5.32 : Affichage d'arbres binaires en pré-ordre.

Le comportement de cette procédure est similaire à celui de la procédure du même nom de la figure 5.15 conçue pour opérer sur des arbres ordinaires. La différence significative est que lorsque la procédure de la figure 5.32 tombe sur une feuille, elle s'appelle elle-même sur les fils gauches et droits (absents). Ces appels retournent immédiatement car lorsque t vaut NIL, le corps de la procédure n'est pas exécuté (sauf le test de la ligne (1)). Nous pourrions éviter ces appels supplémentaires si nous remplacions les lignes (3) et (4) de la figure 5.32 par

```
(3)   if t^.leftChild <> NIL then preorder(t^.leftChild);
(4)   if t^.rightChild <> NIL then preorder(t^.rightChild)
```

Cependant, cela ne nous protégerait pas contre un appel à `preorder` avec NIL comme argument à partir d'une autre procédure. Il faudra quand même laisser le test de la ligne (1) par mesure de sécurité. ✦

EXERCICES

5.6.1 : Ecrivez une procédure produisant une liste infixe des (étiquettes des) nœuds d'un arbre binaire. Vous supposerez que les nœuds sont représentés par des enregistrements avec des pointeurs fils-gauche et fils-droit, comme cela est décrit dans ce paragraphe.

Parcours infixes

En plus des parcours pré-ordre et post-ordre des arbres binaires, il existe un autre ordonnancement possible des nœuds ; celui-ci n'a un sens que pour les arbres binaires. Un recensement *infixe* des nœuds d'un arbre binaire est effectué en inscrivant chaque nœud après avoir exploré le sous-arbre gauche et avant d'avoir exploré le sous-arbre droit (c'est-à-dire à la position de l'action A_1 de la figure 5.30). Par exemple, sur l'arbre de la figure 5.31, le recensement infixe serait $a + b - c * d$.

Un parcours pré-ordre d'un arbre binaire représentant une expression produit la forme préfixée de cette expression ; un parcours post-ordre du même arbre produit la forme postfixée de l'expression. Le parcours infixe produit presque la forme ordinaire ou infixe d'une expression mais il y manque les parenthèses. C'est-à-dire que l'arbre de la figure 5.31 représente l'expression $a + (b - c) * d$, qui n'est pas la même que le recensement infixe, $a + b - c * d$, mais seulement parce que les parenthèses nécessaires sont absentes de ce dernier.

Pour être certain que les parenthèses nécessaires sont présentes, nous pourrions parenthéser tous les opérateurs. Dans ce parcours infixe modifié, l'action A_0 (l'étape accomplie avant l'exploration du sous-arbre gauche), vérifie si l'étiquette de nœud est un opérateur et si c'est le cas, affiche une parenthèse ouvrante '('. De même, l'action A_2, accomplie après l'exploration des deux sous-arbres, affiche une parenthèse fermante, ')', si l'étiquette est un opérateur. Le résultat, appliqué à l'arbre binaire de la figure 5.31, serait $\left(a + \left((b - c) * d\right)\right)$, qui possède la paire de parenthèses requise autour de $b - c$ ainsi que deux autres paires de parenthèses qui elles sont redondantes.

5.6.2 : Ecrivez une procédure qui prend un arbre binaire d'expression et produit une version complètement parenthésée de l'expression représentée. Vous utiliserez la même structure de données que dans l'exercice 5.6.1.

5.6.3 : * Refaites l'exercice 5.6.2 mais affichez seulement les parenthèses nécessaires (vous supposerez la préséance habituelle et l'associativité des opérateurs arithmétiques).

5.6.4 : Un nœud d'un arbre binaire est **plein** s'il a un fils gauche et un fils droit. Prouvez par récurrence de construction que le nombre de nœuds entiers dans un arbre binaire est inférieur de 1 au nombre de feuilles.

5.6.5 : Supposez que nous représentions un arbre binaire avec un enregistrement de type fils-gauche et fils-droit. Prouvez par récurrence de construction que le nombre de pointeurs NIL est supérieur de 1 au nombre de nœuds.

5.7   Générer du code assembleur à partir d'arbres binaires

Nous allons maintenant prendre un exemple complet, intéressant par lui-même, de l'application de la récursivité et des preuves récursives aux arbres binaires ainsi qu'aux arbres ordinaires. Nous donnerons une illustration très simple de la transformation d'un arbre d'expression en du code assembleur évaluant cette expression. Avant de commencer, vous pourriez tout naturellement demander comment l'on peut transformer une expression d'un programme Pascal en un arbre d'expression. Nous traiterons cette question en profondeur au chapitre 11, lorsque nous discuterons de l'analyse syntaxique des programmes de manière à les transformer en des arbres les représentant. Cependant, même après avoir construit un arbre à partir d'une expression, il n'est absolument pas trivial de créer un code assembleur approprié.

Représentons d'abord les expressions par des arbres binaires et non pas par des arbres ordinaires (les mêmes idées peuvent cependant être utilisées avec l'une ou l'autre des représentations). Les nœuds seront représentés par des enregistrements du type :

```
type PTRTONODE = ^NODE;
    NODE = record
        nodelabel: char;
        height: integer;
        leftChild, rightChild: PTRTONODE
    end;
```

et les arbres sont, comme d'habitude, des pointeurs vers les nœuds. Les étiquettes sont de simples caractères, soit l'une des lettres 'a'..'z' pour représenter les opérandes atomiques, soit l'un des quatre opérateurs arithmétiques binaires comme '+'.

```
function computeHt(t: PTRTONODE): integer;

var rightHt: integer;
    (* stocke 1 + la hauteur du fils droit *)

begin
    if t = NIL then computeHt := -1
    else begin
        t^.height := 1 + computeHt(t^.leftChild);
        rightHt := 1 + computeHt(t^.rightChild);
        if(rightHt > t^.height) then
            t^.height := rightHt;
        computeHt := t^.height
    end
end; (* computeHt *)
```

Figure 5.33 : Calcul de la hauteur d'un arbre binaire.

Calculer les hauteurs des nœuds

Nous verrons qu'il est utile de disposer à chaque nœud de la hauteur qui lui est associée ; pour cette raison, nous utilisons un champ `height`. Nous pouvons calculer les hauteurs par une procédure comme celle de la figure 5.26, en l'adaptant aux arbres binaires. Une telle procédure est montrée dans la figure 5.33. Elle fonctionne en calculant récursivement les hauteurs des fils gauches et droits, et en affectant à la hauteur de chaque nœud la valeur 1 additionnée à la plus élevée des hauteurs des fils. Lorsque `computHt` est appelée sur un pointeur `NIL`, elle retourne -1, de telle sorte qu'une feuille avec des fils `NIL` recevra bel et bien une hauteur de 0.

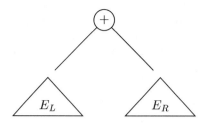

Figure 5.34 : L'arbre d'expression E.

Générer le code

Intéressons-nous maintenant à la génération du code assembleur par application d'un algorithme récursif à un arbre d'expression. Supposons que nous ayons un arbre d'expression tel que celui de la figure 5.34, où l'opérateur racine est un $+$ (cela aurait pu être n'importe lequel des trois autres opérateurs). Il y a deux sous-expressions, E_L et E_R, et l'expression entière E est la somme des deux. Assembler le code pour calculer la valeur de E nécessite alors de :

1.   Calculer la valeur de la sous-expression gauche E_L dans un registre,

2.   Calculer la valeur de la sous-expression droite E_R dans un autre registre et,

3.   Additionner les valeurs contenues dans les deux registres.

Nous devons toutefois prendre garde à ne pas utiliser le registre contenant la valeur de E_L pendant le calcul de E_R (étape (2)) ; si nous n'y prêtions pas attention, la valeur de E_L serait perdue avant que nous ayons accompli l'addition de l'étape (3). Une façon de faire est de protéger la valeur de E_L en la conservant dans un registre dont le numéro est plus élevé que le numéro de n'importe quel registre susceptible d'être utilisé pendant le calcul de E_R. C'est maintenant que les hauteurs des nœuds interviennent. Quand nous évaluons E_L, nous faisons en sorte que le résultat final soit calculé dans un registre dont le numéro est au moins aussi élevé que la hauteur de la racine de E. Nous allons également faire en sorte que les registres utilisés pour calculer E_R n'aient pas des numéros supérieurs à la hauteur de E_R. Puisque la hauteur de E est supérieure d'au moins 1 à la hauteur de E_R, nous savons que la valeur de E_L sera préservée lors du calcul de E_R.

Notre procédure `genCode` prendra ainsi deux arguments :

1.   Un pointeur vers la racine du sous-arbre pour lequel elle doit générer du code assembleur, et

2.   Le numéro du registre dans lequel la valeur de ce sous-arbre doit être calculée.

La figure 5.35 montre la procédure et la figure 5.36 montre quelques procédures annexes nécessaires à `genCode`. Comme nous l'avions déjà fait précédemment, et pour des raisons de brièveté, nous avons omis de vérifier que nous ne suivions pas un pointeur NIL ou d'autres fautes dues au non respect du format des données.

```
       procedure genCode(t: PTRTONODE; r: integer);

       var rightReg: integer; (* le numéro du registre dans
           lequel le sous-arbre droit sera calculé *)

       begin
(1)        if isOperator(t^.nodelabel) then begin
(2)            genCode(t^.leftChild, r);
(3)            rightReg := t^.rightChild^.height;
(4)            genCode(t^.rightChild, rightReg);
(5)            genOp(t^.nodelabel, rightReg, r);
           end
           else (* t pointe vers un opérande atomique*)
(6)            genLoad(t^.nodelabel, r)
       end; (* genCode *)
```

Figure 5.35 : La procédure genCode.

```
       function isOperator(c: char): Boolean;
       begin
           isOperator :=
               (c = '+') OR (c = '-') OR (c = '*') OR (c = '/')
       end;

       procedure genOp(c: char; i, j: integer);
       begin
           (* génère l'opérateur approprié du langage d'assemblage *)
           case c of
               '+': write('ADD ');
               '-': write('SUB ');
               '*': write('MULT ');
               '/': write('DIV ');
           end;
           (* génère les opérandes: registres i et j *)
           writeln('R', i, ' R', j)
       end;

       procedure genLoad(c: char; j: integer);
       begin
           writeln('LOAD ', c, ', R', j)
       end
```

Figure 5.36 : Des procédures annexes permettant de générer le code assembleur.

Les procédures annexes, dont l'explication des détails serait ennuyant réalisent les fonctions suivantes :

1. `isOperator(c)` vérifie si le caractère c est bien l'un des quatres caractères représentant les opérateurs arithmétiques.

2. `genOp(o,i,j)` génère une instruction assembleur dont l'opération est celle indiquée par le caractère o (e.g. `ADD` si o est $+$), dont le premier opérande est le registre Ri, et dont le second opérande est le registre Rj.

3. `genLoad(x,i)` génère une instruction chargeant le registre Ri depuis l'emplacement mémoire x. Ici, x sera l'un des caractères de `'a'` jusqu'à `'z'`.

La procédure `genCode` peut être décrite comme il suit. A la ligne (1), nous vérifions si l'étiquette de la racine de l'arbre t est un opérateur. Si non, la racine doit être un opérande atomique et nous générons tout simplement une instruction pour charger cet opérande dans le registre désigné par l'argument r. Ce chargement est généré par la ligne (6) ; nous en avons alors terminé.

Si l'étiquette est un opérateur, alors nous devons exécuter les lignes (2) à (5), qui génèrent récursivement du code pour les sous-arbres gauches et droits ; une autre étape consiste ensuite à générer du code pour appliquer l'opérateur aux résultats. A la ligne (2), nous appelons récursivement `genCode` sur le sous-arbre gauche. Le registre cible reste r. Ensuite, à la ligne (3), nous calculons `rightReg`, le registre qui contiendra la valeur du sous-arbre droit ; `rightReg` est la hauteur de la racine du sous-arbre droit, qui, comme nous allons le voir, sera toujours strictement inférieure à r. La ligne (4) appelle récursivement `genCode` sur le sous-arbre droit et le registre cible `rightReg` garantit que l'évaluation du sous-arbre droit se déroule dans des registres aux numéros inférieurs à r. Finalement, à la ligne (5), nous générons l'instruction assembleur pour appliquer l'opérateur de la racine à la valeur du sous-arbre gauche (sauvegardée dans le registre r) et à la valeur du sous-arbre droit (que nous venons de calculer dans le registre `rightReg`).

La procédure `genCode` est appelée initialement avec comme premier argument un pointeur vers la racine de l'arbre de l'expression pour laquelle nous voulons générer du code assembleur. Le second argument est la hauteur de cet arbre. Le code sera correct dans la mesure où la hauteur de l'arbre n'est pas supérieure au nombre de registres disponibles [4].

♦ **Exemple 5.23.** Intéressons-nous à l'action de la procédure `genCode` sur l'arbre binaire d'expression de la figure 5.31. L'appel initial a pour premier argument un pointeur vers la racine (étiquetée $+$) et pour second argument la constante 3, qui est la hauteur de la racine. L'action est résumée dans la figure 5.37 en utilisant les conventions respectées dans les paragraphes précédents pour les récursivités sur cette expression. A gauche, nous trouvons l'étiquette du nœud sur lequel est fait l'appel « courant » à `genCode` ; à droite, nous trouvons les séquences suivies par cet appel ; elles sont décalées pour indiquer le niveau de récursivité.

---

[4] S'il n'y a pas un ensemble suffisant de registres, alors nous devons utiliser des emplacements mémoires comme substituts aux registres manquants (ceux dont les numéros sont les plus élevés). Les détails du code assembleur devant être généré dans ce cas sont laissés comme exercice (non trivial).

```
(+)        appel genCode('a',3)
(a)            génère LOAD a, R3
(+)        appel genCode('*',2)
(*)            appel genCode('-',2)
(-)                appel genCode('b',2)
(b)                    génère LOAD b, R2
(-)                appel genCode('c',0)
(c)                    génère LOAD c, R0
(-)                génère SUB R0, R2
(*)            appel genCode('d',0)
(d)                génère LOAD d, R0
(*)            génère MULT R0, R2
(+)        génère ADD R2, R3
```

Figure 5.37 : Action de la procédure récursive genCode sur l'arbre binaire de la figure 5.31.

Dans la figure 5.38, nous voyons le code généré par genCode pour cet exemple. A l'étape (1), l'opérande gauche de la racine est chargé dans le registre 3. Les étapes (2) à (6) évaluent l'opérande droit, $(b-c)*d$ dans le registre 2 (remarquez que 2 est la hauteur de la racine de cette sous-expression). L'addition finale se déroule à l'étape (7), le résultat apparaissant dans le registre 3. Remarquez que même si c et d sont tous deux chargés dans le registre 0, c est « utilisé » à l'étape (4) pour calculer $b-c$ dans le registre 1 et donc le registre 0 n'est pas nécessaire pour stocker c lorsque d est placé dans ce registre à l'étape (5). ◆

```
1)    LOAD    a,    R3
2)    LOAD    b,    R2
3)    LOAD    c,    R0
4)    SUB     R0,   R2
5)    LOAD    d,    R0
6)    MULT    R0,   R2
7)    ADD     R2,   R3
```

Figure 5.38 : Code assembleur généré pour l'arbre de la figure 5.31.

Prouver que la procédure de génération de code fonctionne

Nous allons montrer que genCode génère du code correct pour l'expression qu'elle reçoit en argument. La première partie de la preuve revient à montrer que l'appel récursif sur le fils droit (ligne (4) de la figure 5.35) ne peut pas changer la valeur du registre dans lequel la valeur du sous-arbre gauche a été stockée. Intuitivement, la raison est que lorsque genCode est appelée avec pour premier argument un pointeur vers le nœud n, son second argument r est au moins la hauteur de n. Puisque le résultat de l'appel sur le fils gauche de n est fait avec le même second argument r, nous nous attendons à ce que le résultat de cet appel soit stocké dans le registre r. Cependant, l'appel sur le fils droit de n est fait avec le second argument égal à la hauteur de ce fils, qui doit être strictement inférieure à la hauteur de n et donc strictement inférieure à r. Nous devons montrer les choses suivantes :

1. Lorsque `genCode` est appelée sur un nœud n, son second argument est supérieur ou égal à la hauteur de n.

2. Lorsque `genCode` est appelée sur un nœud n avec r pour second argument, le code assembleur généré par `genCode` n'utilise aucun registre numéroté supérieur à r.

3. Lorsque `genCode` est appelée sur un nœud n, avec r pour second argument, le code assembleur généré par `genCode` laisse dans le registre r la valeur de la sous-expression dont la racine est n.

Nous aurons alors tous les éléments nécessaires à l'établissement d'une preuve de la validité de `genCode`. Nous allons tour à tour prouver par récurrence chacun de ces éléments.

Pour l'assertion (1), nous pouvons procéder de la manière suivante. La récurrence se fera sur la profondeur du nœud n dans son arbre d'expression.

LA BASE. Si n est de profondeur 0, alors n est la racine de l'expression entière. Puisque nous appelons initialement `genCode` sur la racine avec le second argument égal à la hauteur de la racine, l'hypothèse (1) est évidemment vérifiée.

LA RÉCURRENCE. Supposons que pour $d \geq 0$, (1) soit vraie pour les nœuds de profondeur d et que n soit un nœud de profondeur $d+1$. Alors le père p du nœud n est de profondeur d. Nous savons aussi que le second argument r, de l'appel à `genCode` sur le nœud p a un second argument qui n'est pas inférieur à la hauteur de p. Deux cas sont à considérer :

1. Le nœud n est le fils gauche de p. Alors le second argument de l'appel à `genCode` sur n est le même que celui de l'appel sur p, c'est-à-dire r. Puisque la hauteur d'un fils est inférieure à la hauteur de son père, la hauteur de n ne peut pas excéder r.

2. Le nœud n est le fils droit de p. Alors le second argument de l'appel à `genCode` sur n est égal à la hauteur de n (ligne (4) de `genCode` dans la figure 5.35).

Ces observations terminent l'étape de récurrence et nous pouvons en conclure que l'assertion (1) est vraie — c'est-à-dire que la valeur du second argument est toujours au moins égale à la hauteur du nœud sur lequel l'appel à `genCode` est effectué.

Considérons maintenant l'assertion (2) lorsque `genCode` est appelée sur un nœud n et avec r comme second argument ; le code assembleur généré n'utilise pas de registre supérieur à r. Nous prouverons ce résultat par une récurrence de construction.

LA BASE. Le cas de base correspond au cas où n est une feuille et est donc étiqueté par un opérande. Nous exécutons l'étape (6) de `genCode` qui génère le chargement de cet opérande dans le registre r. Puisque dans ce cas, nous ne générons pas d'autre code assembleur, il est clair que nous n'utilisons pas de registre supérieur à r.

Récurrences « de haut en bas » et « de bas en haut » sur les arbres

La forme de récurrence la plus courante sur les arbres (nous l'avons appelé récurrence de construction) fonctionne de «bas en haut». Cela signifie que, pour la base, nous commençons en bas de l'arbre c'est-à-dire au niveau des feuilles. L'étape de récurrence prouve ensuite une assertion au niveau d'un nœud à partir de la même assertion au niveau de ses fils.

En revanche, la preuve de l'assertion (1) va du haut vers le bas. Pour la base, nous commençons à la racine et nous prouvons une assertion au niveau d'un nœud en utilisant la même assertion que nous avions utilisée au niveau du père du nœud. La récurrence se fait sur la profondeur du nœud. Il y a une autre forme de la récurrence de «haut en bas» qui constitue parfois la bonne approche; nous supposons le résultat pour un arbre à n nœuds et nous prouvons une assertion pour des arbres à $n+1$ nœuds. La récurrence est sur le nombre de nœuds et nous prouvons l'étape de récurrence en retirant une feuille de l'arbre à $(n+1)$ nœuds. Nous invoquons ensuite l'hypothèse de récurrence pour l'arbre résultant à n nœuds et nous prouvons la même assertion pour l'arbre à $(n+1)$ nœuds à l'aide de toute autre observation nécessaire.

Il est important de voir qu'une forme de récurrence qui semble similaire où nous ajoutons un nœud à un arbre de n nœuds, n'est pas forcément valide. En fonction du choix du nouveau noeud nous pouvons oublier quelques arbres à $n+1$ nœuds.

LA RÉCURRENCE. Soit n, la racine d'un arbre T qui n'est pas réduit à un seul nœud. Alors, n est étiqueté par un opérateur et nous exécutons les lignes (2) à (5) de genCode. A la ligne (3), nous appelons récursivement genCode sur un arbre plus petit que T avec le même second argument r. Par hypothèse de récurrence, nous savons que le code assembleur généré durant cet appel n'utilise pas de registre supérieur à r. Ensuite, à la ligne (4), un appel à genCode est fait sur un autre arbre plus petit avec un second paramètre égal à h, la hauteur du fils droit de n. Nous savons, grâce à l'assertion (1), que r est au moins égal à la hauteur de n et qu'il est donc supérieur à h. Puisque l'appel de la ligne (4) s'applique à un arbre plus petit, l'hypothèse de récurrence nous dit qu'aucun registre supérieur à h n'est utilisé et donc qu'aucun registre supérieur à r n'est utilisé. Enfin, à la ligne (5), les registres r et h sont utilisés. Puisqu'on ne génère pas d'autre instruction en code assembleur, nous en concluons qu'aucune des instructions générées n'utilise un registre supérieur à r.

Prouvons maintenant l'assertion (3) : le code généré par un appel à genCode au niveau du nœud n avec un second argument r supérieur ou égal à la hauteur de n évalue correctement l'expression dont la racine est n et dépose le résultat dans le registre r. Ici, nous utilisons une récurrence de construction.

LA BASE. Pour une feuille, la ligne (6) de genCode génère un chargement de l'opérande dans le registre approprié qui calcule correctement une expression à un opérande.

LA RÉCURRENCE. Soit n la racine d'un arbre T qui n'est pas réduite à une feuille. Alors, les lignes (2) à (5) de `genCode` sont exécutées. La ligne (2) appelle `genCode` sur le fils gauche de n qui est la racine d'un arbre plus petit que T. Par hypothèse de récurrence, le code généré durant cet appel calcule la valeur de l'opérande gauche de l'opérateur étiquette du nœud n et dépose le résultat dans le registre r, qui était le registre désigné par le second argument de l'appel à la ligne (2).

L'appel à la ligne (4) sur le fils droit de n, dont le second argument est égal à h, la hauteur de ce fils, s'applique aussi à un arbre plus petit. Nous pouvons alors invoquer l'hypothèse de récurrence et conclure que le code généré calcule l'opérande droit de l'opérateur étiquette de n et dépose le résultat dans le registre h. De plus, grâce à l'assertion (2), nous savons qu'aucun registre supérieur à h n'est utilisé par ce code. L'assertion (1) nous dit que la hauteur de n est au plus r et que r est supérieur à la hauteur de l'un et l'autre des fils de n ; nous avons donc $r > h$. Ainsi, grâce à l'assertion (2), la valeur de l'opérande gauche n'est pas affectée par les étapes générées par l'appel à `genCode` sur le fils droit de n.

La dernière instruction assembleur générée est celle de la ligne (5), qui applique l'opération appropriée aux registres r et h. Puisque nous venons juste d'observer que le registre r contient toujours la valeur de l'opérande gauche et puisque par hypothèse de récurrence, l'appel à `genCode` sur le fils droit de n produit du code calculant la valeur de l'opérande droit dans le registre h, la dernière étape calcule la valeur de l'expression entière dont la racine est n, dans le registre r. Nous avons maintenant prouvé la troisième assertion qui est exactement ce que nous voulons : `genCode` est correcte.

EXERCICES

5.7.1 : Quelles sont les actions A_0, A_1 et A_2, de la figure 5.33, qui encadrent les appels récursifs à `computeHt` ?

5.7.2 : * Prouvez par récurrence de construction que la fonction de calcul de la hauteur de la figure 5.33 est correcte. *Une indication* : Soyez prudent lorsque vous énoncerez l'assertion à prouver ; la hauteur d'un arbre vide est -1.

5.7.3 : ** Modifiez la procédure `genCode` de sorte qu'elle utilise seulement les registres numérotés de 0 à 15. Si des registres de numéros supérieurs sont nécessaires, une séquence de variables `a1`, `a2`, $\cdots$ doit être utilisée à la place des registres. Remarquez que puisque nous ne pouvons pas réaliser d'opérations arithmétiques dans des emplacements mémoire, il est nécessaire de réserver un registre dans lequel nous réaliserons les opérations sur ces variables.

5.7.4 : ** Nombre de preuves concernant les arbres peuvent êtres faites par récurrence sur le nombre de nœuds ; pour le cas de récurrence, nous commençons avec un arbre à $(n + 1)$ nœuds, nous retirons une feuille et nous invoquons l'hypothèse de récurrence sur l'arbre à n nœuds résultant. Donnez de telles formes de preuves pour les assertions dans (a) l'exercice 5.5.3, (b) l'exercice 5.5.4, (c) l'exercice 5.5.5, (d) l'exercice 5.6.4, (e) l'exercice 5.6.5.

5.7.5 : Appliquez la procédure `genCode` aux expressions suivantes :

a) $((x + y) * (x - z)) + w$

b) $\left(\left(\left((a + x) * x + b\right) * x + c\right) * x + d\right) * x + e$

c) $e + x * \left(d + x * \left(c + x * \left(b + x * (a + x)\right)\right)\right)$

5.8   Arbres binaires de recherche

Une activité commune à une grande variété de programmes est de maintenir un ensemble de valeurs dans lequel nous voulons :

1.   Insérer des éléments,

2.   Supprimer des éléments,

3.   Rechercher la présence d'un élément.

Un exemple est le dictionnaire de mots anglais, dans lequel nous insérons de temps en temps un nouveau mot, comme `fax`, supprimons un mot qui n'est plus utilisé comme `aegilops`, ou recherchons une chaîne de caractères pour savoir si elle constitue un mot (une partie d'un programme de correction orthographique par exemple).

Cet exemple nous est si familier que nous appelons **dictionnaire** un ensemble auquel on peut appliquer les opérations *insert*, *delete* et *lookup* ; l'utilisation qui est faite du dictionnaire nous importe peu. Un autre exemple de dictionnaire est celui pouvant être utilisé par un professeur maintenant la liste des étudiants d'une classe. Un étudiant est parfois ajouté à la classe (une insertion), ou quitte la classe (une suppression) ou il est nécessaire de savoir si un étudiant donné est enregistré ou non dans la classe (une recherche).

Un arbre binaire de recherche, qui est une forme d'arbre binaire étiqueté, est une bonne façon d'implémenter un dictionnaire. Nous supposons que les étiquettes des nœuds sont choisies dans un ensemble disposant d'un ordre « plus petit que », que nous écrirons $<$. Des exemples sont ceux des réels ou des entiers avec l'ordre « plus petit que » habituel ou encore des chaînes de caractères avec l'ordre lexicographique ou alphabétique représenté par $<$.

Un *arbre binaire de recherche* (*ABR*) est un arbre binaire étiqueté dans lequel, pour tout nœud x de l'arbre, la propriété suivante est vérifiée : tous les nœuds du sous-arbre gauche de x ont des étiquettes plus petites que l'étiquette de x et tous les nœuds du sous-arbre droit ont des étiquettes plus grandes que l'étiquette de x. Cette propriété est appelée la **propriété d'arbre binaire de recherche**.

◆ **Exemple 5.24.** La figure 5.39 représente un arbre binaire de recherche pour l'ensemble

{Joyeux, Atchoum, Grincheux, Timide, Simplet, Prof}

où $<$ est l'ordre lexicographique. Remarquez que les noms du sous-arbre gauche de la racine sont tous lexicographiquement plus petits que Joyeux, alors que les noms du sous-arbre droit sont tous lexicographiquement plus grands que Joyeux. Cette propriété est vérifiée à chaque nœud de l'arbre. ◆

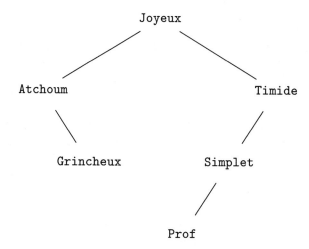

Figure 5.39 : Arbre binaire de recherche avec six nœuds étiquetés par des chaînes.

Implémentation d'un dictionnaire avec un arbre binaire de recherche

Nous pouvons représenter un arbre binaire de recherche comme n'importe quel arbre binaire étiqueté. Par exemple, nous pouvons définir le type NODE par :

```
type PTRTONODE = ^NODE;
    NODE = record
        element: ETYPE;
        leftChild, rightChild: PTRTONODE
    end;
```

Le type d'un élément, ETYPE doit être affecté de manière appropriée. Le dictionnaire défini par un arbre binaire de recherche est représenté par un pointeur vers la racine de l'arbre binaire de recherche.

Rechercher un élément dans un arbre binaire de recherche

Supposons que nous souhaitions rechercher un élément x dans un dictionnaire représenté par un arbre binaire de recherche T. Si nous comparons x avec l'élément à la racine de T, nous pouvons profiter de la propriété ABR pour repérer rapidement x ou pour nous apercevoir qu'il n'est pas présent. Si x est à la racine, nous en avons terminé. Sinon, si x est plus petit que l'élément à la racine, x ne peut être trouvé que dans le sous-arbre gauche (grâce à la propriété ABR) ; si x est plus grand que la racine, alors il ne peut être que dans le sous-arbre droit (grâce encore à la propriété ABR). Nous pouvons donc exprimer l'opération *lookup* par l'algorithme récursif suivant.

Types de données abstraits (TDA)

Une collection d'opérations, telles que *insert*, *delete* et *lookup* pouvant être appliquées à un ensemble d'objets est parfois appelée un *type de données abstrait* ou TDA. Le concept est aussi parfois appelé une *classe* ou *module*. Nous étudierons plusieurs types de données abstraits au chapitre 7. Dans ce chapitre, nous en verrons un de plus : la file de priorité.

Un TDA peut avoir plus d'une implémentation abstraite. Par exemple, nous verrons dans ce paragraphe qu'un arbre binaire de recherche est un bon candidat pour implémenter le TDA dictionnaire. Les listes sont un autre candidat possible (bien qu'habituellement moins efficace) pour implémenter un TDA dictionnaire. Le paragraphe 7.6 discute du hachage, une autre bonne implémentation d'un dictionnaire.

Chaque implémentation abstraite peut à son tour être implémentée concrètement par plusieurs structures de données différentes. Par exemple, nous utiliserons l'implémentation fils-gauche–fils-droit comme structure de données pour implémenter un arbre binaire de recherche. Cette structure de données et les procédures appropriées pour *insert*, *delete* et *lookup* deviennent une implémentation d'un TDA dictionnaire.

L'utilisation des TDA dans les programmes est principalement motivée par le fait que les données sous-jacentes au TDA sont uniquement accessibles au travers des opérations du TDA, comme *insert*. Cette restriction est une forme de programmation prudente protégeant des altérations accidentelles des données par les procédures qui manipulent les données de forme inattendue. Une seconde motivation importante est que cela nous permet de changer les structures de données et les procédures réalisant les opérations du TDA ; cela peut se faire pour améliorer l'efficacité des opérations, sans avoir à se soucier de l'introduction d'erreurs dans le reste du programme ; il ne peut pas y en avoir si la seule interface au TDA est celle des procédures correctement réécrites.

LA BASE. Si l'arbre T est vide, alors x n'est pas présent. Si T n'est pas vide et si x apparaît à la racine, alors x est présent.

LA RÉCURRENCE. Si T n'est pas vide et que x n'est pas à la racine, alors soit y l'élément à la racine de T. Si $x < y$, chercher x dans le sous-arbre gauche de la racine ; et si $x > y$, chercher x dans le sous-arbre droit de y. La propriété ABR garantit que x ne peut pas être dans le sous-arbre que nous n'avons pas consulté.

Cet algorithme est une mise en œuvre de *lookup* sur une représentation abstraite du TDA « dictionnaire » en utilisant un arbre binaire de recherche. Plus concrètement, la fonction récursive `lookup(x,T)` de la figure 5.40 met en œuvre cet algorithme en utilisant une structure de données fils-gauche–fils-droit. A la ligne (1), `lookup` détermine si T est vide. S'il ne l'est pas, `lookup` détermine à la ligne (3) si x est stocké ou non dans le nœud courant. S'il ne l'est pas, `lookup` cherche récursivement soit dans le sous-arbre gauche (si x est plus petit que l'élément stocké dans le nœud courant) soit dans le sous-arbre droit (si x est plus grand que l'élément stocké dans le nœud courant).

```
        function lookup (x: ETYPE; T: PTRTONODE) : Boolean;
        begin
(1)         if T = NIL then
(2)             lookup := FALSE
(3)         else if x = T^.element then
(4)             lookup := TRUE
(5)         else if x < T^.element then
(6)             lookup := lookup(x, T^.leftChild)
            else (* x doit être > T^.element *)
(7)             lookup := lookup(x, T^.rightChild)
        end; (* lookup *)
```

Figure 5.40 : La fonction `lookup(x,T)` retourne TRUE si x est dans T,
FALSE sinon.

♦ **Exemple 5.25.** Supposons que nous souhaitions chercher `Grincheux` dans l'arbre binaire de recherche de la figure 5.39. Nous comparons `Grincheux` avec `Joyeux` à la racine et nous trouvons que `Grincheux` précède `Joyeux` selon l'ordre lexicographique. Nous appelons donc `lookup` sur le sous-arbre gauche (ligne (6) de la figure 5.40).

La racine du sous-arbre gauche est `Atchoum` et nous comparons cette étiquette avec `Grincheux` ; nous trouvons que le premier précède le dernier. Nous appelons donc récursivement `lookup` sur le sous-arbre droit de `Atchoum` (ligne (7)). Maintenant nous trouvons `Grincheux` à la racine de ce sous-arbre et retournons TRUE à la ligne (4). ♦

Insertion d'un élément dans un arbre binaire de recherche

Ajouter un nouvel élément x dans un arbre binaire de recherche T est très facile. L'algorithme récursif suivant en trace les grandes lignes :

LA BASE. Si T est un arbre vide, alors remplacer T par un nouveau nœud et placer x dans ce nœud. Si T n'est pas vide et si sa racine a l'élément x, alors x est déjà dans le dictionnaire et nous ne faisons rien.

LA RÉCURRENCE. Si T n'est pas vide et si sa racine n'a pas l'élément x, alors insérer x dans le sous-arbre gauche si x est plus petit que l'élément de la racine ou insérer x dans le sous-arbre droit si x est plus grand que l'élément de la racine.

La procédure `insert(x,T)`, représentée sur la figure 5.41 met en œuvre cet algorithme pour la structure de données fils-gauche–fils-droit. T est passé en paramètre variable (**var**). Lorsque nous trouvons que la valeur de T est NIL à la ligne (1), nous créons un nouveau nœud à la place où x doit naturellement apparaître et nous faisons de x l'étiquette de ce nouveau nœud (lignes (2) à (5)). Remarquez que T est placé dans le champ `leftChild` ou `rightChild` d'un autre nœud ; ce champ, dont la valeur courante est NIL, est remplacé par un pointeur vers le nouveau nœud. Si x n'est pas trouvé à la racine de T, alors `insert` est appelé sur le sous-arbre gauche ou droit (lignes (6) à (9)). Remarquez que si x est à la racine de T, alors les tests des lignes (1),

```
     procedure insert (x: ETYPE; var T: PTRTONODE);
     begin
(1)      if T = NIL then begin
(2)          new(T);
(3)          T^.element := x;
(4)          T^.leftChild := NIL;
(5)          T^.rightChild := NIL
         end
(6)      else if x < T^.element then
(7)          insert(x, T^.leftChild)
(8)      else if x > T^.element then
(9)          insert(x, T^.rightChild)
     end; (* insert *)
```

Figure 5.41 : La procédure insert(x,S) ajoute x dans T.

(6) et (8) échouent ; dans ce cas, insert retourne en ne faisant rien d'autre ; ceci est normal puisque x est déjà dans le dictionnaire.

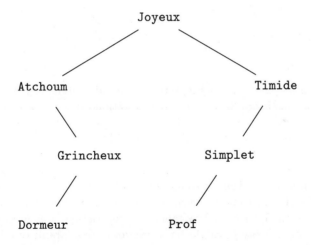

Figure 5.42 : Arbre binaire de recherche après l'insertion de Dormeur.

◆ **Exemple 5.26.** La figure 5.42 montre l'arbre binaire de recherche de la figure 5.39 après que nous ayons inséré Dormeur. Nous commençons par appeler insert sur la racine et nous trouvons que Dormeur < Joyeux. Nous appelons donc insert sur le fils gauche à la ligne (7) de la figure 5.41. Le résultat est que nous trouvons Dormeur > Atchoum ; nous appelons donc insert sur le fils droit (ligne (9)). Cela nous mène à Grincheux qui suit Dormeur dans l'ordre lexicographique ; nous appelons insert sur le fils gauche de Grincheux.

Le pointeur vers le fils gauche de `Grincheux` est `NIL`; donc, à la ligne (1), nous découvrons qu'il faut créer un nouveau nœud. Ce nœud est pointé par le champ `left-Child` du nœud de `Grincheux`; nous obtenons l'arbre de la figure 5.42.

Suppression d'un élément de l'arbre binaire de recherche

Il est un peu plus compliqué de supprimer un élément x d'un arbre binaire de recherche que d'en insérer ou d'en rechercher un. Pour commencer, nous devons repérer le nœud contenant x; s'il n'existe pas, nous en avons terminé puisque x n'est pas dans l'arbre. Si x est à une feuille, nous supprimons tout simplement la feuille. Si x est à un nœud intérieur n, nous ne pouvons pas supprimer ce nœud car cela briserait la structure de l'arbre.

Nous devons réorganiser l'arbre de façon que la propriété ABR soit préservée et que x ne soit plus présent. Il y a deux cas. Premièrement, si n a seulement un fils, nous pouvons remplacer n par ce fils et la propriété ABR sera préservée.

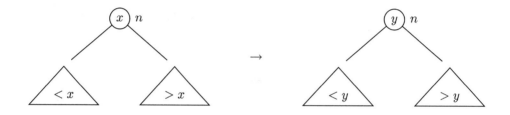

Figure 5.43 : Pour supprimer x, retirer le nœud contenant y, le plus petit élément du sous-arbre droit et remplacer l'étiquette x par y au nœud n.

Deuxièmement, supposons que n ait tous ses fils. Une stratégie est de trouver le nœud m avec l'étiquette y, le plus petit élément dans le sous-arbre droit de n, et de remplacer x par y dans le nœud n, comme cela est suggéré par la figure 5.43. Nous pouvons alors retirer le nœud m du sous-arbre droit.

La propriété ABR est toujours vérifiée. La raison est que x est plus grand que n'importe quel élément du sous-arbre gauche de n; y étant plus grand que x (parce que y est dans le sous-arbre droit de n), y est aussi plus grand que n'importe quel élément du sous-arbre gauche de n. Donc, dès lors que le sous-arbre gauche de n est concerné, y est un élément approprié pour n. Dès lors que le sous-arbre droit de n est concerné, y est aussi approprié pour la racine parce que y a été choisi pour être le plus petit élément du sous-arbre droit.

Il est pratique de définir la fonction `deletemin(T)`, montrée dans la figure 5.44, comme retirant le nœud contenant le plus petit élément d'un arbre binaire de recherche non vide et retournant la valeur de ce plus petit élément. Nous repérons le plus petit élément en suivant les fils gauches jusqu'à trouver un nœud dont le fils gauche est `NIL` (ligne (1) de la figure 5.44). L'élément y à ce nœud m doit être le plus petit dans le sous-arbre. Pour comprendre pourquoi, observons d'abord que y est plus petit que l'élément de n'importe quel ancêtre de m dans le sous-arbre (ceci parce que nous n'avons suivi

```
      function deletemin(var T: PTRTONODE) : ETYPE;
      begin
(1)       if T^.leftChild = NIL then begin
(2)           deletemin := T^.element;
(3)           T := T^.rightChild
          end
          else
(4)           deletemin := deletemin(T^.leftChild)
      end; (* deletemin *)
```

Figure 5.44 : La fonction `deletemin(T)` retire et retourne le plus petit élément de T.

que les fils gauches). Les seuls autres nœuds du sous-arbre sont soit dans le sous-arbre droit de m, auquel cas leurs éléments sont certainement plus grands que y (propriété ABR), soit dans le sous-arbre droit de l'un des ancêtres de m. Mais les éléments des sous-arbres droits sont plus grands que l'élément d'un ancêtre de m et ils sont donc plus grands que y, comme cela est suggéré par la figure 5.45.

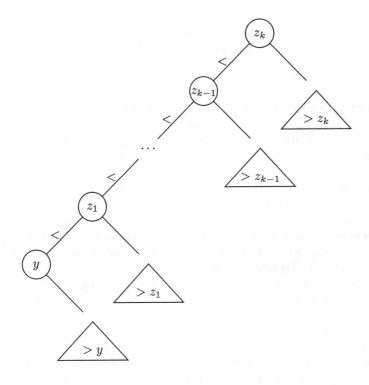

Figure 5.45 : Tous les autres éléments du sous-arbre droit sont plus grands que y.

Après avoir trouvé le plus petit élément dans le sous-arbre, nous retournons cette valeur à la ligne (2) et à la ligne (3), nous remplaçons le nœud du plus petit élément par son sous-arbre droit. Remarquez que lorsque nous supprimons le plus petit élément d'un sous-arbre, nous rencontrons toujours le cas facile de suppression car il n'y a pas de sous-arbre gauche.

Le seul point restant concernant `deletemin` est lorsque le test de la ligne (1) échoue, ce qui indique que nous ne sommes pas encore au plus petit élément, et nous continuons vers le fils gauche. Cette étape est accomplie par l'appel récursif de la ligne (4).

```
      procedure delete(x: ETYPE; var T: PTRTONODE);
      begin
(1)       if T <> NIL then
(2)          if x < T^.element then
(3)             delete(x, T^.leftChild)
(4)          else if x > T^.element then
(5)             delete(x, T^.rightChild)
             else (* ici, x est à la racine de T *)
(6)             if T^.leftChild = NIL then
(7)                T := T^.rightChild
(8)             else if T^.rightChild = NIL then
(9)                T := T^.leftChild
                else (* ici aucun fils n'est NIL *)
(10)               T^.element := deletemin(T^.rightChild)
      end; (* delete *)
```

Figure 5.46 : La procédure `delete(x,S)` retire l'élément x dans T.

La procédure `delete(x,T)` est représentée sur la figure 5.46. Si T est un arbre vide, il n'y a rien à faire et le test de la ligne (1) le garantit. Sinon, les tests des lignes (2) et (4) prennent en compte les cas où x n'est pas à la racine et nous nous dirigeons vers le sous-arbre gauche ou droit. Si nous atteignons la ligne (6), alors x doit être à la racine de T et nous devons le supprimer. La ligne (6) teste le cas où le fils gauche est NIL auquel cas nous remplaçons simplement T par son sous-arbre droit. De même, si le fils gauche n'est pas NIL mais le fils droit l'est, alors à la ligne (9), nous remplaçons T par son sous-arbre gauche. Remarquez que si tous les fils de la racine valent NIL, alors nous remplaçons T par NIL à la ligne (7).

Le cas restant, où ni l'un ni l'autre des fils n'est NIL, est pris en compte à la ligne (10). Nous appelons `deletemin` qui retourne le plus petit élément y du sous-arbre droit et supprime aussi y de ce sous-arbre. L'affectation de la ligne (10) remplace x par y à la racine de T.

◆ **Exemple 5.27.** La figure 5.47 montre ce qui arriverait si nous utilisions la procédure `delete` pour retirer Joyeux de l'arbre binaire de recherche de la figure 5.42. Puisque Joyeux est à un nœud possédant deux fils, `delete` appelle la fonction `deletemin`, qui retire et retourne le plus petit élément Prof du sous-arbre droit de la racine. Prof devient alors l'étiquette de la racine de l'arbre, le nœud où Joyeux était stocké.◆

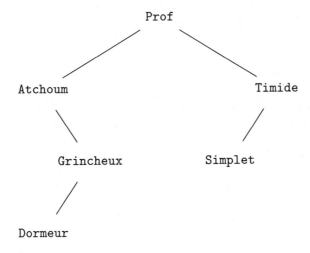

Figure 5.47 : Arbre binaire de recherche après avoir supprimé Joyeux.

EXERCICES

5.8.1 : Supposez que nous utilisions une implémentation fils-aîné–frère-droit pour les arbres binaires de recherche. Réécrivez les procédures qui réalisent les opérations du dictionnaire *insert*, *delete* et *lookup* pour qu'elles fonctionnent sur cette structure de données.

5.8.2 : Montrez ce qui arrive à l'arbre binaire de recherche de la figure 5.39 si nous insérons les nains suivants dans l'ordre : `Docteur`, `Drogué`, `Barbouillé`, `Idiot`, `Mignon`, et `Juste`. Montrez ensuite ce qui arrive si nous supprimons dans l'ordre `Docteur`, `Simplet`, et `Joyeux`.

5.8.3 : Au lieu de gérer la suppression d'un nœud possédant deux fils en trouvant le plus petit élément dans le sous-arbre droit, nous pourrions aussi trouver le plus grand élément du sous-arbre gauche et l'utiliser pour remplacer l'élément supprimé. Réécrivez les procédures `delete` et `deletemin` des figures 5.44 et 5.46 en prenant en compte cette modification.

5.8.4 : * Une autre façon de gérer *delete* quand nous devons retirer l'élément à un nœud n qui a un parent p, un fils gauche (non vide) l et un fils droit (non vide) r est de trouver le nœud m contenant le dernier élément du sous-arbre droit de n. Ensuite, faites de r un fils gauche ou droit de p, quel que soit n et faites de l le fils gauche de m (remarquez que m ne peut pas avoir été précédemment un fils gauche). Montrez pourquoi cet ensemble de changement préserve la propriété ABR. Préférez-vous cette stratégie à celle décrite au paragraphe 5.8 ? *Une indication :* pour les deux méthodes, considérez leur effet sur la longueur des chemins. Comme nous le verrons au paragraphe suivant, les chemins courts font que les opérations s'exécutent rapidement.

5.8.5 : * Dans cet exercice, référez-vous à l'arbre binaire de recherche représenté dans la figure 5.45. Montrez par récurrence que si $1 \leq i \leq k$, alors $y < z_i$. Ensuite, montrez que y est le plus petit élément de l'arbre dont la racine est z_k.

5.9   Efficacité des opérations sur les arbres binaires de recherche

L'arbre binaire de recherche est une implémentation raisonnablement performante d'un dictionnaire. Remarquez déjà que chacune des opérations *insert*, *delete* et *lookup* effectue un nombre d'appels récursifs égal à la longueur du chemin suivi (ce chemin devant inclure le passage par le plus petit élément du sous-arbre droit, dans le cas où `delete-min` est appelée). Ainsi, une simple analyse des procédures `lookup`, `insert`, `delete` et `deletemin` nous informe que chaque opération est en $O(1)$, auquel il faut ajouter le temps d'un appel récursif. De plus, puisque cet appel récursif est toujours effectué sur un fils du nœud courant, la hauteur du nœud décroit d'au moins 1 à chaque appel successif.

Donc, si $T(h)$ est le temps pris par n'importe laquelle de ces procédures lorsqu'elle est appelée sur un pointeur vers un nœud de hauteur h, la relation de récurrence suivante établit une borne supérieure sur $T(h)$:

LA BASE. $T(0) = O(1)$. Cela signifie qu'un appel sur une feuille termine soit sans faire d'appel supplémentaire, soit en faisant un appel récursif avec un argument `NIL` et retourne ensuite sans faire d'appel. Tout cela prend un temps en $O(1)$.

LA RÉCURRENCE. $T(h) \leq T(h - 1) + O(1)$ pour $h \geq 1$. Cela signifie que pour un appel sur un nœud intérieur, le temps est en $O(1)$ auquel il faut ajouter le temps pour un appel récursif, qui se fait sur un nœud dont la hauteur ne dépasse pas $h - 1$. Si nous faisons l'hypothèse raisonnable selon laquelle $T(h)$ augmente lorsque h augmente, alors le temps pour un appel récursif ne dépasse pas $T(h - 1)$.

La solution à la récurrence pour $T(h)$ est $O(h)$, comme cela a été discuté au paragraphe 3.9. Donc, le temps d'exécution de chaque opération de type dictionnaire sur un arbre binaire de recherche de n nœuds est au plus proportionnel à la hauteur de l'arbre. Mais quelle est la hauteur d'un arbre binaire de recherche de n nœuds ?

Le pire des cas

Dans le pire des cas, tous les nœuds de l'arbre binaire seront disposés le long d'un seul chemin (comme l'arbre de la figure 5.48). Cet arbre peut être obtenu par exemple en prenant une liste triée de k éléments et en insérant successivement chacun d'eux dans un arbre initialement vide. Il existe aussi des arbres dans lesquels l'unique chemin n'est pas seulement constitué de fils droits mais d'un mélange de fils droits et gauches (dans ce cas, le chemin va soit à gauche soit à droite à chaque nœud intérieur).

La hauteur d'un arbre de k nœuds, comme celui de la figure 5.48 est $k - 1$. Nous prévoyons donc que pour un dictionnaire de k éléments, dont la représentation se trouverait être l'un de ces malheureux arbres, les opérations *lookup*, *insert*, *delete* prennent un temps en $O(k)$. Intuitivement, si nous devons rechercher un élément x,

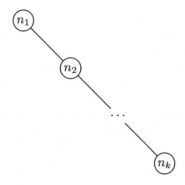

Figure 5.48 : Un arbre binaire dégénéré.

nous le trouverons en moyenne à la moitié du chemin ; nous aurons donc examiné $k/2$ nœuds. Avant d'échouer dans notre recherche de x, nous aurons également eu à chercher dans l'arbre jusqu'à ce que nous arrivions à la place où nous aurions pu le trouver ; en moyenne, nous serons alors à la moitié du chemin. Puisque chacune des opérations *lookup*, *insert* et *delete* requiert que nous cherchions l'élément en jeu, nous savons que ces opérations prennent chacune en moyenne un temps en $O(k)$ (toujours pour l'un des mauvais arbres de la forme de celui de la figure 5.48).

Le meilleur des cas

Un arbre binaire n'est cependant pas toujours aussi filiforme que celui de la figure 5.48 ; il peut être court et touffu comme celui de la figure 5.49. Un arbre tel que ce celui-là, où tous les nœuds intérieurs (jusqu'à un certain niveau) ont tous leurs fils et où toutes les feuilles sont disposées au niveau suivant, est appelé un **arbre plein** ou **complet**.

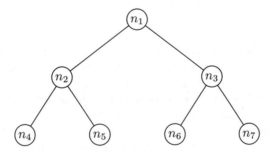

Figure 5.49 : Un arbre binaire plein avec sept nœuds.

Un arbre binaire complet de hauteur h a $2^{h+1} - 1$ nœuds. Nous pouvons prouver cette affirmation par récurrence sur la hauteur h.

LA BASE. Si $h = 0$, l'arbre contient un seul nœud. Le cas de base est vérifié car $2^{0+1} - 1 = 1$.

LA RÉCURRENCE. Supposons qu'un arbre binaire complet de hauteur h ait $2^{h+1} - 1$ nœuds et considérons un arbre binaire complet de hauteur $h + 1$. Cet arbre contient un nœud à la racine et des sous-arbres gauches et droits qui sont des arbres binaires complets de hauteur h. Par exemple, l'arbre binaire complet de hauteur 2 de la figure 5.49 contient la racine n_1, un sous-arbre gauche contenant n_2, n_4, et n_5, qui est un arbre binaire complet de hauteur 1 et un sous-arbre droit contenant les trois nœuds restants, qui est un autre arbre binaire complet de hauteur 1. Maintenant, nous savons par hypothèse de récurrence que le nombre de nœuds dans deux arbres binaires complets de hauteur h est $2(2^h - 1)$. Lorsque nous ajoutons le nœud racine, nous trouvons qu'un arbre binaire complet de hauteur $h + 1$ a $2(2^h - 1) + 1 = 2^{h+1} - 1$ nœuds, ce qui prouve l'étape de récurrence.

Maintenant nous pouvons inverser cette relation et dire qu'un arbre binaire complet de $k = 2^{h+1} - 1$ nœuds a une hauteur égale à h. De façon équivalente, $k + 1 = 2^{h+1}$. Si nous prenons les logarithmes, alors $\log_2(k+1) = h + 1$, ou approximativement h est $O(\log k)$. Puisque le temps d'exécution de *lookup*, *insert*, et *delete* est proportionnel à la hauteur de l'arbre, nous pouvons en conclure que lorsque ces opérations sont appliquées à un arbre binaire complet, elles prennent un temps qui est une fonction logarithmique du nombre de nœuds. Cette performance est bien meilleure que le temps linéaire pour les arbres pessimistes comme celui de la figure 5.48. Lorsque la taille du dictionnaire augmente, le temps d'exécution des opérations sur le dictionnaire croît bien plus lentement que le nombre d'éléments de l'ensemble.

Le cas classique

Les figures 5.48 ou 5.49 sont-elles les cas les plus courants ? En réalité, on rencontre rarement l'une ou l'autre. Cependant, l'efficacité des opérations appliquées à l'arbre complet de la figure 5.49 est proche de ce que permet d'obtenir le cas classique. Cela signifie que *lookup*, *insert* et *delete* prennent en moyenne un temps logarithmique.

Il est difficile de prouver que les opérations sur le dictionnaire avec un arbre binaire classique se font en un temps logarithmique. Cependant, nous pouvons voir intuitivement pourquoi cela semble être le temps correct. La racine d'un arbre binaire sépare les nœuds (autres que la racine elle-même) en deux sous-arbres. Dans la plus équilibrée des divisions, un arbre de k nœuds aura deux sous-arbres d'environ $k/2$ nœuds chacun. Ce cas se produit si l'élément à la racine est exactement au milieu de la liste triée des éléments. Dans la pire des divisions, l'élément à la racine est le premier ou le dernier parmi les éléments du dictionnaire et la division donne un sous-arbre vide et un autre sous-arbre de $k - 1$ nœuds.

En moyenne, nous pouvons prévoir que l'élément à la racine sera à mi-chemin entre le milieu et les extrémités de la liste triée ; nous pouvons prévoir qu'en moyenne, $k/4$ nœuds vont dans le petit sous-arbre et $3k/4$ dans le grand. Supposons que lorsque nous descendons dans l'arbre, nous nous déplaçons toujours vers la racine du grand sous-arbre à chaque appel récursif et que des hypothèses similaires s'appliquent pour la répartition des éléments à chaque niveau. Au premier niveau, le grand sous-arbre sera divisé suivant un rapport $1/3$; ceci résulte en un grand sous-arbre de $(3/4)(3k/4)$, ou $9k/16$, nœuds au second niveau. Ainsi, au niveau d, nous nous attendons à voir $(3/4)^d k$ nœuds dans le plus grand des sous-arbres.

Quand d devient suffisamment grand, la quantité $(3/4)^d k$ sera proche de 1, et nous pouvons alors nous attendre à ce que le plus grand des sous-arbres ne comprenne qu'une seule feuille. Ainsi, nous demandons « pour quelle valeur de d a-t-on $(3/4)^d k \leq 1$? » Si nous prenons les logarithmes en base 2, nous obtenons

$$d \log_2(3/4) + \log_2 k \leq \log_2 1 \tag{5.1}$$

Maintenant, $\log_2 1 = 0$, et la quantité $\log_2(3/4)$ est une constante négative, à-peu-près égale à $-0,4$. Donc nous pouvons récrire (5.1) comme $\log_2 k \leq 0,4d$ ou $d \geq (\log_2 k)/0,4 = 2,5 \log_2 k$.

Autrement dit, à une profondeur de 2,5 fois le logarithme base 2 du nombre de nœuds, nous nous attendons à ne trouver que des feuilles (ou à les trouver à des niveaux plus élevés). Cet argument justifie mais ne prouve pas l'assertion selon laquelle l'arbre binaire de recherche classique aura une taille proportionnelle au logarithme du nombre de nœuds dans l'arbre.

EXERCICES

5.9.1 : Si l'arbre T a une taille h et un facteur d'arborescence b, quels sont les plus grands et plus petits nombres de nœuds que T peut avoir ?

5.9.2 : ** Supposez que n nœuds aléatoires soient insérés dans un arbre binaire de recherche initialement vide. Soit $P(n)$ le nombre moyen de nœuds sur le chemin de la racine à un nœud de l'arbre.

a) Montrez que, pour $n \geq 2$,

$$P(n) = 1 + \frac{2}{n^2} \sum_{k=1}^{n-1} k P(k)$$

b) Prouvez que $P(n)$ est en $O(\log n)$.

5.10 Files de priorité et arbres partiellement ordonnés

Jusqu'à présent, nous n'avons vu qu'un seul type de données abstrait : le dictionnaire et une de ses implémentations, l'arbre binaire de recherche. Dans ce paragraphe, nous allons étudier un autre type de données abstrait et l'une de ses implémentations les plus efficaces. Ce TDA, appelé une *file de priorité* est un ensemble d'éléments ; chacun d'eux a une *priorité* associée. Par exemple, les éléments peuvent être des enregistrements et la priorité peut être la valeur d'un champ de l'enregistrement. Les deux opérations associées avec le TDA file de priorité sont les suivantes :

1. Insérer un élément dans l'ensemble (*insert*).

2. Trouver et supprimer un élément de priorité maximale de l'ensemble (cette opération double est appelée *deletemax*). L'élément supprimé est retourné par cette fonction.

✦ **Exemple 5.28.** Un système d'exploitation à temps partagé reçoit des demandes de service de diverses sources ; ces travaux ne peuvent pas tous avoir la même priorité. Par exemple, les processus système peuvent avoir la plus haute priorité ; parmi ces processus système, il peut y avoir des « démons » (ou « TSR ») qui attendent des données en entrée, comme le signal généré par la pression d'une touche sur un terminal ou l'arrivée d'un paquet de bits sur un réseau local. Ensuite viennent les processus utilisateurs, les commandes lancées par des utilisateurs ordinaires. Enfin, il peut y avoir des travaux en tâche de fond comme la copie de données sur une cartouche ou de longs calculs que l'utilisateur a décidé de faire exécuter avec une priorité faible.

Les travaux peuvent être représentés par des enregistrements comprenant un entier ID pour le travail et un entier pour la priorité du travail. Nous pouvons utiliser la structure

```
type ETYPE = record
        jobID: integer;
        priority: integer
end;
```

pour les éléments d'une file de priorité. Quand un nouveau travail commence, il obtient un ID et une priorité. Nous exécutons ensuite l'opération *insert* pour insérer cet élément dans la file de priorité des travaux en attente de service. Quand un processeur est disponible, le système s'intéresse à la file de priorité et exécute l'opération *deletemax*. L'élément retourné par cette opération est un travail en attente ayant la plus priorité la plus forte ; c'est lui qui est alors exécuté. ✦

✦ **Exemple 5.29.** Nous pouvons implémenter un algorithme de tri en utilisant le TDA file de priorité. Supposons que nous ayons à trier la séquence d'entiers $a_1, a_2, \ldots, a_n$. Nous insérons chacun d'eux dans une file de priorité en utilisant la valeur de l'élément en guise de priorité. Si nous exécutons alors n fois *deletemax*, les entiers seront sélectionnés de telle sorte que les plus grands seront donnés en premier (c'est-à-dire dans l'ordre inverse de l'ordre trié avec les plus faibles en premier). Nous discuterons de cet algorithme en détail dans le paragraphe suivant ; il est connu sous le nom de tri par tas. ✦

Arbres partiellement ordonnés

Une file de priorité peut être implémentée de manière efficace par un *arbre partiellement ordonné* (*APO*), c'est-à-dire un arbre binaire étiqueté vérifiant les propriétés suivantes :

1. Les étiquettes des nœuds sont des éléments avec une « priorité » ; cette priorité peut être la valeur d'un élément ou la valeur d'un composant d'un élément.

2. L'élément associé à un nœud possède une priorité supérieure ou égale aux priorités des éléments associés aux fils de ce nœud.

La propriété 2 implique que l'élément associé à la racine de n'importe quel sous-arbre est toujours un plus grand élément du sous-arbre. Nous appelons la propriété 2 la *propriété de l'arbre partiellement ordonné* ou **la propriété APO**.

✦ **Exemple 5.30.** La figure 5.50 montre un arbre partiellement ordonné avec 10 éléments. Ici, comme partout ailleurs dans ce paragraphe, nous représenterons les éléments par leur priorité, comme si l'élément et la priorité était la même chose. Remarquez que des éléments égaux peuvent apparaître à différents niveaux de l'arbre. La propriété APO est vérifiée à la racine ; en effet, 18 (l'élément associé à la racine) n'est pas inférieur à 18 ou 16 (les éléments associés aux fils de la racine). De même, nous pouvons vérifier que la propriété APO est vérifiée à chaque nœud intérieur. La figure 5.50 est donc un arbre partiellement ordonné. ✦

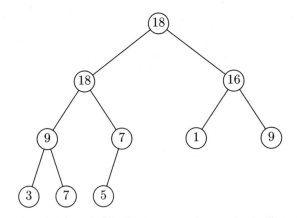

Figure 5.50 : Un arbre partiellement ordonné avec 10 nœuds.

Les arbres partiellement ordonnés sont une implémentation abstraite très utile des files de priorité. En bref, pour exécuter *deletemax*, nous trouvons le nœud à la racine (le maximum) et nous le remplaçons par le nœud le plus à droite du niveau le plus bas. La réalisation de cette modification peut cependant démentir la propriété APO ; nous devons rétablir cette propriété en « faisant descendre » l'élément nouvellement placé à la racine jusqu'au niveau approprié (celui où il est inférieur à son père mais supérieur ou égal à n'importe lequel de ses fils). Pour exécuter *insert*, nous pouvons ajouter une nouvelle feuille au niveau le plus bas, aussi à gauche que possible, ou à l'extrémité gauche d'un nouveau niveau si le niveau le plus bas est rempli. La propriété APO peut être encore démentie ; si tel est le cas, nous « faisons remonter » (tel une bulle) le nouvel élément jusqu'à ce qu'il trouve sa place appropriée.

Les APO équilibrés et les tas

Nous disons qu'un arbre partiellement ordonné est *équilibré* si tous les nœuds possibles sont présent sur tous les niveaux, excepté le plus bas, et que les feuilles du plus bas niveau sont le plus à gauche possible. Cette condition implique que si un arbre possède n nœuds, alors il n'existe pas de chemin qui soit plus long que $\log_2 n$, depuis la racine jusqu'à un nœud. L'arbre de la figure 5.50 est un APO équilibré.

Les arbres équilibrés peuvent être réalisés en utilisant une structure de données de type tableau appelée un *tas* ; c'est une réalisation rapide et compacte du TDA file de priorité. Un tas est simplement un tableau A avec une interprétation particulière des indices des éléments. Les éléments associés aux nœuds de l'arbre équilibré partiellement

Niveaux d'implémentation

Il est intéressant de comparer nos deux TDAs, c'est-à-dire le dictionnaire et la file de priorité et de remarquer que dans chacun des cas, nous avons donné une implémentation abstraite et une structure de données pour cette implémentation. Il existe d'autres implémentations abstraites pour chacun d'eux et d'autres structures de données pour chaque implémentation abstraite. Nous avons promis de présenter d'autres implémentations abstraites pour le dictionnaire, comme la table de hachage et dans les exercices du paragraphe 5.10 nous suggérons que l'arbre binaire de recherche pourrait être une implémentation abstraite pertinente de la file de priorité. La table ci-dessous résume ce que nous savons déjà des implémentations abstraites et des structures de données pour le dictionnaire et la file de priorité.

TDA	IMPLEMENTATION ABSTRAITE	STRUCTURE DE DONNEES
dictionnaire	arbre binaire de recherche	structure fils-gauche–fils-droit
file de priorité	arbre équilibré partiellement ordonné	tas

ordonné apparaissent dans A niveau par niveau, en commençant par la racine et de la gauche vers la droite au sein de chaque niveau. Ainsi, la racine de l'arbre équilibré partiellement ordonné est dans $A[1]$, le fils gauche de la racine est dans $A[2]$ et le fils droit de la racine est dans $A[3]$. En général, le fils gauche du nœud dans $A[i]$ est dans $A[2i]$ et le fils droit est dans $A[2i+1]$ (à condition que ces fils existent dans l'arbre partiellement ordonné). Le caractère équilibré de l'arbre permet cette représentation. La propriété APO des éléments implique que si $A[i]$ a deux fils, alors $A[i]$ est supérieur ou égal à $A[2i]$ et $A[2i+1]$, et si $A[i]$ a un fils, alors $A[i]$ est supérieur ou égal à $A[2i]$.

✦ **Exemple 5.31.** Le tas pour l'arbre équilibré partiellement ordonné de la figure 5.50 est représenté dans la figure 5.51. Par exemple, $A[4]$ contient la valeur 9 ; cet élément du tableau représente le fils gauche du fils gauche de la racine dans la figure 5.50. Les fils de ce nœud se trouvent dans $A[8]$ et $A[9]$. Chacun de leurs éléments associés est inférieur à 9, comme cela est exigé par la propriété APO. L'élément $A[5]$ du tableau, qui correspond au fils droit du fils gauche de la racine, a un fils gauche dans $A[10]$. Il aurait pu avoir un fils droit dans $A[11]$ mais l'arbre partiellement ordonné n'a pour le moment que 10 éléments et donc $A[11]$ ne fait pas partie du tas. ✦

1	2	3	4	5	6	7	8	9	10
18	18	16	9	7	1	9	3	7	5

Figure 5.51 : Le tas pour la figure 5.50.

Bien que nous ayons montré les nœuds d'un arbre et les éléments de tableau comme s'ils étaient les priorités elles-mêmes, en principe, l'enregistrement entier apparaît dans le nœud ou dans le tableau. Comme nous le verrons, dans un arbre partiellement ordonné ou dans sa représentation par tas, nous aurons à faire beaucoup d'échanges d'éléments entre les fils et les pères. Ainsi, il est bien plus efficace de considérer que les éléments du tableau sont des pointeurs vers les enregistrements représentant les objets dans la file de priorité et que ces enregistrements sont stockés dans un autre tableau « en dehors » du tas. Nous pouvons ainsi simplement échanger les pointeurs et laisser les enregistrements en place.

Réaliser des opérations de type file de priorité sur un tas

Nous représenterons un tas par un tableau A dont le type est déclaré de la façon suivante :

```
type INTARRAY = array[1..MAX] of integer;
```

Tout au long de ce paragraphe, nous supposons que les éléments sont des entiers et qu'ils ont la valeur de leurs priorités. Lorsque les éléments sont des enregistrements, nous pouvons stocker dans le tableau les pointeurs vers les enregistrements et déterminer la priorité d'un élément grâce à un champ de son enregistrement.

Supposons que nous ayons un tas de $n-1$ éléments satisfaisant la propriété APO ; nous ajoutons un $n^{ième}$ élément dans $A[n]$. La propriété APO est toujours partout vérifiée sauf peut-être entre $A[n]$ et son père. Ainsi, si $A[n]$ est supérieur à $A[n \text{ DIV } 2]$ (l'élément associé à son père), nous devons échanger ces éléments. La propriété APO peut maintenant être démentie entre $A[n \text{ DIV } 2]$ et son père. Si tel est le cas, nous « faisons remonter » récursivement le nouvel élément jusqu'à ce qu'il atteigne une position où le père a un élément associé qui lui est supérieur ou jusqu'à ce qu'il atteigne la racine.

La procédure Pascal `bubbleUp` qui réalise cette opération est représentée dans la figure 5.52. Elle utilise la procédure `swap(A,i,j)` qui échange les éléments dans $A[i]$ et $A[j]$; cette procédure est également définie dans la figure 5.52. Le fonctionnement de `bubbleUp` est simple. Etant donné un argument i indiquant le nœud qui, avec son père, contredit la propriété APO, nous testons si $i = 1$ (c'est-à-dire si nous sommes déjà à la racine de sorte qu'il ne peut y avoir de violation de la propriété APO), et sinon, si l'élément $A[i]$ est supérieur à l'élément associé à son père. Si tel est le cas, nous échangeons $A[i]$ avec son père et nous appelons récursivement `bubbleUp` sur le père.

✦ **Exemple 5.32.** Supposons que nous commencions avec le tas de la figure 5.51 et que nous ajoutions un onzième élément, de priorité égale à 13. Cet élément va en $A[11]$; nous obtenons le tableau suivant :

1	2	3	4	5	6	7	8	9	10	11
18	18	16	9	7	1	9	3	7	5	13

Nous appelons maintenant `bubbleUp(A,11)` qui compare $A[11]$ avec $A[5]$; nous devons échanger ces éléments parce que $A[11]$ est le plus grand des deux. Cela signifie que $A[5]$ et $A[11]$ contredit la propriété APO.

```
procedure swap(var A: INTARRAY; i,j: integer);

var temp: integer;

begin
    temp := A[i];
    A[i] := A[j];
    A[j] := temp
end; (* swap *)


procedure bubbleUp(var A: INTARRAY; i: integer);
begin
    if i > 1 then if A[i] > A[i DIV 2] then begin
        swap(A, i, i DIV 2);
        bubbleUp(A, i DIV 2)
    end
end; (* bubbleUp *)
```

Figure 5.52 : La procédure `swap` échange les éléments du tableau et la procédure `bubbleUp` place le nouvel élément d'un tas à la place qui lui revient.

Le tableau devient alors

1	2	3	4	5	6	7	8	9	10	11
18	18	16	9	13	1	9	3	7	5	7

Maintenant, nous appelons `bubbleUp(A,5)`. Cela conduit à la comparaison de $A[2]$ et $A[5]$. Puisque $A[2]$ est le plus grand, la propriété APO n'est pas démentie et `bubbleUp(A,5)` ne fait rien. Nous avons maintenant rétabli la propriété APO du tableau. ✦

```
procedure insert(var A: INTARRAY; x: integer; var n: integer);
begin
    n := n+1;
    A[n] := x;
    bubbleUp(A,n)
end; (* insert *)
```

Figure 5.53 : L'opération *insert* d'une file de priorité implémentée par un tas.

La procédure `bubbleUp` peut être utilisée pour implémenter l'opération *insert* de la file de priorité. En supposant que le tableau ait assez de place et satisfasse déjà la propriété APO, nous incrémentons n, l'indice du dernier élément du tas courant, nous stockons le nouvel élément à cette position du tableau, qui est maintenant $A[n]$ et nous appelons `bubbleUp(A,n)`. Nous implémentons *insert* par la procédure de la figure 5.53. L'argument x est l'élément à insérer et l'argument n est le nombre courant d'éléments dans le tas. La vérification $n < MAX$ est omise.

Pour implémenter l'opération *deletemax* de la file de priorité, nous avons besoin d'une autre opération sur les tas ou les arbres partiellement ordonnés, pour faire descendre un élément de la racine contredisant la propriété APO. Supposons que $A[i]$ soit potentiellement responsable de la violation de la propriété APO, c'est-à-dire qu'il soit inférieur à l'un de ses fils (ou au deux), $A[2i]$ et $A[2i + 1]$. Nous pouvons échanger $A[i]$ avec l'un de ses fils ; mais nous devons faire la sélection avec précaution. Si nous l'échangeons avec le plus grand des fils, alors nous sommes sûrs de ne pas contredire la propriété APO entre les deux précédents fils de $A[i]$, l'un d'entre eux étant devenu le père de l'autre.

La procédure `bubbleDown` de la figure 5.54 implémente cette opération. Après avoir sélectionné un fils avec lequel échanger $A[i]$, elle s'appelle récursivement pour éliminer une éventuelle violation de la propriété APO entre l'élément $A[i]$ à sa nouvelle position — qui est maintenant `A[2i]` ou `A[2i+1]` — et l'un de ses nouveaux fils. L'argument n est le nombre d'éléments dans le tas, c'est-à-dire, l'indice du dernier élément.

```
      procedure bubbleDown(var A: INTARRAY; i, n: integer);

      var child: integer;

      begin
(1)       child := 2*i;
(2)       if child < n then if A[child+1] > A[child] then
(3)           child := child+1;
(4)       if child <= n then if A[i] < A[child] then begin
(5)           swap(A, i, child);
(6)           bubbleDown(A, child, n)
          end
      end; (* bubbleDown *)
```

Figure 5.54 : `bubbleDown` fait descendre un élément responsable de la violation de la propriété APO jusqu'à ce qu'une feuille soit atteinte.

Cette procédure est assez astucieuse. Nous devons sélectionner le fils à échanger (si échange il doit y avoir), et la première chose à faire est de supposer que le plus grand des fils est $A[2i]$ (ligne (1) de la figure 5.54). Si le fils droit existe (c'est-à-dire *child* $< n$) et si le fils droit est le plus grand, alors les tests de la ligne (2) sont satisfaits et à la ligne (3) nous faisons de *child* le fils droit de $A[i]$.

Maintenant à la ligne (4), nous testons deux choses. Premièrement, il est possible que $A[i]$ n'ait pas de fils dans le tas. Nous vérifions donc si $A[i]$ est un nœud intérieur en testant si *child* $\leq n$. Le second test de la ligne (4) vérifie si $A[i]$ est plus petit que $A[child]$. Si ces deux conditions sont satisfaites, alors à la ligne (5) nous échangeons $A[i]$ avec le plus grand de ses fils, et à la ligne (6) nous appelons récursivement `bubbleDown` pour faire descendre encore plus bas l'élément incriminé si c'est nécessaire.

Nous pouvons utiliser `bubbleDown` pour implémenter l'opération `deletemax` de la file de priorité telle que représentée par la figure 5.55. Ici n est le nombre d'éléments dans le tas ; nous avons omis le test $n > 0$.

```
     procedure deletemax(var A: INTARRAY; var n: integer);
     begin
(1)      swap(A,1,n);
(2)      n := n-1;
(3)      bubbleDown(A,1,n)
     end; (* deletemax *)
```

Figure 5.55 : L'opération *deletemax* d'une file de priorité implémentée
sur un tas.

A la ligne (1) nous échangeons l'élément associé à la racine, qui doit être supprimé, avec le dernier élément dans `A[n]`. En toute rigueur, nous devrions retourner l'élément supprimé mais, comme nous le verrons, il est pratique de le mettre dans `A[n]` qui ne fera plus partie du tas.

A la ligne (2), nous décrémentons n de 1, en supprimant effectivement le plus grand élément, qui se trouve maintenant dans l'ancien `A[n]`. Puisque la racine peut maintenant contredire la propriété APO, nous appelons `bubbleDown(A,1,n)` à la ligne (3) qui fera descendre récursivement l'élément incriminé jusqu'à ce qu'il atteigne un point où il n'est pas plus petit que l'un de ses fils ou jusqu'à ce qu'il devienne une feuille ; dans l'un ou l'autre des cas, il n'y a pas de violation de la propriété APO.

◆ **Exemple 5.33.** Supposons que nous commencions avec le tas de la figure 5.51 et que nous exécutions `deletemax`. Après avoir échangé $A[1]$ et $A[10]$, nous affectons 9 à n. Le tas devient alors

1	2	3	4	5	6	7	8	9
5	18	16	9	7	1	9	3	7

Quand nous exécutons `bubbleDown(A,1,9)`, nous affectons 2 à *child*. Puisque $A[2] \geq A[3]$, nous n'incrémentons pas *child* à la ligne (3) de la figure 5.54. Ensuite puisque *child* $\leq n$ et $A[1] < A[2]$, nous échangeons ces éléments pour obtenir le tableau

1	2	3	4	5	6	7	8	9
18	5	16	9	7	1	9	3	7

Nous appelons alors `bubbleDown(A,2,9)`. Nous devons alors comparer $A[4]$ avec $A[5]$ à la ligne (2) et nous trouvons que le premier est le plus grand. Ainsi, *child* = 4 à la ligne (4) de la figure 5.54. Quand nous trouvons que $A[2] < A[4]$, nous échangeons ces éléments et appelons `bubbleDown(A,4,9)` sur le tableau

1	2	3	4	5	6	7	8	9
18	9	16	5	7	1	9	3	7

Ensuite, nous comparons $A[8]$ et $A[9]$, et nous trouvons que le dernier est le plus grand, donc *child* = 9 à la ligne (4) de `bubbleDown(A,4,9)`. Nous réalisons alors l'échange, puisque $A[4] < A[9]$, obtenant le tableau

1	2	3	4	5	6	7	8	9
18	9	16	7	7	1	9	3	5

Ensuite, nous appelons `bubbleDown(A,9,9)`. Nous affectons 18 à *child* à la ligne (1) et le premier test de la ligne (2) échoue parce que *child* < *n* est faux. De même, le test de la ligne (4) échoue et nous ne faisons ni échange ni appel récursif. Le tableau est maintenant un tas avec la propriété APO rétablie. ✦

Le temps d'exécution des opérations sur les files de priorité

L'implémentation par tas des files de priorité offre un temps d'exécution en $O(\log n)$ pour chacune des opérations *insert* et *deletemax*. Pour comprendre pourquoi, considérons le programme `insert` de la figure 5.53. Ce programme prend évidemment un temps en $O(1)$ pour les deux premières étapes, auquel il faut ajouter le temps d'un appel à `bubbleUp`. Nous devons donc déterminer le temps d'exécution de `bubbleUp`.

De manière informelle, nous remarquons que chaque fois que `bubbleUp` s'appelle récursivement, nous progressons d'une position en direction de la racine. Puisqu'un arbre équilibré partiellement ordonné a une hauteur approximative de $\log_2 n$, le nombre d'appels récursifs est en $O(\log_2 n)$. Puisque chaque appel à `bubbleUp` prend un temps en $O(1)$ plus le temps de l'appel récursif (s'il y en a), le temps total doit être en $O(\log n)$.

Plus formellement, soit $T(i)$ le temps d'exécution de `bubbleUp(A,i)`. Nous pouvons alors créer une relation de récurrence pour $T(i)$ de la manière suivante.

LA BASE. Si $i = 1$, alors $T(i)$ est en $O(1)$; il est facile de vérifier que le programme `bubbleUp` de la figure 5.52 ne fait pas d'appel récursif et donc seul le test de l'instruction `if` est exécuté.

LA RÉCURRENCE. Si $i > 1$, alors le test de l'instruction if peut quand même échouer si $A[i]$ n'a pas besoin d'aller plus haut. Si le test réussit, alors nous exécutons `swap`, qui est en $O(1)$ plus un appel récursif à `bubbleUp` avec un argument $i/2$ (ou légèrement plus petit si i est impair). Ainsi, $T(i) \leq T(i/2) + O(1)$.

Nous avons donc, pour des constantes a et b, la récurrence

$$T(1) = a$$
$$T(i) = T(i/2) + b \text{ pour } i > 1$$

comme borne supérieure sur temps d'exécution de `bubbleUp`. Si nous développons $T(i/2)$, nous obtenons

$$T(i) = T(i/2^j) + bj \tag{5.2}$$

pour chaque j. Comme dans le paragraphe 3.10, nous choisissons la valeur de j qui simplifie $T(i/2^j)$. Dans ce cas, nous rendons j égale à $\log_2 i$, de sorte que $i/2^j = 1$. Ainsi, l'équation (5.2) devient $T(i) = a + b \log_2 i$; c'est-à-dire que $T(i)$ est en $O(\log i)$. Puisque `bubbleUp` est en $O(\log i)$, alors `insert` l'est aussi.

Considérons maintenant `deletemax`. De par la figure 5.55, nous voyons que le temps d'exécution de `deletemax` est en $O(1)$ auquel il faut ajouter le temps d'exécution de `bubbleDown`. L'analyse de `bubbleDown` de la figure 5.54 est essentiellement la même que celle de `bubbleUp`. Nous l'omettons et nous en concluons que `bubbleDown` et `deletemax` prennent aussi un temps en $O(\log n)$.

EXERCICES

5.10.1 : Considérez le tas de la figure 5.51 et montrez ce qui arrive lorsque

a) on insère 3,

b) on insère 20,

c) on supprime l'élément maximum,

d) on supprime encore l'élément maximum.

5.10.2 : Prouvez l'équation (5.2) par récurrence sur i.

5.10.3 : Prouvez par récurrence sur la profondeur de la violation de la propriété APO que la procédure `bubbleUp` de la figure 5.52 rétablit correctement un arbre comportant une violation de la propriété APO en un arbre qui vérifie la propriété APO.

5.10.4 : Prouvez que la procédure `insert(A,x,n)` fait de A un tas de taille n si A était auparavant un tas de taille $n - 1$. Vous pouvez utiliser le résultat de l'exercice 5.10.3. Qu'arrive-t-il si A n'était pas auparavant un tas ?

5.10.5 : Prouvez par récurrence sur la hauteur de la violation de la propriété APO que la procédure `bubbleDown` de la figure 5.54 rétablit correctement un arbre comportant une violation de la propriété APO en un arbre qui vérifie la propriété APO.

5.10.6 : Prouvez que `deletemax(A,n)` produit un tas de taille $n - 1$ à partir d'un tas de taille n. Qu'arrive-t-il si A n'était pas auparavant un tas ?

5.10.7 : Prouvez que `bubbleDown(A,1,n)` prend un temps en $O(\log n)$ sur un tas de longueur n.

5.10.8 : ** Quelle est la probabilité pour qu'un tas de n éléments, dont les priorités distinctes des éléments ont été choisies au hasard, soit un arbre partiellement ordonné ? Si vous ne pouvez pas établir une règle générale, écrivez une procédure récursive calculant la probabilité en fonction de n.

5.10.9 : Nous n'avons pas besoin d'utiliser un tas pour implémenter un arbre partiellement ordonné. Supposez que nous utilisions la structure de données conventionnelle fils-gauche–fils-droit pour des arbres binaires. Montrez comment on peut implémenter les procédures `bubbleDown`, `insert`, et `deletemax` en utilisant cette structure à la place de la structure de tas.

5.10.10 : * Un arbre binaire de recherche peut être utilisé en tant qu'implémentation abstraite d'une file de priorité. Montrez comment on peut implémenter les opérations *insert* et *deletemax* en utilisant un arbre binaire de recherche avec une structure de données fils-gauche–fils-droit. Quel est le temps d'exécution de ces opérations (a) dans le pire des cas et (b) en moyenne ?

5.11   Tri par tas : trier avec des APO équilibrés

Nous allons maintenant décrire l'algorithme connu sous le nom de *tri par tas*. Il trie un tableau A[1..n] en deux phases. Dans la première phase, le tri par tas confère la propriété APO à A. La seconde phase du tri par tas sélectionne tour à tour le plus grand élément restant du tas jusqu'à ce qu'il ne contienne plus que le plus petit élément, après quoi le tableau A est trié.

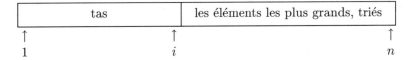

tas	les éléments les plus grands, triés

$$\underset{1}{\uparrow} \qquad\qquad \underset{i}{\uparrow} \qquad\qquad\qquad\qquad\qquad \underset{n}{\uparrow}$$

Figure 5.56 : Etat du tableau A pendant le tri par tas.

La figure 5.56 représente le tableau A durant la seconde phase. La partie initiale du tableau vérifie la propriété APO et les éléments de la partie restante sont triés en ordre non décroissant. De plus, les éléments de la partie triée sont les $n-i$ plus grands éléments du tableau. Pendant la seconde phase, i peut prendre les valeurs de n à 1, de sorte que le tas, qui est initialement le tableau entier A, diminue inéluctablement jusqu'à ce qu'il ne comprenne plus que le plus petit élément, placé dans A[1]. De manière plus détaillée, la seconde phase comprend les étapes suivantes.

1. $A[1]$, le plus grand élément dans A[1..i] est échangé avec $A[i]$. Puisque tous les éléments dans A[i+1..n] sont supérieurs ou égaux à n'importe quel élément de A[1..i] et puisque nous venons juste de déplacer le plus grand du dernier groupe d'éléments à la position i, nous savons que A[i..n] contient les $n-i+1$ plus grands éléments en ordre trié.

2. La valeur i est décrémentée ; la taille du tas est donc réduite de 1.

3. La propriété APO est restituée à la partie initiale du tableau en faisant descendre l'élément associé à la racine, que nous venons juste de déplacer en $A[1]$.

✦ **Exemple 5.34.** Considérons le tableau de la figure 5.51 de propriété APO. Intéressons-nous à la première itération de la seconde phase. A la première étape, nous échangeons $A[1]$ et $A[10]$ pour obtenir :

1	2	3	4	5	6	7	8	9	10
5	18	16	9	7	1	9	3	7	18

La seconde étape réduit la taille du tas à 9 et la troisième étape restitue la propriété APO aux neuf premiers éléments en appelant `bubbleDown(1)`. Dans cet appel, $A[1]$ et $A[2]$ sont échangés :

1	2	3	4	5	6	7	8	9	10
18	5	16	9	7	1	9	3	7	18

Ensuite, $A[2]$ et $A[4]$ sont échangés :

1	2	3	4	5	6	7	8	9	10
18	9	16	5	7	1	9	3	7	18

Finalement, $A[4]$ et $A[9]$ sont échangés :

1	2	3	4	5	6	7	8	9	10
18	9	16	7	7	1	9	3	5	18

A ce stade, `A[1..9]` vérifie la propriété APO.

La seconde itération de la phase 2 commence par un échange de l'élément 18 en `A[1]` avec l'élément 5 en `A[9]`. Après avoir fait descendre 5, le tableau devient :

1	2	3	4	5	6	7	8	9	10
16	9	9	7	7	1	5	3	18	18

A ce stade, les deux derniers éléments du tableau sont les deux plus grands éléments en ordre trié.

La phase 2 continue jusqu'à ce que le tableau soit complètement trié :

1	2	3	4	5	6	7	8	9	10
1	3	5	7	7	9	9	16	18	18

✦

Transformer un tableau en un tas

Nous pouvons décrire le tri par tas de la manière informelle suivante :

```
for i := 1 to n do
    insert(aᵢ);
for i := 1 to n do
    deletemax
```

Pour implémenter cet algorithme, nous insérons les n éléments à trier $a_1, a_2, \ldots, a_n$ dans un tas initialement vide. Nous appliquons ensuite n fois *deletemax* pour obtenir les éléments dans un ordre décroissant. La réorganisation de la figure 5.56 nous permet de stocker les éléments supprimés dans la queue du tableau au fur et à mesure que nous réduisons la portion en tas de ce tableau.

Puisque nous avons vu dans le dernier paragraphe que *insert* et *deletemax* prennent chacun un temps en $O(\log n)$ et puisque nous exécutons chaque opération n fois, nous avons un algorithme de tri en $O(n \log n)$; ce qui est comparable au tri par fusion. En fait, le tri par tas peut être meilleur que le tri par fusion lorsque nous n'avons besoin que de certains des plus grands éléments et non pas de la liste entièrement triée. En effet, il est possible de construire un tas à partir du tableau avec un coût en $O(n)$ au lieu de $O(n \log n)$, si l'on utilise la procédure `heapify` de la figure 5.57.

```
procedure heapify(var A: INTARRAY; n: integer);

var i: integer;

begin
    for i := n DIV 2 downto 1 do
        bubbleDown(A, i, n)
end; (* heapify *)
```

Figure 5.57 : Transformer un tableau en un tas.

Le temps d'exécution de Heapify

Initialement, on pourrait penser que les $n/2$ appels à bubbleDown de la figure 5.57 devraient prendre un temps total en $O(n \log n)$ parce que $\log n$ est la seule borne supérieure que nous connaissions sur le temps d'exécution de bubbleDown. Cependant, nous pouvons obtenir une borne plus approchée en $O(n)$ si nous exploitons le fait que la plupart des séquences de descentes d'éléments sont très courtes.

Pour commencer, il n'est même pas nécessaire d'appeler bubbleDown sur la seconde moitié du tableau car tous les éléments sont des feuilles. Sur le second quart du tableau, c'est-à-dire,

```
A[(n DIV 4)+1..n DIV 2]
```

nous pouvons appeler une fois bubbleDown si l'élément est plus petit que l'un ou l'autre de ses fils ; mais ces fils sont dans la seconde moitié et sont donc des feuilles. Ainsi, dans le second quart de A, nous appelons au plus une fois bubbleDown. De même, dans le second huitième du tableau, nous appelons bubbleDow au plus deux fois et ainsi de suite. Le nombre d'appels à bubbleDown dans les diverses régions du tableau est indiqué dans la figure 5.58.

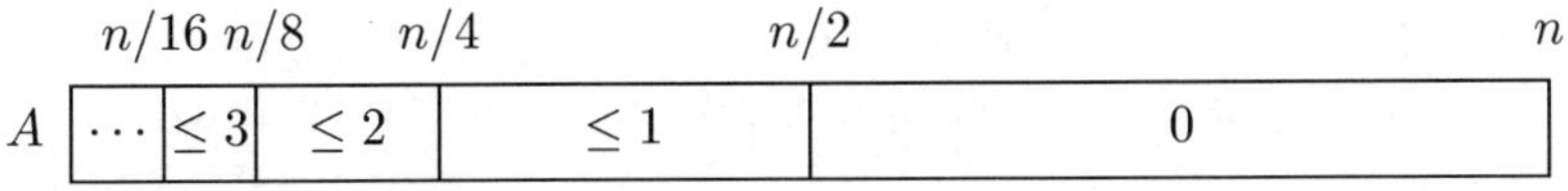

Figure 5.58 : Le nombre d'appels à bubbleDown décroît rapidement au fur et à mesure que nous progressons des indices les plus bas vers les indices les plus élevés.

Dénombrons les appels à bubbleDown faits par heapify, en comptant les appels récursifs. De la figure 5.58, nous voyons qu'il est possible de diviser A en *zones*, où la $i^{\grave{e}me}$ zone contient A[j] pour j supérieur à $n/2^{i+1}$ mais pas supérieur à $n/2^i$. Le nombre d'éléments de la zone i est donc $n/2^{i=1}$ et il y a au plus i appels à bubbleDown pour tout élément de la la zone i. De plus, les zones $i > \log_2 n$ sont vides puisqu'elles contiennent au plus $n/2^{1+\log_2 n} = 1/2$ élément. L'élément A[1] est le seul occupant de la zone $\log_2 n$. Nous avons donc besoin de calculer la somme

$$\sum_{i=1}^{\log_2 n} in/2^{i+1} \qquad (5.3)$$

Nous pouvons donner une borne supérieure à la somme finie (5.3) en l'étendant à une somme infinie et en détachant ensuite le facteur $n/2$:

$$\frac{n}{2}\sum_{i=1}^{\infty} i/2^i \qquad (5.4)$$

Nous devons maintenant obtenir une borne supérieure pour la somme en (5.4). Cette somme, $\sum_{i=1}^{\infty} i/2^i$, peut être réécrite en

$$(1/2) + (1/4 + 1/4) + (1/8 + 1/8 + 1/8) + (1/16 + 1/16 + 1/16 + 1/16) + \cdots$$

Nous pouvons écrire ces puissances inverses de 2 dans le triangle montré à la figure 5.59. Chaque rangée est une série géométrique infinie de rapport 2, la somme totale étant donc deux fois le premier terme de la série, comme cela est indiqué sur le côté droit de la figure 5.59. Les sommes des rangées forment une autre série géométrique, dont la somme est 2.

$$
\begin{array}{ccccccccccc}
1/2 & + & 1/4 & + & 1/8 & + & 1/16 & + & \cdots & = & 1 \\
 & & 1/4 & + & 1/8 & + & 1/16 & + & \cdots & = & 1/2 \\
 & & & & 1/8 & + & 1/16 & + & \cdots & = & 1/4 \\
 & & & & & & 1/16 & + & \cdots & = & 1/8 \\
 & & & & & & & & \cdots & = & \cdots
\end{array}
$$

Figure 5.59 : Organisation de $\sum_{i=1}^{\infty} i/2^i$ en une somme triangulaire.

Il s'ensuit que (5.4) a une borne supérieure qui est $(n/2) \times 2 = n$. Le nombre d'appels à `bubbleDown` dans la procédure `heapify` n'est pas supérieur à n. Puisque nous avons déjà établi que chaque appel prend un temps en $O(1)$, à l'exclusion de tout appel récursif, nous en concluons que le temps total pris par `heapify` est en $O(n)$.

L'algorithme complet de tri par tas

Le programme Pascal pour le tri par tas est représenté dans la figure 5.60. Il suppose qu'il existe un tableau d'entiers `A[1..MAX]` et que n est le nombre d'éléments à trier avec $n \leq$ `MAX`. Les éléments à trier sont initialement dans `A[1..n]`. Nous utilisons les procédures `heapify` de la figure 5.57 et `deletemax` de la figure 5.55 ; la dernière utilise `swap` de la figure 5.52 et `bubbleDown` de la figure 5.54.

La ligne (1) appelle `heapify` qui met en tas les n éléments à trier ; la ligne (2) initialise i qui marque la fin du tas à n. La boucle des lignes (3) et (4) applique $n-1$ fois `deletemax`. Nous devons examiner encore le code de la figure 5.55 pour observer que `deletemax(A,i)` échange l'élément maximum du tas restant — qui est toujours dans `A[1]` — avec $A[i]$. Par effet de bord, i est décrémenté de 1 de sorte que la taille du

```
     procedure heapsort(var A: INTARRAY; n: integer);

     var i: integer;

     begin
(1)      heapify(A, n);
(2)      i := n;
(3)      while i > 1 do
(4)          deletemax(A, i)
     end; (* heapsort *)
```

Figure 5.60 : Tri par tas d'un tableau.

tas diminue de 1. L'élément « supprimé » par `deletemax` à la ligne (4) fait maintenant partie de la queue triée du tableau. Il est inférieur ou égal à n'importe quel élément de la queue précédente, `A[i+1..n]`, mais supérieur ou égal à n'importe quel élément toujours dans le tas. Ainsi, la propriété est vérifiée ; tous les éléments du tas précèdent tous les éléments de la queue.

Le temps d'exécution du tri par tas

Nous venons d'établir que `heapify` (ligne (1)) prend un temps proportionnel à n. La ligne (2) prend un temps en $O(1)$. Puisque i décroît de 1 chaque fois que l'on exécute la boucle des lignes (3) et (4), le nombre de parcours de la boucle est $n-1$. L'appel à `deletemax` à la ligne (4) prend un temps en $O(\log n)$. Ainsi, le temps total pour la boucle est en $O(n \log n)$. Ce temps dépasse les lignes (1) et (2) et donc le temps d'exécution de `heapsort` est en $O(n \log n)$ pour n éléments.

EXERCICES

5.11.1 : Appliquez le tri par tas à la liste des éléments 3, 1, 4, 1, 5, 9, 2, 6, 5.

5.11.2 : * Donnez un algorithme en $O(n)$ qui trouve les $\sqrt{n}$ plus grands éléments dans une liste de n éléments.

5.12   Résumé du chapitre 5

Du chapitre 5, le lecteur doit retenir les points suivants :

✦ Les arbres sont un modèle de données important pour représenter des informations hiérarchiques.

✦ Nombre de structures de données mettant en jeu des combinaisons de tableaux et de pointeurs peuvent être utilisées pour implémenter les arbres ; la structure de données élue dépend des opérations appliquées à l'arbre.

✦ Deux des représentations les plus importantes pour les nœuds des arbres sont la représentation fils-aîné–frère-droit et le Trie (tableau de pointeurs vers les fils).

◆ Les algorithmes récursifs et les preuves récursives sont bien adaptés aux arbres. Une variante de notre schéma de récurrence élémentaire, appelée récurrence de construction, est en fait une récurrence complète sur le nombre de nœuds d'un arbre.

◆ L'arbre binaire est une variante du modèle d'arbre dans lequel chaque nœud peut avoir un fils gauche et un fils droit.

◆ Un arbre binaire de recherche est un arbre binaire étiqueté avec la « propriété d'arbre binaire de recherche » selon laquelle toutes les étiquettes du sous-arbre gauche précèdent l'étiquette du nœud et toutes les étiquettes du sous-arbre droit suivent l'étiquette du nœud.

◆ Un type de données abstrait dictionnaire est un ensemble auquel on peut appliquer les opérations *insert*, *delete*, et *lookup*. L'arbre binaire de recherche implémente les dictionnaires de manière très efficace.

◆ Une file de priorité est un autre type de données abstrait, un ensemble auquel on peut appliquer les opérations *insert* et *deletemax*.

◆ Un arbre partiellement ordonné est un arbre binaire étiqueté avec la propriété selon laquelle l'étiquette de tout nœud est supérieure ou égale aux étiquettes de ses fils.

◆ Les arbres équilibrés partiellement ordonnés, où les nœuds occupent totalement les niveaux de la racine jusqu'au niveau le plus bas, et où seules les positions les plus à gauches sont occupées, peuvent être implémentés par une structure de données appelée un tas. Cette structure fournit une implémentation en $O(\log n)$ de la file de priorité et conduit à un algorithme de tri en $O(n \log n)$ appelé tri par tas.

5.13   Notes bibliographiques du chapitre 5

Pour des applications plus avancées concernant les arbres, référez-vous à Tarjan [1983]. L'application des arbres à la compilation, comme dans le paragraphe 5.7, se trouve dans Aho, Sethi, et Ullman [1989].

La représentation en Trie des arbres provient de Fredkin [1960]. L'arbre de recherche binaire fut inventé de façon indépendante par beaucoup de personnes ; le lecteur devra se référer à Knuth [1973] pour un historique et pour obtenir plus d'informations sur les diverses sortes d'arbres de recherche.

Williams [1964] a inventé l'implantation en tas des arbres équilibrés partiellement ordonnés. Floyd [1964] décrit une version efficace du tri par tas.

Aho, A. V., R. Sethi, et J. D. Ullman [1989]. *Compilateurs. Principes, techniques, et outils*, InterEditions, Paris.

Floyd, R. W. [1964].« plus petit que » « Algorithm 245: Treesort 3 », *Comm. ACM* **7**:12, pp. 701.

Fredkin, E. [1960]. « Trie memory », *Comm. ACM* **3**:4, pp. 490–500.

Knuth, D. E. [1973]. *The Art of Computer Programming*, Vol. III, *Sorting and Searching*, 2nd ed., Addison Wesley, Reading, Mass.

Tarjan, R. E. [1983]. *Data Structures and Network Algorithms*, SIAM Press, Philadelphia.

Williams, J. W. J. [1964]. « Algorithm 232: Heapsort », *Comm. ACM* **7**:6, pp. 347–348.

CHAPITRE 6

Le modèle de données liste

Comme les arbres, les listes font partie des modèles de données les plus élémentaires utilisés dans les programmes informatiques. Les listes peuvent être vues comme des formes d'arbres simples ; on peut en effet considérer qu'une liste est un arbre binaire dans lequel tout fils gauche est une feuille. Cependant, les listes présentent aussi certaines caractéristiques qui les différencient des d'arbres. Par exemple, nous parlerons d'opérations sur les listes, comme empiler et dépiler, qui n'ont pas d'équivalent pour les arbres ; nous parlerons également des chaînes de caractères qui sont des formes spéciales et importantes de listes qui demandent leurs propres structures de données.

6.1 Le propos de ce chapitre

Nous introduisons la terminologie associée aux listes au paragraphe 6.2. Dans le reste de ce chapitre, nous présentons les sujets suivants :

✦ Les opérations élémentaires sur les listes (paragraphe 6.3).

✦ Les implémentations des listes abstraites par des structures de données, plus particulièrement la structure de données liste-chaînée (paragraphe 6.4) et la structure de données tableau (paragraphe 6.5).

✦ La pile, une liste dans laquelle on insère et on supprime à seulement une extrémité (paragraphe 6.6).

✦ La file, une liste dans laquelle on insère à une extrémité et on supprime à l'autre extrémité (paragraphe 6.8).

✦ Les chaînes de caractères et les structures de données particulières pour les représenter (paragraphe 6.10).

De plus, nous étudierons en détail deux applications des listes :

✦ La pile d'exécution et la façon selon laquelle Pascal et bien d'autres langages implémentent les procédures récursives (paragraphe 6.7).

✦ Le problème consistant à trouver les sous-séquences communes les plus longues de deux chaînes par un algorithme de « programmation dynamique » ou de remplissage de table (paragraphe 6.9).

6.2   Terminologie de base

Une *liste* est une séquence finie de zéro ou de plusieurs éléments d'un type donné. Si les éléments sont de type ETYPE, alors nous disons que le type de la liste est « une liste de ETYPE ». Ainsi, nous pouvons avoir des listes d'entiers, des listes de nombres réels, des listes d'enregistrements, des listes de listes d'entiers et ainsi de suite. En fait, puisqu'un « type » peut être l'union de plusieurs types, en principe, nous ne sommes pas contraints à avoir un seul type pour les éléments d'une liste.

Une liste est souvent écrite comme une séquence séparée par des virgules et entourée de parenthèses,

$$(a_1, a_2, \ldots, a_n)$$

où les a_i sont les éléments de la liste. Les virgules et les parenthèses ne sont toutefois pas nécessaires ; elles servent simplement à séparer les éléments de la liste et à faire ressortir une liste parmi d'autres listes ou parmi du texte. En certaines occasions, nous ne montrerons pas explicitement les virgules ou les parenthèses. En particulier, nous étudierons plus tard les *chaînes de caractères* qui sont des listes de caractères. Les chaînes de caractères sont généralement écrites sans virgule ou autre marque de séparation et sans parenthèse. Ainsi, nous utiliserons la fonte « machine à écrire » pour rappeler au lecteur qu'il s'agit d'une chaîne de caractères ; par exemple foo est la liste de trois caractères dont le premier est f et le second et le troisième sont o.

✦ **Exemple 6.1.** Voici quelques exemples de listes.

1. La liste des nombres premiers inférieurs à 20 en ordre croissant :

    (2, 3, 5, 7, 11, 13, 17, 19)

2. La liste des gaz rares dans l'ordre de leur masse atomique :

    (hélium, néon, argon, krypton, xénon, radon)

3. La liste des nombres de jours des mois d'une année non-bissextile :

    (31, 28, 31, 30, 31, 30, 31, 31, 30, 31, 30, 31)

Comme cet exemple nous le rappelle, le même élément peut apparaître plus d'une fois dans une liste.✦

✦ **Exemple 6.2.** Un exemple de liste qui peut ne pas être aussi évident que ceux de l'exemple 6.1 est une ligne de texte. Les caractères individuels constituant la ligne sont les éléments de cette liste. Ainsi, une ligne de texte est une liste de caractères, c'est-à-dire une chaîne de caractères. Cette chaîne de caractères comprend habituellement plusieurs occurrences du caractère espace et, normalement, le dernier caractère d'une ligne de texte est le caractère « nouvelle ligne ».

Prenons un autre exemple : un document peut être vu comme étant une liste. Dans ce cas, les éléments de la liste sont des lignes de texte. Un document est ainsi une liste d'éléments qui sont eux-mêmes des listes ; les éléments sont de type « liste de caractères ». ✦

✦ **Exemple 6.3.** Dans un espace de dimension n, un point peut être représenté par une liste de n nombres réels. Par exemple, les sommets du cube unité peuvent être représentés par les triplets montrés sur la figure 6.1. Les trois éléments de chaque liste représentent les coordonnées d'un point qui est l'un des huit coins (ou « sommets ») du cube. Le premier composant représente la coordonnée x (horizontale), le second est la coordonnée y (dans la page), et le troisième est la coordonnée z (verticale). ✦

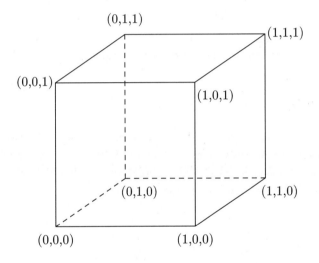

Figure 6.1 : Les sommets d'un cube unité représentés par des triplets.

La longueur d'une liste

La *longueur* d'une liste est le nombre d'occurrences d'éléments dans la liste. Si le nombre d'éléments est zéro, alors on dit que la **liste** est ***vide***. Nous utilisons la lettre grecque ϵ (epsilon) pour représenter la liste vide. Nous pouvons aussi représenter la liste vide par une paire de parenthèses qui n'entoure rien : (). Il est important de rappeler que la longueur compte les positions et non pas les symboles distincts ; donc un symbole apparaissant k fois sur une liste ajoute k à la longueur de la liste.

✦ **Exemple 6.4.** La longueur de la liste (1) de l'exemple 6.1 est 8 et la longueur de la liste (2) est 6. La longueur de la liste (3) est 12 puisqu'il y a une position pour chaque

Eléments et listes de longueur 1

Il est important de rappeler que la tête d'une liste est un élément, alors que la queue d'une liste est une liste. De plus, il ne faut pas confondre la tête d'une liste — disons a — avec la liste de longueur 1 contenant seulement l'élément a, qui sera normalement écrit avec des parenthèses comme (a). Si l'élément a est du type ETYPE, alors la liste (a) est du type « liste de ETYPE ».

Ne pas reconnaître cette différence peut conduire à des erreurs de programmation lorsque nous implémentons les listes avec des structures de données. Par exemple, nous pouvons représenter les listes par des cellules chaînées, qui sont typiquement des enregistrements avec un champ element de type ETYPE, contenant un élément, et un champ next contenant un pointeur vers la prochaine cellule. Ensuite, l'élément a est du type ETYPE alors que la liste (a) est une cellule avec un champ element contenant a et un champ next contenant NIL.

mois. Tant que nous ne nous intéressons qu'à la longueur de la liste, le fait qu'il y ait seulement trois nombres différents dans celle-ci est sans importance ✦

Parties d'une liste

Si une liste n'est pas vide, alors elle comprend un premier élément, appelé la ***tête*** et le reste de la liste, appelé la ***queue***. Par exemple, la tête de la liste (2) de l'exemple 6.1 est hélium, alors que la queue est la liste comprenant les cinq éléments restants,

   (néon, argon, krypton, xénon, radon)

   Si $L = (a_1, a_2, \ldots, a_n)$ est une liste, alors pour tout i et j tels que $1 \leq i \leq j \leq n$,

   $$(a_i, a_{i+1}, \ldots, a_j)$$

est une ***sous-liste*** de L. Une sous-liste est donc formée en commençant à une position i et en prenant tous les éléments jusqu'à une position j. Nous disons aussi que ϵ, la liste vide, est une sous-liste de n'importe quelle liste.

   Une ***sous-séquence*** de la liste $L = (a_1, a_2, \ldots, a_n)$ est une liste formée en éliminant zéro ou plusieurs éléments de L. Les éléments restants, qui forment la sous-séquence, doivent apparaître dans le même ordre que dans L, mais les éléments de la sous-séquence ne sont pas nécessairement consécutifs dans L. Remarquez que ϵ et la liste L elle-même sont toujours des sous-séquences, de même que des sous-listes de L.

✦ **Exemple 6.5.** Soit L la chaîne de caractères abc. Les sous-listes de L sont

   ϵ, a, b, c, ab, bc, et abc

Elles sont toutes des sous-séquences de L et en plus ac est une sous-séquence mais pas une sous-liste.

Car et Cdr

Dans le langage de programmation Lisp, la tête est appelée le *car* et la queue est appelée le *cdr* (prononcé « cudder »). Les termes « *car* » et « *cdr* » proviennent des noms donnés aux deux champs d'une instruction machine d'un IBM 709, l'ordinateur sur lequel Lisp fut implémenté pour la première fois. Car signifie « contenu du registre d'adresse [1] » et cdr signifie « contenu du registre de décrémentation [2] ». En un certain sens, les mots mémoires étaient vus comme des cellules avec des champs `element` et `next`, correspondant respectivement aux car et cdr. Ni le registre d'adresse ni le registre de décrémentation n'étaient des « registres » au sens moderne du terme, comme il est utilisé au chapitre 4.

Prenons un autre exemple : soit L la chaîne de caractères `abab`. Les sous-listes sont alors

ϵ, `a`, `b`, `ab`, `ba`, `aba`, `bab`, et `abab`

Elles sont aussi des sous-séquences de L et en plus L a les sous-séquences `aa`, `bb`, `aab`, et `abb`. Remarquez qu'une chaîne de caractères comme `bba` n'est pas une sous-séquence de L. Même si L a deux `b` et un `a`, ils n'apparaissent pas dans L dans un ordre tel que nous puissions former `bba` en éliminant des éléments de L. Cela signifie qu'il n'y a pas de `a` après le second `b` dans L. ◆

Un **préfixe** d'une liste est n'importe quelle sous-liste qui commence au début de la liste. Un **suffixe** est une sous-liste qui se termine à la fin de la liste. Cas particulier : ϵ est à la fois préfixe et suffixe de n'importe quelle liste.

◆ **Exemple 6.6.** Les préfixes de la liste `abc` sont ϵ, `a`, `ab`, et `abc`. Ses suffixes sont ϵ, `c`, `bc`, et `abc`. ◆

La position d'un élément sur la liste

A chaque élément de la liste est associé une *position*. Si $(a_1, a_2, \ldots, a_n)$ est une liste et $n \geq 1$, alors on dit de a qu'il est le *premier* élément, a_2 le *second* et ainsi de suite, a_n étant le *dernier* élément. Nous disons aussi que l'élément a_i est à la *position i*. De plus, on dit de a_i qu'il *suit* a_{i-1} et qu'il *précède* a_{i+1}. On dit d'une position contenant l'élément a qu'elle est une **occurrence** de a.

Le nombre de positions dans une liste est égal à la longueur de la liste. Il est possible qu'un même élément apparaisse à deux ou plusieurs positions. Il est donc important de ne pas confondre position et élément à cette position. Par exemple, la liste (3) de l'exemple 6.1 a douze positions, sept d'entre elles contenant 31 — les positions 1, 3, 5, 7, 8, 10 et 12.

EXERCICES

6.2.1 : Répondez aux questions suivantes au sujet de la liste $(2, 7, 1, 8, 2)$.

a) Quelle est sa longueur ?

b) Quels sont tous ses préfixes ?

c) Quels sont tous ses suffixes ?

d) Quelles sont toutes ses sous-listes ?

e) Combien y a-t-il de sous-séquences ?

f) Quelle est sa tête ?

g) Quelle est sa queue ?

h) Combien y a-t-il de positions ?

6.2.2 : Refaites l'exercice 6.2.1 avec la chaîne de caractères `banane`.

6.2.3 : ** Dans une liste de longueur $n \geq 0$, quel sont les plus grands nombres et plus petits nombres possibles (a) de préfixes (b) de sous-listes (c) de sous-séquences ?

6.2.4 : Si la queue de la queue de la liste L est la liste vide, quelle est la longueur de L ?

6.2.5 : * Monsieur Embrouille a écrit une liste dont les éléments sont des listes d'entiers sans parenthèses, comme 1,2,3. Il y a beaucoup de listes de listes qui peuvent être représentées ainsi, telle que $\big((1), (2,3)\big)$. Quelles sont toutes les listes possibles qui n'ont pas la liste vide comme élément ?

6.3   Opérations sur les listes

Une grande variété d'opérations peuvent être appliquées aux listes. Au chapitre 2, lorsque nous avons examiné le tri par fusion, le problème de base était de trier une liste mais nous avions également besoin de diviser une liste en deux et de fusionner les deux listes triées. De façon formelle, l'opération qui consiste à **trier** une liste $(a_1, a_2, \ldots, a_n)$ revient à remplacer la liste par une liste constituée d'une permutation de ses éléments, $(b_1, b_2, \ldots, b_n)$, telle que $b_1 \leq b_2 \leq \cdots \leq b_n$. Ici, comme précédemment, $\leq$ représente un ordre sur les éléments, comme « plus petit ou égal à » entre les entiers ou les réels, ou un ordre lexicographique sur les chaînes de caractères. L'opération qui consiste à **fusionner** deux listes triées revient à construire une liste triée comprenant les mêmes éléments que les deux listes données. La multiplicité doit être préservée ; c'est-à-dire que s'il y a k occurrences de l'élément a dans les deux listes données, alors la liste résultante possède k occurrences de a. Revoyez le paragraphe 2.8 pour des exemples d'opérations sur les listes.

Insertion, suppression et recherche

Rappelons qu'un « dictionnaire » (voir paragraphe 5.8) est un ensemble d'éléments auquel on peut appliquer les opérations *insert*, *delete* et *lookup*. Il y a une différence importante entre les ensembles et les listes. Un élément ne peut jamais apparaître plus d'une fois dans un ensemble ; par contre, il peut apparaître plus d'une fois dans une liste ; cette différence ainsi que bien d'autres concernant les ensembles seront examinées au chapitre 7. Cependant, les ensembles peuvent être implémentés avec des listes ; les éléments d'un ensemble $\{a_1, a_2, \ldots, a_n\}$ peuvent être placés dans n'importe quel ordre $\big((a_1, a_2, \ldots, a_n)$ ou $(a_n, a_{n-1}, \ldots, a_1)\big)$ dans une liste. Ainsi, il n'est pas surprenant de trouver des opérations sur les listes qui soient analogues aux opérations de type dictionnaire sur les ensembles.

1. Nous pouvons insérer un élément x dans une liste L. En principe x peut apparaître n'importe où dans la liste ; le fait que x apparaisse déjà une ou plusieurs fois dans L n'est pas important. Nous insérons en ajoutant une occurrence supplémentaire de x. Cas particulier : si x est mis en tête de la nouvelle liste (et donc L est la queue), nous disons que nous *empilons* x sur la liste L ; la liste résultante est x, L.

2. Nous pouvons supprimer un élément x d'une liste L. Ici nous supprimons une occurrence de x de la liste L. S'il y a plus d'une occurrence, nous pouvons préciser l'occurrence à supprimer ; par exemple, nous pouvons toujours supprimer la première occurrence. Si nous voulons supprimer toutes les occurrences de x, nous répétons la suppression jusqu'à ce qu'il n'y ait plus de x. Si x n'est pas dans la liste L, la suppression est sans effet. Cas particulier : si nous supprimons l'élément de tête de la liste de sorte que la liste x, L soit transformée en L, nous disons que nous *dépilons* la liste.

3. Nous pouvons *rechercher* un élément x dans la liste L. Cette opération retourne VRAI ou FAUX en fonction de la présence ou non de l'élément x dans la liste.

◆ **Exemple 6.7.** Soit L la liste $(1, 2, 3, 2)$. Le résultat de *insert*$(1, L)$ peut être la liste $(1, 1, 2, 3, 2)$, si nous choisissons d'empiler 1, c'est-à-dire de l'insérer au début. Nous pouvons aussi insérer le nouveau 1 à la fin, ce qui nous donne la liste $(1, 2, 3, 2, 1)$. Le nouveau 1 peut également être placé à n'importe laquelle des trois positions intérieures de la liste L.

Le résultat de *delete*$(2, L)$ est la liste $(1, 3, 2)$ si nous supprimons la première occurrence de 2. Si nous appliquons *lookup*(x, L), la réponse est VRAI si x est 1, 2 ou 3 et FAUX si x est toute autre valeur. ◆

Concaténation

Nous *concaténons* deux listes L et M en formant la liste commençant avec les éléments de L et se poursuivant avec les éléments de M. C'est-à-dire que si $L = (a_1, a_2, \ldots, a_n)$ et si $M = (b_1, b_2, \ldots, b_n)$, alors LM, la concaténation de L et M est la liste

$$(a_1, a_2, \ldots, a_n, b_1, b_2, \ldots, b_k)$$

Notons que la liste vide est l'**identité pour la concaténation**. C'est-à-dire que pour toute liste L, nous avons $\epsilon L = L\epsilon = L$.

◆ **Exemple 6.8.** Si L est la liste $(1, 2, 3)$ et M est la liste $(3, 1)$, alors LM est la liste $(1, 2, 3, 3, 1)$. Si L est la chaîne de caractères chien et si M est la chaîne de caractères dent, alors LM est la chaîne de caractères chiendent. ◆

D'autres opérations sur les listes

Une autre famille d'opérations sur les listes ont trait à des positions particulières de la liste. Par exemple,

a) L'opération *first(L)* retourne le premier élément (la tête) de la liste L et *last(L)* retourne le dernier élément de L. Ces deux opérations provoquent une erreur si L est une liste vide.

b) L'opération *retrieve(i,L)* retourne l'élément à la i^{eme} position de la liste L. Une erreur est provoquée si la longueur de L est inférieure à i.

Il existe d'autres opérations qui mettent en jeu la longueur d'une liste. Les plus courantes sont :

c) *length(L)* qui retourne la longueur de la liste L.

d) *isEmpty(L)* qui retourne VRAI si L est une liste vide et FAUX sinon. Par contre, *isNotEmpty(L)* retourne l'inverse.

EXERCICES

6.3.1 : Soit L la liste $(3, 1, 4, 1, 5, 9)$.

a) Quelle est la valeur de $delete(5, L)$?
b) Quelle est la valeur de $delete(1, L)$?
c) Quel est le résultat d'un dépilement de L ?
d) Quel est le résultat d'un empilement de 2 sur la liste L ?
e) Que renvoie *lookup* lorsque l'élément est 6 et la liste L ?
f) Si M est la liste $(6, 7, 8)$, quelle est la valeur de LM (la concaténation de L et M) ? Qu'est ce que ML ?
g) Que renvoie $first(L)$?
h) Quel est le résultat de $retrieve(3, L)$?
i) Quelle est la valeur de $length(L)$?
j) Quelle est la valeur de $isEmpty(L)$?

6.3.2 : ** Si L et M sont des listes, sous quelles conditions a-t-on $LM = ML$?

6.3.3 : ** Soit x un élément et L une liste. Sous quelles conditions les équations suivantes sont-elles vraies ?

a) $delete\bigl(x, \ insert(x, L)\bigr) = L$
b) $insert\bigl(x, \ delete(x, L)\bigr) = L$
c) $first(L) = retrieve(1, L)$
d) $last(L) = retrieve\bigl(length(L), \ L\bigr)$

6.4   La structure de données liste chaînée

L'implémentation la plus immédiate d'une liste utilise une liste chaînée de cellules. Chaque cellule comprend deux champs, l'un contenant un élément de la liste et l'autre un pointeur vers la prochaine cellule de la liste chaînée. Supposons que nous souhaitions implémenter une liste d'éléments où chaque élément de la liste est du type ETYPE. Nous pouvons définir une cellule par la déclaration

```
type CELL = record
        element: ETYPE;
        next: LIST
    end;
```

Au préalable, le type `LIST` doit avoir été défini ainsi :

```
type LIST = ^CELL;
```

Remarquez que `LIST` est aussi le type d'un pointeur vers une cellule. En fait, le champ `next` de chaque cellule pointe vers la prochaine cellule ainsi que vers tout le reste de la liste.

La figure 6.2 montre une liste chaînée représentant la liste abstraite

$$L = (a_1, a_2, \ldots, a_n)$$

Il y a une cellule pour chaque élément ; l'élément a_i apparaît dans le champ `element` de la $i^{\grave{e}me}$ cellule. Le pointeur dans la $i^{\grave{e}me}$ cellule pointe vers la $(i+1)^{\grave{e}me}$, avec $i = 1, 2, \ldots, n-1$; le pointeur dans la dernière cellule est `NIL` (il indique la fin de la liste). En dehors de la liste, il y a un pointeur nommé L, qui pointe vers la première cellule de la liste ; L est du type `LIST`. Si la liste L était vide, alors la valeur de L serait `NIL`.

Figure 6.2 : Une liste chaînée représentant la liste $L = (a_1, a_2, \ldots, a_n)$.

Implémentation des opérations de type dictionnaire avec des listes chaînées

Intéressons-nous à l'implémentation des opérations de type dictionnaire en représentant le dictionnaire par une liste chaînée. Les opérations suivantes sur les dictionnaires ont été définies au paragraphe 5.8.

1. *insert*(x, D), pour insérer l'élément x dans le dictionnaire D,

2. *delete*(x, D) pour supprimer l'élément x du dictionnaire D, et

3. *lookup*(x, D) pour déterminer si l'élément x est dans le dictionnaire D.

Nous allons voir que la liste chaînée est une structure de données permettant d'implémenter plus facilement les dictionnaires que ne le permet l'arbre binaire de recherche que nous avons examiné au chapitre précédent. Cependant, le temps d'exécution des opérations de type dictionnaire ne sera pas aussi bon avec la représentation par liste chaînée qu'avec l'arbre binaire de recherche. Au chapitre 7, nous verrons une implémentation encore meilleure pour les dictionnaires ; c'est une table de hachage qui utilise les opérations de type dictionnaire sur les listes en guise de sous-routines.

Nous supposerons que notre dictionnaire contient des membres du type `ETYPE`, et que les cellules sont définies comme elles l'ont été au début de ce paragraphe. Le dictionnaire contenant l'ensemble des éléments $\{a_1, a_2, \ldots, a_n\}$ peut être représenté par

Listes et listes chaînées

Il est essentiel de se rappeler qu'une liste est un modèle abstrait ou mathématique. La liste chaînée est une simple structure de données, comme cela fut évoqué au chapitre 1. Une liste chaînée est une manière d'implémenter le modèle de données liste ; nous verrons que ce n'est pas la seule. De toute façon, il est toujours bon de rappeler une fois de plus la distinction entre les modèles et les structures de données qui les implémentent.

la liste chaînée de la figure 6.2. Il y a beaucoup d'autres listes qui pourraient représenter le même ensemble.

Recherche

Pour réaliser *lookup*(x, D); nous examinons chaque cellule de la liste représentant D pour vérifier qu'elle contient l'élément x souhaité. Si c'est le cas, nous retournons VRAI. Si nous atteignons la fin de la liste sans avoir trouvé x, nous retournons FAUX. Une fonction récursive réalisant ce test est montrée dans la figure 6.3. Nous appelons la fonction lookup(x,D) pour initialiser le test vérifiant si x est un membre du dictionnaire D.

```
function lookup(x: ETYPE; L: LIST): Boolean;
begin
    if L = NIL then
        lookup := FALSE
    else if L^.element = x then
        lookup := TRUE
    else
        lookup := lookup(x, L^.next)
end; (* lookup *)
```

Figure 6.3 : Recherche dans une liste chaînée.

Si la longueur de la liste est n, nous affirmons que la procédure de la figure 6.3 est en $O(n)$. Excepté pour l'appel récursif à la fin, lookup est en $O(1)$. Quand cet appel est fait, la longueur de la liste restante est la longueur de la liste L moins 1. Il ne devrait donc surprendre personne que lookup sur une liste de longueur n soit en $O(n)$. Plus formellement, la relation de récurrence suivante donne le temps d'exécution $T(n)$ de lookup quand la liste L pointée par le second argument est de longueur n.

LA BASE. $T(0)$ est en $O(1)$, car il n'y a pas d'appel récursif quand L est NIL.

LA RÉCURRENCE. $T(n) = T(n-1) + O(1)$.

La solution à cette récurrence est $T(n) = O(n)$, comme nous l'avons vu plusieurs fois au chapitre 3. Puisqu'un dictionnaire de n éléments est représenté par une liste de longueur n, *lookup* est en $O(n)$ pour un dictionnaire de taille n.

Malheureusement, le temps moyen pour une recherche fructueuse est aussi proportionnel à n. Par exemple, si nous recherchons un élément quelconque x qui est dans D, nous aurons à faire la moitié du chemin sur la liste avant de trouver x. Ceci nous donne une moyenne de $n/2$ appels récursifs à `lookup`, chacun d'eux étant en $O(1)$. En moyenne, la recherche fructueuse est donc en $O(n)$. Bien sûr, si la recherche échoue, nous faisons n appels avant d'atteindre la fin de la liste et nous retournons `FAUX`.

Suppression

La procédure `delete(x,L)` est montrée dans la figure 6.4. Nous parcourons une liste chaînée en conservant un pointeur vers la cellule « courante » dans un paramètre `var` nommé L. Si nous trouvons x dans la cellule courante C, à la ligne (2), nous échangeons le pointeur vers la cellule C à la ligne (3), de sorte qu'il pointe vers la cellule suivant C sur la liste. Si C est la dernière sur la liste, le premier pointeur vers C devient `NIL`. Si x n'est pas l'élément courant, alors (à la ligne (4)) nous supprimons récursivement x de la queue de la liste. Remarquez que si la liste est vide (test de la ligne (1)), la procédure retourne sans accomplir d'action. Ceci car x n'est pas présent dans une liste vide et il n'y a donc rien à faire pour retirer x du dictionnaire. Un appel à `delete(x,D)` initialise la suppression de x dans le dictionnaire D.

```
       procedure delete(x: ETYPE; var L: LIST);
       begin
(1)        if L <> NIL then
(2)            if L^.element = x then
(3)                L := L^.next
               else
(4)                delete(x, L^.next)
       end; (* delete *)
```

Figure 6.4 : Suppression d'un élément.

Si l'élément x n'est pas dans la liste pour le dictionnaire D, alors nous allons jusqu'à la fin de la liste, dans un temps en $O(1)$ pour chaque élément. L'analyse est semblable à celle de la procédure `lookup` de la figure 6.3 et nous laissons au lecteur le soin d'en étudier les détails. Le temps requis pour supprimer un élément qui n'est pas dans D est en $O(n)$ si D a n éléments. Si x est dans le dictionnaire D, alors, en moyenne, nous rencontrerons x à mi-chemin de notre parcours de la liste. Nous cherchons donc en moyenne $n/2$ cellules et le temps d'exécution d'une suppression réussie est aussi en $O(n)$.

Insertion

Pour insérer un élément x dans un dictionnaire D, nous devons vérifier que x n'est pas déjà présent (s'il l'est, nous ne faisons rien). Si x n'est pas déjà dans D, nous devons l'ajouter dans la liste. L'endroit où nous ajoutons x nous importe peu (la procédure de la figure 6.5 ajoute x à la fin de la liste). Lorsqu'à la ligne (1) nous trouvons `NIL` à

```
    procedure insert(x: ETYPE; var L: LIST);
    begin
(1)     if L = NIL then begin
(2)         new(L);
(3)         L^.element := x;
(4)         L^.next := NIL
        end
(5)     else if L^.element <> x then
(6)         insert(x, L^.next)
    end; (* insert *)
```

Figure 6.5 : Insertion d'un élément.

la fin, et que nous sommes donc sûr que x n'est pas déjà dans D, les lignes (2) à (4) ajoutent x à la fin de la liste. Si la liste n'est pas NIL, la ligne (5) vérifie si x est dans la cellule courante, et s'il n'y est pas, la ligne (6) fait un appel récursif sur la queue. Si x est trouvé à la ligne (5), alors la procédure **insert** termine sans appel récursif et sans affecter la liste L. Un appel à **insert(x,D)** initialise l'insertion de x dans le dictionnaire D.

Comme dans le cas de la recherche et de la suppression, si nous ne trouvons pas x sur la liste, nous allons jusqu'à la fin et prenons un temps en $O(n)$. Si nous trouvons x, alors en moyenne nous parcourons la liste jusqu'à mi-chemin et nous prenons toujours en moyenne un temps en $O(n)$.

Une variante avec répétitions

Nous pouvons réaliser une insertion plus rapide si nous ne vérifions pas la présence de x sur la liste avant de l'insérer. En conséquence, il peut y avoir alors plusieurs copies d'un élément sur la liste représentant un dictionnaire.

Pour exécuter l'opération de type dictionnaire $insert(x, D)$, nous créons simplement une nouvelle cellule, mettons x dedans et empilons cette cellule en tête de la liste pour D. Cette opération est en $O(1)$.

L'opération de recherche est exactement la même que dans la figure 6.3. La seule nuance est que nous pouvons avoir à chercher dans une liste plus longue car la longueur de la liste représentant le dictionnaire D peut être supérieure au nombre de membres de D.

La suppression est légèrement différente. Nous ne pouvons pas arrêter notre recherche de x quand nous rencontrons une cellule avec un élément x car il peut y avoir d'autres copies de x. Nous devons donc supprimer x de la queue de la liste L, même lorsque la tête de L contient x. Non seulement nous avons à traiter des listes plus longues mais pour réussir une suppression nous devons examiner chaque cellule et non pas en moyenne seulement la moitié de la liste comme c'était le cas lorsque les répétitions n'étaient pas autorisées. Les détails de ces variantes des opérations de type dictionnaire sont laissés en exercice.

En résumé, en autorisant les répétitions, nous rendons l'insertion plus rapide, en $O(1)$ au lieu de $O(n)$. Cependant, les suppressions réussies requièrent une recherche

Abstraction contre implémentation

Il peut être surprenant d'utiliser des répétitions dans des listes qui représentent les dictionnaires, puisque le type de données abstrait DICTIONNAIRE est défini comme étant un ensemble, et les ensembles sont sans répétitions. Cependant, ce n'est pas le dictionnaire qui a des répétitions. C'est la structure de données implémentant le dictionnaire qui est autorisée à en avoir. Même lorsque x apparaît plusieurs fois dans une liste chaînée, il est présent seulement une fois dans le dictionnaire représenté par la liste chaînée.

sur toute la liste et non pas en moyenne sur la moitié de la liste ; pour les recherches et suppressions, nous devons traiter des listes plus longues que dans le cas où les répétitions ne sont pas autorisées ; la différence sur la longueur dépend de la fréquence d'insertion d'un élément déjà présent dans le dictionnaire.

Décider de la bonne méthode est délicat. Il est clair que si les insertions prédominent, nous devons autoriser les répétitions. Cas extrême, si nous ne faisons que des insertions mais jamais de recherche ou de suppression, nous obtenons un temps par opération en $O(1)$ au lieu de $O(n)$.[3] Si nous pouvons être sûrs que pour une raison ou pour une autre, nous n'insérerons jamais un élément déjà présent dans le dictionnaire, alors nous pouvons utiliser à la fois l'insertion rapide et la suppression rapide ; c'est-à-dire que nous nous arrêtons lorsque nous trouvons une occurrence de l'élément à supprimer. Par ailleurs, si des répétitions peuvent se produire et si les recherches et les suppressions prédominent, alors nous avons intérêt à vérifier la présence de x avant de l'insérer, comme pour la procédure *insert* de la figure 6.5.

Des listes triées pour représenter les dictionnaires

Une alternative est de conserver les éléments triés en ordre croissant sur la liste représentant un dictionnaire D. Ensuite, si nous souhaitons rechercher un élément x, il suffit d'aller jusqu'à la position où x devrait apparaître ; en moyenne, c'est à mi-chemin de la liste. Si nous rencontrons un élément plus grand que x, alors il n'y a pas d'espoir de trouver x plus en avant dans la liste. Nous évitons ainsi de faire tout le chemin sur la liste pour les recherches infructueuses. Nous gagnons un facteur 2 bien que le facteur exact ne soit pas aussi facile à déterminer car nous devons vérifier si x suit chacun des éléments rencontrés sur la liste (ce qui constitue une étape supplémentaire à chaque cellule). Cependant, le même facteur est gagné pour les recherches infructueuses durant l'insertion et la suppression.

Une procédure de recherche pour les listes triées est montrée dans la figure 6.6. Nous laissons le soin au lecteur de modifier les procédures des figures 6.4 et 6.5 pour qu'elles fonctionnent sur des listes triées.

---

[3] Mais pourquoi insérer dans un dictionnaire si nous ne cherchons jamais ce qu'il y a dedans ?

```
function lookup(x: ETYPE; L: LIST): Boolean;
begin
    if L = NIL then
        lookup := FALSE
    else if x > L^.element then
        lookup := lookup(x, L^.next)
    else if x = L^.element then
        lookup := TRUE
    else (* ici x < L^.element, et donc x ne peut pas être
            dans la liste triée L *)
        lookup := FALSE
end; (* lookup *)
```

Figure 6.6 : Recherche dans une liste triée.

Comparaison des méthodes

La table de la figure 6.7 indique le nombre de cellules à examiner pour chacune des trois opérations de type dictionnaire et pour chacune des trois représentations de dictionnaires basées sur des listes. Le nombre d'éléments dans le dictionnaire est n qui est aussi la longueur de la liste si les répétitions sont autorisées. Nous savons que $m \geq n$, mais nous ne savons pas à quel point m est supérieur à n. Par $n/2 \to n$, nous voulons dire que le nombre de cellules est en moyenne $n/2$ quand la recherche est fructueuse et n quand elle est infructueuse. L'entrée $n/2 \to m$ indique que lors d'une recherche fructueuse, nous examinerons en moyenne $n/2$ éléments du dictionnaire avant de tomber sur celui que nous voulons [4] mais pour une recherche infructueuse, il faut aller jusqu'à la fin de la liste de longueur m.

	INSERTION	SUPPRESSION	RECHERCHE
Pas de répétitions	$n/2 \to n$	$n/2 \to n$	$n/2 \to n$
Répétitions	0	m	$n/2 \to m$
Triée	$n/2$	$n/2$	$n/2$

Figure 6.7 : Nombre de cellules examinées par les trois méthodes de représentations des dictionnaires par listes chaînées.

Remarquez que tous ces temps d'exécution, sauf pour le cas de l'insertion avec répétitions, sont moins bons que les temps d'exécution moyens pour les opérations de type dictionnaire utilisant un arbre binaire de recherche comme structure de données. Comme nous l'avons vu au paragraphe 5.9, les opérations de type dictionnaire sont en moyenne seulement en $O(\log n)$ lorsque l'arbre binaire de recherche est utilisé.

---

[4] En fait, puisqu'il peut y avoir des répétitions, nous pouvons avoir à examiner un peu plus de $n/2$ cellules pour avoir $n/2$ éléments différents.

Un ordonnancement judicieux des tests

Remarquez l'ordre dans lequel les trois tests de la figure 6.6 sont effectués. Nous ne pouvons pas faire autrement que de tester en premier si L n'est pas NIL puisque si L est NIL, les deux autres tests entraîneraient une erreur. Soit y la valeur de L^.element. Ensuite, pour toutes les cellules visitées sauf la dernière, nous aurons $x < y$. En effet, si nous avons $x = y$, nous terminons la recherche avec succès, et si nous avons $x > y$, nous ne trouvons pas x et nous terminons par un échec. Nous faisons donc le test $x < y$ en premier et nous devons séparer les deux autres cas seulement s'il échoue. Cet ordonnancement des tests respecte un principe plus général : nous voulons tester en premier la plupart des cas courants et économiser le nombre moyen de tests à accomplir. Si nous visitons k cellules, alors nous testons k fois si L est NIL et nous testons k fois si x est plus petit que y. Nous testerons une fois si $x = y$, ce qui nous donne un total de $2k + 1$ tests. C'est seulement un test de plus que dans la procédure lookup de la figure 6.3 — qui utilise des listes non triées — pour le cas où l'élément x est trouvé. Si l'élément n'est pas trouvé, nous nous attendons à utiliser bien moins de tests dans la figure 6.6 que dans la figure 6.3 parce que, dans la figure 6.6, en moyenne, nous nous arrêtons après avoir examiné seulement la moitié des cellules. Ainsi, bien que les temps d'exécution grand O des opérations de type dictionnaire utilisant des listes triées ou non triées soient en $O(n)$, le facteur constant est un peu plus intéressant si nous utilisons des listes triées.

Listes doublement chaînées

Dans une liste chaînée, il n'est pas facile de se déplacer d'une cellule vers le début de la liste. La liste doublement chaînée est une structure de données qui facilite le déplacement vers l'avant ou l'arrière dans une liste. Les cellules d'une liste doublement chaînée contiennent trois champs :

```
type LIST = ^CELL;
    CELL = record
        element: ETYPE;
        next, previous: LIST;
    end;
```

Le troisième champ contient un pointeur vers la cellule précédente sur la liste. La figure 6.8 montre une structure de données de liste doublement chaînée qui représente la liste $L = (a_1, a_2, \ldots, a_n)$.

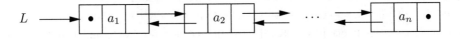

Figure 6.8 : Une liste doublement chaînée représentant la liste
$L = (a_1, a_2, \ldots, a_n)$.

Les opérations de type dictionnaire sur une structure de liste doublement chaînée sont essentiellement les mêmes que celles sur une liste simplement chaînée. Pour voir l'avantage des listes doublement chaînées, considérons l'opération de suppression d'un élément a_i, étant donné un pointeur vers la cellule contenant cet élément. Avec une liste simplement chaînée, nous aurions à trouver la cellule précédente en parcourant la liste depuis le début. Avec une liste doublement chaînée, nous pouvons accomplir la tâche en $O(1)$ par une séquence de manipulations de pointeurs, comme cela est montré dans la figure 6.9.

```
      procedure delete(p: LIST; var L: LIST);
          (* p est un pointeur vers la cellule à supprimer et L est
              un pointeur vers la première cellule de la liste *)
      begin
(1)       if p^.next <> NIL then
(2)           p^.next^.previous := p^.previous
          end;
(3)       if p^.previous = NIL then (* p pointe vers la première
                                           cellule *)
(4)           L := p^.next
          else
(5)           p^.previous^.next := p^.next
      end; (* delete *)
```

Figure 6.9 : Suppression d'une cellule d'une liste doublement chaînée.

A la ligne (1) de la figure 6.9, nous vérifions que p ne pointe pas vers la dernière cellule. Si tel n'est pas le cas, alors, à la ligne (2), nous faisons pointer le pointeur arrière de la cellule suivante vers la cellule avant p (ou nous le rendons égal à NIL si p est la première cellule). La ligne (3) teste si p est la première cellule. Si tel est le cas, alors à la ligne (4), nous faisons pointer L vers la seconde cellule. Remarquez que dans ce cas, la ligne (2) a affecté NIL au champ **previous** de la seconde cellule. Si p ne pointe pas vers la première cellule, alors à la ligne (5), nous faisons pointer le pointeur avant de la cellule précédente vers la cellule suivant p. De cette manière, la cellule pointée par p a été effectivement sortie de la liste ; les cellules précédente et suivante pointent l'une vers l'autre.

EXERCICES

6.4.1 : Etablissez les relations de récurrence pour les temps d'exécution de (a) `delete` de la figure 6.4 (b) `insert` de la figure 6.5. Quelles sont leurs solutions ?

6.4.2 : Ecrivez les procédures Pascal pour les opérations de type dictionnaire *insert*, *lookup* et *delete* en utilisant les listes chaînées avec répétitions.

6.4.3 : Ecrivez les procédures Pascal pour *insert* et *delete*, en utilisant les listes triées comme dans la figure 6.6.

6.4.4 : Ecrivez une procédure Pascal qui insère un élément x dans une nouvelle cellule qui suit la cellule pointée par p sur une liste doublement chaînée. La figure 6.9 est une procédure similaire pour la suppression, mais pour une insertion, nous n'avons pas besoin de connaître l'en-tête de liste *L*.

6.4.5 : Si nous utilisons une structure de données doublement chaînée pour les listes, on peut représenter une liste non pas par un pointeur vers une cellule mais par une cellule avec le champ `element` non utilisé. Remarquez que cette cellule « d'en-tête » ne fait pas partie de la liste. Le champ `next` de l'en-tête pointe vers la première vraie cellule de la liste et le champ `previous` de la première cellule pointe vers la cellule d'en-tête. Nous pouvons alors supprimer la cellule (pas l'en-tête) pointée par le pointeur *p* sans connaître l'en-tête *L*, comme nous en avions besoin dans la figure 6.9. Ecrivez une procédure Pascal pour supprimer un élément d'une liste doublement chaînée en utilisant le format décrit.

6.4.6 : Ecrivez des procédures récursives pour (a) *retrieve*(*i*, *L*), (b) *length*(*L*), (c) *last*(*L*) en utilisant la structure de données de liste chaînée.

6.4.7 : * Dans ce paragraphe, nous avons écrit — ou nous vous avons demandé de concevoir aux exercices 6.4.2 et 6.4.3 — trois versions des opérations de type dictionnaire sur les listes chaînées. Ecrivez chacune de ces neuf procédures en tant que programmes non récursifs dans le langage d'assemblage introduit au chapitre 4. Comptez le nombre d'instructions exécutées par élément et comparez les performances des trois ensembles de procédures, à la fois dans le cas où l'élément est trouvé au milieu de la liste et dans le cas où l'élément n'est pas trouvé dans la liste.

6.5   Implémentation des listes par des tableaux

Une autre façon courante d'implémenter une liste est d'utiliser un tableau pour stocker les éléments. Nous pouvons maintenir un compteur du nombre d'éléments dans une variable séparée et stocker les éléments dans des emplacements contigus du tableau, en commençant par le premier emplacement. La figure 6.10 illustre une représentation de la liste $(a_1, a_2, \ldots, a_n)$ utilisant un tableau.

La déclaration d'une implémentation d'une liste avec un tableau dont les éléments sont du type `ETYPE` est la suivante :

```
type LIST = record
        A: array [1..MAXLENGTH] of ETYPE;
        length: integer
    end;
```

Ici, une `LIST` est un enregistrement de deux champs ; le premier est un tableau `A` qui stocke les éléments, le second est un entier `length` qui contient le nombre d'éléments sur la liste. La quantité `MAXLENGTH` est une constante utilisateur qui limite le nombre d'éléments pouvant être stockés sur la liste.

La représentation des listes en tableaux est par bien des aspects plus pratique que la représentation par listes chaînées. Elle souffre cependant d'une limitation : les listes ne peuvent pas grandir au-delà des limites du tableau ; une insertion peut donc échouer. Dans la représentation par liste chaînée, nous pouvons en principe faire grandir les listes autant que nous le voulons ; en pratique, nous pouvons être limités par la taille de la mémoire de l'ordinateur si nos listes atteignent des longueurs démesurées.

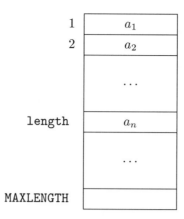

Figure 6.10 : Un tableau représentant la liste $(a_1, a_2, \ldots, a_n)$.

Nous pouvons réaliser les opérations de type dictionnaire sur les listes représentées par des tableaux en à-peu-près le même temps que nous le pouvons sur les listes représentées par des listes chaînées. Nous allons nous intéresser plus particulièrement à l'opération *lookup*. Les opérations *insert* et *delete* sont similaires.

Pour insérer x, nous recherchons x et si nous ne le trouvons pas, nous testons si *length* est inférieur à *MAXLENGTH*. Si tel n'est pas le cas, il y a une erreur puisque nous ne pouvons pas placer le nouvel élément dans le tableau. Sinon, nous incrémentons *length* de 1 et stockons x dans `A[length]`. Pour supprimer x, nous recherchons à nouveau x et si nous le trouvons, nous décalons tous les éléments suivants de A d'une position vers la gauche ; ensuite, nous décrémentons *length* de 1.

Consultation par recherche linéaire

La figure 6.11 est un programme qui implémente la fonction $lookup(x, L)$. L'instruction `with` de la ligne (1) fait que `A` et `length` sont interprétés comme étant respectivement `L.A` et `L.length`. Remarquez que ce sont les deux champs de l'enregistrement L.

En commençant avec $i = 1$ à la ligne (2), nous examinons chaque emplacement du tableau jusqu'à ce que nous atteignions le dernier emplacement occupé ou bien que nous trouvions x. Remarquez que la condition complexe de la ligne (3) a pour effet de nous faire sortir de la boucle pour l'une de ces raisons. Ensuite, à la ligne (5), nous déterminons la raison pour laquelle nous sommes sortis de la boucle. Si $x = A[i]$ alors nous avons trouvé x et donc nous avons affecté `TRUE` à *lookup*. Si nous ne trouvons pas x, mais si i devient égal à *length*, nous affectons `FALSE` à *lookup*. Cette méthode de recherche est appelée recherche *linéaire* ou *séquentielle*.

Il est facile de s'apercevoir qu'en moyenne, nous recherchons jusqu'à la moitié du tableau `A[1..length]` avant de trouver x lorsqu'il est présent. Donc, en posant n pour valeur de `length`, une recherche se fait en $O(n)$. Si x n'est pas présent, nous parcourons entièrement le tableau `A[1..length]`, ce qui se fait également en $O(n)$. Ces performances sont les mêmes que pour la représentation d'une liste par liste chaînée.

```
function lookup(x: ETYPE; var L: LIST): Boolean;

var i: integer;

begin
(1)     with L do begin
(2)         i := 1;
(3)         while (i < length) AND (x <> A[i]) do
(4)             i := i+1;
(5)         lookup := (x = A[i])
        end
end; (* lookup *)
```

Figure 6.11 : Exemple de consultation par recherche linéaire.

Recherche avec sentinelles

La boucle `while` de la figure 6.11 a une condition de terminaison compliquée. Nous pouvons simplifier le test et accélérer le programme en insérant temporairement x à la fin de la liste. Cet x à la fin de la liste est appelé une *sentinelle*. Cette technique fut initialement évoquée dans un encart sur « la programmation plus prudente » au paragraphe 3.6 et une application importante est trouvée ici. En supposant qu'il y ait toujours un emplacement supplémentaire à la fin de la liste, nous pouvons utiliser le programme de la figure 6.12 pour rechercher x. Le temps d'exécution du programme est toujours en $O(n)$, mais la constante de proportionnalité est plus petite car le nombre d'instructions machine requises par le corps et les tests des boucles `while` sera naturellement plus petit pour la figure 6.12 que pour la figure 6.11.

```
function lookup(x: ETYPE; var L: LIST): Boolean;

var i: integer;

begin
(1)     with L do begin
(2)         A[length+1] := x;
(3)         i := 1;
(4)         while x <> A[i] do
(5)             i := i+1;
(6)         lookup := (i <= length)
        end
end; (* lookup *)
```

Figure 6.12 : Un programme qui fait une recherche avec une sentinelle.

La sentinelle est placée juste derrière la liste (ligne (2)). Remarquez que puisque *length* ne change pas, ce x ne fait pas réellement partie de la liste. La boucle des lignes (4) et (5) incrémentent i jusqu'à ce que nous trouvions x. Remarquez que grâce à la sentinelle, nous sommes certain de trouver x. Après avoir trouvé x, nous vérifions à la ligne (6) que nous avons rencontré la sentinelle (c'est-à-dire, que i est plus grand que *length*), ce qui signifie que x ne fait en réalité pas partie de la liste, ou nous indique si nous avons trouvé une occurrence réelle de x. Remarquez que lorsque nous faisons des insertions en utilisant une sentinelle, il est essentiel que *length* soit strictement inférieur à *MAXLENGTH*; si tel n'était pas le cas, il n'y aurait pas de place pour la sentinelle.

Recherche dans des listes triées avec recherche binaire

Supposons que L soit une liste dans laquelle les éléments $a_1, a_2, \ldots, a_n$ ont été triés en ordre non décroissant. Si la liste triée est stockée dans un tableau `A[1..n]`, nous pouvons accélérer considérablement les recherches en utilisant une technique connue sous le nom de *recherche binaire*. Nous devons d'abord trouver l'index m de l'élément du milieu; c'est-à-dire $m = \lceil n/2 \rceil$, ou de manière équivalente, $m = \lfloor (1+n)/2 \rfloor$.[5] Ensuite, nous comparons l'élément recherché x avec $A[m]$. S'ils sont égaux, nous avons trouvé x. Si $x < A[m]$, nous répétons récursivement la recherche sur la sous-liste `A[1..m-1]`. Si $x > A[m]$, nous répétons récursivement la recherche sur la sous-liste `A[m+1..n]`. Si à un moment, nous essayons de chercher dans une liste vide, nous provoquons une erreur. La figure 6.13 illustre le processus de division.

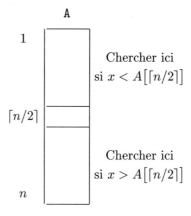

Figure 6.13 : La recherche binaire divise un intervalle en deux.

Le programme complet est montré dans la figure 6.14. Le programme utilise les variables `low` et `high` pour les bornes inférieures et supérieures de l'intervalle dans lequel x pourrait se trouver. Si à un moment donné, la borne inférieure dépasse la borne supérieure, nous avons échoué dans notre recherche de x; le programme termine et retourne `FALSE`.

---

[5] La notation $\lfloor a \rfloor$, le *plancher* de a est la partie entière de a. Ainsi, $\lfloor 6.5 \rfloor = 6$ et $\lfloor 6 \rfloor = 6$. Egalement, $\lceil a \rceil$, le *plafond* de a est le plus petit entier supérieur ou égal à a. Par exemple, $\lceil 6.5 \rceil = 7$ et $\lceil 6 \rceil = 6$.

L'importance des facteurs constants dans la pratique

Tout au long du chapitre 3, nous avons mis l'accent sur l'importance des mesures en grand O du temps d'exécution ; peut-être avons-nous donné l'impression que la notation grand O est seulement ce qui compte et qu'un algorithme en $O(n)$ est aussi bon que tout autre algorithme en $O(n)$ pour la même tâche. Pourtant, dans notre discussion sur les sentinelles et dans d'autres paragraphes, nous avons examiné assez soigneusement le facteur constant caché par $O(n)$. La raison est simple. Bien qu'il soit vrai que les mesures grand O du temps d'exécution sont plus importantes que les facteurs constants, il n'est pas moins vrai que toute personne étudiant le sujet en devient consciente assez rapidement. Nous apprenons, par exemple, à utiliser un tri en $O(n \log n)$ quand n est suffisamment grand pour que cela ait de l'importance. Un autre aspect important pour les performances d'un logiciel vient souvent de l'amélioration du facteur constant dans un algorithme qui a déjà le bon grand O et cet aspect se traduit souvent en succès ou échec d'un logiciel commercial.

```
        function lookup(x: ETYPE; var L: LIST;
                    low, high: integer): Boolean;

        var mid: integer;

        begin
(1)         with L do begin
(2)             if low > high then lookup := FALSE
                else begin
(3)                 mid := (low + high) DIV 2;
(4)                 if x < A[mid] then
(5)                     lookup := lookup(x, L, low, mid-1)
(6)                 else if x > A[mid] then
(7)                     lookup := lookup(x, L, mid+1, high)
                    else (* x = A[mid] *)
(8)                     lookup := TRUE
                end
            end
        end; (* lookup *)
```

Figure 6.14 : Un programme utilisant une recherche binaire.

La procédure examine $A[mid]$, l'élément au milieu de l'intervalle, pour déterminer si x est trouvé, avec $mid = \lfloor (low + high/2) \rfloor$. Si tel n'est pas le cas, elle continue la recherche dans la moitié inférieure (respectivement supérieure) selon que x est plus petit que (respectivement plus grand que) $A[mid]$. La procédure peut être prouvée simplement en utilisant l'assertion de récurrence qui prétend que si x est dans le tableau, alors il doit être dans l'intervalle `A[low..high]`. La preuve, laissée en exercice, se fait par récurrence sur la différence $high - low$.

A chaque itération, le programme de recherche binaire soit trouve l'élément x quand il atteint la ligne (8) soit s'appelle lui-même récursivement à la ligne (5) ou à la ligne (7) sur une sous-liste qui est au plus moitié moins longue que le tableau `A[low..high]` sur lequel il avait été appelé. En commençant avec un tableau de longueur n, nous ne pouvons pas diviser de moitié la longueur du tableau plus de $\log_2 n$ fois jusqu'à ce qu'il soit de longueur 1, auquel cas soit nous trouvons x en `A[mid]` soit nous ne trouvons pas x après un appel sur la liste vide.

Ainsi, `lookup` s'appelle elle-même au plus $O(\log n)$ fois. A chaque appel, nous dépensons $O(1)$ plus le temps de l'appel récursif. Le temps d'exécution de la recherche binaire est donc $O(\log n)$. Comme nous l'avons vu, la recherche linéaire est en moyenne en $O(n)$. L'avantage est donc à la recherche binaire.

EXERCICES

6.5.1 : Ecrivez des procédures pour (a) insérer x et (b) supprimer x d'une liste L, en utilisant la recherche linéaire dans un tableau.

6.5.2 : Refaites l'exercice 6.5.1 pour un tableau avec sentinelles.

6.5.3 : Refaites l'exercice 6.5.1 pour un tableau trié.

6.5.4 : ** Soit $P(k)$ la longueur ($high - low + 1$) du plus long tableau tel que l'algorithme de recherche binaire de la figure 6.14 ne fasse jamais plus de k **investigations** [évaluations de `mid` à la ligne (3)]. Par exemple, $P(1) = 1$ et $P(2) = 3$. Ecrivez une relation de récurrence pour $P(k)$. Quelle est la solution à votre relation de récurrence ? Démontre-t-elle que la recherche binaire fait des investigations en $O(\log n)$?

6.5.5 : * Prouvez par récurrence sur la différence entre *low* et *high* que si x est dans l'intervalle `A[low..high]`, alors l'algorithme de recherche binaire de la figure 6.14 trouvera x.

6.5.6 : Supposons que nous autorisions les répétitions dans les tableaux ; l'insertion pourrait ainsi être faite en $O(1)$. Ecrivez les procédures *insert*, *delete*, et *lookup* pour cette structure de données.

6.5.7 : * Ecrivez des programmes en langage assembleur pour les opérations de type dictionnaire en utilisant la structure de données de ce paragraphe. Comparez le nombre d'instructions par élément avec le nombre pour les représentations par listes chaînées étudiées à l'exercice 6.4.6.

6.5.8 : ** Etablissez et résolvez une relation de récurrence pour le temps d'exécution d'une recherche binaire sur un tableau de n éléments. *Une indication*: pour simplifier, prenez $T(n)$ comme borne supérieure sur le temps d'exécution d'une recherche binaire sur un tableau d'au plus n éléments (et non pas exactement n éléments comme notre approche habituelle nous le suggérait).

6.5.9 : Dans une **recherche ternaire**, étant donné un intervalle de *low* à *high*, nous calculons approximativement le 1/3 de l'intervalle,

$$first = \lfloor (2 \times low + high)/3 \rfloor$$

et comparons l'élément x recherché avec $A[first]$. Si $x > A[first]$, nous calculons approximativement les 2/3,

$$second = \lceil (low + 2 \times high)/3 \rceil$$

et nous comparons x avec $A[second]$. Ensuite, nous isolons x de l'un des trois intervalles, chacun n'ayant pas plus d'un tiers de l'intervalle de low à $high$. Ecrivez une procédure pour accomplir la recherche ternaire.

6.5.10 : ** Refaites l'exercice 6.5.4 pour la recherche ternaire. C'est-à-dire, trouvez et résolvez une relation de récurrence pour le plus grand tableau qui ne requiert pas plus de k investigations durant la recherche ternaire. Comparez le nombre d'investigations requises pour la recherche binaire avec le nombre d'investigations requises pour la recherche ternaire. C'est-à-dire que pour un k donné, pouvons-nous gérer des tableaux plus grands avec la recherche binaire ou avec la recherche ternaire ?

6.6   Les piles

Une **pile** est un type de données abstrait basé sur le modèle de données liste dans lequel toutes les opérations sont réalisées à une extrémité de la liste, que nous appelons **sommet** de la pile. Le terme « LIFO (pour last-in first-out) » est un synonyme de pile.

Le modèle abstrait d'une pile est le même que celui d'une liste — c'est-à-dire une séquence d'éléments $a_1, a_2, \ldots, a_n$ du même type ETYPE. En général, les piles se distinguent des listes par l'ensemble particulier d'opérations autorisées. Nous donnerons plus tard un ensemble plus complet des opérations mais pour le moment, nous notons que les opérations de base sur les piles sont **push** et **pop**, où $push(x)$ met l'élément x au sommet de la pile et pop retire l'élément du sommet de la pile. Si nous écrivons les piles avec le sommet à l'extrémité droite, l'opération $push(x)$ appliquée à la liste $(a_1, a_2, \ldots, a_n)$ donne la liste $(a_1, a_2, \ldots, a_n, x)$. Dépiler la liste $(a_1, a_2, \ldots, a_n)$ donne la liste $(a_1, a_2, \ldots, a_{n-1})$; dépiler la liste vide, ϵ, est impossible et provoque une erreur.

✦ **Exemple 6.9.** Beaucoup de compilateurs commencent par transformer les expressions infixées qui apparaissent dans les programmes en des expressions postfixées équivalentes. Par exemple, l'expression $(3 + 4) \times 2$ est $3\ 4 + 2\ \times$ en notation postfixe. Une pile peut être utilisée pour évaluer des expressions postfixées. En commençant avec une pile vide, nous examinons l'expression postfixée de la gauche vers la droite. Chaque fois que nous rencontrons un argument, nous l'empilons sur la pile. Quand nous rencontrons un opérateur, nous dépilons deux fois la pile, en mémorisant les opérandes dépilés. Nous appliquons alors l'opérateur aux deux valeurs dépilées (avec le second pour opérande gauche) et empilons le résultat sur la pile. La figure 6.15 montre la pile après chaque étape lors du traitement de l'expression postfixée $3\ 4 + 2\ \times$. Le résultat, 14, reste sur la pile après le traitement. ✦

Opérations sur une pile

Des deux TDA présentés précédemment (le dictionnaire et la file de priorité), chacun avait un ensemble défini d'opérations associées. La pile est réellement une famille de TDA similaires avec le même modèle sous-jacent, mais avec quelques différences sur l'ensemble des opérations autorisées. Dans ce paragraphe, nous examinerons les opérations classiques sur les piles et nous montrerons deux structures de données pouvant

Symbole Traité	Pile	Actions
initial	ϵ	
3	3	*push* 3
4	3, 4	*push* 4
+	ϵ	*pop* 4; *pop* 3
		calculer $7 = 3 + 4$
	7	*push* 7
2	7, 2	*push* 2
×	ϵ	*pop* 2; *pop* 7
		calculer $14 = 7 \times 2$
	14	*push* 14

Figure 6.15 : Evaluer une expression postfixée en utilisant une pile.

être utilisées pour implémenter la pile, l'une basée sur les listes chaînées et l'autre sur les tableaux.

Dans toute collection d'opérations sur les piles, nous nous attendons à trouver *push* et *pop*, comme nous l'avons mentionné. Il y a un autre point commun aux opérations choisies pour le TDA pile : elles peuvent toutes être implémentées simplement en $O(1)$, indépendamment du nombre d'éléments sur la pile. En guise d'exercice, vous pouvez vérifier que pour les deux structures de données suggérées, toutes les opérations se font en temps constant.

En plus de *push* et *pop*, nous avons généralement besoin d'une opération **clear** qui initialise la pile à vide. Dans l'exemple 6.9, nous avons tacitement supposé que la pile était initialement vide, sans chercher à expliquer comment on l'avait obtenue. Une autre opération envisageable est un test déterminant si la pile est effectivement vide.

La dernière opération que nous allons considérer est un test vérifiant si la pile est « pleine ». Maintenant, dans notre modèle abstrait de pile, il y a une notion de pile pleine puisqu'une pile est une liste et que les listes peuvent en principe grandir autant que nous le voulons. Cependant, dans toute implémentation d'une pile, il existe une longueur qu'elle ne pourra pas dépasser. L'exemple le plus courant est celui de la représentation d'une liste ou d'une pile par un tableau. Comme nous l'avons vu au paragraphe précédent, nous avions dû supposer que la liste ne dépasserait pas la constante MAXLENGTH car sinon notre implémentation de *insert* ne fonctionnerait pas.

Les définitions formelles des opérations que nous allons utiliser dans notre implémentation des piles sont les suivantes. Soit S une pile du type ETYPE et x un élément du type ETYPE.

1. *clear(S)*. Vide la pile S.

2. *isEmpty(S)*. Retourne VRAI si S est vide, FAUX sinon.

3. *isFull(S)*. Retourne VRAI si S est pleine, FAUX sinon.

4. *pop(S, x)*. Si S est vide, retourne **FAUX** ; sinon, affecte la valeur de l'élément du sommet de la pile S à x et retire cet élément de S et retourne **VRAI**.

5. *push(x, S)*. Si S est pleine, retourne **FAUX** ; sinon, ajoute l'élément x au sommet de S et retourne **VRAI**.

Il y a une alternative courante à *pop* qui suppose que S est non-vide. Elle prend seulement S en argument et retourne l'élément x dépilé. Une autre alternative à *pop* ne retourne pas du tout de valeur ; elle retire simplement l'élément du sommet de la pile. De même, nous pouvons écrire *push* en supposant que S n'est jamais « pleine ». Dans ce cas, *push* ne retourne pas de valeur.

Implémentation des piles avec des tableaux

Les implémentations utilisées pour les listes sont aussi valables pour les piles. Nous examinerons d'abord d'une implémentation basée sur les tableaux puis d'une représentation par liste chaînée.

La déclaration d'une pile basée sur des tableaux est

```
type STACK = record
        A: array [1..MAXLENGTH] of ETYPE;
        top: integer
    end;
```

Avec une implémentation basée sur les tableaux, la pile peut soit grandir vers le haut (des emplacements les plus bas vers les plus hauts) ou vers le bas (des emplacements les plus hauts vers les plus bas). Nous choisissons une pile grandissant vers le haut [6] ; c'est-à-dire que l'élément le plus ancien a_1 dans la pile est à l'emplacement 1, l'élément suivant le plus ancien a_2 est à l'emplacement 2, et l'élément le plus récemment inséré a_n est à l'emplacement indiqué par la variable **top**, comme cela est montré dans la figure 6.16. Une pile vide est représentée avec *top* = 0. Dans ce cas, le contenu du tableau A est sans importance puisqu'il n'y a pas d'élément sur la pile.

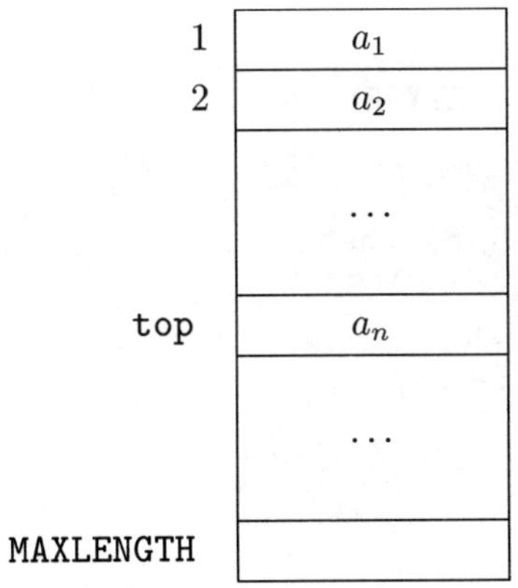

Figure 6.16 : Un tableau représentant une pile.

---

[6] Ainsi, le « sommet » de la pile est montré physiquement au bas de la page, ce qui est une convention malheureuse mais très standard.

Les programmes pour les cinq opérations de pile définies précédemment dans ce paragraphe sont montrés à la figure 6.17.

```
procedure clear(var S: STACK);
begin
    S.top := 0
end; (* clear *)

function isEmpty(var S: STACK): Boolean;
begin
    isEmpty := (S.top = 0)
end; (* isEmpty *)

function isFull(var S: STACK): Boolean;
begin
    isFull := (top >= MAXLENGTH)
end; (* isFull *)

function pop(var S: STACK; var x: ETYPE): Boolean;
begin
    with S do
        if isEmpty(S) then
            pop := FALSE
        else begin
            x := A[top];
            top := top-1;
            pop := TRUE
        end
end; (* pop *)

function push(x: ETYPE; var S: STACK): Boolean;
begin
    with S do
        if isFull(S) then
            push := FALSE
        else begin
            top := top+1;
            A[top] := x;
            push := TRUE
        end
end; (* push *)
```

Figure 6.17 : Procédures implémentant des opérations de piles sur des tableaux.

Implémentation d'une pile par liste chaînée

Nous pouvons représenter une pile par une structure de données de liste chaînée, comme n'importe quelle liste. Cependant, il est commode de mettre le sommet de la pile en tête de la liste. De cette manière, nous pouvons empiler et dépiler en tête de liste, ce qui se fait dans un temps en $O(1)$. Si nous avions à trouver la fin de la liste pour empiler ou dépiler, cela prendrait temps en $O(n)$ pour faire ces opérations sur une pile de longueur n. Cependant, la pile $S = (a_1, a_2, \ldots, a_n)$ doit être par conséquent représentée « vers l'arrière » par la liste chaînée, telle que :

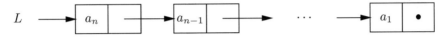

Nous utiliserons le type habituel CELL

```
type CELL = record
        element: ETYPE;
        next: STACK
     end;
```

précédé par la définition du type STACK,

```
type STACK = ^CELL;
```

Avec cette représentation, les cinq opérations sont implémentées par le code de la figure 6.19. Nous supposons que **new** trouve toujours de la place mémoire, ce qui signifie que l'opération *isFull* retourne toujours **FAUX** et que l'opération *push* n'échoue jamais.

Les effets de *push* et *pop* sur une pile implémentée par une liste chaînée sont illustrées à la figure 6.18.

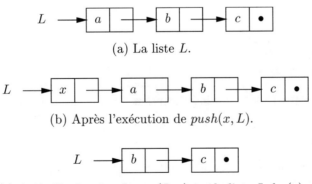

(a) La liste L.

(b) Après l'exécution de $push(x, L)$.

(c) Après l'exécution de $pop(L, x)$ sur la liste L de (a).

Figure 6.18 : Les opérations *push* et *pop* sur une pile implémentée par une liste chaînée.

```
      procedure clear(var S: STACK);
      begin
          S := NIL
      end; (* clear *)

      function isEmpty(var S: STACK): Boolean;
      begin
          isEmpty := (S = NIL)
      end; (* isEmpty *)

      function isFull(var S: STACK): Boolean;
      begin
          isFull := FALSE
      end; (* isFull *)

      function pop(var S: STACK; var x: ETYPE): Boolean;
      begin
(1)       if S = NIL then
(2)           pop := FALSE
          else begin
(3)           x := S^.element;
(4)           S := S^.next;
(5)           pop := TRUE
          end
      end; (* pop *)

      function push(x: ETYPE; var S: STACK): Boolean;

      var newCell: STACK (* pointeur vers une nouvelle cellule *)

      begin
(1)       new(newCell);
(2)       newCell^.element := x;
(3)       newCell^.next := S;
(4)       S := newCell;
(5)       push := TRUE
      end; (* push *)
```

Figure 6.19 : Procédures implémentant des piles avec des listes chaînées.

EXERCICES

6.6.1 : Montrez la pile restante après l'exécution des séquences suivantes d'opérations, en commençant avec une pile vide : *push(a)*, *push(b)*, *pop*, *push(c)*, *push(d)*, *pop*, *push(e)*, *pop*, *pop*.

6.6.2 : En utilisant seulement les cinq opérations sur les piles examinées dans ce paragraphe pour manipuler la pile, écrivez un programme Pascal évaluant les expressions postfixées avec des opérandes entiers et les quatre opérateurs arithmétiques habituels,

Quand faut-il utiliser des paramètres var ?

Remarquez que la pile S est un paramètre `var` dans la figure 6.17, même dans les procédures comme `isEmpty` qui ne modifie pas S. La raison est qu'ainsi nous évitons de faire une copie de S pour la procédure appelée et nous gagnons ainsi un peu de temps.

en suivant l'algorithme suggéré à l'exemple 6.9. Montrez que vous pouvez utiliser soit l'implémentation par tableau soit l'implémentation par liste chaînée pour votre programme en définissant de manière appropriée le type `STACK`, et en incorporant à votre programme les procédures de la figure 6.17 et ensuite les procédures de la figure 6.19.

6.6.3 : * Comment utiliseriez-vous une pile pour évaluer des expressions préfixées ?

6.6.4 : Calculez le temps d'exécution de chacune des procédures des figures 6.17 et 6.19. Sont-elles toutes en $O(1)$?

6.6.5 : Parfois, un TDA pile utilise une opération *top* où *top(S)* retourne l'élément au sommet de la pile S supposée non vide. Ecrivez les procédures pour *top* pouvant être utilisées avec

a) la structure de données tableau,

b) la structure de données liste chaînée,

définies pour les piles dans ce paragraphe. Vos implémentations de *top* prennent-elles toutes un temps en $O(1)$?

6.6.6 : Simulez une pile évaluant les expressions postfixées suivantes.

a) $ab + cd \times +e\times$

b) $abcde + + + +$

c) $ab + c + d + e+$

6.6.7 : * Supposons que nous commencions avec une pile vide et que accomplissions quelques opérations d'empilement et de dépilement. Si après ces opérations, la pile est $(a_1, a_2, \ldots, a_n)$ (sommet à droite), prouvez que a_i a été empilé avant a_{i+1}, pour $i = 1, 2, \ldots, n-1$.

6.7 Implémentation des appels de procédure avec une pile

Il existe une application importante des piles qui est souvent peu apparente : une pile est utilisée pour allouer de l'espace dans la mémoire de l'ordinateur aux variables appartenant aux diverses procédures d'un programme. Nous examinerons le mécanisme utilisé en Pascal ; un mécanisme similaire est également utilisé dans la plupart des autres langages de programmation.

Pour comprendre le problème, considérons la simple fonction récursive factorielle, `fact` du paragraphe 2.7 que nous reproduisons dans la figure 6.20. La fonction a un

```
      function fact(n: integer): integer;
      begin
(1)       if n <= 1 then
(2)           fact := 1 (* base *)
          else
(3)           fact := n * fact(n-1) (* récurrence *)
      end; (* fact *)
```

Figure 6.20 : Une fonction récursive calculant $n!$.

argument n et une valeur de retour ; cette dernière est désignée par le nom de la fonction `fact` (comme c'est le cas avec toutes les fonctions Pascal). Puisque `fact` s'appelle elle-même, différents appels sont actifs en même temps. Ces appels ont différentes valeurs pour l'argument n et produisent différentes valeurs de retour. Où ces différents objets de même nom sont-ils conservés ?

Pour répondre à cette question, nous devons nous intéresser un peu à ***l'organisation de la mémoire à l'exécution*** telle qu'elle est associée à un langage de programmation. Cette organisation est un plan de subdivision de la mémoire de l'ordinateur en régions conservant les diverses données utilisées par le programme. Une fois de plus, nous allons nous intéresser au langage Pascal. Quand un programme est lancé, chaque exécution d'une procédure ou d'une fonction est appelée une *activation*. Les objets données associés à chaque activation sont stockés dans la mémoire de l'ordinateur dans un bloc appelé un *enregistrement d'activation*. Les objets données comprennent les arguments, la valeur de retour, l'adresse de retour et les variables locales à la procédure.

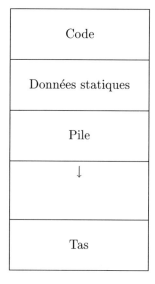

Figure 6.21 : Organisation de la mémoire à l'exécution.

La figure 6.21 représente une subdivision classique de la mémoire à l'exécution. La première zone contient le code objet du programme exécuté. La zone suivante contient les **données statiques** du programme, comme les valeurs de certaines constantes utilisées par le programme. La troizième zone est la **pile d'exécution**, qui croît du bas de la mémoire vers les adresses les plus hautes. Aux emplacements mémoires les plus élevés se trouve le *tas*, une zone à part pour les objets qui sont alloués par la fonction **new** de Pascal[7].

La pile d'exécution contient les enregistrements d'activation pour toutes les activations courantes. Une pile est la structure de données appropriée car lorsque nous appelons une procédure, nous pouvons empiler un enregistrement d'activation sur la pile. A tout instant, l'activation A_1, en cours d'exécution, a son enregistrement d'activation au sommet de la pile. Juste en-dessous du sommet de la pile figure l'enregistrement d'activation pour l'activation A_2 qui a appelé A_1. Sous l'enregistrement d'activation de A_2 figure l'enregistrement de l'activation qui a appelée A_2, et ainsi de suite. Quand une procédure retourne, nous dépilons son enregistrement d'activation du sommet de la pile et nous dévoilons l'enregistrement d'activation de la procédure qui l'a appelée. C'est exactement ce qu'il faut faire car lorsqu'une procédure retourne, le contrôle doit être passé à la procédure appelante.

```
procedure main;

var x, y, z: integer;

    procedure P;

        var p1, p2: integer;

        begin
            Q;
        end;

    procedure Q;

        var q1, q2, q3: integer;

        begin
            ...
        end;

begin (* ici *)
    P; (* le programme principal *)
end.
```

Figure 6.22 : Squelette d'un programme.

◆ **Exemple 6.10.** Considérons le squelette de programme représenté dans la figure 6.22. Ce programme n'est pas récursif ; il n'y a jamais plus d'une activation pour n'importe

---

[7] Ne confondez pas cette utilisation du terme « tas » avec la structure de données de tas examinée au paragraphe 5.10.

laquelle des procédures. Lorsque le programme principal commence à être exécuté, son enregistrement d'activation contenant de l'espace pour les variables x, y, et z est empilé sur la pile. Lorsque la procédure P est appelée, à l'endroit marqué ici, son enregistrement d'activation, contenant de l'espace pour les variables p1 et p2, est empilé sur la pile [8]. Lorsque P appelle Q, l'enregistrement d'activation de Q est empilé sur la pile. A ce stade, la pile est telle que représentée dans la figure 6.23.

x
y
z
p1
p2
q1
q2
q3

Figure 6.23 : Pile d'exécution lorsque la procédure Q est en cours d'exécution.

Lorsque Q termine son exécution, son enregistrement d'activation est dépilé. A cet instant, P est aussi terminé et son enregistrement d'activation est dépilé. Enfin, main se termine également, et son enregistrement d'activation est dépilé. Maintenant, la pile est vide et le programme est terminé. ✦

✦ **Exemple 6.11.** Considérons la fonction récursive fact de la figure 6.20. Il peut y avoir plusieurs activations de fact en même temps. Elles auront cependant toutes un enregistrement d'activation de la même forme, soit

n
fact

comprenant un mot pour l'argument n, qui est initialement affecté, et un mot pour la valeur de retour fact, qui n'est pas affecté avant la dernière étape de l'activation (juste avant le retour).

Supposons que nous appelions fact(4). Nous créons alors un enregistrement d'activation, de la forme

n	4
fact	-

---

[8] Remarquez que l'enregistrement d'activation de P a deux objets données et est donc d'un « type » différent de celui de l'enregistrement d'activation du programme principal. Nous pouvons cependant considérer que toutes les formes d'enregistrement d'activation d'un programme sont des variantes d'un seul type d'enregistrement ; cela nous permet de conserver le point de vue selon lequel tous les éléments d'une pile sont du même type.

Puisque `fact(4)` appelle `fact(3)`, nous empilons alors un enregistrement d'activation pour cette activation sur la pile d'exécution, qui ressemble maintenant à

n	4
fact	–
n	3
fact	–

Remarquez qu'il y a deux emplacements nommés **n** et deux autres nommés `fact`. Il n'y a pas de confusion car ils appartiennent à des activations différentes et seulement un enregistrement d'activation peut être au sommet de la pile à un instant donné : l'enregistrement d'activation appartenant à l'activation en cours d'exécution.

n	4
fact	–
n	3
fact	–
n	2
fact	–
n	1
fact	–

Figure 6.24 : Enregistrements d'activation pendant l'exécution de `fact`.

Ensuite, `fact(3)` appelle `fact(2)`, qui appelle `fact(1)`. A ce stade, la pile d'exécution est telle que représentée par la figure 6.24. Maintenant, `fact(1)` ne fait plus d'appel récursif, mais affecte $fact = 1$. La valeur 1 est alors placée dans l'emplacement de l'enregistrement d'activation du sommet réservé pour `fact`. Les autres emplacements, étiquetés `fact`, ne sont pas affectés, comme cela est représenté par la figure 6.25.

n	4
fact	–
n	3
fact	–
n	2
fact	–
n	1
fact	1

Figure 6.25 : Après que `fact(1)` a calculé sa valeur.

Puis `fact(1)` retourne, dévoilant ainsi l'enregistrement d'activation pour `fact(2)` et retournant le contrôle à l'activation `fact(2)` à l'endroit où `fact(1)` avait été appelée. La valeur de retour, 1, de `fact(1)` est multipliée par la valeur de n dans l'enregistrement d'activation pour `fact(2)`, et le produit est placé dans l'emplacement pour `fact` de cet enregistrement d'activation, comme cela est requis par la ligne (3) de la figure 6.20. La pile résultante est représentée dans la figure 6.26.

n	4
fact	–
n	3
fact	–
n	2
fact	2

Figure 6.26 : Après que `fact(2)` a calculé sa valeur.

De même, `fact(2)` retourne ensuite le contrôle à `fact(3)`, et l'enregistrement d'activation pour `fact(2)` est dépilé. La valeur de retour, 2, est multipliée par n de `fact(3)`, produisant la valeur de retour 6. Ensuite, `fact(3)` retourne, et sa valeur de retour est multipliée par `n` dans `fact(4)`, produisant la valeur de retour 24. La pile est maintenant

n	4
fact	24

A ce stade, `fact(3)` retourne à une procédure appelante hypothétique dont l'enregistrement d'activation (non représenté) figure sous celui de `fact(4)` dans la pile. Elle recevrait cependant la valeur de retour 24 comme valeur de `fact(4)` et continuerait sa propre exécution. ✦

EXERCICES

6.7.1 : Considérons le programme Pascal de la figure 6.27. L'enregistrement d'activation pour `main` contient le tableau A et l'entier j. Au moment du premier appel à `sum`, la variable j est indéfinie et A a n'importe quelle valeur lue (toujours la même) ; par conséquent, on ne se préoccupe pas du contenu de l'enregistrement d'activation pour `main`. Les données importantes de l'enregistrement d'activation pour `sum` sont :

a. Le paramètre i.

b. La valeur de retour, appelée `sum`.

c. Une variable temporaire, que nous appellerons `temp`, pour stocker la valeur de $sum(i+1)$. La dernière est calculée à la ligne (2) et ensuite additionnée à $A[i]$ pour former la valeur de retour.

Montrez la pile des enregistrements d'activation immédiatement avant et immédiatement après chaque appel à `sum`, en supposant que la valeur de $A[i]$ est $10i$. Autrement

```
        procedure main();

        var A: array[1..4] of integer, j: integer;

            function sum(i: integer): integer;
            begin
(1)             if i > 4 then sum := 0
(2)             else sum := A[i] + sum(i+1)
            end;

        begin (* main *)
(3)         for j := 1 to 4 do readln A[j];
(4)         writeln sum(1)
        end.
```

Figure 6.27 : Programme de l'exercice 6.7.1.

dit, vous devez montrer la pile immédiatement après que nous aurons empilé un enregistrement d'activation pour **sum**, et juste avant que nous ayons dépilé un enregistrement d'activation. Vous n'avez pas besoin de montrer le contenu de l'enregistrement d'activation du bas (pour **main**) à chaque fois.

```
        procedure delete(x: integer; var L: LIST);
        begin
            if L <> NIL then
                if x = L^.element then
                    L := L^.next
                else
                    delete(x, L^.next)
        end
```

Figure 6.28 : Procédure pour l'exercice 6.7.2.

6.7.2 : * La procédure **delete** de la figure 6.28 retire la première occurrence de l'entier x d'une liste chaînée composée des cellules habituelles avec les champs **element** et **next**. L'enregistrement d'activation pour **delete** comprend les arguments **x** et **L**. Cependant, puisque L est un paramètre **var**, la valeur de L dans l'enregistrement d'activation n'est pas L elle-même mais un pointeur vers la valeur de L. Habituellement, un enregistrement d'activation contiendra un pointeur vers le champ **next** d'une cellule (ce champ est lui-même un pointeur vers une cellule). Montrez la séquence de piles lorsque $delete(3, L)$ est appelée (à partir d'une autre procédure) et L est un pointeur vers une liste chaînée contenant les éléments 1, 2, 3, et 4, dans cet ordre.

6.8   Les files

Un autre TDA important basé sur le modèle de données liste est la *file*, une forme restreinte de liste dans laquelle les éléments sont insérés à une extrémité, la *queue*, et retirés à une autre extrémité, la *tête*. Le terme « liste FIFO (first-in first-out) » est un synonyme de file.

Une file d'attente à la caisse d'un magasin illustre bien cette notion de file. Les gens entre dans la file à la queue et reçoivent un service dès qu'ils sont en tête. A la différence d'une pile, une file est équitable ; les gens sont servis selon leur ordre d'arrivée dans la file. Ainsi, la personne qui a attendu le plus longtemps est la prochaine servie.

Opérations sur une file

Le modèle abstrait d'une file est le même que celui d'une liste (ou d'une pile), mais les opérations qui lui sont appliquées sont particulières. Les deux opérations qui sont caractéristiques d'une file sont *enqueue* et *dequeue* ; *enqueue*(*x*) ajoute *x* à la queue d'une file, *dequeue* retire un élément de la tête d'une file. Comme c'est le cas pour les piles, il y a d'autres opérations utiles que nous souhaitons pouvoir appliquer aux files.

Soit Q, une file dont les éléments sont du type ETYPE, et soit x un élément de type ETYPE. Nous allons considérer les opérations suivantes sur les files :

1. *clear*(Q). Vide la file Q.

2. *dequeue*(Q, x). Retourne FAUX si Q est vide ; sinon, affecte à x la valeur de l'élément en tête de Q, retire cet élément de Q et retourne VRAI.

3. *enqueue*(x, Q). Retourne FAUX si Q est pleine ; sinon, ajoute l'élément x en queue de Q et retourne VRAI.

4. *isEmpty*(Q). Retourne VRAI si Q est vide et FAUX sinon.

5. *isFull*(Q). Retourne VRAI si Q est pleine et FAUX sinon.

Comme pour les piles, nous pouvons avoir une version plus « sûre » de *enqueue* (respectivement *dequeue*) qui ne vérifie pas si une file est pleine (respectivement vide). Alors, *enqueue* ne retourne pas de valeur et *dequeue* prend seulement Q pour argument et retourne la valeur retirée.

Une implémentation des files par listes chaînées

Un élément d'une file sera stocké dans la cellule habituelle des listes chaînées :

```
type LIST = ^CELL;
    CELL = record
        element: ETYPE;
        next: LIST
    end;
```

Les éléments d'une file seront stockés dans une liste chaînée de cellules. Une file est elle-même un enregistrement avec deux pointeurs — l'un vers la cellule de tête (la première sur la liste chaînée) et un autre vers la cellule de queue (la dernière sur la liste chaînée).

D'autres types de données abstraits

Nous pouvons ajouter la pile et la file à la table des TDA que nous avions commencée au paragraphe 5.10. Nous avons vu deux structures de données pour la pile au paragraphe 6.6 et une structure de données pour la file au paragraphe 6.8. L'exercice 6.8.3 vous fera découvrir une autre structure de données pour la file : un « tableau circulaire ».

TDA	Pile	File
Implémentation abstraite	Liste	Liste
Structures de données	1) Liste chaînée 2) Tableau	1) Liste chaînée 2) Tableau circulaire

```
type QUEUE = record
        front, rear: LIST
     end;
```

Si la file est vide, `front` sera `NIL` et la valeur de `rear` n'a aucune signification.

La figure 6.29 montre les programmes pour les opérations sur les files mentionnées dans ce paragraphe. Remarquez que lorsqu'une liste chaînée est utilisée, il n'y a pas de notion de file « pleine » et donc *isFull* retourne toujours `FALSE`. Cependant, si nous utilisons une implémentation avec des tableaux, nous pouvons tomber sur une file pleine.

EXERCICES

6.8.1 : Montrez la file obtenue après exécution de la séquence suivante d'opérations, en commençant avec une file vide : *enqueue(a)*, *enqueue(b)*, *dequeue*, *enqueue(c)*, *enqueue(d)*, *dequeue*, *enqueue(e)*, *dequeue*, *dequeue*.

6.8.2 : Montrez que chacune des procédures de la figure 6.29 peut être exécutée dans un temps en $O(1)$, quelle que soit la longueur de la file.

6.8.3 : * Nous pouvons représenter une file par un tableau, dans la mesure où la file ne devient pas trop longue. Pour que les opérations aient un coût en $O(1)$, nous devons prendre un *tableau circulaire*. Cela signifie que le tableau `A[1..n]` peut être considéré tel que `A[2]` suit `A[1]`, `A[3]` suit `A[2]`, et ainsi de suite jusqu'à `A[n]` suivant `A[n-1]`, mais aussi `A[1]` qui suit `A[n]`. La file est représentée par une paire d'entiers `front` et `rear` qui indiquent les positions des éléments de tête et de queue de la file. Une file vide est représentée de sorte que *front* soit la position qui suit *rear* dans le sens circulaire ; par exemple, *front = 23* et *rear = 22* ou *front = 1* et *rear = n*. Remarquez que la file ne peut alors pas avoir n éléments car dans ce cas, la file serait également représentée avec *tête* suivant immédiatement *queue*. Donc, la file est pleine lorsqu'elle a $n - 1$ éléments, et non pas lorsqu'elle a n éléments. Ecrivez des procédures pour les

```
procedure clear(var Q: QUEUE);
begin
    Q^.front := NIL
end; (* clear *)

function isEmpty(var Q: QUEUE): Boolean;
begin
    isEmpty := (Q^.front = NIL)
end; (* isEmpty *)

function isFull(var Q: QUEUE): Boolean;
begin
    isFull := FALSE
end; (* isFull *)

function dequeue(var Q: QUEUE; var x: ETYPE): Boolean;
begin
    if isEmpty(Q) then
        dequeue := FALSE
    else begin
        x := Q.front^.element;
        Q.front := Q.front^.next;
        dequeue := TRUE
    end
end; (* dequeue *)

function enqueue(x: ETYPE; var Q: QUEUE): Boolean;
begin
    if isEmpty(Q) then begin
        new(Q.front); (* crée la première cellule de la file *)
        Q.rear := Q.front
    end
    else begin
        new(Q.rear^.next); (* ajoute une nouvelle cellule en
            queue de la file *)
        Q.rear := Q.rear^.next;
    end;
    Q.rear^.element := x; (* met x dans la dernière cellule *)
    Q.rear^.next := NIL;
    enqueue := TRUE
end; (* enqueue *)
```

Figure 6.29 : Les procédures implémentant les opérations sur les files
représentées par des listes chaînées.

opérations de file en utilisant la structure de données tableau circulaire. N'oubliez pas de vérifier si une file est pleine ou vide et de passer le tableau en paramètre variable (`var`).

6.8.4 : * Montrez que si $(a_1, a_2, \ldots, a_n)$ est une file avec a_1 en tête, alors a_i a été mis dans la file avant a_{i+1}, pour $i = 1, 2, \ldots, n-1$.

6.9 Les plus longues sous-séquences communes

Ce paragraphe est consacré à un problème intéressant concernant les listes. Supposons que nous ayons deux listes et que nous souhaitions connaître en quoi elles diffèrent l'une de l'autre. Ce problème apparaît en de nombreuses occasions ; la plus courante est probablement celle où deux listes représentent deux versions différentes d'un fichier texte et où nous voulons déterminer les lignes communes aux deux versions. Pour des facilités de notation, nous supposerons dans ce paragraphe que les listes sont des chaînes de caractères.

Une bonne façon d'aborder ce problème est de traiter les deux fichiers comme des séquences de symboles $x = a_1 \cdots a_m$ et $y = b_1 \cdots b_n$, où a_i représente la $i^{ème}$ ligne du premier fichier et b_j représente la $j^{ème}$ ligne du second fichier. Un symbole abstrait comme a_i peut en fait représenter un « gros » objet, peut-être même une phrase entière.

Il existe une commande UNIX `diff` qui compare deux fichiers textes et énumère leurs différences. Le fichier x peut être la version courante d'un programme et l'autre, y, peut être la version du programme avant qu'une petite modification n'ait été apportée. Nous pouvons utiliser `diff` afin de nous remémorer les changements qui ont transformé y en x. Les modifications usuelles apportées à un fichier texte sont :

1. Insérer une ligne.

2. Supprimer une ligne.

Une modification de ligne peut être traitée comme une suppression suivie d'une insertion.

Considérons deux fichiers texte dont l'un a été obtenu après avoir apporté un petit nombre de modifications à l'autre ; en règle générale, il est facile de voir à quoi correspondent les lignes et de repérer celles qui ont été supprimées et celles qui ont été insérées. La commande `diff` fait l'hypothèse qu'il est facile d'identifier les changements en trouvant une *plus longue sous-séquence commune*, ou *PLSC* aux deux listes dont les éléments sont les lignes des deux fichiers texte concernés. Une *PLSC* représente les lignes qui n'ont pas été changées.

Rappelons qu'une sous-séquence est formée à partir d'une liste en supprimant zéro ou plusieurs éléments et en laissant les éléments restants dans l'ordre. Une *sous-séquence commune* aux deux listes est une liste qui est une *sous-séquence* des deux. Une plus longue sous-séquence commune de deux listes est une sous-séquence commune qui est aussi longue que n'importe laquelle des sous-séquences des deux listes.

◆ **Exemple 6.12.** Dans ce qui suit, nous considérerons que les caractères a, b, ou c représentent des lignes d'un fichier texte ou n'importe quel autre type d'élément. Prenons un exemple ; `baba` et `cbba` sont toutes deux des plus longues sous-séquences communes aux listes `abcabba` et `cbabac`. Nous voyons que `baba` est une sous-séquence de `ab-cabba` parce que nous pouvons prendre les positions 2, 4, 5 et 7 de la dernière chaîne pour former `baba`. La chaîne `baba` est aussi une sous-séquence de `cbabac` parce que nous pouvons prendre les positions 2, 3, 4 et 5. De même, `cbba` est formée des positions 3, 5, 6 et 7 de `abcabba` et des positions 1, 2, 4 et 5 de `cbabac`. Donc, `cbba` est aussi une sous-séquence commune à ces deux chaînes. Nous devons nous convaincre qu'elles sont les plus longues sous-séquences communes ; c'est-à-dire qu'il n'y a pas de sous-séquence commune de longueur cinq ou plus. Cela sera vérifié à partir de l'algorithme que nous décrivons maintenant.✦

Une récursivité qui calcule la PLSC

Nous donnons une définition récursive de la longueur de la PLSC de deux listes. Cette définition nous permettra de calculer facilement sa longueur ; de plus, en examinant la table construite, nous pourrons découvrir en plus l'une des PLSC et non pas seulement sa longueur. A partir de la PLSC, nous pouvons déduire les changements apportés aux fichiers texte considérés ; en fait, tout ce qui ne fait pas partie de la PLSC est un changement.

Pour trouver la longueur d'une PLSC des listes x et y, nous devons trouver les longueurs des PLSC de toutes les paires de préfixes, l'un provenant de x et l'autre de y. Rappelons qu'un préfixe est une sous-liste initiale d'une liste ; par exemple, les préfixes de `cbabac` sont ϵ, `c`, `cb`, `cba` et ainsi de suite. Supposons que $x = (a_1, a_2, \ldots, a_m)$ et $y = (b_1, b_2, \ldots, b_n)$. Pour tout i et j, où i est compris entre 0 et m, et j est compris entre 0 et n, nous pouvons chercher la PLSC du préfixe $(a_1, \ldots, a_i)$ de x et du préfixe $(b_1, \ldots, b_j)$ de y.

Si i ou j vaut 0, alors l'un des préfixes est ϵ, et la seule sous-séquence commune possible des deux préfixes est ϵ. Ainsi, quand i ou j est à 0, la longueur de la PLSC est 0. Cette observation est formalisée dans la base et dans la règle (1) de la récurrence qui suit notre discussion informelle du calcul de la PLSC.

Considérons maintenant le cas où i et j sont tous deux supérieurs à 0. Il est pratique de penser à une PLSC en terme d'appariement entre certaines positions des deux chaînes concernées. Cela signifie que pour tout élément de la PLSC, nous apparions les deux positions des deux chaînes originales. Les positions appariées doivent avoir les mêmes symboles et les lignes reliant les positions appariées ne doivent pas se croiser.

✦ **Exemple 6.13.** La figure 6.30(a) montre l'un des deux appariements possibles entre les chaînes `abcabba` et `cbabac` correspondant à la sous-séquence commune `baba`, et la figure 6.30(b) montre un appariement correspondant à `cbba`. ✦

Considérons n'importe quel appariement entre les préfixes $(a_1, \ldots, a_i)$ et $(b_1, \ldots, b_j)$. Il faut distinguer deux cas en fonction de l'égalité ou de la non-égalité des derniers éléments des deux listes.

a) Si $a_i \neq b_j$, alors l'appariement ne peut pas inclure à la fois a_i et b_j. Ainsi, une PLSC de $(a_1, \ldots, a_i)$ et $(b_1, \ldots, b_j)$ doit être soit

  i)   une PLSC de $(a_1, \ldots, a_{i-1})$ et $(b_1, \ldots, b_j)$, soit

  ii) une PLSC de $(a_1, \ldots, a_i)$ et $(b_1, \ldots, b_{j-1})$.

(a) Pour baba.   (b) Pour cbba.

Figure 6.30 : PLSC : un appariement entre positions.

Si nous avons déjà trouvé les longueurs des PLSC de ces deux paires de préfixes, alors la plus grande est la longueur de la PLSC de $(a_1, \ldots, a_i)$ et $(b_1, \ldots, b_j)$. Cette situation est formalisée dans la règle (2) de la récurrence qui suit.

b)   Si $a_i = b_j$, nous pouvons apparier a_i et b_j et l'appariement n'interférera pas avec un autre appariement éventuel. Ainsi, la longueur de la PLSC de $(a_1, \ldots, a_i)$ et $(b_1, \ldots, b_j)$ est supérieure de 1 à la longueur de la PLSC de $(a_1, \ldots, a_{i-1})$ et $(b_1, \ldots, b_{j-1})$. Cette situation est formalisée dans la règle (3) de la récurrence suivante.

Ces observations nous amènent à une définition récursive de $L(i, j)$, la longueur de la PLSC de $(a_1, \ldots, a_i)$ et $(b_1, \ldots, b_j)$. Nous utilisons la récurrence complète sur la somme $i + j$.

LA BASE. Si $i+j = 0$, alors i et j valent tous deux 0 et la PLSC est ϵ. Ainsi, $L(0,0) = 0$.

LA RÉCURRENCE. Considérons i et j, et supposons que nous ayons déjà calculé $L(g,h)$ pour tout g et h tels que $g + h < i + j$. Nous devons considérer trois cas.

1.   Si i ou j est 0, alors $L(i,j) = 0$.

2.   Si $i > 0$ et $j > 0$ et $a_i \neq b_j$, alors $L(i,j) = \max\big(L(i, j-1), L(i-1, j)\big)$.

3.   Si $i > 0$ et $j > 0$, et $a_i = b_j$, alors $L(i,j) = 1 + L(i-1, j-1)$.

Un algorithme de programmation dynamique pour la PLSC

Il est clair que nous cherchons à obtenir $L(m, n)$, la longueur d'une PLSC pour deux listes x et y. Si nous écrivons un programme récursif basé sur la récurrence précédente, il prendra un temps qui est une fonction exponentielle du plus petit de m et n. Ceci est beaucoup trop pour que l'algorithme récursif simple soit utilisable dans la pratique pour une valeur $n = m = 100$. La raison de ce si mauvais résultat est assez subtile. Pour commencer, supposons qu'il n'y ait pas du tout d'appariement entre les caractères des listes x et y et que nous appelions $L(3,3)$. Ceci conduit aux appels à $L(2,3)$ et $L(3,2)$. Mais chacun de ces appels résulte en un appel à $L(2,2)$. Nous faisons deux fois le travail de $L(2,2)$. Le nombre d'appels à $L(i,j)$ croît rapidement au fur et à mesure que les arguments de L deviennent petits. Si nous poursuivons la trace des appels, nous nous apercevons que $L(1,1)$ est appelé 6 fois, $L(0,1)$ et $L(1,0)$ 10 fois chacun, et $L(0,0)$ 20 fois.

Nous pouvons faire mieux en construisant une table à deux dimensions, c'est-à-dire un tableau, pour stocker $L(i,j)$ pour les diverses valeurs de i et j. Si nous calculons les valeurs dans l'ordre de la récurrence — c'est-à-dire les plus petites valeurs de $i+j$ en premier — alors les valeurs requises de L sont toujours dans le tableau lorsque nous calculons $L(i,j)$. En fait, il est facile de calculer L par rangées, c'est-à-dire, pour $i = 0, 1, 2$, et ainsi de suite ; au sein d'une rangée, nous calculons par colonnes, pour $j = 0, 1, 2$, et ainsi de suite. A nouveau, nous pouvons être sûrs de trouver les valeurs nécessaires dans la table lorsque nous calculons $L(i,j)$; aucun appel récursif n'est nécessaire. Le calcul de chaque entrée de la table est donc en $O(1)$; une table pour la PLSC de listes de longueur m et n peut être construite en $O(mn)$. Dans la figure 6.31, nous voyons le code Pascal remplissant cette table ; il fonctionne par rangée et non pas par somme $i+j$. Nous supposons que la liste x est stockée dans un tableau `a[1..m]` et que la liste y est stockée dans `b[1..n]`. Nous vous laissons en exercice le soin de montrer que le temps d'exécution de ce programme est en $O(mn)$ sur des listes de longueur m et n. [9]

```
for j := 0 to n do
    L[0,j] := 0;
for i := 1 to m do begin
    L[i,0] := 0;
    for j := 1 to n do
        if a[i] <> b[j] then
            if L[i-1,j] >= L[i,j-1] then
                L[i,j] := L[i-1,j]
            else
                L[i,j] := L[i,j-1]
        else (* a[i] = b[j] *)
            L[i,j] := 1 + L[i-1,j-1]
end
```

Figure 6.31 : Un morceau de programme Pascal pour remplir la table PLSC.

Une technique de remplissage de table come celle de cet exemple est généralement appelée un **algorithme de programmation dynamique**. Comme pour cet exemple, il peut être bien plus efficace qu'une implémentation triviale d'une récursivité résolvant plusieurs fois le même problème.

✦ **Exemple 6.14.** Soit x la liste `cbabac` et y la liste `abcabba`. La figure 6.32 représente la table construite pour ces deux listes. Par exemple, $L(6,7)$ est un cas où $a_6 \neq b_7$. Ainsi $L(6,7)$ est la plus grande des entrées juste en-dessous et juste à gauche. Puisqu'elles sont respectivement 4 et 3, nous affectons 4 à $L(6,7)$ (l'entrée du coin supérieur droit). Considérons maintenant $L(4,5)$. Puisque a_4 et b_5 sont tous deux le symbole b, nous

---

[9] A vrai dire, nous avons seulement examiné des expressions en grand O qui sont fonction d'une variable. La signification devrait cependant être claire. Si $T(m,n)$ est le temps d'exécution du programme sur des listes de longueur m et n, il existe alors des constantes m_0, n_0, et c telles que pour tout $m \geq m_0$ et $n \geq n_0$, $T(m,n) \leq cmn$.

Programmation dynamique

Le terme « programmation dynamique » provient d'une théorie plus générale développée par R. E. Bellman dans les années 50 pour résoudre les problèmes des systèmes de contrôle. Les gens qui travaillent dans le domaine de l'intelligence artificielle connaissent souvent cette technique sous le nom **memoing** ou *tabulation*.

ajoutons 1 à l'entrée $L(3, 4)$ que nous trouvons en bas à gauche. Puisque cette entrée est 1, nous affectons 2 à $L(4, 5)$. ✦

c	6	0	1	2	3	3	3	3	4
a	5	0	1	2	2	3	3	3	4
b	4	0	1	2	2	2	3	3	3
a	3	0	1	1	1	2	2	2	3
b	2	0	0	1	1	1	2	2	2
c	1	0	0	0	1	1	1	1	1
	0	0	0	0	0	0	0	0	0
		0	1	2	3	4	5	6	7
			a	b	c	a	b	b	a

Figure 6.32 : Table des plus longues sous-séquences communes à `cbabac` et `abcabba`.

Recouvrement d'une PLSC

Nous avons maintenant une table nous donnant la longueur de la PLSC, non seulement pour les listes en question mais pour chaque paire de leurs préfixes. De cette information, nous devons déduire l'une des PLSC possibles pour les deux listes en question. Pour cela, nous trouverons les paires d'éléments qui forment une des PLSC. Nous trouverons un chemin dans la table, en commençant au coin droit supérieur ; ce chemin identifiera une PLSC.

Supposons que notre chemin, qui commence au coin supérieur droit, nous ait conduit à la rangée i et à la colonne j, c'est-à-dire au point dans la table qui correspond à la paire d'éléments a_i et b_j. Si $a_i = b_j$, alors $L(i, j)$ fut choisi pour être $1 + L(i - 1, j - 1)$. Nous traitons donc a_i et b_j comme une paire d'éléments et nous inclurons le symbole qui est a_i (et aussi b_j) dans la PLSC, en tête de tous les éléments de la PLSC trouvés jusque-là. Nous orientons ensuite notre chemin vers le bas et vers la gauche, c'est-à-dire à la rangée $i - 1$ et à la colonne $j - 1$.

Il est cependant possible que $a_i \neq b_j$. Si tel est le cas, alors $L(i, j)$ doit être égal au moins à l'un des $L(i - 1, j)$ et $L(i, j - 1)$. Si $L(i, j) = L(i - 1, j)$, nous orientons notre chemin d'une rangée vers le bas et sinon, nous savons que $L(i, j) = L(i, j - 1)$, et nous orientons notre chemin d'une colonne vers la gauche.

Si nous suivons cette règle, nous arriverons certainement au coin inférieur gauche. A ce point, nous avons sélectionné une certaine séquence d'éléments pour notre PLSC et la PLSC elle-même est la liste de ces éléments, dans l'ordre inverse de leur sélection.

c	6	0	1	2	3	3	3	3	**4**
a	5	0	1	2	2	3	3	3	**4**
b	4	0	1	2	2	2	3	**3**	3
a	3	0	1	1	1	2	**2**	2	3
b	2	0	0	1	1	1	**2**	2	2
c	1	0	0	0	**1**	**1**	1	1	1
	0	**0**	**0**	**0**	0	0	0	0	0
		0	1	2	3	4	5	6	7
			a	b	c	a	b	b	a

Figure 6.33 : Un chemin qui trouve la PLSC caba.

◆ **Exemple 6.15.** La table de la figure 6.32 est à nouveau représentée dans la figure 6.33 ; le chemin y est alors représentée en caractères gras. Nous commençons par $L(6,7)$, c'est-à-dire 4. Puisque $a_6 \neq b_7$, nous regardons immédiatement à gauche et en bas pour trouver la valeur 4, qui doit apparaître dans au moins l'un de ces emplacements. Dans ce cas, 4 apparaît seulement en-dessous et nous allons donc en $L(5,7)$. Maintenant $a_5 = b_7$; les deux sont a. Donc, a est le dernier symbole de la PLSC ; nous nous déplaçons vers le sud-ouest, en $L(4,6)$.

Puisque a_4 et b_6 sont tous deux b, nous incluons b, en tête de a, dans la PLSC en formation, et nous nous déplaçons vers le sud-ouest en $L(3,5)$. Ici, nous trouvons $a_3 \neq b_5$, mais $L(3,5)$, qui est 2, est égal à l'entrée en-dessous et à l'entrée à gauche. Dans cette situation, nous avons choisi de nous déplacer vers le bas ; nous allons donc en $L(2,5)$. Ici, nous trouvons $a_2 = b_5 = $ b, et donc nous mettons un b en tête de la PLSC en formation et nous nous déplaçons vers le sud-ouest, en $L(1,4)$.

Puisque $a_1 \neq b_4$ et seule l'entrée à gauche a la même valeur (1) que $L(1,4)$, nous allons en $L(1,3)$. Maintenant nous avons $a_1 = b_3 = $ c, et donc nous ajoutons c au début de la PLSC et nous allons en $L(0,2)$. A ce point, nous n'avons pas d'autre choix que d'aller vers la gauche en $L(0,1)$ et ensuite en $L(0,0)$; nous en avons alors terminé.

La PLSC obtenue contient les quatre caractères que nous avons découverts, dans l'ordre inverse, soit cbba. C'est l'une des deux PLSC mentionnées dans l'exemple 6.12. Nous pouvons obtenir d'autres PLSC en choisissant d'aller à gauche au lieu d'aller en bas quand $L(i,j)$ est égale à $L(i,j-1)$ et à $L(i-1,j)$, et en choisissant d'aller à gauche ou en bas quand l'une d'elles est égale à $L(i,j)$, même dans la situation où $a_i = b_j$ (c'est-à-dire en passant certains appariements en faveur d'appariements plus à gauche).
◆

Nous pouvons prouver que cet algorithme de recherche de chemin trouve toujours une PLSC. Nous allons prouver l'assertion suivante par récurrence complète sur la somme des longueurs des listes.

ASSERTION $S(k)$: Si nous nous trouvons à la ligne i et à la colonne j, où $i + j = k$, et si $L(i, j) = v$, alors nous avons découvert v éléments pour notre PLSC.

LA BASE. La base est $k = 0$. Si $i + j = 0$, alors à la fois i et j valent 0. Nous avons terminé notre chemin et nous ne trouverons pas davantage d'éléments pour la PLSC. Puisque nous savons que $L(0, 0) = 0$, l'hypothèse de récurrence est vérifiée pour $i + j = 0$.

LA RÉCURRENCE. Supposons l'hypothèse de récurrence pour les sommes k ou inférieures, et soit $i + j = k + 1$. Supposons que nous sommes en $L(i, j)$, qui a la valeur v. Si $a_i = b_j$, alors nous avons trouvé un appariement et nous nous déplaçons en $L(i-1, j-1)$. Puisque la somme $(i-1) + (j-1)$ est inférieure à $i + j$, l'hypothèse de récurrence s'applique. Puisque $L(i-1, j-1)$ doit valoir $v - 1$, nous savons que nous trouverons $v - 1$ éléments supplémentaires pour notre PLSC, ce qui, avec l'élément dernièrement trouvé, nous donne v éléments. Cette observation prouve l'hypothèse de récurrence dans ce cas.

Le seul autre cas est celui où $a_i \neq b_j$. Alors, soit $L(i-1, j)$, soit $L(i, j-1)$, soit les deux, doit avoir la valeur v, et nous nous déplaçons vers l'une des positions qui a la valeur v. Puisque la somme de la ligne et de la colonne est $i + j - 1$ dans l'un ou l'autre des cas, l'hypothèse de récurrence peut être appliquée et nous en concluons que nous trouvons v éléments pour la PLSC. A nouveau, nous en concluons que $S(k + 1)$ est vraie. Puisque nous avons considéré tous les cas, nous en avons terminé et nous en concluons que si nous sommes à l'entrée $L(i, j)$, nous trouvons toujours $L(i, j)$ éléments pour notre PLSC.

EXERCICES

6.9.1 : Quelle est la longueur de la PLSC des listes :

a) `banana` et `cabana`

b) `abaacbacab` et `bacabbcaba`

6.9.2 : * Trouvez toutes les PLSC des paires de listes de l'exercice 6.9.1. *Une indication :* après avoir construit la table de l'exercice 6.9.1, tracez en arrière depuis le coin supérieur droit, en suivant tour à tour chaque choix quand vous arrivez à un point qui pourrait être poursuivi de deux ou trois manières différentes.

6.9.3 : ** Supposez que nous utilisions l'algorithme récursif pour calculer la PLSC que nous avons décrit en premier (au lieu du programme de remplissage de table que nous avions recommandé). Si nous appelons $L(4, 4)$ avec deux listes qui n'ont pas de symbole en commun, combien d'appels à $L(0, 0)$ sont effectués ? *Une indication* : Résolvez le problème pour un appel général $L(i, j)$ par un algorithme de remplissage de table (programmation dynamique). Comparez ce problème avec le problème du calcul d'un triangle de Pascal dans l'exercice 2.7.10.

6.9.4 : ** Supposez que nous ayons deux listes x et y, chacune de longueur n. Pour un n inférieur à une certaine taille, il peut y avoir au plus une chaîne qui est une PLSC de x et y (bien que cette taille puisse apparaître en différentes positions de x et/ou y). Par exemple, si $n = 1$, alors la PLSC ne peut être que ϵ à moins que x et y ne soient le même symbole a, auquel cas a est la seule PLSC. Quelle est la plus petite valeur de n pour laquelle x et y peuvent avoir deux PLSC différentes ?

6.9.5 : Montrez que le programme de la figure 6.31 a un temps d'exécution en $O(mn)$.

6.9.6 : Ecrivez un programme Pascal qui prend une table, telle que celle calculée par le programme de la figure 6.31, et qui trouve les positions dans chaque chaîne, d'une PLSC. Quel est le temps d'exécution de votre programme si la table est de m sur n ?

6.10   Représentation des chaînes de caractères

Les chaînes de caractères sont probablement la forme de liste la plus fréquemment rencontrée dans la pratique. Il existe beaucoup de façons de représenter les chaînes de caractères et quelques-unes de ces techniques sont rarement adaptées à d'autres sortes de listes. Nous consacrerons donc ce paragraphe aux problèmes particuliers concernant les chaînes de caractères.

Premièrement, nous devons prendre en compte le fait que le problème n'est pas de stocker seulement une chaîne de caractères. Nous avons souvent un grand nombre de chaînes de caractères, chacune d'elles étant plutôt assez courte. Elles peuvent former un dictionnaire ; de temps en temps, nous insérons alors des chaînes dans le dictionnaire et à d'autres moments, nous en supprimons. Elles peuvent aussi constituer un ensemble *statique* de chaînes, c'est-à-dire qui ne change pas au cours du temps. En voici deux exemples classiques :

1.   Un index est un outil utile pour l'étude de textes ; c'est une liste de tous les mots utilisés dans le document, accompagnés des emplacements où ils apparaissent. Généralement, il y aura des dizaines de milliers de mots différents utilisés dans un grand document ; chaque occurrence doit être stockée une seule fois. L'ensemble des mots utilisés est statique ; c'est-à-dire qu'une fois formé, il ne change pas, sauf peut-être s'il y a des erreurs dans l'index original.

2.   Le compilateur qui transforme un programme Pascal en code machine doit conserver la trace de toutes les chaînes de caractères représentant les variables du programme. Un grand programme peut avoir des centaines ou des milliers de noms de variables, surtout lorsque l'on se rappelle que deux variables locales i déclarées dans deux procédures sont en réalité deux variables distinctes. Au fur et à mesure que le compilateur examine le programme, il trouve des nouveaux noms de variables et les insère dans l'ensemble de noms. Une fois que le compilateur a fini de compiler une procédure, les variables de cette procédure ne sont pas accessibles par les autres procédures et elles peuvent donc être supprimées.

Dans ces deux exemples, il y aura beaucoup de chaînes de caractères courtes. Les mots courts sont nombreux en anglais et les programmeurs ont l'habitude d'utiliser de simples lettres comme i, j ou x pour les variables. Par ailleurs, il n'y a pas de limite sur la longueur des mots, que ce soit dans des textes en langue anglaise où nous pouvons trouver un mot comme *pneumonoultramicroscopicsilicovolcanoconiosis* ou dans les programmes où un programmeur peut utiliser une variable comme `NombreDeHamburgersEnCommande`.

Les chaînes de caractères en Pascal

Il existe une manière simple mais peu souple de représentation des chaînes de caractères en Pascal. Nous pouvons créer des tableaux de caractères ; chaque tableau a une longueur fixée. Les chaînes qui sont plus courtes que le tableau sont prolongées par des blancs jusqu'à la fin du tableau (vers sa droite) ; les chaînes qui sont plus longues que le tableau ne peuvent pas être entièrement stockées. Les chaînes longues doivent être *tronquées* ; on stocke alors seulement leur préfixe de longueur égale à celle du tableau.

✦ **Exemple 6.16.** Considérons la structure de données que nous pouvons utiliser pour contenir une entrée d'index ; il s'agit d'un simple mot et de son information associée. Nous devons répertorier :

1. Le mot lui même.

2. Le nombre de fois que le mot apparaît.

3. Une liste des lignes du document dans lequel il y a une ou plusieurs occurrences du mot.

Nous pouvons alors utiliser la structure d'enregistrement suivante :

```
type WORDCELL = record
        word: array [1..MAXLENGTH] of char;
        occurrences: integer;
        lines: LIST
    end;
```

Ici, `MAXLENGTH` est la longueur maximum d'un mot. Tous les enregistrements `WORDCELL` ont un tableau de `MAXLENGTH` octets, et cela quelle que soit la longueur du mot [10]. Le champ `occurrences` est un compteur du nombre d'apparitions du mot et `lines` est un pointeur vers le début d'une liste chaînée de cellules. Chaque cellule contient un entier, représentant une ligne sur laquelle il y a une ou plusieurs occurrences du mot concerné. `CELL` et `LIST` sont définies de façon habituelle :

```
type LIST = ^CELL;
    CELL = record
        line: integer;
        next: LIST
    end;
```

Remarquez que `occurrences` peut être plus grand que la longueur de la liste si le mot apparaît plusieurs fois dans une ligne.

---

[10] En fait, si notre ordinateur commence les champs à une frontière de mot, c'est-à-dire à un octet dont l'adresse est un multiple de 4, alors le champ `word` peut occuper encore plus d'octets. Par exemple, si `MAXLENGTH` est 15, nous utiliserons 16 octets pour ce champ.

Dans la figure 6.34, nous voyons une structure pour le mot `terre` dans le premier chapitre de la Genèse. Nous supposons que `MAXLENGTH` = 15 ; donc `terre` est complétée avec dix blancs. La liste complète des numéros de lignes (vers) est (1, 2, 10, 11, 12, 15, 17, 20, 22, 24, 25, 26, 28, 29, 30).

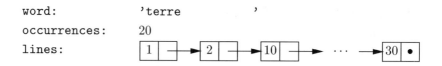

Figure 6.34 : Entrée d'index pour le mot `terre` dans le premier chapitre de la Genèse.

L'index entier peut être constitué d'une collection d'enregistrements de type `WORD-CELL`. Ils peuvent, par exemple, être organisés en un arbre binaire de recherche ; l'ordre < des enregistrements est basé sur l'ordre alphabétique des mots. Cette structure permettrait un accès relativement rapide aux mots lors de l'utilisation de l'index. Elle permettrait aussi de créer l'index de manière efficace lors de l'examen du texte pour localiser et énumérer les occurrences des divers mots. Pour utiliser la structure d'arbre binaire, nous avons besoin de champs fils-gauche et fils-droit dans le type `WORDCELL`. Au lieu de cela, nous pouvons aussi faire en sorte que ces enregistrements soient placés dans une liste chaînée en ajoutant un champ « next » au type `WORDCELL`. Cela serait une structure simple mais peu efficace si le nombre de mots est important. Au chapitre suivant, nous verrons comment on peut organiser ces enregistrements dans une table de hachage, qui offre pour ce problème probablement la meilleure performance que n'importe quelle autre structure de données.◆

Listes chaînées pour les chaînes de caractères

Les implémentations précédentes des chaînes de caractères présentent deux inconvénients : la limitation sur la longueur des chaînes de caractères et la nécessité d'allouer une quantité fixée d'espace mémoire quelle que soit la longueur de la chaîne. Cependant, Pascal et d'autres langages nous permettent de construire d'autres structures de données plus flexibles pour représenter les chaînes. Par exemple, si nous savons qu'il n'y a pas de borne supérieure sur la longueur d'une chaîne de caractères, nous pouvons utiliser les listes chaînées de caractères conventionnelles pour stocker les chaînes. Nous pouvons alors déclarer un type

```
type CHARSTRING = ^CHARCELL;
    CHARCELL = record
        character: char;
        next: CHARSTRING
    end;
```

Dans le type `WORDCELL`, `CHARSTRING` devient le type du champ `word`, comme

```
type WORDCELL = record
     word: CHARSTRING;
     occurrences: integer;
     lines: LIST
end;
```

Par exemple, le mot **terre** serait représenté par

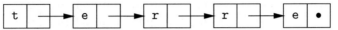

Ce schéma élimine toute borne supérieure sur la longueur des mots, mais en pratique, elle n'est pas très économique en espace mémoire. La raison est que chaque enregistrement de type **CHARCELL** prend au moins cinq octets, c'est-à-dire un pour le caractère et quatre pour un pointeur vers la cellule suivante de la liste. En fait, nous tenons à ce que les champs commencent à des frontières de mots, c'est-à-dire à des octets dont les adresses sont des multiples de 4, parce qu'un enregistrement **CHARCELL** prend alors huit octets. Sous cette hypothèse, notre liste pour le mot **terre** prend 40 octets (en supposant 8 octets par cellule) plus quatre octets de plus pour l'en-tête de la liste soit au total 44 octets. Puisque peu de mots sont plus longs que 44 caractères, nous pourrions faire aussi bien avec la structure de l'exemple 6.16 avec **MAXLENTH** = 44.

Nous pouvons être un peu plus astucieux en regroupant plusieurs octets dans le champ données de chaque cellule. Par exemple, en supposant que les champs doivent commencer à des frontières de mots, mettre quatre octets dans le champs données de chaque cellule ne pose pas de problème. La seule précaution à prendre est d'avoir un caractère, comme le blanc, pour combler comme dans le cas des chaînes de caractères stockées dans des tableaux. Si le blanc est un caractère valide dans les chaînes (par exemple, nous construisons un index de phrases et non pas de simples mots), alors nous devons combler avec un autre caractère spécial dont nous sommes sûrs qu'il ne puisse pas faire partie d'une chaîne de caractères. En général, si **CPC** (caractères par cellule) est le nombre de caractères que nous souhaitons placer dans une cellule, nous pouvons déclarer les cellules de la façon suivante

```
type CHARCELL = record
     characters: array [1..CPC] of char;
     next: CHARSTRING
end;
```

Par exemple, si **CPC** = 4, alors nous pouvons stocker le mot **terre** dans deux cellules, comme

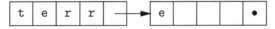

Les cellules prennent encore 8 octets chacune et nous utilisons donc maintenant 16 octets, plus 4 pour un en-tête, soit 20 octets pour le mot **terre**.

Nous pourrions aussi augmenter **CPC**. Si nous le faisons, la fraction d'espace prise par les pointeurs décroît, ce qui est une bonne chose ; cela signifie que disparaît le surcoût lié à l'utilisation des listes chaînées à la place des tableaux. D'un autre côté, si nous utilisons une très grande valeur de **CPC**, la plupart des mots n'utiliseront qu'une seule cellule ; cette cellule aurait beaucoup de caractères de remplissage, comme dans le cas d'un tableau de longueur `CPC`.

		CARACTERES PAR CELLULE			
INTERVALLE	PROBABILITE	4	8	12	16
1-4	0,3	8	12	16	20
5-8	0,4	16	12	16	20
9-12	0,2	24	24	16	20
13-16	0,1	32	24	32	20
Moy.		16,8	15,6	17,6	20,0

Figure 6.35 : Nombres d'octets utilisés pour les chaînes dans différentes longeurs d'intervalles pour différentes valeurs de `CPC`.

✦ **Exemple 6.17.** Supposons que notre population de chaînes de caractères soit constituée de 30% de chaînes de longueur comprise entre 1 et 4 caractères, de 40% entre 5 et 8 caractères, de 20% entre 9 et 12 et de 10% entre 13 et 16. La table de la figure 6.35 donne le nombre d'octets nécessaires aux listes chaînées représentant les mots dans les quatre intervalles pour quatre valeurs de `CPC`, qui sont 4, 8, 12 et 16. Avec notre hypothèse sur les fréquences de longueur des mots, `CPC = 8` vient en tête, avec une utilisation moyenne de 15,6 octets (à laquelle nous devons ajouter 4 octets pour l'en-tête, ce qui donne un coût total de 19,6 octets). Il est donc préférable d'utiliser des cellules ayant une place pour 8 octets, ce qui donne 12 octets par cellule en tenant compte des 4 octets du pointeur `next`. Remarquez que le coût total de 19,6 octets n'est pas aussi bon que celui obtenu en utilisant 16 octets pour un tableau de caractères. Cependant, le schéma de liste chaînée peut accepter des chaînes de plus de 16 caractères (même si selon notre hypothèse, il y a 0% de chaînes de plus de 16 caractères). ✦

Stockage de masse pour les chaînes de caractères

Il existe une autre approche à la gestion du stockage d'un grand nombre de chaînes de caractères ; cette approche réunit les avantages du stockage en tableau (pas de pointeurs) avec les avantages du stockage en liste chaînée (pas d'espace gaspillé par le remplissage et pas de limite sur la longueur d'une chaîne). Nous créons un très long tableau de caractères, dans lequel nous allons stocker chaque chaîne de caractères. Pour indiquer la fin d'une chaîne et le début de la suivante, nous utilisons un caractère spécial, appelé **un marqueur de fin**. Le marqueur de fin ne peut pas faire partie d'une chaîne de caractères. Dans la suite, nous allons utiliser * comme marqueur de fin ; nous le choisissons pour des raisons de visibilité ; il est plus courant de choisir un caractère non affichable, comme le caractère « nul » (code 0) dans l'ensemble des caractères ASCII.

✦ **Exemple 6.18.** Supposons que nous déclarions un tableau `space` par

```
var space: array [1..MAX] of char
```

Nous pouvons alors stocker un mot en donnant l'indice de la première position dans space consacrée à ce mot. La structure d'enregistrement WORDCELL, analogue à celle de l'exemple 6.16, serait alors

```
type WORDCELL = record
        word: integer;
        occurrences: integer;
        lines: LIST
    end;
```

Sur la figure 6.36, nous voyons l'enregistrement pour le mot au dans un index basé sur le livre de la Génèse. La valeur 4 de word désigne le quatrième élément du tableau space, où nous voyons le début du mot début. En regardant le tableau, on pourrait penser que le tableau space contient le texte. Nous allons vite nous apercevoir que ce n'est pas le cas. Même si les éléments suivants contiennent les mots début, Dieu et créa, le second au n'apparaîtra pas dans le tableau space. Ce mot sera compté en ajoutant 1 au nombre d'occurrences dans l'enregistrement WORDCELL pour au. Plus nous progresserons dans le livre, plus nous trouverons des répétitions de mots et les entrées de space cesseront de ressembler au texte biblique. ✦

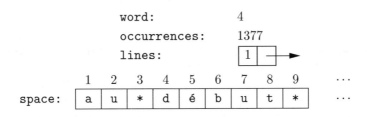

Figure 6.36 : Représentation des mots par des indices dans l'espace des chaînes.

Comme pour les enregistrements de l'exemple 6.16, les enregistrements de l'exemple 6.18 peuvent être organisés en des structures comme les arbres binaires de recherche ou les listes chaînées en ajoutant les champs pointeurs appropriés à la structure d'enregistrement. Cependant, pour implémenter un arbre binaire de recherche, avec < représentant l'ordre lexicographique sur les chaînes, nous devons implémenter nos propres fonctions pour tester si une chaîne est inférieure à une autre. La figure 6.37 montre une fonction precedes qui prend deux entiers i et j et nous dit si la chaîne commençant à la position i dans space précède la chaîne commençant à la position j.

Intéressons-nous maintenant à l'utilisation de la fonction precedes pour construire un index. Nous devons d'abord gérer un index available qui est un entier indiquant la première position inoccupée dans le tableau space. Initialement available reçoit 1. Supposons que nous soyons en train d'examiner le texte pour lequel nous construisons un index et que nous trouvions le mot suivant — disons, au. Nous ne savons pas si au est déjà dans la structure de données de l'index (que nous allons prendre comme exemple d'arbre binaire de recherche). Nous ajoutons alors temporairement au* aux positions space[available..available+2] et nous ajoutons 3 à available. Soit

```
function precedes(i, j: integer): Boolean;
begin
    if (space[i] = '*') AND (space[j] <> '*') then
        (* la chaîne commençant en i est vide mais la
            chaîne commençant en j ne l'est pas *)
        precedes := TRUE
    else if space[j] = '*' then
        (* la chaîne commençant en j est vide *)
        precedes := FALSE
    else if space[i] < space[j] then
        (* première lettre du mot commençant en i précède
            celui qui commence en j *)
        precedes := TRUE
    else if space[i] > space[j] then
        (* première lettre en j précède première lettre en i *)
        precedes := FALSE
    else (* les premières lettres sont les mêmes; la
            récursivité commençant aux secondes lettres *)
        precedes := precedes(i+1, j+1)
end; (* precedes *)
```

Figure 6.37 : Tester si une chaîne précède l'autre selon l'ordre
lexicographique.

i, l'ancienne valeur de **available**, c'est-à-dire la première position de la chaîne **au***
que nous venons d'ajouter à **space**.

Nous pouvons maintenant chercher le mot **au** dans l'arbre binaire de recherche. Si
nous sommes à un noeud pointé par p, nous pouvons appeler **precedes(i, p^.word)**
pour savoir si **au** précède le mot du noeud pointé par p. Si tel est le cas, nous passons
au fils gauche. Sinon, nous testons **precedes(p^.word, i)**. Si cette condition est
vraie, nous allons au fils droit. Si aucune des conditions n'est vraie, alors le mot du
noeud de l'arbre binaire de recherche est **au**. Nous avons donc trouvé le mot souhaité.
Nous ajoutons 1 au nombre d'occurrences et insérons la ligne courante dans la liste des
lignes. Nous devons aussi affecter à nouveau i à **available** parce que nous n'avons
plus besoin de cette copie de **au** ; il y en a déjà un dans **space** et il commence à la
position p^.word.

Notre seule autre préoccupation est de voir ce qui arrive lorsque nous cherchons un
fils gauche ou droit dans l'arbre binaire de recherche et trouvons qu'il n'y en a pas.
Nous avons alors trouvé la place où il faut insérer le nouveau mot **au**. Nous créons un
nouveau noeud — qui contient les champs des enregistrements WORDCELL, ainsi que les
pointeurs fils-gauche et fils-droit (tous les deux à NIL) — et nous l'insérons dans l'arbre
à ce point. Nous affectons i au champ **word** du nouveau noeud de sorte qu'il désigne
notre copie du mot **au**, nous affectons 1 à **occurrences** et nous créons une liste pour
le champ **lines** contenant seulement la ligne de texte courante.

Que se passe-t-il lorsque nous n'avons plus d'espace mémoire

Nous avons supposé que `space` était tellement grand qu'il y avait toujours assez de place pour ajouter un nouveau mot. En fait, chaque fois que nous ajoutons un caractère, nous devons vérifier que la position courante à laquelle nous écrivons n'est pas plus grande que `MAX`. Nous devons renoncer à ajouter un mot et non pas essayer d'écrire dans `space[MAX+1]`, ce qui serait une erreur.

Cependant, tout n'est pas perdu. Au lieu de créer un tableau `space`, nous pouvons définir un type

```
type SPACE = array[1..MAX] of char
```

et conserver un pointeur `p` déclaré par

```
var p: ^SPACE
```

Nous initialisons `p` en exécutant `new(p)`. Si nous ne pouvons pas mettre le mot suivant dans le tableau pointé par `p`, nous exécutons à nouveau `new(p)` pour obtenir plus d'espace.

Cette organisation pose un problème ; nous perdons la trace de l'ancien tableau lorsque nous en créons un nouveau. Ainsi, lorsque nous ajoutons un nouveau mot au tableau `p^`, nous n'avons pas seulement besoin de conserver la trace du début du mot, mais il faut aussi stocker la valeur de `p` dans l'enregistrement représentant ce mot. Ainsi, à la place du champ `word` de type `WORDCELL`, nous avons besoin de champs `pArray` de type `^SPACE` et `begins` du type `integer`. Par exemple, si `available` contient la première position disponible dans le tableau `p^` et `newWord` pointe vers un enregistrement de type `WORDCELL`, nous pouvons exécuter

```
newWord^.pArray := p;
newWord^.begins := available
```

Nous stockons un caractère — disons *c* — au premier espace disponible par

```
if available > MAX then
    begin new(p); available := 1 end;
p^[available] := c;
available := available + 1
```

Cependant, nous ne pouvons pas couper un mot sur une frontière de tableau ; nous devons obtenir un nouveau tableau `SPACE` et recommencer à stocker le mot dans ce tableau.

EXERCICES

6.10.1 : Ecrivez les procédures suivantes pour le type enregistrement `WORDCELL` examiné dans l'exemple 6.16 :

a) La fonction `create(word: array[1..MAXLENGTH] of char)` qui prend un mot en argument et retourne un pointeur vers l'enregistrement de type `WORDCELL` sans occurrence et une liste vide de lignes.

b) La procédure `insert(word: ^WORDCELL; line: integer)` qui prend un pointeur vers un enregistrement `word` et un numéro de ligne ; elle ajoute 1 au nombre
d'occurrences de ce mot et ajoute cette ligne à la liste des lignes si elle n'y est pas
déjà.

6.10.2 : Refaites l'exemple 6.17 en supposant que chaque longueur de mot de 1 à 40
est équiprobable ; c'est-à-dire que 10% des mots sont de longueur 1–4, 10% sont de
longueur 5–8, ..., et 10% sont de longueur 37–40. Quel est le nombre moyen d'octets
requis si CPC est 4, 8,, ..., 40 ?

6.10.3 : * Si, dans le modèle de l'exemple 6.17, toutes les longueurs de mots allant de 1
à n sont égales, quelle valeur de CPC (fonction de n) mimimise-t-elle le nombre d'octets
utilisés ? Si vous ne trouvez pas la réponse exacte, une approximation grand O peut
vous aider.

6.10.4 : * Un avantage de l'utilisation de la structure de l'exemple 6.18 est que nous
pouvons partager des parties du tableau `space` entre deux ou plusieurs mots. Par
exemple, l'enregistrement pour le mot `but` pourrait avoir le champ `word` égal à 6 dans
le tableau de la figure 6.36. Compressez les mots `quel`, `quelles`, `lequel`, `laquelle`,
`duquel`, `desquels`, `elle`, `telle` en aussi peu d'éléments que possible dans le tableau
`space`. Combien d'espace gagnez-vous grâce à cette compression ?

6.10.5 : * Une autre approche pour stocker les mots est d'éliminer le marqueur de fin
du tableau `space`. A la place, nous ajoutons un champ `length` aux enregistrements
`WORDCELL` de l'exemple 6.18, pour indiquer le nombre de caractères depuis le premier
(indiqué par le champ `word`), inclus dans le mot. En supposant que les entiers prennent
quatre octets, ce schéma permet-il de gagner de l'espace en comparaison du schéma
décrit dans l'exemple 6.18 ? Qu'en serait-il si les entiers pouvaient être stockés dans un
octet ?

6.10.6 : ** Le schéma décrit à l'exercice 6.10.5 nous donne aussi la possibilité de com-
presser le tableau `space`. Maintenant les mots peuvent se superposer même si aucun
d'eux n'est suffixe d'un l'autre. Combien d'éléments du tableau `space` sont nécessaires
pour stocker les mots de la liste de l'exercice 6.10.4, en utilisant le schéma de l'exercice
6.10.5 ?

6.11   Résumé du chapitre 6

Les points suivants ont été étudiés dans le chapitre 6.

✦ Les listes sont un modèle de données important pour représenter des séquences
d'éléments.

✦ Les listes chaînées et les tableaux sont deux structures de données pouvant être
utilisées pour implémenter des listes.

✦ Les listes sont une implémentation simple des dictionnaires, mais leur efficacité
n'est pas comparable avec celle de l'arbre binaire de recherche du chapitre 5 ou de
la table de hachage qui sera présentée au chapitre 7.

✦ Placer une « sentinelle » à la fin d'un tableau pour être sûr de trouver l'élément que nous cherchons, est gage d'efficacité.

✦ Les piles et les files sont des formes importantes de listes.

✦ La pile est utilisée « en coulisses » pour implémenter des procédures récursives.

✦ Une chaîne de caractères est un cas spécial important d'une liste, et nous avons plusieurs structures de données pour représenter les chaînes de caractères de manière efficace. Cela inclut les listes chaînées qui contiennent plusieurs caractères par cellule et les grands tableaux partagés par plusieurs chaînes de caractères.

✦ Le problème qui consiste à trouver les plus longues sous-séquences communes peut être résolu de manière efficace par une technique connue sous le nom de « programmation dynamique », dans laquelle nous remplissons une table d'information dans l'ordre adéquat.

6.12   Notes bibliographiques du chapitre 6

Knuth [1968] est encore la source fondamentale pour les structures de données listes. Bien qu'il soit difficile de retracer les origines de notions très élémentaires comme « liste » ou « pile », nous pouvons dire que le premier langage de programmation à utiliser les listes dans son modèle de données était IPL-V (Newell et al. [1961]) ; parmi les premiers langages de traitement de listes, seul Lisp (McCarthy et al. [1962]) fait partie des langages importants encore d'actualité. D'ailleurs, Lisp signifie « LISt Processing ».

L'utilisation des piles pour l'implémentation des programmes récursifs est examiné en détail dans Aho, Sethi, et Ullman [1989].

L'algorithme de plus-longue-sous-séquence-commune décrit au paragraphe 6.9 est de Wagner et Fischer [1975]. L'algorithme actuellement utilisé dans la commande `diff` UNIX est décrit dans Hunt et Szymanski [1977]. Aho [1990] fait un survol des algorithmes de mise en correspondance des chaînes de caractères.

La programmation dynamique en tant que technique abstraite fut décrite par Bellman [1957]. Aho, Hopcroft, et Ullman [1983] donne des exemples d'algorithmes utilisant la programmation dynamique.

Aho, A. V. [1990]. « Algorithms for finding patterns in strings », in *Handbook of Theoretical Computer Science* Vol. A: *Algorithms and Complexity* (J. Van Leeuwen, ed.), MIT Press, Cambridge, Mass.

Aho, A. V., J. E. Hopcroft, et J. D. Ullman [1987]. *Structures de données et algorithmes*, Addison Wesley, Reading, Mass.

Aho, A. V., R. Sethi, et J. D. Ullman [1989]. *Compilateurs. Principes, techniques, et outils*, InterEditions, Paris.

Bellman, R. E. [1957]. *Dynamic Programming*, Princeton University Press, Princeton, NJ.

Hunt, J. W. et T. G. Szymanski [1977]. « A fast algorithm for computing longest common subsequences », *Comm. ACM* **20**:5, pp. 350–353.

Knuth, D. E. [1968]. *The Art of Computer Programming*, Vol. I, *Fundamental Algorithms*, Addison Wesley, Reading, Mass.

McCarthy, J. et al. [1962]. *LISP 1.5 Programmer's Manual*, MIT Computation Center and Research Laboratory of Electronics, Cambridge, Mass.

Newell, A., F. M. Tonge, E. A. Feigenbaum, B. F. Green, and G. H. Mealy [1961]. *Information Processing Language-V Manual*, Prentice-Hall, Englewood Cliffs, New Jersey.

Wagner, R. A. and M. J. Fischer [1975]. « The string to string correction problem », *J. ACM* **21**:1, pp. 168–173.

G. Szymanski [1977]. « A fast algorithm for computing longest common subsequences », *Comm. ACM* **20**:5, pp. 350–353.

CHAPITRE 7

Le modèle de données ensemble

Le modèle ensemble est certainement le plus fondamental de tous les modèles de données mathématiques. Tout concept mathématique, des arbres aux nombres réels, peut être exprimé sous la forme d'un ensemble. Il n'est donc pas surprenant que les ensembles soient aussi un modèle fondamental pour l'informatique. Dans ce chapitre, nous revoyons les définitions élémentaires sur les ensembles et nous considérons ensuite les algorithmes permettant d'implémenter de manière efficace des opérations sur les ensembles.

7.1 Le propos de ce chapitre

Ce chapitre aborde les thèmes suivants :

✦ Les définitions élémentaires de la théorie des ensembles et les principales opérations sur les ensembles, notamment les opérations de type dictionnaire *insert*, *delete* et *lookup* (paragraphes 7.2–7.3).

✦ Les trois structures de données les plus couramment utilisées pour implémenter les ensembles : les listes chaînées, les vecteurs caractéristiques et les tables de hachage. Nous comparons ces structures de données sur la base de leur efficacité relative pour le support des diverses opérations ensemblistes (paragraphes 7.4–7.6).

✦ Les relations et les fonctions, des ensembles de paires (paragraphe 7.7).

✦ Les structures de données représentant les relations et les fonctions (paragraphes 7.8–7.9).

✦ Des formes particulières de relations binaires, comme les ordres partiels et les relations d'équivalence (paragraphe 7.10).

✦ Les ensembles infinis (paragraphe 7.11).

7.2   Définitions élémentaires

En mathématique, le terme « ensemble » n'est pas explicitement défini. De même que les termes « point » et « ligne » en géométrie, le terme ensemble est défini par ses propriétés. Il existe en particulier une notion *d'appartenance* qui n'a de signification que pour les ensembles. Si S est un ensemble et si x est n'importe quoi, nous pouvons poser la question « x est-il un élément de S ? ». L'ensemble S comprend tous les éléments x pour lesquels x est un élément de S. Les points suivants résument quelques notions importantes lorsque l'on parle d'ensembles.

1.   L'expression $x \in S$ signifie que l'élément x est un élément de l'ensemble S.

2.   Si $x_1, x_2, \ldots, x_n$ sont tous des éléments de l'ensemble S, alors nous pouvons écrire

$$S\{x_1, x_2, \ldots, x_n\}$$

Ici, chaque x doit être distinct ; nous ne pouvons pas mettre deux fois un élément dans un ensemble. En revanche, l'ordre dans lequel sont disposés les éléments de l'ensemble est arbitraire.

3.   L'ensemble vide, noté $\emptyset$ est l'ensemble qui n'a pas d'élément. Autrement dit $x \in \emptyset$ est faux quel que soit x.

✦ **Exemple 7.1.** Soit $S = \{1, 3, 6\}$; autrement dit, S est l'ensemble qui a pour éléments les entiers 1, 3 et 6 et aucun autre. Nous pouvons écrire $1 \in S$, $3 \in S$ et $6 \in S$. Par contre, l'assertion $2 \in S$ est fausse de même que celle qui affirme que toute autre chose est élément de S.

Les ensembles peuvent aussi avoir d'autres ensembles pour éléments. Par exemple, soit $T = \{\{1, 2\}, 3, \emptyset\}$. T a alors trois éléments. Le premier est l'ensemble $\{1, 2\}$, c'est-à-dire l'ensemble avec 1 et 2 pour seuls éléments. Le second est l'entier 3. Le troisième est l'ensemble vide. Les assertions suivantes sont vraies : $\{1, 2\} \in T$, $3 \in T$, et $\emptyset \in T$. Par contre, $1 \in T$ est fausse. C'est-à-dire que le fait que 1 soit un élément d'un élément de T ne signifie pas que 1 soit lui-même un élément de T. ✦

Atomes

Dans la théorie des ensembles, il n'existe que des ensembles. Cependant, dans notre théorie (informelle) des ensembles, ainsi que dans les structures de données et dans les algorithmes basés sur les ensembles, il est pratique de supposer l'existence d'*atomes*, des éléments qui ne sont pas des ensembles. Un atome peut être un élément d'un ensemble, mais rien ne peut être élément d'un atome. Il est important de rappeler que l'ensemble vide, comme tous les atomes, n'a pas d'élément. En revanche, l'ensemble vide est un ensemble et non un atome.

En général, nous supposerons que les entiers et les lettres en minuscules désignent des atomes. Lorsque l'on parle de structures de données, il est souvent pratique d'utiliser des types de données complexes pour les types des atomes. Les atomes peuvent donc être des enregistrements ou des tableaux et donc ne pas être atomiques du tout.

Ensembles et listes

Bien que la notation choisie pour les listes, $(x_1, x_2, \ldots, x_n)$, et celle choisie pour les ensembles, $\{x_1, x_2, \ldots, x_n\}$, soient très semblables, leurs différences sont importantes. Premièrement, l'ordre des éléments dans un ensemble n'a aucune signification. L'ensemble écrit $\{1, 2\}$ pourrait être écrit $\{2, 1\}$. Par contre, la liste $(1, 2)$ n'est pas la même que la liste $(2, 1)$.

Deuxièmement, il peut y avoir des répétitions dans une liste. Par exemple, la liste $(1, 2, 2)$ a trois éléments ; le premier est 1, le second est 2 et le troisième est aussi 2. Par contre, la notation $\{1, 2, 2\}$ pour un ensemble n'a aucun sens. Un élément, comme par exemple 2, ne peut pas être plus d'une fois élément d'un ensemble. Puisque cette notation ne signifie rien, elle est la même que $\{1, 2\}$ ou $\{2, 1\}$ — c'est-à-dire un ensemble avec 1 et 2 pour seuls éléments.

Parfois, on parle de **multi-ensemble** ou de **sac** pour un ensemble dont les éléments peuvent avoir une multiplicité supérieure à 1. Par exemple, on peut parler d'un multi-ensemble qui contient une fois 1 et deux fois 2. Les multi-ensembles ne sont pas des listes car leurs éléments sont encore sans ordre.

Définition des ensembles par l'abstraction

L'énumération des éléments d'un ensemble n'est pas la seule manière de définir les ensembles. Il est souvent plus pratique de commencer avec un ensemble S et une propriété P sur les éléments, et de définir l'ensemble des éléments de S comme vérifiant la propriété P. La notation de cette opération, qui est appelée *abstraction* est

$$\{x \mid x \in S \text{ et } P(x)\}$$

ou « l'ensemble des éléments x dans S tels que x vérifie la propriété P ».

L'expression précédente est appelée un **gabarit d'ensemble**. La variable x du gabarit d'ensemble est locale à l'expression et nous aurions également pu écrire

$$\{y \mid y \in S \text{ et } P(y)\}$$

pour décrire le même ensemble.

✦ **Exemple 7.2.** Soit S, l'ensemble $\{1, 3, 6\}$ de l'exemple 7.1, et $P(x)$ la propriété « x est impair ». Alors,

$$\{x \mid x \in S \text{ et } x \text{ est impair }\}$$

est une autre manière de définir l'ensemble $\{1, 3\}$. C'est-à-dire que nous acceptons les éléments 1 et 3 de S car ils sont impairs mais nous refusons 6 car il ne l'est pas.

Prenons un autre exemple, considérons l'ensemble $T = \{\{1, 2\}, 3, \emptyset\}$ de l'exemple 7.1. Alors,

$$\{A \mid A \in T \text{ et } A \text{ est un ensemble }\}$$

désigne l'ensemble $\{\{1, 2\}, \emptyset\}$.

Un troisième exemple : l'ensemble des entiers non négatifs, ou « naturels », est sou-

Les ensembles en Pascal

Il existe en Pascal une notion d'ensemble assez rudimentaire qui diffère de la définition générale. Premièrement, les ensembles sont restreints à des éléments d'un type élémentaire, comme un type énuméré ou un type intervalle, comme $20..40$. En général, les ensembles ne comprennent pas nécessairement des éléments d'un seul type. Par exemple, voyez l'ensemble T de l'exemple 7.1 qui a pour éléments deux ensembles et un atome.

Deuxièmement, en Pascal, les ensembles ont généralement une petite borne supérieure, comme 32 ou 64 qui limite le nombre de leurs éléments. Le but est d'autoriser une implémentation simple de certaines opérations du type « vecteur caractéristique » (paragraphe 7.5) sur les ensembles Pascal. En mathématique, les ensembles n'ont bien évidemment pas de borne supérieure.

vent noté **N**. Soit $P(x)$ la propriété « x est premier » (c'est-à-dire $x > 1$ et x n'a pas d'autre diviseur que 1 et lui-même). L'ensemble des nombres premiers est alors noté

$$\{x \mid x \in \mathbf{N} \text{ et } P(x)\}$$

Cette expression désigne l'ensemble infini $\{2, 3, 5, 7, 11, \ldots\}$. ✦

Ensembles infinis

Il est réconfortant de supposer que les ensembles sont *finis* — c'est-à-dire qu'il existe un entier n tel que l'ensemble considéré ait exactement n éléments. Par exemple, l'ensemble $\{1, 3, 6\}$ a trois éléments. Cependant, certains ensembles sont *infinis*, ce qui signifie qu'il n'y a pas d'entier limitant le nombre d'éléments dans l'ensemble. Nous connaissons bien certains ensembles infinis comme

✦   **N** l'ensemble des entiers naturels.

✦   **Z** l'ensemble des entiers.

✦   **R** l'ensemble des nombres réels.

✦   **C** l'ensemble des nombres complexes.

A partir de ces ensembles nous pouvons créer d'autres ensembles infinis par des abstractions.

✦ **Exemple 7.3.** Le gabarit d'ensemble

$$\{x \mid x \in \mathbf{Z} \text{ et } x < 3\}$$

est l'ensemble de tous les entiers négatifs plus 0, 1 et 2. Le gabarit d'ensemble

$$\{x \mid x \in \mathbf{Z} \text{ et } \sqrt{x} \in \mathbf{Z}\}$$

représente l'ensemble des entiers qui sont des carrés parfaits, $\{0, 1, 4, 9, 16, \ldots\}$. ✦

Les ensembles infinis présentent quelques propriétés intéressantes et subtiles. Nous nous y intéresserons au paragraphe 7.11.

Paradoxe de Russel

On peut se demander pourquoi l'opération d'abstraction exige que nous désignions un autre ensemble dont les éléments du nouveau doivent faire partie. Pourquoi ne pas utiliser simplement une expression comme $\{x \mid P(x)\}$, par exemple,

$\{x \mid x \text{ est bleu }\}$

pour définir l'ensemble de toutes les choses bleues ? La raison est qu'en autorisant une telle façon de décrire les ensembles conduit en une incohérence logique découverte par Bertrand Russel et appelée le *paradoxe de Russel*. On aura peut être rencontré ce paradoxe de façon informelle si l'on a entendu parler de la ville où le barbier rase toutes les personnes qui ne se rasent pas elles-mêmes ; on peut se demander si le barbier se rase lui-même. S'il le fait, alors il ne le fait pas et s'il ne le fait pas, alors il le fait. La raison de cette anomalie est que l'assertion « rase toutes les personnes qui ne se rasent pas elles-mêmes » qui peut paraître raisonnable n'a en fait formellement pas de sens. Pour comprendre le paradoxe de Russel concernant les ensembles, supposons que nous puissions définir les ensembles de la forme $\{x \mid P(x)\}$ pour n'importe quelle propriété P. Alors, soit $P(x)$ la propriété « x n'est pas élément de x ». C'est-à-dire, considérons que P est vraie pour un ensemble x si x n'est pas élément de lui-même. Soit S l'ensemble

$S = \{x \mid x \text{ n'est pas élément de } x\}$

Maintenant, nous pouvons demander « l'ensemble S est-il élément de lui-même ? »

Cas 1: Supposons que S ne soit pas élément de S. Alors $P(S)$ est vraie et donc S est un élément de l'ensemble $\{x \mid x \text{ n'est pas un élément de } x\}$. Mais cet ensemble est S et donc en supposant que S n'est pas un élément de lui-même, nous prouvons que S est en fait un élément de lui-même. Donc il ne peut pas être vrai que S ne soit pas un élément de lui-même.

Cas 2: Supposons que S soit un élément de lui-même. Alors S n'est pas un élément de

$\{x \mid x \text{ n'est pas un élément de } x\}$

Mais encore, cet ensemble est S et nous en concluons donc que S n'est pas un élément de lui-même.

Ainsi, lorsque nous commençons en supposant que $P(S)$ est fausse, nous prouvons qu'elle est vraie et lorsque nous commençons par supposer que $P(S)$ est vraie, nous arrivons à prouver qu'elle est fausse. Puisque nous arrivons à une contradiction dans l'un ou l'autre des cas, nous sommes obligés de rejeter la notation. Autrement dit, le vrai problème est que définir l'ensemble S comme nous l'avons fait n'a aucun sens.

Une autre conséquence intéressante du paradoxe de Russel est de supposer qu'il existe un « ensemble de tous les éléments » n'a aucun sens. S'il existait un tel « ensemble universel » — disons U — alors nous pourrions écrire

$\{x \mid x \in U \text{ et } x \text{ n'est pas un élément de } x\}$

et nous aurions encore une autre instance du paradoxe de Russel. Nous serions alors forcés d'abandonner complètement l'abstraction, et cette opération est beaucoup trop utile pour qu'on la laisse tomber.

EXERCICES

7.2.1 : Quels sont les éléments de l'ensemble $\{\{a, b\}, \{a\}, \{b, c\}\}$?

7.2.2 : Ecrivez les expressions de gabarits d'ensembles pour :

a) L'ensemble des entiers supérieurs à 1000.

b) L'ensemble des entiers pairs.

7.3   Opérations sur les ensembles

Il existe des opérations particulières qui sont couramment appliquées aux ensembles comme l'union et l'intersection. Vous connaissez probablement bien la plupart de ces opérations mais nous allons quand même revoir les plus importantes et ensuite, aux paragraphes suivants, nous examinerons quelques implémentations de ces opérations.

Union, intersection et différence

Les trois opérations suivantes sont couramment utilisées pour combiner des ensembles :

1. L'*union* de deux ensembles S et T, notée $S \cup T$, est l'ensemble contenant les éléments qui sont dans S ou dans T ou dans les deux.

2. L'*intersection* des ensembles S et T, notée $S \cap T$, est l'ensemble contenant les éléments qui sont à la fois dans S et dans T.

3. La *différence* des ensembles S et T, notée $S - T$, est l'ensemble contenant les éléments qui sont dans S mais pas dans T.

✦ **Exemple 7.4.** Soit S, l'ensemble $\{1, 2, 3\}$ et T l'ensemble $\{3, 4, 5\}$. Alors

$$S \cup T = \{1, 2, 3, 4, 5\}, \ S \cap T = \{3\}, \ \text{et} \ S - T = \{1, 2\}$$

C'est-à-dire que $S \cup T$ contient tous les éléments apparaissant soit dans S soit dans T. Bien que 3 apparaisse à la fois dans S et dans T, il n'y a bien sûr qu'une occurrence de 3 dans $S \cup T$, car les éléments ne peuvent pas apparaître plus d'une fois dans un ensemble. $S \cap T$ contient seulement 3, car aucun autre élément n'apparaît à la fois dans S et dans T. Finalement, $S - T$ contient 1 et 2, car ils apparaissent dans S mais pas dans T. L'élément 3 n'est pas présent dans $S - T$ car bien qu'il apparaisse dans S, il apparaît aussi dans T. ✦

Diagrammes de Venn

Il est souvent utile de considérer que les opérations sur les ensembles à l'aide de dessins appelés *diagrammes de Venn*. La figure 7.1 est un diagramme de Venn montrant deux ensembles S et T, chacun d'eux étant représenté par une ellipse. Les deux ellipses divisent le plan en quatre régions numérotées de 1 à 4.

1. La région 1 représente les éléments qui ne sont ni dans S ni dans T.

2. La région 2 représente $S - T$, les éléments qui sont dans S mais pas dans T.

3. La région 3 représente les éléments qui sont à la fois dans T et dans S.

4. La région 4 représente $T - S$, les éléments qui sont dans T mais pas dans S.

5. La combinaison des régions 2, 3 et 4 représente $S \cup T$, les éléments qui sont dans S ou T ou dans les deux.

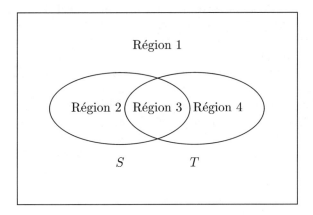

Figure 7.1 : Les régions représentant les diagrammes de Venn pour les opérations élémentaires sur les ensembles.

Lois algébriques pour l'union, l'intersection et la différence

Pour imiter l'algèbre des opérations arithmétiques telles que $+$ et $*$, nous pouvons définir une algèbre des ensembles dans laquelle les opérateurs sont l'union, l'intersection et la différence, et les opérandes sont des ensembles ou des variables représentant des ensembles. Dès lors que nous sommes autorisés à construire des expressions compliquées comme $R \cup \big((S \cap T) - U\big)$, nous pouvons nous poser la question de savoir si deux **expressions** sont **équivalentes**, c'est-à-dire si elles représentent le même ensemble (ceci indépendamment des ensembles substitués aux opérandes qui sont des variables). Parfois, en substituant une expression équivalente à une autre expression, nous pouvons simplifier les expressions impliquant des ensembles de façon qu'elles puissent être évaluées de manière plus efficace.

Nous allons maintenant énumérer les *lois algébriques* les plus importantes — c'est-à-dire des assertions relatives aux équivalences des expressions — pour l'union, l'intersection et la différence d'ensembles. Le symbole $\equiv$ est utilisé pour représenter l'équivalence d'expressions.

Dans plusieurs de ces lois algébriques, il y a une analogie entre l'union, l'intersection et la différence d'ensembles, et l'addition, la multiplication et la soustraction d'entiers. Nous signalerons également les lois qui n'ont pas leur équivalent en arithmétique.

a) *La commutativité de l'union* : $(S \cup T) \equiv (T \cup S)$. Cela signifie que l'ordre d'apparition des deux ensembles n'est pas important lorsque l'on réalise leur union. L'explication de cette loi est simple. L'élément x est dans $S \cup T$ si x est dans S ou

Qu'est-ce qu'une algèbre ?

Nous pourrions penser que le terme « algèbre » est réservé à la résolution de problèmes de nombres, à la découverte des racines d'une équation polynomiale et tout autre sujet étudié dans un cours d'algèbre du secondaire. Pour un mathématicien, cependant, le terme algèbre désigne toute sorte de système dans lequel il y a des opérandes et des opérateurs à partir desquels on construit des expressions. Pour qu'une algèbre soit intéressante et utile, elle doit avoir des constantes particulières et des *lois* nous permettant de transformer une expression en une autre expression « équivalente ».

L'algèbre la plus connue est celle où les opérandes sont des entiers, des réels ou des nombres complexes — ou des variables représentant les valeurs de l'une de ces classes — et les opérateurs sont les opérateurs arithmétiques ordinaires : addition, multiplication, soustraction et division. Les constantes 0 et 1 sont particulières et satisfont des lois comme $x + 0 = x$. Pour manipuler des expressions arithmétiques, nous utilisons des lois comme la loi de distribution, qui nous permet de remplacer n'importe quelle expression de la forme $a \times b + a \times c$ par une expressions équivalente $a \times (b + c)$. Remarquez qu'en opérant cette transformation, nous réduisons à 1 le nombre d'opérations arithmétiques. Souvent, l'objectif d'une manipulation algébrique des expressions, comme celle-ci, est de trouver une expression équivalente dont l'évaluation prend moins de temps que l'évaluation de l'expression originale.

Tout au long de ce livre, nous rencontrerons diverses sortes d'algèbres. Le paragraphe 8.7 introduit l'algèbre relationnelle, une généralisation de l'algèbre des ensembles dont nous discutons ici. Le paragraphe 10.5 traite l'algèbre des *expressions régulières* pour la description de modèles de chaînes de caractères. Le paragraphe 12.8 introduit l'algèbre de logique *booléenne*.

---

si x est dans T, ou dans les deux. C'est la condition exacte pour que x soit dans $T \cup S$.

b) *L'associativité de l'union* : $\left(S \cup (T \cup R)\right) \equiv \left((S \cup T) \cup R\right)$. C'est-à-dire que l'union de trois ensembles peut être écrite soit en prenant d'abord l'union des deux premiers soit en prenant d'abord l'union des deux derniers ; dans les deux cas, le résultat est identique. Nous pouvons justifier cette loi comme nous l'avons fait pour la loi commutative ; un élément est dans l'ensemble de gauche si et seulement si il est dans l'ensemble de droite. La raison intuitive est que les deux ensembles contiennent exactement les éléments qui sont soit dans S, soit dans T, soit dans R, soit dans deux ou trois d'entre eux.

La commutativité et l'associativité de l'union fait que nous pouvons prendre l'union d'une collection d'ensembles dans n'importe quel ordre tout en étant certain que le résultat sera le même ensemble d'éléments. L'argument est identique à celui que nous avons donné pour l'addition, qui est une autre opération commutative et associative (paragraphe 2.4). Nous avions alors montré que toutes les manières de regrouper une somme conduisait au même résultat.

c) *La commutativité de l'intersection* : $(S \cap T) \equiv (T \cap S)$. Intuitivement, un élément x figure dans les ensembles $S \cap T$ et $T \cap S$ exactement sous les mêmes conditions : lorsque x est dans S et que x est dans T.

d) *L'associativité de l'intersection* : $\big(S \cap (T \cap R)\big) \equiv \big((S \cap T) \cap R\big)$. Intuitivement, x est dans l'un ou l'autre de ces ensembles exactement lorsque x est dans les trois ensembles S, T, et R. Comme l'addition ou l'union, l'intersection de toute collection d'ensembles peut être groupée comme nous le voulons ; le résultat sera le même (l'ensemble des éléments se trouvant dans tous les ensembles).

e) *Distributivité de l'intersection sur l'union* : de même que nous savons que la multiplication est distributive sur l'addition — c'est-à-dire $a \times (b + c) = a \times b + a \times c$ — la loi

$$\big(S \cap (T \cup R)\big) \equiv \big((S \cap T) \cup (S \cap R)\big)$$

est vérifiée pour les ensembles. Intuitivement, un élément x est dans chacun de ces ensembles exactement quand x est dans S et également dans T ou R (ou dans les deux). De même, grâce à la commutativité de l'union et de l'intersection, nous pouvons distribuer les intersections à partir de la droite, ainsi :

$$\big((T \cup R) \cap S\big) \equiv \big((T \cap S) \cup (R \cap S)\big)$$

f) *Distributivité de l'union sur l'intersection* : de même,

$$\big(S \cup (T \cap R)\big) \equiv \big((S \cup T) \cap (S \cup R)\big)$$

est vérifiée. Les côtés gauche et droit sont des ensembles qui contiennent un élément x exactement lorsque x est soit dans S, soit à la fois dans T et R. Remarquez que la loi analogue de l'arithmétique, où l'union est remplacée par l'addition et l'intersection par la multiplication est fausse. C'est-à-dire que $a + b \times c$ n'est en général pas égal à $(a + b) \times (a + c)$. C'est l'un des cas où il n'y a pas d'analogie entre les opérations sur les ensembles et les opérations arithmétiques. En revanche, comme dans (e), nous pouvons utiliser la commutativité de l'union pour obtenir la loi équivalente

$$\big((T \cap R) \cup S\big) \equiv \big((T \cup S) \cap (R \cup S)\big)$$

✦ **Exemple 7.5.** Soient $S = \{1, 2, 3\}$, $T = \{3, 4, 5\}$, et $R = \{1, 4, 6\}$. Alors

$$
\begin{aligned}
S \cup (T \cap R) &= \{1, 2, 3\} \cup (\{3, 4, 5\} \cap \{1, 4, 6\}) \\
&= \{1, 2, 3\} \cup \{4\} \\
&= \{1, 2, 3, 4\}
\end{aligned}
$$

Mais

$$
\begin{aligned}
(S \cup T) \cap (S \cup R) &= (\{1, 2, 3\} \cup \{3, 4, 5\}) \cap (\{1, 2, 3\} \cup \{1, 4, 6\}) \\
&= \{1, 2, 3, 4, 5\} \cap \{1, 2, 3, 4, 6\} \\
&= \{1, 2, 3, 4\}
\end{aligned}
$$

La distributivité de l'union sur l'intersection est donc vérifiée dans ce cas. Naturellement, cela ne prouve pas que la loi est vérifiée de façon générale, mais l'argument intuitif que nous donnions avec la règle (f) devrait vous convaincre. ✦

g) *L'associativité de l'union et de la différence*: $\big(S - (T \cup R)\big) \equiv \big((S - T) - R\big)$. Les deux côtés contiennent un élément x exactement lorsque x est dans S mais n'est ni dans T ni dans R. Remarquez que cette loi est analogue à la loi arithmétique $a - (b + c) = (a - b) - c$.

h) *Distributivité de la différence sur l'union*: $\big((S \cup T) - R\big) \equiv \big((S - R) \cup (T - R)\big)$. Pour justifier, un élément x est dans l'un ou l'autre des ensembles lorsqu'il n'est pas dans R mais qu'il est dans l'un ou l'autre des ensembles S ou T, ou dans les deux. C'est un autre cas où il n'y a pas d'analogie avec l'addition et la soustraction ; il est faux que $(a + b) - c = (a - c) + (b - c)$, sauf si $c = 0$.

i) *L'ensemble vide est l'identité pour l'union*: cela signifie que $(S \cup \emptyset) \equiv S$, et par commutativité de l'union, $(\emptyset \cup S) \equiv S$. De manière informelle, un élément x peut être dans $S \cup \emptyset$ seulement lorsque x est dans S, puisque x ne peut pas être dans $\emptyset$.

Remarquez qu'il n'y a pas d'identité pour l'intersection. Nous pourrions imaginer un ensemble de « tous les éléments » servant d'identité pour l'intersection, puisque l'intersection d'un ensemble S avec cet « ensemble » donnerait certainement S. Cependant, comme nous l'avons mentionné en liaison avec le paradoxe de Russel, il ne peut exister un « ensemble de tous les éléments ».

j) *Idempotence de l'union*: un opérateur est dit *idempotent* si, lorsqu'il est appliqué à deux copies de la même valeur, le résultat est cette valeur. Nous voyons que $(S \cup S) \equiv S$. C'est-à-dire qu'un élément x est dans $S \cup S$ exactement lorsqu'il est dans S. A nouveau, il n'y a pas d'analogie avec l'arithmétique, puisque $a + a$ n'est en général pas égal à a.

k) *Idempotence de l'intersection*: de même, nous avons $(S \cap S) \equiv S$.

Il existe un bon nombre de lois relatives à l'ensemble vide et aux opérations tournant autour de l'union. Nous les énumérons ici-même.

l) $(S - S) \equiv \emptyset$.

m) $(\emptyset - S) \equiv \emptyset$.

n) $(\emptyset \cap S) \equiv \emptyset$, et par commutativité de l'intersection, $(S \cap \emptyset) \equiv \emptyset$.

Preuves des équivalences par les diagrammes de Venn

La figure 7.2 illustre la distributivité de l'intersection sur l'union par un diagramme de Venn. Ce diagramme montre trois ensembles, S, T, et R, qui divisent le plan en huit régions, numérotées de 1 à 8. Ces régions correspondent aux huit relations possibles (d'appartenance ou de non appartenance) qu'un élément peut avoir avec les trois ensembles. Nous pouvons utiliser le diagramme pour conserver les valeurs des diverses sous-expressions. Par exemple, $T \cup R$ est constitué des régions 3, 4, 5, 6, 7, et 8. Puisque S est constitué des régions 2, 3, 5 et 6, alors $S \cap (T \cup R)$ est constitué des régions 3, 5, et 6. De même, $S \cap T$ est constitué des régions 3 et 6, alors que $S \cap R$ est constitué des régions 5 et 6. Il en résulte que $(S \cap T) \cup (S \cap R)$ est constitué des mêmes régions 3, 5, et 6, prouvant que

$$\big(S \cap (T \cup R)\big) \equiv \big((S \cap T) \cup (S \cap R)\big)$$

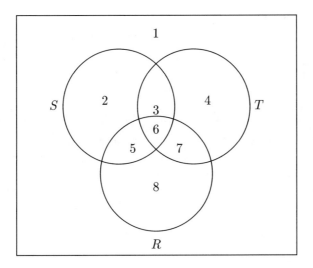

Figure 7.2 : Diagramme de Venn montrant la distributivité de l'intersection sur l'union : $S \cap (T \cup R)$ comprend les régions 3, 5, et 6, de même que $(S \cap T) \cup (S \cap R)$.

En général, nous pouvons prouver une équivalence en considérant un élément représentatif de chaque région et en vérifiant qu'il est soit dans l'ensemble décrit par les deux côtés de l'équivalence soit dans aucun des deux. Cette méthode est très proche de la méthode de table de vérité grâce à laquelle nous prouvons les lois algébriques pour la logique des propositions au chapitre 12.

Prouver des équivalences en appliquant des transformations

Une autre manière de prouver l'équivalence de deux expressions consiste à transformer l'une en l'autre en utilisant une ou plusieurs des lois algébriques que nous avons déjà vues. Nous présenterons un traitement plus formel de la manipulation des expressions au chapitre 12, mais pour le moment, on observe que, dans une expression, il est toujours possible de substituer toute expression à toute variable, étant posé que nous substituons toutes les occurrences de cette variable. Par exemple, nous pouvons substituer $T \cap R$ à S dans la loi $S \cup S \equiv S$ pour obtenir l'équivalence $\big((T \cap R) \cup (T \cap R)\big) \equiv (T \cap R)$.

Nous pouvons aussi appliquer une séquence de substitutions et de lois pour obtenir de nouvelles équivalences. En voici un exemple.

✦ **Exemple 7.6.** Substituons S à T dans la loi (g), la loi associative pour l'union et la différence ; le résultat est $\big(S - (S \cup R)\big) \equiv \big((S - S) - R\big)$. Grâce à la loi (l), $(S - S) \equiv \emptyset$. Donc,

$$\big(S - (S \cup R)\big) \equiv (\emptyset - R)$$

Nous pouvons alors appliquer la loi (m), avec R à la place de S, au côté droit et conclure que $\big(S - (S \cup R)\big) \equiv \emptyset$. ✦

La relation de sous-ensemble

Il existe une famille d'opérateurs de comparaisons d'ensembles qui est analogue aux comparaisons entre les nombres. Si S et T sont des ensembles, nous écrivons $S \subseteq T$ si chaque élément de S est aussi un élément de T. Nous pouvons exprimer ceci de différentes manières : « S est un sous-ensemble de T », « T est un sur-ensemble de S », « S est contenu dans T », ou « T contient S ».

Nous écrivons $S \subset T$, si $S \subseteq T$, et s'il existe au moins un élément de T qui n'est pas également un élément de S. La relation $S \subset T$ peut être lue « S est un sous-ensemble propre de T », « T est un sur-ensemble propre de S », « S est contenu de manière propre dans T », ou « T contient S de manière propre ».

Comme pour « inférieur à », nous pouvons changer le sens de la comparaison ; $S \supset T$ est synonyme de $T \subset S$, et $S \supseteq T$ est synonyme de $T \subseteq S$.

◆ **Exemple 7.7.** Les comparaisons suivantes sont toutes vraies :

1. $\{1,2\} \subseteq \{1,2,3\}$

2. $\{1,2\} \subset \{1,2,3\}$

3. $\{1,2\} \subseteq \{1,2\}$

Remarquez qu'un ensemble est toujours un sous-ensemble de lui-même mais un ensemble n'est jamais un sous-ensemble propre de lui-même, de sorte que $\{1,2\} \subset \{1,2\}$ est faux. ◆

Il existe un certain nombre de lois d'algèbre impliquant l'opérateur d'inclusion et d'autres opérateurs que nous avons déjà vu. En voici une liste :

1. $\emptyset \subseteq S$ pour tout ensemble S.

2. Si $S \subseteq T$, alors

    i) $(S \cup T) \equiv T$,

    ii) $(S \cap T) \equiv S$, et

    iii) $(S - T) \equiv \emptyset$.

7.3.1   Preuves d'équivalence en montrant les inclusions

Deux ensembles S et T sont égaux si et seulement si $S \subseteq T$ et $T \subseteq S$; c'est-à-dire que chacun est un sous-ensemble de l'autre. Cette règle est analogue à la règle arithmétique qui affirme que $a = b$ si et seulement si à la fois $a \leq b$ et $b \leq a$ sont vraies. On peut montrer l'équivalence de deux expressions E et F en montrant que chacune est contenue dans l'autre. C'est-à-dire

1. considérer un élément arbitraire X dans E et prouver qu'il est aussi dans F, puis

2. considérer un élément arbitraire x dans F et prouver qu'il est aussi dans E.

Notons que ces deux preuves sont nécessaires pour démontrer que $E \equiv F$.

	ÉTAPE	JUSTIFICATION
1)	x est dans $S - (T \cup R)$	donnée
2)	x est dans S	définition de $-$ et (1)
3)	x n'est pas dans $T \cup R$	définition de $-$ et (1)
4)	x n'est pas dans T	définition de $\cup$ et (3)
5)	x n'est pas dans R	définition de $\cup$ et (3)
6)	x est dans $S - T$	définition de $-$ avec (2) et (4)
7)	x est dans $(S - T) - R$	définition de $-$ avec (6) et (5)

Figure 7.3 : Première moitié de la preuve de l'associativité de l'union et la différence.

✦ **Exemple 7.8.** Démontrons l'associativité de l'union et la différence,

$$\big(S - (T \cup R)\big) \equiv \big((S - T) - R\big)$$

Nous commençons par admettre que x est dans l'expression de gauche. La séquence d'étapes est montrée dans la figure 7.3. Notons que dans les étapes (4) et (5), nous utilisons la définition d'union à l'envers. C'est-à-dire, (3) indique que x n'est pas dans $T \cup R$. Si x était dans T, (3) serait fausse, et nous pourrions conclure que x n'est pas dans T. De même, x n'est pas dans R.

	ÉTAPE	JUSTIFICATION
1)	x est dans $(S - T) - R$	donnée
2)	x est dans $S - T$	définition de $-$ et (1)
3)	x n'est pas dans R	définition de $-$ et (1)
4)	x est dans S	définition de $-$ and (2)
5)	x n'est pas dans T	définition de $-$ et (2)
6)	x n'est pas dans $T \cup R$	définition de $\cup$ avec (3) et (5)
7)	x est dans $S - (T \cup R)$	définition de $-$ avec (4) et (6)

Figure 7.4 : Seconde moitié de la preuve de l'associativité pour l'union et la différence.

Ce n'est pas fini ; nous devons maintenant commencer par admettre que x est dans $(S - T) - R$ et montrer qu'il est dans $S - (T \cup R)$. La figure 7.4 montre les étapes. ✦

✦ **Exemple 7.9.** En second exemple, démontrons une partie de (p), la règle disant que si $S \subseteq T$, alors $S \cup T \equiv T$. Nous commençons par admettre que x est dans $S \cup T$. Nous savons d'après la définition de l'union que

1. soit x est dans S,
2. soit x est dans T.

Dans le cas (1), puisque nous supposons $S \subseteq T$, nous savons que x est dans T. Dans le cas (2), nous voyons immédiatement que x est dans T. Donc, dans les deux cas, x est dans T, et nous avons fini la première moitié de la démonstration, la déclaration que $(S \cup T) \subseteq T$.

Admettons maintenant que x est dans T. Alors, x est dans $S \cup T$ d'après la définition de l'union. Donc, $T \subseteq (S \cup T)$, qui est la seconde partie de la démonstration. Nous concluons que $(S \cup T) \equiv T$. ✦

L'ensemble des parties d'un ensemble

Si S est un ensemble, *l'ensemble des parties* de S est l'ensemble des sous-ensembles de S. Nous utiliserons $\mathbf{P}(S)$ pour noter ensemble des parties de S, bien que la notation 2^S soit également utilisée.

✦ **Exemple 7.10.** Soit $S = \{1, 2, 3\}$. Alors,

$$\mathbf{P}(S) = \{\emptyset, \{1\}, \{2\}, \{3\}, \{1, 2\}, \{1, 3\}, \{2, 3\}, \{1, 2, 3\}\}$$

C'est-à-dire, $\mathbf{P}(S)$ est un ensemble avec huit éléments ; chaque élément est lui-même un ensemble. L'ensemble vide est dans $\mathbf{P}(S)$, puisque certainement $\emptyset \subseteq S$. Les **singletons** — ensembles avec un élément de S, $\{1\}$, $\{2\}$, et $\{3\}$ — sont dans $\mathbf{P}(S)$. De même, les trois ensembles avec deux des trois éléments de S sont dans $\mathbf{P}(S)$, et S lui-même est un élément de $\mathbf{P}(S)$.

Prenons un autre exemple, $\mathbf{P}(\emptyset) = \{\emptyset\}$ puisque $\emptyset \subseteq S$, mais pour aucun ensemble s excepté l'ensemble vide, $S \subseteq \emptyset$. Notons que $\{\emptyset\}$, l'ensemble contenant l'ensemble vide, n'est pas le même que l'ensemble vide. En particulier, le premier a un élément, $\emptyset$, tandis que l'ensemble vide n'en a pas. ✦

La taille de l'ensemble des parties

Si S a n éléments, alors $\mathbf{P}(S)$ a 2^n éléments. Dans l'exemple 7.10, nous avons vu qu'un ensemble de trois éléments a un ensemble des parties de $2^3 = 8$ éléments. Aussi, $2^0 = 1$, et nous voyons que l'ensemble vide, qui contient zéro élément, a un ensemble des parties qui contient 1 élément.

Soit $S = \{a_1, a_2, \ldots, a_n\}$, où $a_1, a_2, \ldots, a_n$ sont des n éléments. Nous allons maintenant démontrer par récurrence sur n que $\mathbf{P}(S)$ possède 2^n éléments.

LA BASE. Si $n = 0$, alors S est $\emptyset$. Nous avons déjà observé que $\mathbf{P}(\emptyset)$ a un élément. Puisque $2^0 = 1$, nous avons prouvé la base.

LA RÉCURRENCE. Supposons que lorsque $S = \{a_1, a_2, \ldots, a_n\}$, $\mathbf{P}(S)$ a 2^n éléments. Soit a_{n+1} un nouvel élément, et $T = S \cup \{a_{n+1}\}$, un ensemble de $n + 1$ éléments. Maintenant un sous-ensemble de T a a_{n+1} comme élément ou non. Considérons ces deux cas.

1. Le sous-ensemble de T qui n'inclut pas a_{n+1} a aussi deux sous-ensembles de S et par conséquent dans $\mathbf{P}(S)$. Selon l'hypothèse de récurrence, il y a exactement 2^n ensembles de ce type.

2. Si R est un sous-ensemble de T, qui inclut a_{n+1}, soit $Q = R - \{a_{n+1}\}$; c'est-à-dire Q est R sans a_{n+1}. Alors Q est un sous-ensemble de S. Selon l'hypothèse de récurrence, il y a exactement 2^n ensembles Q possibles, et chacun correspond à un ensemble R unique, qui est $Q \cup \{a_{n+1}\}$.

Nous concluons qu'il y a exactement 2×2^n, ou 2^{n+1}, sous-ensemble de T, une moitié étant des sous-ensembles de S, et l'autre moitié étant formé à partir d'un sous-ensemble de S en incluant a_{n+1}. La récurrence est donc démontrée; comme tout ensemble S de n éléments a 2^n sous-ensembles, nous avons montré que tout ensemble T de $n + 1$ éléments a 2^{n+1} sous-ensembles.

EXERCICES

7.3.1 : Dans la figure 7.2, nous avons montré deux expressions de l'ensemble de régions $\{3, 5, 6\}$. Cependant, chaque région peut être représentée par des expressions contenant S, T, R et les opérateurs union, intersection, et différence. Ecrivez deux expressions différentes pour ce qui suit :

a) La région 6 toute seule.

b) Les régions 2 et 4 ensemble.

c) Les régions 2, 4 et 8 ensemble.

7.3.2 : Utiliser les diagrammes de Venn pour montrer les lois d'algèbre suivantes. Pour chaque sous-expression contenue dans l'équivalence, indiquez l'ensemble de régions qu'elle représente.

a) $\big(S \cup (T \cap R)\big) \equiv \big((S \cup T) \cap (S \cup R)\big)$

b) $\big((S \cup T) - R\big) \equiv \big((S - R) \cup (T - R)\big)$

c) $\big(S - (T \cup R)\big) \equiv \big((S - T) - R\big)$

7.3.3 : Montrez chaque équivalence de l'exercice 7.3.2 en montrant les inclusions.

7.3.4 : En admettant $S \subseteq T$, démontrez ce qui suit en montrant que chaque côté de l'équivalence est un sous-ensemble de l'autre :

a) $(S \cap T) \equiv S$

b) $(S - T) \equiv \emptyset$

7.3.5 : * En combien de régions, un diagramme de Venn ayant n ensembles divise le plan, en admettant qu'aucun ensemble n'est sous-ensemble d'un autre ? Supposez que parmi les n ensembles, il y en ait un qui soit un sous-ensemble d'un autre, et qu'il n'y ait aucune autre inclusion. Alors des régions devraient être vides. Pour l'exemple de la figure 7.1, si $S \subseteq T$, la région 2 devrait être vide, parce qu'il n'y a pas d'élément qui soit dans S sans être dans T. En général, combien de région non-vides devrait-il y avoir ?

7.3.6 : Démontrer que si $S \subseteq T$, alors $\mathbf{P}(S) \subseteq \mathbf{P}(T)$.

7.3.7 : * En Pascal, nous pouvons représenter un ensemble S dont les éléments sont des ensembles par des listes chaînées dont les éléments sont des en-têtes de listes ; chaque liste représente un ensemble qui est un des éléments de S. Ecrivez un programme Pascal qui prend une liste d'éléments représentant un ensemble (c'est-à-dire une liste dans laquelle tous les éléments sont distincts) et qui retourne l'ensemble des parties de l'ensemble donné. Quel est le temps d'exécution de votre programme ? *Une indication* : Utilisez la preuve récurrente qu'il y a 2^n éléments dans l'ensemble des parties d'un ensemble de n éléments pour concevoir un algorithme récursif qui crée l'ensemble des parties. En étant astucieux, on peut utiliser la même liste dans plusieurs ensembles, pour éviter de copier les listes qui représentent des éléments de l'ensemble des parties, donc économiser du temps et de l'espace.

7.3.8 : Montrez que

a) $\mathbf{P}(S) \cup \mathbf{P}(T) \subseteq \mathbf{P}(S \cup T)$
b) $\mathbf{P}(S \cap T) \subseteq \mathbf{P}(S) \cap \mathbf{P}(T)$

Est-ce que (a) ou (b) est vraie si l'inclusion est remplacée par une équivalence ?

7.3.9 : Qu'est-ce que $\mathbf{P}(\mathbf{P}(\mathbf{P}(\emptyset)))$?

7.4 Implémentation en listes d'un ensemble

Nous avons déjà vu au paragraphe 6.4, comment implémenter les opérations d'un dictionnaire *insert*, *delete*, et *lookup* en utilisant des structures de données listes-chaînées. Nous y avons également observé que le temps d'exécution de ces opérations est en moyenne $O(n)$, si l'ensemble a n éléments. Ce temps d'exécution n'est pas aussi bon que le temps moyen $O(\log n)$ nécessaire pour les opérations d'un dictionnaire en utilisant la structure de données arbre binaire de recherche équilibré, présentée au paragraphe 5.9. D'autre part, comme nous le verrons au paragraphe 7.6, une représentation en listes chaînées de dictionnaires joue un rôle essentiel dans la structure de données table de hachage pour les dictionnaires, qui est généralement plus rapide que l'arbre binaire de recherche.

Union, intersection et différence

Les opérations de base sur les ensembles, comme l'union, peuvent bénéficier de l'utilisation de listes chaînées comme structure de données, bien que les techniques appropriées soient quelque peu différentes de ce que nous utilisons pour les opérations d'un dictionnaire. En particulier, trier des listes est bénéfique pour l'union, l'intersection, et la différence, si nous voulons un bon temps d'exécution. Comme nous l'avons vu au paragraphe 6.4, un tri améliore peu le temps d'exécution des opérations sur un dictionnaire.

Pour commencer, voyons les problèmes soulevés lorsque l'on représente des ensembles par des listes non triées. Dans ce cas, nous devons comparer chaque élément de chaque ensemble avec chaque élément de l'autre. Ainsi, prendre l'union, l'intersection, ou la différence d'ensembles de taille n et m, prend un temps en $O(mn)$. Par exemple, pour créer une liste U qui représente l'union de deux ensembles S et T, il faut commencer par copier la liste pour S dans la liste U initialement vide. Puis on examine chaque élément de T pour regarder s'il est dans S. S'il n'y est pas, nous ajoutons l'élément à U. L'idée est montrée dans la figure 7.5.

```
(1)    copie S dans U ;
(2)    for chaque x dans T do
(3)        if non lookup(x, S) then
(4)            insert(x, U)
```

Figure 7.5 : Pseudo-code esquissant l'algorithme pour réaliser l'union
d'ensembles représentés par des listes non triées.

Supposons que S ait n éléments et que T ait m éléments. L'opération à la ligne (1), copiant S dans U, peut facilement être accomplie en un temps $O(n)$. Les lignes (3) et (4), la recherche et l'insertion prennent $O(n)$, et la boucle `for` des lignes (2) à (4) est itérée m fois. Donc, le temps pour les lignes (2) à (4) est $O(mn)$, qui domine $O(n)$ de la ligne (1).

Il y a des algorithmes similaires pour l'insertion et la différence, prenant chacun un temps $O(mn)$. Nous laissons au lecteur le soin d'écrire ces algorithmes.

Union, intersection et différence en utilisant des listes chaînées

On peut réaliser des unions, des intersections et des différences d'ensembles plus rapidement lorsque les listes représentant les ensembles sont triées. En fait, nous verrons qu'il est intéressant de trier les listes avant de réaliser ces opérations si les listes ne sont pas triées initialement. Par exemple, considérons la réalisation de $S \cup T$, où S et T sont représentés par des listes chaînées. Le processus est similaire à l'algorithme de fusion du paragraphe 2.8. Une différence est que lorsqu'il y a égalité pour les plus petits éléments en tête des deux listes, nous ne copions qu'un seul élément, au lieu des deux copies nécessaires pour la fusion. L'autre différence est qu'on ne peut pas se contenter d'enlever des éléments des listes S et T pour l'union, puisqu'il ne faut pas détruire S ou T pendant que l'on crée leur union. En revanche, nous devons faire des copies de tous les éléments pour former l'union. On admet que les types LIST et CELL sont définis comme suit :

```
type LIST = ^CELL;
     CELL = record
            element: integer;
            next: LIST
         end;
```

Admettons également que le type d'élément, ici un entier, doit être d'un type qui peut être comparé à l'aide de l'opérateur de comparaison $<$.

La fonction `union` est montrée dans la figure 7.6. Elle peut utiliser une fonction auxiliaire $assemble(x, L, M)$ qui crée une nouvelle cellule à la ligne (1), place l'élément x dans cette cellule à la ligne (2), et appelle `union` à la ligne (3) pour prendre l'union des listes L et M. Alors `assemble` retourne une cellule pour x suivie par la liste qui résulte de l'union de L et M. Notons que les fonctions `assemble` et `union` sont mutuellement récursives, chacune appelle l'autre.

```
function assemble(x: ETYPE; L, M: LIST): LIST;
    (* produit une liste dont l'élément de tête est x et
    dont la queue est l'union des listes L et M *)

var first: LIST;

begin
(1)    new(first);
(2)    first^.element := x;
(3)    first^.next := union(L, M);
(4)    assemble := first
end; (* assemble *)

function union(L, M: LIST): LIST;
    (* produit une liste qui est l'union de L et M *)
begin
(5)    if (L = NIL) et (M = NIL) then
(6)        union := NIL
(7)    else if L = NIL then (* M ne peut être NIL ici *)
(8)        union := assemble(M^.element, NIL, M^.next)
(9)    else if M = NIL then (* L ne peut valoir NIL ici *)
(10)       union := assemble(L^.element, L^.next, NIL)
    (* si nous atteignons ce point, ni L ni M peut être NIL *)
(11)   else if L^.element = M^.element then
(12)       union := assemble(L^.element, L^.next, M^.next)
(13)   else if L^.element < M^.element then
(14)       union := assemble(L^.element, L^.next, M)
(15)   else (* ici, M^.element < L^.element *)
(16)       union := assemble(M^.element, L, M^.next)
end; (* union *)
```

Figure 7.6 : Réaliser l'union d'ensembles représentés par des listes chaînées.

La fonction `union` choisit le plus petit élément de ses deux listes triées et passe à `assemble` l'élément restant des deux listes. Il y a six cas pour l'`union`, selon qu'une de ses listes est `NIL` ou non, et sinon, selon l'ordre de préséance des éléments en tête des listes.

1.   Si les deux listes valent `NIL`, l'`union` retourne simplement `NIL`, terminant la récursivité. Ce cas est représenté par les lignes (5) et (6) de la figure 7.6.

2.   Si L vaut `NIL` et pas M, alors aux lignes (7) et (8), on réalise l'union en prenant le premier élément de M, suivi de l'« union » de la liste `NIL` avec la queue de M. Notons que, dans ce cas, des appels successifs à `union` font que M est copié.

3. Si M vaut `NIL` mais pas L, alors aux lignes (9) et (10), nous faisons l'inverse, en assemblant la réponse des premiers éléments de L et la queue de L.

4. Si les premiers éléments de L et M sont identiques, alors aux lignes (11) et (12), nous assemblons la copie de cet élément, notée `L^.element`, et les queues de L et M.

5. Si le premier élément de L précède celui de M, alors aux lignes (13) et (14), nous assemblons le plus petit élément, la queue de L, et la liste M tout entière.

6. Symétriquement, aux lignes (15) et (16), si M a le plus petit élément, alors nous assemblons la réponse donnée pour cet élément, la liste L entière et la queue de M.

◆ **Exemple 7.11.** Supposons que S soit $\{1, 3, 6\}$ et que T soit $\{5, 3\}$. Les listes triées représentant ces ensembles sont $L = (1, 3, 6)$ et $M = (3, 5)$. Nous appelons $union(L, M)$ pour prendre l'union. Puisque le premier élément de L, qui est 1, précède le premier élément de M, qui est 3, le cas (5) s'applique, et nous assemblons la réponse de 1, la queue de L, que nous appelons $L_1 = (3, 6)$, et M. La fonction $assemble(1, L_1, M)$ appelle $union(L_1, M)$ à la ligne (3), et le résultat est la liste ayant comme premier élément 1 et la queue est égale à l'union.

Cet appel à `union` est le cas (4), où les deux éléments de tête sont égaux ; les deux valent 3 ici. Donc, nous assemblons l'union d'une copie de l'élément 3 et la queue des listes L_1 et M. Ces queues sont L_2, constituées uniquement de l'élément 6, et M_1, constituée seulement de l'élément 5. L'appel suivant est $union(L_2, M_1)$, qui est une instance du cas (6). Nous ajoutons donc 5 à l'union et appelons $union(L_2, \text{NIL})$. C'est le cas (3), générant 6 pour l'union et appelant $union(\text{NIL}, \text{NIL})$. Ici, nous avons le cas (1) et la récursivité s'achève. Le résultat de l'appel initial à `union` est la liste $(1, 3, 5, 6)$. La figure 7.7 montre en détail la séquence d'appels et de retours faits sur cet exemple de données. ◆

Notons que la liste générée par `l'union` est toujours triée. Nous pouvons voir pourquoi l'algorithme est correct, en observant que quel que soit le cas qui s'applique, chaque élément dans la liste L ou M est soit copié en sortie, en devenant le premier argument d'un appel à `assemble`, soit reste sur les listes qui sont passées en argument à l'appel récursif de `union`.

Temps d'exécution de l'union

Si nous appelons `union` sur des ensembles ayant respectivement n et m éléments, alors le temps pris par `union` est $O(m+n)$. Pour comprendre pourquoi, notons que des appels à `assemble` prennent $O(1)$, créant une cellule pour la liste résultante, puis appelant `union` sur les listes restantes. Donc, les appels à `assemble` sur la figure 7.6 peuvent être vus comme prenant un temps de $O(1)$ plus le temps d'un appel à `union` sur des listes dont la somme des longueurs vaut soit un de moins que celle de L et M, soit dans le cas (4) deux de moins. De plus, tout le travail de `l'union`, excepté l'appel à `assembly`, prend un temps de $O(1)$.

Il s'ensuit que lorsqu'`union` est appelée sur des listes de longueur totale $m+n$, il en résulte au moins $m + n$ appels récursifs à `union` et à `assemble`, chacun prenant $O(1)$.

appelle $union\big((1,3,6),(3,5)\big)$

   appelle $assemble\big(1,(3,6),(3,5)\big)$

      appelle $union\big((3,6),(3,5)\big)$

         appelle $assemble\big(3,(6),(5)\big)$

            appelle $union\big((6),(5)\big)$

               appelle $assemble\big(5,(6),\texttt{NIL}\big)$

                  appelle $union\big((6),\texttt{NIL}\big)$

                     appelle $assemble\big(6,\texttt{NIL},\texttt{NIL}\big)$

                        appelle $union(\texttt{NIL},\texttt{NIL})$

                        retourne $\texttt{NIL}$

                     retourne (6)

                  retourne (6)

               retourne (5,6)

            retourne (5,6)

         retourne (3,5,6)

      retourne (3,5,6)

   retourne (1,3,5,6)

retourne (1,3,5,6)

Figure 7.7 : Séquence d'appels et de retours pour l'exemple 7.11.

Donc, le temps pour réaliser l'union est $O(m+n)$, c'est-à-dire un temps proportionnel à la somme des tailles des ensembles.

    Ce temps est inférieur au temps $O(mn)$ nécessaire pour prendre l'union d'ensembles représentés par des listes non triées. En fait, si les listes pour nos ensembles ne sont pas triées, nous pouvons les trier en $O(n\log n + m\log m)$, puis prendre l'union de ces listes triées. Puisque $n\log n$ domine n et $m\log m$ domine m, nous pouvons exprimer le coût total pour trier et prendre l'union à $O(n\log n + m\log m)$. Cette expression peut être plus grande que $O(mn)$, mais est inférieure lorsque n et m ont des valeurs proches — autrement dit, lorsque les ensembles ont approximativement la même taille. Il est donc avantageux de trier avant de prendre l'union.

Intersection et différence

L'idée de l'algorithme pour réaliser l'union, présenté figure 7.6, fonctionne aussi pour l'intersection et la différence d'ensembles : lorsque les ensembles sont représentés par des listes triées, l'intersection et la différence sont aussi réalisées dans un temps linéaire. Pour l'intersection, nous voulons copier un élément en sortie seulement s'il apparaît sur les deux listes, comme dans le cas (4). Si chaque liste vaut $\texttt{NIL}$, nous n'avons aucun élément dans l'intersection, et donc les cas (1), (2), et (3) peuvent être remplacés par une étape qui retourne $\texttt{NIL}$. Dans le cas (4), nous copions les éléments en tête des listes dans l'intersection. Dans les cas (5) et (6), où les têtes des listes sont différentes, le plus petit ne doit pas apparaître dans les deux listes, et par conséquent nous n'ajoutons rien à l'intersection mais enlevons le plus petit élément de sa liste, et prenons l'intersection avec les restants.

O pour des fonctions ayant plus d'une variable

Comme nous l'avons montré au paragraphe 6.9, la notion de O, que nous avons défini seulement pour les fonctions avec une variable, peut naturellement aussi s'appliquer aux fonctions avec plus d'une variable. Nous disons que $f(x_1, \ldots, x_k)$ est $O\big(g(x_1, \ldots, x_k)\big)$ s'il y a des constantes c et $a_1, \ldots, a_k$ telles que $x_i \geq a_i$ for all $i = 1, \ldots, k$, alors on a $f(x_1, \ldots, x_k) \leq cg(x_1, \ldots, x_k)$. En particulier, notons que même si $m + n$ est plus grand que mn lorsque m ou n vaut 0 et l'autre est plus grand que 0, nous pouvons encore dire que $m+n$ vaut $O(mn)$, en choisissant des constantes c, a_1, et a_2 égales à 1.

Pour justifier cela, supposons par exemple que a soit en tête d'une liste L, que b soit en tête d'une liste M, et que $a < b$. Alors a ne peut apparaître sur la liste triée M, et donc nous pouvons en déduire que a est dans les deux listes. Cependant, b peut apparaître dans la liste L quelque part après a, de telle sorte qu'on puisse encore utiliser le b de M. Donc, nous devons prendre l'intersection de la queue de L et de la liste entière L. Au contraire, si b était plus petit que a, nous prendrions l'intersection de L avec la queue de M. La figure 7.8 montre le code en Pascal calculant l'intersection. Il est aussi nécessaire de modifier `assemble` pour appeler `intersection` au lieu de `union`. Nous laissons en exercice cette modification ainsi qu'un programme qui calcule la différence de listes chaînées.

```
function intersection(L, M: LIST): LIST;
begin
    if (L = NIL) OR (M = NIL) then
        intersection := NIL
    else if L^.element = M^.element then
        intersection := assemble(L^.element, L^.next, M^.next)
    else if L^.element < M^.element then
        intersection := intersection(L^.next, M)
    else (* ici, M^.element < L^.element *)
        intersection := intersection(L, M^.next)
end; (* intersection *)
```

Figure 7.8 : Calcul de l'intersection d'ensembles représentés par des listes triées. Une nouvelle version de `assemble` est nécessaire.

EXERCICES

7.4.1 : Ecrivez un programme Pascal pour prendre (a) l'union, (b) l'intersection et (c) la différence d'ensembles représentés par des listes non triées.

7.4.2 : Modifiez le programme de la figure 7.6 de manière qu'il prenne (a) l'intersection et (b) la différence d'ensembles représentés par des listes triées.

7.4.3 : Les procédures `assemble` et `union` de la figure 7.6 laissent intactes les listes dont on fait l'union ; autrement dit, elles copient les éléments plutôt que d'utiliser les cellules des listes initiales. Pouvez-vous simplifier le programme en lui permettant de modifier les listes données lorsqu'il prend l'union ?

7.4.4 : * Démontrez par récurrence sur la somme des longueurs des listes passées en argument que l'union de la figure 7.6 retourne l'union des listes données.

7.4.5 : * La **différence symétrique** de deux ensembles S et T est $(S - T) \cup (T - S)$, c'est-à-dire les éléments qui sont dans exactement un seul de S et T. Ecrivez un programme pour prendre la différence symétrique de deux ensembles qui sont représentés par des listes triées. Votre programme devra faire une passe sur les listes, comme dans la figure 7.6, plutôt que d'appeler les routines pour l'union et la différence.

7.4.6 : * Nous avons analysé le programme de la figure 7.6 de manière informelle en affirmant que si le total de la longueur des listes était n, il y avait $O(n)$ appels à union et assemble, et chaque appel prenait $O(1)$ plus le temps que prend un appel récursif. Nous pouvons formaliser cette affirmation en posant $T_U(n)$ comme le temps d'exécution de union et $T_A(n)$ le temps d'exécution de assemble sur des listes de longueur totale n. Ecrivez des règles récursives définissant T_U et T_A en fonction l'un de l'autre. Faites une modification pour éliminer T_A, et établir une récurrence classique sur T_U. Résoudre cette récurrence. Montre-t-elle que union prend un temps $O(n)$?

7.5   Implémentation par vecteur caractéristique d'ensembles

Les ensembles que nous rencontrons sont souvent des sous-ensembles d'un « ensemble universel » U. Par exemple, une poignée de cartes est un sous-ensemble des 52 cartes. Lorsque les ensembles auxquels nous nous intéressons sont des sous-ensembles d'un ensemble U, et que U est raisonnablement petit, il y a une représentation d'ensembles bien plus efficace que la représentation en listes examinée au paragraphe précédent. Nous organisons les éléments de U de façon que chaque élément de U puisse être associé à une « position » unique, qui est un entier de 1 à n, le nombre d'éléments dans U.

Alors, étant donné un ensemble S contenu dans U, nous pouvons représenter S par un *vecteur caractéristique* de 0 et de 1, tel que pour chaque élément x de U, si x est dans S, la position correspondante à x vaut 1, et si x n'est pas dans S, alors la position vaut 0.

✦ **Exemple 7.12.** Soit U l'ensemble de cartes. Nous pouvons ordonner les cartes dans n'importe quel sens, mais il est raisonnable de les ordonner par couleur : carreau, puis trèfle, puis cœur, puis pique. Puis dans une même couleur, nous ordonnons les cartes as, 2, 3, ..., 10, valet, dame, roi. Par exemple, la position de l'as de carreau est 1, le roi de carreau est 13, l'as de trèfle est 14, le valet de pique est 50. Une suite royale en cœur est représentée par le vecteur caractéristique

0000000000000000000000000010000000011110000000000000

Le premier 1, dans la position 27, représente l'as de cœur ; et les quatre autres 1, dans les positions 36 à 39, représentent le 10, le valet, la dame et le roi de cœur.

L'ensemble de tous les carreaux est représenté par

111111111111100000000000000000000000000000000000000

et l'ensemble de toutes les têtes est représenté par

00000000001110000000000111000000000001110000000000111

✦

Implémentation en tableaux d'ensembles

Nous pouvons représenter le vecteur caractéristiques pour les sous-ensembles d'un ensemble universel de n éléments par des tableaux du type suivant :

```
type USET = packed array[1..n] of Boolean
```

Pour insérer l'élément correspondant à la position i dans l'ensemble S déclaré du type USET, il nous suffit d'exécuter

```
S[i] := TRUE
```

De même, pour enlever l'élément correspondant à la position i de S, nous faisons

```
S[i] := FALSE
```

Si nous voulons rechercher cet élément, nous devons seulement retourner la valeur $S[i]$, qui dit si le $i^{ème}$ élément est présent dans S ou non.

Notons que chaque opération d'un dictionnaire *insert*, *delete* et *lookup* prend donc un temps en $O(1)$, lorsque des ensembles sont représentés par des vecteurs caractéristiques. Le seul inconvénient de cette technique est que tous les ensembles doivent être des sous-ensembles d'un ensemble universel U. De plus, l'ensemble universel doit être petit ; sinon, la longueur des tableaux devient trop grande pour qu'on puisse les stocker facilement. En fait, puisque nous devons normalement initialiser tous les éléments du tableau d'un ensemble S à 0 ou 1, l'initialisation de tout sous-ensemble de U (et même ∅) doit prendre un temps proportionnel à la taille de U. Si U a un grand nombre d'éléments, le temps pour initialiser un ensemble pourrait dominer le coût de toutes les autres opérations.

Pour former l'union de deux ensembles qui sont des sous-ensembles d'un ensemble commun universel de n éléments, et qui sont représentés par des vecteurs caractéristiques S et T, nous définissons un autre vecteur caractéristique R étant le OU bit-à-bit des vecteurs caractéristiques S et T :

```
for i := 1 to n do
    R[i] := S[i] OR T[i];
```

De même, R peut représenter l'intersection de S et T en prenant le ET bit-à-bit de S et T :

```
for i := 1 to n do
    R[i] := S[i] AND T[i];
```

Finalement, R peut représenter la différence d'ensembles $S - T$ comme suit :

```
for i := 1 to n do
    R[i] := S[i] AND NOT T[i];
```

◆ **Exemple 7.13.** Considérons les ensembles de variétés de pommes. Notre ensemble universel consistera de six variétés listées dans la figure 7.9 ; l'ordre, dans lequel elle sont listées, indique leur position dans les vecteurs caractéristiques.

	VARIETE	COULEUR	SAISON
1)	Delicious	rouge	tardive
2)	Granny Smith	verte	précoce
3)	Gravenstein	rouge	précoce
4)	Jonathan	rouge	précoce
5)	McIntosh	rouge	tardive
6)	Pippin	verte	tardive

Figure 7.9 : Caractéristiques de quelques variétés de pommes.

L'ensemble de pommes rouges est représenté par le vecteur caractéristique

$Rouge = 101110$

et l'ensemble des pommes précoces est représenté par

$Précoce = 011100$

Donc, l'ensemble de pommes qui sont soit rouges, soit précoces, c'est-à-dire *Rouge* ∪ *Précoce*, est représenté par le vecteur caractéristique 111110. Notons que ce vecteur a un 1 aux positions où soit le vecteur *Rouge* qui vaut 101110, soit le vecteur *Précoce* qui vaut 011100, soit les deux, ont un 1.

Nous pouvons trouver le vecteur caractéristique pour *Rouge* ∩ *Précoce*, l'ensemble des pommes qui sont à la fois rouges et précoces, en plaçant un 1 dans ces positions où à la fois 101110 et 011100 ont un 1. Le vecteur résultant est 001100, représentant l'ensemble des pommes {Gravenstein, Jonathan}. L'ensemble des pommes qui sont rouges mais pas précoces, c'est-à-dire *Rouge − Précoce*, est représenté par le vecteur 100010. L'ensemble est {Delicious, McIntosh}. ◆

Notons que le temps pour réaliser l'union, l'intersection, et la différence en utilisant des vecteurs caractéristiques est proportionnel à la longueur des vecteurs. Cette longueur n'est pas directement liée à la taille des ensembles, mais est égale à la taille de l'ensemble universel. Si les ensembles possèdent une partie raisonnable des éléments dans l'ensemble universel, alors le temps pour l'union, l'intersection, et la différence est proportionnel aux tailles des ensembles impliqués. Ce qui est mieux que le temps de $O(n \log n)$ des listes triées, et bien mieux que $O(n^2)$ des listes non triées. Cependant, l'inconvénient des vecteurs caractéristiques est que, les ensembles étant nécessairement plus petits que l'ensemble universel, le temps d'exécution de ces opérations peut être bien plus grand que les tailles des ensembles impliqués.

Compacter les vecteurs caractéristiques dans des mots

Nous ne pouvons pas éviter le fait que pour de très grands ensembles universels, la méthode de représentation d'un ensemble vecteur caractéristique deviennent impossible à mettre en œuvre. Il existe toutefois un moyen d'accélérer grandement les opérations qui utilisent cette représentation, en raisonnant au niveau de la machine elle-même, plutôt qu'au niveau de Pascal. Un mot de 32 bits peut être utilisé pour représenter les 32 positions d'un vecteur caractéristique. Alors, les opérations OU, ET, et NON, que nous réalisions bit par bit dans notre précédent exemple, peuvent être réalisées sur 32 bits à la fois, en utilisant ces opérations sur des mots.

✦ **Exemple 7.14.** Dans l'exemple 7.12, nous avons examiné des ensembles de cartes. Puisqu'il y a 52 cartes, nous pouvons faire tenir tout ensemble dans les 64 bits de deux mots, en « remplissant » le vecteur caractéristique des ensembles par douze 0. Ainsi, la suite royale en cœur peut être représentée par deux mots $f1$ et $f2$, donné par

$$f1 = 00000000000000000000000000100000$$
$$f2 = 00011110000000000000000000000000$$

Notez que $f1$ couvre tous les carreaux et trèfles jusqu'au 6. $f2$ couvre les cœurs et piques restant ; ses douze dernières positions n'ont pas de signification.

De même, l'ensemble des cartes avec figure peut être représenté par les deux mots $p1$ et $p2$, ayant les valeurs

$$p1 = 00000000001110000000000111000000$$
$$p2 = 00001110000000000111000000000000$$

L'intersection de ces deux ensembles — qui est, l'ensemble des cartes de figure dans une suite royale de cœur — est calculée en prenant le ET de $f1$ et $p1$ pour obtenir le premier mot de l'intersection et en prenant le ET de $f2$ et $p2$ pour obtenir le second mot. Le premier mot de l'intersection est rempli de 0, tandis que le second n'a que des 1 dans ses positions de 5 à 7, correspondant aux valet, reine et roi de cœur.

```
LOAD      f1, R1
AND       p1, R1
STORE     R1, I1
LOAD      f2, R1
AND       p2, R1
STORE     R1, I2
```

Figure 7.10 : Calcul de l'intersection de deux ensembles de cartes en assembleur.

L'intersection peut être calculée avec les six instructions en assembleur montrées dans la figure 7.10. Le résultat est stocké dans deux mots, $I1$ et $I2$. ✦

EXERCICES

7.5.1 : Donnez les vecteurs caractéristiques des ensembles de cartes suivants. Par commodité, vous pouvez utiliser 0^k pour représenter k 0 consécutifs et 1^k pour k 1 consécutifs.

a) Les cartes d'un jeu de 32.

Retour sur les ensembles en Pascal

La capacité de Pascal pour manipuler des ensembles directement est restreinte. Les ensembles doivent être des sous-ensembles d'un ensemble universel de taille limitée ; par exemple, beaucoup de compilateurs Pascal limitent la taille des ensembles universels à 64 éléments. Par ailleurs, l'ensemble universel doit être un type énuméré ou un sous-type.

L'étude dans ce paragraphe devrait indiquer pourquoi Pascal impose ces restrictions. Les ensemble en Pascal sont implémentés par des vecteurs caractéristiques, et les vecteurs caractéristiques sont stockés de façon compactée dans au plus deux mots (si 64 est la limite sur la taille d'un ensemble universel). De plus, il doit y avoir une façon simple d'associer une position à chaque élément d'un ensemble universel. Si nous utilisons un sous-type, tel que `i..j`, alors l'entier k a la position $k-i+1$ dans le vecteur caractéristique. Si nous utilisons un type énuméré, alors l'ordre des éléments dans l'énumération détermine leur position dans le vecteur caractéristique.

b)   Les cartes rouges.

c)   Les rois noirs et le « pouilleux ».

7.5.2 : Ecrivez un programme en assembleur qui calcule (a) l'union et (b) la différence de deux ensembles de cartes, le premier représenté par les mots $a1$ et $a2$, le second représenté par $b1$ et $b2$.

7.5.3 : * Supposons que nous voulions représenter un multi-ensemble dont les éléments sont contenus dans un petit ensemble universel U. Comment généraliseriez-vous la méthode vecteur caractéristique de représentation d'un multi-ensemble ? Montrez comment réaliser (a) *insert*, (b) *delete* et (c) *lookup* sur des sacs représentés de cette façon. Notez que le multi-ensemble *lookup*(x) retourne le nombre de fois que x apparaît dans le multi-ensemble.

7.6   Hachage

La représentation vecteur caractéristique des dictionnaires, lorsqu'elle est utilisée, nous permet d'accéder directement à l'emplacement où un élément est représenté, pour accéder la position dans le tableau qui est indexé par la valeur de l'élément. Cependant, comme nous l'avons mentionné, nous ne pouvons pas autoriser que notre ensemble universel soit trop grand, ou bien alors que le tableau serait trop long pour ne pas dépasser la taille mémoire disponible de l'ordinateur ; et même s'il ne dépasse pas, le temps d'initialisation du tableau serait prohibitif. Par exemple, supposons que nous voulions stocker un dictionnaire réel des mots anglais, et supposons aussi que nous voulions ignorer les mots plus grands que 10 lettres. Nous aurons encore $26^{10}+26^9+\cdots+26$ mots possibles, soit plus de 10^{14} mots. Chaque mot possible nécessitera une position dans le tableau.

Il n'existe pourtant environ qu'un million de mots dans la langue anglaise, de telle sorte qu'une entrée du tableau sur 100 millions aura la valeur TRUE. Peut-être pourrions-nous réduire le tableau, de façon que beaucoup de mots éventuels puissent partager la même entrée. Par exemple, on pourrait affecter les 100 millions premiers mots possibles à la première cellule du tableau, les 100 millions suivante à la deuxième cellule et ainsi de suite, jusqu'à la millionième cellule. Cette organisation pose deux problèmes :

1. Il n'est plus suffisant de mettre une cellule à TRUE, parce que nous ne savons pas lesquels des 100 millions de mots possibles sont vraiment présents dans le dictionnaire, ni en fait si plus d'un mot est présent dans un groupe.

2. Si, par exemple, les premiers 100 millions de mots possibles comprennent tous les mots courts, alors on peut s'attendre attendre à ce que beaucoup plus que le nombre moyen de mots du dictionnaire fassent partie de ce groupe de mots possibles. Notons que, dans notre disposition, il y a autant de cellules dans le tableau qu'il y a de mots dans le dictionnaire, et donc nous escomptons qu'en moyenne une cellule représente un mot ; mais il y a sûrement en anglais beaucoup de milliers de mots dans le premier groupe, qui pourrait inclure tous les mots jusqu'à cinq lettres, et une partie des mots de six lettres.

Pour résoudre le problème (1), nous avons besoin de passer en revue, pour chaque cellule du tableau, tous les mots de son groupe qui sont réellement présents dans le dictionnaire. Autrement dit, la cellule de tableau devient l'en-tête d'une liste chaînée composée de ces mots. Pour résoudre le problème (2), nous devons faire attention à notre manière d'affecter les mots possibles aux groupes. Nous devons affecter au hasard les éléments potentiels du dictionnaire aux groupes, de façon qu'il soit rare — bien que toujours possible — d'avoir beaucoup d'éléments dans un même groupe. Notons que s'il y a un grand nombre d'éléments dans un groupe et que nous représentons les groupes par des listes chaînées, alors la recherche sera très lente pour les éléments de ce groupe.

La structure de données table de hachage

Nous avons maintenant évolué du vecteur caractéristique — une structure de données précieuse mais d'usage limité — vers une structure appelée *table de hachage* qui est utile pour tout dictionnaire, et aussi pour beaucoup d'autres usages[1]. La vitesse de la table de hachage pour les opérations du dictionnaire peut être prendre $O(1)$ en moyenne, indépendamment de la taille du dictionnaire, et indépendamment de la taille de l'ensemble universel duquel le dictionnaire est issu. La figure 7.11 montre une image d'une table de hachage. Toutefois, elle montre la liste pour uniquement un groupe, auquel x appartient.

Il existe une *fonction de hachage* qui prend un élément x comme argument et produit une valeur entière entre 0 et $B - 1$, où B est le nombre de **paquets** dans la table de hachage. La valeur $h(x)$ est le paquet dans lequel nous plaçons l'élément x. Donc, le paquet correspond aux « groupes » de mots dont nous parlions dans la précédente discussion non formelle, et la fonction de hachage est utilisée pour décider à quel paquet appartient un élément donné.

---

[1] Bien que dans les situations où un vecteur caractéristique est utilisable, on préfère en général cette représentation à n'importe quelle autre.

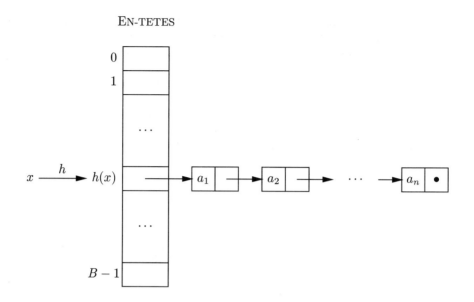

Figure 7.11 : Une table de hachage.

La **fonction de hachage** appropriée à une utilisation dépend du type des éléments. Par exemple,

1. Si les éléments sont des entiers, nous pouvons poser $h(x)$ comme x MOD B, autrement dit le reste de la division de x par B. Ce nombre se trouve toujours dans l'intervalle requis, 0 à $B-1$.

2. Si les éléments sont des chaînes de caractères, nous pouvons prendre un élément $x = a_1 a_2 \cdots a_k$, où chaque a_i est un caractère, et calculer $y = \text{ORD}(a_1) + \text{ORD}(a_2) + \cdots + \text{ORD}(a_k)$. Rappelons que ORD convertit un caractère en entier dans l'intervalle de 0 à 127. Nous avons alors un entier y qui est la somme des équivalents entiers de tous les caractères dans la chaîne x. Si nous divisons y par B et prenons la reste, nous avons un numéro de paquet dans l'intervalle de 0 à $B-1$.

Ce qui est important est que la fonction de hachage « hache » l'élément. Autrement dit, h doit répartir le plus largement possible les paquets dans lesquels iront les éléments, de manière qu'ils tendent à aller approximativement en nombre égal dans chaque paquet, même si l'on travaille sur un modèle assez régulier d'éléments, tels que des entiers consécutifs ou chaînes de caractères différant seulement d'une position.

Chaque paquet consiste en une liste chaînée où sont stockés tous les éléments de l'ensemble envoyés par la fonction de hachage dans ce paquet. Pour trouver un élément x, nous calculons $h(x)$, qui donne le numéro du paquet. Si x est quelque part, il est dans ce paquet, de telle sorte que nous devrons chercher x en suivant la liste dans ce paquet. En effet, la table de hachage nous permet d'utiliser la (lente) représentation en liste pour des ensembles, mais diviser l'ensemble en B paquets nous permet de rechercher dans des listes dont la taille est en moyenne seulement $1/B$ de la taille de l'ensemble. Si nous rendons B aussi grand que l'ensemble, alors des paquets auront un seul élément, et nous pouvons trouver des éléments dans un temps moyen de $O(1)$, comme pour les vecteurs caractéristiques.

◆ **Exemple 7.15.** Supposons que nous voulions stocker un ensemble de chaînes de 10 caractères au maximum. Nous utilisons la fonction de hachage décrite en (2) au-dessus, avec $B = 5$, c'est-à-dire une table de hachage à 5 paquets. Pour simplifier, nous utilisons des blancs pour remplir les chaînes jusqu'à 10. Pour calculer la valeur de hachage de chaque élément, nous additionnons les valeurs entières des 10 caractères de chaque chaîne, y compris les blancs. Les types que nous devrions utiliser pour les listes chaînées qui forment les paquets sont définis comme suit :

```
type LIST = ^CELL;
    CELL = record
        element: ETYPE;
        next: LIST
    end;
```

où ETYPE a été défini comme

```
type ETYPE = array [1..10] of char
```

Nous avons aussi à définir le tableau d'en-têtes de paquets et nous pourrions définir le type HASHTABLE par

```
const B = 5;
type HASHTABLE = array [0..B-1] of LIST
```

Il est alors possible de définir notre table de hachage en déclarant

```
headers: HASHTABLE
```

Alors le tableau **headers** est le type approprié pour contenir les en-têtes des paquets pour notre table de hachage.

Maintenant, nous devons définir la fonction de hachage h. Le code pour cette fonction est montrée dans la figure 7.12. L'entier équivalent pour chaque caractère de la chaîne x est ajouté dans la variable **sum**. La dernière étape calcule et retourne comme valeur de la fonction de hachage h le reste de cette somme lorsqu'elle divisée par le nombre de paquets B.

Considérons des exemples de mots et les paquets que la fonction h remplit. Nous allons entrer dans la table de hachage les sept mots[2]

anyone lived in a pretty how town

Le mot **anyone** est rempli avec des blancs pour obtenir une chaîne de 10 caractères. Afin de calculer $h(\mathbf{anyone})$, nous avons besoin de comprendre comment ORD fonctionne. Dans le code ASCII standard pour les caractères, les lettres en minuscules ont des valeurs entières commençant à 97 pour **a** (1100001 en binaire), 98 pour **b**, et ainsi

---

[2] Les mots proviennent d'un poème portant ce titre, dû à E. E. Cummings. Le poème n'en est pas pour autant plus facile à décoder. La ligne suivante est « with up so floating many bells down ».

```
function h(x: ETYPE): integer;

var i, sum: integer;

begin
    sum := 0;
    for i := 1 to 10 do
        sum := sum + ORD(x[i]);
    h := sum MOD B
end; (* h *)
```

Figure 7.12 : Une fonction de hachage qui additionne les entiers
équivalents aux caractères en admettant que ETYPE soit un tableau de dix
caractères.

de suite, jusqu'à 122 pour z. Les lettres majuscules correspondent aux entiers des
minuscules correspondantes moins 32 — c'est-à-dire 65 pour A (1000001 en binaire)
jusqu'à 90 pour Z. La touche espace a pour code entier 32.

Ainsi, les équivalents entiers pour **anyone** sont 97, 110, 121, 111, 110, 101, et quatre
32 pour les quatre blancs de remplissage. Leur somme est 778. Lorsque l'on divise par
B, qui est 5, nous obtenons le reste 3. Donc, **anyone** appartient au paquet 3. Les sept
mots de notre exemple sont affectés par la fonction de hachage de la figure 7.12 aux
paquets indiqués dans la figure 7.13.

Mot	Somme	Emplacement
anyone	778	3
lived	692	2
in	471	1
a	385	0
pretty	808	3
how	558	3
town	648	3

Figure 7.13 : Des mots, leur valeur, et leur paquet.

Nous voyons que quatre des sept mots ont été affectés à un paquet, le numéro 3,
alors qu'aucun n'a été affecté au paquet 4, et un dans les paquets 0, 1 et 2. Toutefois,
cela pourrait être une distribution équilibrée, mais avec un petit nombre de mots et de
paquets, nous devons nous attendre à des anomalies. Au fur et à mesure que le nombre
de mots s'accroît, ils tendent à se répartir entre les 5 paquets assez régulièrement. La
table de hachage, après insertion de ces sept mots est montrée sur la figure 7.14.◆

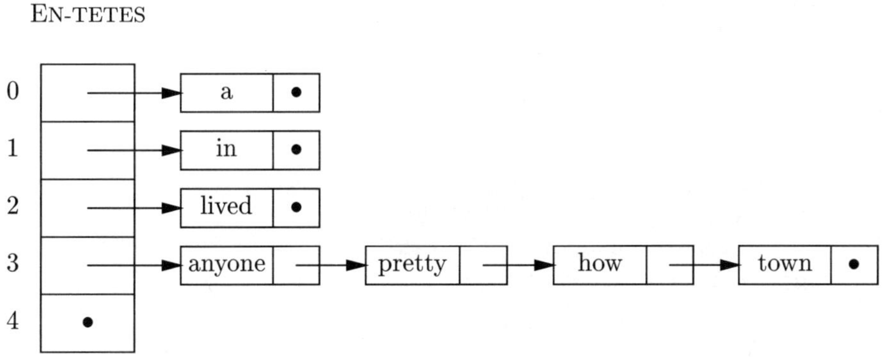

En-tetes

Figure 7.14 : Table de hachage contenant sept éléments.

Implémenter les opérations du dictionnaire par une table de hachage

Pour insérer, supprimer ou rechercher un élément x dans un dictionnaire représenté par une table de hachage, il existe un processus simple à trois étapes :

1. Calculer le bon paquet, qui est $h(x)$.

2. Utiliser le tableau de pointeurs d'en-têtes pour trouver la liste des éléments pour le paquet numéroté $h(x)$.

3. Réaliser l'opération sur cette liste, comme si la liste représentait l'ensemble complet.

Les algorithmes du paragraphe 6.4 peuvent être utilisés pour les opérations sur les listes : la figure 6.5 pour **insert**, la figure 6.4 pour **delete**, et la figure 6.6 pour **lookup**. A titre d'exemple, nous montrons la procédure complète pour insérer un élément dans la table de hachage dans la figure 7.15. Vous pouvez développer des procédures similaires pour **delete** et **lookup** à titre d'exercice.

Pour comprendre la figure 7.15, il est conseillé de noter que la procédure **inse-rer_paquet** est exactement la même que la procédure **insert** de la figure 6.5. La procédure **insert** consiste ici en une seule ligne, dans laquelle nous appelons **inse-rer_paquet** juste après avoir trouvé l'élément du tableau S qui est l'en-tête du paquet approprié, $h(x)$. Nous admettons que la fonction de hachage h est définie quelque part. Rappelons également que le type **HASHTABLE** signifie que S est un tableau de pointeurs sur des cellules et la longueur du tableau est B. Ici, B est une constante, le nombre de paquets, et S est indexé de 0 à $B - 1$.

✦ **Exemple 7.16.** Supposons que nous voulions enlever l'élément **pretty** de la table de hachage de la figure 7.14, en admettant la fonction de hachage décrite dans l'exemple 7.15. L'opération enlève est principalement réalisée comme la procédure **insert** de la figure 7.15. Nous calculons $h(\texttt{pretty})$, qui est 3. Nous allons donc à l'en-tête du paquet numéro 3 (qui est le quatrième paquet, puisque nous comptons à partir de 0). La seconde cellule sur la liste pour ce paquet contient **pretty**, et nous enlevons cette cellule. Le programme Pascal détaillé est laissé en exercice. ✦

```
procédure inserer_paquet(x: ETYPE; var L: LIST);
begin
   if L = NIL then begin
      new(L);
      L^.element := x;
      L^.next := NIL
   end
   else if L^.element <> x then
      inserer_paquet(x, L^.next)
end; (* inserer_paquet*)

procedure insert(x: ETYPE; S: HASHTABLE);
begin
   inserer_paquet(x, S[h(x)])
end; (* insert *)
```

Figure 7.15 : Insérer un élément dans la table de hachage.

Temps d'exécution des opérations d'une table de hachage

Comme nous pouvons le voir en examinant la figure 7.15, le temps pris par la procédure *insert* pour trouver $S[h(x)]$, l'en-tête du paquet approprié est $O(1)$, en admettant que le temps pour calculer $h(x)$ est une constante indépendante du nombre d'éléments stockés dans la table de hachage [3]. A cette constante, nous devons ajouter en moyenne un temps supplémentaire $O(n/B)$, si n est le nombre d'éléments dans la table de hachage et B est le nombre de paquets. La justification est que *inserer_placement* prendra un temps proportionnel à la longueur de la liste, et cette longueur, en moyenne, doit être le nombre total d'éléments divisé par le nombre de paquets, ou n/B.

Une conséquence intéressante est que si nous rendons B approximativement égal au nombre d'éléments dans l'ensemble — autrement dit, n et B sont proches — alors n/B vaut environ 1 et les opérations du dictionnaire d'une table de hachage prennent chacune en moyenne un temps de $O(1)$, comme lorsque l'on utilise une représentation vecteur caractéristique. Si nous essayons de faire mieux en rendant B plus grand que n, tel que la plupart des paquets soient vides, il prendra encore un temps de $O(1)$ pour trouver l'en-tête d'un paquet, et donc le temps d'exécution n'est pas amélioré de manière significative lorsque B devient plus grand que n.

Nous devons aussi considérer que dans quelques circonstances il pourrait ne pas être possible de garder B proche de n tout le temps. Si l'ensemble grandit rapidement, alors n s'accroît tandis que B reste fixe, tel que en fin de compte n/B devient grand. Il est possible de **restructurer les tables de hachage** en prenant une valeur plus large pour B et alors insérer chaque élément dans la nouvelle table. Cela prend $O(n)$, mais ce temps n'est pas plus grand que $O(n)$ qui doit être passé pour insérer les n éléments

---

[3] Ce serait le cas pour la fonction de hachage de la figure 7.12, ou pour la plupart des autres fonctions de hachage rencontrées en pratique. Le temps pour calculer le numéro du paquet peut dépendre du type d'élément — de plus longues chaînes peuvent nécessiter la somme de plus d'entiers, par exemple — mais le temps ne dépend pas du nombre d'éléments stockés.

dans la table de hachage à la première place. (Notez que n insertions, pour un temps moyen de $O(1)$ par insertion, prennent un temps total en $O(n)$.)

EXERCICES

7.6.1 : Continuez à remplir la table de hachage de la figure 7.14 avec les mots `with up so floating many bells down`.

7.6.2 : * Commentez l'efficacité des fonctions de hachage suivantes divisant au hasard des ensembles de mots dans des paquets de même taille :

a) Utiliser $B = 10$, et $h(x)$ est le reste lorsque la longueur du mot x est divisé par 10.

b) Utiliser $B = 128$, et $h(x)$ est le résultat lorsque `ORD` est appliqué au dernier caractère de x.

c) Utiliser $B = 10$. Prendre la somme de `ORD` appliquée à chaque caractère de x. Elever au carré le résultat et prendre le reste de sa division par 10.

7.6.3 : Ecrivez des programmes Pascal pour réaliser (a) *delete* et (b) *lookup* dans une table de hachage, en utilisant la même hypothèse que pour le code de la figure 7.15.

7.7 Relations et fonctions

Alors que nous avons généralement admis que des éléments d'ensembles sont atomiques, en pratique il est souvent utile de donner aux éléments une certaine structure. Par exemple, au paragraphe précédent, nous avons parlé d'éléments qui étaient des chaînes de caractères de longueur 10. Une autre structure importante d'élément, celle que nous allons découvrir dans ce paragraphe, est similaire à une structure d'enregistrement en Pascal, où un élément a deux composantes ou plus.

Les listes d'éléments seront appelées *tuples* et chaque élément dans la liste sera appelé un *élément*. Le nombre d'éléments dans un tuple est appelé son *arité*. Par exemple, (a, b) est un tuple d'arité 2 ; son premier élément est a et son second élément est b.

Un ensemble d'éléments, dont chacun est un tuple de même arité, — disons, k — est appelé une *relation*. L'arité de cette relation est k. Un tuple ou une relation d'arité 1 est **unaire**. Si l'arité est 2, c'est un **binaire** et en général, si l'arité est k, alors le tuple ou la relation est k-*aire*. Un tuple d'arité k est aussi appelé un k-*tuple*.

✦ **Exemple 7.17.** La relation $R = \{(1, 2),\ (1, 3),\ (2, 2)\}$ est une relation d'arité 2, ou relation binaire. Ses éléments sont $(1, 2)$, $(1, 3)$, et $(2, 2)$, chacun est un tuple d'arité 2.
✦

Dans ce paragraphe, nous allons considérer principalement des relations binaires. Il y a beaucoup d'applications importantes des relations qui ne sont pas binaires, spécialement dans la représentation et la manipulation de données en tableaux (comme une base de données relationnelle), et nous examinerons amplement ce sujet au chapitre 8.

Il y a également d'importantes applications des relations binaires. Ici, nous allons voir comment elles représentent mathématiquement la signification à la fois des opérateurs de comparaison arithmétique tel que $<$ et des fonctions qui apparaissent dans les langages de programmation comme Pascal. L'exemple 7.40 au paragraphe 7.10 montre comment les relations peuvent être utilisées pour décrire un ordre de préséance parmi des tâches, disons, dans un processus de fabrication, nous permettant de calculer un ordre des tâches tel qu'aucune tâche ne soit réalisée avant d'autres tâches qui dépendent de sa terminaison.

Produits cartésiens

Avant d'étudier les relations binaires de manière formelle, nous avons besoin de définir un autre opérateur sur les ensembles. Soit A et B deux ensembles. Alors le *produit* de A et B, noté $A \times B$, est défini comme l'ensemble de paires dans lequel le premier élément est pris dans A et le second élément dans B. C'est-à-dire,

$$A \times B = \{(a, b) \mid a \in A \text{ et } b \in B\}$$

Ce produit est parfois appelé le produit *cartésien*, d'après le mathématicien français René Descartes.

✦ **Exemple 7.18.** Rappelons que **Z** est le symbole conventionnel pour l'ensemble des entiers. Donc, **Z** × **Z** est l'ensemble des paires d'entiers. Pour prendre un autre exemple, si A est un ensemble à deux éléments $\{1, 2\}$ et B un ensemble à trois éléments $\{a, b, c\}$, alors $A \times B$ est l'ensemble à six éléments

$$\{(1, a), (1, b), (1, c), (2, a), (2, b), (2, c)\}$$

Notons que le produit d'ensembles est le terme approprié, car si A et B sont des ensembles finis, alors le nombre d'éléments dans $A \times B$ est le produit des nombres d'éléments dans A et dans B. ✦

Relations binaires

Une relation binaire R est un ensemble de paires qui est un sous-ensemble du produit de deux ensembles A et B. Si une relation R est un sous-ensemble de $A \times B$, nous disons que R est *de A vers B*. Nous appelons A le **domaine** et B **la portée** de la relation. Si B est identique à A, nous disons que R est une relation *sur A* ou *sur le domaine A*.

✦ **Exemple 7.19.** La relation arithmétique $<$ sur des entiers est un sous-ensemble de **Z** × **Z**, constitué des paires (a, b) telles que a soit inférieur à b. Ainsi, le symbole $<$ peut être vu comme le nom de l'ensemble

$$\{(a, b) \mid (a, b) \in \mathbf{Z} \times \mathbf{Z}, \text{ et } a \text{ est inférieur à } b\}$$

Nous utilisons alors $a < b$ comme forme condensée pour « $(a, b) \in <$ », ou « (a, b) est un élément de la relation $<$ ». Les autres relations arithmétiques sur des entiers, telles que $>$ ou $\leq$, peuvent être définies de manière similaire, comme les comparaisons arithmétiques sur des nombres réels.

Pour prendre un autre exemple, penchons-nous sur la relation R de l'exemple 7.17. Son domaine et sa portée sont incertains. Nous savons que 1 et 2 doivent être dans le domaine, car ces entiers apparaissent comme premiers éléments des tuples dans R. De

Déterminer le domaine et la portée d'une relation

La seconde partie de l'exemple 7.19 souligne le fait qu'il nous est impossible de donner le domaine et la portée d'une relation simplement en la regardant. L'ensemble des éléments apparaissant dans les premiers éléments des tuples est un sous-ensemble du domaine, l'ensemble des éléments qui interviennent dans les seconds éléments des tuples doit sûrement être un sous-ensemble de la portée. Cependant, nous devons toujours donner explicitement le domaine et la portée d'une relation si nous voulons utiliser ces concepts. Dans un sens, nous pourrions voir le domaine et la portée comme des types d'éléments dans les premier et second éléments des tuples. Dans un programme, une variable d'un certain type, disons `integer`, ne prend généralement pas toutes les valeurs possibles d'un entier durant une exécution du programme. De même, la valeur d'une relation R n'utilise pas tous les éléments de ses domaine et portée déclarés.

même, nous savons que la portée de R doit inclure 2 et 3. Cependant, nous pourrions voir R comme une relation de $\{1,2\}$ vers $\{2,3\}$, ou comme la relation de $\mathbf{Z}$ vers $\mathbf{Z}$, comme deux exemples parmi une infinité de choix. ✦

Notation infixe pour les relations

Comme nous l'avons indiqué dans l'exemple 7.19, il est commun d'utiliser une notation infixe pour les relations binaires, de telle façon qu'une relation comme $<$, qui est en réalité un ensemble de paires, puisse être écrite entre les éléments de paires dans la relation. C'est pourquoi nous trouvons fréquemment des expressions comme $1 < 2$ et $4 \geq 4$, plutôt que les notations plus pédantes « $(1,2) \in <$ » ou « $(4,4) \in \geq$ ».

✦ **Exemple 7.20.** La même notation peut être utilisée pour des relation binaires arbitraires. Par exemple, la relation R de l'exemple 7.17 peut être écrite comme les trois « faits » $1R2$, $1R3$, et $2R2$. ✦

Produit cartésien de plus de deux ensembles

A la différence du produit arithmétique, le produit cartésien n'a pas les propriétés de commutativité et d'associativité. Il est facile de trouver des exemples où

$$A \times B \neq B \times A$$

démontrant la non-commutativité. L'associativité n'a pas plus de sens, puisque $(A \times B) \times C$ devrait avoir pour éléments des paires comme $((a,b),c)$, tandis que les éléments de $A \times (B \times C)$ devraient être des paires de la forme $(a,(b,c))$.

Puisque nous allons avoir besoin à plusieurs occasions de parler d'ensembles de tuples avec plus d'un élément, nous avons besoin d'étendre la notation d'un produit à *k*-**produit**. Nous posons $A_1 \times A_2 \times \cdots \times A_k$ pour le *produit* des ensembles $A_1, A_2, \ldots, A_k$, c'est-à-dire l'ensemble de k-tuples $(a_1, a_2, \ldots, a_k)$ tel que $a_1 \in A_1$, $a_2 \in A_2, \ldots$, et $a_k \in A_k$.

◆ **Exemple 7.21.** $\mathbf{Z} \times \mathbf{Z} \times \mathbf{Z}$ représente l'ensemble de triplets d'entiers (i, j, k) — il contient, par exemple, le triplet $(1, 2, 3)$. Il ne faut pas confondre ce trois-produit avec $(\mathbf{Z} \times \mathbf{Z}) \times \mathbf{Z}$, qui représente des paires comme $((1, 2), 3)$, ou $\mathbf{Z} \times (\mathbf{Z} \times \mathbf{Z})$, qui représente des paires comme $(1, (2, 3))$.

D'autre part, notons que les trois expressions de produit peuvent être représentées par des enregistrements composés de trois champs entiers. La distinction est dans l'interprétation des enregistrements de ce type. Donc, nous nous permettons souvent de « confondre » des expressions de produit avec et sans parenthèses. De même, les trois déclarations de type Pascal

```
record f1, f2, f3: integer end;
record record f1, f2: integer end; f3: integer end
record f1: integer; record f2, f3: integer end end
```

devraient toutes être stockées de la même façon. Seule la notation pour accéder à des champs devrait être différente. ◆

Graphes de relations

Nous pouvons représenter par un graphe, une relation R dont le domaine A et la portée B sont des ensembles finis. Nous dessinons un sommet pour chaque élément qui est dans A et/ou dans B. Si aRb, alors nous dessinons une flèche (« arc ») de a vers b. (Les graphes seront présentés plus en détails au chapitre 9).

◆ **Exemple 7.22.** Le graphe pour la relation R de l'exemple 7.17 est montré dans la figure 7.16. Il a des sommets pour les éléments 1, 2, et 3. Puisque $1R2$, il y a un arc du sommet 1 au sommet 2. Puisque $1R3$, il y a un arc de 1 à 3, et puisque $2R2$, il y a un arc du sommet 2 à lui-même. Il n'y a pas d'autre arc, car il n'y a pas d'autre paire dans R. ◆

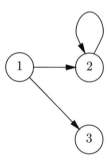

Figure 7.16 : Graphe de la relation $\{(1, 2), (1, 3), (2, 2)\}$.

Fonctions

Supposons qu'une relation R, du domaine A vers la portée B, ait la propriété que pour chaque élément a de A il y a au plus un élément b dans B tel que aRb. Alors R est dite **fonction partielle** *du domaine A vers la portée B*.

Les nombreuses notations de fonctions

Une fonction F de, $A \times B$ vers C est techniquement un sous-ensemble de $(A \times B) \times C$. Une paire caractéristique dans la fonction F devrait donc avoir la forme $((a, b), c)$, où a, b, et c sont respectivement des éléments de A, B, et C. En utilisant la notation spéciale pour des fonctions, nous pouvons écrire $F(a, b) = c$.

Nous pouvons aussi voir F comme une relation de $A \times B$ vers C, puisque chaque fonction est une relation. En utilisant la notation infixe pour des relations, le fait que $((a, b), c)$ soit dans F pourrait aussi être écrit $(a, b)Fc$.

Lorsque nous étendons le produit cartésien à plus de deux ensembles, nous souhaiterions enlever des parenthèses des expressions de produit. Ainsi, nous identifions $(A \times B) \times C$ avec l'expression non-équivalente techniquement $A \times B \times C$. Dans ce cas, un élément particulier de F pourrait être écrit (a, b, c). Si nous stockons F comme un ensemble de tels triplets, nous devrions nous souvenir que les deux premiers éléments mis ensemble forment l'élément du domaine et le troisième élément est l'élément de la portée.

Si pour tout élément a de A il y a exactement un élément b dans B tel que aRb, alors R est dite **fonction totale** de A vers B. La différence entre une fonction partielle et une fonction totale est qu'une fonction partielle peut avoir des éléments indéfinis dans son domaine ; par exemple, pour un a dans A, il peut y avoir un b dans B tel que aRb. Nous allons utiliser le terme « fonction » pour faire référence à une notion plus générale de fonction partielle, mais chaque fois que la distinction entre une fonction partielle et une fonction totale est importante, nous le dirons.

Il y a une notation usuelle pour décrire des fonctions. Nous écrivons souvent $R(a) = b$ if b si l'élément unique tel que aRb.

◆ **Exemple 7.23.** Soit S la fonction totale de **Z** vers **Z** donnée par

$$\{(a, b) \mid b = 2\}$$

c'est-à-dire l'ensemble des paires d'entiers dont le second élément est le carré du premier. Alors S a des éléments tels que $(3, 9)$, $(-4, 16)$, et $(0, 0)$. Nous pouvons exprimer le fait que S est la fonction élevant au carré en écrivant $S(3) = 9$, $S(-4) = 16$, et $S(0) = 0$. ◆

Notons que la notion de fonction en théorie des ensembles n'est pas très différente de la notion de fonction que nous avons en Pascal. Autrement dit, supposons s est une fonction Pascal déclarée

```
function s(a: integer): integer;
begin
    s := a*a
end;
```

qui prend un entier et retourne son carré. Nous pensons généralement à s(a) comme étant la même fonction que $S(a)$, bien que la première soit une manière de calculer les carrés et que la seconde ne définisse que l'opération d'élévation au carré abstraitement.

Notons également qu'en pratique s(a) est toujours une fonction partielle, puisqu'il y a beaucoup de valeurs de a pour lesquelles s(a) ne retournera pas un entier à cause de la limite de l'arithmétique d'un ordinateur.

Pascal a des fonctions qui prennent plus d'un argument. Une fonction Pascal f qui prend deux arguments entiers a et b, retournant un entier, est une fonction de $\mathbf{Z} \times \mathbf{Z}$ vers $\mathbf{Z}$. De même, si les deux arguments sont d'un type les faisant appartenir respectivement aux ensembles A et B, et f retourne un élément de type C, alors f est une fonction de $A \times B$ vers C. Plus généralement, si f prend k arguments — disons, respectivement des ensembles $A_1, A_2, \ldots, A_k$ — et retourne un élément de l'ensemble B, nous disons alors que f est une fonction de $A_1 \times A_2 \times \cdots \times A_k$ vers B.

Par exemple, nous pouvons voir la fonction lookup(x,L) du paragraphe 6.4 comme une fonction de $E \times L$ vers $\{\text{TRUE}, \text{FALSE}\}$. Ici, E est l'ensemble de valeurs du type ETYPE, quel que soit le type, et L est l'ensemble de listes chaînées des éléments du type ETYPE.

Formellement, une fonction du domaine $A_1 \times \cdots \times A_k$ vers la portée B est un ensemble de paires de la forme $\big((a_1, \ldots, a_k), b\big)$, où chaque a_i est dans l'ensemble A_i et b est dans B. Notons que le premier élément de la paire est lui-même un k-tuple. Par exemple, la fonction lookup(x,L) présentée au-dessus peut être vue comme l'ensemble de paires $\big((x, L), t\big)$, où x est un élément de type ETYPE, L est une liste de tels éléments, et t est soit TRUE soit FALSE, selon que x est ou n'est pas dans la liste L. Nous pouvons voir une fonction, en Pascal ou définie formellement en théorie des ensembles, comme une boîte qui prend une valeur dans le domaine et produit une valeur de la portée, comme indiqué dans la figure 7.17 pour la fonction lookup.

Figure 7.17 : Une fonction associe des éléments du domaine aux éléments uniques de la portée.

Bijections

Soit F une fonction partielle du domaine A vers la portée B ayant les propriétés suivantes :

1.   Pour chaque élément a dans A, il y a un élément b dans B tel que $F(a) = b$.

2.   Pour chaque b dans B, il y a un a dans A tel que $F(a) = b$.

3.   Pour aucun b dans B il n'existe deux éléments a_1 et a_2 dans A tels que $F(a_1)$ et $F(a_2)$ sont tous deux b.

On dit alors que F est une *bijection* de A vers B.

La propriété (1) dit que F est une fonction totale de A vers B. La propriété (2) marque la condition d'être *sur* : F est une fonction totale de A sur B. Des mathématiciens utilisent plutôt le terme de *surjection*, pour une telle fonction.

Les propriétés (2) et (3) associées disent que F se comporte comme une fonction totale de B vers A. Une fonction totale ayant la propriété (3) est parfois appelée une *injection*.

Une bijection est à la base une fonction totale dans les deux directions, mais il est important d'observer que le caractère bijectif de F dépend non seulement des paires de F, mais aussi des domaine et portée décrits. Par exemple, nous pourrions prendre une bijection de A vers B et changer le domaine en ajoutant à A un nouvel élément e absent de F. F ne serait pas une bijection de $A \cup \{e\}$ vers B.

✦ **Exemple 7.24.** La fonction élevant un nombre au carré S de $\mathbf{Z}$ vers $\mathbf{Z}$ de l'exemple 7.23 n'est pas une bijection. Elle satisfait la propriété (1), puisque pour tout entier i il existe un entier, 2, tel que $S(i) = 2$. Mais elle ne satisfait pas (2), puisqu'il y a des b dans $\mathbf{Z}$ — en particulier tous les entiers négatifs — qui ne sont pas $S(a)$ pour un a. S ne satisfait pas non plus (3), puisqu'il y a beaucoup d'exemples de deux a distincts pour lesquels $S(a)$ est égal au même b. Par exemple, $S(3) = 9$ et $S(-3) = 9$.

Pour prendre un exemple de bijection, considérons la fonction totale P de $\mathbf{Z}$ vers $\mathbf{Z}$ définie par $P(a) = a + 1$. C'est-à-dire P ajoute 1 à tout entier. Par exemple, $P(5) = 6$, et $P(-5) = -4$. Une alternative pour regarder la situation est que P comprend les tuples

$$\{ \ldots, \ (-2,-1), \ (-1,0), \ (0,1), \ (1,2), \ldots \}$$

ou correspond au graphe de la figure 7.18.

Nous déclarons que P est une bijection d'entiers vers des entiers. D'abord, c'est une fonction partielle, puisque lorsque l'on ajoute 1 à un entier a, on obtient un entier unique $a + 1$. Il satisfait la propriété (1), puisque pour chaque entier a, il y a un entier $a + 1$, qui est $P(a)$. La propriété (2) est aussi satisfaite, puisque pour chaque entier b, il y a un entier, $b - 1$ tel que $P(b - 1) = b$. Finalement, la propriété (3) est satisfaite car pour un entier b, il ne peut y avoir deux entiers distincts tels que lorsque l'on ajoute 1 à chacun, le résultat est b. Notons cependant que P n'est pas une bijection de réels vers réels, puisque P n'a pas de paires pour les réels non entiers. ✦

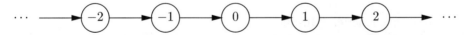

Figure 7.18 : Graphe pour la relation qui est la fonction $P(a) = a + 1$.

Une bijection de A vers B est une façon d'établir une association unique entre les éléments de A et B. Par exemple, si nous frappons dans nos mains, le pouce gauche et le pouce droit se touchent, de même pour les index, et ainsi de suite. Nous pouvons voir cette association entre l'ensemble des doigts de la main gauche et les doigts de la main droite comme une bijection F, définie par $F(\text{« pouce gauche »}) = \text{« pouce droit »}$, $F(\text{« index gauche »}) = \text{« index droit »}$, et ainsi de suite. Nous pourrions voir également l'association comme la fonction inverse, de la main droite sur la gauche. En général, une bijection de A vers B peut être inversée en inversant l'ordre des éléments dans ses paires, pour devenir une bijection de B vers A.

Une conséquence de l'existence de cette bijection entre les mains est que le nombre de doigts est le même dans chaque main. Cela semble une notion naturelle et intuitive ; deux ensembles ont le même nombre d'éléments exactement lorsqu'il y a une bijection d'un ensemble vers l'autre. Cependant, nous verrons au paragraphe 7.11 que lorsque des ensembles sont infinis, il y a des conclusions surprenantes que nous sommes obligés de tirer de cette définition de « même nombre d'éléments ».

EXERCICES

7.7.1 : Donnez un exemple d'ensembles A et B pour lesquels $A \times B$ n'est pas identique à $B \times A$.

7.7.2 : Soit R la relation définie par aRb, bRc, cRd, aRc, et bRd.

a) Dessinez le graphe de R.

b) R est-elle une fonction ?

c) Nommez deux domaines possibles pour R ; nommez deux portées possibles.

d) Quel est le plus petit ensemble S tel que R est une relation sur S (autrement dit, le domaine et la portée peuvent être tous les deux S) ?

7.7.3 : Soit T un arbre et S l'ensemble de nœuds de T. Soit R une relation « père-fils » ; c'est-à-dire cRp si et seulement si c est un fils de p. Répondez aux questions suivantes en justifiant votre réponse :

a) R est-elle une fonction partielle, qu'importe ce qu'est l'arbre T ?

b) R est-elle une fonction totale de S vers S, quel que soit T ?

c) R peut-il être une bijection (pour certain arbre T) ?

d) A quoi ressemble le graphe pour R ?

7.7.4 : Soit R la relation sur l'ensemble des entiers $\{1, 2, \ldots, 10\}$ définie par aRb si a et b sont distincts et ont un diviseur commun autre que 1. Par exemple, $2R4$ et $6R9$, mais pas $2R3$.

a) Dessinez le graphe pour R.

b) R est-elle une fonction ? Justifiez.

7.7.5 : * Bien que nous ayons observé que $S = (A \times B) \times C$ et $T = A \times (B \times C)$ ne sont pas le même ensemble, nous pouvons voir qu'ils sont « essentiellement le même » en faisant apparaître une bijection entre eux. Pour chaque $((a, b), c)$ in S, soit

$$F\Big(((a, b), c)\Big) = (a, (b, c))$$

Montrez que F est une bijection de S vers T.

7.7.6 : Qu'ont en commun les trois déclarations suivantes $F(10) = 20$, $10F20$, et $(10, 20) \in F$?

7.7.7 : * L'***inverse*** d'une relation R est l'ensemble des paires (b, a) telles que (a, b) est dans R.

Fonctions comme programmes et fonctions comme données

Bien que nous fassion apparaître une forte analogie au paragraphe 7.7 entre la notion abstraite d'une fonction et une fonction implémentée en Pascal, nous devrions également ment être conscient d'une différence importante. Si F est une fonction Pascal et x un élément dans son ensemble de domaine, alors F indique comment calculer la valeur $F(x)$. Le même programme fonctionne pour toute valeur x.

Cependant, lorsque nous parlons de représenter des fonctions comme des données, nous admettons d'abord que la fonction consiste en un ensemble infini de paires. Ensuite, il est normal que les paires soient essentiellement imprévisibles. C'est-à-dire qu'il n'y ait pas de façon commode pour calculer la valeur $F(x)$, étant donné x. Le mieux que l'on puisse faire est de créer une table donnant chaque paire

$$(a_1, b_1), \ (a_2, b_2), \ldots, (a_n, b_n)$$

telle que $F(a_i) = b_i$. Une telle fonction est effectivement une donnée, plutôt qu'un programme, même si nous pourrions, en principe, créer un programme qui pourrait stocker la table comme faisant partie de lui-même et à partir de la table interne rechercher $F(x)$, étant donné x. Cependant, une approche plus productive consiste à stocker la table séparément comme des données et à rechercher les valeurs avec une procédure d'utilisation générale qui fonctionnerait pour toute fonction de ce genre.

---

a) Expliquez comment obtenir le graphe de la fonction inverse de R à partir du graphe de R.

b) Si R est une fonction totale, l'inverse de R est-elle nécessairement une fonction ? Qu'en est-il si R est une bijection ?

7.7.8 : Montrez qu'une relation est une bijection si et seulement si elle est une fonction totale et son inverse est aussi une fonction totale.

7.8 Implémenter des fonctions comme des données

Dans un langage de programmation, les fonctions sont généralement implémentées comme des procédures, mais quand leur domaine est petit, elles peuvent être implémentées par des techniques assez similaires à celles utilisées pour les ensembles. Dans ce paragraphe, nous allons examiner l'utilisation des listes chaînées, des vecteurs caractéristiques, et des tables de hachage pour implémenter des fonctions finies.

Opérations sur des fonctions

Les opérations sur des fonctions que nous réalisons le plus fréquemment sont similaires à celles pour un dictionnaire. Supposons que F soit une fonction du domaine A dans la portée B. Nous pouvons alors

1. *insert* une nouvelle paire (a, b), telle que $F(a) = b$. La seule nuance est que, puisque F doit être une fonction, s'il y a déjà une paire (a, c) pour tout c, cette paire doit être remplacée par (a, b).

2. *delete* la valeur associée à $F(a)$. Ici, nous avons seulement besoin de la valeur a du domaine. S'il existe b tel que $F(a) = b$, la paire (a, b) est enlevée de l'ensemble. S'il n'y a pas une telle paire, aucun changement n'est réalisé.

3. *lookup* la valeur associée à $F(a)$; autrement dit, étant donnée la valeur a du domaine, nous retournons la valeur b telle que $F(a) = b$. S'il n'y a pas une telle paire (a, b) dans l'ensemble, alors nous retournons une valeur spéciale signalant que $F(a)$ est indéfinie.

◆ **Exemple 7.25.** Supposons que F comprenne les paires $\{(3, 9), (-4, 16), (0, 0)\}$; c'est-à-dire $F(3) = 9$, $F(-4) = 16$ et $F(0) = 0$. Alors *lookup*(3) retourne 9, et *lookup*(2) retourne un symbole indiquant qu'aucune valeur n'est définie pour $F(2)$. Si F est la fonction « d'élévation au carré », la valeur -1 pourrait être utilisée pour signaler une valeur absente, puisque -1 n'est le carré d'aucun entier.

L'opération *delete*(3) enlève la paire $(3, 9)$, tandis que *delete*(2) n'a pas d'effet. Si nous exécutons *insert*(5, 25), la paire $(5, 25)$ est ajoutée à l'ensemble F, ou de manière équivalente, nous avons maintenant $F(5) = 25$. Si nous exécutons *insert*(3, 10), l'ancienne paire $(3, 9)$ est enlevée de F, et la nouvelle paire $(3, 10)$ est ajoutée à F, tel que maintenant $F(3) = 10$. ◆

Représentation en listes chaînées de fonctions

Une fonction, étant un ensemble de paires, peut être stockée dans une liste chaînée, exactement comme un autre ensemble. Il est utile de définir des cellules ayant trois champs, un pour la valeur de domaine, un pour la valeur de la portée et un pour le pointeur sur la cellule suivante. Par exemple, nous pourrions définir des cellules comme

```
type LIST = ^CELL;
    CELL = record
        domain: DTYPE;
        range: RTYPE;
        next: LIST
    end;
```

où DTYPE est le type pour les éléments du domaine et RTYPE le type pour les éléments de la portée. Ensuite, une fonction est représentée par un pointeur sur (la première cellule d') une liste chaînée.

La procédure de la figure 7.19 réalise l'opération *insert*(a, b). Nous cherchons une cellule contenant a dans le champ domain, et s'il y en a un, nous affectons le champ range par b. Si nous atteignons la fin de la liste, nous créons une nouvelle cellule et stockons (a, b) dedans. Sinon, nous testons si la cellule contient l'élément a du domaine. Si c'est le cas, nous changeons la valeur de la portée à b, et c'est fini. Si le domaine a une autre valeur que a, alors nous insérons récursivement en queue de liste.

Si la fonction F a n paires, alors *insert* prend $O(n)$ en moyenne. De même, les procédures analogues *delete* et *lookup* pour une fonction représentée par une liste chaînée nécessitent un temps de $O(n)$ en moyenne.

```
procedure inserer(a: DTYPE; b: RTYPE; var F: LIST);
begin
    if F = NIL then begin (* à la fin de la liste *)
        new(F);
        F^.domain := a;
        F^.range := b;
        F^.next := NIL
    end
    else if F^.domain = a then (* change F(a) *)
        F^.range := b
    else (* l'élément du domaine n'est pas a *)
        inserer(a, b, F^.next)
end; (* inserer *)
```

Figure 7.19 : Insertion d'un nouveau fait dans une fonction représentée
par une liste chaînée.

Représentation de fonctions par des vecteurs

Si l'ensemble du domaine est suffisamment petit pour être l'ensemble index d'un tableau, nous pouvons alors utiliser une généralisation d'un vecteur caractéristique pour représenter des fonctions. Etant donné DTYPE et RTYPE pour le domaine et la portée, nous pouvons définir

```
type FUNCT = array[DTYPE] of RTYPE
```

Cependant, il est essentiel que la fonction soit définie pour chaque valeur de DTYPE, ou que RTYPE contienne une valeur signifiant « aucune valeur ».

✦ **Exemple 7.26.** Supposons que nous voulions stocker des informations concernant des pommes, comme les informations de la figure 7.9, mais nous voulons maintenant donner le mois précis pour cueillir chaque type de pomme, plutôt que le choix binaire précoce/tardive. Nous définissons d'abord les types

```
type APPLES = (Delicious, GrannySmith, Jonathan, McIntosh,
            Gravenstein, Pippin);
    MONTHS = (Jan, Fev, Mars, Avr, Mai, Juin, Juil, Aoû, Sep,
            Oct, Nov, Dec, Inconnu)
```

où Inconnu indique que le mois de cueillette n'est pas connu. Nous déclarons également

```
type FUNCT = array[APPLES] of MONTHS;
Harvest: FUNCT
```

avec l'intention que la fonction Harvest représente l'ensemble de paires de la figure 7.20. Ensuite le tableau Harvest apparaît dans la figure 7.21, où par exemple, l'entrée Harvest[Delicious] = Oct. ✦

POMME	MOIS de CUEILLETTE
Delicious	Oct
Granny Smith	Aoû
Jonathan	Sep
McIntosh	Oct
Gravenstein	Sep
Pippin	Nov

Figure 7.20 : Mois de cueillette des pommes.

Delicious	Oct
GrannySmith	Aoû
Jonathan	Sep
McIntosh	Oct
Gravenstein	Sep
Pippin	Nov

Figure 7.21 : Le tableau `Harvest`.

Représentation en table de hachage de fonctions

Nous pouvons stocker les paires appartenant à une fonction dans une table de hachage. Le point crucial est que nous appliquons la fonction de hachage seulement à l'élément du domaine pour déterminer le paquet de la paire. Les cellules dans les listes chaînées formant les paquets ont un champ pour l'élément du domaine, un autre pour l'élément de la portée correspondant, et un troisième pour lier une cellule sur le suivant dans la liste. Un exemple devrait clarifier la technique.

✦ **Exemple 7.27.** Considérons les mêmes données concernant les pommes qui apparaissent dans l'exemple 7.26. Pour représenter la fonction `Harvest`, nous allons utiliser une table de hachage avec 5 paquets. Nous devons redéfinir le type du domaine APPLES comme

```
type APPLES = array[1..15] of char
```

Nous utilisons la définition du type MONTHS de l'exemple 7.26 avec la treizième valeur, `Inconnu` que nous retournons en réponse d'une recherche pour une variété de pomme qui n'est pas mentionnée dans la table de hachage. Le type pour les cellules de la liste est alors

```
type LIST = ^ CELL;
    CELL = record
        variety: APPLES;
        harvested: MONTHS;
        next: LIST
    end;
```

Le champ `variety` représente l'élément du domaine, tandis que `harvested` représente l'élément de la portée.

Nous allons utiliser une fonction de hachage h similaire à celle montrée dans la figure 7.12 du paragraphe 7.6. Cependant, c'étaient des chaînes de caractères de longueur 20 qui étaient hachée, alors qu'ici nous hachons des chaînes de caractères de longueur 15, car certains noms de pommes sont plutôt longs. Naturellement, h n'est appliquée qu'aux éléments du domaine — c'est-à-dire aux chaînes de caractères de longueur 15, constituant le nom d'une variété de pommes, rempli par des blancs si nécessaire jusqu'à la longueur 15.

Maintenant, nous pouvons définir le type HASHTABLE comme suit :

```
type HASHTABLE = array[0..B-1] of LIST
```

où B est le nombre de paquets, que nous avons choisi valoir 5. Nous déclarons ensuite une table de hachage `Harvest` pour représenter la fonction désirée par

```
Harvest: HASHTABLE
```

La disposition des cellules dans les paquets pour les six variétés de pommes listées dans la figure 7.20 est montrée dans la figure 7.22. Par exemple, le mot `Delicious`, rempli avec six caractères donne la somme 1121 si l'on applique ORD a chacun des quinze caractères. Puisque le reste vaut 1 lorsque 1121 est divisé par 5, la pomme Delicious appartient au paquet 1. La cellule pour Delicious a cette chaîne dans le champ `variety`, le mois `Oct` dans le champ `harvested`, et un pointeur sur la cellule suivante du paquet. ◆

Opérations sur des fonctions représentées par une table de hachage

Chaque opération *insert, delete* et *lookup* commence avec une valeur de domaine que nous hachons pour trouver un paquet. Pour insérer la paire (a, b), nous trouvons le paquet $h(a)$ et recherchons cette liste. L'action est la même que la procédure pour insérer une fonction paire dans une liste, donnée dans la figure 7.19.

Pour exécuter *delete(a)*, nous trouvons le paquet $h(a)$, recherchons une cellule ayant pour valeur de domaine a, et enlevons cette cellule de la liste, si et quand elle est trouvée dans la liste. L'opération *recherche(a)* est exécutée en hachant a à nouveau et en recherchant le paquet $h(a)$ d'une cellule ayant la valeur de domaine a. Si une telle cellule est trouvée, la valeur de la portée associée est retournée.

Par exemple, la fonction `lookup(a)`, basée sur la table de hachage de l'exemple 7.27, est montrée sur la figure 7.23. La fonction `lookupBucket(a)` parcourt la liste pour trouver un paquet et retourne la valeur `harvested(a)`, c'est-à-dire le mois de cueillette de la variété de pomme a.

CUEILLETTE

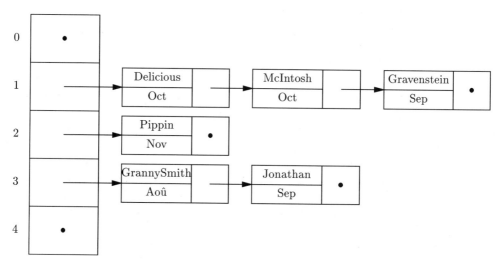

Figure 7.22 : Pommes et mois de cueillette stockés dans une table de hachage.

```
function lookup(a: APPLES): MONTHS;
begin
    lookup := lookupBucket(a, Harvest[h(a)])
end; (* lookup *)

function lookupBucket(a: APPLES; L: LIST): MONTHS;
begin
    if L = NIL then
        lookupBucket := Inconnu;
    else if a = L^.variety then
        lookupBucket := L^.harvested
    else (* pas trouvé ; examine la queue *)
        lookupBucket := lookupBucket(a, L^.next)
end; (* lookupBucket *)
```

Figure 7.23 : Recherche une fonction représentée par une table de hachage.

Efficacité des opérations sur les fonctions

Le temps nécessaire pour les opérations sur les fonctions pour les trois représentations que nous avons présentées ici sont les mêmes que pour les opérations de même nom sur les dictionnaires. Autrement dit, si la fonction comprend n paires, alors la représentation en listes chaînées nécessite un temps de $O(n)$ par opération en moyenne.

Vecteurs contre tables de hachage

Il y a une différence fondamentale dans la façon dont nous voyons les informations concernant les pommes dans les exemples 7.26 et 7.27. Avec l'approche vecteur caractéristique, les variétés de pomme étaient un ensemble fixe, qui devenait un type énuméré. Il n'y a pas moyen, lorsqu'un programme Pascal tourne, de changer l'ensemble des noms de pommes, et la recherche d'un nom qui n'est pas dans l'ensemble énuméré n'a pas de sens.

D'un autre côté, lorsque nous mettons la même fonction dans une table de hachage, nous traitons les noms de pommes comme des chaînes de caractères, plutôt que des éléments d'un type énuméré. Par conséquent, il est possible de modifier l'ensemble des noms pendant que le programme tourne — disons, en réponse à une entrée de données concernant de nouvelles variétés de pommes. Il est alors possible d'effectuer une recherche d'une variété qui n'est pas dans la table de hachage, et nous avions à prévoir, en ajoutant un « mois » `Inconnu`, la possibilité de rechercher une variété qui n'était pas mentionnée dans notre table. Ainsi, la table de hachage offre une souplesse accrue par rapport au vecteur caractéristique, mais un surcoût en temps.

L'approche vecteur caractéristique nécessite seulement un temps de $O(1)$ par opération, mais comme pour les dictionnaires, elle ne peut être utilisée que si le type du domaine est de taille limitée. La table de hachage ayant B paquets offre un temps moyen par opération de $O(n/B)$. S'il est possible de rendre B proche de n, alors un temps de $O(1)$ en moyenne par opération suffit.

EXERCICES

7.8.1 : Ecrivez les procédures qui réalisent (a) *delete* et (b) *recherchez* sur les fonctions représentées par des listes chaînées, analogues à la procédure *insert* de la figure 7.19.

7.8.2 : Ecrivez les procédures qui réalisent (a) *delete* et (b) *lookup* sur les fonctions représentées par un vecteur, c'est-à-dire un tableau du type `array[DTYPE] of RTYPE`.

7.8.3 : Ecrivez les procédures qui réalisent (a) *insert* et (b) *delete* sur les fonctions représentées par des tables de hachage, analogue à la procédure *lookup* de la figure 7.23.

7.8.4 : Un arbre binaire de recherche peut aussi être utilisé pour représenter des fonctions sous forme de données. Définissez les structures de données appropriées pour un arbre binaire de recherche pour contenir les informations sur les pommes de la figure 7.20 et implémenter (a) *insert*, (b) *delete*, et (c) *lookup* en utilisant ces structures.

7.8.5 : Concevez un système de récupération d'informations qui garde une trace des informations concernant les combats gagnés/perdus par des boxeurs. Votre système devra accepter des triplets de la forme

```
Marcel 2 30
```

pour indiquer que Marcel a 2 victoires et 30 défaites. L'entrée pour Marcel devrait être mise à jour de manière appropriée. Vous devrez également être capable de demander le nombre de victoires et de défaites de n'importe quel boxeur. Implémentez votre système de telle façon que les procédures *insert* et *lookup* fonctionnent pour n'importe quelle structure de données tant qu'elles utilisent les procédures et les types appropriés.

7.9 Implémenter des relations binaires

L'implémentation de relations binaires diffère un peu de l'implémentation de fonctions. Rappelons que les relations binaires et les fonctions sont des ensembles de paires, mais qu'une fonction a pour chaque élément de domaine a au plus une paire de la forme (a, b) pour tout b. En revanche, une relation binaire peut avoir n'importe quel nombre d'éléments de la portée associée à un élément de domaine a donné.

Dans ce paragraphe, nous allons d'abord considérer la signification d'insérer, enlever et rechercher pour des relations binaires. Ensuite, nous voyons comment les trois implémentations que nous avons utilisées — listes chaînées, vecteurs caractéristiques, tables de hachage — se généralisent aux relations binaires. Au chapitre 8, nous parlerons d'implémentation des relations ayant plus de deux éléments. Fréquemment, des structures de données pour de telles relations sont réalisées à partir des structures pour les fonctions et les relations binaires.

Opérations sur les relations binaires

Lorsque nous insérons une paire (a, b) dans une relation binaire R, nous n'avons pas à savoir s'il existe déjà ou non une paire (a, c) dans R, pour un $c \neq b$, comme nous l'avons fait pour insérer (a, b) dans une fonction. La justification est naturellement qu'il n'y a pas de limite sur le nombre de paires dans R qui peuvent avoir la valeur de domaine a. Donc, nous allons simplement insérer la paire (a, b) dans R comme nous insérerions un élément dans un ensemble.

De même, enlever une paire (a, b) d'une relation revient à enlever un élément d'un ensemble : nous recherchons la paire et l'enlevons si elle est présente.

L'opération *lookup* peut être définie de plusieurs façons. Par exemple, nous pourrions prendre une paire (a, b) et demander si cette paire est dans R.

Cependant, si nous interprétons *lookup* ainsi, avec les opération *insert* et *delete* telles que nous les avons définies, une relation se comporte comme tout dictionnaire. Le fait que les éléments sur lesquels on opère sont des paires, plutôt qu'atomiques, est un détail mineur ; cela affecte le type des éléments dans le dictionnaire. Néanmoins, il est souvent utile de définir *lookup* pour prendre un élément de domaine a et retourner tous les éléments b de la portée tels que (a, b) soit dans la relation binaire R. Cette interprétation de *lookup* nous donne un type de données abstrait qui est toutefois différent du dictionnaire, et il a certaines utilisations distinctes de celles du TDA dictionnaire.

◆ **Exemple 7.28.** La plupart des variétés de prunes nécessitent une ou plusieurs autres variétés spécifiques pour la fertilisation ; sans le « fertiliseur » approprié, l'arbre ne peut avoir de fruits. Quelques variétés sont « auto-fertilisantes » : elles peuvent servir comme leur propre fertiliseur. La figure 7.24 montre une relation binaire sur l'ensemble des variétés de prunes. Une paire (a, b) dans cette relation signifie que la variété b est un fertiliseur pour la variété a.

VARIETE	FERTILISEUR
Beauty	Santa Rosa
Santa Rosa	Santa Rosa
Burbank	Beauty
Burbank	Santa Rosa
Eldorado	Santa Rosa
Eldorado	Wickson
Wickson	Santa Rosa
Wickson	Beauty

Figure 7.24 : Fertiliseurs pour certaines variétés de prunes.

Insérer une paire dans cette table correspond à affirmer que cette variété est un fertiliseur pour une autre. Par exemple, si une nouvelle variété est développée, nous pourrions entrer dans les relations de faits concernant quelle variété fertilise la nouvelle variété, et laquelle celle-ci fertilise. Enlever une paire correspond à une rétraction de l'affirmation qu'une variété peut fertiliser une autre — un événement possible mais plutôt rare.

L'opération de recherche définie prend une variété a en argument, cherche dans la première colonne pour toutes les paires ayant la valeur a, et retourne l'ensemble des valeurs de la portée associée. C'est-à-dire, nous demandons « Quelles variétés peuvent fertiliser la variété a ». Cette question semble être celle qui est la plus plausible à demander comme information sur cette table, car lorsque l'on plante un prunier, nous devons être sûrs que, s'il n'est pas auto-fertilisant, il y a un fertiliseur aux alentours. Par exemple, si nous invoquons $lookup(Burbank)$, nous attendons la réponse

{Beauty, Santa Rosa}

✦

Implémentation en listes chaînées de relations binaires

Il est tout à fait possible de lier les paires d'une relation dans une liste. Les cellules de la liste contiennent un élément du domaine, un élément de la portée et un pointeur sur la cellule suivante, comme les cellules pour les fonctions. L'insertion et la suppression sont réalisées comme pour des ensembles ordinaires (paragraphe 6.4). La seule nuance est que l'égalité entre éléments d'ensembles est déterminée en comparant à la fois le champ contenant l'élément du domaine et celui contenant l'élément de la portée.

Lookup est toutefois une opération différente des opérations du même nom que nous avons rencontrées précédemment. Nous devons traverser la liste, chercher des cellules avec une valeur de domaine particulière a et nous devons assembler une liste des valeurs associées de la portée. Un exemple nous montrera les mécaniques de l'opération de *recherche* dans des listes chaînées.

✦ **Exemple 7.29.** Supposons que nous voulions implémenter par des listes chaînées la relation sur les prunes de l'exemple 7.28. Nous pourrions définir le type `PVARIETE` comme une chaîne de caractères de longueur 15 ; et des cellules dont le type que nous appellerons `RCELL` (relation cellule), peut être défini par une structure d'enregistrement :

```
type PVARIETE = array[1..15] of char;

    RLIST = ^RCELL;

    RCELL = record
        variete, fertiliseur: PVARIETE;
        next: RLIST
    end;
```

Nous avons aussi besoin d'une cellule contenant une variété de prunes et un pointeur sur la prochaine cellule, afin de construire une liste de fertiliseurs d'une certaine variété, et donc de répondre aux requêtes *lookup*. Ce type, que nous appellerons `PCELL`, est défini ainsi

```
type PLIST = ^PCELL;
    PCELL = record
        fertiliseur: PVARIETE;
        next: PLIST
    end;
```

Nous pouvons alors définir *lookup* par la fonction dans la figure 7.25.

```
     function lookup(a: VARIETE; L: RLIST): PLIST;

     var P: PLIST;

     begin
(1)      if L = NIL then
(2)          lookup := NIL
(3)      else if L^.variete = a then begin
(4)          new(P);
(5)          P^.fertiliseur := L^.fertiliseur;
(6)          P^.next := lookup(a, L^.next);
(7)          lookup := P
         end
         else (* pas la valeur du domaine de la paire courante *)
(8)          lookup := lookup(a, L^.next)
     end; (* lookup *)
```

Figure 7.25 : Recherche dans une relation binaire représentée par une liste chaînée.

La fonction *lookup* prend en argument un élément du domaine *a* et un pointeur sur la première cellule d'une liste chaînée de paires. Nous réalisons l'opération *lookup(a)* sur une relation *R* en appelant `lookup(a,L)`, où *L* est un pointeur sur la première cellule de la liste chaînée représentant la relation *R*. Les lignes (1) et (2) sont simples.

D'autres opérations plus générales sur les relations

Nous pouvons vouloir plus d'informations que les trois opérations *insert*, *delete* et *lookup* peuvent fournir lorsqu'appliquées aux variétés de prunes de l'exemple 7.28. Par exemple, nous pouvons vouloir demander « Quelles variétés fertilisent Santa Rosa » ou « Eldorado fertilise-t-elle Beauty ». Certaines structures de données, telle qu'une liste chaînée, nous permet de poser des questions telles que celles-ci aussi rapidement que nous pouvons réaliser les trois opérations de base sur un dictionnaire, si pour aucune autre raison que ces listes chaînées ne sont pas très efficaces pour toutes ces opérations. Une table de hachage basée sur des éléments de domaine n'aide pas à répondre aux questions donnant un élément de la portée et on doit trouver tous les éléments de domaines associés — par exemple, « Quelles variétés fertilisent Santa Rosa ». Naturellement, nous pourrions baser la fonction de hachage sur les éléments de la portée, mais alors on ne pourrait plus répondre facilement aux questions comme « Qui fertilise Burbank » Nous pourrions baser la fonction de hachage sur une combinaison des valeurs du domaine et de la portée, mais alors nous ne pourrions pas répondre aux questions de chaque type de manière efficace ; nous pourrions seulement répondre facilement aux questions comme « Est-ce que Eldorado fertilise Beauty ? ».

Il y a des façons d'obtenir des réponses efficaces aux questions pour tous ces types. Cependant, nous devrons attendre le prochain chapitre, sur le modèle relationnel, pour apprendre ces techniques.

Si la liste est vide, nous retournons NIL, puisqu'il n'existe sûrement aucune paire avec le premier élément a dans une liste vide.

Le cas difficile intervient lorsque a est trouvé dans le champ du domaine, appelé **variété**, dans la première cellule de la liste ; ce cas est détecté aux lignes (3) et traité aux lignes (4) à (7). Nous créons à la ligne (4) une nouvelle cellule de type PCELL, qui devient la première cellule de la liste de PCELL que nous retournerons. La ligne (5) met la valeur de la portée associée dans cette nouvelle cellule. Ensuite, à la ligne (6), nous appelons récursivement **lookup** sur la queue de la liste L. La valeur de retour de cet appel, qui est pointeur sur la première cellule de la liste résultante (NIL si la liste est vide), devient le champ **next** de la cellule que nous avons créée à la ligne (4). Puis à la ligne (7) nous retournons un pointeur sur la cellule nouvellement créée, qui contient une valeur de la portée et qui est lié aux cellules contenant d'autres valeurs de la portée pour la valeur du domaine a, s'il existe.

Le dernier cas se produit quand la valeur désirée a du domaine n'est pas trouvée dans la première cellule dans la liste L. Puis nous appelons *lookup* sur la queue de la liste, à la ligne (8), et retournons. ✦

Une approche vecteur caractéristique

Pour les ensembles et les fonctions, nous voyons que l'on pourrait créer un tableau indexé par les éléments d'un ensemble « universel » et placer des valeurs appropriées dans le tableau. Pour les ensembles, les valeurs appropriées du tableau sont TRUE et

Fertiliseurs

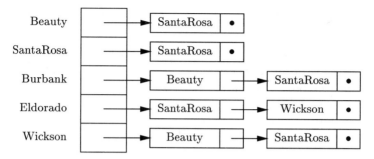

Figure 7.26 : Représentation par vecteur caractéristique de la relation des fertiliseurs.

FALSE, et pour les fonctions, elles ont ces valeurs qui peuvent apparaître dans la portée, plus fréquemment une valeur spéciale qui signifie « rien ».

Pour les relations binaires, nous pouvons indexer un tableau par des éléments de l'ensemble du domaine — à condition que cet ensemble soit petit et fixé — exactement comme nous l'avons fait pour les fonctions. Cependant, nous ne pouvons pas utiliser une seule valeur comme un élément d'un tableau, car une relation peut avoir n'importe quel nombre de valeurs de la portée pour une valeur du domaine donnée. Le mieux que l'on puisse faire est d'utiliser, comme élément du tableau, l'en-tête d'une liste chaînée contenant toutes les valeurs de la portée associée à une valeur du domaine donnée.

✦ **Exemple 7.30.** Nous allons reprendre l'exemple des prunes en utilisant cette organisation. Comme nous l'avons montré au paragraphe précédent, lorsque nous utilisons une approche vecteur caractéristique, nous devons fixer l'ensemble de valeurs, dans le domaine au moins ; il n'y a pas de telle contrainte pour des représentations en liste chaînée ou en table de hachage. Ainsi, nous devons redéclarer le type VARIETE en type énuméré :

```
type VARIETE =
        (Beauty, Santa Rosa, Burbank, Eldorado, Wickson)
```

Nous pouvons continuer d'utiliser le type PCELL pour des listes de variétés, comme définies dans l'exemple 7.29. Ensuite, nous pouvons définir le tableau

```
Fertiliseurs: array[VARIETE] of PLIST
```

Autrement dit, le tableau représentant la relation de la figure 7.24 est indexé par les variétés mentionnées dans cette figure, et la valeur associée à chaque variété est un pointeur sur la première cellule dans sa liste de fertiliseurs. La figure 7.26 montre les paires de la figure 7.24 représentées de cette façon. ✦

Insérer et enlever des paires est réalisé en allant chercher l'élément du tableau approprié puis dans la liste chaînée. A ce point, insérer et enlever dans/de la liste est réalisé normalement. Par exemple, si nous déterminons que Wickson ne peut pas fertiliser Eldorado, nous pourrions exécuter l'opération *delete*(Eldorado, Wickson)

L'en-tête de la liste pour Eldorado est trouvée dans `Fertiliseurs`[Eldorado], et à partir de là, nous parcourons la liste jusqu'à trouver une cellule contenant Wickson et nous l'enlevons.

La recherche est triviale ; il nous suffit simplement de retourner le pointeur trouvé dans l'entrée du tableau appropriée. Par exemple, afin de répondre à l'interrogation *lookup*(Burbank, Fertiliseurs), nous retournons la liste `Fertiliseurs [Burbank]`.

Implémentation en table de hachage de relations binaires

Nous pouvons stocker une relation binaire donnée R dans une table de hachage, en utilisant une fonction de hachage qui ne dépend que du premier élément d'une paire. C'est-à-dire, la paire (a, b) sera placée dans le paquet $h(a)$, où h est la fonction de hachage. Notons que cette disposition est exactement la même que pour une fonction ; la seule différence est que, pour une relation binaire, un paquet peut contenir plus d'une paire avec une valeur donnée a comme premier élément, alors que pour une fonction, il ne pourra jamais contenir plus d'une telle paire.

Pour insérer la paire (a, b), nous calculons $h(a)$ et examinons le paquet ayant ce numéro pour être sûrs que (a, b) n'y est pas déjà. S'il n'y est pas, nous ajoutons (a, b) à la fin de la liste de ce paquet. Pour enlever (a, b), nous prenons le paquet $h(a)$, cherchons la paire et l'enlevons de la liste si elle y est.

Pour exécuter *lookup*(a), nous trouvons à nouveau le paquet $h(a)$ et nous parcourons sa liste, en collectant tous les b qui apparaissent dans des cellules avec a en premier élément. La fonction *lookup* de la figure 7.25, que nous avons écrite pour les listes chaînées, s'applique aussi bien aux listes qui forment les paquets d'une table de hachage.

Temps d'exécution des opérations sur une relation binaire

La performance des trois représentations pour les relations binaires n'est pas très différente des performances des mêmes structures sur les fonctions ou les dictionnaires. Considérons d'abord la représentation en liste. Lorsque nous avons écrit les procédures pour *insert* et *delete*, nous devrions être capables de voir que ces procédures parcourent la liste entière, recherchant la paire cible, et s'arrêtent lorsqu'elles l'ont trouvée. Dans une liste de longueur n, cette recherche prend en moyenne un temps $O(n)$, puisque nous devons parcourir la liste entière si la paire n'est pas trouvée, et en moyenne la moitié de la liste si trouvée.

Pour *lookup*, la figure 7.25 devrait nous convaincre que cette fonction prend $O(1)$ plus un appel récursif sur la queue de la liste. Nous faisons donc n appels si la liste est de longueur n, pour un temps total de $O(n)$.

Maintenant considérons la généralisation de vecteur caractéristique. L'opération *lookup*(a) est plus facile. Nous pouvons aller chercher l'élément du tableau indexé par a, et y trouver notre réponse, une liste de tous les b tels que (a, b) est dans la relation. Nous n'avons même pas à examiner les éléments ou à les copier. Donc, *lookup* prend $O(1)$ lorsque les vecteurs caractéristiques sont utilisés.

D'autre part, *insert* et *delete* sont moins simples. Pour insérer (a, b) nous pouvons aller chercher l'élément du tableau indexé par a assez facilement, mais nous devons chercher la liste pour être sûrs que (a, b) n'y est pas déjà[4]. Cela nécessite une quantité de temps proportionnel à la longueur moyenne d'une liste, c'est-à-dire au nombre moyen de valeurs de la portée associées à une valeur du domaine donnée. Nous appelons ce paramètre m. Une autre façon de voir m est qu'il vaut n, le nombre total de paires dans la relation, divisé par le nombre de valeurs du domaine différentes. Si nous admettons que toute liste est à peu près recherchée comme toute autre, alors réaliser *insert* ou *delete* prend en moyenne un temps en $O(m)$.

Finalement, considérons la table de hachage. S'il y a n paires dans notre relation et B paquets, nous attendons là une moyenne de n/B paires par paquet. Cependant, le paramètre m doit aussi y figurer. S'il y a n/m valeurs de domaine possibles, alors au plus n/m paquets peuvent être non-vides, puisque le paquet d'une paire est déterminé seulement par la valeur de domaine. Donc, m est une limite plus petite sur la taille moyenne d'un paquet, quel que soit B. Puisque n/B est aussi une limite plus petite, le temps pour réaliser une des trois opérations est $O\big(\max(m, n/B)\big)$.

◆ **Exemple 7.31.** Supposons qu'il y ait une relation de 1000 paires, réparties parmi les 100 valeurs de domaines. Alors le domaine caractéristique a 10 valeurs de la portée associées ; c'est-à-dire $m = 10$. Si nous utilisons 1000 paquets — c'est-à-dire $B = 1000$ — alors m est supérieur à n/B, qui vaut 1, et un paquet moyen, qui serait sûrement celui recherché (car son numéro est $h(a)$ pour une valeur de domaine a qui apparaît dans la relation), devrait avoir environ 10 paires. En fait, il y en aura en moyenne un peu plus, car par coïncidence, le même paquet pourrait être $h(a_1)$ et $h(a_2)$ pour deux valeurs de domaines différentes a_1 et a_2. Si nous choisissons $B = 100$, alors $m = n/B = 10$, et nous pourrions attendre encore que chaque paquet que nous pourrions chercher ait environ 10 éléments. Comme mentionné, le nombre réel est un peu plus grand à cause des coïncidences où deux valeurs de domaine sont hachées dans le même paquet. ◆

EXERCICES

7.9.1 : En utilisant les types de données de l'exemple 7.29, écrivez une procédure qui prend en argument une valeur d'un fertiliseur b et une liste de paires variété-fertiliseur, et retourne une liste de variétés qui sont fertilisées par b.

7.9.2 : Ecrivez les routines (a) *insert* et (b) *delete* pour les paires variétés-fertiliseur en utilisant les hypothèses de l'exemple 7.29.

7.9.3 : Ecrivez les procédures (a) *insert*, (b) *delete* et (c) *lookup* pour la relation représentée par une structure de donné vecteur de l'exemple 7.30. Lors d'une insertion, ne pas oublier de vérifier si une paire identique existe déjà dans la relation.

7.9.4 : Concevez une structure de données table de hachage pour représenter la relation fertiliseur qui forme l'exemple principal de ce paragraphe. Ecrivez les procédures pour les opérations *insert*, *delete* et *lookup*.

7.9.5 : * Prouvez que la fonction `lookup` de la figure 7.25 fonctionne correctement, en montrant par récurrence sur la longueur de la liste L que `lookup` retourne une liste de

---

[4] Nous pourrions insérer la paire sans regarder si elle y est déjà, mais cela aurait à la fois les avantages et les inconvénients de la représentation en listes présentée au paragraphe 6.4, où nous autorisions la duplication.

tous les éléments b tels que la paire (a, b) est dans la liste L.

7.9.6 : * Concevez une structure de données qui permet un temps moyen en $O(1)$ pour réaliser chaque opération *insert*, *delete*, *lookup* et *inverseLookup*. La dernière opération prend un élément de la portée et trouve les éléments du domaine associés.

7.9.7 : Dans ce paragraphe et le précédent, nous avons défini des types de données abstraits qui avaient des opération appelées *insert*, *delete* et *lookup*. Cependant, ces opération étaient définies légèrement différemment des opérations de même nom dans des dictionnaires. Faites une table pour les TDA DICTIONNAIRE, FONCTION (comme examiné au paragraphe 7.8), et RELATION (comme examiné dans ce paragraphe), et indiquez les implémentations abstraites possibles et les structures de données qui les supportent. Pour chacune, indiquez le temps d'exécution de chaque opération.

7.10   Quelques propriétés spéciales des relations binaires

Dans ce paragraphe, nous allons considérer quelques propriétés spéciales qu'ont certaines relations binaires utiles. Nous commençons par définir quelques propriétés de base : transitivité, reflexivité, symétrie et antisymétrie. Elles sont combinées pour former des types communs de relations binaires : ordre partiel, ordre total et relations d'équivalences.

Transitivité

Soit R une relation binaire sur le domaine D. Nous disons que la relation R est *transitive* si aRb et bRc sont vraies, et que aRc est aussi vraie. La figure 7.27 illustre la propriété de transitivité telle qu'elle apparaît dans le graphe d'une relation. Lorsqu'une arête en pointillés de a à b et de b à c apparaît dans le diagramme, pour des a, b, et c particuliers, la ligne en trait plein de a à c doit aussi être dans le diagramme. Il est important de rappeler que la transitivité, comme les autres propriétés définies dans ce paragraphe, sont relatives à la relation comme un tout. Il ne suffit pas que la propriété soit satisfaite pour trois éléments du domaine particuliers ; elle doit être satisfaite pour tous les triplets a, b et c dans le domaine D.

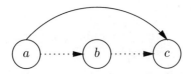

Figure 7.27 : La condition de transitivité nécessite que si à la fois les arcs arcs aRb et bRc sont présents dans le graphe d'une relation, alors l'arc aRc s'y trouve aussi.

✦ **Exemple 7.32.** Considérons la relation $<$ sur **Z**, l'ensemble des entiers. C'est-à-dire, $<$ est l'ensemble des paires d'entiers (a, b) tels que a est inférieur à b. La relation $<$ est transitive, car si $a < b$ et $b < c$, nous savons que $a < c$. De même, les relations $\leq$,

S	T
$\emptyset$	$\emptyset$
$\emptyset$	$\{1\}$
$\emptyset$	$\{2\}$
$\emptyset$	$\{1,2\}$
$\{1\}$	$\{1\}$
$\{1\}$	$\{1,2\}$
$\{2\}$	$\{2\}$
$\{2\}$	$\{1,2\}$
$\{1,2\}$	$\{1,2\}$

Figure 7.28 : Les paires dans la relation $\subseteq_{\{1,2\}}$.

$>$ et $\geq$ sur des entiers sont transitives. Ces quatre relations de comparaison sont aussi transitives sur l'ensemble des nombres réels.

Cependant, considérons la relation $\neq$ sur les entiers (ou sur les réels dans ce cas). Cette relation n'est pas transitive. Par exemple, soit a et c à la fois valant 3, et soit b égal à 5. Alors $a \neq b$ et $b \neq c$ sont toutes deux vraies. Si la relation était transitive, nous aurions $a \neq c$. Mais cela suppose que $3 \neq 3$, qui est faux. Nous concluons que $\neq$ n'est pas transitive.

Pour prendre un autre exemple de relation transitive, considérons la relation de **sous-ensemble** $\subseteq$. Nous aimerions considérer la relation comme étant l'ensemble de toutes les paires d'ensemble (S,T) telle que $S \subseteq T$, mais imaginez qu'il y ait un tel ensemble mènerait à nouveau au paradoxe de Russel. Néanmoins, supposons que nous ayons un ensemble « universel » U. Nous pouvons poser $\subseteq_U$ comme l'ensemble des paires d'ensembles

$$\{(S,T) \mid S \subseteq T \text{ et } T \subseteq U\}$$

Alors $\subseteq_U$ est une relation sur $\mathbf{P}(U)$, l'ensemble des parties de U, et nous pouvons voir $\subseteq_U$ comme la relation de sous-ensemble.

Par exemple, soit $U = \{1,2\}$. Alors $\subseteq_{\{1,2\}}$ contient les neufs (S,T)-paires montrées dans la figure 7.28. Donc, $\subseteq_U$ contient exactement ces paires telles que le premier élément soit un sous-ensemble (pas nécessairement propre) du second élément et les deux sont des sous-ensembles de $\{1,2\}$.

Il est facile de vérifier que $\subseteq_U$ est transitive, quel que soit l'ensemble universel U. Si $A \subseteq B$ et $B \subseteq C$, alors il doit être que $A \subseteq C$. En effet, pour chaque x dans A, nous savons que x est dans B, car $A \subseteq B$. Puisque x est dans B, nous savons que x est dans C, car $B \subseteq C$. Donc, chaque élément de A est un élément de C. Par conséquent, $A \subseteq C$. ✦

Figure 7.29 : Une relation réflexive R a xRx pour chaque x dans son domaine.

Réflexivité

Des relations binaires R ont la propriété que pour chaque élément a dans le domaine, R a la paire (a, a) ; c'est-à-dire aRa. Si c'est le cas, nous disons que R est *réflexive*. La figure 7.29 indique que le graphe d'une relation réflexive a des boucles sur tous les éléments du domaine. Le graphe peut avoir d'autres flèches en plus des boucles.

✦ **Exemple 7.33.** La relation $\geq$ sur des réels est réflexive. Pour chaque nombre réel a, nous avons $a \geq a$. De même, $\leq$ est réflexive, et ces deux relations sont aussi réflexives sur les entiers. Cependant, $<$ et $>$ ne sont pas réflexives, puisque $a < a$ et $a > a$ sont fausses pour au moins une valeur de a ; en fait, elles sont fausses pour tout a.

Les relations de sous-ensemble $\subseteq_U$ définies dans l'exemple 7.32 sont aussi réflexives, puisque $A \subseteq A$ pour tout ensemble A. Néanmoins, les relations définies similairement $\subset_U$ qui contiennent la paire (S, T) si $S \subset T$ — autrement dit, S est un sous-ensemble propre de T — et $T \subseteq U$, ne sont pas réflexives. La justification est que $A \subset A$ est fausse pour au moins un A (en fait, tout A). ✦

Symétrie et antisymétrie

Soit R une relation binaire. Comme défini dans l'exercice 7.7.7, **la relation inverse** de R est l'ensemble de paires de R avec les éléments inversés. C'est-à-dire, l'inverse de R, dénoté R^{-1}, est

$$\{(b, a) \mid (a, b) \in R\}$$

Par exemple, $>$ est l'inverse de $<$, puisque $a > b$ si et seulement si $b < a$. De même, $\geq$ est l'inverse de $\leq$.

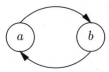

Figure 7.30 : La symétrie nécessite que si aRb, alors bRa.

Nous disons que R est *symétrique* si elle est sa propre inverse. C'est-à-dire, R est symétrique si, quel que soit aRb, nous avons aussi bRa. La figure 7.30 montre la symétrie dans le graphe d'une relation. Chaque fois que l'arc avant est présent, l'arc arrière doit aussi être présent.

Nous disons que R est *antisymétrique* si aRb et bRa sont toutes deux vraies seulement quand $a = b$. Notons qu'il n'est pas nécessaire que aRa soit vraie pour un a

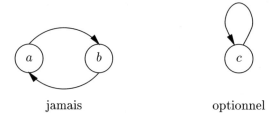

jamais   optionnel

Figure 7.31 : Une relation antisymétrique ne peut pas avoir un cycle entre deux éléments, mais des boucles sur un seul élément sont permises.

particulier dans une relation antisymétrique. Cependant, une relation antisymétrique peut être réflexive. La figure 7.31 montre comment la condition d'antisymétrie est exprimée dans un graphe de relations

✦ **Exemple 7.34.** La relation $\leq$ sur les entiers ou les réels est antisymétrique, car si $a \leq b$ et $b \leq a$, on doit avoir $a = b$. La relation $<$ est aussi antisymétrique, car dans aucun cas $a < b$ et $b < a$ sont tous les deux vraies. De même, $\geq$ et $>$ sont antisymétriques, comme le sont les relations de sous-ensemble $\subseteq_U$ que nous avons examiné dans l'exemple 7.32.

Cependant, notons que $\leq$ n'est pas symétrique. Par exemple, $3 \leq 5$, mais $5 \leq 3$ est fausse. De même, aucune des autres relations mentionnées dans les précédents paragraphes n'est symétrique.

Un exemple de relation symétrique est $\neq$ sur les entiers. C'est-à-dire, si $a \neq b$, alors sûrement $b \neq a$. ✦

Ordre partiel et ordre total

Un *ordre partiel* est une relation binaire transitive et antisymétrique. Une relation est dite un *ordre total* si en plus d'être transitive et antisymétrique, elle rend toute paire d'éléments dans le domaine **comparable**. C'est-à-dire, si R est un ordre total, et si a et b sont deux éléments dans son domaine, alors aRb ou bRa est vraie. Notons que tout ordre total est réflexif, car nous pouvons poser a et b étant le même élément, partout où la nécessité de comparabilité dit que aRa.

✦ **Exemple 7.35.** Les comparaisons arithmétiques $\leq$ et $\geq$ sur des entiers ou des réels sont des ordres totaux et par conséquent sont aussi des ordres partiels. Notons que pour tout a et b, soit $a \leq b$ soit $b \leq a$, mais les deux sont vraies exactement lorsque $a = b$.

Les comparaisons $<$ et $>$ sont des ordres partiels mais pas des ordres totaux. Alors qu'elles sont antisymétriques, elles ne sont pas réflexives ; autrement dit, ni $a < a$ ni $a > a$ est vraie.

Les relations de sous-ensemble $\subseteq$ et $\subset$ sur 2^U pour un ensemble universel U sont des ordres partiels. Nous avons déjà observé qu'elles sont transitives et antisymétriques. Néanmoins, ces relations ne sont pas des ordres totaux, tant que U a au moins deux éléments, puisque qu'il y a des éléments incomparables. Par exemple, soit $U = \{1, 2\}$.

Pièges dans les définitions de propriétés

Comme nous l'avons montré, la définition d'une propriété est une condition générale, que l'on applique à tous les éléments du domaine. Par exemple, afin qu'une relation R sur le domaine D soit réflexive, nous avons besoin d'avoir aRa pour tout $a \in D$. Il n'est pas suffisant que aRa soit vraie pour un a, et cela n'a pas de sens de dire qu'une relation est réflexive pour quelques éléments et pas pour d'autres. Même s'il y a un a dans D pour qui aRa est fausse, alors R n'est pas réflexive. (Donc, la réflexivité peut dépendre du domaine, comme de la relation R.)

Aussi, une condition comme la transitivité — « si aRb et bRc alors aRc » — est de la forme « si A alors B ». Rappelons que nous pouvons satisfaire un telle déclaration soir en rendant B vraie ou en rendant A fausse. Donc, pour un triplet donné a, b, et c, la condition de transitivité est satisfaite si aRb est fausse, ou si bRc est fausse, ou bien encore si aRc est vraie. Comme exemple extrême, la relation vide est transitive, symétrique, et antisymétrique, car la condition « si » n'est jamais satisfaite. Cependant, la relation vide n'est pas réflexive, à moins que le domaine ne soit aussi pris comme étant $\emptyset$.

Alors $\{1\}$ et $\{2\}$ sont des sous-ensembles de U, mais aucun n'est un sous-ensemble de l'autre. ✦

On peut voir un ordre total R comme une séquence linéaire d'éléments, comme indiqué dans la figure 7.32, où lorsque aRb pour des éléments distincts a et b, a apparaît à la gauche de b, le long de la ligne. Par exemple, si R est $\leq$ sur les entiers, alors les éléments le long de la ligne pourraient être $\ldots, -2, -1, 0, 1, 2, \ldots$. Si R est $\leq$ sur des réels, alors les points correspondants aux points le long de la ligne réelle, comme si la ligne était une règle infinie; le nombre réel x se trouve à x unités à la droite de la marque 0 si x est non-négatif, et $-x$ unités à la gauche de la marque zéro si x est negatif.

Figure 7.32 : Image d'un ordre total sur $a_1, a_2, a_3, \ldots, a_n$.

Si R est un ordre partiel mais pas un ordre total, nous pouvons aussi dessiner les éléments du domaine de telle façon que si aRb, alors a est à la gauche de b. Cependant, parce qu'il pourrait y avoir des éléments incomparables, nous ne pouvons pas nécessairement dessiner les éléments sur une ligne telle que la relation R signifie « à gauche ».

✦ **Exemple 7.36.** La figure 7.33 représente l'ordre partiel $\subseteq_{\{1,2,3\}}$. Nous avons dessiné la relation comme un **graphe réduit**, dans lequel nous avons omis des arcs qui peuvent inférer par transitivité. C'est-à-dire, $S \subseteq_{\{1,2,3\}} T$ si :

1.   Soit $S = T$.

2.   Soit il existe un arc de S à T.

3.   Soit il existe un chemin de deux arcs ou plus menant de S à T.

Par exemple, nous savons que $\emptyset \subseteq_{\{1,2,3\}} \{1,3\}$, à cause du chemin de $\emptyset$ to $\{1\}$ à $\{1,3\}$.
✦

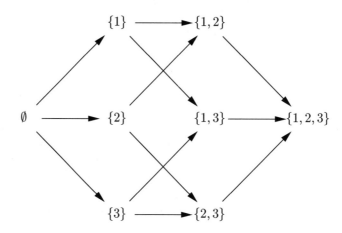

Figure 7.33 : Graphe réduit de l'ordre partiel $\subseteq_{\{1,2,3\}}$.

Relations d'équivalence

Une *relation d'équivalence* est une relation binaire qui est réflexive, symétrique et transitive. Ce genre de relation est assez différent des ordres partiels et des ordres totaux que nous avons rencontrés dans les exemples précédents. En fait, un ordre partiel ne peut jamais être une relation d'équivalence, sauf dans le cas trivial où il n'y a qu'un seul élément a dans le domaine et la relation est $\{(a,a)\}$.

✦ **Exemple 7.37.** Une relation comme $\leq$ sur des entiers n'est pas une relation d'équivalence. Bien qu'elle soit transitive et réflexive, elle n'est pas symétrique. Si $a \leq b$, nous n'avons pas $b \leq a$, sauf si $a = b$.

Pour un exemple de relation d'équivalence, soit R comportant les paires d'entiers (a,b) telles que $a - b$ est un entier multiple de 3. Par exemple $3R9$, puisque $3 - 9 = -6 = 3 \times (-2)$. Aussi, $5R(-4)$, puisque $5 - (-4) = 9 = 3 \times 3$. Cependant, $(1,2)$ n'est pas dans R (ou nous pouvons dire « $1R2$ est faussé »), puisque $1 - 2 = -1$, qui n'est pas un entier multiple de 3. Nous pouvons démontrer que R est une relation d'équivalence, comme suit :

1. R est réflexive, puisque aRa pour tout entier a, car $a - a$ est zéro, qui est un multiple de 3.

2. R est symétrique. Si $a - b$ est un multiple de 3 — disons $3c$ pour un entier c — alors $b - a$ est $-3c$ et est par conséquent aussi un entier multiple de 3.

3. R est transitive. Supposons aRb et bRc. C'est-à-dire, $a - b$ est un multiple de 3, disons $3d$; et $b - c$ est un multiple de 3, disons $3e$. Alors

$$a - c = (a - b) + (b - c) = 3d + 3e = 3(d + e)$$

et donc $a - c$ est aussi un multiple de 3. Donc, aRb et bRc impliquent aRc, qui signifie que R est transitive.

Pour prendre un autre exemple, soit S l'ensemble des villes dans le monde, et soit T la relation définie par aTb si a et b sont reliées par des routes, autrement dit, s'il est possible d'aller en voiture de a à b. Alors, la paire (Toronto, New York) est dans T, mais

(Honolulu, Anchorage)

n'y est pas. Nous déclarons que T est une relation d'équivalence.

T est réflexive, puisque trivialement toutes les villes sont reliées à elles-mêmes. T est symétrique car si a est reliée à b, alors b reliée à a. T est transitive car si a est reliée à b et b est reliée à c, alors a est reliée à c; nous pouvons aller de a à c en passant par b, s'il n'existe pas de plus court chemin. ◆

Classes d'équivalence

Une autre façon de voir une relation d'équivalence est qu'elle partitionne son domaine en *classes d'équivalence*. Si R est une relation d'équivalence sur un domaine D, alors nous pouvons diviser D en classes d'équivalence telles que :

1. Chaque élément de domaine est dans exactement une classe d'équivalence.

2. Si aRb, alors a et b sont dans les mêmes classes d'équivalence.

3. Si aRb est fausse, alors a et b sont dans différentes classes d'équivalences.

◆ **Exemple 7.38.** Considérons la relation R de l'exemple 7.37, où aRb lorsque $a - b$ est un multiple de 3. Une classe d'équivalence est l'ensemble des entiers qui sont exactement divisibles par 3, autrement dit, ceux qui laissent un reste 0 lorsqu'ils sont divisés par 3. Cette classe est $\{\ldots, -3, 0, 3, 6, \ldots\}$. Une deuxième est l'ensemble des entiers qui donnent un reste de 1 lorsqu'ils sont divisés par 3, c'est-à-dire $\{\ldots, -2, 1, 4, 7, \ldots\}$. La dernière classe est l'ensemble de entiers qui laissent un reste de 2 lorsqu'ils sont divisés par 3. Cette classe est $\{\ldots, -1, 2, 5, 8, \ldots\}$. Les classes partitionnent l'ensemble des entiers en trois ensembles disjoints, comme indiqué dans la figure 7.34.

Notons que si la division par 3 de deux entiers donne le même reste, alors leur différence est divisible par 3. Par exemple, $14 = 3 \times 4 + 2$ et $5 = 3 \times 1 + 2$. Donc, $14 - 5 = 3 \times 4 - 3 \times 1 + 2 - 2 = 3 \times 3$. Nous savons par conséquent que $14R5$. D'autre part, si la division par trois de deux entiers donne des restes différents, leur différence n'est sûrement pas divisible par 3. Donc, des entiers de différentes classes, comme 5 et 7, ne sont pas liés par R. ◆

Pour construire les classes d'équivalence d'une relation d'équivalence R, soit $class(a)$ l'ensemble des éléments b tels que aRb. Par exemple, si notre relation d'équivalence est celle que nous avons appelée R dans l'exemple 7.37, alors $class(4)$ est l'ensemble des entiers qui donnent un reste de 1 lorsqu'ils sont divisés par 3; c'est le cas de $class(4) = \{\ldots, -2, 1, 4, 7, \ldots\}$.

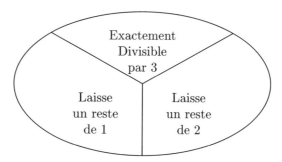

Figure 7.34 : Classes d'équivalence pour la relation sur les entiers :
« Différence est divisible par 3 ».

Notons que si nous faisons varier a sur chaque élément du domaine, nous obtenons généralement la même classe plusieurs fois. En fait, lorsque aRb, alors $class(a) = class(b)$. Pour justifier, supposons que c soit dans $class(a)$. Alors aRc par définition de *class*. Puisque nous avons aRb, par symétrie, il s'ensuit que bRa. Par transitivité, bRa et aRc impliquent bRc. Mais bRc dit que c est dans $class(b)$. Donc, chaque élément dans $class(a)$ est dans $class(b)$. Puisque le même argument dit qu'aussi longtemps que aRb, chaque élément dans $class(b)$ est aussi dans $class(a)$, nous concluons que $class(a)$ et $class(b)$ sont identiques.

Cependant, si $class(a)$ n'est pas la même que $class(b)$, alors ces classes ne peuvent avoir d'élément en commun. Supposons le contraire. Alors il doit y avoir un c à la fois dans $class(a)$ et dans $class(b)$. D'après notre hypothèse précédente, nous avons aRc et bRc. Par symétrie, cRb. Par transitivité, aRc et cRb implique aRb. Mais nous venons de montrer que chaque fois que aRb est vraie, alors $class(a)$ et $class(b)$ sont les mêmes. Puisque nous avons supposé que ces classes ne sont pas les mêmes, nous avons une contradiction. Par conséquent, le prétendu c dans l'intersection de $class(a)$ et de $class(b)$ ne peut exister.

Il y a une observation que nous devons faire : chaque élément de domaine est dans une classe d'équivalence. En particulier, a est toujours dans $class(a)$, car la réflexivité dit que aRa.

Nous pouvons maintenant conclure qu'une relation d'équivalence divise son domaine en classes d'équivalence qui sont disjointes et qui placent chaque élément dans exactement une seule classe. L'exemple 7.38 illustre ce phénomène.

Fermetures de relations

Une opération fréquente sur les relations consiste à prendre une relation, n'ayant pas une certaine propriété, et à lui ajouter aussi peu de paires que possible, pour créer une relation ayant cette propriété. La relation résultante est appelée la *fermeture* (pour cette propriété) de la relation originelle.

✦ **Exemple 7.39.** Nous avons examiné des graphes réduits en relation avec la figure 7.33. Bien que nous ayons représenté une relation transitive, $\subseteq_{\{1,2,3\}}$, nous avons dessiné des arcs correspondant à seulement un sous-ensemble de paires dans la relation. Nous pouvons reconstruire la relation entière en appliquant la transitivité pour induire de nouvelles paires, jusqu'à ce qu'aucune paire ne puisse être déduite. Par exemple, nous voyons qu'il y a des arcs correspondant aux paires $(\{1\}, \{1,3\})$ et $(\{1,3\}, \{1,2,3\})$, et donc la transitivité dit que la paire $(\{1\}, \{1,2,3\})$ doit être aussi dans la relation. A cela nous devons ajouter les paires « réflexives » (S, S), pour chaque ensemble S qui est un sous-ensemble de $\{1,2,3\}$. De cette manière, nous pouvons reconstruire toutes les paires dans la relation $\subseteq_{\{1,2,3\}}$. ✦

Une autre opération de fermeture utile est le ***tri topologique***, ou nous prenons un ordre partiel et ajoutons des tuples jusqu'à ce qu'il devienne un ordre total. Tandis que la fermeture transitive d'une relation binaire est unique, il y a fréquemment plusieurs ordres totaux qui contiennent un ordre partiel donné. Nous allons apprendre au chapitre 9 un algorithme paradoxalement efficace pour le tri topologique. Pour le moment, considérons un exemple où le tri topologique est utile.

✦ **Exemple 7.40.** Il est fréquent de représenter une séquence de tâches qui doivent être réalisées dans un processus de fabrication par un ensemble de « préséances » qui doivent s'y conformer. Pour prendre un exemple simple, vous devez mettre votre chaussette gauche avant votre chaussure gauche, et votre chaussette droite avant votre chaussure droite. Cependant, il y a d'autre préséances auxquelles nous devons nous conformer. Nous pouvons représenter ces préséances par un ensemble constitué des deux paires (*chaussette gauche, chaussure gauche*) et (*chaussette droite, chaussure droite*). Cet ensemble est un ordre partiel.

Nous pouvons étendre cette relation à six différent ordres totaux. L'un est l'ordre total dans lequel nous habillons le pied gauche en premier ; cette relation est un ensemble qui contient les dix paires

(*chaussette gauche, chaussette gauche*)   (*chaussette gauche, chaussure gauche*)
(*chaussette gauche, chaussette droite*)   (*chaussette gauche, chaussure droite*)

(*chaussure gauche, chaussure gauche*)   (*chaussure gauche, chaussette droite*)
(*chaussure gauche, chaussure droite*)

(*chaussette droite, chaussette droite*)   (*chaussette droite, chaussure droite*)

(*chaussuredroite, chaussuredroite*)

Nous pouvons voir cet ordre total comme une disposition linéaire

chaussette gauche → *chaussure gauche* → *chaussette droite* → *chaussure droite*

Il existe une procédure analogue lorsque l'on met le pied droit d'abord. Il y a quatre autres ordres totaux cohérents possibles avec l'ordre partiel original, où les chaussettes sont mises d'abord et ensuite les chaussures. Ils sont représentés par les dispositions linéaires

> *chaussette gauche* → *chaussette droite* → *chaussure gauche* → *chaussure droite*
> *chaussette gauche* → *chaussette droite* → *chaussure droite* → *chaussure gauche*
> *chaussette droite* → *chaussette gauche* → *chaussure gauche* → *chaussure droite*
> *chaussette droite* → *chaussette gauche* → *chaussure droite* → *chaussure gauche*

◆

Une troisième forme de fermeture est de trouver la relation d'équivalence la plus petite contenant une relation donnée. Par exemple, une carte routière représente une relation comprenant des paires de villes, reliées par des segments de routes n'ayant pas de ville intermédiaire. Pour déterminer les villes reliées par des routes, nous pouvons appliquer la réflexivité, la transitivité, et la symétrie pour trouver les paires de villes qui ne sont pas reliées par une séquence de ces routes élémentaires. Cette forme de fermeture est appelée trouver les « **composantes connexes** » dans un graphe, et un algorithme efficace pour ce problème sera présenté au chapitre 9.

EXERCICES

7.10.1 : Donnez un exemple de relation qui soit réflexive pour un domaine mais pas réflexive pour un autre domaine. Rappelons que pour que D soit un domaine possible pour une relation R, D doit inclure chaque élément qui apparaît dans une paire de R mais il peut aussi inclure plus d'éléments.

7.10.2 : * Combien de paires y a-t-il dans la relation $\subseteq_{\{1,2,3\}}$? En général, combien de paires y a-t-il dans $\subseteq_U$, si U a n éléments ? *Une indication* : Essayez de deviner la fonction à partir de quelques exemples comme le cas à deux éléments (figure 7.28) où il y avait 9 paires. Démontrez-le ensuite par récurrence.

7.10.3 : Considérez la relation binaire R sur la domaine des chaînes de quatre lettres définies par sRt si t est formée à partir de la chaîne s en bouclant sur ses caractères de gauche. C'est-à-dire, $abcdRbcda$, où a, b, c, et d sont des ensembles individuels. Déterminez si R est (a) réflexive, (b) symétrique, (c) transitive, (d) un ordre partiel, et/ou (e) une relation d'équivalence. Donnez un argument bref du pourquoi ou un contre-exemple, dans chaque cas.

7.10.4 : Considérez le domaine des chaînes de quatre lettres de l'exercice 7.10.3. Soit S la relation binaire constituée de R appliqué 0 fois ou plus. Ainsi, $abcdSabcd$, $abcdSbcda$, $abcdScdab$, et $abcdSdabc$. Dit d'une autre façon, une chaîne est reliée par S à chacune de ses rotations. Répondez aux cinq questions de l'exercice 7.10.3 pour la relation S. Justifiez à nouveau chaque cas.

7.10.5 : * Qu'y a-t-il de faux dans la « preuve » suivante ?

(Non)Théorème : Si une relation binaire R est symétrique et transitive, alors R est réflexive.

(Non)Preuve : Soit x un nombre quelconque du domaine de R. Prenons y tel que xRy. Par symétrie, yRx. Par transitivité, xRy et yRx implique xRx. Puisque x est un élément arbitraire du domaine de R, nous avons montré que xRx pour tout élément dans le domaine de R, qui prouve que R est réflexive.

7.10.6 : Donnez des exemples de relations dans le domaine $\{1, 2, 3\}$ qui sont :

a) Réflexive et transitive, mais pas symétrique.

b) Réflexive et symétrique, mais pas transitive.

c) Symétrique et transitive, mais pas réflexive.

d) Symétrique et antisymétrique.

e) Réflexive, transitive, et une fonction totale.

f) Antisymétrique et une bijection.

7.10.7 : * Combien d'arcs économise-t-on si nous utilisons un graphe réduit pour la relation $\subseteq_U$, où U a n éléments, plutôt que le graphe entier ?

7.10.8 : Est-ce que (a) $\subseteq_U$ et (b) $\subset_U$ sont des ordres partiels ou des ordres totaux lorsque U a un élément ? Et si U n'a pas d'élément ?

7.10.9 : * Montrez par récurrence sur n, en commençant par $n = 1$, que s'il y a une séquence de n paires $a_0 R a_1, a_1 R a_2, \ldots, a_{n-1} R a_n$, et si R est une relation transitive, alors $a_0 R a_n$. C'est-à-dire, montrez que s'il y a un chemin dans le graphe d'une relation transitive, alors il y a un arc du début du chemin à la fin.

7.10.10 : Trouvez la plus petite relation d'équivalence contenant les paires (a, b), (a, c), (d, e), et (b, f).

7.10.11 : Soit R la relation sur l'ensemble des entiers telle que aRb si a et b sont distincts et ont un diviseur commun autre que 1. Déterminez si R est (a) réflexive, (b) symétrique, (c) transitive, (d) un ordre partiel, et/ou (e) une relation d'équivalence.

7.11   Ensembles infinis

Tous les ensembles que l'on pourrait implémenter dans un programe informatique sont finis, ou limités dans une certaine mesure ; on ne pourrait pas les stocker dans une mémoire d'ordinateur s'ils ne l'étaient pas. Beaucoup d'ensembles en mathématiques, tels que les entiers ou réels sont infinis. Ces remarques semblent intuitivement claires, mais qu'est-ce qui distingue un ensemble fini d'un ensemble infini ?

La distinction entre fini et infini est plutôt surprenante. Un ensemble fini est un ensemble qui n'a pas le même nombre d'éléments que tous ses sous-ensembles propres. Rappelons qu'au paragraphe 7.7 nous avons dit que nous pourrions utiliser l'existence d'une bijection entre deux ensembles pour établir qu'ils sont **équipotents**, autrement dit, ils ont le même nombre d'éléments.

Si nous prenons un ensemble fini tel que $S = \{1, 2, 3, 4\}$ et un sous-ensemble propre, tel que $T = \{1, 2, 3\}$, il est impossible de trouver une bijection entre les deux ensembles. Par exemple, nous pourrions faire correspondre le 4 de S et le 3 de T, le 3 de S et le 2 de T, et le 2 de S avec le 1 de T, mais alors nous n'aurions pas d'élément de T à associer au 1 de S. Une autre tentative pour construire une bijection de S à T doit aussi échouer, comme la tentative de trouver une bijection entre S et un de ses sous-ensembles propres.

Votre intuition pourrait vous suggérer que la même chose pourrait être valide pour tout ensemble : comment un ensemble pourrait avoir le même nombre d'éléments qu'un ensemble formé en rejetant un ou plus de ses éléments ? Considérons les nombres naturels (entiers non-négatifs) **N** et le sous-ensemble propre de **N** formé en rejetant 0 ;

Tout ensemble est soit fini soit infini

A première vue, on pourrait croire qu'il y a des choses qui ne sont pas tout à fait finies et pas tout à fait infinies. Par exemple, lorsque nous avons parlé de listes chaînées, nous n'avons mis aucune limite sur la longueur d'une liste chaînée. Chaque fois qu'une liste chaînées est créée durant l'exécution d'un programme, elle a une longueur finie. Donc, nous pouvons faire les distinctions suivantes :

1. Chaque liste chaînée a une longueur finie ; en d'autres termes, elle a un nombre fini de cellules.

2. La longueur d'une liste chaînée peut être un entier naturel quelconque, et l'ensemble des longueurs possibles de listes chaînées est infini.

---

appelons-le $\mathbf{N} - \{0\}$, ou $\{1, 2, 3, \dots\}$. Alors considérons une bijection F de $\mathbf{N}$ à $\mathbf{N} - \{0\}$ défini par $F(0) = 1$, $F(1) = 2$, et en général, $F(i) = i + 1$.

Etonnamment, F est une bijection de $\mathbf{N}$ à $\mathbf{N} - \{0\}$. Pour chaque i dans $\mathbf{N}$, il y a au plus un j tel que $F(i) = j$, donc F est une fonction. En fait, il y a exactement un tel j, qui est $i + 1$, tel que la condition (1) dans la définition de la bijection (paragraphe 7.7) est satisfaite. Pour tout j dans $\mathbf{N} - \{0\}$ il y a un i tel que $F(i) = j$, qui est, $i = j - 1$. Donc la condition (2) dans la définition d'une bijection est satisfaite. Finalement, il ne peut y avoir deux nombres distincts i_1 et i_2 dans $\mathbf{N}$ tels que $F(i_1)$ et $F(i_2)$ sont tous deux j, car alors $i_1 + 1$ et $i_2 + 1$ serait tous deux j, où l'on pourrait conclure que $i_1 = i_2$. Nous sommes forcés de conclure que F est une bijection entre $\mathbf{N}$ et son sous-ensemble propre $\mathbf{N} - \{0\}$.

Il est généralement accepté que la définition d'un *ensemble infini* est un ensemble qui a une bijection avec lui-même et au moins un de ses sous-ensembles propres. Il y a des exemples extrêmes montrant comment un ensemble infini et un sous-ensemble propre peuvent avoir une bijection.

◆ **Exemple 7.41.** L'ensemble des nombres naturels et l'ensemble des nombres naturels pairs sont équipotents. Soit $F(i) = 2i$. Alors F est une bijection qui fait correspondre 0 à 0, 1 à 2, 2 à 4, 3 à 6, et en général, chaque nombre naturel à un nombre naturel unique, son double.

De même, $\mathbf{Z}$ et $\mathbf{N}$ ont la même taille ; autrement dit, il y a autant d'entiers négatifs que d'entiers non-négatifs. Soit $F(i) = 2i$ pour tout $i \geq 0$, et soit $F(i) = -2i - 1$ pour $i < 0$. Alors 0 va de 0, 1 à 2, -1 à 1, 2 à 4, -2 à 3, et ainsi de suite. Chaque entier est envoyé à un entier non-négatif unique, avec les entiers négatifs allant aux nombres impairs et les non-négatifs aux nombres pairs.

Et même plus surprenant, l'ensemble des paires d'entiers naturels est aussi nombreux que $\mathbf{N}$ lui-même. Pour voir comment la bijection est construite, considérons la figure 7.35, qui montre les paires $\mathbf{N} \times \mathbf{N}$ disposées dans un carré infini. Nous ordonnons les paires selon leur somme, et parmi les paires de somme égale, par ordre du premier élément. Cet ordre commence $(0, 0)$, $(0, 1)$, $(1, 0)$, $(0, 2)$, $(1, 1)$, $(2, 0)$, $(0, 3)$, $(1, 2)$, et

Cardinal d'ensemble

Nous avons défini deux ensembles S et T équipotent (de tailles égales) s'il y a une bijection de S à T. L'équipotence est une relation d'équivalence sur tout ensemble d'ensembles, et nous laissons ce point en exercice. La classe d'équivalence à laquelle l'ensemble S appartient, est appelée le *cardinal* de S. Par exemple, l'ensemble vide appartient à une classe d'équivalence par lui-même ; nous pouvons identifier cette classe de cardinal 0. La classe contenant l'ensemble $\{a\}$, où a est un élément, a pour cardinal 1, la classe contenant l'ensemble $\{a, b\}$ a pour cardinal 2, et ainsi de suite.

La classe contenant **N** est « le cardinal des entiers », généralement appelé **aleph-zéro**, et un ensemble de cette classe est dit être **dénombrable**. L'ensemble des nombres réels appartient à une autre classe d'équivalence, souvent appelée *le continuum*. Il y a, en fait, un nombre infini de différents cardinaux infinis.

ainsi de suite, comme indiqué dans la figure 7.35.

$$
\begin{array}{c|cccccc}
5 & 15 & & & & & \\
\uparrow \quad 4 & 10 & 16 & & & & \\
j \quad 3 & 6 & 11 & & & & \\
2 & 3 & 7 & 12 & & & \\
1 & 1 & 4 & 8 & 13 & & \\
0 & 0 & 2 & 5 & 9 & 14 & \\
\hline
 & 0 & 1 & 2 & 3 & 4 & 5 \\
 & & & i & \rightarrow & &
\end{array}
$$

Figure 7.35 : Ordonnancement des paires de nombres naturels.

Maintenant, chaque paire a une place dans cet ordre. La raison est que pour toute paire (i, j), il y a seulement un nombre fini de paires ayant une somme plus petite, et un nombre fini ayant la même somme et une plus petite valeur de i. En fait, nous pouvons calculer la position de la paire (i, j) dans cet ordre ; il est $(i + j)(i + j + 1)/2 + i$. C'est-à-dire, notre bijection associe la paire (i, j) avec l'unique nombre naturel $(i + j)(i + j + 1)/2 + i$. ◆

Notons que nous devons faire attention à l'ordonnancement des paires. Si nous les avions ordonnées par rangées dans la figure 7.35, nous ne pourrions plus jamais prendre les paires dans la seconde rangée ou au-dessus, car il y a un nombre infini de paires dans chaque rangée. De même, ordonner par colonnes ne marcherait pas.

Ensembles dénombrables et ensembles indénombrables

A partir de l'exemple 7.41, nous pouvons voir que tous les ensembles infinis sont équipotents. Nous avons vu que **Z**, l'ensemble d'entiers, et **N**, l'ensemble des entiers naturels,

Hôtels infinis

Pour vous aider à vous représenter la grande quantité de nombres entre 0 et 1, imaginez un hôtel avec un nombre infini de chambres, numérotées 0, 1, 2, et ainsi de suite. Pour tout entier, il y a une chambre ayant cet entier pour numéro. A un moment donné, il y a un client dans chaque chambre. Un kangourou arrive à la réception et demande une chambre. Le portier lui dit, « Nous ne voyons pas passer beaucoup de kangourous ici ». Pardon — c'est une autre histoire. En réalité, le portier fait de la place pour le kangourou de la manière suivante. Il déplace le client de la chambre 0 à la chambre 1, l'invité de la chambre 1 à la 2, et ainsi de suite. Tous les anciens client ont encore une chambre, mais à présent la chambre 0 est libre et le kangourou la prend. La raison du fonctionnement de cette astuce est qu'il y a en fait autant de chambres numérotées à partir de 1 que de chambres numérotées à partir de 0.

ont la même taille, ainsi que quelques-uns de leurs sous-ensembles infinis, qui semblent intuitivement plus petits que $\mathbf{N}$. Puisque nous avons vu dans l'exemple 7.41 que les paires de nombres naturels sont équipotents à $\mathbf{N}$, il s'ensuit que les nombres rationels non-négatifs sont équipotents avec les nombres naturels, puisque un rationel est juste une paire de nombre naturels, son numérateur et son dénominateur. De même, les rationels (non-négatifs et négatifs) peuvent être vus comme aussi nombreux que les entiers, et par conséquent comme les nombres naturels.

Tout ensemble S pour lequel il existe une bijection de S à $\mathbf{N}$ est dit *ensemble dénombrable*. L'utilisation du terme « dénombrable » a un sens, car S doit avoir un élément correspondant à 1, un élément correspondant à 1, et ainsi de suite, tel que nous puissons compter les éléments de S. A partir de ce que nous venons de dire, les entiers, les rationels, les nombres pairs, et l'ensemble des paires de nombres naturels sont des ensembles dénombrables. Il y a beaucoup d'autres ensembles comptables, et nous laissons la découverte des bijections appropriées en exercice.

Cependant, il y a des ensemble infinis qui ne sont pas dénombrables. En particulier, les nombres réels ne le sont pas. En fait, nous allons montrer qu'il y a plus de nombres réels entre 0 et 1 qu'il y a de nombres naturels. Le point crucial de l'argument est que les nombres réels entre 0 et 1 peuvent être chacun représentés par une fraction décimale de longueur infinie. Nous allons numéroter les positions à droite du point décimal 0, 1, et ainsi de suite. Si les réels entre 0 et 1 sont dénombrables, alors nous pouvons les numéroter, r_0, r_1, et ainsi de suite. Nous pouvons alors disposer les réels dans une table carrée infinie, comme indiquée dans la figure 7.36. Dans notre liste hypothétique des nombres réels entre 0 et 1, $\pi/10$ est affecté à la rangée zéro, 5/9 est affecté à la rangée 1, 5/8 à la rangée deux, 4/33 à la rangée trois, et ainsi de suite.

Cependant, nous pouvons prouver que la figure 7.36 ne représente pas en réalité une liste de tous les réels dans la portée de 0 à 1. Notre preuve est d'un type connu sous le nom de **diagonalisation** où l'on utilise la diagonale de la table pour créer une valeur qui ne peut pas être dans la liste de réels. Nous créons un nouveau nombre réel r avec la représentation décimale , $a_0 a_1 a_2 \cdots$. La valeur du $i^{ème}$ chiffre, a_i, dépend du $i^{ème}$

		POSITIONS							
		0	1	2	3	4	5	6	$\cdots$
	0	3	1	4	1	5	9	2	$\cdots$
NOMBRES	1	5	5	5	5	5	5	5	$\cdots$
REELS	2	6	2	5	0	0	0	0	$\cdots$
$\downarrow$	3	1	2	1	2	1	2	1	$\cdots$
	4								

Figure 7.36 : Table hypothétique de nombres réels, en admettant que les nombres réels soient dénombrables.

chiffre diagonal, qui est la valeur trouvée à la $i^{ème}$ position du $i^{ème}$ réel. Si cette valeur vaut de 0 à 4 on pose $a_i = 9$. Si la valeur à la $i^{ème}$ position diagonale est 5 à 9, alors $a_i = 0$.

◆ **Exemple 7.42.** Etant donnée la partie de la table indiquée par la figure 7.36, notre nombre réel r commence par $,8118\cdots$. Pour voir cela, notons que la valeur à la position 0 du réel 0 est 3, et donc $a_0 = 8$. La valeur à la position 1 du réel 1 est 5, et donc $a_1 = 1$. En continuant, la valeur à la position 2 du réel 2 est 5 et la valeur à la position 3 du réel 3 est 2, et donc les deux chiffres suivants sont 18. ◆

Nous déclarons que r n'apparaît pas dans la liste hypothétique de réels, même si nous supposons que tous les nombres réels de 0 à 2 étaient dans cette liste. Supposons que r était r_j, le nombre réel associé à la rangée j. Considérons la différence d entre r et r_j. Nous savons que a_j, le chiffre à la position j de l'expansion décimale de r, était spécifiquement choisi pour différer d'au moins 4 et d'au plus 8 du chiffre à la $j^{ème}$ position de r_j. La contribution à d de la $j^{ème}$ position se situe entre $4/10^{j+1}$ et $8/10^{j+1}$.

La contribution à d à toutes les positions après la $j^{ème}$ ne dépasse pas $1/10^{j+1}$, puisque ce serait la valeur de la différence si r ou r_j n'avait à cet endroit que des 0, et l'autre que des 9. Du coup, la contribution à d de toutes les positions à partir de j incluse se situe entre $3/10^{j+1}$ et $9/10^{j+1}$.

Enfin, aux positions antérieures à j, r et r_j sont soit identiques, auquel cas la contribution à d des $j-1$ premières positions est 0, soit différent d'au moins $1/10^j$. Dans tous les cas, on voit que d ne peut pas être nulle. r et r_j ne peuvent donc pas être le même nombre réel. La valeur représentée par 5 à la position j est $5/10^{j+1}$, et donc r et r_j diffèrent d'au moins $5/10^{j+1}$ moins la valeur représentée par les 9 dans toutes les positions après j. Cette différence est au moins

$$5/10^{j+1} - \sum_{i=2}^{\infty} 9/10^{j+i} = 4/10^{j+1}$$

Donc, r et r_j ne peuvent pas être le même nombre réel.

Nous concluons que r n'apparaît pas dans la liste des nombres réels. Donc, notre bijection hypothétique entre les entiers non-négatifs et les réels entre 0 et 1 n'en est pas une. Nous avons montré qu'il y a au moins un nombre réel dans cette portée, r, qui n'est pas associé à un entier.

EXERCICES

7.11.1 : Montrez que l'équipotence est une relation d'équivalence. *Une indication* : La partie difficile est la transitivité, en montrant que s'il y a une bijection f entre S et T, et une bijection g entre T et R, alors il y a une bijection entre S et R. Cette fonction est la **composition** de f et g, c'est-à-dire la fonction qui envoie chaque élément x dans S à $g\big(f(x)\big)$ dans R.

7.11.2 : Dans l'ordonnancement des paires de la figure 7.35, quelle paire est affectée au nombre 100 ?

7.11.3 : * Montrez que les ensembles suivants sont dénombrables (ont une bijection entre eux et les nombres naturels) :

a) L'ensemble des carrés parfaits.
b) L'ensemble des triplets (i, j, k) de nombres naturels.
c) L'ensemble des puissances de 2.
d) L'ensemble des ensembles finis d'entiers naturels.

7.11.4 : * Montrez que $\mathbf{P}(\mathbf{N})$, l'ensemble des parties des entiers naturels, a le même cardinal que les réels — autrement dit, il y a une bijection entre $\mathbf{P}(\mathbf{N})$ et les réels entre 0 et 1. Notez que cette conclusion ne contredit pas l'exercice 7.11.3(d), car ici, nous parlons d'ensembles finis et infinis d'entiers, alors que là nous avons compté seulement des ensembles finis. *Une indication* : La construction suivante fonctionne presque, mais nécessite d'être corrigée. Considérons le vecteur caractéristique d'un ensemble de nombres naturels. Ce vecteur est une séquence infinie de 0 et de 1. Par exemple, $\{0, 1\}$ a le vecteur caractéristique $1100\cdots$, et l'ensemble des nombres impairs a le vecteur caractéristique $010101\cdots$. Si nous mettons un point décimal en tête du vecteur caractéristique, nous avons une fraction binaire entre 0 et 1, qui représente un nombre réel. Ainsi, chaque ensemble est envoyé sur un réel dans la portée 0 à 1, et chaque nombre réel dans cette portée peut être associé avec un ensemble, en tournant sa représentation binaire en un vecteur caractéristique. La raison pour laquelle cette association n'est pas une bijection est que certains réels ont deux représentations binaires. Par exemple, $0,11000\cdots$ et $0,10111\cdots$ représentent toutes deux le réel 3/4. Toutefois ces séquences, prises comme vecteur caractéristique représentent des ensembles différents ; le premier est $\{0, 1\}$ et le second est l'ensemble de tous les entiers excepté 1. Nous pouvons modifier cette construction pour définir une bijection.

7.11.5 : * Montrez qu'il y a une bijection entre des paires de réels dans la portée de 0 à 1 et les réels dans cette portée. *Une indication* : Il n'est pas possible d'imiter directement la table de la figure 7.35. Cependant, nous pouvons prendre une paire de réels, disons (r, s), et combiner les fractions décimales infinies pour r et s pour faire un nouveau nombre réel unique t. Ce nombre n'aura pas de relation avec r et s par une expression arithmétique simple, mais avec t, nous pouvons retrouver r et s de façon unique. Le lecteur doit découvrir un moyen de construire l'expansion décimale de t à partir des expansions de r et s.

7.12   Résumé du chapitre 7

Vous devez retenir les points suivants du chapitre 7.

✦ Le concept d'ensemble est fondamental à la fois aux mathématiques et à l'informatique.

✦ Les opérations communes sur les ensembles telles que l'union, l'intersection et la différence peuvent être vues en termes de diagrammes de Venn.

✦ Les lois algébriques peuvent être utilisées pour manipuler et simplifier des expressions comprenant des ensembles et des opérations sur des ensembles.

✦ Les listes chaînées, les vecteurs caractéristiques et les tables de hachage fournissent trois façons de base pour représenter des ensembles. Les listes chaînées offrent la plus grande flexibilité pour la plupart des opérations d'ensemble mais ne sont pas toujours les plus efficaces. Les vecteurs caractéristiques fournissent la plus grande rapidité pour certaines opérations d'ensemble mais ne peuvent être utilisés que lorsque l'ensemble universel est petit. Les tables de hachage sont souvent la méthode à choisir, fournissant à la fois économie en représentation et vitesse d'accès.

✦ Les relations (binaires) sont des ensembles de paires. Une fonction est une relation dans laquelle il y a au plus un tuple avec un premier élément donné.

✦ Une bijection entre deux ensembles est une fonction qui associe un élément unique au second ensemble ayant chaque élément du premier, et vice versa.

✦ Il y a un nombre de propriétés importantes des relations binaires : réflexivité, transitivité, symétrie, et asymétrie sont parmi les plus importantes.

✦ Les ordres partiels, les ordres totaux, et les relations d'équivalence sont des cas spéciaux importants de relations binaires.

✦ Les ensembles infinis sont ces ensembles qui ont une bijection avec un de leurs sous-ensembles.

✦ Des ensembles infinis sont « dénombrables », autrement dit, ils ont une bijection avec les entiers. D'autres ensembles infinis, tels que les réels ne sont pas dénombrables.

Les structures de données et les opérations définies sur les ensembles et les relations dans ce chapitre seront utilisées dans beaucoup de façons différentes dans le reste de ce livre.

7.13   Notes bibliographie du chapitre 7

Halmos [1974] fournit une bonne introduction à la théorie des ensembles. Les premières techniques de hachage ont été développées dans les années 50, et Peterson [1957] couvre ces premières techniques. Knuth [1973] et Morris [1968] contiennent un support supplémentaire sur les techniques de hachage. Reingold [1972] examine la complexité de calcul des opérations de bases sur les ensembles. La théorie des ensembles infinis a été développée par Cantor [1915].

Cantor, G. [1915]. « Contributions to the founding of the theory of transfinite numbers », réimprimé par by Dover Press, New York.

Halmos, P. R. [1974]. *Naive Set Theory*, Springer-Verlag, New York.

Knuth, D. E. [1973]. *The Art of Computer Programming*, Vol. III, *Sorting and Searching*, Addison Wesley, Reading, Mass.

Morris, R. [1968]. « Scatter storage techniques », *Comm. ACM* **11**:1, pp. 35–44.

Peterson, W. W. [1957]. « Addressing for random access storage », *IBM J. Research and Development* **1**:7, pp. 130–146.

Reingold, E. M. [1972]. « On the optimality of some set algorithms », *J. ACM* **19**:4, pp. 649–659.

CHAPITRE 8

Le modèle de données relationnel

L'une des applications les plus importantes de l'informatique est le stockage et la gestion de l'information. La manière d'organiser l'information peut avoir des conséquences profondes sur leur facilité d'accès et de gestion. Le moyen peut-être le plus simple et le plus ouvert d'organiser l'information est de la stocker dans des tableaux.

Le modèle de données relationnel est centré sur cette idée : l'organisation de données en collections de tableaux à deux dimensions, que l'on appelle « relations ». On peut aussi voir le modèle relationnel comme une généralisation du modèle de données ensembliste étudié au chapitre 7, qui étend les relations binaires à des relations ayant une arité arbitraire.

Initialement, le modèle de données relationnel a été développé pour les **bases de données** — c'est-à-dire les informations stockées pendant une longue période sur un système informatique — et pour les systèmes de gestion de bases de données, les logiciels qui permettent aux gens de stocker, d'accéder, et de modifier ces informations. Les bases de données sont toujours une motivation importante pour la compréhension du modèle de données relationnel. Aujourd'hui, on ne les trouve plus seulement dans leurs applications initiales à grande échelle, comme les systèmes de réservation des compagnies aériennes, ou les systèmes banquaires, mais aussi dans les ordinateurs de bureau, pour gérer des activités individuelles, comme les enregistrements de dépenses, les notes de devoirs, et beaucoup d'autres choses.

En dehors des systèmes de bases de données, d'autres sortes de logiciels peuvent également faire bon usage des tableaux d'information, et le modèle de données relationnel aide à concevoir ces tableaux, et à développer les structures de données dont nous avons besoin pour y accéder de manière efficace. Par exemples, de tels tableaux sont utilisés par les compilateurs pour stocker les informations concernant les variables utilisées dans le programme, en gardant une trace de leur type de données, et des procédures pour lesquelles elles sont définies.

8.1   Le propos de ce chapitre

Trois thèmes s'entrelacent dans ce chapitre. Nous commencerons par vous présenter la conception de structures d'informations à l'aide du modèle relationnel. Nous verrons que

✦   Les tables d'information, appelées « relations », sont une manière souple et puissante de représenter les informations (paragraphe 8.2).

✦   Une partie importante du processus de conception est le choix d'« attributs », ou de propriétés pour les objets décrits, pouvant être rassemblés dans une table, sans introduire de « redondance », c'est-à-dire une situation où un fait est répété plusieurs fois (paragraphe 8.2).

✦   Les colonnes de la table portent le nom des attributs. La « clé » d'une table (ou d'une relation) est un ensemble d'attributs dont les valeurs déterminent de manière unique les valeurs d'une rangée entière de la table. Connaître la clé d'une table nous aide à imaginer des structures de données adaptées à la table (paragraphe 8.3).

✦   Les index sont des structures de données qui nous permettent de retrouver ou de modifier rapidement les informations présentes dans une table. Un choix judicieux pour les index est essentiel si l'on veut agir efficacement sur nos tables (paragraphes 8.4, 8.5, et 8.6).

Le deuxième thème traite de la façon dont les structures de données peuvent accélérer l'accès aux informations. Nous apprendrons que

✦   Les structures d'index primaires, comme les tables de hachage, organisent les diverses rangées d'une table dans la mémoire de l'ordinateur. Une bonne structure peut améliorer l'efficacité pour de nombreuses opérations (paragraphe 8.4).

✦   Les index secondaires offrent des structures supplémentaires et aident à effectuer d'autres opérations de manière efficace (paragraphes 8.5 et 8.6).

Notre troisième thème est une méthode de très haut niveau, permettant d'exprimer des « requêtes », c'est-à-dire des questions sur les informations présentes dans une collection de tables. On insistera sur les points suivants :

✦   L'algèbre relationnelle est une notation puissante pour exprimer les requêtes sans donner de détails sur la manière dont les opérations doivent être mises en œuvre (paragraphe 8.7).

✦   Les opérateurs de l'algèbre relationnelle peuvent être implémentés à l'aide des structures de données étudiées dans ce chapitre (paragraphe 8.8).

✦   Pour pouvoir obtenir rapidement des réponses aux requêtes exprimées dans l'algèbre relationnelle, il est souvent nécessaire de les « optimiser », c'est-à-dire d'utiliser des lois algébriques qui convertiront une expression en une expression équivalente mais possédant une stratégie d'évaluation plus rapide. Certaines de ces techniques seront montrées au paragraphe 8.9.

8.2 Relations

Le paragraphe 7.7 a présenté la notion de « relation » comme un ensemble de tuples. Chaque tuple d'une relation est une liste de composantes, et chaque relation possède une arité fixe, qui est le nombre de composantes que possède chacun des tuples. Comme nous avions principalement étudié les relations binaires, c'est-à-dire les relations d'arité 2, nous indiquions qu'il pouvait exister des relations d'arité différente, et qu'elles pouvaient s'avérer très utiles.

Le modèle relationnel utilise une notion de « relation » très proche de cette définition issue de la théorie des ensembles, mais qui diffère par certains détails. Dans le modèle relationnel, les informations sont stockées dans des tableaux, comme celui montré dans la figure 8.1. Ce tableau particulier représente les données que l'on pourrait stocker dans l'ordinateur du secrétariat, concernant les cours, les étudiants qui les ont suivis, et les notes qu'ils ont obtenus.

Cours	Etudiant	Note
CS101	12345	A
CS101	67890	B
EE200	12345	C
EE200	22222	B+
CS101	33333	A−
PH100	67890	C+

Figure 8.1 : Un tableau d'informations.

Les colonnes du tableau sont des noms donnés, appelés **attributs**. Dans la figure 8.1, les attributs sont Cours, Etudiant, et Note.

Chaque rangée du tableau est appelée un **tuple** et représente un fait. La première rangée, (CS101, 12345, A), représente le fait que l'étudiant portant le numéro 12345 a obtenu un A au cours CS101.

Un tableau a deux aspects :

1. L'ensemble des noms de colonnes, et

2. Les rangées contenant les informations.

Le terme « relation » fait référence au second, c'est-à-dire à l'ensemble des rangées. Chaque rangée représente un tuple de la relation, et l'ordre dans lequel les rangées apparaissent dans le tableau n'a aucune importance. Deux rangées du même tableau ne peuvent jamais avoir des valeurs identiques dans toutes les colonnes.

L'aspect (1), l'ensemble des noms de colonnes (attributs), s'appelle le **schéma** de la relation. L'ordre dans lequel les attributs apparaissent dans le schéma n'a aucune importance, mais on doit connaître la correspondance entre les attributs et les colonnes du tableau pour pouvoir écrire correctement les tuples. On utilisera fréquemment le schéma comme nom de la relation. Le tableau de la figure 8.1 portera donc souvent le

Les relations, vues comme des ensembles ou comme des tableaux

Dans le modèle relationnel, comme dans notre discussion sur les relations de la théorie des ensembles au paragraphe 7.7, une relation est un ensemble de tuples. L'ordre dans lequel les rangées d'un tableau sont énumérées n'a donc aucune signification, et il est possible de les réorganiser comme on le souhaite, sans modifier la valeur du tableau, de même que l'on peut réorganiser les éléments d'un ensemble sans changer la valeur de cet ensemble.

L'ordre des composantes dans chaque rangée du tableau à son importance, puisque les différentes colonnes portent un nom différent, et que chaque composante doit représenter un élément de la nature indiquée par l'en-tête de sa colonne. Dans le modèle relationnel, cependant, il est possible de permuter l'ordre des colonnes en conservant leurs noms, sans modifier la relation. Cet aspect des relations utilisées dans les bases de données les distinguent de celles de la théorie des ensembles, mais nous aurons rarement à réordonner les colonnes d'un tableau, ce qui nous permet de conserver la même terminologie. En cas de doute, le terme « relation » dans ce chapitre prendra toujours sa signification dans le contexte des bases de données.

---

nom de relation Cours-Etudiant-Note. On pourra également donner à la relation un nom comme CEN.

Représentation des relations

Comme pour les ensembles, il existe diverses manières de représenter les relations au moyen de structures de données. Les rangées d'un tableau pourraient être des structures d'enregistrement, et le nom des colonnes correspondrait aux champs de cet enregistrement. Par exemple, on pourrait représenter les tuples de la relation de la figure 8.1 par des structures d'enregistrement du type

```
record
    Cours: array [1..5] of char;
    Etudiant: integer;
    Note: array [1..2] of char
end;
```

Le tableau lui-même pourrait être représenté de l'une des manières suivantes :

1.   Un tableau d'enregistrements de ce type.

2.   Une liste chaînée d'enregistrements de ce type, en y ajoutant un champ suivant pour relier entre eux les éléments de la liste.

Par ailleurs, on peut identifier un ou plusieurs attributs comme étant le « domaine » de la relation et considérer le reste des attributs comme « sa portée ». Par exemple, la relation de la figure 8.1 pourrait être vue comme une relation ayant pour domaine Cours et pour portée Etudiant-Note. On pourrait alors stocker la relation dans une table de hachage, d'après le schéma des relations binaires étudié au paragraphe 7.9.

Autrement dit, on applique une fonction de hachage aux valeurs de Cours, et les éléments des paquets sont les triplets Cours-Etudiant-Note. Nous approfondirons cette représentation des relations avec des structures de données plus en détail à partir du paragraphe 8.4.

Bases de données

Une collection de relations est appelée *base de données*. La première chose à faire lorsque l'on conçoit une base de données pour une certaine application, est de décider de la manière d'organiser l'information à stocker dans les tableaux. La mise au point des bases de données, comme tous les problèmes conceptuels, est une histoire de goût et de discernement. Dans un prochain exemple, nous développerons notre application d'une base de données de secrétariat, de gestion des cours, et nous en profiterons pour exposer certains principes de bonne conception des bases de données.

Certaines des opérations les plus puissantes sur les bases de données obligent à utiliser plusieurs relations pour représenter des types de données coordonnés. En créant les structures de données appropriées, on peut passer d'une relation à l'autre efficacement, et donc obtenir de la base de données des informations impossibles à connaître à partir d'une seule relation. Les structures de données et les algorithmes utilisés pendant la « navigation » entre les relations seront étudiés aux paragraphes 8.6 et 8.8.

L'ensemble des schémas pour les diverses relations d'une base de données est appelé le **schéma** de la basse de données. Vous noterez la différence entre le schéma d'une base de données, qui nous dit comment les informations sont organisées dans la base, et l'ensemble des tuples de chaque relation, qui représente les véritables informations stockées dans la base de données.

✦ **Exemple 8.1.** Ajoutons quatre relations supplémentaires à la relation de la figure 8.1, dont le schéma est

{Cours, Etudiant, Note}

Voici leurs schémas et significations intuitives :

1. {Etudiant, Nom, Adresse, Téléphone}. Les étudiants dont le numéro apparaît comme la première composante d'un tuple ont un nom, une adresse, et un numéro de téléphone qui apparaissent respectivement dans la deuxième, troisième, et quatrième composante.

2. {Cours, Pré-requis}. Le cours dont le nom apparaît dans la deuxième composante d'un tuple est un pré-requis pour le cours présent dans la première composante de ce tuple.

3. {Cours, Jour, Heure}. Le cours dont le nom apparaît dans la première composante d'un tuple a lieu le jour spécifié dans la deuxième composante, à l'heure qui apparaît dans la troisième composante.

4. {Cours, Salle}. Le cours de la première composante a lieu dans la salle indiquée dans la seconde composante.

Ces quatre schémas, plus le schéma {Cours, Etudiant, Note} mentionné précédemment, forme le schéma de la base de données qui servira de support à un exemple de ce chapitre. Il faut également fournir un exemple de « valeur courante » possible pour la base de données. La figure 8.1 donnait un exemple pour la relation Cours-Etudiant-Note, et des exemples de relations pour les quatre autres schémas sont donnés dans la figure 8.2. Gardez à l'esprit que ces relations sont toutes beaucoup plus courtes que celles que l'on pourrait trouver en réalité ; nous nous contentons de donner quelques exemples de tuples pour chacune. ✦

Requêtes sur une base de données

Nous avons vu au chapitre 7 quelques-unes des opérations les plus importantes sur les relations et les fonctions ; nous les avions appelées *insert*, *delete*, et *lookup*, bien que leurs significations exactes soient différentes, selon que nous avions à faire à un diction-naire, à une fonction, ou à une relation binaire. Il existe une grande variété d'opérations qui peuvent être effectuées sur des relations de base de données, et particulièrement sur les combinaisons de deux relations ou plus. Nous donnerons un aperçu de ces opé-rations au paragraphe 8.7. Pour le moment, penchons-nous sur les opérations de base que l'on peut effectuer sur une seule relation. Elles sont une généralisation naturelle des opérations étudiées au chapitre précédent.

1. *insert*(t, R). On ajoute le tuple t à la relation R, s'il n'existe pas encore. Cette opé-ration se fait dans le même esprit que l'opération *insert* associée aux dictionnaires ou aux relations binaires.

2. *delete*(X, R). Ici, X représente une spécification de certains tuples. Il est constitué de plusieurs composantes, une pour chaque attribut de R, et chaque composante peut être soit

   a) une valeur, soit
   b) le symbole ∗, qui signifie que n'importe quelle valeur est acceptable.

   L'effet de cette opération est d'effacer tous les tuples qui correspondent à la spé-cification X. Par exemple, si l'on désire annuler le cours CS101, il faudra effacer tous les tuples de la relation

   Cours-Jour-Heure

   tels que Cours = "CS101". Nous pourrions exprimer cette condition par

   $$delete\big((\text{« CS101 »}, ∗, ∗),\ \text{Cours-Jour-Heure}\big)$$

   Cette opération effacerait les trois premiers tuples de la relation de la figure 8.2(c), car leur première composante est la même que la valeur de la première composante de la spécification, et leur deuxième et troisième composantes correspondent toutes à ∗, ce qui est le cas de n'importe quelle valeur.

3. *lookup*(X, R). Le résultat de cette opération est l'ensemble des tuples de R qui correspondent à la spécification X ; celle-ci est un tuple symbolique identique à celui décrit en (2). Par exemple, si nous voulions savoir pour quels cours CS101 constitue un pré-requis, nous pourrions faire l'interrogation suivante :

   $$lookup\big((∗, \text{« CS101 »}),\ \text{Cours-Pré-requis}\big)$$

Etudiant	Nom	Adresse	Téléphone
12345	A. Talon	12 rue des pommiers	44 64 23 22
67890	M. N'Guyen	34 avenue des cerisiers	71 11 56 78
22222	A. Balarmé	56 boulevard des vignes	42 76 40 40

(a) Etudiant-Nom-Adresse-Téléphone

Cours	Pré-requis
CS101	CS100
EE200	EE005
EE200	CS100
CS120	CS101
CS121	CS120
CS205	CS101
CS206	CS121
CS206	CS205

(b) Cours-Pré-requis

Cours	Jour	Heure
CS101	Lu	9h
CS101	Me	9h
CS101	Ve	9h
EE200	Je	10h
EE200	Me	13h
EE200	Je	10h

(c) Cours-Jour-Heure

Cours	Salle
CS101	Amphi 65
EE200	Tour 44 salle 208
PH100	Amphi 34B

(d) Cours-Salle

Figure 8.2 : Exemples de relations.

Le résultat serait l'ensemble constitué par les deux tuples correspondants :

$$(\text{CS120, CS101})$$
$$(\text{CS205, CS101})$$

✦ **Exemple 8.2.** Voici quelques exemples supplémentaires d'opérations possibles sur notre base de donnée de secrétariat :

a) $lookup((\text{«CS101»}, 12345, *),$ Cours-Etudiant-Note$)$ trouve la note de l'étudiant possédant le numéro 12345 au cours CS101. Formellement, le résultat est le tuple correspondant à l'interrogation, c'est-à-dire le premier tuple de la figure 8.1.

b) $lookup((\text{«CS205»}, \text{«CS120»}),$ Cours-Pré-requis$)$ demande si CS120 est un pré-requis de CS205. Formellement, cette interrogation produira la réponse unique $(\text{«CS205»}, \text{«CS120»})$ si ce tuple est dans la relation, ou l'ensemble vide dans le cas contraire. Pour la relation particulière de la figure 8.2(b), la réponse sera l'ensemble vide.

c) $delete((\text{«CS101»}, *),$ Cours-Salle$)$ élimine le premier tuple de la relation de la figure 8.2(d).

d) $insert((\text{«CS205»}, \text{«CS120»}),$ Cours-Pré-requis$)$ ajoute CS120 comme pré-requis de CS205.

e) $insert((\text{«CS205»}, \text{«CS101»}),$ Cours-Pré-requis$)$ n'a aucun effet sur la relation de la figure 8.2(b), car le tuple inséré existe déjà.

✦

Etude des structure de données pour les relations

La majeure partie de la suite de ce chapitre sera consacrée à l'étude des choix possibles d'une structure de données pour une relation. Nous avons déjà vu une partie du problème lorsque nous avons étudié l'implémentation des relations binaires au paragraphe 7.9. On avait fourni à la relation Variété-Fertiliseur une table de hachage sur Variété comme structure de données, et nous avions observé que cette structure était très utile pour répondre à des requêtes du genre

$$lookup((\text{«Wickson»}, *),\ \text{Variété-Fertiliseur})$$

parce que la valeur « Wickson » nous permettait de trouver un paquet particulier dans lequel la recherche pouvait s'effectuer. Mais cette structure n'était d'aucun secours pour répondre à des requêtes commme

$$lookup((*, \text{«Wickson»}),\ \text{Variété-Fertiliseur})$$

car elle nous aurait obligé à parcourir tous les paquets.

Déterminer si une table de hachage sur Variété est une structure de données appropriée dépend des types de requête attendus. Si nous pensons que la variété sera toujours spécifiée, alors la table de hachage sera appropriée, et si nous pensons que la variété pourra ne pas être spécifiée, comme dans la requête précédente, il faudra alors concevoir une structure de données plus puissante.

Conception, phase I : Choisir un schéma de base de données

Lorsque l'on utilise un modèle de données relationnel, l'un des problèmes importants est de savoir comment choisir un schéma de base de données approprié. Par exemple, pourquoi avons-nous séparé les informations concernant les cours en cinq relations, au lieu de créer un tableau avec le schéma

{Cours, Etudiant, Note, Pré-requis, Jour, Heure, Salle}

Intuitivement, on comprend que

◆ Si l'on combine en un seul schéma de relation les informations concernant deux types indépendants, il faudra répéter le même fait de nombreuses fois.

Par exemple, les informations concernant les pré-requis d'un cours sont indépendantes du jour et de l'heure auxquels a lieu ce cours. Si nous combinions ces deux informations, nous serions obligés de rappeler les pré-requis d'un cours chaque fois qu'il a lieu, et vice versa. Les données qui concernent le cours EE200 à la figure 8.2(b) et (c), rassemblées dans un seule relation avec le schéma

{Cours, Pré-requis, Jour, Heure}

auraient cette apparence :

Cours	Pré-requis	Jour	Heure
EE200	EE005	Ma	10h
EE200	EE005	Me	13h
EE200	EE005	Je	10h
EE200	CS100	Ma	10h
EE200	CS100	Me	13h
EE200	CS100	Je	10h

On remarquera que nous avons eu besoin de six tuples, avec quatre composantes chacun, pour faire le même travail que tout à l'heure, avec cinq tuples, de deux ou trois composantes chacun.

◆ Inversement, il ne faut pas séparer les attributs quand ils représentent des informations reliées entre elles.

Par exemple, on ne peut pas remplacer la relation Cours-Jour-Heure par deux relations, l'une avec le schéma Cours-Jour, et l'autre avec le schéma Cours-Heure. Dans ce cas, on pourrait seulement affirmer que le cours EE200 a lieu le mardi, le mercredi, et le jeudi, et qu'il se tient à 10h ou à 13h, mais on ne connaîtrait pas l'heure des cours pour chacun des trois jours.

Le choix d'une structure de données est l'un des problèmes de conception essentiels auxquels nous nous confronterons dans ce chapitre. Dans le paragraphe suivant, nous généraliserons les structures de données de base associées aux fonctions et aux relations dans les paragraphes 7.8 et 7.9, pour autoriser plusieurs attributs, aussi bien dans le domaine que dans la portée. Ces structures seront appelées « structures d'index primaires ». Puis, au paragraphe 8.5, nous introduirons les « structures d'index secondaires », qui sont des structures complémentaires, permettant de répondre à une grande variété de requêtes de manière efficace. A ce stade, nous verrons comment on peut répondre efficacement aux requêtes ci-dessus, ainsi qu'à d'autres concernant la relation Variété-Fertiliseur. Autrement dit, les réponses prendront presque aussi peut de temps à arriver qu'il n'en faut pour les afficher.

EXERCICES

8.2.1 : Donnez des structures d'enregistrement appropriées pour les tuples des relations de la figure 8.2(a) à (d).

8.2.2 : * Donnez un schéma de base de données approprié pour

a) Un répertoire téléphonique, comprenant toutes les informations que l'on y trouve habituellement, notamment les indicatifs de région.

b) Un dictionnaire de la langue française, comprenant toutes les informations que l'on y trouve habituellement, comme les origines du mot, et sa prononciation.

c) Un calendrier, comprenant toutes les informations habituelles, notamment les jours fériés, et valables pour les années 1 à 4000.

8.3   Clés

Nombre de relations de base de données peuvent être considérées comme des fonctions d'un ensemble d'attributs vers l'ensemble des attributs restants. Par exemple, on pourrait décider de voir la relation

    Cours-Etudiant-Note

comme une fonction dont le domaine est le couple Cours-Etudiant, et dont la portée est Note. Comme les fonctions possèdent des structures de données légèrement plus simples que les relations générales, il est utile de connaître un ensemble d'attributs pouvant servir de domaine pour une fonction. Un tel ensemble d'attributs s'appelle une « clé ».

De manière plus formelle, la *clé* d'une relation est un ensemble d'un ou plusieurs attributs tels que l'on ne peut pas trouver deux tuples de cette relation ayant des valeurs identiques dans toutes les colonnes associées à ces attributs-clés. Souvent, il existe plusieurs ensembles d'attributs possibles pouvant servir de clé pour une même relation, mais nous n'en choisirons généralement qu'une, que nous appellerons « la clé ».

Trouver des clés

Comme les clés peuvent servir de domaine pour une fonction, elles joueront un rôle important dans le paragraphe suivant, lorsque nous discuterons des structures d'index primaires. En général, il est impossible d'inférer ni de démontrer qu'un ensemble d'attributs forme une clé ; il faut au contraire examiner attentivement nos hypothèses sur le monde réel, et la manière dont elles sont reflétées dans le schéma de la base de données que nous concevons. C'est seulement à ce stade que l'on peut savoir s'il est pertinent d'utiliser un ensemble donné d'attributs comme une clé. Voici une série d'exemples qui illustrent certaines situations possibles.

✦ **Exemple 8.3.** Considérons la relation Etudiant-Nom-Adresse-Téléphone donnée dans la figure 8.2(a). Manifestement, l'objectif est que chaque tuple donne des informations sur un étudiant différent. Nous n'imaginons pas trouver deux tuples avec le même numéro d'étudiant, puisque la raison d'être d'un tel numéro est justement de donner à chaque étudiant un identifiant unique.

Si nous nous retrouvons avec deux tuples dont le numéro d'étudiant est identique pour une même relation, de deux choses l'une :

1. Si les deux tuples sont identiques pour toutes leurs composantes, cela remet en cause l'hypothèse selon laquelle une relation est un ensemble, car un élément ne peut pas apparaître deux fois dans un même ensemble.

2. Si les deux tuples ont des numéros d'étudiant identiques tout en n'étant pas identiques pour l'une au moins des colonnes Nom, Adresse, ou Téléphone, cela signifie que les données sont incorrectes. Soit nous avons deux étudiants différents avec le même identifiant (si la différence se trouve dans la colonne Nom), soit nous avons malencontreusement enregistré deux adresses et/ou numéros de téléphone différents pour un même étudiant.

Il est donc raisonnable de prendre l'attribut Etudiant lui-même comme une clé pour la relation Etudiant-Nom-Adresse-Téléphone.

Cependant, en affirmant que Etudiant est une clé, on fait l'hypothèse cruciale, énoncée en (2), que nous n'enregistrerons jamais deux noms, adresses, ou numéros de téléphone pour le même étudiant. Il se pourrait que l'on en décide autrement, et que nous souhaitions par exemple stocker pour chaque étudiant à la fois une adresse de domicile, et une adresse sur le campus. Dans ce cas, nous ferions sans doute mieux de nous arranger pour que la relation ait cinq attributs, en remplaçant Adresse par AdresseDomicile et AdresseCampus, plutôt que d'avoir deux tuples par étudiant, en tout point identiques sauf pour la composante Adresse. Si nous utilisions deux tuples — ne différant que par leur composante Adresse — alors la clé ne serait plus Etudiant mais {Etudiant, Adresse} ✦

✦ **Exemple 8.4.** En regardant la relation Cours-Etudiant-Note de la figure 8.1, on pourrait croire que Note est une clé, puisqu'il n'existe aucun tuple ayant la même valeur de note. Ce raisonnement est toutefois erroné. Dans ce petit exemple de six tuples, aucun n'a la même note ; mais dans une relation Cours-Etudiant-Note courante, qui pourrait regrouper des milliers voire des dizaines de milliers de tuples, de nombreuses notes apparaîtraient à coup sûr plusieurs fois.

Il y a de fortes chances pour que l'intention des concepteurs de la base de données ait été de donner le rôle de clé au couple (Cours, Etudiant). Autrement dit, en supposant que des étudiants ne puissent pas suivre le même cours deux fois, nous ne pourrons

Conception, phase II : Choisir une clé

Le choix d'une clé pour une relation est un aspect important de la conception des bases de données ; on en aura besoin quand on choisira une structure d'index primaire au paragraphe 8.4.

✦   On ne peut pas trouver une clé en regardant simplement un échantillon de valeurs pour une relation.

En d'autres termes, les apparences peuvent être trompeuses, comme pour le problème de la Note pour la relation Cours-Etudiant-Note de la figure 8.1, dont nous parlions à l'exemple 8.4.

✦   Il n'existe pas de « bon choix » pour la clé ; la signification d'une clé dépend des hypothèses que l'on fait sur les types de données présents dans la relation.

pas avoir deux notes différentes pour le même étudiant dans le même cours ; du coup, il est impossible que deux tuples possèdent les mêmes valeurs à la fois dans la colonne Cours et dans la colonne Etudiant. Comme on s'attend à trouver plusieurs tuples avec la même valeur pour Cours, et plusieurs tuples avec la même valeur pour Etudiant, ni Cours ni Etudiant ne peuvent isolément servir de clé.

Toutefois, notre hypothèse selon laquelle les étudiants ne peuvent obtenir qu'une seule note par cours peut également être contestée, selon le règlement adopté par l'école. On pourrait imaginer que lorsque le contenu du cours change suffisamment, un étudiant puisse se réinscrire à ce cours. Si c'était le cas, nous ne pourrions pas prendre {Cours, Etudiant} comme clé de la relation Cours-Etudiant-Note ; seul l'ensemble des trois attributs peut être pris comme clé. (On notera que l'ensemble de tous les attributs d'une relation peut toujours servir de clé, puisque deux tuples identiques ne peuvent pas apparaître dans une relation). En fait, il vaudrait mieux ajouter un quatrième attribut, Date, pour indiquer quand le cours est suivi. On pourrait alors gérer la situation où un étudiant suivrait deux fois le même cours et aurait la même note à chaque fois. ✦

✦   **Exemple 8.5.** Dans la relation Cours-Pré-requis de la figure 8.2(b), aucun des attributs ne peut être considéré seul comme une clé, mais les deux ensemble forment une clé. ✦

✦   **Exemple 8.6.** Dans la relation Cours-Jour-Heure de la figure 8.2(c), les trois attributs forment la seule clé raisonnable. Peut-être pourrait-on prendre seulement Cours et Jour, mais on ne pourrait plus tenir compte du fait qu'un cours puisse se tenir deux fois dans la même journée. ✦

✦   **Exemple 8.7.** Enfin, considérons la relation Cours-Salle de la figure 8.2(d). Nous pensons que Cours peut être une clé ; c'est-à-dire qu'aucun cours ne peut avoir lieu dans deux ou plusieurs salles différentes. Si tel n'était pas le cas, nous serions obligé de combiner la relation Cours-Salle avec la relation Cours-Jour-Heure, pour pouvoir dire quelle séance d'un cours a lieu, et dans quelle salle. ✦

EXERCICES

8.3.1 : * Supposons que l'on souhaite enregistrer les adresses des étudiants à leur domicile et sur le campus, ainsi que leurs numéros de téléphones au domicile et au campus, dans la relation Etudiant-Nom-Adresse-Téléphone.

a) Quelle serait la clé la plus appropriée pour cette relation ?

b) Cette modification introduit une redondance ; par exemple, le nom d'un étudiant pourrait être répété quatre fois si ses deux adresses et ses deux numéros de téléphone étaient combinés de toutes les façons possibles dans différents tuples. Nous suggérions à l'exemple 8.3 qu'une solution était de séparer les attributs pour les différentes adresses et les différents numéros de téléphone. Quel serait alors le schéma de la relation ? Quelle serait la clé la mieux appropriée pour cette relation ?

c) Un autre moyen de gérer la redondance, que nous évoquions au paragraphe 8.2, est de diviser la relation en deux relations, avec des schémas différents, qui détiennent ensemble toute l'information de la relation initiale. En quelles relations devrions-nous diviser Etudiant-Nom-Adresse-Téléphone, si l'on voulait autoriser plusieurs adresses et numéros de téléphone pour un étudiant ? Quelles seraient les clés les plus pertinentes pour ces relations ? *Une indication* : un problème critique survient quand Adresse et Téléphone sont indépendants. Autrement dit, escomptez-vous qu'un numéro de téléphone sonne à toutes les adresses appartenant à l'étudiant (auquel cas Adresse et Téléphone sont indépendants) ou que les téléphones sonnent à la même adresse ?

8.3.2 : * La préfecture de police maintient une base de donnée avec les types d'information suivants.

1. Le nom d'un conducteur (Nom).
2. L'adresse d'un conducteur (Adr).
3. Le numéro de permis d'un conducteur (NoPermis).
4. Le numéro de série d'une automobile (NoSérie).
5. Le constructeur d'une automobile (Constr).
6. Le modèle d'une automobile (Modèle).
7. Le numéro d'immatriculation d'une automobile (Immat).

La préfecture souhaite associer à chaque conducteur les informations utiles : adresse, permis de conduire, et voitures possédées. Elle veut associer à chaque voiture les informations utiles : propriétaire(s), numéro de série, constructeur, modèle, et immatriculation. Nous supposons que vous êtes familiarisés avec les opérations habituelles de la préfecture ; par exemple, il elle s'efforce de ne pas donner le même numéro d'immatriculation à deux voitures. Vous pouvez ne pas savoir (mais c'est un fait) que deux autos, même de constructeurs différents, n'auront jamais le même numéro de série.

a) Choisissez un schéma de base de données — c'est-à-dire une collection de schémas de relation, chacun étant un ensemble, constitué à partir des attributs 1 à 7 ci-dessus. Vous devez faire en sorte que toutes les connections souhaitées puissent être retrouvées à partir des données stockées dans ces relations, et vous devez éviter la redondance ; autrement dit, votre schéma ne doit pas amener à stocker plusieurs fois le même fait.

b) Suggérer quels attributs, s'ils existent, pourraient servir de clé pour vos relations de la partie (a).

8.4   Structures de stockage primaires pour les relations

Aux paragraphes 7.8 et 7.9, nous avions vu comment certaines opérations sur les fonctions et les relations binaires étaient accélérées si l'on classait les couples selon la valeur de leur domaine. Pour ce qui concerne les opérations générales *insert*, *delete*, et *lookup*, que nous avons définies au paragraphe 8.2, les actions qui bénéficient le plus de cette organisation sont celles pour lesquelles la valeur du domaine est spécifiée. Si l'on reprend une fois encore la relation Variété-Fertiliseur du paragraphe 7.9, et que l'on regarde Variété comme le domaine de la relation, on favorise les opérations qui spécifient une variété mais pour lesquelles la spécification du Fertiliseur n'a aucune importance.

Voici des structures que nous pourrions utiliser pour représenter une relation.

1. Un arbre binaire de recherche, avec une relation « moins que » sur les valeurs de domaines, pour guider le placement des tuples, peut faciliter les opérations pour lesquelles on spécifie une valeur du domaine.

2. Un tableau utilisé comme vecteur caractéristique, avec des valeurs de domaines comme index, peut parfois être utile.

3. Une table de hachage, dans laquelle on hache les valeurs de domaine pour trouver les paquets, sera utile.

4. En principe, une liste chaînée de tuples est une structure candidate. Nous ignorerons cette possibilité, car elle ne facilite aucune sorte d'opération.

Les mêmes structures fonctionnent lorsque la relation n'est pas binaire. Au lieu d'un seul attribut pour le domaine, on pourrait avoir une combinaison de plusieurs attributs, que nous appelons les **attributs de domaine** ou simplement « domaine » lorsqu'il est évident que l'on se réfère à un ensemble d'attributs. Les valeurs de domaine sont donc des k-tuples, avec une composante pour chaque attribut du domaine. Les **attributs de portée** sont les attributs qui n'appartiennent pas au domaine. Les valeurs de portée peuvent aussi avoir plusieurs composantes, une par attribut.

En général, il faut choisir les attributs qui feront partie du domaine. Le cas le plus simple est celui où il n'existe qu'un seul, ou un petit nombre d'attributs, servant de clé pour la relation. Il est alors fréquent de choisir les attributs de la clé comme domaine et le reste comme portée. Dans les cas où il n'existe pas de clé (hormis l'ensemble de tous les attributs, qui n'est pas une clé très utile), on peut choisir n'importe quel ensemble d'attribut comme domaine. Par exemple, on pourrait considérer des opérations classiques que nous comptons réaliser sur la relation, et prendre comme domaine l'attribut ayant de bonnes chances d'apparaître fréquemment. On verra quelques exemples concrets d'ici peu.

Une fois un domaine choisi, on peut prendre l'une des quatres structures de données ci-dessus pour représenter la relation, ou bien encore une autre structure. Toutefois, on prendra souvent une table de hachage avec les valeurs du domaine comme index, et c'est ce que nous ferons généralement ici.

La structure choisie est dite **structure d'index primaire** pour la relation. L'adjectif « primaire » fait référence au fait que l'emplacement des tuples est déterminé directement par cette structure. Un *index* est une structure de données qui permet de retrouver des tuples, connaissant la valeur d'une ou plusieurs de leurs composantes. Dans le prochain paragraphe, nous parlerons d'index « secondaires », qui permettent de répondre aux requêtes sans affecter l'emplacement des données.

✦ **Exemple 8.8.** Considérons la relation Etudiant-Nom-Adresse-Téléphone dont la clé est Etudiant. Cet attribut nous servira de domaine, et les trois autres attributs constitueront la portée. On pourrait donc voir la relation comme une fonction de Etudiant vers un ensemble de triplets Nom-Adresse-Téléphone.

Comme pour toutes les fonctions, on choisit une fonction de hachage qui prend une valeur du domaine comme argument, et produit un numéro de paquet comme résultat. Dans le cas présent, la fonction de hachage prend comme arguments des numéros d'étudiant, qui sont des entiers. Nous choisirons pour le nombre de paquets B la valeur 1009 [1], et pour la fonction de hachage, on prendra

$h(x) = x$ MOD 1009

Cette fonction de hachage fait correspondre les numéros d'étudiants à des entiers de l'intervalle 0 à 1008.

```
type TUPLELIST = ^ TUPLE;

     TUPLE = record
         Etudiant: integer;
         Nom: array [1..30] of char;
         Adresse: array [1..50] of char;
         Telephone: array [1..8] of char;
         suivant: TUPLELIST
     end;

     HASHTABLE = array[0..1008] of TUPLELIST;
```

Figure 8.3 : Types pour une table de hachage servant de structure
d'index primaire.

Un tableau de 1009 en-têtes de paquet nous mène à une liste d'enregistrements. Les

---

[1] 1009 est un nombre premier pratique, proche de 1000. Si notre base de données contient plusieurs milliers d'étudiants, on prendra environ 1000 paquets, pour que le nombre de tuples moyen par paquet soit peu élevé.

enregistrements de la liste du paquet i représentent chacun un tuple dont la composante Etudiant est un entier dont le reste vaut i, après division par 1009. Pour la relation Etudiant-Nom-Adresse-Téléphone, les déclarations de la figure 8.3 s'appliquent aux enregistrements des listes chaînées des paquets et au tableau des en-têtes de paquet. La figure 8.4 montre à quoi pourrait ressembler la table de hachage. ✦

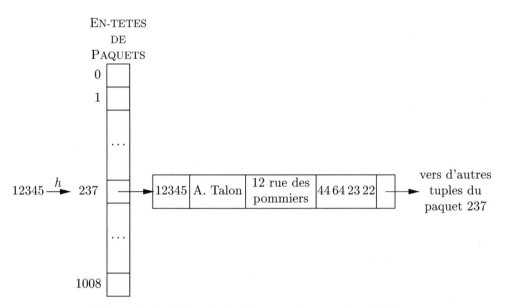

Figure 8.4 : Table de hachage représentant la relation
Etudiant-Nom-Adresse-Téléphone.

✦ **Exemple 8.9.** Prenons un exemple plus compliqué, et considérons la relation Cours-Etudiant-Note. Nous pourrions utiliser comme structure d'index primaire une table de hachage dont la fonction de hachage prendrait comme arguments à la fois le cours et le numéro d'étudiant (c'est-à-dire les deux attributs qui constituent la clé de cette relation). Cette fonction de hachage pourra prendre les caractères composant le nom du cours, les convertir en entiers (en leur appliquant l'opération ORD du Pascal), ajouter ces entiers au numéro d'étudiant, et diviser le tout par 1009, en conservant le reste.

Cette structure de données serait utile si nous ne faisions que rechercher les notes, pour un cours et un étudiant précis — autrement dit, si nous devions effectuer des opérations comme

$$lookup\big((\text{« CS101 »}, \text{« A. Talon »}, *), \; \text{Course-Etudiant-Note}\big)$$

Toutefois, elle ne servira pas pour des opérations comme

1. trouver tous les étudiants qui suivent le cours CS101, ou

2. trouver tous les cours qui sont suivis par l'étudiant dont le numéro est 12345.

Dans ces deux cas, on ne pourrait pas calculer de valeur pour la fonction de hachage. Par exemple, si l'on ne connaît que le cours, on ne dispose pas de numéro d'étudiant à additionner à la somme des caractères convertis en entiers, et par conséquent d'aucune valeur à diviser par 1009 pour obtenir le numéro de paquet.

Cependant, supposons que des questions comme « Qui suit le cours CS101 ? », autrement dit

$$lookup\big((\text{« CS101 »}, *, *),\ \text{Course-Etudiant-Note}\big)$$

se rencontrent fréquemment. On pourra trouver qu'il est plus efficace d'utiliser une structure primaire uniquement fondée sur la valeur de la composante Cours. En d'autres termes, on peut voir notre relation comme une relation binaire au sens de la théorie des ensembles, avec un domaine égal à Cours, et une portée égale à Etudiant-Note.

Par exemple, supposons que l'on convertisse les caractères du nom du cours en entiers, que l'on les additionne, que l'on divise le tout par 197, et que l'on en prenne le reste. Alors, les tuples de la relation

Course-Etudiant-Note

seraient répartis par la fonction de hachage en 197 paquets, numérotés de 0 à 196. Cependant, si CS101 attire 100 étudiants, son paquet contiendra au moins 100 enregistrements, quel que soit le nombre de paquets choisis pour notre table de hachage ; c'est l'inconvénient de ne pas utiliser de clé comme base de notre structure d'index primaire. Il pourrait même y avoir plus de 100 enregistrements, si un autre cours se voyait attribuer le même paquet que CS101.

Pourtant, si l'on souhaite trouver les étudiants d'un cours donné, cette représentation sera quand même utile. Si le nombre de cours dépasse largement 197, nous devrons alors parcourir en moyenne quelque chose comme 1/197 de la relation

Course-Etudiant-Note

toute entière, ce qui est très économique. Mieux, des opérations telles que la recherche d'une note d'un étudiant précis pour un cours précis, ou l'insertion ou la suppression d'un tuple Cours-Etudiant-Note, seront facilitées. Dans ces situations, on peut utiliser la valeur du Cours pour restreindre notre recherche à l'un des 197 paquets de la table de hachage. La seule sorte d'opération pour laquelle cette représentation ne nous sera d'aucun secours, est celle où aucun cours n'est spécifié. Par exemple, pour trouver les cours suivis par l'étudiant 12345, il faudra parcourir tous les paquets. La seule façon de rendre ce type de requête plus efficace est d'utiliser une structure d'index secondaire, comme nous le verrons dans le paragraphe suivant. ✦

Les opérations Insert, Delete, et Lookup

La manière dont on utilisera une structure d'index primaire pour effectuer les opérations *insert*, *delete*, et *lookup* doit paraître évidente, après notre étude équivalente du chapitre 7 pour les relations binaires. Pour s'en rappeler les principes, attardons-nous sur une table de hachage, servant de structure d'index primaire. Si l'opération spécifie une valeur du domaine, on lui applique la fonction de hachage pour trouver un paquet.

1. Pour insérer un tuple t, on examine le paquet pour vérifier que t n'est pas déjà présent, et sinon, on crée une nouvelle cellule pour t dans la liste du paquet.

2. Pour supprimer des tuples qui correspondent à une spécification X, on trouve dans X la valeur appartenant au domaine, on lui applique la fonction de hachage pour

Conception, phase III : choisir un index primaire

✦   Il est souvent utile de prendre le domaine d'une fonction comme clé, et les attributs restants comme portée.

Alors, la relation peut être implémentée comme si c'était une fonction, à l'aide d'un index primaire, comme une table de hachage, avec une fonction de hachage fondée sur les attributs formant la clé.

✦   Toutefois, si les requêtes les plus fréquentes mettent en jeu des valeurs d'un attribut ou d'un ensemble d'attributs qui ne forment pas une clé, on préférera peut-être utiliser cet ensemble d'attributs comme domaine, et les autres comme portée.

On pourra implémenter cette relation comme une relation binaire (par exemple à l'aide d'une table de hachage). Le seul problème est que la répartition des tuples en paquets risque de ne pas être aussi uniforme que si le domaine correspondait à une clé.

✦   Le choix du domaine de la structure d'index primaire est sans doute ce qui a le plus d'influence sur la vitesse d'exécution de requêtes « habituelles ».

trouver le bon paquet, et on parcourt la liste associée, en supprimant chaque tuple correspondant à la spécification X.

3.   Pour rechercher des tuples en accord avec une spécification X, on trouve là encore la valeur du domaine à partir de X, et on lui applique la fonction de hachage, pour trouver le bon paquet. On parcourt ensuite la liste de ce paquet, en donnant comme réponse chaque tuple de la liste qui correspond à la spécification X.

Si l'opération ne porte pas sur une valeur du domaine, c'est moins facile. Une opération *insert* spécifie toujours entièrement le tuple inséré, mais ce n'est pas obligatoire pour *delete* ou *lookup*. Dans ces situations, il faut rechercher dans toutes les listes de paquets les tuples qui correspondent à la spécification, pour ensuite les supprimer ou les afficher.

EXERCICES

8.4.1 : La base de données de la préfecture de police à l'exercice 8.3.2 doit être prévue pour gérer le type de requêtes suivantes, toutes étant supposées survenir avec une fréquence significative.

1.   Quelle est l'adresse d'un conducteur donné ?
2.   Quel est le numéro de permis d'un conducteur donné ?
3.   Quel est le nom du conducteur ayant tel numéro de permis ?
4.   Quel est le nom du conducteur qui possède telle voiture, identifiée par son numéro d'immatriculation ?

5. Quel est le numéro de série, le constructeur, et le modèle de l'automobile ayant tel numéro d'immatriculation ?

6. Qui possède la voiture ayant tel numéro d'immatriculation ?

Suggérez des structures d'index primaires pour les relations que vous avez établies à l'exercice 8.3.2, en utilisant une table de hachage pour chaque cas. Faites vos suppositions sur le nombre de conducteurs et de voitures présents dans la base. Suggérez un nombre de paquets, ainsi que les attributs du domaine. Parmi ces types de requêtes, à combien pouvez-vous répondre efficacement, autrement dit dans un temps moyen en $O(1)$, indépendant de la taille des relations ?

8.4.2 : La structure primaire pour la relation Cours-Jour-Heure de la figure 8.2(c) peut dépendre des opérations habituelles que l'on pense effectuer. Suggérez une table de hachage appropriée, en donnant les attributs du domaine et le nombre de paquets choisis, si les requêtes habituelles sont de chacune des formes suivantes. Vous pouvez faire des suppositions raisonnables sur le nombre de cours et de périodes différentes auxquelles ils ont lieu. Dans chaque cas, une valeur spécifiée comme « CS101 » est censée représenter une valeur « typique » ; dans ce cas, nous signifions qu'une valeur particulière est donnée à l'attribut Cours.

a) $lookup\big(("CS101", "Lu", *), Cours\text{-}Jour\text{-}Heure\big)$.

b) $lookup\big((*, «\,Lu\,», «\,9h\,»), Cours\text{-}Jour\text{-}Heure\big)$.

c) $delete\big((«\,CS101\,», *, *), Cours\text{-}Jour\text{-}Heure\big)$.

d) Une moitié du type (a) et l'autre du type (b).

e) Une moitié du type (a) et l'autre du type (c).

f) Une moitié du type (b) et l'autre du type (c).

8.5 Structures d'index secondaires

Supposons que nous ayons stocké la relation Etudiant-Nom-Adresse-Téléphone dans une table de hachage, où la fonction de hachage se base sur la clé Etudiant, comme dans la figure 8.4. Cette structure d'index primaire nous permet de répondre aux requêtes dans lesquelles le numéro d'étudiant est spécifié. Pourtant, peut-être préférerions-nous poser les questions en utilisant les noms d'étudiants, et non leurs numéros, impersonnels et sans doute inconnus. Par exemple, nous pourrions demander « Quel est le numéro de téléphone de l'étudiant A. Talon ? ». Dans ce cas, notre structure d'index primaire ne nous est d'aucun secours. Il faut aller examiner les listes d'enregistrements de tous les paquets, jusqu'à ce que l'on en trouve un dont le champ Nom a la valeur "A. Talon".

Pour répondre à ce type de question rapidement, on a besoin d'une structure de données supplémentaire qui, à partir d'un nom, nous donne le ou les tuples qui contiennent ce nom dans leur champ Nom [2]. Une structure de données permettant de trouver

---

[2] N'oublions pas que Nom n'est pas une clé de la relation Etudiant-Nom-Adresse-Téléphone, malgré le fait que dans l'exemple de relation à la figure 8.2(a), il n'existe pas deux tuples ayant la même valeur pour l'attribut Nom. Par exemple, si Louis va dans la même université que Lucie, on pourrait trouver deux tuples contenant la même valeur « L. Van Pelt » pour l'attribut Nom, mais des numéros d'étudiant différents.

des tuples — connaissant la valeur d'un ou plusieurs attributs — mais ne servant pas à placer les tuples dans la structure globale, est appelée *index secondaire*.

Ce que nous voulons pour notre index secondaire, c'est une relation binaire dont

1.   Le domaine est Nom.

2.   La portée est l'ensemble des pointeurs vers les tuples de la relation Etudiant-Nom-Adresse-Téléphone.

En général, un index secondaire sur l'attribut A de la relation R est un ensemble de couples (v, p), où

a) v est une valeur de l'attribut A, et

b) p est un pointeur vers l'un des tuples de la structure d'index primaire pour la relation R, dont la valeur pour la composante A est v.

L'index secondaire possède un tel couple pour chaque tuple ayant la valeur v pour l'attribut A.

On peut utiliser n'importe laquelle des structures de données pour les relations binaires pour stocker les index secondaires. En général, on prendra une table de hachage sur la valeur de l'attribut A. Tant que le nombre de paquets n'est pas supérieur au nombre de valeurs différentes pour l'attribut A, on peut s'attendre à de bonnes performances — autrement dit, à un temps moyen en $O(n/B)$ — pour trouver le couple (v, p) dans la table de hachage, connaissant une valeur v souhaitée. (Ici, n est le nombre de couples, et B est le nombre de paquets.) Pour montrer que l'on peut choisir d'autres structures pour les index secondaires (ou primaires), nous utiliserons dans l'exemple suivant un arbre binaire de recherche comme index secondaire.

◆ **Exemple 8.10.** Construisons une structure de données pour la relation

Etudiant-Nom-Adresse-Téléphone

de la figure 8.2(a), qui utilise une table de hachage sur Etudiant comme index primaire, et un arbre binaire de recherche comme index secondaire pour l'attribut Nom. Pour simplifier l'explication, nous emploierons une table de hachage avec seulement deux paquets pour la structure primaire, et nous utiliserons comme fonction de hachage le reste de la division par 2 du numéro d'étudiant. Autrement dit, les numéros pairs iront dans le paquet 0, et les numéros impairs iront dans le paquet 1.

Pour l'index secondaire, nous utiliserons un arbre binaire de recherche, dont les nœuds contiendront des couples constitués du nom d'un étudiant et d'un pointeur sur un tuple. Les tuples sont eux-mêmes stockés sous forme d'enregistrements, qui sont chaînés dans une liste pour former l'un des paquets de la table de hachage. Les pointeurs sur des tuples sont donc en réalités des pointeurs sur des enregistrements. Nous avons donc besoin des structures de la figure 8.5. Les types TUPLE et HASHTABLE sont les mêmes qu'à la figure 8.3, hormis le fait que nous utilisons maintenant deux paquets au lieu des 1009 utilisés précédemment.

Le type NODE est un nœud d'un arbre binaire, qui contient deux champs, Nom et versTuple, représentant l'élement du nœud — c'est-à-dire un nom d'étudiant — et un pointeur sur un enregistrement où est conservé le tuple concernant cet étudiant.

```
type TUPLELIST = ^TUPLE;

    TUPLE = record
        Etudiant: integer;
        Nom: array [1..30] of char;
        Adresse: array [1..50] of char;
        Telephone: array [1..8] of char;
        next: TUPLELIST
    end;

    HASHTABLE = array[0..1] of TUPLELIST;

    TREE = ^NODE;

    NODE = record
        Nom: array [1..30] of char;
        versTuple: TUPLELIST; (* pointeur sur un tuple *)
        lc, rc: TREE
    end;
```

Figure 8.5 : Types pour un index primaire et un index secondaire.

Les deux derniers champs `lc` et `rc`, sont des pointeurs vers les fils gauche et droit du nœud. Nous utiliserons l'ordre alphabétique sur les noms de famille des étudiants comme nous avions utilisé l'ordre « plus petit que » pour comparer les éléments situés sur les nœuds de l'arbre. L'index secondaire est aussi une variable du type `TREE` — c'est-à-dire un pointeur vers un nœud — et il nous emmène vers la racine de l'arbre binaire de recherche.

Un exemple de la structure complète apparaît à la figure 8.6. Pour économiser de la place, les composantes Adresse et Téléphone des tuples n'ont pas été représentées. Les Li montrent les emplacements en mémoire auxquels les enregistrements de la structure d'index primaire sont stockés.

Maintenant, si l'on souhaite répondre à une question du style « Quel est le numéro de téléphone de H. Lefuneste », on va à la racine de l'index secondaire, on recherche le nœud ayant « H. Lefuneste » comme champ `Nom`, et on suit le pointeur du champ `versTuple` (représenté par $L2$ dans la figure 8.6). Cela nous amène à l'enregistrement associé à H. Lefuneste, et à partir de cet enregistrement, nous pouvons consulter le champ `Téléphone` et fournir une réponse pour la requête. ✦

Index secondaire sur un champ non-clé

Il se trouve que l'attribut Nom sur lequel nous avons construit un index secondaire à l'exemple 8.10 était une clé, car aucun nom n'y apparaissait plus d'une fois. Nous savons toutefois que deux étudiants peuvent avoir le même nom, et donc que Nom n'est pas vraiment une clé. Cette caractéristique non-clé, comme nous l'avons vu au paragraphe 7.9, n'a aucun effet sur la structure table de hachage, bien qu'elle puisse provoquer une distribution moins uniforme des tuples parmi les paquets.

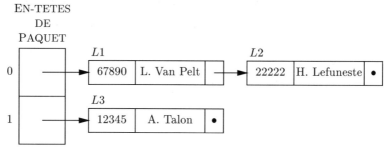

(a) Structure d'index primaire.

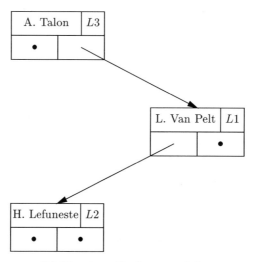

(b) Structure d'index secondaire.

Figure 8.6 : Exemple de structures d'index primaire et secondaire.

Le problème est différent pour les arbres binaire de recherche, car cette structure de données ne sait pas gérer deux éléments dont aucun n'est « plus petit » que l'autre, comme ce serait le cas si nous avions deux couples avec des noms égaux et des pointeurs différents. On peut modifier légèrement la structure de la figure 8.5 en utilisant le champ `versTuple` comme en-tête d'une liste chaînée de pointeurs sur des tuples, avec un pointeur pour chaque tuple contenant la valeur donnée dans le champ `Nom`. Par exemple, s'il existait plusieurs H. Lefuneste, le nœud inférieur de la figure 8.6(b) contiendrait, à la place de $L2$, l'en-tête d'une liste chaînée. Les éléments de cette liste seraient les pointeurs sur les divers tuples dont l'attribut Nom aurait la valeur « H. Lefuneste ».

Mise à jour des structures d'index secondaires

Lorsqu'il existe un ou plusieurs index secondaires pour une relation, l'insertion et la suppression de tuples deviennent plus difficiles. En plus de mettre à jour la structure

Conception, phase IV : Quand doit-on créer un index secondaire ?

L'existence d'index secondaires facilite en général la recherche d'un tuple, connaissant les valeurs d'une ou plusieurs de ses composantes. Cependant,

✦ Chaque index secondaire créé induit un coût en temps lorsque l'on insère ou supprime des informations dans la relation.

✦ La création d'un index secondaire n'est donc pertinente que sur les attributs qui seront utiles lors de la recherche de données.

Par exemple, si nous ne pensons pas avoir besoin de trouver un étudiant à partir de son seul numéro de téléphone, ce serait du gâchis de créer un index secondaire sur l'attribut Téléphone de la relation

      Etudiant-Nom-Adresse-Téléphone

d'index primaire comme évoqué au paragraphe 8.4, on risque de devoir aussi mettre à jour chacune des structures d'index secondaires. Les méthodes suivantes peuvent permettre de mettre à jour une structure d'index secondaire pour l'attribut A lorsqu'un tuple faisant intervenir A est inséré ou supprimé.

1. *Insertion.* Si l'on insère un nouveau tuple contenant une valeur v pour l'attribut A, il faut créer un couple (v, p), où p pointe sur le nouvel enregistrement dans la structure primaire. On insère ensuite le couple (v, p) dans l'index secondaire.

2. *Suppression.* Lorsque l'on supprime un tuple contenant la valeur v pour l'attribut A, il faut d'abord mettre de côté le pointeur — appelons-le p — sur le tuple que l'on vient de supprimer. Ensuite, on parcourt la structure d'index secondaire en examinant tous les couples ayant v comme première composante, jusqu'à ce que l'on trouve celui dont la seconde composante est p. Ce couple est alors supprimé de la structure d'index secondaire.

EXERCICES

8.5.1 : Montrez comment modifier la structure d'arbre binaire de recherche de la figure 8.5 pour que plusieurs tuples de la relation Etudiant-Nom-Adresse-Téléphone puissent avoir le même nom d'étudiant. Ecrivez une procédure Pascal qui prend un nom en argument, et affiche tous les tuples de la relation ayant ce nom comme valeur de l'attribut Nom.

8.5.2 : ** Supposez que nous ayons décidé de stocker la relation

      Etudiant-Nom-Adresse-Téléphone

avec un index primaire sur Etudiant. On pourrait également décider de créer des index secondaires. Supposons que toutes les recherches s'effectuent sur un seul attribut, soit Nom, soit Adresse, soit Téléphone. On admettra que 75% des recherches spécifient

Nom, 20% spécifient Adresse, et 5% spécifient Téléphone. Supposons que le coût d'une insertion ou d'une suppression soit d'une unité de temps, plus 1/2 unité pour chaque index secondaire que nous décidons de créer (par exemple, le coût sera de 2,5 unités de temps si l'on construit les trois index secondaires). On admettra que le coût d'une recherche est 1 unité si l'on spécifie un attribut pour lequel il existe un index secondaire, et 10 unités s'il n'existe pas d'index secondaire pour l'attribut spécifié ; soit a la fraction des opérations uniquement composée d'insertions et de suppressions de tuples pour lesquelles tous les attributs sont spécifiés ; la fraction restante $1 - a$ est composée de recherches où un seul attribut est spécifié, en accord avec les probabilités ci-dessus [par exemple, $0,75(1-a)$ de toutes les opérations sont des recherches portant sur une valeur de Nom]. Si notre objectif est de minimiser le temp moyen d'une opération, quels index secondaires devrons-nous créer si la valeur du paramètre a est (a) 0,01 (b) 0,1 (c) 0,5 (d) 0,9 (e) 0,99 ?

8.5.3 : Supposons que la préfecture de police veuille pouvoir répondre aux types de requêtes suivants de façon efficace, c'est-à-dire beaucoup plus vite qu'en cherchant les relations entières.

i)   Etant donné un nom de conducteur, trouver le(s) numéro(s) de permis du appartenant aux personnes portant ce nom.

ii)   Soit un numéro de permis, trouver le nom du conducteur.

iii) Soit un numéro de permis, trouver le numéro d'immatriculation de la ou des voitures appartenant à ce conducteur.

iv)   Connaissant une adresse, trouver tous les noms de conducteurs à cette adresse.

v)   Soit un numéro d'immatriculation, trouver le(s) numéro(s) de permis du ou des propriétaires de la voiture.

Suggérez une structure de données appropriée pour vos relations de l'exercice 8.3.2, qui permette à toutes ces requêtes d'obtenir rapidement une réponse. Il suffit de supposer que chaque index sera construit à partir d'une table de hachage, et de dire quels seront les index primaire et secondaires pour chaque relation. Expliquez alors comment vous répondriez à chaque type de requête.

8.5.4 : Supposons que l'on souhaite trouver efficacement les pointeurs d'un index secondaire donné qui pointent sur un tuple t particulier dans la structure d'index primaire. Proposez une structure de données qui nous permette de trouver ces pointeurs dans un temps proportionnel au nombre de pointeurs trouvés. Quelles sont les opérations qui consommeront plus de temps du fait de cette structure de données supplémentaire ?

8.6   Naviguer parmi les relations

Jusqu'à présent, nous n'avons considéré que les opérations mettant en jeu une seule relation, comme trouver un tuple connaissant les valeurs d'une ou plusieurs de ses composantes. La puissance du modèle relationnel peut être mieux appréciée si l'on considère les opérations qui nous oblige à « naviguer » ou à sauter d'une relation à l'autre. Par exemple, on pourrait répondre à la question « Quelle note a obtenu l'étudiant ayant le numéro 12345 au cours CS101 ? » en restreignant notre travail à l'intérieur de la relation Cours-Etudiant-Note. Mais il serait plus naturel de demander « Quelle note a obtenu A. Talon au cours CS101 ? » Cette requête ne peut pas être satisfaite si l'on reste dans la seule relation Cours-Etudiant-Note, car cette relation utilise les numéros d'étudiant, au lieu des noms.

Pour satisfaire la requête, il faut tout d'abord consulter la relation Etudiant-Nom-Adresse-Téléphone et traduire le nom « A. Talon » en un numéro d'étudiant (ou des numéros d'étudiants, puisqu'il peut y avoir plusieurs étudiants avec le même nom et des numéros différents). Puis, pour chaque numéro, on recherche dans la relation Cours-Etudiant-Note les tuples contenant ce numéro et dont la composante Cours vaut « CS101 ». A partir de chacun de ces tuples, on peut lire la note d'un étudiant nommé A. Talon, au cours CS101. La figure 8.7 suggère comment cette requête relie les valeurs données et les réponses souhaitées.

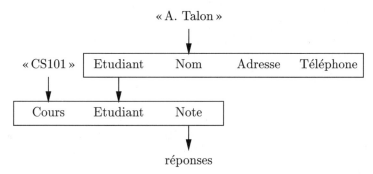

Figure 8.7 : Diagramme de la requête « Quelle note a obtenu A. Talon en CS101 ? ».

S'il n'existe aucun index utilisable, la réponse à cette requête pourra être très gourmande en temps. Supposons qu'il y ait n tuples dans la relation

       Etudiant-Nom-Adresse-Téléphone

et m tuples dans la relation Cours-Etudiant-Note. On admettra aussi qu'il existe k étudiants portant le nom « A. Talon ». Une ébauche de l'algorithme de recherche des notes de cet ou ces étudiants au cours CS101, en supposant que l'on ne puisse pas utiliser d'index, est montrée à la figure 8.8.

Calculons le temps d'exécution du programme de la figure 8.8. En allant de l'intérieur vers l'extérieur, l'instruction d'affichage de la ligne (6) a un coût en $O(1)$. L'instruction conditionnelle des lignes (5) et (6) a aussi un coût en $O(1)$, puisque le test de la ligne (5) est un test en $O(1)$. Comme on suppose qu'il existe m tuples dans la relation

       Cours-Etudiant-Note

la boucles des (4) à (6) est itérée m fois et dépense donc au total un temps en $O(m)$. Comme la ligne (3) a un coût en $O(1)$, le bloc constitué par les lignes (3) à (6) prend un temps en $O(m)$.

Considérons l'instruction `if` des lignes (2) à (6). Comme le test de la ligne (2) est en $O(1)$, l'instruction `if` toute entière prend $O(1)$ si la condition est fausse et $O(m)$ si

(1)   **For** chaque tuple t de Etudiant-Nom-Adresse-Téléphone **do**
(2)   **if** t a « A. Talon » comme valeur de Nom **then begin**
(3)   soit i la composante Etudiant du tuple t ;
(4)   **for** chaque tuple s de Cours-Etudiant-Note **do**
(5)   **if** s a « CS101 » comme valeur de Cours et i
                    comme valeur de Etudiant i **then**
(6)   **print** la composante Note du tuple s
        end

Figure 8.8 : Trouver la note de A. Talon au cours CS101.

elle est vraie. Or, nous avons admis que la condition était vraie pour k tuples, et fausse pour le reste ; autrement dit, il existe k tuples t pour lesquels la composante Nom a la valeur « A. Talon ». Etant donné la grande différence entre le temps pris quand la condition est vraie et celui dépensé quand elle est fausse, il faudra être prudent quand nous analyserons la boucle `for` des lignes (1) à (6). Autrement dit, au lieu de compter le nombre de fois que la boucle est empruntée et de multiplier le résultat par le temps le plus long que peut prendre le corps, on considérera séparément les deux éventualités issues du test de la ligne (2).

D'abord, on emprunte la boucle n fois, car c'est le nombre de valeurs différentes de t. Pour les k tuples t sur lesquels le test de la ligne (2) est vrai, on dépense pour chacun un temps en $O(m)$, soit un total de $O(km)$. Pour les $n - k$ tuples restants, qui font échouer le test, on dépense pour chaque tuple $O(1)$, soit $O(n - k)$ au total. Comme k est probablement très inférieur à n, on peut prendre $O(n)$ comme borne simple mais approchée, à la place de $O(n - k)$. Le coût du programme tout entier est $O(n + km)$. Dans le cas peu surprenant où $k = 1$, lorsqu'il n'existe qu'un seul étudiant portant le nom donné, le temps requis, $O(n + m)$, est proportionnel à la somme des tailles des deux relations impliquées. Si k est plus grand que 1, le temps est encore plus grand.

Accélérer la navigation grâce aux index

Avec des index bien choisis, on peut répondre à la même requête avec un temps moyen en $O(k)$ — c'est-à-dire en $O(1)$ si k, le nombre d'étudiant portant le nom A. Talon, vaut 1. Cela n'est pas surprenant, puisque tout ce que nous avons à faire est d'examiner $2k$ tuples, k pour chacune des deux relations. Les index nous permettent de repérer les tuples avec un temps moyen de $O(1)$ pour chaque tuple, si l'on utilise une table de hachage avec un nombre de paquets adéquat. Si l'on dispose d'un index sur Nom pour la relation Etudiant-Nom-Adresse-Téléphone, et d'un index sur la combinaison Cours-Etudiant pour la relation Cours-Etudiant-Note, alors, l'algorithme qui trouve la note de A. Talon au cours CS101 est tel qu'ébauché à la figure 8.9.

Supposons que l'index sur Nom soit une table de hachage contenant environ n paquets, et servant d'index secondaire. Comme n est le nombre de tuples de la relation

Etudiant-Nom-Adresse-Note

les paquets ont en moyenne $O(1)$ tuple chacun. Trouver le paquet dont la valeur de Nom est « A. Talon » prend un temps en $O(1)$. S'il existe k tuples possédant ce nom, cela prendra $O(k)$ pour trouver ces tuples dans le paquet et $O(1)$ pour sauter les autres tuples possibles du paquet. La ligne (1) de la figure 8.9 prend donc un temps moyen en $O(k)$.

(1)   A l'aide de l'index sur Nom, trouver chaque tuple de la
           relation Etudiant-Nom-Adresse-Note dont la composante
           Nom a pour valeur « A. Talon »;
(2)   **for** chaque tuple t trouvé en (1) **do begin**
(3)   soit i la composante Etudiant du tuple t ;
(4)   à l'aide de l'index sur Cours et Etudiant dans
               la relation Cours-Etudiant-Note, trouver le tuple
               s dont la composante Cours vaut « CS101 » la composante
               Etudiant vaut i ;
(5)   **print** la composante Note du tuple s
       end

Figure 8.9 : Trouver la note de A. Talon en CS101 en utilisant des index.

La boucle des lignes (2) à (5) est exécutée k fois. Supposons que l'on range les k tuples t trouvés à la ligne (1) dans une liste chaînée. Alors le coût d'un emprunt de la boucle à la recherche du tuple t suivant, ou permettant de découvrir qu'il n'en existe plus, est en $O(1)$, comme le sont les coût des lignes (3) et (5). Nous affirmons que la ligne (4) peut aussi être exécutée avec un temps en $O(1)$, et donc que la boucle des lignes (2) à (5) prend $O(k)$.

On analyse la ligne (4) comme suit. Cette ligne provoque la recherche d'un tuple unique, connaissant sa valeur de clé. Supposons que la relation Cours-Etudiant-Note ait un index primaire sur sa clé, {Cours, Etudiant}, et que cet index soit une table de hachage contenant environ m paquets. Le nombre moyen de tuples par paquets est $O(1)$, et la ligne (4) de la figure 8.9 prend donc un temps en $O(1)$. On en conclut que le corps de la boucle des lignes (2) à (5) prend en moyenne un temps en $O(1)$, et donc que le programme complet de la figure 8.9 prend un temps moyen en $O(k)$. Autrement dit, le coût est proportionnel au nombre d'étudiants ayant le nom particulier que nous recherchons, sans se soucier de la taille des relations impliquées.

Naviguer parmi de nombreuses relations

Les techniques qui nous permettent de naviguer d'une relation à une autre efficacement permettent également de naviguer parmi de nombreuses relations. Par exemple, supposons que nous voulions savoir « Où se trouve A. Talon à 9h tous les lundis matins ? » En admettant qu'il suive bien un cours à ce moment-là, on pourra trouver la réponse à cette requête en cherchant les cours suivis par A. Talon, en regardant si l'un d'eux a lieu les lundis matins à 9h et, si c'est le cas, trouver la salle dans laquelle le cours est donné. La figure 8.10 donne une idée de la navigation parmi les relations entre la valeur « A. Talon » donnée et la réponse.

La stratégie suivante suppose qu'il n'existe qu'un seul étudiant du nom de A. Talon ; s'il en existe plusieurs, on pourra obtenir les salles dans lesquelles on peut trouver un

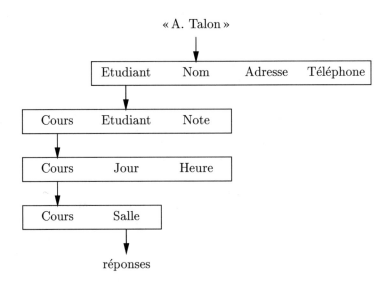

Figure 8.10 : Diagramme de la requête « Où se trouve A. Talon à 9h le lundi ? ».

ou plusieurs d'entre-eux à 9h le lundi. Elle suppose aussi que cet étudiant n'est pas inscrit à des cours qui se chevauchent ; autrement dit, il ne doit pas prendre plus d'un cours ayant lieu à 9h le lundi.

1. Trouver le numéro d'étudiant de A. Talon, à l'aide de la relation Etudiant-Nom-Adresse-Téléphone. Soit i ce numéro.

2. Chercher dans la relation Cours-Etudiant-Note tous les tuples ayant i comme valeur de la composante Etudiant. Soit $\{c_1, \ldots, c_k\}$ l'ensemble des valeurs de Cours dans ces tuples.

3. Dans la relation Cours-Jour-Heure, chercher les tuples ayant c_i comme valeur de la composante Cours, c'est-à-dire l'un des cours trouvé à l'étape (2). Il ne devra pas y en avoir plus d'un ayant les valeurs « Lu » pour la composante Jour, et « 9h » dans la composante Heure.

4. Si un cours c est trouvé à l'étape (3), alors on cherche dans la relation Cours-Salle la salle dans laquelle se tient le cours c. C'est là que l'on pourra trouver A. Talon le lundi à 9h, à supposer qu'il n'ait pas décidé de prendre un week-end prolongé.

Si nous ne disposons pas d'index, le mieux que l'on puisse espérer est de pouvoir suivre cette stratégie dans un temps proportionnel à la somme des tailles des quatre relations impliquées. Cependant, plusieurs index pourraient nous être utiles.

a) A l'étape (1), on peut utiliser un index sur la composante Nom de la relation

> Etudiant-Nom-Adresse-Téléphone

pour obtenir le numéro d'étudiant de A. Talon avec un temps moyen en $O(1)$.

Résumé : accès rapide aux relations

Il est utile de revoir de quelle manière s'est accrue notre capacité à obtenir des réponses en consultant les relations. Nous avons commencé au paragraphe 7.8 en se servant d'une table de hachage, ou d'une autre structure comme un arbre binaire de recherche ou un vecteur caractéristique (généralisé), pour implémenter des fonctions qui, dans le contexte de ce chapitre sont des relations binaires dont le domaine est une clé. Puis, au paragraphe 7.9, nous avons vu que ces idées étaient encore valables lorsque le domaine n'était pas une clé, aussi longtemps que la relation était binaire.

Au paragraphe 8.4, nous avons vu qu'il n'était pas nécessaire que la relation soit binaire ; on peut considérer tous les attributs faisant partie de la clé comme un « domaine » unique, et tous les autres attributs comme une « portée » unique. Par ailleurs, nous avons vu au paragraphe 8.4 qu'il n'était pas nécessaire que le domaine soit une clé.

Au paragraphe 8.5, nous avons appris que l'on pouvait utiliser plusieurs structures d'index sur une relation, ce qui autorisait des accès rapides à partir des attributs n'appartenant pas au domaine. Le paragraphe 8.6 nous a appris qu'il était possible d'utiliser une combinaison d'index sur plusieurs relations pour effectuer des recherches complexes avec un coût en temps proportionnel au nombre de tuples effectivement visités.

b) A l'étape (2), on peut tirer parti d'un index sur la composante Etudiant de Cours-Etudiant-Note pour obtenir en un temps $O(k)$ tous les cours suivis par A. Talon, s'il suit k cours.

c) A l'étape (3), on peut tirer parti d'un index sur Cours dans la relation

Cours-Jour-Heure

pour trouver toutes les occurrences des k cours de l'étape (2) avec un temps moyen proportionnel à la somme de toutes les occurrences de ces cours. Si l'on suppose qu'aucun cours n'a lieu plus de cinq fois par semaine, il y aura au plus $5k$ tuples, et on pourra les trouver avec un temps moyen en $O(k)$. S'il n'existe pas d'index sur Cours pour cette relation, mais qu'il en existe un sur Jour et/ou Heure, on peut en tirer parti, bien que le nombre de tuples parcourus puisse largement dépasser $O(k)$, selon le nombre de cours ayant lieu le lundi, ou commençant à 9h un jour quelconque.

d) A l'étape (4), on peut utiliser un index sur Cours pour la relation Cours-Salle. Dans ce cas, on retrouve la salle souhaitée avec un temps moyen en $O(1)$.

La conclusion est que si l'on dispose de tous les index appropriés, on peut répondre à cette requête très compliquée avec un temps moyen en $O(k)$. Comme on peut supposer que k, le nombre de cours suivis par A. Talon, est petit — sans doute autour de 5 — cette quantité de temps est en général très faible, et en particulier ne dépend de la taille d'aucune relation mise en jeu.

EXERCICES

8.6.1 : Supposons que la relation Cours-Etudiant-Note de la figure 8.9 n'ait pas d'index sur les couples Cours-Etudiant, mais uniquement sur l'attribut Cours. En quoi cela affecterait-il le temps d'exécution de l'algorithme de la figure 8.9 ? Et si l'index ne portait que sur Etudiant ?

8.6.2 : Etudiez la manière dont on pourrait répondre efficacement aux requêtes suivantes. Dans chaque cas, dites quelles suppositions vous faites sur le nombre d'éléments des ensembles intermédiaires (par exemple, le nombre de cours suivis par A. Talon), et dites également quels sont les index dont vous supposez l'existence.

a)   Trouver tous les pré-requis des cours suivis par A. Talon.

b)   Trouver les numéros de téléphone de tous les étudiants qui suivent un cours ayant lieu dans l'amphi 65.

c)   Trouver les pré-requis des pré-requis de CS206.

8.6.3 : En admettant qu'aucun index n'existe, combien de temps prendrait chaque requête de l'exercice 8.6.2, en fonction de la taille des relations impliquées, en supposant que les itérations sur tous les tuples soient directes, comme dans les exemples de ce paragraphe ?

8.7   Une algèbre de relations

Au paragraphe 8.6, nous avons vu qu'une requête mettant en jeu plusieurs relations pouvait être très compliquée. Il est utile d'exprimer de telles requêtes dans un langage de « plus haut niveau » que Pascal, au sens où la requête doit exprimer notre souhait plus directement (par exemple, tous les tuples dont la composante Cours est égale à « C101 ») sans avoir à s'occuper de problèmes comme le parcours d'index, comme le ferait un programme Pascal. Un langage a été développé dans cette optique, *l'algèbre relationnelle.*

Comme n'importe quelle algèbre, l'algèbre relationnelle nous permet d'exprimer différemment des requêtes, en leur appliquant des lois algébriques. Comme des requêtes complexes sont souvent composées de nombreuses étapes différentes avant que l'on puisse obtenir une réponse à partir des données stockées, et comme des expressions algébriques différentes représentent des séries d'étapes différentes, l'algèbre relationnelle fournit un excellent exemple d'algèbre en tant que théorie de conception. En fait, l'amélioration de l'efficacité rendue possible par la transformation des expressions de l'algèbre relationnelle, est sans aucun doute l'exemple le plus frappant de la puissance de l'algèbre que l'on puisse trouver en informatique. La possibilité d'« optimiser » les requêtes par transformation algébrique constitue le sujet du paragraphe 8.9.

Opérandes de l'algèbre relationnelle

En algèbre relationnelle, les opérandes sont des relations. Comme dans d'autres algèbres, les opérandes peuvent être soit des constantes — ici des relations particulières — soit des variables représentant des relations inconnues. Toutefois, qu'il soit variable ou constant, chaque opérande possède un schéma spécifique (la liste d'attributs désignant ces colonnes). On peut donc représenter un **argument constant** par

A	B	C
0	1	2
0	3	4
5	2	3

Cette relation a le schéma $\{A, B, C\}$, et possède trois tuples, $(0,1,2)$, $(0,3,4)$, et $(5,2,3)$.

Un **argument variable** pourra être représenté par $R(A, B, C)$, qui décrit une relation R, dont les colonnes ont pour noms A, B, et C mais dont l'ensemble de tuples est inconnu. Si le schéma $\{A, B, C\}$ pour R est sous-entendu ou sans objet, on se contentera d'utiliser R comme opérande.

Ensemble d'opérateurs de l'algèbre relationnelle

Les trois premiers opérateurs que nous utiliserons sont des opérations d'ensemble classiques : **l'union**, **l'intersection**, et **la différence**, que nous avons étudiées au paragraphe 7.3. Nous ajoutons une contrainte sur les opérandes de ces opérateurs : les schémas des deux opérandes doivent être les mêmes. On prend alors pour le résultat le même schéma que les opérandes.

✦ **Exemple 8.11.** Soit R et S les relations de la figure 8.11(a) et (b), respectivement. On notera que les deux relations ont le schéma $\{A, B\}$. L'opérateur union produit une relation contenant chaque tuple apparaissant soit dans R, soit dans S, soit dans les deux. Les relations étant des ensembles, vous remarquerez qu'il ne peut jamais y avoir plusieurs copies du même tuple, même si un tuple apparaît aussi bien dans R que dans S, comme c'est le cas de $(0, 1)$ dans cet exemple. La relation $R \cup S$ apparaît dans la figure 8.11(c).

L'opérateur intersection produit la relation qui contient les tuples apparaissant en même temps dans les deux opérandes. La relation $R \cap S$ contient donc le seul tuple $(0, 1)$, comme le montre la figure 8.11(d). La différence produit une relation contenant les tuples de la première relation qui n'appartiennent pas à la seconde. La relation $R - S$, montrée à la figure 8.11(e), possède le tuple $(2, 3)$ de R, car ce tuple n'est pas dans S, mais il ne possède pas le tuple $(0, 1)$ de R, parce qu'il se trouve également dans S. ✦

L'opérateur de restriction

Les autres opérateurs de l'algèbre relationnelle sont conçus pour effectuer les types d'actions que nous avons étudiées dans ce chapitre. Par exemple, il nous est souvent arrivé de vouloir extraire d'une relation des tuples répondant à certaines conditions, par exemple tous les tuples de la relation

Cours-Etudiant-Note

A	B
0	1
2	3

(a) R

A	B
0	1
4	5

(b) S

A	B
0	1
2	3
4	5

(c) $R \cup S$

A	B
0	1

(d) $R \cap S$

A	B
2	3

(e) $R - S$

Figure 8.11 : Exemples d'opérations de l'algèbre relationnelle.

dont la composante Cours a la valeur « CS101 ». Pour cela, on utilise l'opérateur de *restriction*. Cet opérateur prend une seule relation comme opérande mais prend également une expression conditionnelle comme « paramètre ». On écrit l'opérateur de restriction $\sigma_C(R)$, où σ est le symbole de l'opération restriction, C est la condition, et R est l'opérande relation. La condition C peut avoir des opérandes qui sont soit des attributs du schéma de R, soit des constantes. Les opérateurs autorisés dans C sont ceux qui servent habituellement pour les expressions conditionnelles en Pascal, c'est-à-dire les comparaisons arithmétiques et les opérateurs logiques.

Le résultat de cette opération est une relation dont le schéma est le même que celui de R. Dans cette relation, on place tous les tuples t de R tels que la condition C devient vraie lorsque l'on substitue pour chaque attribut A la composante du tuple t située dans la colonne de A.

✦ **Exemple 8.12.** Soit CEN la notation abrégée de la relation Cours-Etudiant-Note de la figure 8.1. Si l'on veut les tuples ayant la valeur « CS101 » pour leur composante Cours, on peut écrire l'expression

$$\sigma_{\text{Cours}=\text{« CS101 »}}(CEN)$$

Le résultat de cette expression est une relation ayant le même schéma que CEN, c'est-à-dire {Cours, Etudiant, Note}, et l'ensemble des tuples montrés à la figure 8.12. Autrement dit, la condition devient vraie seulement pour les tuples dont la composante Cours a la valeur « CS101 ». Dans ce cas, lorsque l'on substitue « CS101 » à Cours, la condition devient « CS101 » = « CS101 ». Si le tuple contient une autre valeur, « EE200 » par exemple, dans la composante Cours, on obtient une expression comme « EE200 » = « CS101 », qui est fausse. ✦

Cours	Etudiant	Note
CS101	12345	A
CS101	67890	B
CS101	33333	A−

Figure 8.12 : Résultat de l'expression $\sigma_{\text{Cours}=\,\ll\,\text{CS101}\,\gg}(CEN)$.

L'opérateur de projection

Alors que l'opérateur de restriction recopie la relation en supprimant quelques rangées, il est souvent utile de faire une copie où n'apparaissent plus quelques colonnes. Pour cela, on dispose de l'opérateur de *projection*, représenté par le symbole π. A l'instar de la restriction, l'opérateur de projection prend une seule relation comme argument, ainsi qu'un paramètre, qui est une liste d'attributs choisis parmi ceux du schéma de la relation donnée en argument.

Si R est une relation avec l'ensemble d'attributs $\{A_1, \ldots, A_k\}$, et si $(B_1, \ldots, B_n)$ est une liste de certains des A_i, alors $\pi_{B_1,\ldots,B_n}(R)$, la *projection de R sur les attributs $B_1, \ldots, B_n$*, est l'ensemble de tuples obtenu en procédant de la manière suivante. On prend chaque tuple t de R, et on en extrait ses composantes pour les attributs $B_1, \ldots, B_n$; donnons à ces composantes les noms $b_1, \ldots, b_n$, respectivement. Puis ajoutons le tuple $(b_1, \ldots, b_n)$ à la relation $\pi_{B_1,\ldots,B_n}(R)$. On notera que plusieurs tuples de R peuvent avoir les mêmes composantes dans tous les $B_1, \ldots, B_n$. Dans ce cas, une copie seulement de la projection de ces tuples se retrouve dans $\pi_{B_1,\ldots,B_n}(R)$, puisque cette relation, comme toute relation, ne peut pas contenir plusieurs copies d'un même tuple.

✦ **Exemple 8.13.** Supposons que l'on ne s'intéresse qu'aux numéros des étudiants qui suivent le cours CS101. On pourra appliquer la même restriction que dans l'exemple 8.12, qui nous donnait tous les tuples de la relation CEN contenant le cours CS101, mais il faudra ensuite éliminer le cours et la note ; autrement dit, la projection s'effectue uniquement sur Etudiant. L'expression permettant de faire ces deux opérations est

$$\pi_{\text{Etudiant}}\left(\sigma_{\text{Cours}=\,\ll\,\text{CS101}\,\gg}(CEN)\right)$$

Le résultat de cette expression est la relation de la figure 8.12 projetée sur sa composante Etudiant — c'est-à-dire la relation unaire de la figure 8.13. ✦

Etudiant
12345
67890
33333

Figure 8.13 : Les étudiants qui suivent le cours CS101.

Jointure de relations

Enfin, il faut un moyen permettant d'exprimer l'idée que deux relations sont connectées, de manière à pouvoir naviguer de l'une à l'autre. Pour cela, on utilise l'opérateur de *jointure* que nous noterons $\bowtie$ [3]. Supposons que nous ayons deux relations R et S, avec les ensembles d'attributs (schémas) $\{A_1, \ldots, A_n\}$ et $\{B_1, \ldots, B_m\}$, respectivement. On tire un attribut de chaque ensemble — par exemple A_i et B_j — et ces attributs deviennent paramètres de l'opération de jointure ayant pour arguments R et S.

La jointure de R et S, que l'on écrit $R \underset{A_i=B_j}{\bowtie} S$, est formée en prenant chaque tuple r de R et chaque tuple s de S, et en les comparant. Si la composante de r pour A_i est égale à celle de s pour B_j, on forme un seul tuple à partir de r et s ; sinon, aucun tuple n'est créé, à partir de r et s. On forme un tuple à partir de r et s en prenant les composantes de r et en les faisant suivre de toutes les composantes de s, excepté la composante associée à l'attribut B_j, qui est d'ailleurs la même que la composante de r associée à A_i.

La relation $R \underset{A_i=B_j}{\bowtie} S$ est un ensemble de tuples construits de cette manière. On notera que cette relation peut être vide, si aucune valeur n'apparaissant dans la colonne A_i de R n'apparaît aussi dans la colonne B_j de S. A l'autre extrême, il se peut que tous les tuples de R aient la même valeur pour leur composante A_i, et que cette valeur apparaisse aussi dans la composante B_j de tous les tuples de S. Dans ce cas, le nombre de tuples de la jointure serait le produit du nombre de tuples de R par le nombre de tuples S, puisque chaque couple de tuples conviendrait. En général, la vérité se situe quelque part entre ces deux extrêmes ; chaque tuple de R s'associe avec quelques tuples de S, mais pas tous.

Le schéma de la relation issue de la jointure est

$$\{A_1, \ldots, A_n, B_1, \ldots, B_{j-1}, B_{j+1}, \ldots, B_m\}$$

c'est-à-dire l'ensemble de tous les attributs de R et S hormis B_j. Toutefois, il peut quand même y avoir deux occurrences du même nom dans cette liste, si l'un des A_i était le même que l'un des B_i (autre que B_j, qui n'est pas un attribut de la jointure). Dans ce cas, il faudra faire en sorte que l'un des ces attributs identiques soit renommé.

✦ **Exemple 8.14.** Supposons que l'on souhaite effectuer une opération impliquant la relation

      Cours-Jour-Heure

(que nous abrégerons en CJH), et la relation Cours-Salle (CS). Par exemple, on pourrait avoir envie de savoir à quelles heures chaque salle est occupée par un cours. Pour répondre à cette requête, il faut apparier chaque tuple de CS avec chaque tuple de CJH, sachant que les composantes de l'attribut Cours sont les mêmes pour les deux tuples — c'est-à-dire si les tuples parlent du même cours. Si l'on effectue la jointure de CS avec CJH, en recherchant l'égalité pour les deux attributs Cours, on obtiendra la relation ayant pour schéma

---

[3] La « jointure » décrite ici est moins générale que celle que l'on trouve habituellement en algèbre relationnelle, mais elle permettra de sentir l'intérêt de cet opérateur, sans pour autant se perdre dans toutes les complexités du sujet.

{Cours, Salle, Jour, Heure}

qui contient chaque tuple (c, s, j, h) tel que (c, s) soit un tuple de CS et que (c, j, h) soit un tuple de CJH. L'expression définissant cette relation est

$$CS \underset{\text{Cours=Cours}}{\bowtie} CJH$$

et la valeur de la relation produite par cette expression, en supposant que les relations contiennent les tuples trouvés à la figure 8.2, est montrée à la figure 8.14.

Cours	Salle	Jour	Heure
CS101	Amphi 65	Lu	9h
CS101	Amphi 65	Me	9h
CS101	Amphi 65	Ve	9h
EE200	Tour 44 salle 208	Ma	10h
EE200	Tour 44 salle 208	Me	13h
EE200	Tour 44 salle 208	Je	10h

Figure 8.14 : Jointure de CS et CJH sur Cours = Cours.

Pour comprendre comment la relation de la figure 8.14 est construite, considérons le premier tuple de CS, qui est (CS101, Amphi 65). On examine les tuples de CJH pour voir si certains contiennent la même valeur pour Cours, c'est-à-dire « CS101 ». Dans la figure 8.2(c), on voit que les trois premiers tuples correspondent, et à partir de chacun d'entre eux, on construit l'un des trois premiers tuples de la figure 8.14. Par exemple, le premier tuple de CJH, c'est-à-dire (CS101, Lu, 9h), est joint au tuple (CS101, Amphi 65) pour créer le premier tuple de la figure 8.14. On notera que ce tuple est en accord avec chacun des deux tuples à partir desquels il est construit.

De la même manière, le deuxième tuple de CS, (EE200, Tour 44 salle 208), partage sa composante Cours avec chacun des trois derniers tuples de CJH. Ces trois appariements donnent naissance aux trois derniers tuples de la figure 8.14. Le dernier tuple de CS,

(PH100, Amphi 34B)

n'a de composante Cours commune avec aucun tuple de CJH. Ce tuple ne contribue donc absolument pas à la jointure. ✦

Jointure naturelle

Lorsque l'on joint deux relations R et S, les attributs que l'on met en correspondance ont souvent le même nom. Si de plus, R et S n'ont pas d'autres noms d'attribut en commun, on peut omettre le paramètre de la jointure, et écrire simplement $R \bowtie S$. Ce type de jointure est appelée *jointure naturelle*.

Par exemple, la jointure de l'exemple 8.14 est une jointure naturelle. Les attributs mis en correspondance portent tous deux le nom Cours, et les attributs restants de

SQL, un langage basé sur l'algèbre relationnelle

Nombre de systèmes de base de données modernes utilisent un langage appelé SQL (Structured Query Language) pour exprimer les requêtes. Bien qu'un guide complet de ce langage dépasse le cadre de ce livre, nous pouvons donner au lecteur une idée de ce qu'est SQL avec quelques exemples.

```
SELECT Etudiant
FROM CEN
WHERE Cours = "CS101"
```

est une façon SQL d'exprimer la requête de l'exemple 8.13, c'est-à-dire,

$$\pi_{\text{Etudiant}}\big(\sigma_{\text{Cours}=\text{« CS101 »}}(CEN)\big)$$

La clause `FROM` indique la relation à laquelle est appliquée la requête. La clause `WHERE` donne la condition de la restriction, et la clause `SELECT` donne la liste des attributs sur lesquels la réponse est projetée.

Plus compliqué, voici une façon d'exprimer la requête de l'exemple exemple 8.15, à savoir $\pi_{\text{Jour,Heure}}\big(\sigma_{\text{Salle}=\text{« Amphi 65 »}}(CS \bowtie CJH)\big)$, avec SQL :

```
SELECT Jour, Heure
FROM CS, CJH
WHERE CS.Cours = CJH.Cours AND Salle = "Amphi 65"
```

Ici, la clause `FROM` nous dit que nous allons joindre les deux relations CS et CJH. La première partie de la clause `WHERE` est la condition de jointure ; elle dit que l'attribut Cours de CS doit être mis en correspondance avec l'attribut Cours de CJH. La seconde partie de la clause `WHERE` est la condition de restriction. La clause `SELECT` nous donne les attributs de la projection.

CS et CJH ont tous des noms distincts. Nous aurions donc pu nous contenter d'écrire $CS \bowtie CJH$.

Arbres d'expression pour les expressions de l'algèbre relationnelle

De la même façon que l'on a dessiné des arbres d'expression pour les expressions arithmétiques, on peut représenter les expressions de l'algèbre relationnelle sous forme d'arbre. Les feuilles sont étiquetées par les opérandes, c'est-à-dire par des relations spécifiques ou des variables représentant des relations. Chaque nœud intérieur est étiqueté par un opérateur, accompagné de son paramètre s'il s'agit d'une restriction, d'une projection, ou d'une jointure (sauf pour la jointure naturelle, qui ne demande pas de paramètre). Les fils de chaque nœud intérieur N sont les nœuds représentant les opérandes auxquels s'applique l'opérateur du nœud N.

✦ **Exemple 8.15.** En s'inspirant de l'exemple 8.14, supposons que l'on ne veuille pas voir la relation $CS \bowtie CJH$ toute entière, mais seulement les couples Jour-Heure pour lesquels l'Amphi 65 est occupé par un cours. On doit donc prendre la relation de la figure 8.14, et

1. choisir les tuples ayant pour composante Salle « Amphi 65 », et

2. projeter sur les attributs Jour et Heure.

L'expression qui effectue la jointure, la restriction, et la projection, dans cet ordre, est

$$\pi_{\text{Jour,Heure}}\big(\sigma_{\text{Salle}=\text{« Amphi 65 »}}(CS \bowtie CJH)\big)$$

On pourrait aussi représenter cette expression par un arbre comme celui de la figure 8.15. La relation calculée au nœud de jointure apparaît à la figure figure 8.14. La relation produite par le nœud de restriction est constituée des trois premiers tuples de la figure 8.14, car ils ont « Amphi 65 » pour composante Salle. La relation produite par la racine de l'arbre d'expression est montrée à la figure 8.16, c'est-à-dire, les composantes Jour et Heure de ces trois tuples. ✦

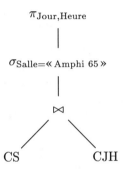

Figure 8.15 : Arbre d'expression dans l'algèbre relationnelle.

Jour	Heure
Lu	9h
Me	9h
Ve	9h

Figure 8.16 : Résultat de l'expression de la figure 8.15.

EXERCICES

8.7.1 : Exprimez les requêtes de l'exercice 8.4.2(a, b, c) dans l'algèbre relationnelle. On admettra que la réponse souhaitée est le(s) tuple(s) complet(s).

8.7.2 : Répétez l'exercice 8.7.1, en supposant que l'on ne souhaite obtenir que les composantes qui ont une ∗ dans leur spécification.

8.7.3 : Exprimez les requêtes de l'exercice 8.6.2(a, b, c) dans l'algèbre relationnelle. On notera que pour la partie (c), vous aurez à renommer certains attributs pour pouvoir prendre la jointure de la relation avec elle-même.

8.7.4 : Exprimez la requête « Où se trouve A. Talon à 9h le lundi ? » dans l'algèbre relationnelle. La discussion de la fin du paragraphe 8.6 indique les jointures nécessaires pour répondre à cette requête.

8.7.5 : Dessinez les arbres d'expression pour les requêtes de l'exercice 8.7.2(a) à (c), l'exercice 8.7.3(a) à (c), et l'exercice 8.7.4.

8.8   Implémentation des opérations de l'algèbre relationnelle

L'utilisation de structures de données et d'algorithmes appropriés pour les opérations de l'algèbre relationnelle permet d'accélérer les requêtes sur une base de données. Dans ce paragraphe, on se penchera sur quelques stratégies, parmi les plus simples et les plus fréquentes, servant à implémenter des opérations de l'algèbre relationnelle.

Implémentation de l'union, l'intersection, et la différence

Les trois opérations ensemblistes de base peuvent être implémentées de la même façon pour les relations que pour les ensembles. On peut prendre l'union de deux ensembles ou de deux relations en triant les deux ensembles et en les fusionnant, comme étudié au paragraphe 7.4. L'intersection et la différence peuvent être calculées avec une technique similaire. Si les relations contiennent chacune n tuples, le coût du tri est en $O(n \log n)$ et celui de la fusion est en $O(n)$, soit au total $O(n \log n)$.

Toutefois, il existe plusieurs autres manières de prendre l'union des relations R et S, et qui sont parfois plus efficaces. D'abord, on pourrait ne pas se soucier d'éliminer la copie d'un tuple apparaissant aussi bien dans R que dans S. On pourrait construire $R \cup S$ en faisant une copie de R, en tant que liste chaînée par exemple, et en lui accrochant tous les tuple de S, sans vérifier si un tuple de S est également dans R. Cette opération peut être effectuée dans un temps proportionnel à la taille de R et S. En conséquence, le résultat n'est pas à proprement parler une union, puisqu'il peut comporter des tuples en double. Cependant, il se peut que la présence de doublons ne soit pas importante, parce que l'on s'attend à ce qu'ils soient rares. On peut aussi trouver plus pratique d'éliminer les doublons plus tard, par exemple en effectuant un tri après avoir pris l'union de plusieurs relations supplémentaires.

Un autre possibilité est d'utiliser un index. Par exemple, supposons que S ait un index sur l'attribut A, et que cet attribut soit une clé pour S. On peut alors prendre l'union $R \cup S$ en commençant par les tuples de S, et en examinant tour à tour chaque tuple t de R. On trouve la valeur de t pour sa composante A — appelons-la a — et on utilise l'index pour chercher le tuple de S qui a la valeur a dans sa composante A. Si ce tuple de S est identique à t, alors on n'ajoute pas t à l'union une seconde fois ; mais s'il n'existe aucun tuple ayant la valeur de clé a dans S, ou si le tuple contenant cette valeur n'est pas égal à t, on ajoute t à l'union.

Si l'index nous donne un temps moyen en $O(1)$ pour la recherche d'un tuple en connaissant sa valeur de clé, alors cette méthode prend un temps moyen proportionnel à la somme des tailles de R et S. Mieux, la relation qui en résulte ne contient aucun doublon, aussi longtemps que R et S n'en contiennent pas elles-même.

Implémentation de la projection

En principe, lorsque l'on effectue une projection, on n'a pas d'autre choix que de parcourir chaque tuple et d'en faire une copie en omettant les composantes correspondant aux attributs qui ne sont pas sur la liste de projection. Les index ne nous sont d'aucun secours. En plus, après avoir calculé la projection de chaque tuple, on peut se retrouver avec de nombreux doublons.

Par exemple, supposons que l'on ait une relation R avec le schéma (A, B, C) et que l'on calcule $\pi_{A,B}(R)$. Bien que R ne puisse pas contenir deux tuples ayant les mêmes valeurs pour tous les attributs A, B, et C, il se peut que de nombreux tuples aient des valeurs égales pour les attributs A et B mais différentes pour l'attribut C. Tous ces tuples engendreront le même tuple après la projection.

Donc, après avoir calculé une projection comme $S = \pi_L(R)$, pour une relation R et une liste d'attributs L, il faut éliminer les doublons. Par exemple, on pourrait trier S et ensuite parcourir S dans l'ordre trié. Chaque tuple égal au tuple précédent dans la séquence sera éliminé. On peut aussi éliminer les doublons en considérant la relation S comme un ensemble ordinaire. Chaque fois que l'on génère un tuple en projetant un tuple de R sur les attributs de la liste L, on l'insère dans l'ensemble. Comme pour toutes les insertions ensemblistes, si l'élément inséré est déjà présent, on ne fait rien de particulier. Une structure comme une table de hachage servira de façon adéquate à représenter l'ensemble S des tuples générés par la projection.

Le tri de la relation S avant élimination des doublons prend un temps en $O(n \log n)$ si n tuples sont présents dans la relation R. Si par contre on applique une fonction de hachage aux tuples de S au moment de leur création, et que l'on utilise un nombre de paquets proportionnel à n, alors la projection toute entière prendra un temps en $O(n)$, en moyenne. Le hachage est donc en général légèrement plus performant que le tri.

Implémentation de la restriction

Quand on effectue une restriction $S = \sigma_C(R)$ et qu'il n'existe aucun index sur R, nous n'avons pas d'autre choix que de parcourir tous les tuples de R et de leur appliquer la condition C. Quelle que soit la manière dont on effectue la restriction, on sait qu'il ne peut y avoir de doublon dans le résultat S, aussi longtemps que R n'en contient pas.

Cependant, s'il existe des index sur R, alors on peut souvent tirer parti de l'un d'entre eux pour se diriger vers les tuples qui satisfont à la condition C, et on peut donc éviter d'avoir à rechercher la plupart des tuples qui ne satisfont pas C. La situation la plus simple se produit lorsque la condition C est de la forme $A = b$, où A est un attribut de R et b une constante. Si R a un index sur A, on peut alors retrouver tous les tuples qui satisfont à cette condition en recherchant b dans l'index.

Si la condition C est l'intersection logique (ET) de plusieurs conditions, alors on peut utiliser l'une d'elles pour rechercher les tuples en s'aidant d'un index, et en testant ensuite les tuples récupérés pour déterminer ceux qui satisfont aux conditions restantes. Par exemple, supposons que la condition C soit

$$(A = a) \text{ ET } (B = b)$$

On a alors le choix d'utiliser un index sur A ou un index sur B, si l'un des deux, ou les deux, existent. Supposons qu'il existe un index sur B, et qu'il n'y ait pas d'index sur A, ou que l'on préfère utiliser celui de B. On récupère alors tous les tuples de R qui ont la valeur b dans leur composante B. Chacun de ces tuples qui contient a dans leur composante A appartient à la relation S, le résultat de la restriction ; ce n'est pas le cas des autres tuples récupérés. Le temps pris pour la restriction est proportionnel au nombre de tuples ayant b pour composante B, qui se situe en général quelque part entre le nombre de tuples de R et le nombre de tuples de la réponse S.

Implémentation de la jointure

Supposons que l'on veuille prendre la jointure naturelle de la relation R, de schéma $\{A, B\}$, et la relation S, de schéma $\{B, C\}$. Supposons également que la jointure soit naturelle, avec égalité entre les attributs B des deux relations [4]. La façon d'effectuer cette jointure va dépendre des index que l'on pourra trouver sur l'attribut B. Les diverses possibilités sont similaires à celles étudiées au paragraphe 8.6, lorsque l'on s'intéressait à la manière de naviguer parmi les relations, car la jointure est le support essentiel de la navigation.

Il existe un moyen évident et lent de calculer la jointure, appelé **jointure par boucles imbriquées**. On compare chaque tuple d'une relation avec chaque tuple de l'autre, ainsi :

> **for** chaque tuple r de R
> > **for** chaque tuple s de S
> > > **if** r et s ont le même attribut B **then**
> > > > afficher le tuple qui contient les mêmes attributs
> > > > A, B, et C que r et s

Cela dit, il existe plusieurs manières plus efficaces de calculer une jointure. L'une d'elles est appelée **jointure par index**. Supposons que S ait un index sur B. On peut alors visiter chaque tuple t de R et trouver sa composante B — disons b. On recherche b dans l'index de S, et on obtient tous les tuples qui ont la même valeur que t pour l'attribut B.

De même, si R a un index sur B, on peut parcourir les tuples de S. Pour chacun de ces tuples, on recherche les tuples correspondants dans R, en utilisant l'index sur B de R. Si R et S ont tous deux des index sur B, on peut choisir l'un des deux. Comme nous le verrons, ce choix induit une différence sur la quantité de temps dépensée par la jointure.

S'il n'existe pas d'index sur B, on peut quand même faire mieux qu'une jointure par boucles impriquées grâce à une technique appelée **jointure par tri**. On commence par fusionner les tuples de R et S, mais en les réorganisant de manière à placer les composantes de B en premier dans tous les tuples, et en leur ajoutant une composante supplémentaire, qui est soit R (quand le tuple vient de la relation R) ou S (quand le tuple vient de S). Autrement dit, un tuple (a, b) de R devient (b, a, R), tandis qu'un tuple (b, c) de S devient (b, c, S).

On trie la liste fusionnée de tuples sur la première composante (b). A présent, tous les tuples des deux relations qui sont joints à cause de leur valeur B commune se

---

[4] Nous ne montrons pour chaque relation qu'un seul attribut (A et C) non impliqué dans la jointure, mais les idées mentionnées ici s'appliquent aussi aux relations comportant plusieurs attributs.

suivent, bien que les tuples des deux relations puissent être mélangés[5]. On visite les
tuples pour chaque valeur de B, en redescendant la liste triée. Lorsque l'on arrive aux
tuples ayant la valeur b pour B, on peut apparier tous les tuples issus de R avec ceux
issus de S. Comme ces tuples ont tous la même valeur pour B, ils sont tous joints, et
le temps dépensé pour produire les tuples de la relation de jointure est proportionnel
au nombre de tuples produits, sauf dans le cas où il n'existe aucun tuple issu de R, ou
aucun tuple issu de S. Dans le dernier cas, il faudra tout de même dépenser un temps
proportionnel au nombre de tuples ayant b comme valeur pour B, simplement pour les
examiner tous une fois et les sauter dans la liste triée.

✦ **Exemple 8.16.** Supposons que l'on veuille prendre la jointure de la relation CJH de
la figure 8.2(c) avec la relation CS de la figure 8.2(d). Ici, Cours joue le rôle de l'attribut
B, Jour et Heure ensemble jouent le rôle de A, et Salle joue le rôle de C. Les six tuples
de CJH et les trois de CS sont d'abord complétés avec le nom de la relation. Aucune
réorganisation des composantes n'est nécessaire, car Cours est le premier attribut pour
les deux relations. Quand on compare les tuples, on commence par comparer les composantes Cours, en utilisant l'ordre lexicographique pour déterminer le nom de cours
qui sera ordonné en premier. Si l'on trouve un lien, c'est-à-dire si les noms de cours
sont les mêmes, on compare les dernières composantes, pour placer CJH avant CS. Si
un lien existe toujours, on peut autoriser n'importe lequel des deux tuples à précéder
l'autre.

CS101	Lu	9h	CJH
CS101	Me	9h	CJH
CS101	Ve	9h	CJH
CS101	Amphi 65	CS	
EE200	Ma	10h	CJH
EE200	Me	13h	CJH
EE200	Ve	10h	CJH
EE200	Tour 44 salle 208	CS	
PH100	Amphi 34B	CS	

Figure 8.17 : Liste triée des tuples de CJH et CS.

On obtient alors un ordre trié pour les tuples, comme le montre la figure 8.17.
On remarque que cette liste n'est pas une relation, car elle possède des tuples de
longueurs différentes. Cela dit, elle regroupe bien les tuples contenant CS101 et ceux
qui contiennent EE200, de manière à pouvoir facilement prendre la jointure de ces
groupes de tuples. ✦

---

[5] On pourrait s'arranger pour que, pendant le tri, la dernière composante — c'est-à-dire le nom de
la relation — soit prise en compte, pour qu'un tuple ayant une valeur donnée pour B dans la relation
R puisse précéder un tuple ayant la même valeur de B dans la relation S. Dans ce cas, les tuples ayant
une valeur B commune apparaîtront classés, ceux venant de R en premier, puis ceux venant de S.

Comparaison entre les méthodes de jointure

Supposons que l'on prenne la jointure de la relation R, de schéma $\{A, B\}$, et de la relation S, de schéma $\{B, C\}$, et que R et S contiennent respectivement r et s tuples. Soit aussi m le nombre de tuples de la jointure. Rappelez-vous que la taille m peut atteindre rs, si chaque tuple de R est joint avec chaque tuple de S (s'ils ont tous la même valeur de l'attribut B), mais qu'elle peut aussi être nulle, si aucun tuple de R ne contient la même valeur en B qu'un tuple de S. Enfin, on admettra que l'on peut trouver une valeur quelconque dans l'index avec un coût moyen en $O(1)$, comme ce serait le cas si l'index était une table de hachage avec un nombre suffisant de paquets.

Toutes les méthodes de jointure prendront au moins un temps en $O(m)$, simplement pour produire la réponse. Toutefois certaines prendront plus de temps. Si l'on utilise la jointure par boucles imbriquées, les comparaisons s'effectueront en un temps rs. Comme $m \leq rs$, on peut négliger le temps utilisé pour produire la réponse, et dire que le coût de l'appariement de tous les tuples est en $O(rs)$.

Par ailleurs, on pourrait trier les relations. Si l'on utilisait un algorithme comme le tri par fusion pour trier la liste combinée de $r + s$ tuples, le temps requis serait

$$O\big((r + s)\log(r + s)\big)$$

La construction des tuples générés par les tuples adjacents de la liste triée prendra $O(r + s)$ pour examiner la liste, plus $O(m)$ pour produire la réponse. Le coût du tri domine le terme en $O(r + s)$, mais le coût en $O(m)$ de la sortie peut être soit supérieur, soit inférieur, au temps de tri. Il faut donc inclure les deux termes dans le temps d'exécution de l'algorithme de jointure par tri; ce temps d'exécution vaut donc

$$O\big(m + (r + s)\log(r + s)\big)$$

Comme m n'est jamais supérieur à rs, et que $(r + s)\log(r + s)$ est supérieur à rs uniquement dans certains cas inhabituels (par exemple, quand r ou s vaut 0), on conclut que la jointure par tri est en général plus rapide que la jointure par boucles imbriquées.

Supposons à présent que l'on dispose d'un index sur B dans la relation S. La recherche de chaque tuple de R et de sa valeur B dans l'index coûte $O(r)$. Il faut ajouter à ce temps le coût en $O(m)$ de la récupération des tuples appariés pour les diverses valeurs de B, et celui dépensé par la production des tuples résultants. Comme m peut être soit supérieur, soit inférieur à r, l'expression du coût pour cette jointure par index est $O(m + r)$. De même, s'il existe un index sur B pour la relation R, on peut effectuer la jointure par index avec un temps en $O(m + s)$. Comme r et s sont inférieurs à $(r + s)\log(r + s)$, sauf dans certaines situations inhabituelles, comme celle où $r + s \leq 1$, le temps d'exécution de la jointure par index est inférieur à celui de la jointure par tri. Bien sûr, si l'on pense faire une jointure par index, il faut disposer d'un index sur l'un des attributs impliqués dans la jointure, alors que la jointure par tri peut être faite sur n'importe quelle relation.

EXERCICES

8.8.1 : Supposons que la relation Etudiant-Nom-Adresse-Téléphone (*ENAT*) de la figure 8.2(a) soit stockée avec un index primaire sur Etudiant (la clé) et un index secondaire sur Téléphone. Comment calculeriez-vous le plus efficacement possible la réponse à la requête $\sigma_C(ENAT)$ si C était

a)   Etudiant $= 12345$ ET Adresse $\neq$ « 45 bd des Acacias »?

b)   Nom $=$ « A. Talon » ET Téléphone $= 49\,12\,34\,56$?

c)   Nom $=$ « A. Talon » OU Téléphone $= 49\,12\,34\,56$?

8.8.2 : Montrez comment faire la jointure par tri des relations CEN de la figure 8.1 et $ENAT$ de la figure 8.2(a) en triant la liste fusionnée des tuples comme dans l'exemple 8.16. On admettra que l'on souhaite une jointure naturelle, c'est-à-dire l'égalité pour les composantes Etudiant. Montrez le résultat du tri, en vous inspirant de la figure 8.17, et donnez les tuples résultant de la jointure.

8.8.3 : * Supposons que l'on prenne la jointure des relations R et S, chacune comportant n tuples, et que le résultat de l'opération comporte $O(n^{3/2})$ tuples. Ecrire des formules pour le temps d'exécution en grand O, en fonction de n, pour les techniques de jointure suivantes :

a)   Jointure par boucles imbriquées.

b)   Jointure par tri.

c)   Jointure par index, en utilisant un index sur l'attribut de jointure de R.

d)   Jointure par index, en utilisant un index sur l'attribut de jointure de S.

8.8.4 : * Nous avons proposé de prendre l'union de deux relations en utilisant un index sur un attribut A qui était la clé de l'une des relations. Cette méthode est-elle un moyen raisonnable de prendre l'union si l'attribut A sur lequel est construit l'index n'est pas une clé ?

8.8.5 : * Supposons que l'on veuille calculer (a) $R \cap S$ (b) $R - S$, en utilisant un index sur l'attribut A de R ou de S. Est-il possible d'obtenir un temps d'exécution proche de la somme des tailles des deux relations ?

8.8.6 : Si l'on projette une relation R sur un ensemble d'attributs contenant une clé de R, est-il nécessaire d'éliminer les doublons ? Pourquoi ?

8.9   Règles algébriques pour les relations

Comme pour les autres algèbres, en transformant les expressions, on a souvent la possibilité de les « optimiser ». Autrement dit, on peut prendre une expression coûteuse à évaluer, et la transformer en une expression équivalente, dont l'évaluation coûte moins cher. Alors que les transformations appliquées aux expressions arithmétiques et logiques n'économisent souvent que quelques opérations, des transformations appropriées sur des expressions de l'algèbre relationnelle peuvent faire économiser plusieurs ordres de grandeur sur le temps d'évaluation de l'expression. Etant donnée l'énorme différence entre les temps d'exécution des expressions de l'algèbre relationnelle optimisées et non-optimisées, notre capacité à optimiser de telles expressions est vitale pour des programmeurs qui s'apprêtent à programmer dans des langages de très haut niveau, comme le langage SQL que nous évoquions au paragraphe 8.7.

Règles mettant en jeu l'union, l'intersection, et la différence

Le paragraphe 7.3 abordait les principales lois algébriques pour l'union, l'intersection, et la différence d'ensembles. Leur application aux relations est un cas particulier, mais le lecteur doit garder à l'esprit la contrainte du modèle relationnel, qui impose que les schémas des relations impliquées dans ces opérations soient les mêmes.

Règles mettant en jeu la jointure

En un sens, l'opérateur de jointure est **commutatif**, et dans un autre sens, il ne l'est pas. Supposons que l'on prenne la jointure naturelle $R \bowtie S$, où R a les attributs A et B alors que S a les attributs B et C. Les colonnes du schéma $R \bowtie S$ sont donc A, B, et C, dans cet ordre. Si, à la place, on prend $S \bowtie R$, on obtient essentiellement les mêmes tuples, mais l'ordre des colonnes est B, C, et A. Donc, si l'on tient à ce que l'ordre des colonnes ait une importance, la jointure n'est pas commutative. Cependant, si l'on accepte qu'une relation, dont les colonnes sont permutées sur toute leur longueur est en fait la même relation, on peut considérer que la jointure est commutative ; ce point de vue sera adopté ici.

L'opérateur de jointure n'obéit pas toujours à la loi d'**associativité**. Par exemple, supposons que les relations R, S, et T aient pour schémas respectifs $\{A, B\}$, $\{B, C\}$, et $\{A, D\}$. Supposons que nous prenions la jointure naturelle $(R \bowtie S) \bowtie T$, où l'on commence par égaler les composantes B de R et S, puis la composante A du résultat avec celle de la relation T. Si l'on associe à partir de la droite au lieu de la gauche, on obtient $R \bowtie (S \bowtie T)$. Les relations S et T ont pour schémas respectifs $\{B, C\}$ et $\{A, D\}$. Il n'existe aucune paire d'attributs que l'on puisse égaler pour obtenir le même effet que la jointure naturelle.

Cela dit, il existe certaines conditions sous lesquelles la loi d'associativité est valable pour $\bowtie$. Nous laissons au lecteur le soin de montrer que

$$\left((R \underset{A=B}{\bowtie} S) \underset{C=D}{\bowtie} T \right) \equiv \left(R \underset{A=B}{\bowtie} (S \underset{C=D}{\bowtie} T) \right)$$

dès que A est un attribut de R, que B et C sont des attributs différents de S, et que D est un attribut de T.

Règles mettant en jeu la restriction

Les lois les plus utiles de l'algèbre relationnelle concernent l'opérateur de restriction. Si la condition de restriction demande qu'une composante spécifiée ait une certaine valeur, comme c'est souvent le cas en pratique, alors la relation qui résulte de la restriction aura tendance à avoir beaucoup moins de tuples que la relation sur laquelle porte la restriction. Comme les opérations prennent en général moins de temps si elles sont appliquées à des relations plus petites, il est extrêmement avantageux d'appliquer une restriction le plus tôt possible. En terme d'algèbre, on applique les restrictions plus tôt en utilisant une loi qui permet à une restriction de se retrouver en bas de l'arbre d'expression, sous les autres opérateurs.

Voici un exemple d'une telle règle :

$$\left(\sigma_C(R \bowtie S) \right) \equiv \left(\sigma_C(R) \bowtie S \right)$$

Cette règle est vraie pourvu que tous les attributs mentionnés dans la condition C soient des attributs de la relation R. De même, si tous les attributs mentionnés dans C sont des attributs de S, on peut faire descendre la restriction jusqu'à S, en utilisant la règle

$$\big(\sigma_C(R \bowtie S)\big) \equiv \big(R \bowtie \sigma_C(S)\big)$$

On fait référence à ces deux règles en parlant de **descente de restriction**.

Lorsque l'on a une condition complexe dans une restriction, on peut parfois en faire descendre une partie d'un côté, et une autre partie d'un autre côté, à travers une jointure. Pour **séparer une restriction** en deux parties ou plus, nous avons besoin de la règle

$$\sigma_{C \ \text{ET} \ D}(R) \equiv \sigma_C\big(\sigma_D(R)\big)$$

Vous noterez que si les parties sont reliées par un **ET**, on ne peut séparer la condition qu'en deux parties — ici C et D. Intuitivement, lorsque l'on fait une restriction à partir d'une conjonction (**ET**) de deux conditions C et D, on peut soit examiner chaque tuple de la relation R pour voir si le tuple satisfait les deux conditions, soit examiner tous les tuples de R, en ne retenant que ceux qui satisfont D, puis reprendre ces derniers pour voir s'ils satisfont la condition C. On appelle cette règle *séparation de la restriction*.

Une autre règle indispensable est la **commutativité de la restriction**. Si l'on applique deux restrictions à une relation, l'ordre dans lequel on applique ces restrictions n'a pas d'importance ; les tuples retenus seront toujours les mêmes. Formellement, on pourra écrire

$$\sigma_C\big(\sigma_D(R)\big) \equiv \sigma_D\big(\sigma_C(R)\big)$$

pour des conditions C et D quelconques.

✦ **Exemple 8.17.** Reprenons la requête complexe sur laquelle nous nous étions penché pour la première fois au paragraphe 8.6 : « Où se trouve A. Talon à 9h le lundi ? » Cette requête impose de naviguer entre plusieurs relations

1. CEN (Cours-Etudiant-Note),
2. $ENAT$ (Etudiant-Nom-Adresse-Téléphone),
3. CJH (Cours-Jour-Heure), et
4. CS (Cours-Salle).

Pour obtenir une expression algébrique pour cette requête, on peut commencer par prendre la jointure naturelle des quatre relations. Autrement dit, on connecte CEN et $ENAT$ en égalant leurs composantes Etudiant. Pensez à cette opération comme une extension de chaque tuple de

    Cours-Etudiant-Note

par l'ajout des nom, adresse, et numéro de téléphone de l'étudiant mentionné dans le tuple. Bien sûr, nous ne souhaitons pas stocker les données de cette manière, car cela nous obligerait à répéter les informations concernant chaque étudiant pour chaque cours auquel il assiste. Mais on ne stocke pas ces données, on se contente de construire une expression permettant de les manipuler.

On prend la jointure du résultat de $CEN \bowtie ENAT$ avec CJH, en égalant les composantes Cours. Cette jointure a pour effet de prendre chaque tuple de CEN (déjà étendu par les informations concernant l'étudiant), d'en faire une copie pour chaque occurrence du cours, et d'étendre chaque tuple ainsi trouvé avec l'une des valeurs possibles de Jour et Heure. Finalement, on prend la jointure du résultat de $(CEN \bowtie ENAT) \bowtie CJH$ avec la relation CS, en égalant les composantes Cours, ce qui a pour effet d'étendre chaque tuple en lui ajoutant une composante contenant la salle dans laquelle se tient le cours. La relation résultante a le schéma

{Cours, Etudiant, Note, Nom, Adresse, Téléphone, Jour, Heure, Salle}

et la signification d'un tuple $(c, e, n, n, a, t, j, h, s)$ est que

1. L'étudiant e a suivi le cours c et obtenu la note n.

2. Le nom de l'étudiant ayant le numéro e est n, son adresse est a, et son numéro de téléphone est t.

3. Le cours c se tient dans la salle r, et l'une des occurrences de ce cours est le jour j à l'heure h.

A cet ensemble de tuples, on doit appliquer la restriction qui limite notre intérêt pour les tuples dont la composante Nom est « A. Talon », la composante Jour est « Lu », et la composante Heure est « 9h ». Il y aura au moins un tuple de ce type, en admettant que A. Talon suit au plus un cours le lundi à 9h. Comme la réponse que nous voulons se trouve dans la composante Salle de ce tuple, on termine notre expression par une projection sur Salle. L'arbre d'expression pour notre requête est montré à la figure 8.18. Il est composé d'une jointure à quatre branches, suivie d'une restriction, puis d'une projection.

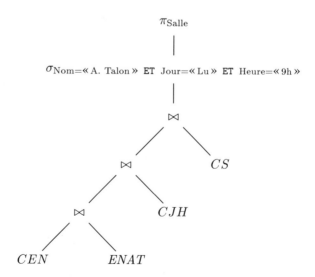

Figure 8.18 : Première expression pour déterminer où se trouve A. Talon à 9h, le lundi.

Si l'on devait évaluer l'expression de la figure 8.18 telle qu'elle est écrite, on construirait une relation énorme en joignant CEN, $ENAT$, CJH, et CS, puis en la restreignant à un seul tuple et enfin en projetant ce tuple sur une seule composante. Souvenez-vous du paragraphe 8.6, ou nous disions qu'il n'était pas nécessaire de construire une relation aussi grande ; il est possible de « faire descendre la restriction le long de l'arbre », pour restreindre les relations impliquées dans la jointure, ce qui limite beaucoup la taille des relations que l'on doit construire.

Notre première étape est montrée à la figure 8.19(a). Vous noterez que la restriction ne met en jeu que les attributs Nom, Jour, et Heure. Aucun d'entre eux n'est issu de l'opérande droit de la jointure située tout en haut de la figure 8.18 ; ils viennent tous de l'opérande gauche, qui est la jointure de CEN, $ENAT$, et CJH. On pourrait faire descendre la restriction sous la jointure du haut, et l'appliquer uniquement à l'opérande gauche, comme on le voit dans la figure 8.19(a).

A présent, on ne peut plus continuer à faire descendre la restriction, car l'un des attributs impliqués, Nom, vient de l'opérande gauche de la jointure intermédiaire sur la figure 8.19(a), tandis que les autres attributs, Jour et Heure, viennent de l'opérande droit, c'est-à-dire la relation CJH. Il faut donc séparer la conditon de la restriction, qui est la conjonction de trois conditions. On pourrait la séparer en trois conditions, mais dans cet exemple, il suffit de détacher la condition Nom = « A. Talon » des deux autres. Le résultat de cette séparation est montré à la figure 8.19(b). Ensuite, la restriction impliquant Jour et Heure peut être descendue vers l'opérande droit de la jointure intermédiaire, puisque cet opérande droit, la relation CJH, possède les deux attributs Jour et Heure. L'autre restriction, qui met en jeu l'attribut Nom, peut alors être descendue vers l'opérande gauche de la jointure intermédiaire, puisque cet opérande, $CEN \bowtie ENAT$, a Nom comme attribut. Ces deux modifications génèrent l'arbre d'expression montré à la figure 8.19(c).

Enfin, la restriction sur Nom porte sur un attribut de $ENAT$, ce qui permet de la faire descendre vers l'opérande droit de la jointure inférieure. Cette modification apparaît dans la figure 8.19(d).

Nous disposons maintenant d'une expression qui nous donne essentiellement la même stratégie que celle établie au paragraphe 8.6 pour cette requête. On commence par le bas de l'expression de la figure 8.19(d), en recherchant le(s) numéro(s) d'étudiant correspondant au nom « A. Talon ». En joignant les tuples de $ENAT$ pour lesquels Nom = « A. Talon » avec ceux de la relation CEN, on obtient les cours suivis par A. Talon. Lorsque l'on applique la deuxième restriction à la relation CJH, on obtient les cours qui ont lieu le lundi à 9h. La jointure intermédiaire de la figure 8.19(d) nous donne les tuples pour lesquels le cours est suivi par A. Talon, et se tient à 9h le lundi. La jointure supérieure permet de connaître les salles dans lesquelles ces cours ont lieu, et la projection sur ces salles nous donne la réponse.

La différence principale entre cette stratégie et celle du paragraphe 8.6 est que cette dernière commence par éliminer les composantes inutiles des tuples, alors qu'ici, elles sont transportées jusqu'à la fin. Pour compléter notre optimisation des expressions de l'algèbre relationnelle, nous avons besoin de règles qui fassent descendre les projections le long de l'arbre. Ces règles ne sont pas du tout identiques à celles qui concernent la restriction, comme nous allons le voir tout de suite. ✦

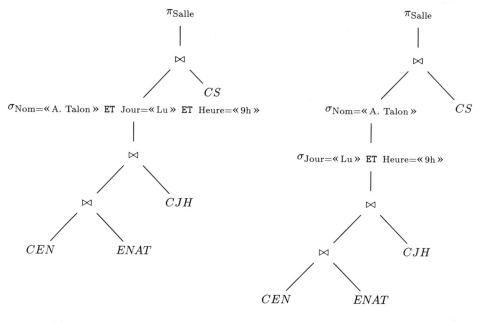

(a) Descente de la restriction
sous la jointure supérieure.

(b) Séparation de la restriction.

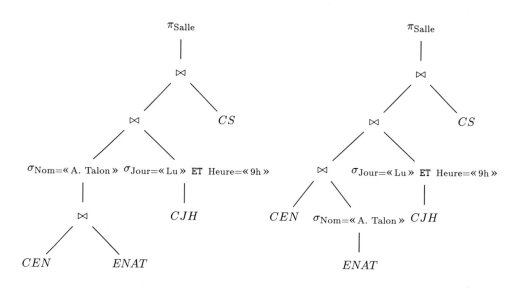

(c) Descente des deux restrictions
dans des directions différentes.

(d) Descente de la restriction sur Nom
sous la jointure inférieure.

Figure 8.19 : Descente de la restriction.

Règles mettant en jeu la projection

Premièrement, alors que l'on peut faire descendre les restrictions sous une union, une intersection, ou une différence d'ensemble (pourvu que la descente se fasse vers les *deux* opérandes), les projections ne peuvent descendre que le long des unions. Autrement dit, la règle

$$\big(\pi_L(R \cup S)\big) \equiv \big(\pi_L(R) \cup \pi_L(S)\big)$$

est vraie. En revanche, $\pi_L(R \cap S)$ n'est pas nécessairement égale à

$$\pi_L(R) \cap \pi_L(S)$$

Par exemple, supposons que R et S soient des relations avec le schéma $\{A, B\}$, que R ne contienne que le tuple (a, b), et que S ne contienne que le tuple (a, c). Alors $\pi_A(R) \cap \pi_A(S)$ contient le tuple (à composante unique) (a), ce qui n'est pas le cas de $\pi_A(R \cap S)$ (car $R \cap S$ est vide). On se retrouve donc avec la situation

$$\big(\pi_A(R \cap S)\big) \neq \big(\pi_A(R) \cap \pi_A(S)\big)$$

Il est possible de faire **descendre une projection** sous une jointure. En général, on aura besoin d'un opérateur de projection pour chaque opérande de la jointure. Si nous avons une expression $\pi_L(R \underset{A=B}{\bowtie} S)$, les attributs de R dont nous aurons besoin sont ceux qui apparaissent dans la liste des attributs L, ainsi que A, qui est l'attribut de R sur lequel la jointure est basée. De même, nous aurons besoin des attributs de S qui sont présents dans la liste L, ainsi que de l'attribut de jointure B, qu'il soit ou non dans L. Formellement, la règle de descente d'une projection sous une jointure est

$$\big(\pi_L(R \underset{A=B}{\bowtie} S)\big) \equiv \Big(\pi_L\big(\pi_M(R) \underset{A=B}{\bowtie} \pi_N(S)\big)\Big)$$

où

1. la liste M est composée des attributs de L qui se trouvent dans le schéma de R, suivis de l'attribut A s'il n'appartient pas à L, et

2. la liste N est composée des attributs de L qui sont dans le schéma de S, suivis de B si cet attribut n'est pas dans la liste L.

On notera que pour cette *descente de projection* le sens d'application utile de la règle va de la gauche vers la droite, même si cela introduit deux projections supplémentaires, sans possibilité de s'en débarrasser. En effet, il est habituellement avantageux d'éliminer dès que possible les attributs inutiles, c'est-à-dire le plus bas possible dans l'arbre. On peut malgré tout avoir une projection à faire sur la liste L après la jointure, au cas où l'attribut de jointure A ne se trouve pas dans la liste L (il faut se rappeler que l'autre attribut de jointure, le B issu de S, n'apparaîtra de toute façon pas dans la jointure).

Parfois, les listes M et/ou N sont respectivement constituées de tous les attributs de R ou S. Dans ce cas, il ne sert à rien d'effectuer la projection, puisqu'elle n'aurait aucun effet, sauf peut-être une permutation inutile des colonnes de la relation. On se servira donc de la règle suivante :

$$\pi_L(R) \equiv R$$

si cette liste L est composée de tous les attributs du schéma de R. On notera que cette règle considère que les relations ne sont pas modifiées par les permutations de leurs colonnes.

Il existe aussi une situation dans laquelle on ne souhaite pas se préoccuper de projection. Soit une sous-expression $\pi_L(R)$ faisant partie d'une expression plus grande, et telle que R est relation unique (et non une expression impliquant une ou plusieurs occurrences d'opérateurs). Supposons qu'au dessus de cette sous-expression, on trouve dans l'arbre d'expression une autre projection. Pour pouvoir effectuer la projection sur R, il nous faut à présent examiner la relation complète, sans se préoccuper de l'existence éventuelle d'index. Si, au contraire, on s'occupe des attributs de R qui ne sont pas sur la liste L, en attendant la prochaine opportunité d'éliminer ces attributs, on peut souvent économiser une quantité de temps significative.

Pour illustrer cela, nous étudierons dans le prochain exemple, une sous-expression

$$\pi_{\text{Cours,Etudiant}}(CEN)$$

qui a pour effet d'éliminer les attributs notes. Comme notre expression entière, qui représente la requête de l'exemple 8.17, finira par se focaliser sur quelques tuples de la relation CEN, on a intérêt à éliminer les notes plus tard ; ce faisant, on ne se retrouve jamais dans la situation d'examiner la relation CEN complète.

◆ **Exemple 8.18.** Partons de la figure 8.19(d) pour faire descendre les projections. La projection de la racine est d'abord descendue sous la jointure supérieure. La liste de projection est uniquement composée de l'attribut Salle, et l'attribut de jointure, des deux côtés de la jointure, est Cours. On projette à gauche sur Cours uniquement, puisque Salle n'est pas un attribut de l'expression située à gauche. L'opérande droit de la jointure est projeté à la fois sur Cours et Salle. Comme ce sont les attributs qui composent l'opérande CS, on peut omettre la projection. L'expression résultante est montrée à la figure 8.20(a).

On peut maintenant faire descendre la projection sur Cours sous la jointure intermédiaire. Comme Cours est également l'attribut de jointure des deux côtés, on introduit deux opérateurs π_{Cours} sous la jointure intermédiaire. Alors, puisque le résultat de la jointure intermédiaire n'a plus que le seul attribut Cours, la projection au-dessus de cette jointure devient inutile ; la nouvelle expression apparaît à la figure 8.20(b). On remarque que cette jointure, qui met en jeu deux relations dont les tuples ne possèdent que la composante Cours, est en réalité une intersection d'ensembles. Ce qui n'est pas étonnant — elle représente l'intersection de l'ensemble des cours suivis par A. Talon avec l'ensemble des cours ayant lieu le lundi à 9h.

A ce stade, il faut faire descendre π_{Cours} sous la jointure inférieure. L'attribut de jointure est Etudiant des deux côtés, et la liste de projection de gauche est (Cours, Etudiant), et celle de droite est simplement Etudiant (car Cours n'est pas un attribut de l'expression de droite). L'expression qui en résulte est montrée à la figure 8.20(c).

Enfin, comme nous l'évoquions juste avant cet exemple, il est avantageux ici de ne pas éliminer Note de la relation CEN immédiatement. Au-dessus de cette projection, on trouve l'opérateur π_{Cours}, qui éliminera les notes de toute façon. Si l'on utilise par contre l'expression de la figure 8.20(d), on se retrouve essentiellement avec la stratégie du paragraphe 8.6 pour cette requête. Exprimé d'une autre façon, l'expression $\pi_{\text{Etudiant}}\big(\sigma_{\text{Nom}=\text{« A. Talon »}}(ENAT)\big)$ nous donne le(s) numéro(s) d'étudiant pour les étudiants portant le nom « A. Talon », et la première jointure suivie par la projec-

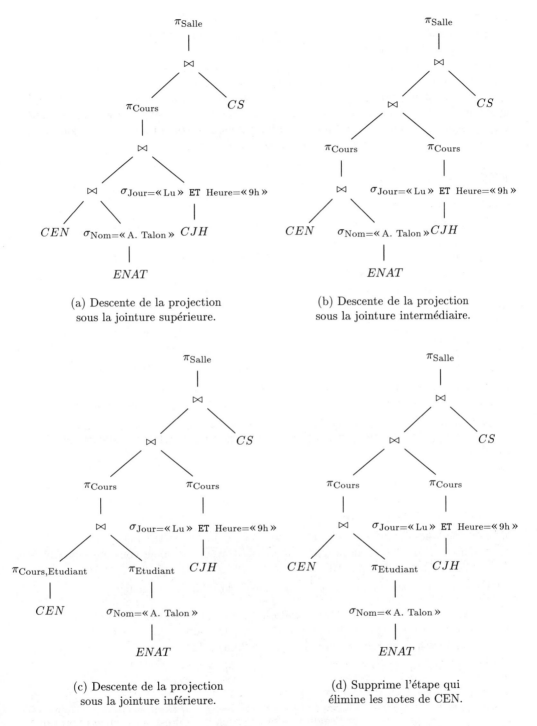

(a) Descente de la projection
sous la jointure supérieure.

(b) Descente de la projection
sous la jointure intermédiaire.

(c) Descente de la projection
sous la jointure inférieure.

(d) Supprime l'étape qui
élimine les notes de CEN.

Figure 8.20 : Descente de la projection.

tion π_{Cours} nous donne les cours suivis par ces étudiants. S'il existe un index sur Nom dans la relation *ENAT*, et qu'il en existe un sur Etudiant dans la relation *CEN*, alors ces opérations s'effectuent rapidement.

La valeur de la sous-expression $\pi_{\text{Cours}}\big(\sigma_{\text{Jour=«Lu»}\ \text{ET}\ \text{Heure=«9h»}}(CJH)\big)$ est les cours qui ont lieu le lundi à 9h, et la jointure intermédiaire prend l'intersection de ces ensembles pour nous donner les cours suivis par un étudiant du nom de «A. Talon», et se tenant le lundi à 9h. Enfin, la jointure supérieure suivie par la projection examine ces cours dans la relation *CS* (une opération rapide s'il existe un index sur Cours), et produit, en guise de réponse, les salles associées. ✦

EXERCICES

8.9.1 : * Prouvez que

$$\big((R \underset{A=B}{\bowtie} S) \underset{C=D}{\bowtie} T\big) \equiv \big(R \underset{A=B}{\bowtie} (S \underset{C=D}{\bowtie} T)\big)$$

si A est un attribut de R, si B et C sont des attributs différents de S, et si D est un attribut de T. Pourquoi est-il important que $B \neq C$? *Une indication* : n'oubliez pas que certains attributs disparaissent après une opération de jointure.

8.9.2 : * Prouvez que

$$\big((R \underset{A=B}{\bowtie} S) \underset{A=C}{\bowtie} T\big) \equiv \big(R \underset{A=B}{\bowtie} (S \underset{B=C}{\bowtie} T)\big)$$

si A est un attribut de R, B est un attribut de S, et C est un attribut de T.

8.9.3 : Prenez chacune de vos requêtes d'algèbre relationnelle de l'exercice 8.7.3, et faites descendre les restrictions et les projections aussi bas que vous le pouvez.

8.9.4 : Admettons les simplifications grossières suivantes concernant le nombre des tuples qui apparaissent dans les relations résultant des opérations de l'algèbre relationnelle.

i)   Chaque relation opérande contient 1000 tuples.

ii)   Lorsque l'on joint des relations contenant respectivement n et m tuples, la relation résultante contient $mn/100$ tuples.

iii) Lorsque l'on effectue une restriction dont la condition est la conjonction (ET) de k conditions, chacune d'elles égalant un attribut avec une valeur constante, on divise la taille de la relation par 10^k.

iv)   Quand on effectue une projection, la taille de la relation ne change pas.

Par ailleurs, on estime le coût de l'évaluation d'une expression par la somme des tailles des relations calculées pour chaque nœud intérieur. Donnez le coût de chacune des expressions des figures 8.18, 8.19(a) à (d), et 8.20(a) à (d).

8.9.5 : * Prouvez la règle de descente de restriction suivante :

$$\big(\sigma_C(R \bowtie S)\big) \equiv \big((\sigma_C(R)) \bowtie S\big)$$

Une indication : pour prouver l'égalité de deux ensembles, il est souvent plus pratique de montrer que chacun est sous-ensemble de l'autre, comme on l'a vu au paragraphe 7.3.

8.9.6 : * Prouvez les règles

a) $\big(\sigma_C(R \cap S)\big) \equiv \big(\sigma_C(R) \cap \sigma_C(S)\big)$

b) $\big(\sigma_C(R \cup S)\big) \equiv \big(\sigma_C(R) \cup \sigma_C(S)\big)$

c) $\big(\sigma_C(R - S)\big) \equiv \big(\sigma_C(R) - \sigma_C(S)\big)$

8.9.7 : * Donnez un exemple qui montre que la règle

$$\big(\pi_L(R - S)\big) \equiv \big(\pi_L(R) - \pi_L(S)\big)$$

n'est pas valable.

8.9.8 : ** Il est parfois possible de faire descendre une restriction par les deux voies d'une jointure, à l'aide de l'« équivalence »

$$\sigma_C(R \bowtie S) \equiv \big(\sigma_C(R) \bowtie \sigma_C(S)\big) \tag{8.1}$$

a) Dans quelles circonstances l'équation (8.1) est-elle vraiment une équivalence ?

b) Si (8.1) est valide, quand est-il plus judicieux d'utiliser cette règle que de faire descendre la sélection uniquement vers R ou uniquement vers S ?

8.10   Résumé du chapitre 8

Vous devrez vous souvenir des points suivants de ce chapitre :

✦ Des tableaux à deux dimensions, appelées relations, sont des outils polyvalents de stockage de l'information.

✦ Les rangées d'une relation s'appellent des « tuples », et les colonnes s'appellent des « attributs ».

✦ Un « index primaire » représente les tuples d'une relation comme des structures de données, et les répartit de façon à faciliter les opérations faisant appel à certains attributs — qui forment le « domaine » de l'index.

✦ La « clé » d'une relation est un ensemble d'attributs qui détermine de façon unique les valeurs des autres attributs de la relation. Un index primaire a souvent pour domaine une clé.

✦ Les « index secondaires » sont des données qui facilitent les opérations qui spécifient un attribut particulier, qui ne fait souvent pas partie du domaine de l'index primaire.

✦ L'algèbre relationnelle est une notation de haut niveau permettant de spécifier les requêtes concernant une ou plusieurs relations. Ses opérations principales sont l'union, l'intersection, la différence, la restriction, la projection, et la jointure.

✦ Il existe de nombreuses manières d'implémenter les jointures, plus efficacement qu'avec l'évidente « jointure par boucles imbriquées », qui apparie chaque tuple d'une relation avec chaque tuple d'une autre. La jointure par index et la jointure par tri s'exécutent en un temps qui est proche de celui que prend l'examen des deux relations et la sortie du résultat de la jointure.

✦ L'optimisation des expressions de l'algèbre relationnelle peut permettre d'améliorer de façon significative le temps d'exécution de l'évaluation des expressions, et est donc essentielle si les langages basés sur l'algèbre relationnelle doivent être utilisés en pratique pour exprimer des requêtes.

✦ On connaît nombre de moyens pour améliorer le temps d'exécution d'une expression donnée. La descente des restrictions est souvent la plus utile.

8.11   Notes bibliographiques du chapitre 8

On peut trouver des études plus détaillées des systèmes de bases de données, en particulier ceux fondés sur le modèle relationnel, dans Ullman [1988].

L'article de Codd [1970] est généralement considéré comme étant à l'origine du modèle de données relationnel, bien qu'il ait existé de nombreux travaux antérieurs contenant une partie des mêmes idées. Les premières implémentations de systèmes faisant appel au modèle relationnel ont été INGRES (Stonebraker et al. [1976]) a Berkeley et le System R (Astrahan et al. [1976]) a IBM. Ce dernier est à l'origine du langage SQL, dont un aperçu est donné au paragraphe 8.7, et que l'on trouve aujourd'hui dans de nombreux systèmes de gestion de bases de données ; voir Chamberlin et al. [1976]. Le modèle relationnel se retrouve dans la commande UNIX `awk` (Aho, Kernighan, et Weinberger [1988]).

Aho, A. V., B. W. Kernighan, et P. J. Weinberger [1988]. *The AWK programming Language*, Addison Wesley, Reading, Mass.

Astrahan, M. M., et al. [1976]. « System R: a relational approach to data management », *ACM Trans. on Database Systems* **1**:2, pp. 97–137.

Chamberlin, D. D., et al. [1976]. « SEQUEL 2: a unified approach to data definition, manipulation, and control », *IBM J. Research and Development* **20**:6, pp. 560–575.

Codd, E. F. [1970]. « A relational model for large shared data banks », *Comm. ACM* **13**:6, pp. 377–387.

Stonebraker, M., E. Wong, P. Kreps, et G. Held [1976]. « The design and implementation of INGRES », *ACM Trans. on Database Systems* **1**:3, pp. 189–222.

Ullman, J. D. [1988]. *Principles of Database and Knowledge-Base Systems* (deux volumes) Computer Science Press, New York.

CHAPITRE 9

Le modèle de données graphe

Les graphes constituent non seulement un modèle polyvalent d'organisation des données, mais ils sont aussi indispensables pour décrire un large spectre de problèmes, comme le calcul de distances ou trouver des cycles dans les relations, et déterminer des connections.

Dans un certain sens, un graphe n'est rien de plus qu'une relation binaire. Toutefois, il possède une visualisation puissante sous forme d'un ensemble de points (appelés sommets) connectés par des lignes (appelées arêtes) ou flèches (appelées arcs). De ce point de vue, un graphe est une généralisation du modèle d'arbre, étudié au chapitre 5. A l'instar des arbres, les graphes possèdent plusieurs formes : orientés, non-orientés, et étiquetés. De même, les graphes sont utiles dans beaucoup d'applications, dont quelques-unes seulement seront étudiées dans ce chapitre.

9.1   Le propos de ce chapitre

Les principaux points abordés dans ce chapitre sont :

✦   Les définitions d'arbres orientés et non-orientés (paragraphes 9.2 et 9.10).

✦   Les deux principales structures de données pour représenter un graphe : listes d'adjacence et matrices d'adjacence (paragraphe 9.3).

✦   Un algorithme et une structure de données pour trouver les composantes connexes dans un graphe non-orienté (paragraphe 9.4).

✦   Une technique pour trouver des arbres couvrants minimum (paragraphe 9.5).

✦   Une technique utile pour explorer un graphe, appelée « recherche en profondeur d'abord » (paragraphe 9.6).

✦   Des applications de recherche en profondeur d'abord pour détecter si un graphe orienté possède un cycle, et déterminer s'il existe un chemin d'un sommet à un autre (paragraphe 9.7).

✦ L'algorithme de Dijkstra pour trouver les chemins les plus courts (paragraphe 9.8). Cet algorithme trouve la distance minimale entre un sommet « source » et n'importe quel sommet.

✦ L'algorithme de Floyd pour trouver la distance minimale entre deux sommets quelconques (paragraphe 9.9).

La plupart des algorithmes de ce chapitre sont des exemples de techniques utiles bien plus efficaces que les techniques intuitives pour résoudre le même problème.

9.2   Concepts élémentaires

Mathématiquement, un **graphe orienté,** consiste en :

1.   un ensemble N de *sommets*, et

2.   une relation binaire A sur N. Nous appelons A l'ensemble des **arcs** du graphe orienté. Un arc est ainsi une paire de **sommets**.

La figure 9.1 montre une représentation possible d'un graphe. Chaque sommet est représenté par un cercle, le nom du sommet étant à l'intérieur. Dans la figure 9.1, l'ensemble des sommets est $N = \{1, 2, 3, 4, 5\}$ et l'ensemble des arcs est

$$A = \{(1,1),\ (1,2),\ (1,3),\ (2,4),\ (3,1),\ (3,2),\ (3,5),\ (4,3),\ (4,5),\ (5,2)\}$$

Chaque paire (u, v) dans A est représentée par une flèche de u vers v.

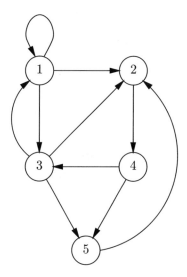

Figure 9.1 : Exemple d'un graphe orienté.

Dans un texte, il est courant de représenter un arc (u, v) par $u \rightarrow v$. Nous appelons u, **l'extrémité initiale**, et v **l'extrémité terminale** ou respectivement, queue et tête, pour traduire le fait que u est au début de la flèche et v à la fin. Par exemple,

$1 \to 2$ est un arc dans la figure 9.1 ; sa tête est le sommet 2 et sa queue le sommet 1. Un autre arc est $1 \to 1$; un tel arc, d'un sommet vers lui-même est appelé une **boucle**. Le sommet 1 est à la fois la tête et la queue de cet arc.

Prédécesseurs et successeurs

Lorsque $u \to v$ est un arc, nous pouvons également dire que u est un *prédécesseur* de v, et que v est un *successeur* de u. Ainsi, l'arc $1 \to 2$ indique que 1 est un prédécesseur de 2 et que 2 est un successeur de 1. L'arc $1 \to 1$ indique que le sommet 1 est à la fois prédécesseur et successeur de lui-même.

Etiquettes

A l'instar d'un arbre, il est possible d'attacher une *étiquette* à chaque sommet. Chaque étiquette est placée dans chaque figure près du sommet qu'elle désigne. De même, les arcs peuvent être étiquetés en plaçant l'étiquette près du milieu de l'arc. L'étiquette d'un sommet ou d'un arc peut être n'importe quoi. Par exemple, la figure 9.2 montre un sommet nommé 1, étiqueté « chien, » un sommet nommé 2, étiqueté « chat, » et un arc $1 \to 2$ étiqueté « mord ».

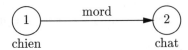

Figure 9.2 : Un graphe étiqueté composé de deux sommets.

A l'instar encore d'un arbre, il ne faut pas confondre le nom d'un sommet et son étiquette. Le nom d'un sommet doit être unique dans un graphe, mais deux ou trois sommets peuvent avoir la même étiquette.

Chemins

Un *chemin* dans un graphe orienté est une liste de sommets $(v_1, v_2, \ldots, v_k)$ tel qu'il existe un arc de chaque sommet vers le suivant, c'est-à-dire, $v_i \to v_{i+1}$ pour $i = 1, 2, \ldots, k - 1$. La **longueur du chemin** est $k - 1$, le nombre d'arcs faisant partie du chemin. Par exemple, $(1, 2, 4)$ est un chemin de longueur deux dans la figure 9.1.

Le cas trivial $k = 1$ est permis. C'est-à-dire, tout sommet v isolé est un chemin de longueur zéro de v à v. Ce chemin n'a pas d'arc.

Graphes cycliques et acycliques

Un *cycle* dans un graphe orienté est un chemin de longueur 1 ou plus qui part et aboutit au même sommet. La **longueur d'un cycle** est la longueur du chemin. Notons qu'un chemin trivial de longueur 0 n'est pas un cycle, bien qu'il « commence et finisse au même sommet ». Cependant, un chemin composé d'un seul arc $v \to v$ est un cycle de longueur 1.

✦ **Exemple 9.1.** Considérons le graphe de la figure 9.1. Il existe un cycle $(1,1)$ de longueur 1 à cause de la boucle $1 \rightarrow 1$. Il existe un cycle $(1,3,1)$ de longueur 2 à cause des arcs $1 \rightarrow 3$ et $3 \rightarrow 1$. De même, $(2,4,3,2)$ est un cycle de longueur 3, et $(2,4,3,5,2)$ est un cycle de longueur 4. ✦

Notons qu'un cycle peut commencer et finir à n'importe lequel de ses sommets. C'est-à-dire, le cycle $(v_1, v_2, \ldots, v_k, v_1)$ pourrait également être écrit $(v_2, \ldots, v_k, v_1, v_2)$ ou bien $(v_2, \ldots, v_k, v_1, v_2, v_3)$, et ainsi de suite. Par exemple, le cycle $(2,4,3,5,2)$ pourrait aussi être écrit $(3,5,2,4,3)$.

Dans chaque cycle, le premier et le dernier sommet sont les mêmes. On dit qu'un cycle $(v_1, v_2, \ldots, v_k, v_1)$ est un **cycle élémentaire** si aucun sommet n'apparaît pas plus d'une fois parmi $v_1, \ldots, v_k$; autrement dit, l'unique répétition dans un cycle élémentaire intervient sur le sommet final.

✦ **Exemple 9.2.** Tous les cycles de l'exemple 9.1 sont élémentaires. Dans la figure 9.1, le cycle $(1,3,1)$ est élémentaire. Cependant, il existe des cycles qui ne sont pas élémentaires, tel que $(1,3,2,4,3,1)$ dans lequel le sommet 3 apparaît deux fois. Le chemin $(1,1,1)$ n'est pas élémentaire, car en plus du sommet final 1, il y a deux autres occurrences du sommet 1. ✦

Etant donné un cycle non-élémentaire contenant le sommet v, on peut trouver un cycle élémentaire contenant v. En d'autres termes, il suffit d'écrire le cycle commençant et finissant à v, comme dans $(v, v_1, v_2, \ldots, v_k, v)$. Si le cycle n'est pas élémentaire, alors

1. soit v apparaît trois fois ou plus,

2. soit il existe un sommet u, autre que v, apparaissant deux fois ; c'est-à-dire, le cycle doit ressembler à $(v, \ldots, u, \ldots, u, \ldots, v)$.

Dans le premier cas (1), on peut tout enlever jusqu'à l'avant-dernière occurrence de v, mais sans inclure. Le résultat est un cycle plus court de v à v. Dans le second cas (2), on peut enlever le tronçon de u à u, en le remplaçant par une seule occurrence de u, pour obtenir le cycle $(v, \ldots, u, \ldots, v)$. Dans les deux cas, le résultat doit encore être un cycle, puisque chaque arc du résultat est présent dans le cycle initial, et par conséquent dans le graphe.

Il peut être nécessaire de répéter cette transformation plusieurs fois avant que le cycle ne devienne élémentaire. Puisque le cycle est raccourci à chaque itération, on doit finalement aboutir à un cycle élémentaire. Ce que nous venons de montrer est que s'il existe un cycle dans un graphe, alors il doit y avoir au moins un cycle élémentaire.

✦ **Exemple 9.3.** Etant donné le cycle $(1,3,2,4,3,1)$, on peut enlever le premier, 3 et les suivants, 2, 4 pour obtenir le cycle élémentaire $(1,3,1)$. En termes concrets, nous avons commencé par le cycle qui commence en 1, va en 3, puis en 2, puis en 4, revient en 3, et finalement retourne en 1. La première fois que nous sommes en 3, on peut prétendre que c'est la seconde fois, passer par-dessus 2 et 4, et retourner directement en 1.

Pour prendre un autre exemple, considérons le cycle non-élémentaire $1, 1, 1$. Comme 1 apparaît trois fois, on enlève le premier 1, c'est-à-dire n'importe quoi excepté l'avant-dernier 1. Concrètement, on a remplacé le chemin dans lequel on effectuait deux fois la boucle $1 \rightarrow 1$ par un chemin bouclant une seule fois. ✦

Si un graphe a un ou plusieurs cycles, on dit que le graphe est un ***graphe cyclique***. S'il n'a pas de cycle, le graphe est dit ***acyclique***. A partir ce que nous venons de dire à propos des cycles élémentaires, un graphe est cyclique si et seulement si il a un cycle élémentaire, car s'il a un cycle quelconque, il a forcément un cycle élémentaire.

✦ **Exemple 9.4.** Nous avons remarqué au paragraphe 3.8 que l'on pouvait représenter les appels faits par une collection de procédures par un graphe orienté appelé « **graphe d'appels** ». Les sommets sont des procédures, et il y a un arc $P \to Q$ si la procédure P appelle la procédure Q. Par exemple, la figure 9.3 montre le graphe d'appels associé à l'algorithme du tri par fusion du paragraphe 2.9.

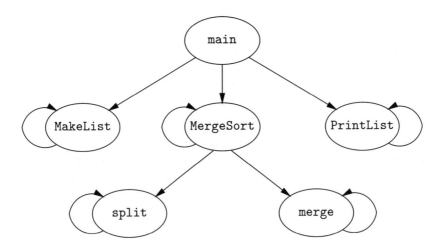

Figure 9.3 : Graphe d'appels de l'algorithme de tri par fusion.

L'existence d'un cycle dans un graphe d'appels implique une récursivité dans l'algorithme. Dans la figure 9.3 il y a cinq cycles, composés des sommets MakeList, MergeSort, PrintList, split, et merge. Chaque cycle est une boucle. Rappelons que toutes ces procédures s'appellent elles-mêmes, et sont par conséquent récursives. Une récursivité dans laquelle une procédure s'appelle elle-même est de loin le cas le plus commun, et chacune apparaît comme une boucle dans le graphe d'appels. Nous les appelons ***récursivités directes***. Cependant, on voit occasionnellement une ***récursivité indirecte***, dans laquelle il y a un cycle de longueur supérieure à 1. Par exemple, le graphe

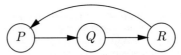

représente une procédure P qui appelle la procédure Q, qui appelle la procédure R, qui appelle la procédure P. ✦

Chemins acycliques

Un chemin est dit *acyclique*[1] si aucun sommet n'apparaît plus d'une fois dans le chemin. De toute évidence, aucun cycle n'est acyclique. L'argument que nous venons d'utiliser pour montrer que pour tout cycle, il existe un cycle élémentaire, montre également le principe suivant. S'il existe un chemin quelconque de u à v, alors il y a un chemin acyclique de u à v. Pour l'expliquer, commençons par un chemin quelconque de u à v. S'il existe une répétition d'un sommet w, pouvant être u ou v, on peut remplacer les deux occurrences de w et tout ce qu'il y a entre, par une seule occurrence de w. Comme dans le cas des cycles, on peut répéter ce processus plusieurs fois, et finalement on réduit le chemin à un chemin acyclique.

✦ **Exemple 9.5.** Considérons à nouveau le graphe de la figure 9.1. Le chemin $(1, 2, 4, 3, 2, 4, 5)$ est un chemin de 1 à 5 qui contient un cycle. On peut se concentrer sur les deux occurrences du sommet 2, et remplacer $4, 3$ par 2, laissant $(1, 2, 4, 5)$, qui est un chemin acyclique car aucun sommet n'apparaît deux fois. On pourrait également obtenir le même résultat en se concentrant sur les deux occurrences du sommet 4. ✦

Graphes non-orientés

Parfois il peut être utile de relier des sommets par des lignes qui n'ont pas de direction, appelées **arêtes**. De manière formelle, une arête est un ensemble de deux sommets. L'arête $\{u, v\}$ indique que les sommets u et v sont reliés dans les deux directions.[2] Si $\{u, v\}$ est une arête, alors les sommets u et v sont dits *adjacents* ou bien **voisins**. Un graphe ayant des arêtes, c'est-à-dire possédant une relation symétrique des arcs, est appelé un *graphe non-orienté*.

✦ **Exemple 9.6.** La figure 9.4 représente une carte routière partielle des îles de Hawaii, indiquant quelques-unes des principales villes. Les villes avec une route entre elles sont reliées par une arête, et l'arête est étiquetée par la distance qui les sépare. Il est naturel de représenter les routes par des arêtes, plutôt que par des arcs, car les routes sont généralement bidirectionnelles. ✦

Chemins et cycles dans un graphe non-orienté

Un *chemin*[3] dans un graphe non-orienté est une liste de sommets $(v_1, v_2, \ldots, v_k)$ telle que chaque sommet et son suivant sont reliés par une arête. C'est-à-dire, $\{v_i, v_{i+1}\}$ est une arête pour $i = 1, 2, \ldots, k - 1$. Notons que les arêtes, étant des ensembles, leurs éléments ne sont pas ordonnés d'une manière particulière. Donc, l'arête $\{v_i, v_{i+1}\}$ pourrait également apparaître comme $\{v_{i+1}, v_i\}$.

---

[1] Notez que dans la littérature, on peut parler, dans ce cas, de chemin *élémentaire*.

[2] Notons qu'une arête exige d'avoir exactement deux sommets. Un singleton (ensemble à un seul élément) n'est pas une arête. Donc, bien qu'un arc d'un sommet vers lui-même soit permis, on ne permet pas d'arête bouclant d'un sommet sur lui-même. Quelques définitions de « graphes non-orientés » permettent de telles boucles.

[3] Notez que dans ce cas, le terme exact est *chaîne*, que nous n'employons pas, pour ne pas compliquer la terminologie.

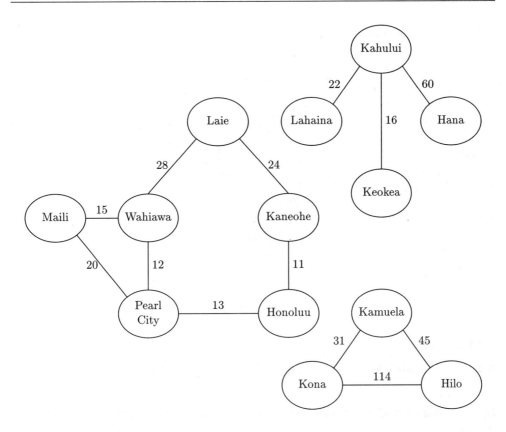

Figure 9.4 : Un graphe non-orienté représentant des routes dans les îles d'Hawaii.

La longueur du chemin $(v_1, v_2, \ldots, v_k)$ est $k-1$. Comme pour les graphes orientés, un sommet isolé est un chemin de longueur 0.

Trouver les cycles dans des graphes non-orientés est un peu plus délicat. Le problème est qu'on ne veut pas considérer un chemin tel que (u, v, u), qui existe lorsqu'il y a une arête $\{u, v\}$, comme un cycle. De même, si $(v_1, v_2, \ldots, v_k)$ est un chemin, on peut le suivre dans un sens ou dans l'autre, mais on ne veut pas appeler cycle le chemin

$$(v_1, v_2, \ldots, v_{k-1}, v_k, v_{k-1}, \ldots, v_2, v_1)$$

L'approche la plus simple est peut-être de définir un **cycle élémentaire** dans un graphe non-orienté comme un chemin de longueur trois ou plus, qui commence et finit au même sommet et, à l'exception du dernier sommet, ne repète aucun sommet. La notion de cycle non-élémentaire dans un graphe non-orienté n'est généralement pas utile, et nous n'approfondirons pas ce concept.

✦ **Exemple 9.7.** Dans la figure 9.4,

(Wahiawa, Pearl City, Maili, Wahiawa)

est un cycle élémentaire de longueur trois. Par ailleurs,

(Laie, Wahiawa, Pearl City, Honolulu, Kaneohe, Laie)

est un cycle élémentaire de longueur cinq. ✦

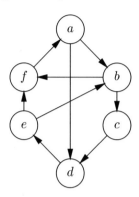

Figure 9.5 : Graphe orienté pour les exercices 9.2.1 et 9.2.2.

EXERCICES

9.2.1 : Considérons le graphe de la figure 9.5.

a) Combien d'arcs y a-t-il ?

b) Combien de chemins élémentaires y a-t-il du sommet a au sommet d ? Quels sont-ils ?

c) Quels sont les prédécesseurs du sommet b ?

d) Quels sont les successeurs du sommet b ?

e) Combien de cycles élémentaires y-a-t-il ? Enumérez-les. Ne répétez pas les chemins qui ne diffèrent que par le point de départ (voir exercice 9.2.8).

f) Enumérez tous les cycles non-élémentaires de longueur inférieure ou égale à 7.

9.2.2 : Considérons le graphe de la figure 9.5 comme un graphe non-orienté, en remplaçant chaque arc $u \to v$ par une arête $\{u, v\}$.

a) Trouvez tous les chemins de a à d qui ne répètent aucun sommet.

b) Combien y a-t-il de cycles élémentaires qui incluent les six sommets ? Enumérez ces cycles.

c) Quels sont les voisins du sommet a ?

9.2.3 : * Si un graphe a 10 sommets, quel est le plus grand nombre d'arcs qu'il peut avoir ? Quel est le plus petit nombre possible d'arcs ? En général, si un graphe a n sommets, quels sont les nombres d'arcs minimum et maximum ?

9.2.4 : * Refaites l'exercice 9.2.3 pour les arêtes d'un graphe non-orienté.

9.2.5 : ** Si un graphe orienté est acyclique et a n sommets, quel est le plus grand nombre possible d'arcs ?

9.2.6 : Trouvez un exemple de récursivité indirecte parmi les procédures vues jusqu'à présent dans ce livre.

9.2.7 : Ecrivez le cycle $(1, 2, 3, 1)$ dans toutes ses formes possibles.

9.2.8 : * Soit G un graphe orienté et R la relation sur les cycles de G définie par $(u_1, \ldots, u_k, u_1)R(v_1, \ldots, v_k, v_1)$ si et seulement si $(u_1, \ldots, u_k, u_1)$ et $(v_1, \ldots, v_k, v_1)$ représentent le même cycle. Montrez que R est une relation d'équivalence sur les cycles de G.

9.2.9 : * Montrez que la relation S définie sur les sommets du graphe par uSv si et seulement si $u = v$, ou s'il existe un cycle incluant à la fois les sommets u et v, est une relation d'équivalence.

9.3   Implémentation d'un graphe

Il existe deux manières courantes de représenter un graphe. L'une, appelée *listes d'adjacence*, est familière à la représentation des relations binaires en général. La seconde, appelée *matrices d'adjacence*, est une nouvelle manière de représenter les relations binaires, mieux adaptée lorsque le nombre de paires est une fraction entière du nombre total de paires qui pourraient exister dans un domaine donné. Nous considérons ces représentations, d'abord pour les graphes orientés, puis pour les graphes non-orientés.

Listes d'adjacence

Si le nom des sommets forme un type énuméré tel que `1..n`, on peut alors utiliser l'approche générale vecteur caractéristique, introduite au paragraphe 7.9, pour représenter l'ensemble des arcs. Cette représentation est appelée *listes d'adjacence.* Si `NODE` est le type des noms de sommets, on peut alors définir le type habituel `CELL` pour les listes chaînées de sommets, tel que

```
type LIST = ^CELL;
    CELL = record
        nodeName: NODE;
        next: LIST
    end;
```

puis créer un tableau

```
headers: array[NODE] of LIST
```

C'est-à-dire que l'entrée `header[u]` contient un pointeur sur une liste chaînée de tous les successeurs du sommet u.

◆ **Exemple 9.8.** Le graphe de la figure 9.1 peut être représenté par les listes d'adjacence de la figure 9.6. Les listes d'adjacence sont triées par numéro de sommet, mais les successeurs d'un sommet peuvent apparaître dans n'importe quel ordre dans sa liste d'adjacence. ◆

En-tetes

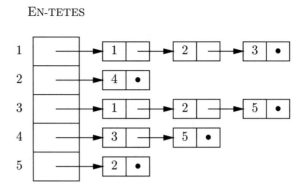

Figure 9.6 : Représentation en listes d'adjacence du graphe 9.1.

Matrices d'adjacence

Une autre manière courante de représenter un graphe orienté consiste en une *matrice d'adjacence*. Si NODE est un type énuméré de noms de sommets, on peut alors créer un tableau à deux dimensions

     arcs: array[NODE, NODE] of Boolean

dans lequel la valeur de arcs[u,v] est TRUE s'il existe un arc $u \to v$, et FALSE sinon.

✦ **Exemple 9.9.** La matrice d'adjacence du graphe de la figure 9.1 est présentée dans la figure 9.7. On utilise 1 pour TRUE et 0 pour FALSE. ✦

	1	2	3	4	5
1	1	1	1	0	0
2	0	0	0	1	0
3	1	1	0	0	1
4	0	0	1	0	1
5	0	1	0	0	0

Figure 9.7 : Matrice d'adjacence représentant le graphe de la figure 9.1.

Opérations sur les graphes

On peut distinguer des différences entre les deux représentations si l'on considère de simples opérations sur les graphes. Peut-être l'opération la plus élémentaire consiste à déterminer s'il existe un arc $u \to v$ d'un sommet u vers un sommet v. Avec une matrice

Comparaison entre matrices d'adjacence et listes d'adjacence

Les matrices semblent plus attrayantes lorsqu'un graphe est un **graphe dense**, c'est-à-dire lorsque le nombre d'arcs est proche du maximum possible qui est n^2 pour un graphe ayant n sommets. Cependant, si le graphe est un **graphe clairsemé**, c'est-à-dire, si la plupart des arcs possibles ne sont pas présents, la représentation en listes d'adjacence économise alors de la place. Pour en connaître la raison, notons qu'une matrice d'adjacence, pour un graphe de n sommets, possède n^2 bits, et par conséquent, pourrait être compressée en $n^2/32$ mots de 32 bits. Une cellule de liste d'adjacence classique sera constituée de deux mots, un pour le sommet et un pour le pointeur vers la prochaine cellule. Donc, si le nombre d'arcs est a, la représentation en listes requiert $2a$ mots, comparés aux n mots de celle en tableau. Une liste d'adjacence utilisera moins d'espace qu'une matrice d'adjacence si

$$n + 2a < n^2/32$$

Si n est bien plus petit que $2a$, alors cette équation sera satisfaite, à condition que $a < n^2/64$, c'est-à-dire, si moins de $1/64^{ème}$ des arcs possibles sont effectivement présents. Des arguments supplémentaires pour l'une ou l'autre représentation seront présentés lorsque nous aborderons les opérations sur les graphes. La table suivante résume les meilleures représentations pour une variété d'opérations.

OPERATION	GRAPHE DENSE	GRAPHE CLAIRSEME
Chercher un arc	matrice d'adjacence	les deux
Trouver les successeurs	les deux	listes d'adjacence
Trouver les prédécesseurs	matrice d'adjacence	les deux

d'adjacence, un temps de $O(1)$ est nécessaire pour rechercher dans `arcs[u,v]` pour savoir si l'entrée vaut `TRUE` ou non.

Avec les listes d'adjacence, un temps de $O(1)$ est nécessaire pour trouver l'en-tête de la liste d'adjacence de u. Il faut alors parcourir cette liste jusqu'à la fin dans le cas où v n'y est pas, ou bien à moitié, en moyenne, si v est présent. Si le graphe comprend a arcs et n sommets, le temps est alors de $O(1 + a/n)$ en moyenne pour une recherche. Si a n'est rien de plus qu'un facteur constant fois n, ce nombre est $O(1)$. Cependant, plus a est grand, comparé à n, plus il faut de temps pour connaître si un arc est présent en utilisant une représentation par listes d'adjacence. Dans le cas extrême, où a vaut environ n^2, sa valeur maximale possible, il y a à peu près n sommets dans chaque liste d'adjacence. Dans ce cas, le temps est de $O(n)$ en moyenne pour trouver un arc donné. En d'autres termes, plus un graphe est dense, plus une matrice d'adjacence est préférable aux listes d'adjacence, lorsqu'il faut rechercher un arc donné.

D'autre part, on a souvent besoin de trouver tous les successeurs d'un sommet donné u. Avec une liste d'adjacence, on accède à `headers[u]` et on parcourt la liste en moyenne $O(a/n)$ fois pour trouver tous les successeurs. Si a est comparable à n, on trouve alors tous les successeurs de u en $O(1)$ fois. Mais avec une matrice d'adjacence,

Degré et demi-degré extérieur/intérieur

Le nombre d'arcs partant d'un sommet v est appelé le **demi-degré extérieur** de v. Donc, le demi-degré extérieur d'un sommet est égal à la longueur de sa liste d'adjacence ; il est aussi égal au nombre de 1 dans une rangée pour v dans une matrice d'adjacence. Le nombre d'arcs arrivant au sommet v est le **demi-degré intérieur** de v. Le demi-degré intérieur mesure le nombre de fois où v apparaît dans une liste d'adjacence d'un sommet quelconque, et c'est le nombre de 1 dans la colonne de v d'une matrice d'adjacence.

Dans un graphe non-orienté, on ne peut distinguer les arêtes entrantes des arêtes partantes d'un sommet. Dans un graphe non-orienté, le **degré** du sommet v est le nombre de voisins de v, c'est-à-dire, le nombre d'arêtes $\{u, v\}$ contenant v et un sommet u quelconque. Ne pas oublier que dans un ensemble, l'ordre des membres n'est pas important, donc $\{u, v\}$ et $\{v, u\}$ représentent la même arête, et sont comptabilisées une seule fois. Le **degré d'un graphe** non-orienté est le degré maximum de tout sommet dans le graphe. Par exemple, si l'on regarde un arbre binaire comme un graphe non-orienté, son degré est 3, puisqu'un sommet peut avoir seulement des arêtes vers son père, son fils droit et son fils gauche. Pour un graphe non-orienté, on peut dire que le *demi-degré intérieur d'un graphe* est le maximum des demi-degrés intérieurs de ses sommets, et de même, le *demi-degré extérieur d'un graphe* est le maximum des demi-degrés extérieurs de ses sommets.

---

on doit examiner la rangée entière pour le sommet u, prenant un temps en $O(n)$, quel que soit a. Donc, pour les graphes avec un petit nombre d'arêtes par sommet, les listes d'adjacence sont bien plus rapides que les matrices d'adjacence, lorsque l'on doit examiner tous les successeurs d'un sommet donné.

Cependant, supposons que l'on cherche tous les prédécesseurs d'un sommet v donné. Avec une matrice d'adjacence, on peut examiner la colonne de v ; un 1 dans la rangée pour u signifie que u est un prédécesseur de v. Cette recherche prend un temps de $O(1)$. La représentation en listes d'adjacence n'aide pas pour trouver les prédécesseurs. On doit examiner la liste d'adjacence pour tout sommet u, pour voir si cette liste contient v. Ainsi, on peut examiner toutes les cellules de toutes les listes d'adjacence et on examinera probablement la plupart d'entre-elles. Puisque le nombre de cellules dans la structure de listes d'adjacence est égal à a, le nombre d'arcs du graphe, le temps pour trouver des prédécesseurs avec une liste d'adjacence est donc $O(a)$ dans un graphe comprenant a arcs. Les matrices d'adjacence sont donc préférables, d'autant plus si le graphe est dense.

Représentation d'un graphe non-orienté

Si un graphe est non-orienté, on peut remplacer chaque arête par des arcs allant dans les deux directions, et représenter ce graphe orienté résultant soit par des listes d'adjacence, soit par une matrice d'adjacence. Si l'on prend une matrice d'adjacence, la matrice est **symétrique.** C'est-à-dire, si nous appelons la matrice edges, alors $edges[u, v] = edges[v, u]$. Si l'on choisit une représentation en listes d'adjacence, alors l'arête $\{u, v\}$

est représentée deux fois. On trouve v sur la liste d'adjacence de u et on trouve u sur la liste de v. Cette disposition est souvent pratique, puisque l'on ne peut pas dire à l'avance s'il vaut mieux suivre l'arête $\{u, v\}$ de u vers v ou de v vers u.

	Laie	Kaneohe	Honolulu	PearlCity	Maili	Wahiawa
Laie	0	1	0	0	0	1
Kaneohe	1	0	1	0	0	0
Honolulu	0	1	0	1	0	0
PearlCity	0	0	1	0	1	1
Maili	0	0	0	1	0	1
Wahiawa	1	0	0	1	1	0

Figure 9.8 : Représentation en matrice d'adjacence du graphe non-orienté de la figure 9.4.

✦ **Exemple 9.10.** On représente la plus grande composante du graphe non-orienté de la figure 9.4 (qui représente six villes sur l'île de Oahu). Pour l'instant, on ignore les étiquettes sur les arêtes. La figure 9.8 montre la représentation en matrice d'adjacence. Notez que la matrice est symétrique.

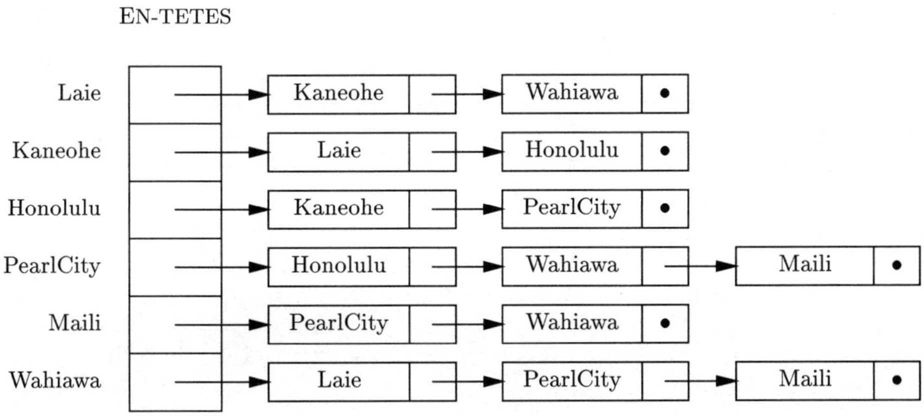

Figure 9.9 : Représentation en listes d'adjacence du graphe non-orienté de la figure 9.4.

La figure 9.9 montre la représentation en listes d'adjacence. Dans les deux cas, on utilise un type défini

```
type CITYTYPE = (Laie, Kaneohe, Honolulu, PearlCity, Maili, Wahiawa)
```

pour indexer le tableau. Cette disposition est rigide, puisqu'elle ne permet aucun changement dans l'ensemble des sommets du graphe. On prendra un exemple similaire plus court, où l'on nomme les sommets par des numéros, et les sommets étiquetés par les noms de villes, afin de pouvoir changer plus facilement l'ensemble des sommets. ✦

Représenter un graphe étiqueté

Soit un graphe ayant des étiquettes sur les arcs (ou sur les arêtes s'il est non-orienté). En prenant une matrice d'adjacence, on peut remplacer le 1 indiquant l'existence d'un arc $u \rightarrow v$ dans le graphe par l'étiquette de cet arc. Il est nécessaire d'avoir une valeur qui puisse être une entrée de matrice, mais qu'on ne puisse pas confondre avec une étiquette ; cette valeur représentera l'absence d'arc.

Si l'on représente le graphe en listes d'adjacence, on ajoute aux cellules formant les listes un champ supplémentaire `nodeLabel`. S'il y a un arc $u \rightarrow v$ étiqueté L, alors dans la liste d'adjacence, pour le sommet u, on trouvera une cellule avec son champ `nodeName` égal à v et son champ `nodeLabel` égal à L.

On représente les étiquettes sur les sommets d'une manière différente. Pour une matrice d'adjacence, on crée simplement un autre tableau, disons `NodeLabels`, puis on pose `NodeLabels[u]`, l'étiquette du sommet `u`. Lorsque l'on prend des listes d'adjacence, on a déjà un tableau d'en-têtes indexé par des sommets. On change ce tableau de telle façon que ses éléments soient des enregistrements, un champ pour l'étiquette du sommet et un autre pointant au début de la liste d'adjacence.

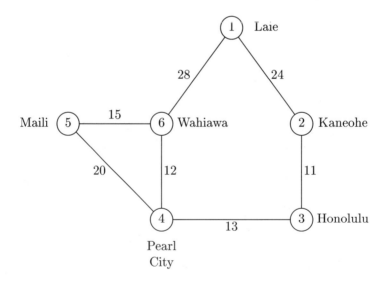

Figure 9.10 : Carte de Oahu où les sommets sont numérotés et étiquetés par des villes.

✦ **Exemple 9.11.** Représentons à nouveau la grande composante du graphe de la figure 9.4, mais cette fois, en incorporant les étiquettes des arêtes, indiquant des distances. De plus, on numérotera les sommets, en commençant par 1 pour Laie, puis successivement dans le sens des aiguilles d'une montre. Le nom d'une ville devient villes

1	Laie
2	Kaneohe
3	Honolulu
4	PearlCity
5	Maili
6	Wahiawa

distances

	1	2	3	4	5	6
1	-1	24	-1	-1	-1	28
2	24	-1	11	-1	-1	-1
3	-1	11	-1	13	-1	-1
4	-1	-1	13	-1	20	12
5	-1	-1	-1	20	-1	15
6	28	-1	-1	12	15	-1

Figure 9.11 : Représentation en matrice d'adjacence d'un graphe orienté.

alors l'étiquette du sommet. Cette représentation est plus souple que l'exemple 9.10, puisqu'en allouant de la place supplémentaire dans le tableau, on peut ajouter autant de villes que nous voulons. Le graphe résultant est présenté dans la figure 9.10, et la représentation en matrice adjacente dans la figure 9.11.

Notez que cette représentation est vraiment divisée en deux parties : le tableau `cities`, donnant la ville correspondante aux numéros 1 à 6, et la matrice `distances` indique l'absence d'arête ou l'étiquette si l'arête existe. Notez que l'on utilise la valeur -1 qui ne peut être confondue avec une étiquette, puisque dans cet exemple, les étiquettes représentent des distances, et sont par conséquent positives. On peut déclarer cette structure comme suit :

```
const NumCities = 6;
cities: array[1..NumCities] of CITYTYPE;
distances: array[1..NumCities, 1..NumCities] of integer
```

On pourrait également représenter le graphe de la figure 9.10 par des listes d'adjacence. Maintenant, on définit les types CELL et LIST par

```
type LIST = ^CELL;
    CELL = record
        nodeName: [1..NumCities];
        distance: integer;
        next: LIST
    end;
```

Ensuite, on déclare le tableau `cities` comme suit

```
cities: array[1..NumCities] of
    record
            city: CITYTYPE;
            header: LIST
    end;
```

La figure 9.12 montre le graphe de la figure 9.10 représenté de cette façon. ✦

villes

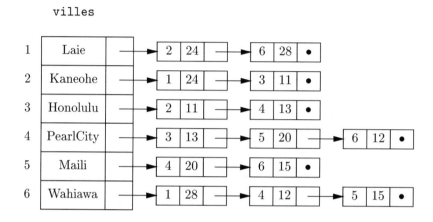

Figure 9.12 : Représentation en listes d'adjacence d'un graphe avec des étiquettes sur les sommets et les arêtes.

EXERCICES

9.3.1 : Représentez le graphe de la figure 9.5 (voir exercices du paragraphe 9.2) par

a) des listes d'adjacence,

b) une matrice d'adjacence.

Donnez les définitions de types appropriées à chaque cas.

9.3.2 : Supposons que les arcs de la figure 9.5 soient des arêtes (c'est-à-dire que le graphe ne soit pas orienté). Refaites l'exercice 9.3.1 pour ce graphe non-orienté.

9.3.3 : Etiquetons chaque arc du graphe orienté de la figure 9.5 par la chaîne de caractères de longueur 2 composée de la queue suivie de la tête. Par exemple, l'arc $a \to b$ est étiqueté par la chaîne de caractères `ab`. De même, supposons que chaque sommet soit étiqueté par la lettre capitale correspondant à son nom. Par exemple, le sommet nommé a est étiqueté `A`. Répétez l'exercice 9.3.1 pour ce graphe orienté étiqueté.

9.3.4 : Quelle est la relation entre la représentation en matrice d'adjacence d'un graphe non-étiqueté et la représentation en vecteur caractéristique d'un ensemble d'arcs ?

9.3.5 : * Démontrez par récurrence sur n que dans un graphe non-orienté de n sommets, la somme des degrés vaut deux fois le nombre d'arêtes. *Nota bene* : il est possible de faire la démonstration d'une autre manière, mais on demande ici une démonstration par récurrence.

9.3.6 : Concevez des algorithmes pour insérer et enlever des arcs d'une représentation en (a) matrice d'ajacence (b) listes d'adjacence d'un graphe orienté.

9.3.7 : Refaites l'exercice 9.3.6 pour un graphe non-orienté.

9.3.8 : On peut ajouter une « liste de prédécesseurs » à la représentation en listes d'adjacence d'un graphe orienté ou non-orienté. Quelle est la meilleure représentation pour les opérations :

a)   rechercher un arc,

b)   trouver tous les sucesseurs,

c)   trouver tous les prédécesseurs pour des graphes denses et clairsemés ?

9.4   Composantes connexes d'un graphe non-orienté

On peut diviser tout graphe non-orienté en une ou plusieurs *composantes connexes*. Chaque composante connexe est un ensemble de sommets pour lesquels il existe un chemin entre tout sommet et n'importe quel autre sommet. De plus, une composante connexe est maximale, c'est-à-dire qu'aucun sommet faisant partie d'une composante connexe ne possède un chemin vers un sommet en dehors de la composante connexe. Si un graphe consiste en une seule composante connexe, alors nous disons que ce graphe est **connexe.**

✦ **Exemple 9.12.** Considérons de nouveau le graphe des îles Hawaii de la figure 9.4. Il y a trois composantes connexes, correspondant à trois îles. La plus large composante est composée de Laie, Kaneohe, Honolulu, Pearl City, Maili, et Wahiawa. Ces villes sont situées sur l'île de Oahu, et elles sont clairement connectées mutuellement par des routes, c'est-à-dire, par des chemins d'arêtes. Il est également clair qu'il n'existe pas de route de Oahu vers n'importe quelle autre île. Dans la terminologie de la théorie des graphes, il n'y a pas de chemin partant de n'importe laquelle de ces six villes vers n'importe quelle autre ville de la figure 9.4.

Une seconde composante est constituée des villes Lahaina, Kahului, Hana, et Keokea ; ces villes font partie de l'île Maui. La troisième composante est composée des villes Hilo, Kona, et Kamuela, sur la grande île d'Hawaii. ✦

Composantes connexes comme classes d'équivalences

Une autre manière utile de voir les composantes connexes est qu'elles sont les classes d'équivalence obtenues par la relation d'équivalence P définie sur les sommets du graphe non-orienté par : uPv si et seulement si il existe un chemin de u vers v. Il est facile de vérifier que P est une relation d'équivalence.

1. P est réflexive, c'est-à-dire que uPu pour tout sommet u, puisqu'il existe un chemin de longueur 0 entre tout sommet et lui-même.

Interprétation physique d'une composante connexe

Si nous avions à dessiner un graphe non-orienté, il serait facile de voir les composantes connexes. Imaginez que les arêtes soient des chaînes de caractères. Si l'on prend au hasard un sommet, la composante connexe dont il fait partie viendra avec, et les éléments de toutes les autres composantes connexes resteront là où ils sont. Bien sûr, ce qui est facile de faire « à vue de nez » ne l'est pas forcément par ordinateur. Un algorithme capable de trouver les composantes connexes d'un graphe est le sujet principal de ce paragraphe.

2. P est symétrique. Si uPv, alors il existe un chemin de u vers v. Puisque le graphe est non-orienté, la séquence inverse de sommets est aussi est un chemin. Donc vPu.

3. P est transitive. Supposons que uPw et wPv soient vraies. Alors il existe un chemin, disons

$$(x_1, x_2, \ldots, x_j)$$

de u vers w. Ici, $u = x_1$ et $w = x_j$. De même, il existe un chemin $(y_1, y_2, \ldots, y_k)$ de w vers v où $w = y_1$ et $v = y_k$. Si nous assemblons ces chemins, nous obtenons un chemin de u vers v, nommé

$$(u = x_1, x_2, \cdots, x_j = w = y_1, y_2, \cdots, y_k = v)$$

✦ **Exemple 9.13.** Considérons le chemin

(Honolulu, PearlCity, Wahiawa, Maili)

de Honolulu vers Maili dans la figure 9.10. Considérons également le chemin

(Maili, PearlCity, Wahiawa, Laie)

de Maili vers Laie dans le même graphe. Si nous assemblons ces chemins, nous obtenons un chemin entre Honolulu et Laie :

(Honolulu, PearlCity, Wahiawa, Maili, PearlCity, Wahiawa, Laie)

Il se trouve que ce chemin est cyclique. Comme déjà vu au paragraphe 9.2, on peut toujours supprimer un cycle afin d'obtenir un graphe acyclique. Dans ce cas, une manière de faire consiste à remplacer les deux occurrences de Wahiawa et les sommets intermédiaires par une occurrence de Wahiawa afin d'obtenir

(Honolulu, PearlCity, Wahiawa, Laie)

qui est un graphe acyclique entre Honolulu et Laie. ✦

Puisque P est une relation d'équivalence, elle partitionne l'ensemble des sommets de ce graphe non-orienté en classes d'équivalences. La classe contenant le sommet v est l'ensemble des sommets u tel que vPu, c'est-à-dire, l'ensemble des sommets connectés à v par un chemin. De plus, une autre propriété des classes d'équivalence est que si les sommets u et v appartiennent à différentes classes, alors il n'est pas possible que

uPv ; c'est-à-dire qu'il n'y a jamais de chemin entre un sommet dans une certaine classe d'équivalence et un sommet dans une autre. Donc, les classes d'équivalence définies par la relation de « chemin » P sont exactement les composantes connexes du graphe.

Algorithme pour construire les composantes connexes

Supposons que l'on veuille construire les composantes connexes d'un graphe G. Une manière de réaliser cela consiste à commencer par le graphe G_0 composé des sommets de G avec aucune arête. On considère alors les arêtes de G une par une, pour construire une séquence de graphes $G_0, G_1, \ldots$, où G_i est composé des sommets de G et des i premières arêtes de G.

LA BASE. G_0 est seulement composé des sommets de G sans arête. Chaque sommet est une composante par elle-même.

LA RÉCURRENCE. On suppose que l'on a les composantes connexes du graphe G_i après avoir considéré les i premières arêtes, et maintenant on considère l'arête $(i + 1)$, $\{u, v\}$.

1. Si u et v font partie de la même composante de G_i, alors G_{i+1} a le même ensemble de composantes connexes que G_i, car la nouvelle arête ne relie aucun sommet qui n'était pas déjà relié.

2. Si u et v font partie de composantes différentes, on fusionne les composantes contenant u et v afin d'obtenir les composantes connexes pour G_{i+1}. La figure 9.13 explique pourquoi il existe un chemin entre tout sommet x de la composante de u et tout sommet y de la composante v. On suit le chemin dans la première composante de x vers u, puis l'arête $\{u, v\}$, et finalement le chemin entre v et y dont on connaît l'existence dans la seconde composante.

Lorsque l'on a considéré toutes les arêtes de cette manière, on obtient les composantes connexes du graphe complet.

✦ **Exemple 9.14.** Considérons le graphe de la figure 9.4. Les arêtes peuvent être traitées dans n'importe quel ordre, mais pour des raisons relatives à l'algorithme présenté au paragraphe suivant, les arêtes sont énumérées dans l'ordre de leur étiquette, de la plus petite à la plus grande. La figure 9.14 montre cette liste d'arêtes.

Initialement, les treizes sommets sont les seuls éléments de leur composante. Lorsque l'on considère l'arête 1, {Kaneohe, Honolulu}, on fusionne ces deux sommets dans une seule composante. La deuxième arête {Wahiawa, PearlCity} fusionne les composantes contenant ces deux villes. La troisième arête est {PearlCity, Honolulu}. Cette arête fusionne les composantes contenant ces deux villes. A présent, chaque composante contient deux villes, par conséquent on a maintenant une composante contenant quatre villes, qui sont

{Wahiawa, PearlCity, Honolulu, Kaneohe}

Toutes les autres villes sont encore des composantes isolées.

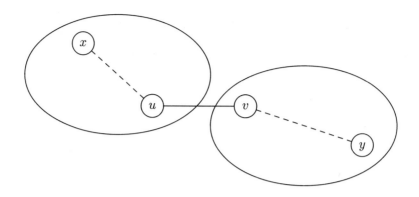

Figure 9.13 : Ajouter une arête $\{u, v\}$ relie les composantes connexes contenant u et v.

ARETE	VILLE 1	VILLE 2	DISTANCE
1	Kaneohe	Honolulu	11
2	Wahiawa	PearlCity	12
3	PearlCity	Honolulu	13
4	Wahiawa	Maili	15
5	Kahului	Keokea	16
6	Maili	PearlCity	20
7	Lahaina	Kahului	22
8	Laie	Kaneohe	24
9	Laie	Wahiawa	28
10	Kona	Kamuela	31
11	Kamuela	Hilo	45
12	Kahului	Hana	60
13	Kona	Hilo	114

Figure 9.14 : Arêtes de la figure 9.4 dans l'ordre des étiquettes.

L'arête 4 est {Maili, Wahiawa} et ajoute Maili à la composante générale. La cinquième arête est {Kahului, Keokea}, qui fusionne ces deux villes en une composante. Lorsque l'on considère l'arête 6, {Maili, PearlCity}, on constate un nouveau phénomène : les deux extrémités de l'arête font déjà partie de la même composante. Par conséquent, on ne fusionne pas avec l'arête 6.

L'arête 7 est {Lahaina, Kahului}, et elle ajoute le sommet Lahaina à la composante {Kahului, Keokea}, formant la composante {Lahaina, Kahului, Keokea}.

L'arête 8 ajoute Laie à la composante générale, composée maintenant de

{Laie, Kaneohe, Honolulu, PearlCity, Wahiawa, Maili}

La neuvième arête, {Laie, Wahiawa}, relie deux villes de sa composante et est donc ignorée.

L'arête 10 regroupe Kamuela et Kona dans une seule composante, et l'arête 11 ajoute Hilo à celle-ci. L'arête 12 ajoute Hana à la composante

{Lahaina, Kahului, Keokea}

Finalement, l'arête 13, {Hilo, Kona}, relie deux villes faisant déjà partie de la même composante. Donc,

{Laie, Kaneohe, Honolulu, PearlCity, Wahiawa, Maili}
{Lahaina, Kahului, Keokea, Hana}
{Kamuela, Hilo, Kona}

est l'ensemble final des composantes connexes. ✦

Structure de données représentant une composante

L'algorithme décrit ci-dessus de manière non formelle impose de réaliser deux choses de manière efficace :

1. Etant donné un sommet, trouver sa composante courante.

2. Fusionner deux composantes en une seule.

Il existe plusieurs structures de données qui permettent de réaliser ces opérations. Nous allons étudier une idée simple qui paradoxalement fournit de bonnes performances. L'idée maîtresse est d'associer les sommets de chaque composante à un arbre[4]. La composante est représentée par la racine de l'arbre. Nos deux opérations peuvent alors être réalisées comme suit :

1. Pour trouver la composante d'un sommet d'un graphe, on prend le représentant de ce sommet dans l'arbre et on suit le chemin dans cet arbre vers la racine, qui représente la composante.

2. Pour fusionner deux composantes différentes, la racine d'une composante devient le fils de la racine de l'autre.

✦ **Exemple 9.15.** Pour l'exemple 9.14, les étapes montrant la création d'arbres intermédiaires sont les suivantes. Initialement, chaque nœud est l'unique élément d'un arbre à un seul nœud. La première arête, {Kaneohe, Honolulu}, nous entraîne à fusionner deux arbres à un seul nœud, {Kaneohe} et {Honolulu}, dans un arbre à deux nœuds {Kaneohe, Honolulu}. Le choix du nœud fils n'a pas d'importance. Supposons que Honolulu soit choisie comme fils, et Kaneohe, sa racine.

---

[4] Il est important de comprendre que, dans ce qui suit, l'« arbre » et le « graphe » sont des structures distinctes. Il existe une bijection entre les sommets du graphe et les nœuds de l'arbre ; c'est-à-dire que chaque nœud de l'arbre représente un sommet du graphe. Cependant, les arêtes père-fils de l'arbre ne sont pas nécessairement des arêtes du graphe.

De même, la deuxième arête, {Wahiawa, PearlCity}, fusionne deux arbres, et nous supposons que PearlCity devient fils de la racine Wahiawa. Dès lors, la collection de composantes courantes est représentée par les deux arbres dans la figure 9.15 et neufs arbres à un nœud.

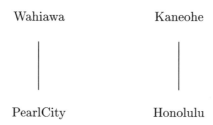

Figure 9.15 : Les deux premiers arbres significatifs issus de la fusion de composantes.

La troisième arête, {PearlCity, Honolulu}, fusionne ces deux composantes. Supposons que Wahiawa devienne fils de l'autre racine, Kaneohe. Alors, la composante résultante est représentée par l'arbre de la figure 9.16.

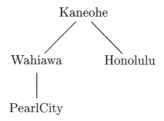

Figure 9.16 : Arbre représentant les composantes constituées de quatre sommets.

Lorsque l'on considère la quatrième arête, {Wahiawa, Maili}, Maili est fusionnée avec la composante représentée par l'arbre de la figure 9.16. Nous pourrions décider que Maili soit fils de Kaneohe, ou réciproquement. Nous préférons la première alternative, puisqu'elle permet de conserver un arbre de petite taille, tandis qu'en choisissant la racine de la composante générale comme fils de la racine de la petite composante, on tendrait à augmenter la hauteur des chemins dans l'arbre. De longs chemins entraînent une perte de temps dans le parcours d'un chemin vers la racine, qui est effectué pour déterminer la composante d'un nœud. En suivant cette politique et en faisant des choix arbitraires lorsque des composantes ont la même taille, nous pourrions déterminer les trois arbres de la figure 9.17 qui représentent les trois composantes connexes finales. ✦

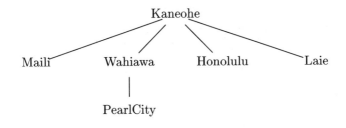

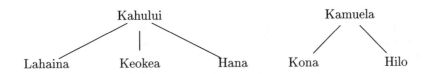

Figure 9.17 : Arbres représentant les composantes connexes finales issues
de l'algorithme de fusion d'arbres.

A partir des leçons tirées de l'exemple 9.15, nous établissons une politique qui dit
que lorsque deux arbres sont fusionnés, la racine du plus petit devient un fils de la
racine du plus grand. Les liens peuvent être coupés arbitrairement. L'intérêt majeur de
cette stratégie est que la taille des arbres est proportionnelle au logarithme du nombre
de nœuds de l'arbre, et en pratique, elle est souvent plus petite. Par conséquent, le
temps de parcours d'un chemin entre un nœud d'un arbre et sa racine est proportionnel au logarithme du nombre de nœuds dans l'arbre. On peut trouver cette borne
logarithmique en prouvant la définition suivante par récurrence sur la taille h.

ASSERTION $S(h)$: Un arbre de taille h, construit selon la stratégie de fusion du plus
petit dans le plus grand possède au moins 2^h nœuds.

LA BASE. $h = 0$: Un tel arbre doit avoir un seul nœud, et puisque $2^0 = 1$, la définition
$S(0)$ est vraie.

LA RÉCURRENCE. Supposons que $S(h)$ soit vraie pour $h \geq 0$, et considérons un
arbre T de taille $h + 1$. A un certain moment durant la formation de T par fusion, la
première taille atteint $h + 1$. La seule façon d'obtenir un arbre de taille $h + 1$ est que
la racine d'un arbre donné T_1 de taille h soit un fils de la racine d'un arbre donné T_2.
T est T_1 plus T_2, plus peut-être d'autres nœuds qui ont été ajoutés après, comme dans
la figure 9.18.

Maintenant, selon l'hypothèse de récurrence, T_1 possède au moins 2^h nœuds. Sa
racine étant devenue un descendant de la racine de T_2, la taille de T_2 est aussi au
moins h. Donc, T_2 possède aussi au moins 2^h nœuds. T est composé de T_1, T_2, et
peut-être plus, donc T a au moins $2^h + 2^h = 2^{h+1}$ nœuds. Cela correspond à $S(h+1)$,
et nous avons prouvé la récurrence.

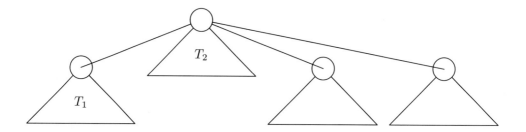

Figure 9.18 : Contruire un arbre de taille $h + 1$.

On sait maintenant que si un arbre a n nœuds et une taille h, on a $n \geq 2^h$. En prenant le logarithme des deux membres, on obtient $\log_2 n \geq h$; c'est-à-dire que la taille de l'arbre ne peut être plus grande que le logarithme du nombre de nœuds. Par conséquent, le parcours d'un graphe quelconque d'un sommet vers sa racine coûte $O(\log n)$.

Nous allons maintenant décrire de manière plus détaillée la structure de données qui met en œuvre ces idées. D'abord, supposons qu'il existe un type NODE représentant un sommet. NODE pourrait être un type énuméré, disons les 13 villes du graphe de la figure 9.4, ou bien un type intervalle tel que 1..n pour supporter des graphes arbitraires de n sommets. Nous supposons qu'il existe une liste d'**arêtes** constituées de cellules. Nous supposons qu'il existe une liste de type EDGE. Ces cellules sont définies par

```
type EDGELIST = ^EDGE;
     EDGE = record
         node1, node2: NODE;
         next: EDGELIST
     end;
```

et nous déclarons

```
     edges: EDGELIST
```

Finalement, tout sommet du graphe doit posséder un nœud d'un arbre correspondant. Les nœuds de l'arbre seront des enregistrements de type TREENODE :

1. Un pointeur père, tel que l'on puisse construire un arbre à partir des sommets du graphe, et parcourir l'arbre jusqu'à sa racine. Un nœud racine sera identifié en ayant NIL comme père.

2. La taille d'un arbre dont un nœud donné est la racine. La taille sera seulement utilisée si le nœud est une racine.

On peut alors définir le type TREENODE par

```
type PTRTREENODE = ^TREENODE;
     TREENODE = record
         parent: PTRTREENODE;
         height: integer;
     end;
```

Le tableau `nodes`, déclaré par

>`nodes: array[NODE] of PTRTREENODE`

associe un nœud dans un arbre quelconque à chaque sommet du graphe. En utilisant des listes d'adjacence ou bien en ayant des nœuds étiquetés, les éléments du tableau `nodes` ne sont pas des enregistrements, mais soit un en-tête de la liste d'adjacence, soit une étiquette d'un nœud, ou bien les deux. Nous supposons ici qu'aucun n'est présent, pour des raisons de simplicité.

```
      function find(a: NODE): PTRTREENODE;
          (* récupère la racine de l'arbre contenant le noeud x
             de l'arbre correspondant au sommet a du graphe *)

      var x: PTRTREENODE;

      begin
(1)       x := nodes[a];
(2)       while x^.parent <> NIL do
(3)           x := x^.parent;
(4)       find := x
      end; (* find *)

      procedure merge(x, y: PTRTREENODE);
          (* fusionne les arbres dont les racines sont x et y,
             en faisant devenir la racine du plus petit le descendant
             de la racine du plus grand *)

      var higher, lower: PTRTREENODE;

      begin
(5)       if x^.height > y^.height then
(6)           begin higher := x; lower := y end
          else
(7)           begin higher := y; lower := x end;
(8)       lower^.parent := higher;
(9)       if lower^.height = higher^.height then
(10)          higher^.height := higher^.height + 1
      end; (* merge *)
```

Figure 9.19 : Procédures auxiliaires `find` et `merge`.

Les deux procédures auxiliaires importantes sont présentées dans la figure 9.19. La première, `find`, prend un sommet *a*, obtient un pointeur sur le nœud correspondant de l'arbre *x*, et parcourt les pointeurs pères de *x* et leurs pères, jusqu'à la racine. Ce parcours est effectué par les lignes (2) et (3). Si la racine est trouvée, un pointeur sur la racine est retourné à la ligne (4).

La seconde procédure, `merge`, prend en paramètres des pointeurs sur les nœuds des arbres *x* et *y*, qui doivent être les racines d'arbres distincts si l'on désire que la fusion se fasse correctement. Le test de la ligne (5) détermine laquelle des racines a la plus grande taille ; les liens sont coupés en faveur de y. La plus grande est affectée à la variable locale **higher** et la plus petite à la variable locale **lower** aux lignes (6) ou (7), de manière la plus appropriée. Ensuite, à la ligne (8), la plus petite devient le descendant de la plus grande, puis aux lignes (9) et (10), la taille de la plus grande, qui est maintenant la racine des deux arbres combinés, est incrémentée de 1 si les tailles de T_1 et T_2 sont égales. La taille de la plus petite reste la même, mais elle est maintenant insignifiante car la plus petite n'est désormais plus une racine.

```
        var u: NODE;
            a, b: PTRTREENODE;
            e: EDGELIST;

        (* initialise un noeud tel que chaque noeud soit tout seul
           dans son propre arbre *)
(1)     for u := 1 to n do begin
(2)         new(nodes[u]);
(3)         nodes[u].parent := NIL;
(4)         nodes[u].height := 0
        end;

        (* initialise et éventuellement réduit progressivement
           la liste d'arêtes *)
(5)     e := edges;

        (* examine chaque arête, et si ses extrémités sont dans
           différentes composantes, fusionne les deux *)
(6)     while e <> NIL do begin
(7)         a := find(e^.node1);
(8)         b := find(e^.node2);
(9)         if a <> b then
(10)            merge(a, b);
(11)        e := e^.next
        end
```

Figure 9.20 : Code créant les composantes connexes.

Le cœur de l'algorithme créant les composantes connexes se trouve dans la figure 9.20. Le tableau **nodes** et la liste d'arêtes **edges** sont supposés être déclarés à l'extérieur du code de la figure 9.20. La liste **edges** a été initialisée afin de représenter le graphe manuellement. On suppose également que le type NODE est 1..n ; une modification doit être réalisée à la ligne (1) pour permettre à u de dépasser l'actuelle limite de l'ensemble des nœuds.

Les lignes (1) à (4) de la figure 9.20 réduisent le tableau **nodes** et pour chaque sommet du graphe, un nœud d'un arbre est créé à la ligne (2). NIL est affecté au champ **parent** à la ligne (3), devenant racine de son propre arbre, et 0 est affecté au champ **height** à la ligne (4), indiquant que le nœud est seul dans son arbre.

La ligne (5) initialise alors e en le faisant pointer sur la première arête de la liste d'arêtes, et la boucle de la la ligne (6) à (11) examine chaque arête une par une. Aux

De meilleurs algorithmes pour construire les composantes connexes

Nous verrons quand nous étudierons la recherche en profondeur d'abord au paragraphe 9.6, qu'il existe en réalité une meilleure façon de construire les composantes connexes, coûtant seulement $O(m)$, au lieu de $O(m \log n)$. Cependant, la structure de données présentée au paragraphe 9.4 est utile par elle-même, et nous verrons au paragraphe 9.5, un autre programme qui utilise cette structure de données.

lignes (7) et (8), on trouve les racines des deux extrémités de l'arête courante. Puis à la ligne (9), on teste si ces racines sont des nœuds d'arbres différents. S'il en est ainsi, les extrémités de l'arête courante sont dans différentes composantes, et on fusionne ces deux composantes à la ligne (10). Si les deux extrémités de l'arête font partie de la même composante, on saute la ligne (10), et par conséquent on ne modifie pas la collection. Finalement, la ligne (11) fait progresser le parcours de la liste d'arêtes.

Temps d'exécution de l'algorithme trouvant les composantes connexes

Déterminons combien de temps prend l'exécution de l'algorithme de la figure 9.20. Prenons un graphe à n sommets, et fixons m comme le plus grand nombre de sommets ou d'arêtes [5]. Tout d'abord, examinons les procédures auxiliaires. Nous avons défendu l'idée que la stratégie de fusion des plus petits arbres dans des plus grands garantissait que le chemin de n'importe quel nœud d'un arbre vers sa racine était inférieur à $\log n$. Donc, `find` prend un temps en $O(\log n)$.

Ensuite, examinons la procédure `merge` de la figure 9.19. Chaque instruction coûte $O(1)$. Puisqu'il n'y a pas de boucle ou d'appel de procédure, la procédure coûte $O(1)$.

Finalement, examinons le programme principal, figure 9.20. Le corps de la boucle `for`, lignes (1) à (4), coûte $O(1)$, et la boucle est itérée n fois. Donc, le coût des lignes (1) à (4) est en $O(n)$. La ligne (5) coûte $O(1)$. Finalement, considérons la boucle `while`, lignes (6) à (11). Dans le corps, les lignes (7) et (8) coûtent $O(\log n)$, puisque ce sont des appels à la fonction `find`, dont nous venons juste de déterminer le coût en $O(\log n)$. Le coût des lignes (9) et (11) est évidemment $O(1)$. Celui de la ligne (10) est le même puisque nous venons juste de déterminer que la procédure `merge` coûte $O(1)$. Donc, l'exécution du corps entier coûte $O(\log n)$. La boucle `while` itère m fois, m étant le nombre d'arêtes. Donc, le coût de cette boucle est $O(m \log n)$, c'est-à-dire le nombre d'itérations multiplié par le coût d'exécution du corps.

Nous ne pouvons pas négliger le coût en $O(1)$ de la ligne (5) favorisant le plus grand temps d'exécution de chaque boucle. En général, le temps d'exécution du programme entier doit être exprimé en $O(n + m \log n)$. Cependant, m vaut au moins n, et donc le terme $m \log n$ domine le terme n. Par conséquent, le temps d'exécution du programme de la figure 9.20 est $O(m \log n)$.

---

[5] Il est normal de voir m comme le nombre d'arêtes, mais dans certains graphes, il y a plus de sommets que d'arêtes.

VILLE 1	VILLE 2	DISTANCE
Marquette	Sault Ste.Marie	153
Saginaw	Flint	31
Grand Rapids	Lansing	60
Detroit	Lansing	78
Escanba	Sault Ste.Marie	175
Ann Arbor	Detroit	28
Ann Arbor	Battle Creek	89
Battle Creek	Kalamazoo	21
Menominee	Escanba	56
Kalamazoo	Grand Rapids	45
Escanba	Marquette	78
Battle Creek	Lansing	40
Flint	Detroit	58

Figure 9.21 : Quelques routes dans l'état du Michigan.

9.4.1 EXERCICES

9.4.1 : La figure 9.21 liste quelques villes de l'état du Michigan, ainsi que le kilométrage qui les sépare. Dans l'intérêt de l'exercice, oublions le kilométrage. Construisez les composantes connexes du graphe en examinant chaque arête de la manière décrite dans ce paragraphe.

9.4.2 : * Démontrez par récurrence sur k qu'une composante connexe de k sommets possède au moins $k - 1$ arêtes.

9.4.3 : * Il existe une manière plus simple de mettre en œuvre « merge » et « find », où l'on garderait un tableau indexé par des sommets, donnant la composante de chaque sommet. Initialement, chaque sommet est une composante par lui-même, et on nomme la composante par le sommet. Pour trouver la composante d'un sommet, on recherche simplement l'entrée du tableau correspondante. Pour fusionner des composantes, on réduit le tableau, déplaçant chaque élément de la première composante vers la seconde.

a) Ecrivez un programme en Pascal mettant en œuvre cet algorithme.

b) En fonction de n, le nombre de sommets, et m, le plus grand des nombres de sommets et d'arêtes, quel est le temps d'exécution de ce programme ?

c) Pour un nombre donné d'arêtes et de sommets, cette mise en œuvre est réellement meilleure que celle décrite dans ce paragraphe. Quel est l'ordre de grandeur du nombre d'arêtes, en fonction du nombre de sommets, avant que cette mise en œuvre soit meilleure ?

9.4.4 : * Supposons qu'au lieu de fusionner les plus petits arbres dans les plus grands dans l'agorithme construisant les composantes connexes de ce paragraphe, nous fusionnons les arbres ayant le moins de nœuds dans ceux en ayant le plus. Le temps d'exécution de cet algorithme est-il encore en $O(m \log n)$?

9.5   Arbre couvrant minimum

Il existe une généralisation de grande importance du problème des composantes connexes d'un graphe non-orienté dont les arêtes sont étiquetées par des nombres (entiers ou réels). Non seulement on doit trouver les composantes connexes, mais pour chaque composante, on doit trouver un arbre reliant les sommets de cette composante. De plus, cet arbre doit être *minimum,* signifiant que la somme des étiquettes des arêtes est aussi petite que possible.

Les **arbres sans-racine, non-ordonnés,** présentés ici ne sont pas tout à fait les mêmes que les arbres présentés au chapitre 5, par le fait qu'ici il n'y a pas de nœud désigné comme racine, et qu'il n'existe pas de notion de descendant ou d'ordre parmi les descendants. En revanche, lorsque l'on parle d'« arbre » dans ce paragraphe, cela signifie sans-racine et non-ordonné, simplement un graphe non-orienté n'ayant pas de cycle élémentaire.

Un **arbre couvrant** pour un graphe non-orienté G est composé des sommets de G avec un sous-ensemble des arêtes de G qui

1.   relient les sommets ; c'est-à-dire qu'il existe un chemin entre tous les sommets, pris deux par deux, en prenant uniquement les arêtes de l'arbre couvrant.

2.   forment un arbre sans-racine, non-ordonné ; c'est-à-dire qu'il n'y a pas de cycle (élémentaire).

Si G est une composante connexe unique, alors il y a toujours un arbre couvrant. Un *arbre couvrant minimum* est un arbre couvrant dont la somme des étiquettes des arêtes est aussi petite que n'importe quel arbre couvrant pour un graphe donné.

✦ **Exemple 9.16.** Soit le graphe G, la composante connexe pour l'île Oahu, dans la figure 9.4 ou 9.10. Un exemple d'arbre couvrant est montré dans la figure 9.22. Il est formé en enlevant les arêtes {Maili, Wahiawa} et {Kaneohe, Laie}, et en conservant les 5 autres arêtes. Le *poids*, ou la somme des étiquettes des arêtes, pour cet arbre est 84. Comme nous le verrons, il n'est pas minimum. ✦

Trouver un arbre couvrant minimum

Il existe plusieurs algorithmes pour trouver un arbre couvrant minimum. Nous allons en montrer un, appelé *l'algorithme de Kruskal*, qui est une simple extension de l'algorithme présenté dans le précédent paragraphe. pour trouver les composantes connexes. Les changements nécessaires sont les suivants :

1.   On doit considérer les arêtes dans l'ordre croissant de leurs étiquettes. (Cet ordre a déjà été choisi dans l'exemple 9.14, bien qu'il ne fut pas nécessaire pour les composantes connexes.)

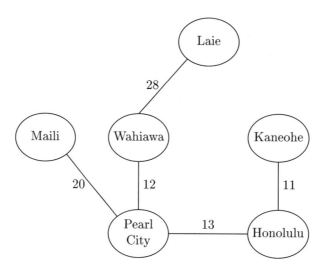

Figure 9.22 : Arbre couvrant pour l'île Oahu.

2. Considérant les arêtes, si une arête possède ses deux extrémités dans des composantes différentes, alors on sélectionne cette arête pour l'arbre couvrant, et on fusionne les composantes de la même façon que dans l'algorithme du paragraphe précédent. Sinon, on ne sélectionne pas l'arête pour l'arbre couvrant, et, évidemment, on ne fusionne pas les composantes.

✦ **Exemple 9.17.** La compagnie Acme Surfboard Wax possède des bureaux dans les treize villes montrées dans la figure 9.4. On désire louer des lignes de transmission de données dédiées à la compagnie de téléphone, et on suppose que les lignes de téléphone suivent les routes indiquées par les arêtes, dans la figure 9.4. Entre les îles, la compagnie doit utiliser des transmissions par satellites, et le coût est proportionnel au nombre de composantes. Cependant, la compagnie de téléphone tarifie les transmissions au sol en fonction du kilométrage [6]. Donc, on espère trouver un arbre couvrant minimum pour chaque composante connexe du graphe de la figure 9.4.

Si on divise les arêtes par composante, on peut alors faire tourner l'algorithme de Kruskal sur chaque composante séparément. Cependant, si l'on ne connaît pas les composantes à l'avance, on doit considérer toutes les arêtes, en partant des plus petites étiquettes, dans l'ordre de la figure 9.14. De même qu'au paragraphe 9.4, on commence par mettre chaque sommet dans une composante, contenant uniquement ce sommet.

On considère d'abord l'arête {Kaneohe, Honolulu}, qui est l'arête ayant la plus petite étiquette. Cette arête fusionne deux villes en une seule composante, et parce que l'on fusionne, on sélectionne cette arête pour l'arbre couvrant minimum. L'arête 2 est {Wahiawa, PearlCity}, et puisque cette arête fusionne aussi deux composantes, elle est

---

[6] Ceci est une manière courante d'établir les tarifs pour les lignes de téléphone louées. On trouve un arbre couvrant minimum reliant les sites désirés, et le tarif est basé sur le poids de cet arbre, en considérant les connexions physiques.

Arbres avec ou sans racine

La notion d'arbre sans-racine ne devrait pas être trop étrange. En fait, on peut choisir tout nœud d'un arbre sans-racine comme racine. Cela donne une direction à toutes les arêtes, partant de la racine, ou bien d'un père vers un fils. Physiquement, c'est comme si on prenait l'arbre sans-racine par un nœud, laissant le reste de l'arbre pendre par ce nœud. Par exemple, nous pourrions prendre Pearl City comme racine de l'arbre couvrant de la figure 9.22, et il ressemblerait à ceci :

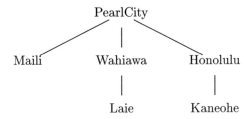

On peut ordonner les descendants de chaque nœud si l'on veut, mais l'ordre sera arbitraire, ne supportant aucune relation avec l'arbre sans racine initial.

également choisie pour l'arbre couvrant. De même, les étiquettes 3 et 4, c'est-à-dire {PearlCity, Honolulu} et {Wahiawa, Maili}, fusionnent des composantes et sont par conséquent mises dans l'arbre couvrant.

L'arête 5, {Kahului, Keokea}, fusionne deux villes, et est aussi acceptée pour l'arbre couvrant, bien que cette arête ne soit pas présente dans l'arbre couvrant de la composante Maui, mais plutôt dans la composante Oahu, contrairement aux arêtes précédentes.

L'arête 6, {Maili, PearlCity}, relie deux villes qui sont déjà dans la même composante. Donc, cette arête est rejetée pour l'arbre couvrant. Bien qu'il faille prendre des arêtes d'étiquettes plus grandes, nous ne prenons pas {Maili, PearlCity}, car cela engendrerait un cycle entre les villes Maili, Wahiawa, et Pearl. On ne peut avoir de cycle dans un arbre couvrant, donc une des trois arêtes doit être exclue. Puisque l'on considère les arêtes dans l'ordre de leurs étiquettes, la dernière arête formant le cycle possède la plus grande étiquette, ce qui c'est le meilleur choix d'exclusion.

Les arêtes 7, {Lahaina, Kahului}, et 8, {Laie, Kaneohe}, sont toutes deux acceptées pour faire partie de l'arbre de longueur totale, parce qu'elles fusionnent des composantes. L'arête 9, {Laie, Wahiawa}, est rejetée parce que ses extrémités sont dans la même composante. On accepte les arêtes 10 et 11 ; elles forment l'arbre couvrant pour la composante « grande île », et on accepte l'arête 12 pour compléter la composante Maui. L'arête 13 est rejetée, parce qu'elle relie Kona et Hilo, qui ont été fusionnée dans la même composante par les arêtes 10 et 11. La figure 9.23 montre les arbres couvrant résultant des composantes. ✦

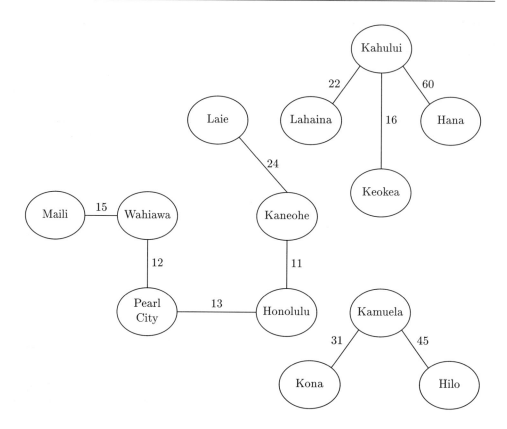

Figure 9.23 : Arbres couvrants pour le graphe de la figure 9.4.

Pourquoi l'algorithme de Kruskal est-il correct ?

On peut démontrer que l'algorithme de Kruskal génère un arbre couvrant dont le poids est aussi petit que tout arbre couvrant pour le graphe donné. Soit G, un graphe non-orienté connexe. Par simplicité, ajoutons d'infinitésimales quantités à certaines étiquettes, si nécessaire, de façon que toutes les étiquettes soient distinctes et que la somme de toutes les quantités infinitésimales ne dépasse pas la différence entre deux arêtes de G ayant des étiquettes différentes. Comme résultat, G, avec ce nouvel étiquetage, aura un unique arbre couvrant minimum, qui sera un des arbres couvrants minimum de G avec les poids initiaux.

Soit alors $e_1, e_2, \ldots, e_m$ toutes les arêtes de G, dans l'ordre de leurs étiquettes, en partant de la plus petite. Notez que cet ordre est aussi l'ordre dans lequel l'algorithme de Kruskal considère les arêtes. Soit K l'arbre couvrant pour G avec les étiquettes réajustées par l'algorithme de Kruskal. Soit T l'unique arbre couvrant minimum pour G.

Nous allons démontrer que K et T sont vraiment identiques. S'ils sont différents, il doit alors exister une arête qui est dans l'un et pas dans l'autre. Soit e_i la première arête de ce genre dans l'ordre des arêtes ; autrement dit, chacun des $e_1, \ldots, e_{i-1}$ est

La gourmandise est parfois payante

L'algorithme de Kruskal est un bon exemple **d'algorithme gourmand** dans lequel on fait un certain nombre de décisions, chacune semblant être la meilleure au moment où elle est prise. La décision locale consiste ici à choisir l'arête qu'il faut ajouter à l'arbre couvrant en train d'être construit. Dans chaque cas, on prend une arête avec la plus petite étiquette qui n'enfreint pas la définition de « l'arbre couvrant » en générant un cycle. Souvent, l'effet d'ensemble de décisions locales optimales n'est pas globalement optimum. Cependant, dans le cas de l'algorithme de Kruskal, on peut montrer que le résultat global est optimal ; c'est-à-dire qu'il en résulte un arbre couvrant de poids minimum.

soit à la fois dans K et T, soit dans aucun. Il existe deux cas, selon que e_i est dans K ou dans T. Nous verrons une contradiction dans chaque cas, et nous concluerons alors que e_i n'existe pas ; donc $K = T$, et K est l'arbre couvrant minimum pour G.

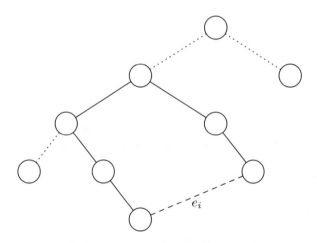

Figure 9.24 : Le chemin P (lignes en trait plein) est dans T et K ; l'arête e_i est seulement dans T.

Cas 1. L'arête e_i est dans T mais pas dans K. Si l'algorithme de Kruskal rejette e_i, alors e_i doit former un cycle avec un quelconque chemin P d'arêtes précédemment choisies pour K, comme dans la figure 9.24. Donc, les arêtes de P sont toutes dans $e_1, \ldots, e_{i-1}$. Cependant, T et K sont en accord sur ces arêtes ; autrement dit, si les arêtes de P sont dans K, alors elles sont aussi dans T. Mais puisque T possède aussi e_i, P plus e_i forment un cycle dans T, contredisant l'hypothèse que T est un arbre couvrant. Donc, il n'est pas possible que e_i soit dans T et pas dans K.

Cas 2. L'arête e_i est dans K mais pas dans T. Soit e_i l'arête entre les nœuds u et v. Puisque T est connexe, il doit y avoir un chemin acyclique dans T entre u et v ;

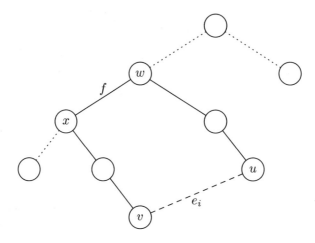

Figure 9.25 : Le chemin Q (traits pleins) est dans T. On peut ajouter une arête e_i à T et enlever l'arête f.

appelons ce chemin Q. Puisque Q n'utilise pas l'arête e_i, Q plus e_i forment un cycle élémentaire dans le graphe G. Il y a deux sous-cas, selon que e_i possède une plus grande étiquette que toutes les arêtes du chemin Q, ou non.

a) L'arête e_i possède la plus grande étiquette. Et toutes les arêtes dans Q sont dans $\{e_1, \ldots, e_{i-1}\}$. Rappelons que T et K sont en accord sur toutes les arêtes précédentes e_i, et que toute arête de Q est aussi dans K. Mais e_i est aussi dans K, ce qui implique qu'il existe un cycle dans K. Nous devons donc exclure la possibilité que e_i a une étiquette supérieure à toutes les arêtes faisant partie du chemin Q.

b) Il existe une arête f dans le chemin Q qui a une étiquette supérieure à e_i. Supposons que f relie les nœuds w et x. La figure 9.25 montre la situation dans l'arbre T. Si l'on enlève l'arête f de T et qu'on ajoute l'arête e_i, on ne crée pas de cycle car le chemin Q a été cassé par le retrait de f. La collection d'arêtes résultante possède un poids plus petit que T, car f a une étiquette plus grande que e_i. On affirme que les arêtes résultantes relient encore tous les nœuds. En effet w et x sont encore reliées ; il existe un chemin qui suit Q de w à u, puis suit l'arête e_i, et enfin le chemin Q de v à x. Puisque $\{w, x\}$ est la seule arête qui a été enlevée, si ses extrémités sont encore reliées, tous les nœuds sont certainement encore reliés. Donc, le nouvel ensemble d'arêtes est un arbre couvrant, et son existence contredit l'hypothèse que T était minimum.

Nous avons montré qu'il est impossible pour e_i d'être dans K mais pas dans T. Ceci exclut le second cas. Puiqu'il est impossible que e_i soit dans l'un de T et K, et pas dans l'autre on conclut que K est vraiment l'arbre couvrant minimum T. C'est-à-dire que l'algorithme de Kruskal trouve toujours l'arbre de longueur totale minimum.

Temps d'exécution de l'algorithme de Kruskal

Supposons que l'on fasse tourner l'algorithme de Kruskal sur un graphe de n sommets. Comme pour le précédent paragraphe, soit m le plus grand des deux nombres, sommets ou arêtes, mais rappelons que le nombre d'arêtes est généralement plus grand. Supposons que le graphe soit représenté par des listes d'adjacence, de telle façon que l'on puisse trouver toutes les arêtes en un temps en $O(m)$.

Pour commencer, nous devons trier les arêtes dans l'ordre de leurs étiquettes, en prenant un temps en $O(m \log m)$, si l'on utilise un algorithme de tri efficace tel que le tri par fusion. Ensuite, nous considérons les arêtes, prenant un temps de $O(m \log n)$ pour réaliser toutes les fusions et recherches, comme nous l'avons vu dans le précédent paragraphe. Il apparaît que le temps total pour l'algorithme de Kruskal est donc $O\big(m(\log n + \log m)\big)$.

Cependant, notons que $m \leq n^2$, car il y a seulement $n(n-1)/2$ paires de sommets. Donc, $\log m \leq 2 \log n$, et $m(\log n + \log m) \leq 3m \log n$. Puisque des facteurs constants sont négligeables dans une expression complexe, nous concluons que l'algorithme de Kruskal prend un temps de $O(m \log n)$.

EXERCICES

9.5.1 : Dessinez l'arbre de la figure 9.22 lorsque Wahiawa est choisie comme racine.

9.5.2 : Utilisez l'algorithme de Kruskal pour trouver les arbres de longueur totale minimum pour chaque composante du graphe dont les arêtes et étiquettes sont listées dans la figure 9.21 (voir les exercices du paragraphe 9.4).

9.5.3 : ** Démontrez que si G est graphe non-orienté connexe composé de n sommets, et T un arbre couvrant pour G, alors T a $n - 1$ arêtes. *Une indication*: il faut faire une récurrence sur n. La partie difficile à démontrer est que T doit avoir un sommet de degré 1 ; c'est-à-dire que T possède exactement une arête contenant v. Considérez ce qui arriverait, si pour chaque nœud u, il y avait au moins deux arêtes de T contenant u. En suivant les arêtes qui arrivent et partent des nœuds, nous finirons par trouver un cycle. Puisque T est supposé être un arbre couvrant, il ne devrait pas comporter de cycle, ce qui nous donne une contradiction.

9.5.4 : * Une fois que l'on a sélectionné $n-1$ arêtes, il n'est plus nécessaire de considérer d'autres d'arêtes à inclure dans l'arbre couvrant. Décrivez une variation de l'algorithme de Kruskal qui ne trie pas toutes les arêtes, mais les place dans une file de priorité, dont la priorité est égale à la valeur négative de l'étiquette de l'arête (autrement dit, l'arête la plus petite sera sélectionnée en premier par *deleteMax*). Montrez que si un arbre couvrant peut être trouvé parmi les $m/\log m$ premières arêtes, alors cette version de l'algorithme de Kruskal prend seulement un temps de $O(m)$.

9.5.5 : ** Un **circuit d'Euler** pour un graphe non-orienté G est un chemin qui commence et finit au même sommet et contient chaque sommet de G exactement une fois.

a)   Montrez qu'un graphe connexe non-orienté possède un circuit d'Euler si et seulement si chaque sommet a un degré pair.

b) Soit G un graphe non-orienté ayant m arêtes et pour lequel chaque sommet a un degré pair. Donnez un algorithme en $O(m)$ permettant de construire un circuit d'Euler pour G.

9.6   Recherche en profondeur d'abord

Nous allons maintenant décrire une méthode d'exploration de graphe qui est utile pour les graphes orientés. Nous avons présenté au paragraphe 5.4 les parcours d'arbres préordre et post-ordre, en partant de la racine, et récursivement sur les filss des nœuds visités. On peut pratiquement appliquer la même idée à n'importe quel graphe orienté [7]. A partir de n'importe quel sommet, on explore récursivement ses successeurs.

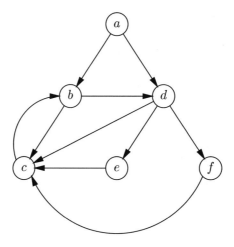

Figure 9.26 : Un exemple de graphe orienté.

Cependant, il faut être prudent si le graphe possède des cycles. S'il y a un cycle, on peut appeler la procédure d'exploration récursivement dans le cycle à l'infini. Par exemple, considérons le graphe de la figure 9.26. En partant du sommet a, on peut décider d'explorer le sommet b. Puis à partir de b, on peut explorer d'abord c, et de c explorer d'abord b. Ceci nous mène dans une récursivité infinie, où on explore alternativement b et c. En fait, l'ordre choisi pour explorer les successeurs de b et c n'a pas d'importance. Soit on sera appelé d'un autre cycle, soit on finira par explorer c à partir de b et b à partir de c, à l'infini.

Il existe une solution simple à notre problème : on marque les sommets au fur et à mesure que l'on les visite, et on ne visite jamais un sommet déjà marqué. Alors, tout sommet pouvant être atteint à partir du sommet de départ sera atteint et jamais un sommet visité ne sera visité de nouveau. On peut constater que le temps pris pour cette exploration est proportionnel aux nombres d'arcs explorés.

---

[7]   Notez qu'un arbre peut être vu comme un cas spécial d'un graphe orienté, si l'on regarde les arcs de l'arbre orienté père vers fils. En fait, un arbre est aussi toujours un graphe acyclique.

```
        procedure dfs(u: NODE);

        var p: LIST; (* prend la liste d'adjacence de u *)
            v: NODE; (* sommet dans la cellule sur lequel pointe p *)

        begin
(1)         G[u].mark := VISITE;
(2)         p := G[u].header;
(3)         while p <> NIL do begin
(4)             v := p^.nodeName;
(5)             if G[v].mark = NON-VISITE then
(6)                 dfs(v)
(7)             p := p^.next
            end
        end; (* dfs *)
```

Figure 9.27 : La procédure récursive de recherche en profondeur d'abord.

L'algorithme de recherche est appelé *recherche en profondeur d'abord* car on va aussi loin que possible à partir du sommet initial (aussi « profond ») aussi rapidement que possible.

Il peut être mis en œuvre avec une structure de données simple. D'abord, admettons qu'il existe un type NODE qui permette de nommer les sommets ; on admet que ce type est 1..n, bien qu'il puisse être n'importe quel type permettant d'indexer un tableau. On représente les arcs par des listes d'adjacence. Puisqu'il nous faut une « marque » pour chaque sommet, pouvant prendre les valeurs VISITE et NON-VISITE, on crée un tableau d'enregistrements pour représenter le graphe. Ces enregistrements contiennent à la fois la marque et l'en-tête pour la liste d'adjacence.

```
        type GRAPH = array[NODE] of
            record
                mark: (VISITE, NON-VISITE);
                header: LIST
            end;
```

où LIST est une liste d'adjacence, définie de manière habituelle :

```
        type LIST = ^CELL;
            CELL = record
                nodeName: NODE;
                next: LIST
            end;
```

On commence par marquer tous les sommets comme NON-VISITE. La procédure récursive dfs(u) de la figure 9.27 fonctionne avec un sommet u d'un quelconque graphe G, défini de manière externe, et de type GRAPH. A la ligne (1), on marque u VISITE, pour ne pas appeler deux fois dfs sur ce sommet. La ligne (2) initialise p sur la première cellule de la liste d'adjacence pour le sommet u. La boucle entre les lignes (3) et (7) prend la liste d'adjacence p, considère chaque successeur v de u, tour à tour.

La ligne (4) définit v comme successeur « courant » de u. A la ligne (5) on teste si v a déjà été visité. Si c'est le cas, on n'effectue pas l'appel récursif de la ligne (6) et on déplace p sur la prochaine cellule de la liste d'adjacence à la ligne (7). En revanche, si v n'a pas déjà été visité, on commence une recherche en profondeur d'abord à partir du sommet v, à la ligne (6). Finalement, on termine l'appel à `dfs(v)`. Puis, on exécute la ligne (7) pour descendre p dans la liste d'adjacence de u et continuer la boucle.

✦ **Exemple 9.18.** Supposons G le graphe de la figure 9.26, et, en particulier, admettons que les sommets sur chaque liste d'adjacence soient ordonnés de manière alphabétique. Initialement, tous les sommets sont marqués `NON-VISITE`. Appelons `dfs(a)`. Le sommet a est marqué `VISITE` à la ligne (1), et à la ligne (2) on initialise p pour le faire pointer sur la première cellule de la liste d'adjacence de a. A la ligne (4), v est affecté avec b, puisque b est le sommet dans la première cellule. Puisque b est pour l'instant non-visité, le test de la ligne (5) réussit et à la ligne (6) on appelle `dfs(b)`.

Puis, on commence un nouvel appel de `dfs`, avec $u = b$, pendant que l'appel antérieur avec $u = a$ est en attente mais toujours vivant. On commence à la ligne (1), marquant b `VISITE`. Puisque c est le premier sommet de la liste d'adjacence de b, c devient la valeur de v à la ligne (4). Le sommet c n'a pas encore été visité, donc le test à la ligne (5) réussit et à la ligne (6) on appelle `dfs(c)`.

Un troisième appel à `dfs` est maintenant en cours, et pour commencer `dfs(c)`, on marque c `VISITE` et affecte v à b à la ligne (4), puisque b est le premier et le seul sommet sur la liste d'adjacence de c. Cependant, b a déjà été marqué `VISITE` à la ligne (1) de l'appel de `dfs(b)`, donc on passe la ligne (6) et déplace p d'un cran dans la liste d'adjacence de c à la ligne (7). Puisque c n'a plus de successeur, p devient `NIL`, par conséquent le test de la ligne (3) échoue, et `dfs(c)` se termine.

On revient donc de l'appel de `dfs(b)`. Le pointeur p est incrémenté à la ligne (7), et il pointe maintenant sur la seconde cellule de la liste d'adjacence de b, qui contient le sommet d. On affecte v à d à la ligne (4), et puisque d n'a pas déjà été visité, on appelle `dfs(d)` à la ligne (6).

Pour l'exécution de `dfs(d)`, on marque d `VISITE`. Puis v est affecté par c. Mais c a déjà été visité, et donc à la prochaine itération de la boucle, $v = e$.

Ce qui nous conduit à l'appel de `dfs(e)`. Le sommet e a seulement c comme successeur, et par conséquent après le marquage de e `VISITE`, `dfs(e)` retourne à `dfs(d)`. On effectue ensuite $v = f$ à la ligne (4) de `dfs(d)`, et appelle `dfs(f)`. Après le marquage de f `VISITE`, on trouve que f a aussi c comme unique successeur, et c a déjà été visité.

On en a donc fini avec `dfs(f)`. Puisque f est le dernier successeur de d, `dfs(d)` est aussi finie, et puisque d est le dernier successeur de b, `dfs(b)` est également terminée. Ce qui nous ramène à `dfs(a)`. Le sommet a a un autre successeur, d, mais ce sommet a été visité, donc on en a terminé avec `dfs(a)`.

La figure 9.28 résume l'action de `dfs` sur le graphe de la figure 9.26. Elle montre l'empilement des appels à `dfs`, avec l'appel courant sur la droite. Elle indique également l'action effectuée à chaque étape, avec la valeur de la variable locale v associée à chaque appel courant, ou bien `p = NIL`, indiquant qu'il n'y a pas de valeur active pour v. ✦

dfs(a)				appel de dfs(b)
$v = b$				

dfs(a)	dfs(b)			appel de dfs(c)
$v = b$	$v = c$			

dfs(a)	dfs(b)	dfs(c)		saut ; b déjà visité
$v = b$	$v = c$	$v = b$		

dfs(a)	dfs(b)	dfs(c)		retour
$v = b$	$v = c$	$p =$NIL		

dfs(a)	dfs(b)			appel de dfs(d)
$v = b$	$v = d$			

dfs(a)	dfs(b)	dfs(d)		saut ; c déjà visité
$v = b$	$v = d$	$v = c$		

dfs(a)	dfs(b)	dfs(d)		appel de dfs(e)
$v = b$	$v = d$	$v = e$		

dfs(a)	dfs(b)	dfs(d)	dfs(e)	saut ; c déjà visité
$v = b$	$v = d$	$v = e$	$v = c$	

dfs(a)	dfs(b)	dfs(d)	dfs(e)	retour
$v = b$	$v = d$	$v = e$	$p =$NIL	

dfs(a)	dfs(b)	dfs(d)		appel de dfs(f)
$v = b$	$v = d$	$v = f$		

dfs(a)	dfs(b)	dfs(d)	dfs(f)	saut ; c déjà visité
$v = b$	$v = d$	$v = f$	$v = c$	

dfs(a)	dfs(b)	dfs(d)	dfs(f)	retour
$v = b$	$v = d$	$v = f$	$p =$NIL	

dfs(a)	dfs(b)	dfs(d)		retour
$v = b$	$v = d$	$p =$NIL		

dfs(a)	dfs(b)			retour
$v = b$	$p =$NIL			

dfs(a)				saut ; d déjà visité
$v = d$				

dfs(a)				retour
$p =$NIL				

Figure 9.28 : Trace des appels effectués lors d'une recherche en profondeur d'abord.

Construction d'un arbre de recherche en profondeur d'abord

Comme l'on marque les sommets pour éviter de les visiter deux fois, le graphe se comporte comme un arbre lorsque l'on l'explore. En fait, on peut dessiner un arbre dont les arêtes père-fils sont des arcs du graphe G en cours de recherche. Si l'on est dans `dfs(u)`, et il en résulte un appel à `dfs(v)`, alors v devient le fils de u dans l'arbre. Les descendants de u apparaissent, de la gauche vers la droite, dans l'ordre dans lequel *dfs* a été appelée sur ces descendants. Le sommet sur lequel l'appel initial à *dsf* a été effectué est la racine. Aucun sommet ne peut avoir été visité par *dfs* deux fois, puisqu'il est marqué VISITE au premier appel. Donc, la structure définie est vraiment un arbre. Nous appelons l'arbre pour le graphe donné, *un arbre de recherche en profondeur d'abord*

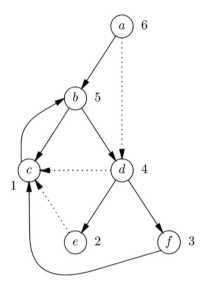

Figure 9.29 : Un arbre de recherche en profondeur d'abord possible pour
le graphe de la figure 9.26.

✦ **Exemple 9.19.** L'arbre pour l'exploration du graphe de la figure 9.26 résumé dans la figure 9.28 est montré dans la figure 9.29. La figure montre les *arcs de l'arbre*, représentant les relations père-fils, en traits pleins. D'autres arcs du graphe sont montrés en pointillés. Pour l'instant, on ignore les nombres étiquetant les sommets. ✦

Classification des arcs d'un arbre de recherche en profondeur d'abord

Lorsque l'on construit un arbre de recherche en profondeur d'abord pour un graphe G, on peut classer les arcs de G en quatre groupes. Bien entendu, cette classification concerne un arbre de recherche en profondeur d'abord particulier, ou bien, concerne l'ordre particulier des nœuds dans chaque liste d'adjacence qui conduit à une exploration particulière de G. Les quatre sortes d'arc sont des :

1.   *Arcs appelants*, qui sont les arcs $u \rightarrow v$ tels que `dfs(v)` est appelée par `dfs(u)`.

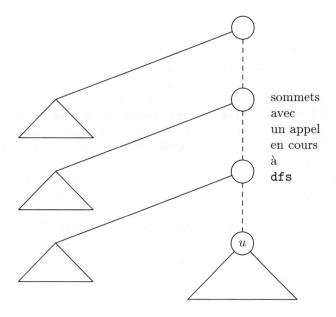

sommets
avec
un appel
en cours
à
dfs

Figure 9.30 : Partie de l'arbre qui est construite lorsque l'arc $u \to v$ est considéré.

2. *Arcs avants*, qui sont des arcs $u \to v$ tels que v est un descendant propre de u, mais pas fils (direct) de u. Par exemple, dans la figure 9.29, l'arc $a \to d$ est le seul arc avant. Aucun arc de l'arbre n'est un arc avant.

3. *Arcs arrières*, qui sont des arcs $u \to v$ tels que v est un père de u dans l'arbre ($u = v$ est possible). L'arc $c \to b$ est le seul exemple d'arc arrière, dans la figure 9.29. Toute boucle, un arc d'un nœud vers lui-même, est classifiée comme arrière.

4. *Arcs transverses*, qui sont des arcs $u \to v$ tels que v n'est ni un père ni un fils de u. Il y a trois arcs transverses dans la figure 9.29 : $d \to c$, $e \to c$, et $f \to c$.

Dans la figure 9.29, chaque **arc transverse** va de droite à gauche. Ce n'est pas une coïncidence. Supposons que l'on ait dans un arbre de recherche en profondeur d'abord, un arc transverse $u \to v$ tel que u était à gauche de v. Considérons ce qui arrive durant l'appel de dfs(u). Au moment où l'on termine dfs(u), nous devrions avoir considéré l'arc de u à v. Si v n'a pas encore été placé dans l'arbre, alors il devient un fils de u dans l'arbre. Puisque ça n'est évidemment pas arrivé (v ne serait pas à droite de u), c'est que v doit déjà être dans l'arbre lorsque l'arc $u \to v$ est considéré.

Cependant, la figure 9.30 montre une partie de l'arbre qui existe lorsque dfs(u) est exécutée. Puisque les descendants sont ajoutés dans un ordre de gauche à droite, aucun ancêtre du sommet u n'a encore eu un descendant à doite de u. Donc, v peut seulement être un ancêtre de u, un descendant de u, ou quelque part à la gauche de u. Donc, si $u \to v$ est un arc transverse, v doit être à la gauche de u, et non à la droite de u comme nous l'avons initialement supposé.

Arborescence de recherche en profondeur d'abord

Dans l'exemple 9.19, nous avons eu la chance qu'en commençant par le sommet a, on puisse atteindre tous les sommets du graphe de la figure 9.26. Si nous avions commencé par un autre sommet, nous n'aurions pas atteint a, et a n'apparaîtrait pas dans l'arbre. Par conséquent, la méthode générale d'exploration d'un graphe consiste à construire une séquence d'arbres. On commence par un sommet quelconque u et on appelle `dfs(u)`. S'il existe des sommets non visités, on en prend un, disons v, et on appelle `dfs(v)`. On répète ce processus tant qu'il y a des sommets qui ne sont pas encore affectés à un arbre.

Lorsque tous les sommets ont été affectés à un arbre, on liste les arbres, de gauche à droite, dans l'ordre dans lequel ils ont été construits. Cette liste d'arbres est appelée *arborescence de recherche en profondeur d'abord*. En fonction des types de données `NODE` et `GRAPH` définis auparavant, on peut explorer un graphe G entier, commencer la recherche sur autant de racines que nécessaire par la procédure de la figure 9.31. Ici, on suppose que le type `NODE` est `[1..n]`, mais il existe une modification simple si ce type est un type énuméré ou intervalle.

```
        procedure dfsForest(G: GRAPH);

        var u: NODE;

        begin
(1)         for u := 1 to n do
(2)             G[u].mark := NON-VISITE;
(3)         for u := 1 to n do
(4)             if G[u].mark = NON-VISITE then
(5)                 dfs(u)
        end; (* dfsForest *)
```

Figure 9.31 : Exploration du graphe en explorant autant d'arbres que nécessaire.

Aux lignes (1) et (2), on initialise tous les sommets comme `NON-VISITE`. Puis dans la boucle des lignes (3) à (5), on considère chaque sommet u tour à tour. Lorsque u est considéré, s'il n'a pas déjà été ajouté à un arbre, il sera encore marqué comme non-visité lors du test de la ligne (4). Dans ce cas, on appelle `dfs(u)` à la ligne (5) et on explore l'arbre de recherche en profondeur d'abord par la racine u. En particulier, le premier sommet devient toujours la racine de l'arbre. Cependant, si u a déjà été ajouté à un arbre lorsque l'on exécute le test de la ligne (4), alors u sera marqué `VISITE`, et donc on ne crée pas d'arbre ayant u comme racine.

◆ **Exemple 9.20.** Supposons que l'on applique l'algorithme ci-dessus au graphe de la figure 9.26, mais que l'on prenne d en premier sommet au lieu de a. On appelle `dfs(d)`, qui construit le premier arbre de la figure 9.32. Maintenant, tous les sommets sauf a sont visités. Puisque u prend la valeur de chacun des nombreux sommets dans la boucle aux lignes (3) à (5) de la figure 9.31, le test de la ligne (4) échoue, excepté lorsque

$u = a$. Alors, on crée le second arbre à un nœud de la figure 9.32. Notons que les deux successeurs de a sont marqués `VISITE` lorsque l'on appelle `dfs(a)`, et par conséquent on ne fait pas d'appel récursif sur `dfs(a)`. ✦

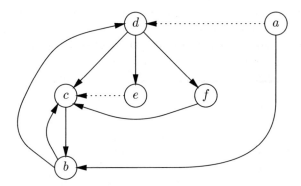

Figure 9.32 : Une arborescence de recherche en profondeur d'abord.

Lorsque l'on observe les sommets d'une arborescence de recherche en profondeur d'abord, les notions d'arc avant et arrière s'appliquent comme auparavent. Cependant, la notion d'arc transverse doit être étendue pour inclure des arcs allant d'un arbre à un autre sur sa gauche. Des exemples de tels arcs transverses sont $a \rightarrow b$ et $a \rightarrow d$ dans la figure 9.32.

La règle selon laquelle un arc transverse va toujours de droite à gauche continue à s'appliquer. Toujours pour la même raison. S'il y avait un arc transverse $u \rightarrow v$ allant d'un arbre à un autre sur la droite, il suffit de considérer ce qui arriverait lorsque l'on appelle `dfs(u)`. Puisque v n'a pas été ajouté à l'arbre en train d'être construit, il doit déjà être dans un arbre quelconque. Mais les arbres à droite de u n'ont pas encore été créés, et donc v ne peut faire partie de l'un d'entre eux.

Temps d'exécution de l'algorithme recherche en profondeur d'abord

Soit G un graphe ayant n sommets, et soit m le plus grand nombre de sommets et d'arcs. Alors `dfsForest`, figure 9.31, prend un temps de $O(m)$. La démonstration fait appel à une astuce. Lorsque l'on calcule le temps mis par un appel de `dfs(u)`, on ne devra pas comptabiliser le temps pris par tout appel récusif à `dfs` à la ligne (6)de la figure 9.27, comme il a été suggéré au paragraphe 3.9. Plutôt, observons que l'on appelle `dfs(u)` une fois pour chaque valeur de u. Donc, si l'on additionne le coût de chaque appel, sans compter ses appels récursifs, on obtient le temps total passé par tous les appels.

Notons que la boucle `while` des lignes (3) à (7) de la figure 9.27 peut prendre un temps variable, même en ne comptant pas le temps passé dans des appels récursifs de `dfs`, car le nombre de successeurs du sommet u pourrait être n'importe quel nombre de 0 à n. Supposons que m_u soit le demi-degré extérieur du sommet u, c'est-à-dire le nombre de successeurs de u. Alors le nombre de passages dans la boucle `while` durant l'exécution de `dfs(u)` est certainement m_u. On ne compte pas l'exécution de `dfs(v)`

Perfection de la recherche en profondeur d'abord

Sans ce soucier des relations entre n et m, le temps d'exécution de la recherche en profondeur d'abord d'un graphe est proportionnel à la taille du graphe, c'est-à-dire, la somme du nombre de sommets et d'arcs. Donc, la recherche en profondeur d'abord est d'un facteur constant aussi rapide que n'importe quel algorithme « cherchant » dans un graphe.

à la ligne (6) lorsque l'on estime le temps d'exécution de `dfs(u)`, et le corps de la boucle, sans compter cet appel, prend un temps de $O(1)$. Donc, le temps total passé dans la boucle des lignes (3) à (7), sans compter le temps passé dans les appels récursifs est $O(1 + m_u)$; on a besoin du 1 supplémentaire car m_u doit être égal à 0, afin que le temps soit encore $O(1)$ pour le test ligne (3). Puisque les lignes (1) et (2) de `dfs` prennent $O(1)$, on conclut qu'en négligeant les appels récursifs, `dfs(u)` prend un temps de $O(1 + m_u)$ pour s'exécuter.

Par ailleurs, on peut observer que durant l'exécution de `dfsForest`, on appelle `dfs(u)` exactement une fois pour chaque valeur de u. Donc, le temps total passé dans tous les appels est en O de la somme des temps passé dans chacune, c'est-à-dire $O\left(\sum_u (1 + m_u)\right)$. Mais $\sum_u m_u$ n'est que le nombre d'arcs dans le graphe, c'est-à-dire au moins m,[8] puisque chaque arc émane d'un sommet. Le nombre de sommets est n, tel que $\sum_u 1$ n'est que n. Puisque $n \leq m$, le temps passé par tous les appels à `dfs` est donc $O(m)$.

Finalement, on doit considérer le temps pris par `dfsForest`. Ce programme, figure 9.31, contient deux boucles, chacune itérée n fois. Comme on peut facilement s'en apercevoir, le corps des boucles prend $O(1)$, sans compter les appels à `dfs`, et donc le coût des boucles est $O(n)$. Ce temps est principalement pris par les appels de `dfs` de $O(m)$. Puisque le temps pour les appels de `dfs` est déjà comptabilisé, nous concluons que `dfsForest`, plus tous ses appels à `dfs`, prend $O(m)$.

Parcours post-ordre d'un graphe orienté

Une fois que l'on a construit un arbre de recherche en profondeur d'abord, nous pouvons numéroter ses nœuds dans un post-ordre. Il existe une façon simple de numéroter durant la recherche elle-même. On numérote simplement un nœud u en dernier lieu avant que `dfs(u)` se termine. Alors, un nœud est numéroté juste après que tous ses descendants sont numérotés, exactement comme une numérotation en post-ordre.

◆ **Exemple 9.21.** L'arbre de la figure 9.29, que l'on a construit par une recherche en profondeur d'abord à partir de l'arbre de la figure 9.26, contient des numéros par post-ordre étiquetant les nœuds. Si l'on examine la trace de la figure 9.28, on remarque que le premier appel à retourner est `dfs(c)`, et 1 est attribué au nœud c. Ensuite, on visite d, puis e, et revient de l'appel de e. Par conséquent, le numéro de e est 2. De manière

---

[8] En fait, la somme des m_u sera exactement m, sauf dans le rare cas où le nombre de sommets dépasse le nombre d'arcs. Rappelons que m est le nombre le plus grand de sommets et d'arcs.

similaire, on visite et retourne de f, qui est numéroté 3. A ce stade, on a terminé l'apppel de d, qui prend le numéro 4, terminant l'appel à `dfs(b)`, et le numéro de b est 5. Finalement, l'appel initial à a retourne, attribuant 6 à a. Notons que cet ordre est exactement celui que l'on obtiendrait si l'on parcourait simplement l'arbre dans un post-ordre. ◆

```
var k: integer;

procedure dfs(u: NODE);

var p: LIST; (* pointe sur une cellule de la liste d'adjacence
        de u *)
    v: NODE; (* le sommet dans la cellule pointée par p *)
begin
    G[u].mark := VISITE;
    p := G[u].header;
    while p <> NIL do begin
        v := p^.nodeName;
        if G[v].mark = NON-VISITE then
            dfs(v);
        p := p^.next
    end;
    k := k + 1;
    G[u].postorder := k
end; (* dfs *)

procedure dfsForest(G: GRAPH);

var u: NODE;

begin
    k := 0;
    for u := 1 to n do
        G[u].mark := NON-VISITE;
    for u := 1 to n do
        if G[u].mark = NON-VISITE then
            dfs(u)
end; (* dfsForest *)
```

Figure 9.33 : Procédure numérotant les sommets d'un graphe orienté en ordre postérieur.

On peut affecter une numérotation de post-ordre aux nœuds en modifiant simplement l'algorithme de recherche en profondeur d'abord décrit précédemment ; ces changements sont résumés dans la figure 9.33.

1. Au type `GRAPH`, un champ supplémentaire est nécessaire pour chaque sommet ; ce champ est appelé `postorder`. Pour le graphe G, on place le numéro de post-ordre du sommet u dans `G[u].postorder`.

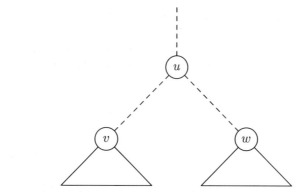

(a) Trois nœuds dans un arbre de recherche en profondeur d'abord.

(b) Intervalles actifs pour leurs appels à `dfs`.

Figure 9.34 : Relations entre positions dans l'arbre et durée des appels.

2.   On utilise une variable `k` pour compter les sommets en post-ordre. Cette variable est définie en externe pour `dfs` et `dfsForest`. Comme dans la figure 9.33, on initialise k à 0 dans `dfsForest`, et juste avant d'affecter un numéro en post-ordre, on incrémente k par 1.

Notons qu'en conséquence, lorsqu'il y a plusieurs arbres dans une arborescence de recherche en profondeur d'abord, le premier arbre prend le numéro le plus petit, le suivant, le numéro suivant dans l'ordre, etc. Par exemple, dans la figure 9.32, a devrait prendre 6.

Propriétés spéciales de la numérotation post-ordre

Le fait qu'un arc transverse n'aille pas de gauche à droite révèle quelque chose d'intéressant et utile au sujet des numéros en post-ordre et des quatres sortes d'arc dans la représentation en profondeur d'abord d'un graphe dans la figure 9.34(a), on voit trois sommets, u, v, et w, dans une représentation en profondeur d'abord d'un graphe. Les sommets v et w sont des descendants de u, et w est à droite de v. La figure 9.34(b) montre la durée d'activité de l'appel à `dfs` pour chacun de ces sommets.

On peut faire plusieurs observations. D'abord, l'appel à `dfs` sur un descendant comme v est actif pour seulement un sous-intervalle du temps durant lequel l'appel d'un ancêtre, comme u est actif. En particulier, l'appel à `dfs(v)` se termine avant l'appel de `dfs(u)`. Donc, le numéro en post-ordre de v doit être plus petit que celui de u chaque fois que v est un descendant de u.

Ensuite, si w est à la droite de v, alors l'appel à `dfs(w)` ne peut pas commencer avant que l'appel de `dfs(v)` se termine. Donc, chaque fois que v est à la gauche de w, le numéro en post-ordre de v est plus petit que celui de w. Quoique la figure 9.34 ne le montre pas, la même chose est vraie même si v et w sont dans des arbres différents de l'arborescence de recherche en profondeur d'abord, avec l'arbre de v à gauche de celui de w.

On peut considérer la relation entre les numéros en post-ordre de u et v pour chaque arc $u \rightarrow v$.

1. Si $u \rightarrow v$ est un arc appelant ou un arc avant, alors v est un descendant de u, et donc v précède u dans le post-ordre.

2. Si $u \rightarrow v$ est un arc transverse, alors on sait que v est à gauche de u, et v précède encore u dans le post-ordre.

3. Si $u \rightarrow v$ est un arc arrière et $v \neq u$, alors v est père de u, et donc v suit u dans le post-ordre. Cependant, il se peut que $v = u$ pour un arc arrière, puisqu'une boucle est un arc arrière. Donc, en général, pour un arc arrière $u \rightarrow v$, on sait que le numéro en post-ordre de v est au moins aussi élevé que celui de u.

En résumé, on voit que dans un post-ordre, la tête d'un arc précède la queue, à moins que l'arc ne soit un arc arrière ; dans un tel cas, la queue précède ou est égale à la tête. Donc, on peut identifier les arcs arrières simplement en trouvant ces arcs dont la queue est égale ou inférieure à leur tête par post-ordre. On verra un certain nombre d'applicaitons de cette idée dans le prochain paragraphe.

EXERCICES

9.6.1 : Pour l'arbre de la figure 9.5 (voir exercices, paragraphe 9.2), donnez deux arbres de recherche en profondeur d'abord commençant par le nœud a. Donnez un arbre de recherche en profondeur d'abord commençant par d.

9.6.2 : * Peu importe le nœud par lequel on commence dans la figure 9.5, on remonte un seul arbre dans l'arborescence de recherche en profondeur d'abord. Expliquez brièvement pourquoi ça doit être le cas pour ce graphe particulier.

9.6.3 : Pour chacun des arbres de l'exercice 9.6.1, indiquer quels sont les arcs avant, arrière et transverse.

9.6.4 : Pour chacun des arbres de l'exercice 9.6.1, donnez les numéros en post-ordre pour les sommets.

9.6.5 : * Considérons le graphe ayant trois sommets, a, b, et c, et deux arcs $a \rightarrow b$ et $b \rightarrow c$. Donnez toutes les arborescences de recherche en profondeur d'abord possibles pour ce graphe, en considérant tous les sommets de départ possibles pour chaque arbre. Quelle est la numérotation post-ordre des sommets pour chaque arborescence ? Les numéros en post-ordre sont-ils toujours les mêmes pour ce graphe ?

9.6.6 : * Considérons la généralisation du graphe de l'exercice 9.6.5 à un graphe ayant n sommets, $a_1, a_2, \ldots, a_n$, et les arcs $a_1 \rightarrow a_2$, $a_2 \rightarrow a_3, \ldots, a_{n-1} \rightarrow a_n$. Démontrez par récurrence complète sur n que ce graphe possède 2^{n-1} arborescence différentes de recherche en profondeur d'abord. *Une indication*: Se souvenir que $1+1+2+4+\cdots+2^i = 2^{i+1}$, pour $i \geq 0$.

9.6.7 : * Supposons que l'on commence avec un graphe G et que l'on ajoute un sommet x qui est prédécesseur de tous les autres sommets dans G. Si l'on exécute dfsForest de la figure 9.31 sur ce nouveau graphe, commençant par le sommet x, alors il en résulte un seul arbre. Si l'on enlève x de cet arbre, il en résulte plusieurs arbres. En quoi ces arbres possèdent-ils une relation avec l'arborescence de recherche en profondeur d'abord du graphe initial G ?

9.7   Quelques utilisations de recherche en profondeur d'abord

Dans ce paragraphe, nous allons voir comment la recherche en profondeur d'abord peut être utilisée pour résoudre certains problèmes rapidement. Comme précédemment, nous notons n pour représenter le nombre de sommets d'un graphe, et m, pour le nombre le plus grand de sommets et d'arcs ; en particulier, on admet que $n \leq m$ est toujours vrai. Chaque algorithme présenté prend un temps de $O(m)$ pour un graphe représenté avec des listes d'adjacence. Le premier algorithme détermine si un graphe orienté est acyclique. Puis, pour les graphes acycliques, nous montrons comment trouver un tri topologique des sommets (le tri topologique a été présenté au paragraphe 7.10 ; nous reverrons les définitions au moment opportun). Nous montrons également comment réaliser la fermeture transitive d'un graphe (voir encore le paragraphe 7.10), et comment trouver les composantes connexes d'un graphe non-orienté plus rapidement qu'avec l'algorithme présenté au paragraphe 9.4.

Trouver un cycle dans un graphe orienté

Pendant une recherche en profondeur d'abord d'un graphe orienté G, on peut affecter un numéro en post-ordre à tous les sommets dans un temps $O(m)$. Rappelons que dans le paragraphe précédent, nous avons découvert que seuls les arcs dont la queue est égale ou inférieure à la tête dans un post-ordre sont des arcs arrières. Quand il y a donc un arc arrière, $u \rightarrow v$, pour lequel le numéro post-ordre de v est au moins aussi grand que le numéro postérieur de u, il doit y avoir un cycle dans le graphe, comme le suggère la figure 9.35. Le cycle consiste en l'arc de u à v et du chemin dans l'arbre de v vers son descendant u.

L'inverse est également vrai ; c'est-à-dire que s'il y a un cycle alors il doit y avoir un arc arrière. Pour savoir pourquoi, supposons qu'il y ait un cycle, disons $v_1 \rightarrow v_2 \rightarrow \cdots \rightarrow v_k \rightarrow v_1$, et soit p_i, le numéro post-ordre du sommet v_i, pour $i = 1, 2, \ldots, k$. Si $k = 1$, c'est-à-dire que le cycle contient un seul arc, alors certainement $v_1 \rightarrow v_1$ est un arc arrière dans toute représentation en profondeur d'abord de G.

Si $k > 1$, supposons qu'aucun des arcs $v_1 \rightarrow v_2$, $v_2 \rightarrow v_3$, etc, jusqu'à $v_{k-1} \rightarrow v_k$ ne soit un arc arrière. Alors, chaque tête précède chaque queue dans un post-ordre, et par conséquent les numéros en post-ordre $p_1, p_2, \ldots, p_k$ forment une suite décroissante. En particulier, $p_k < p_1$. Considérons alors l'arc $v_k \rightarrow v_1$ qui termine le cycle. Le numéro en post-ordre de sa queue, qui est p_k, est inférieur au numéro post-ordre de sa tête, p_1, et par conséquent cet arc est un arc arrière. Cela prouve qu'il doit exister un arc arrière dans tout cycle.

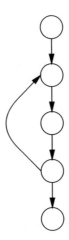

Figure 9.35 : Chaque arc arrière forme un cycle avec des arcs appelants.

Par conséquent, après avoir calculé les numéros en post-ordre de tous les sommets, on examine simplement tous les arcs, pour voir si l'un d'eux a une queue inférieure ou égale à sa tête, dans un post-ordre. Si c'est le cas, on a trouvé un arc arrière et le graphe est cyclique. Si ce n'est pas le cas, le graphe est acyclique. La figure 9.36 montre une procédure qui vérifie si un graphe G est acyclique, en utilisant la structure de données décrite dans le paragraphe précédent. Elle utilise également la procédure `dfsForest` définie dans la figure 9.33 pour calculer le numéro en post-ordre des sommets de G.

Après avoir affecté `answer` par `TRUE` à la ligne (1) et appelé `dfsForest` pour calculer les numéros en post-ordre à la ligne (2), on examine chaque sommet u dans la boucle des lignes (3) à (9). Le pointeur p traverse la liste d'adjacence de u, à la ligne (6), v prend tour à tour la valeur de chaque successeur de u. Si à la ligne (7) on trouve que u est égal ou précède v dans un post-ordre, alors on a trouvé un arc arrière $u \rightarrow v$, et on affecte `answer` par `FALSE` à la ligne (8). A ce stade, on pourrait introduire un `goto` vers la ligne (10) et retourner, puisque la réponse est certainement `FALSE`.

Temps d'exécution pour déterminer qu'un graphe est acyclique

On sait déjà que l'appel à `dfsForest` à la ligne (2) de la figure 9.36 prend $O(m)$. Les lignes (6) à (9), le corps de la boucle `while`, prend évidemment $O(1)$. Pour fixer une limite raisonnable sur le temps de la boucle `while` elle-même, on doit utiliser la même astuce que celle utilisée dans le précédent paragraphe pour limiter le temps de la recherche en profondeur d'abord. Soit m_u le demi-degré extérieur du sommet u. Alors, on passe m_u fois dans la boucle, lignes (5) to (9). Donc, le temps passé dans les lignes (5) à (9) est $O(1 + m_u)$. La ligne (4) prend seulement $O(1)$, et donc le temps passé dans la boucle `for` des lignes (3) à (9) est $O\left(\sum_u (1 + m_u)\right)$. Comme observé dans le précédent paragraphe, la somme de 1 est $O(n)$, et la somme de m_u est m. Puisque $n \leq m$, le temps pour la boucle, lignes (3) à (9), est $O(m)$. C'est-à-dire le même temps que celui de la ligne (2), et des lignes (1) et (10), $O(1)$. Donc, la vérification complète

```
       function TestAcyclic(G: GRAPH): Boolean;

       var answer: Boolean;
           u, v: NODE; (* u parcourt tous les sommets *)
           p: LIST; (* p pointe sur chaque cellule de la liste
                    d'adjacence de u;
                    v est un sommet dans la liste d'adjacence *)

       begin
(1)        answer := TRUE;
(2)        dfsForest(G);
(3)        for u := 1 to n do begin
(4)            p := G[u].header;
(5)            while p <> NIL do begin
(6)                v := p^.nodeName;
(7)                if G[u].postorder <= G[v].postorder then
(8)                    answer := FALSE;
(9)                p := p^.next
               end
           end;
(10)       TestAcyclic := answer
       end; (* TestAcyclic *)
```

Figure 9.36 : Procédure déterminant si un graphe est acyclique.

prend un temps de $O(m)$. Comme pour la recherche en profondeur d'abord elle-même, le temps pour détecter un cycle est d'un facteur constant, juste le temps de parcours du graphe complet.

Tri topologique

Supposons que l'on sache qu'un graphe orienté G est acyclique. Comme pour tout graphe, on peut trouver une arborescence de recherche en profondeur d'abord pour G et déterminer ainsi un post-ordre pour les sommets de G. Supposons que $(v_1, v_2, \ldots, v_n)$ soit une liste des sommets de G dans l'ordre inverse du post-ordre ; c'est-à-dire que v_1 est le sommet numéroté n, v_2 est numéroté $n - 1$, et en général, v_i est le sommet numéroté $n - i + 1$ en post-ordre.

L'ordre des sommets dans cette liste possède la propriété que tous les arcs G sont des arcs avant dans cet ordre. Afin de l'expliquer, supposons que $v_i \rightarrow v_j$ soit un arc de G. Puisque G est acyclique, il n'y a pas d'arc arrière. Donc, pour chaque arc, la tête précède la queue. C'est-à-dire que v_j précède v_i en post-ordre. Mais la liste est dans l'ordre inverse du post-ordre, et donc $v - i$ précède v_j dans la liste. C'est-à-dire que chaque queue précède la tête correspondante dans l'ordre de la liste.

Un ordre pour les sommets d'un graphe G avec la propriété que pour chaque arc de G où la queue précède la tête est appelé un **ordre topologique**, et le processus pour trouver un tel ordre parmi les sommets est appelé *tri topologique*. Seuls les graphes acy-

Applications de l'ordre topologique et de la recherche de cycle

Il existe plusieurs situations où les algorithmes présentés dans ce paragraphe s'avèrent utiles. L'ordre topologique devient pratique lorsqu'il y a des contraintes sur l'ordre dans lequel on effectue certaines tâches, que nous représentons par des sommets. Si l'on dessine un arc de u vers v chaque fois que nous devons effectuer une tâche u avant v, alors un ordre topologique est un ordre dans lequel on peut effectuer toutes les tâches. Un exemple au paragraphe 7.10, concernant les chaussures et les chaussettes, illustre ce type de problème.

Un exemple similaire est le graphe d'appels d'une collection non-récursive de procédures, dans laquelle on souhaite analyser chaque procédure après avoir analysé les procédures qu'elle appelle. Comme les arcs vont de la procédure appelante à celles appelées, l'inverse d'un ordre topologique, c'est-à-dire le post-ordre, est un ordre dans lequel on peut analyser la procédure, en étant sûr que l'on examine une procédure seulement après avoir examiné les procédures qu'elle appelle.

Dans d'autres situations, il est suffisant de déterminer s'il existe un cycle. Par exemple, un cycle dans le graphe de priorités des tâches nous indique qu'il n'y a pas d'ordre dans lequel toutes les tâches peuvent être effectuées, et un cycle dans le graphe d'appel nous indique qu'il y a récursivité.

---

cliques possèdent un ordre topologique, et comme nous venons juste de le voir, on peut générer un ordre topologique pour un graphe acyclique, $O(m)$ fois, où m est le nombre le plus grand nombre de sommets et d'arcs, en réalisant une recherche en profondeur d'abord. De la même façon que l'on attribue un numéro en post-ordre à un sommet, c'est-à-dire lorsque l'on termine l'appel à `dfs` pour ce sommet, on empile le sommet. Une fois cela terminé, la pile est une liste dans laquelle les sommets apparaissent dans un post-ordre, avec le plus grand au sommet (devant). C'est l'inverse du post-ordre que l'on désire. Puisque la recherche en profondeur d'abord prend un temps de $O(m)$, et empiler les sommets prend seulement $O(n)$, le processus complet prend $O(m)$.

✦ **Exemple 9.22.** La figure 9.37(a) montre un graphe acyclique, et la figure 9.37(b), montre une arborescence de recherche en profondeur d'abord que nous obtenons en considérant les sommets par ordre alphabétique. Nous avons également montré dans la figure 9.37(b) les nombres post-ordre obtenus par cette recherche en profondeur d'abord. Si l'on donne la liste les sommets, les plus grands numéros en premier par post-ordre, on obtient l'ordre topologique d, e, c, f, b, a. Le lecteur pourra vérifier que chaque arc de la figure 9.37(a) a une queue qui précède sa tête, selon cette liste. A ce propos, il y a trois autres ordres topologiques pour ce graphe, tels que d, c, e, b, f, a. ✦

Le problème d'atteignabilité

Une question naturelle au sujet d'un graphe orienté est, étant donné un sommet u, quels sont les sommets que l'on peut atteindre à partir de u en suivant les arcs ? Nous appelons cet ensemble de sommets *l'ensemble atteignable* du sommet u. En fait, si

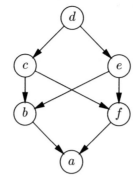

(a) Un graphe orienté acyclique.

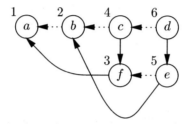

(b) Une arborescence de recherche en profondeur d'abord.

Figure 9.37 : Tri topologique d'un graphe acyclique.

l'on pose cette question *d'atteignabilité* pour chaque sommet u, on connaît alors entre quelles paires de sommets (u, v) il existe un chemin de u à v.

L'algorithme pour résoudre l'atteignabilité est simple. Si l'on s'intéresse au sommet u, on marque tous les sommets NON-VISITE et l'on appelle dfs(u). Puis on examine à nouveau tous les sommets. Ceux qui sont marqués VISITE sont atteignables à partir de u, et les autres ne le sont pas. Si l'on désire trouver les sommets atteignables d'un autre sommet v, on affecte de nouveau tous les sommets par NON-VISITE et on appelle dfs(v). Ce processus peut être répété pour autant de sommets que l'on souhaite.

✦ **Exemple 9.23.** Considérons le graphe de la figure 9.37(b). Si l'on commence notre recherche en profondeur d'abord à partir du sommet a, on ne peut aller nulle part, puisqu'il n'existe aucun arc partant de a. Donc, dfs(a) se termine immédiatement. Puisque seulement a a été visité, on en conclut que a est le seul sommet atteignable à partir de a.

Si l'on commence à partir de b, on peut atteindre a, et c'est tout ; l'ensemble atteignable pour b est $\{a, b\}$. De manière similaire, à partir de c on peut atteindre $\{a, b, c, f\}$, à partir de d, on atteint tous les sommets, à partir de e, on atteint $\{a, b, e, f\}$, et à partir de f on atteint seulement $\{a, f\}$.

Prenons un autre exemple, le graphe de la figure 9.26. A partir de a, on peut atteindre tous les sommets. A partir de tous les sommets excepté a, on peut atteindre tous les sommets excepté a. ✦

Fermeture transitive et fermeture transitive réflexive

Soit R une relation binaire sur un ensemble S. Le problème d'atteignabilité peut être vu comme la réalisation de la *fermeture transitive réflexive* de R, souvent notée R^*. La relation R^* est définie par l'ensemble des paires (u, v) telles qu'il y a un chemin de longueur zéro ou plus du sommet u au sommet v dans le graphe représenté par R.

Une autre relation très similaire est R^+, la *fermeture transitive* de R, qui est définie par l'ensemble des paires (u, v) telles qu'il existe un chemin de longueur un ou plus du sommet u au sommet v dans le graphe représenté par R.

La distinction entre R^* est R^+ est que (u, u) est toujours dans R^* pour tout u dans S, tandis que (u, u) est dans R^+ si et seulement si il existe un cycle de longueur un ou plus de u à u. Pour calculer R^+ à partir de R^*, il suffit simplement de vérifier que chaque sommet u possède un arc entrant venant d'un de ses sommets atteignables, y compris lui-même ; si ce n'est pas le cas, on enlève u de son ensemble atteignable.

Temps d'exécution du test d'atteignabilité

Admettons que l'on ait un graphe orienté G ayant n sommets et m arcs. On admet également que G est représenté par le type de donnée `GRAPH` du précédent paragraphe. D'abord, supposons que l'on veuille trouver l'ensemble atteignable pour un sommet u. Initialiser les sommets `NON-VISITE` prend un temps de $O(n)$. L'appel à `dfs(u)` prend $O(m)$, et examiner encore les sommets pour voir quels sont ceux qui sont visités prend $O(n)$. Pendant que l'on examine les sommets, nous pourrions également créer une liste de ceux qui sont atteignables à partir de u, prenant seulement $O(n)$. Donc, trouver l'ensemble atteignable pour un sommet prend un temps de $O(m)$.

Maintenant, supposons que l'on veuille l'ensemble atteignable de tous les n sommets. On peut répéter l'algorithme n fois, une fois pour chaque sommet. Donc, le temps total est $O(nm)$.

Trouver les composantes connexes par une recherche en profondeur d'abord

Au paragraphe 9.4, nous avons décrit un algorithme pour trouver les composantes connexes d'un graphe non-orienté ayant n sommets et m égal au plus grand nombre de sommets ou d'arêtes, en un temps de $O(m \log n)$. La structure de arbre, que nous avons utilisée pour fusionner est du plus grand intérêt ; par exemple, nous nous en sommes servi pour mettre en œuvre l'algorithme de Kruskal. Cependant, on peut trouver les composantes connexes plus efficacement si l'on utilise une approche par recherche en profondeur d'abord. Comme nous le verrons, un temps $O(m)$ suffit.

L'idée est de traiter le graphe non-orienté comme si c'était un graphe orienté, en remplaçant chaque arête par des arcs dans les deux directions. Si l'on représente le graphe par des listes d'adjacence, on n'a même pas besoin de changer la représentation. Maintenant, construisons l'arborescence de recherche en profondeur d'abord pour le graphe orienté. Chaque arbre dans l'arborescence est une composante connexe du graphe non-orienté.

Pour s'en convaincre, notons d'abord que la présence d'un arc $u \rightarrow v$ dans le graphe orienté indique qu'il y a une arête $\{u, v\}$. Donc, tous les nœuds d'un arbre sont connectés.

Maintenant, nous devons montrer le contraire, c'est-à-dire que si deux nœuds sont connectés, ils sont dans le même arbre. Supposons qu'il existe un chemin dans le graphe non-orienté entre deux sommets u et v qui sont dans deux arbres différents. Disons que l'arbre de u a été construit en premier. Alors, il existe un chemin dans le graphe orienté de u vers v, qui indique que v et tous les sommets sur ce chemin, pourraient être ajoutés à l'arbre avec u. Donc, les sommets sont reliés dans le graphe non-orienté si et seulement si ils sont dans le même arbre ; c'est-à-dire que les arbres sont les composantes connexes.

◆ **Exemple 9.24.** Considérons à nouveau le graphe non-orienté de la figure 9.4. Une arborescence de recherche en profondeur d'abord possible que l'on pourrait construire pour ce graphe est montré dans la figure 9.38. Notez comment les arbres de recherche en profondeur d'abord correspondent aux trois composantes connexes. ◆

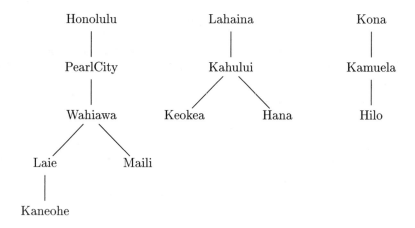

Figure 9.38 : L'arborescence de recherche en profondeur d'abord divise un graphe non-orienté en composantes connexes.

EXERCICES

9.7.1 : Trouvez tous les ordres topologiques pour le graphe de la figure 9.37.

9.7.2 : * Supposons que R soit un ordre partiel du domaine D. On peut représenter R par son graphe, où les sommets sont les éléments de D et où il y a un arc $u \rightarrow v$ pour chaque uRv et $u \neq v$. Soit $(v_1, v_2, \ldots, v_n)$ un ordre topologique du graphe de R. Soit T la relation définie par $v_i T v_j$ pour chaque $i \leq j$. Montrez que

a) T est un ordre total, et que

b) les paires de R forment un sous-ensemble des paires de T ; c'est-à-dire que T est un ordre total contenant l'ordre partiel R.

9.7.3 : Appliquez la recherche en profondeur d'abord au graphe de la figure 9.21 (après l'avoir converti en un graphe orienté symétrique), pour trouver les composantes connexes.

9.7.4 : On considère un graphe ayant des arcs $a \to c$, $b \to a$, $b \to c$, $d \to a$, et $e \to c$.

a) Déterminez si ce graphe comporte un cycle.

b) Trouvez tous les ordres topologiques pour ce graphe.

c) Trouvez l'ensemble atteignable pour chaque sommet.

9.8   Algorithme de Dijkstra pour trouver le chemin le plus court

Supposons un graphe, orienté ou non-orienté, ayant des étiquettes sur les arcs (ou arêtes) pour représenter leur « longueur ». La figure 9.4 en est un exemple, qui montre les distances de certaines routes des îles Hawaii. Il est assez courant de vouloir connaître la distance minimale entre deux sommets ; par exemple, des cartes ont souvent des tables des distances pour donner une idée de la durée d'un déplacement entre deux villes, ou bien pour aider à déterminer laquelle des deux routes (traversant différentes villes) est la plus courte. Un problème similaire associe à chaque arc le temps qu'il faut pour se déplacer le long de cet arc, ou bien le coût de déplacement associé. Alors, la « distance » minimale entre deux sommets correspond respectivement au temps de déplacement ou au coût.

En général, la *distance* pour parcourir un chemin est la somme des étiquettes de ce chemin. La **distance minimale** *d'un sommet u au sommet v* est la distance minimum de tous les chemins de u à v.

◆ **Exemple 9.25.** Considérons la carte de Oahu de la figure 9.10. Supposons que l'on veuille trouver la distance minimale de Maili à Kaneohe. Il existe plusieurs chemins que nous pourrions choisir. Une observation utile est tant que les étiquettes des arcs ne sont pas négatives, le chemin minimum ne doit pas avoir de cycle. Pour cela, nous devrions passer ce cycle et trouver un chemin entre les deux mêmes sommets, mais avec une distance pas plus grande que le chemin avec un cycle. Donc, nous devons aussi considérer

1.   Le chemin par Pearl City et Honolulu.

2.   Le chemin par Wahiawa, Pearl City, et Honolulu.

3.   Le chemin par Wahiawa et Laie.

4.   Le chemin par Pearl City, Wahiawa, et Laie.

Les distances de ces chemins sont respectivement 44, 51, 67, et 84. Donc, la distance minimale de Maili à Kaneohe est 44. ◆

Si l'on souhaite trouver la distance minimale entre un sommet donné, appelé le sommet **source** et tous les sommets du graphe, une des techniques les plus efficaces est une méthode appelée *l'algorithme de Dijkstra*, le sujet de ce paragraphe. Il s'avère que tout ce que nous voulons est la distance d'un sommet u à un autre sommet v, la meilleure manière est d'exécuter l'algorithme de Dijkstra, avec u comme sommet source et de s'arrêter lorsque l'on a déduit la distance à v. Si l'on veut trouver la distance minimale entre chaque paire de sommets, il existe un algorithme que nous décrirons au prochain paragraphe, appelé algorithme de Floyd, qui est parfois préférable à l'algorithme de Dijkstra avec tout sommet comme source.

L'essence de l'algorithme de Dijkstra est de découvrir la distance minimale d'une source à d'autres sommets dans l'ordre des distances minimales, c'est-à-dire les chemins les plus courts en premier. La façon de procéder de l'algorithme de Dijkstra est illustrée par la figure 9.39. Dans le graphe G il existe certains sommets qui sont **fixés**, c'est-à-dire que leur distance minimale est connue ; Cet ensemble contient toujours s, le sommet source. Pour les sommets non-fixés v, on enregistre la longueur du plus petit **chemin spécial** qui est un chemin commençant au sommet source, traversant seulement des sommets fixés, puis des sommets fixés ou non, jusqu'à v.

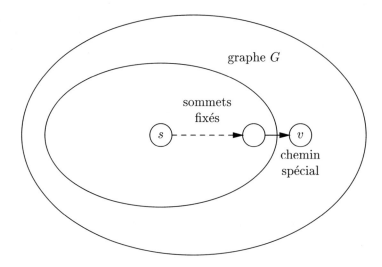

Figure 9.39 : Etape intermédiaire durant l'exécution de l'algorithme de Dijkstra.

On maintient une valeur $dist(u)$ pour chaque sommet u. Si u est un sommet fixé, alors $dist(u)$ est la longueur du chemin le plus court de la source à u. Si u n'est pas fixé, alors $dist(u)$ est la longueur du plus court chemin spécial de la source à u. Initialement, seul le sommet source s est fixé, et $dist(s) = 0$, puisque le chemin qui consiste en s tout seul a une distance de 0. S'il y a un arc de s à u, alors $dist(u)$ est l'étiquette de cet arc. Notons que lorsque seul s est fixé, les seuls chemins spéciaux sont les arcs partant de s, tels que $dist(u)$ devrait être l'étiquette de l'arc $s \rightarrow u$ s'il en existe. Nous devrons utiliser une constante INFTY, prévue pour être plus grande que la distance de tout chemin dans le graphe G. INFTY sert comme valeur « infinie » et indique qu'aucun chemin spécial n'a été découvert. C'est-à-dire, initialement, s'il n'existe pas d'arc $s \rightarrow u$, alors $dist(u) = $ INFTY.

Maintenant, supposons que nous ayons des sommets fixés et des sommets non-fixés, comme dans la figure 9.39. On trouve le sommet v qui est non-fixé, mais qui a la plus petite valeur *dist* de tous les sommets non-fixés. Pour « fixer » v, on doit

1. accepter $dist(v)$ comme la distance minimale de s à v.

2. ajuster la valeur de $dist(u)$, pour tous les sommets u qui restent non-fixés, pour rendre compte du fait que v est maintenant fixé.

L'ajustement requis par l'étape (2) est le suivant. On compare l'ancienne valeur de $dist(u)$ avec la somme $dist(v)$, étiquette l'arc $v \rightarrow u$, et si une somme ultérieure est plus petite, on remplace $dist(u)$ par cette somme. S'il n'y a pas d'arc $v \rightarrow u$, on ne modifie pas $dist(u)$.

✦ **Exemple 9.26.** On considère la carte de Oahu de la figure 9.10. Ce graphe est non-orienté, mais on admettra que les arêtes sont des arcs dans les deux directions. Soit Honolulu, la source. Initialement, seul Honolulu est fixé et sa distance est 0. On peut affecter 13 à $dist(\text{PearlCity})$ et 11 à $dist(\text{Kaneohe})$, mais les autres villes, n'ayant pas d'arc à partir d'Honolulu ont leur distance égale à `INFTY`. Cette situation est montrée dans la première colonne de la figure 9.40. Une étoile associée à une distance signifie que le sommet est fixé.

	LONGUEUR				
VILLE	(1)	(2)	(3)	(4)	(5)
Honolulu	0*	0*	0*	0*	0*
PearlCity	13	13	13*	13*	13*
Maili	INFTY	INFTY	33	33	33*
Wahiawa	INFTY	INFTY	25	25*	25*
Laie	INFTY	35	35	35	35
Kaneohe	11	11*	11*	11*	11*

VALEURS de *dist*

Figure 9.40 : Etapes durant l'exécution de l'algorithme de Dijkstra.

Parmi les sommet non-fixés, celui avec la plus petite distance est maintenant Kaneohe, et par conséquent ce sommet est fixé. Il y a des arcs de Kaneohe à Honolulu et Laie. L'arc vers Honolulu n'aide pas, mais la valeur de $dist(\text{Kaneohe})$, qui vaut 11, plus l'étiquette de l'arc de Kaneohe à Laie, qui est 24, valent au total 35, qui est plus petit que l'« infini », la valeur courante de $dist(\text{Laie})$. Donc, dans la seconde colonne, on a réduit la distance à Laie à 35. Kaneohe est maintenant fixé.

Durant le prochain tour, le sommet non-fixé avec la plus petite distance est Pearl City, avec une distance de 13. Lorsque l'on rend Pearl City fixé, on doit considérer ses voisins, qui sont Maili et Wahiawa. On réduit la distance à Maili à 33 (la somme de 13 et de 20), et on réduit la distance à Wahiawa à 25 (la somme de 13 et 12). La situation est maintenant comme dans la colonne (3).

Le suivant à être fixé est Wahiawa, avec une distance de 25, le plus petit parmi les sommets actuellement non-fixés. Cependant, ce sommet ne permet pas de réduire la distance à un tout autre sommet, et donc la colonne (4) contient les même distances que la (3). De même, on fixe Maili, avec une distance de 33, mais ca ne réduit aucune distance, laissant la colonne (5) identique à la (4). En toute rigueur, il faudrait fixer le dernier sommet, Laie, mais le dernier sommet ne peut changer aucune des autres distances, et par conséquent la colonne (5) fournit les distances les plus courtes de Honolulu à toutes les villes. ✦

Pourquoi l'algorithme de Dijkstra est-il correct ?

Afin de montrer que l'algorithme de Dijkstra est correct, nous devons supposer que les étiquettes sur les arcs ne sont pas négatives.[9] Nous allons démontrer par récurrence sur k que lorsqu'il y a k sommets fixés,

a)   Pour chaque sommet fixé u, $dist(u)$ est la distance minimale de s à u, et le plus court chemin jusqu'à u contient seulement des sommets fixés.

b)   Pour chaque sommet non-fixé u, $dist(u)$ est la distance minimale de tout chemin spécial de s à u (INFTY si un tel chemin n'existe pas).

LA BASE. Pour $k = 1$, s est le seul sommet fixé. On initialise $dist(s)$ par 0, satisfaisant (a). Pour tout autre sommet u, on initialise $dist(u)$ par l'étiquette de l'arc $s \rightarrow u$ s'il existe, et INFTY sinon. Donc (b) est satisfait.

LA RÉCURRENCE. Maintenant admettons que (a) et (b) soient respectés, même après que k sommets ont été fixés, et soit v, le $(k+1)$ sommet fixé. On affirme que (a) tient encore, car $dist(v)$ est la plus petite distance pour tout chemin de s à v. Supposons que ce ne soit pas le cas. D'après la partie (b) de l'hypothèse de base, lorsque k sommets sont fixés, $dist(v)$ est la distance minimale de n'importe quel chemin spécial vers v, et donc il doit y avoir un chemin non-spécial plus court vers v. Comme indiqué dans la figure 9.41, ce chemin doit passer par les sommets fixés à un sommet w (qui peut être s) et aller vers un sommet non-fixé u. A partir de là, le chemin peut faire des méandres à partir et vers des sommets fixés, jusqu'à ce qu'il arrive à v.

Cependant, v a été choisi pour être le $(k+1)^{\`eme}$ sommet fixé, à ce moment, la $dist(u)$ ne devrait pas être inférieure à $dist(v)$, ou sinon nous aurions dû sélectionner $u$ comme le $(k+1)^{\`eme}$ sommet. D'après l'hypothèse de base (b), $dist(u)$ est la longueur minimale de tout chemin spécial vers u. Mais le chemin de s à w puis à u dans la figure 9.41 est un chemin spécial, tel que sa distance est au moins $dist(u)$. Donc, le supposé chemin le plus court de s à v passant par w et u a une distance qui est au moins $dist(v)$, car la partie initiale de s à u est déjà distante de $dist(u)$, et $dist(u) \geq dist(v)$.[10] Donc, (a) tient toujours pour $k+1$ sommets, c'est-à-dire, (1) est maintenue lorsque l'on inclut v parmi les sommets fixés.

Maintenant nous devons montrer que (b) est encore respecté lorsque l'on ajoute v aux sommets fixés. Considérons un sommet quelconque u qui reste non-fixé lorsque

---

[9]   Lorsque des étiquettes négatives sont allouées, l'algorithme de Dijkstra retourne des résultats incorrects.

[10]   Notez que le fait que les étiquettes ne soient pas négatives est vital ; sinon, la portion de chemin de u à v pourrait avoir une distance négative, débouchant sur un chemin plus court vers v.

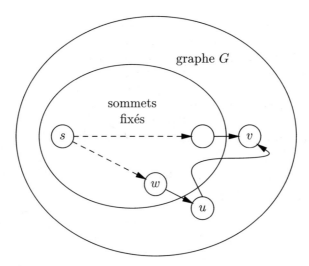

Figure 9.41 : Chemin hypothétique le plus court de v, passant par w et u.

l'on ajoute v aux sommets fixés. Dans le chemin spécial le plus court vers u, il doit y avoir un pénultième sommet (juste avant le dernier) ; ce sommet devra être soit v, soit un autre sommet w. Les deux possibilités sont indiquées dans la figure 9.42.

D'abord, supposons que le pénultième nœud soit v. Ensuite, la longueur du chemin de s à v puis à u, indiqué dans la figure 9.42, est $dist(v)$ plus l'étiquette de l'arc $v \rightarrow u$.

D'autre part, supposons que le pénultième sommet est un autre sommet w. D'après l'hypothèse de base (a), le chemin le plus court de s à w est seulement composé de sommets qui étaient fixés antérieurement à v, et par conséquent, v n'apparaît pas dans le chemin. Donc, la longueur du chemin spécial le plus court jusqu'à u ne change pas lorsque l'on ajoute v aux sommets fixés.

Maintenant, rappelons que lorsque v est fixé, on ajuste chaque $dist(u)$ pour qu'elle soit plus petite que l'ancienne valeur de $dist(u)$ et $dist(v)$ plus l'étiquette de l'arc $v \rightarrow u$. Le premier couvre le cas où un w autre que v est le pénultième sommet, et le dernier couvre le cas où v est le pénultième sommet. Donc, la partie (b) tient aussi, et la récurrence est achevée.

Structures de données pour l'algorithme de Dijkstra

Nous allons maintenant considérer une mise en œuvre efficace de l'algorithme de Dijkstra tirant profit de la structure de l'arbre partiellement ordonné du paragraphe 5.10.[11] On a besoin de deux tableaux, l'un appelé G pour représenter le graphe, et l'autre appelé `POTnodes` pour représenter l'arbre partiellement ordonné. Nous voulons qu'à chaque sommet u du graphe corresponde un sommet a de l'arbre partiellement ordonné possédant une priorité égale à $dist(u)$. Cependant, contrairement au paragraphe 5.10, nous organisons l'arbre partiellement ordonné par la priorité inférieure plutôt que

---

[11] En réalité, cette mise en œuvre n'est la meilleure que lorsque le nombre d'arcs est toutefois inférieur au carré du nombre de sommets, qui est le nombre maximum d'arcs qu'il peut y avoir. Une simple mise en œuvre pour ce cas, celui d'un graphe dense, est décrite dans les exercices.

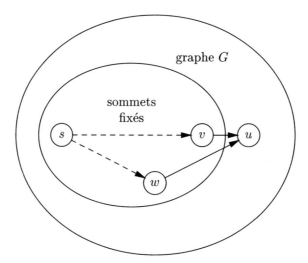

Figure 9.42 : Quel est le pénultième sommet du chemin spécial le plus court vers u ?

supérieure. D'autre part, on donne à la priorité de a la valeur $-dist(u)$. La figure 9.43 propose la structure de donnée.

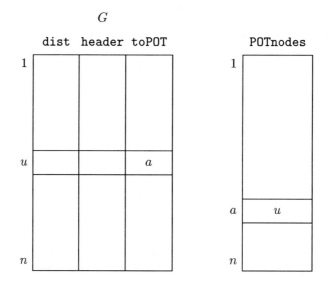

Figure 9.43 : Structure de données pour représenter un graphe avec l'algorithme de Dijkstra.

NODE est le type des sommets du graphe, mais on admet que ce type est 1..n, pour parcourir tous les sommets. On prend également le type POTNODE, et ce type est aussi 1..n ; on utilise deux noms de type différents pour aider le lecteur à se souvenir de la distinction entre sommet du graphe et nœud de l'arbre. Le type de donnée `GRAPH` est redéfini en

```
type GRAPH = array[NODE] of
    record
        dist: real;
        header: LIST;
        toPOT: POTNODE
    end;
```

Ici, `LIST` est le type d'une liste d'adjacence contenant des cellules de type `CELL`. Puisque on a besoin d'inclure les étiquettes, arbitrairement des nombres réels, que nous utiliserons pour le type `CELL`

```
type LIST = ^CELL;
    CELL = record
        nodeName: NODE;
        nodeLabel: real;
        next: LIST
    end;
```

On peut alors définir un graphe G par

```
var G: GRAPH
```

On peut également définir un arbre partiellement ordonné : un tableau de nœuds, c'est-à-dire

```
type POT = array[POTNODE] of NODE
```

Nous déclarons

```
var POTnodes: POT;
    last: POTNODE
```

Donc, *last* indiquera la fin courante de l'arbre partiellement ordonné, qui résidera dans `POTnodes[1..last]`. Intuitivement, la structure de l'arbre partiellement ordonné est représentée par la position dans le tableau `POTnodes`, comme d'habitude pour un arbre partiellement ordonné. Les éléments du tableau nous donnent la priorité d'un nœud par référence arrière au graphe. En particulier, on place dans un élément de `POTnodes`, l'index du sommet du graphe représenté.

Fonctions auxiliaires pour l'algorithme de Dijkstra

Nous avons besoin de plusieurs procédures auxiliaires pour faire tourner notre implémentation. La plus fondamentale est la procédure `swap` qui intervertit deux nœuds de l'arbre partiellement ordonné. Le problème n'est pas aussi simple qu'au paragraphe 5.10. Ici, le champ `toPOT` de `G` doit continuer à suivre la valeur dans le tableau `POTnodes`, comme dans la figure 9.43. Autrement dit, si la valeur `G[u].toPOT` est a, alors `POTnodes[a]` doit aussi avoir la valeur u. Le code de `swap` est montré dans la figure 9.44. Nous laissons au lecteur le soin de vérifier que la procédure échange les valeurs de `POTnodes[a]` et `POTnodes[b]`, et qu'elle échange aussi le champ `toPOT` des nœuds correspondants dans le graphe.

```
procedure swap(a, b: POTNODE);

var temp: NODE; (* utilisé pour intervertir deux noeuds POT *)

begin
    temp := POTnodes[b];
    POTnodes[b] := POTnodes[a];
    POTnodes[a] := temp;
    G[POTnodes[a]].toPOT := a;
    G[POTnodes[b]].toPOT := b
end; (* swap *)
```

Figure 9.44 : Procédure qui interchange deux nœuds de l'arbre
partiellement ordonné.

Nous avons besoin de faire bouger les nœuds à l'intérieur de l'arbre partiellement ordonné, comme nous l'avons fait au paragraphe 5.10. La différence majeure est qu'ici, la valeur dans un élément du tableau POTnodes n'est pas la priorité. A la place, cette valeur prend un sommet du graphe G, et dans l'enregistrement pour ce sommet on trouve le champ dist, qui donne la priorité. On a besoin par conséquent d'une fonction auxiliaire priority qui retourne dist pour le sommet approprié du graphe. Nous admettons également dans ce paragraphe que les petites priorités vont au nœud de l'arbre partiellement ordonné, plutôt que les grandes priorités comme au paragraphe 5.10. Cette distinction n'est pas importante puisque nous aurions pu avoir priority retournant la valeur négative de dist et faire bouger les hautes priorités vers la racine de l'arbre partiellement ordonné. La figure 9.45 montre la fonction priority et les procédures bubbleUp et bubbleDown qui sont de simples modifications des procédures de même nom du paragraphe 5.10. Notez cependant que la variable globale last est supposée indiquer la fin de l'arbre partiellement ordonné, et nous ne la passons pas en paramètre à bubbleDown.

Initialisation

Nous admettons que les listes d'adjacence pour chaque sommet du graphe sont déjà créées et qu'un pointeur sur la liste d'adjacence pour le sommet u du graphe apparaît dans G[u].header. On admet aussi que le sommet 1 est le sommet source. Si nous prenons le sommet i du graphe pour correspondre au nœud i de l'arbre partiellement ordonné, alors le tableau POTnodes est initialisé correctement comme un arbre partiellement ordonné sans rien faire. C'est-à-dire, la racine de l'arbre partiellement ordonné représente le sommet source du graphe, auquel on donne la priorité 0, et on donne la priorité INFTY, la constante infinie, à tous les autres sommets. Comme nous le verrons au premier tour de l'algorithme de Dijkstra, on sélectionne le sommet source comme « fixé », qui créera la condition que nous voyons comme point de départ dans l'introduction informelle, où le sommet source est fixé et dist[u] n'est infini que lorsqu'il existe un arc partant de la source u. La procédure d'initialisation est montrée dans la figure 9.46.

```
function priority(a: POTNODE): real;
begin
    priority := G[POTnodes[a]].dist
end; (* priority *)

procedure bubbleUp(a: POTNODE);
begin
    if a > 1 then
        if priority(a) < priority(a DIV 2) then
            begin
                swap(a, a DIV 2);
                bubbleUp(a DIV 2)
            end
end; (* bubbleUp *)

procedure bubbleDown(a: POTNODE);

var child: POTNODE;

begin
    child := 2*a;
    if child < last then
        if priority(child+1) < priority(child) then
            child := child+1;
    if child <= last then
        if priority(a) > priority(child) then
            begin
                swap(a, child);
                bubbleDown(child)
            end
end; (* bubbleDown *)
```

Figure 9.45 : Déplacer vers le haut et vers le bas les nœuds d'un arbre
partiellement ordonné.

Par simplicité, nous admettons que G et POTnodes sont externes à la procédure
initialize. En pratique, on pourrait vouloir passer ces deux tableaux en paramètre.

Mise en œuvre de l'algorithme de Dijkstra

La figure 9.47 montre le code de l'algorithme de Dijkstra, en utilisant les procédures
que nous avons préalablement écrites. A la ligne (1), on appelle initialize. Le reste
du code, lignes (2) à (13), est une boucle, pour laquelle chaque itération, à laquelle
correspond un tour de l'algorithme de Dijkstra, où l'on prend un sommet v et on le fixe.
Le sommet v choisi à la ligne (3) est toujours celui dont le nœud de l'arbre correspondant
est à la racine de l'arbre partiellement ordonné, c'est-à-dire POTnodes[1]. A la ligne
(4), on enlève v de l'arbre partiellement ordonné, en l'intervertissant avec le dernier
nœud courant de cet arbre. La ligne (5) enlève vraiment v en décrémentant last. Puis

```
        procedure initialize;

        var i: integer; (* nous utilisons i comme sommet/noeud
            à la fois dans le graphe et l'arbre *)

        begin
(1)         for i := 1 to n do begin
(2)             G[i].dist := INFTY;
(3)             G[i].toPOT := i;
(4)             POTnodes[i] := i
            end;
(5)         G[1].dist := 0;
(6)         last := n
        end; (* initialize *)
```

Figure 9.46 : Initialisation de l'algorithme de Dijkstra.

la ligne (6) rétablit l'arbre partiellement ordonné en appelant `bubbleDown` sur le nœud se trouvant juste à la racine. En effet, les sommets non fixés apparaissent en-dessous de *last* et les sommets fixés, au niveau de *last* et au-dessus.

A la ligne (7) on commence par mettre à jour les distances pour traduire le fait que v est maintenant fixé. Le pointeur p est initialisé au début de la liste d'adjacence pour le sommet v. Puis dans la boucle, lignes (8) à (13), on considère chaque successeur u de v. Après avoir affecté la variable `u` par un des successeurs de v à la ligne (9), on teste à la ligne (10) si le chemin spécial le plus court jusqu'à u traverse v. Ce qui est le cas chaque fois que l'ancienne valeur de $dist(u)$, représentée dans cette structure de données par `G[u].dist`, est supérieure à la somme de $dist(v)$ plus l'étiquette de l'arc $v \to u$. Si c'est le cas, alors à la ligne (11), on affecte $dist(u)$ par sa nouvelle plus petite valeur, et à la ligne (12), on appelle `bubbleUp`, donc, il se peut que u remonte dans l'arbre partiellement ordonné pour refléter sa nouvelle priorité. La boucle se termine lorsqu'à la ligne (13), p rencontre la fin de la liste d'adjacence de v.

Temps d'exécution de l'algorithme de Dijkstra

Comme au paragraphe précédent, on admet que le graphe contient n sommets et que m est le plus grand nombre d'arcs et de sommets. Nous analysons le temps d'exécution de chaque procédure, dans l'ordre où elles ont été décrites. D'abord, `swap` prend clairement un temps de $O(1)$, puisqu'elle consiste uniquement en une instruction d'affectation. De même, `priority` prend $O(1)$.

La procédure `bubbleUp` est récursive, mais son temps d'exécution est $O(1)$ plus le temps d'un appel récursif sur un sommet qui est à mi-distance de la racine. Comme au paragraphe 5.10, il y a au plus $\log n$ appels, chacun prenant $O(1)$, soit un total de $O(\log n)$ pour `bubbleUp`. De même, `bubbleDown` prend $O(\log n)$.

La procédure `initialize` prend $O(n)$. Autrement dit, la boucle des lignes (1) à (4), itérée n fois, et son corps prend $O(1)$ par itération. Ce qui donne un temps $O(n)$ pour la boucle. Les lignes (5) et (6), chacune contribue pour $O(1)$, que nous négligeons.

```
        procedure Dijkstra;

        var u, v: NODE; (* v est le sommet que nous choisissons
                    de fixer *)
            p: LIST; (* p parcourt la liste des successeurs de v.
                    u est le successeur pointé par p. *)

        begin
(1)         initialize;
(2)         while last > 1 do begin
(3)             v := POTnodes[1];
(4)             swap(1, last);
(5)             last := last - 1;
(6)             bubbleDown(1);
(7)             p := G(v).header;
(8)             while p <> NIL do begin
(9)                 u := p^.nodeName;
(10)                if G[u].dist > G[v].dist + p^.nodeLabel then
                    begin
(11)                    G[u].dist := G[v].dist + p^.nodeLabel;
(12)                    bubbleUp(G[u].toPOT)
                    end;
(13)                p := p^.next
                end
            end
        end; (* Dijkstra *)
```

Figure 9.47 : La procédure principale de l'algorithme de Dijkstra.

Maintenant, examinons la procédure *Dijkstra* dans la figure 9.47. Soit m_v le demi-degré extérieur du sommet v, ou si l'on veut la longueur de la liste d'adjacence de v. Commençons par analyser la boucle interne, aux lignes (8) à (13). Chacune des lignes (9) à (13) prend $O(1)$, excepté la ligne (12), l'appel à **bubbleUp**, qui comme nous l'avons déjà dit, prend $O(\log n)$. Donc, le corps de la boucle prend $O(\log n)$. Le nombre de tours de la boucle est égal à la longueur de la liste d'adjacence pour v, que nous avons noté m_v. Donc, le temps d'exécution de la boucle des lignes (8) à (13) prendrait $O(1 + m_v \log n)$; le terme 1 couvre le cas où v n'a pas de successeur, c'est-à-dire $m_v = 0$, nous effectuons encore le test à la ligne (8).

Maintenant, considérons la boucle extérieure, lignes (2) à (13). Nous avons déjà calculé le temps pour les lignes (8) à (13). La ligne (6) prend $O(\log n)$ pour un appel à **bubbleDown**. Les autres lignes du corps prennent chacune $O(1)$. Le corps prend donc un temps de $O\big((1 + m_v) \log n\big)$.

La boucle extérieure est itérée exactement $n-1$ fois, puisque **last** va en descendant de n à 2. Le terme 1 dans $1 + m_v$ contribue ainsi à $n-1$, ou $O(n)$. Cependant, le terme m_v doit être additionné pour chaque sommet v, puisque tous les sommets (sauf le dernier) sont choisis une fois pour être v. Ainsi, la contribution à m_v additionnée à

Initialisation avec une Exception

Notez qu'à la ligne (2) de la figure 9.46, on affecte `INFTY` à `dist[1]`, ainsi qu'à toutes les autres distances. Puis à la ligne (5), on corrige cette distance par 0. Ceci est plus efficace que de tester chaque valeur de i pour savoir si c'est un cas exceptionnel. En effet, on pourrait éliminer la ligne (5) en remplaçant la ligne (2) par

```
if i = 1 then
    G[i].dist := 0
else
    G[i].dist := INFTY
```

Non seulement cela ajouterait du code, mais cela augmenterait aussi le temps d'exécution, puisque l'on devrait exécuter i tests et n affectations, comme nous l'avons fait aux lignes (2) et (5) de la figure 9.46.

chaque itération de la boucle extérieure est $O(m)$, puisque $\sum_v m_v \leq m$. On conclut que la boucle extérieure prend $O(m \log n)$. Le temps supplémentaire pour la ligne (1), l'appel à `initialize`, est seulement $O(n)$, que nous négligeons. Notre conclusion est que l'algorithme de Dijkstra prend un temps de $O(m \log n)$, c'est-à-dire au plus un facteur de $\log n$ de plus que le temps pris, juste pour rechercher les sommets et les arcs dans le graphe.

EXERCICES

9.8.1 : Trouvez la distance la plus courte de Détroit aux autres villes, grâce au graphe de la figure 9.21 (voir les exercices du paragraphe 9.4). Si une ville n'est pas atteignable à partir de Détroit, la distance minimale est l'« infini ».

9.8.2 : Parfois, on veut compter le nombre d'arcs traversés pour aller d'un sommet à un autre. Par exemple, on pourrait espérer minimiser le nombre de transferts nécessaires à un voyage en avion ou en bus. Si l'on étiquette chaque arc avec 1, alors un calcul de distance minimale comptera les arcs. Pour le graphe de la figure 9.5 (voir les exercices, paragraphe 9.2), Trouvez le nombre minimum d'arcs nécessaires pour atteindre chaque sommet à partir de a.

9.8.3 : La figure 9.48(a) énumère sept espèces d'hominidés et leur abréviations. Certaines de ces espèces sont connues pour avoir précédé d'autres, parce que des restes ont été trouvés à la même place, séparés par des couches indiquant le temps écoulé. La table 9.48(b) donne des triplets (x, y, t) qui signifient que des espèces x ont été trouvées à la même place que les espèces y, mais que x est apparue t millions d'années avant y.

a)   Dessinez un graphe orienté représentant les données de la figure 9.48, avec des arcs à partir des espèces les plus précoces aux plus tardives, étiquetées par la différence de temps.

b)   Faites tourner l'algorithme de Dijkstra sur le graphe (a), avec AF comme source, pour trouver le temps le plus court avant lequel une autre espèce a succédé à AF.

Australopithecus Afarensis	AF
Australopithecus Africanus	AA
Homo Habilis	HH
Australopithecus Robustus	AR
Homo Erectus	HE
Australopithecus Boisei	AB
Homo Sapiens	HS

(a) Espèces et abréviations.

ESPECES 1	ESPECES 2	TEMPS
AF	HH	1.0
AF	AA	0.8
HH	HE	1.2
HH	AB	0.5
HH	AR	0.3
AA	AB	0.4
AA	AR	0.6
AB	HS	1.7
HE	HS	0.8

(b) Les espèces 1 précèdent les espèces 2 dans le temps.

Figure 9.48 : Relations entre les espèces d'hominidés.

9.8.4 : * La mise en œuvre de l'algorithme de Dijkstra que nous avons donnée prend un temps de $O(m \log n)$, qui est inférieur à $O(n^2)$, excepté dans le cas où le nombre d'arcs est proche de n^2, son nombre maximum possible. Si m est grand, on peut imaginer une autre mise en œuvre, sans file de priorité, et qui prendrait $O(n)$ pour le vainqueur de chaque tour, mais seulement $O(m_u)$, qui est proportionnel au nombre d'arcs partant du sommet fixé u, pour mettre à jour *dist*. Le résultat est un algorithme en $O(n^2)$. Développez les idées suggérées ici, et écrivez un programme Pascal pour cette mise en œuvre de l'algorithme de Dijkstra.

9.8.5 : ** L'algorithme de Dijkstra ne fonctionne pas à tous les coups, s'il y a des étiquettes négatives sur des arcs. Donnez un exemple de graphe ayant des étiquettes négatives pour lequel l'algorithme de Dijkstra donne un résultat incorrect pour des distances minimales.

9.9   L'algorithme de Floyd du plus court chemin

Si l'on veut les distances minimales entre toutes les paires de sommets dans un graphe ayant n sommets, sans étiquette négative, on peut faire tourner l'algorithme de Dijkstra avec chacun des n sommets comme source. Puisque chaque exécution de l'algorithme de Dijkstra prend $O(m \log n)$, où m est le plus grand des nombres de sommets et d'arcs, trouver les distances minimales entre toutes les paires de sommets prend de cette façon $O(mn \log n)$. De plus, si m est proche du maximum, n^2, on peut utiliser la mise en œuvre de l'algorithme de Dijkstra en $O(n^2)$ présentée dans l'exercice 9.8.4, qui nous donne un algorithme pour trouver les distances minimales entre chaque paire de sommets, en $O(n^3)$, lorsqu'on l'exécute n fois.

Il existe un autre algorithme pour trouver les distances minimales entre deux paires de sommets, appelé *l'algorithme de Floyd*. Cet algorithme prend $O(n^3)$, et par conséquent n'est pas en principe meilleur que l'algorithme de Dijkstra, et même moins bon lorsque le nombre d'arcs est bien inférieur à n^2. Cependant, l'algorithme de Floyd utilise une matrice d'adjacence, plutôt que des listes d'adjacence, et est conceptuellement plus simple que l'algorithme de Dijkstra.

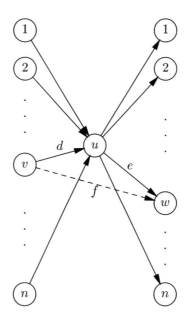

Figure 9.49 : Utiliser le sommet u comme pivot pour améliorer les distances entre des paires de sommets.

L'essence de l'algorithme de Floyd est que l'on considère chaque sommet u d'un graphe tour à tour, comme un *pivot*. Lorsque u est le pivot, on essaie de tirer avantage de u comme un sommet intermédiaire entre toutes les paires de sommets, comme dans la figure 9.49. Pour chaque paire de sommet, disons v et w, si la somme des étiquettes des arcs $v \to u$ et $u \to w$, qui est $d + e$ dans la figure 9.49, est inférieure à l'étiquette courante, f, de l'arc de v à w, alors on remplace f par $d + e$.

La figure 9.50 montre le code de l'algorithme de Floyd. Comme pour le code du paragraphe précédent, on suppose que NODE est le type d'un sommet, mais prenons 1..n pour simplifier, nous permettant d'itérer sur tous les sommets. On admet qu'il

```
        procedure Floyd;

        var u, v, w: NODE;

        begin
(1)         for v := 1 to n do
(2)             for w := 1 to n do
(3)                 dist[v,w] := arc[v,w];
(4)         for u := 1 to n do
(5)             for v := 1 to n do
(6)                 for w := 1 to n do
(7)                     if dist[v,u] + dist[u,w] < dist[v,w] then
(8)                         dist[v,w] := dist[v,u] + dist[u,w]
        end; (* Floyd *)
```

Figure 9.50 : L'algorithme de Floyd.

existe un tableau `arc` $n \times n$, tel que `arc[v,w]` est l'étiquette de l'arc $v \to w$ dans le graphe donné. Cependant, sur la diagonale, on a `arc[v,v]` $= 0$ pour tous les sommets v, même s'il y a un arc $v \to v$, puisque la distance la plus courte d'un sommet à lui-même est toujours 0, et l'on ne désire vraiment pas suivre tous les arcs. S'il n'y a pas d'arc de v à w, alors on affecte à `arc[v,w]` INFTY une valeur spéciale plus grande que n'importe quelle étiquette. Il existe un tableau similaire `dist` contenant à la fin les distances minimales ; `dist[v,w]` deviendra la distance minimale du sommet v au sommet w.

Les lignes (1) à (3) initialisent `dist` par `arc`. Les lignes (4) à (8) décrivent une boucle dans laquelle chaque sommet u est pris tour à tour comme pivot. Pour chaque pivot u, dans une double boucle sur v et w, on considère chaque paire de sommets. La ligne (7) teste s'il est plus court d'aller de v à w en passant par u, plutôt que directement, et dans ce cas, la ligne (8) affecte `dist[v,w]` par la somme des distances de v à u et de u à w.

	1	2	3	4	5	6
1	0	24	INFTY	INFTY	INFTY	28
2	24	0	11	INFTY	INFTY	INFTY
3	INFTY	11	0	13	INFTY	INFTY
4	INFTY	INFTY	13	0	20	12
5	INFTY	INFTY	INFTY	20	0	15
6	28	INFTY	INFTY	12	15	0

Figure 9.51 : La matrice `arc` qui contient les valeurs initiales de la matrice `dist`.

✦ **Exemple 9.27.** Etudions le graphe de la figure 9.10 du paragraphe 9.3, utilisant les nombres `1..6` pour les sommets ; 1 représente Laie, 2 représente Kaneohe, et ainsi de

L'algorithme de Warshall

Parfois, on est intéressé non seulement de savoir s'il existe un chemin entre deux sommets, mais aussi de connaître la distance minimale. Dans ce cas, on peut utiliser une matrice d'adjacence où le type des éléments est `Boolean`, où TRUE indique la présence d'un arc et FALSE l'absence. De même, les éléments de la matrice `dist` sont du type `Boolean`, où TRUE indiquant l'existence d'un chemin et FALSE indiquant qu'aucun chemin entre les deux sommets en question n'est connu. L'unique modification nécessaire à l'algorithme de Floyd, est de remplacer les lignes (7) et (8) de la figure 9.50 par

```
(7)   if NOT dist[v,w] then
(8)       dist[v,w] := dist[v,u] AND dist[u,w]
```

Ces lignes affecteront `dist[v,w]` par TRUE, s'il n'est pas déjà TRUE, quand à la fois `dist[v,u]` et `dist[u,w]` sont TRUE.

L'algorithme résultant, appelé *l'algorithme de Warshall,* réalise la fermeture transitive et réflexive d'un graphe ayant n sommets en un temps de $O(n^3)$. Ce qui n'est pas mieux que le temps de $O(nm)$ pris par la méthode décrite au paragraphe 9.7, où nous utilisions une recherche en profondeur d'abord pour chaque sommet. Cependant, l'algorithme de Warshall utilise une matrice d'adjacence plutôt que des listes, et si m est proche de n^2, il pourrait être vraiment plus efficace que de multiples recherches en profondeur d'abord grâce à sa simplicité.

suite. La figure 9.51 montre la matrice `arc`, dont chaque paire de sommets qui n'a pas d'arête les reliant est étiquetée par INFTY. La matrice `arc` a aussi la valeur initiale de la matrice `dist`.

Notons que le graphe de la figure 9.10 est non-orienté, donc la matrice est symétrique; c'est-à-dire `arc[v,w]` = `arc[v,w]`. Si le graphe était orienté, cette symétrie n'existerait pas, mais l'algorithme de Floyd n'en tire pas profit, et par conséquent fonctionne avec des graphes orientés ou non-orientés.

Le premier pivot est $u = 1$. Puisque la somme de INFTY et n'importe quoi vaut INFTY, la seule paire de sommets v et w, mais différent de u, pour qui `dist[v,u]` + `dist[u,w]` est inférieur à INFTY, est $v = 2$ et $w = 6$, ou vice versa [12]. Puisque `dist[2,6]` est INFTY à ce moment là, on remplace `dist[2,6]` par la somme de `dist[2,1]` + `dist[1,6]` qui est 52. De même, on remplace `dist[6,2]` par 52. Aucune autre distance ne peut être améliorée avec 1 en pivot, ce qui donne la matrice `dist` de la figure 9.52.

Maintenant, on prend 2 comme pivot. Dans `dist`, montré dans la figure 9.52, le sommet 2 a des connexions finies à 1 (distance 24), 3 (distance 11), et 6 (distance 52). On peut combiner ces arêtes pour réduire les distances entre les sommets 1 et 3 de INFTY à $24 + 11 = 35$. De même, la distance entre 4 et 6 est réduite à $11 + 52 = 63$. Notons que 63 est la distance du chemin de Honolulu, à Kaneohe, à Laie, et à Wahiawa, pas le

---

[12] Si un de v et w est u, il est facile de voir que `dist[v,w]` ne peut jamais s'améliorer en passant par u. Donc, on peut ignorer les paires de la forme (v, u) ou (u, w) lorsque l'on cherche à améliorer la distance en traversant le pivot u.

	1	2	3	4	5	6
1	0	24	INFTY	INFTY	INFTY	28
2	24	0	11	INFTY	INFTY	52
3	INFTY	11	0	13	INFTY	INFTY
4	INFTY	INFTY	13 .	0	20	12
5	INFTY	INFTY	INFTY	20	0	15
6	28	52	INFTY	12	15	0

Figure 9.52 : La matrice `dist` après avoir pris 1 comme pivot.

chemin le plus court pour aller à Wahiawa, mais le plus court qui traverse seulement des sommets qui ont été pivots jusqu'à présent. Finalement, on trouvera la route la plus courte par Pearl City. L'état courant de la matrice `dist` est montré dans la figure 9.53.

	1	2	3	4	5	6
1	0	24	35	INFTY	INFTY	28
2	24	0	11	INFTY	INFTY	52
3	35	11	0	13	INFTY	63
4	INFTY	INFTY	13	0	20	12
5	INFTY	INFTY	INFTY	20	0	15
6	28	52	63	12	15	0

Figure 9.53 : La matrice `dist` après avoir pris 2 comme pivot.

Maintenant on prend 3 comme pivot. Le sommet 3 a actuellement des connections finies avec 1 (distance 35), 2 (distance 11), 4 (distance 13), et 6 (distance 63). Parmi ces sommets, la distance entre 1 et 4 peut être améliorée en $35 + 13 = 48$, et la distance entre 2 et 4 améliorée en $11 + 13 = 24$. Donc la matrice `dist` courante est montrée dans la figure 9.54.

	1	2	3	4	5	6
1	0	24	35	48	INFTY	28
2	24	0	11	24	INFTY	52
3	35	11	0	13	INFTY	63
4	48	24	13	0	20	12
5	INFTY	INFTY	INFTY	20	0	15
6	28	52	63	12	15	0

Figure 9.54 : La matrice `dist` après avoir pris 3 comme pivot.

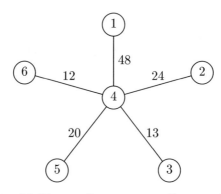

Figure 9.55 : Meilleures distances actuelles pour le sommet 4.

Ensuite, le sommet 4 devient le pivot. La figure 9.55 montre la distance actuelle entre 4 et chaque autre sommet [13]. En passant par le sommet 4, on peut réaliser les améliorations suivantes.

1. Entre 2 et 6, la distance est réduite à 36.

2. Entre 3 et 6, la distance est réduite à 25.

3. Entre 1 et 5, la distance est réduite à 68.

4. Entre 2 et 5, la distance est réduite à 44.

5. Entre 3 et 5, la distance est réduite à 33.

La matrice `dist` courante est montrée dans la figure 9.56.

	1	2	3	4	5	6
1	0	24	35	48	68	28
2	24	0	11	24	44	36
3	35	11	0	13	33	25
4	48	24	13	0	20	12
5	68	44	33	20	0	15
6	28	36	25	12	15	0

Figure 9.56 : La matrice `dist` après avoir pris 4 comme pivot.

En prenant 5 comme pivot, on n'améliore aucune distance. Lorsque 6 est le pivot, on peut améliorer la distance entre 1 et 4, puisque dans la figure 9.56,

$$\texttt{dist[1,6]} + \texttt{dist[6,4]} = 40$$

---

[13] Le lecteur peut comparer la figure 9.55 avec la figure 9.49. Cette dernière montre comment utiliser un sommet pivot dans le cas général d'un graphe où les arcs entrants et sortants du pivot peuvent avoir des étiquettes différentes. La figure 9.55 tire profit de la symétrie du graphe, nous laissant prendre des arêtes entre le sommet 4 et les autres sommets pour représenter à la fois des arcs vers le sommet 4, comme sur la gauche de la figure 9.49, et des arcs partant de 4 comme sur la droite de la figure 9.49.

ce qui est moins que `dist[1,4]`, ou 48. En termes de villes, cela revient à découvrir qu'il est plus court d'aller de Laie à Pearl City via Wahiawa que via Kaneohe et Honolulu. De même, on peut améliorer la distance entre 1 et 5 à 43 au lieu de 68. La matrice `dist` finale est montrée dans la figure 9.57. ✦

	1	2	3	4	5	6
1	0	24	35	40	43	28
2	24	0	11	24	44	36
3	35	11	0	13	33	25
4	40	24	13	0	20	12
5	43	44	33	20	0	15
6	28	36	25	12	15	0

Figure 9.57 : La matrice `dist` finale.

Pourquoi l'algorithme de Floyd est-il correct ?

Comme nous l'avons vu, à tout moment durant l'algorithme de Floyd, la distance d'un sommet v à un sommet w sera la distance du chemin le plus court, qui traverse seulement des sommets ayant été considérés comme pivot. Finalement, tous les sommets deviennent pivots, et `dist[v,w]` contient la distance minimale de tous les chemins possibles.

On définit un **k-chemin** d'un sommet v à un sommet w, un chemin de v à w tel qu'aucun sommet intermédiaire ne possède un nombre supérieur à k. Notons qu'il n'y a pas de contrainte que v ou w soit égal à k ou inférieur. La figure 9.58 donne une idée de ce à quoi un k-chemin ressemble, bien que les extrémités, v et w, puissent être au-dessus ou en-dessous de k. Sur cette figure, la hauteur de la ligne représente le nombre des sommets traversés par le chemin de v4 à w.

✦ **Exemple 9.28.** Dans la figure 9.10, le chemin 1, 2, 3, 4 est un 3-chemin. Les sommets intermédiaires 2 et 3, valent chacun 3 ou moins. Ce chemin est aussi un 4-chemin, un 5 chemin et un 6-chemin. Ce n'est cependant pas un 2-chemin, car le sommet intermédiaire 3 est supérieur à 2. De même, ce n'est pas un 0-chemin, ni un 1-chemin. ✦

Puisque nous admettons que les sommets sont numérotés de 1 à n, un 0-chemin ne peut avoir aucun sommet intermédiaire, et doit donc être un arc ou un sommet unique. Un n-chemin est n'importe quel chemin, puisqu'il ne peut y avoir de sommet intermédiaire supérieur à n dans tout chemin d'un graphe dont les sommets sont numérotés de 1 à n. Nous allons démontrer par récurrence sur k cette affirmation.

ASSERTION $S(k)$: Si les étiquettes des arcs ne sont pas négatives, alors juste après avoir affecté $k + 1$ à u dans la boucle des lignes (4) à (8) de la figure 9.50, `dist[v,w]` est la longueur du plus court k-chemin de v à w, ou `INFTY` si un tel chemin n'existe pas.

sommets
supérieurs à k

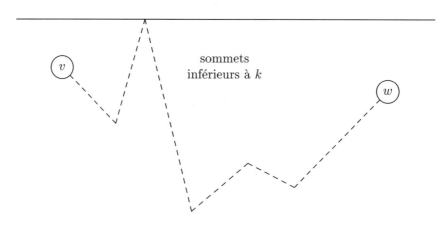

sommets
inférieurs à k

Figure 9.58 : Un k-chemin ne peut pas avoir de sommet supérieur à k,
excepté (éventuellement) aux extrémités.

LA BASE. La base est $k = 0$. On affecte 1 à u juste avant d'exécuter le corps de la boucle pour la première fois. Nous venons juste d'initialiser `dist` par `arc` aux lignes (1) à (3). Puisque les arcs et les chemins composés d'un seul sommet sont les seuls 0-chemins, l'hypothèse de base est vraie.

LA RÉCURRENCE. Supposons $S(k)$, et considérons ce qui arrive à `dist[v,w]` pendant l'itération de la boucle avec $u = k + 1$. Supposons que P soit le plus court $(k+1)$-chemin de v à w. Il y a deux cas, selon que P traverse le sommet $k+1$ ou non.

1. Si P est un k-chemin, c'est-à-dire qu'en réalité P ne passe pas par le sommet $k+1$, alors d'après l'hypothèse de base, `dist[v,w]` est déjà égale à la longueur de P après la $k^{ème}$ itération. On ne peut changer `dist[u,v]` durant l'itération avec $k + 1$ comme pivot, car il n'y a pas de $(k + 1)$-chemin plus court.

2. Si P est un $(k+1)$-chemin, on admet que P ne traverse le sommet $k+1$ qu'une seule fois, car des cycles ne peuvent jamais faire décroître des distances (rappelons que l'on ne tolère pas d'étiquette négative). Ainsi, P est composé d'un k-chemin Q de v au sommet $k+1$, suivi par un k-chemin R du sommet $k+1$ à w, comme dénoté dans la figure 9.59. Selon l'hypothèse de base, `dist[v,k+1]` et `dist[k+1,w]` seront les longueurs des chemins respectivement Q et R, après la $k^{ème}$ itération.

Commençons par observer que `dist[v,k+1]` et `dist[k+1,w]` ne peuvent pas être modifiés durant la $(k + 1)^{ème}$ itération. La raison est que toutes les étiquettes des arcs ne sont pas négatives, et par conséquent toutes les longueurs des chemins ne sont pas négatives ; ainsi, le test de la ligne (7) dans la figure 9.50 doit échouer lorsque u (autrement dit, le sommet $k + 1$) est v ou w.

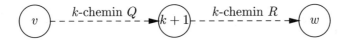

Figure 9.59 : Un $(k+1)$-chemin P peut être coupé en deux k-chemins :
Q, puis R.

Donc, lorsque l'on effectue le test de la ligne (7) pour v et w arbitraires, avec $u = k+1$, les valeurs de `dist[v,k+1]` et `dist[k+1,w]` n'ont pas changé depuis la fin de la $k^{ème}$ itération. Autrement dit, le test de la ligne (7) compare la longueur du plus court k-chemin avec la somme de la longueur des plus courts k-chemins de v à $k+1$ et de $k+1$ à w. Dans le cas (1), où un chemin P ne traverse pas $k+1$, le premier sera le plus court, et dans le cas (2), où P traverse $k+1$, le dernier sera la somme des longueurs des chemins Q et R de la figure 9.59 et sera le plus court.

On conclut que la $(k+1)^{ème}$ itération affectera à `dist[v,w]` la longueur du plus court $(k+1)$-chemin, pour tous les sommets v et w. C'est l'affirmation $S(k+1)$, et on conclut par conséquent cette récurrence.

Pour finir notre démonstration, posons $k = n$. Autrement dit, nous savons qu'après avoir terminé toutes les n itérations, `dist[v,w]` est la distance minimale de tout n-chemin de v à w. Mais, puisque tout chemin est un n-chemin, on a montré que `dist[v,w]` est la distance minimale de tout chemin de v à w.

EXERCICES

9.9.1 : En admettant que tous les arcs dans la figure 9.5 (voir les exercices du paragraphe 9.2) aient l'étiquette 1, exécutez l'algorithme de Floyd pour trouver la longueur du plus court chemin entre chaque paire de sommets. Montrez la matrice de distance après pivotement de chaque sommet.

9.9.2 : Appliquez l'algorithme de Warshall au graphe de la figure 9.5, pour calculer sa fermeture transitive et réflexive. Montrez la matrice d'atteignabilité après pivotement de chaque sommet.

9.9.3 : Prenez l'algorithme de Floyd pour trouver les plus courtes distances entre chaque paire de villes dans le graphe du Michigan de la figure 9.21 (voir exercice du paragraphe 9.4).

9.9.4 : Utilisez l'algorithme de Floyd pour trouver le temps le plus court possible entre chaque espèce d'hominidé donnée dans la figure 9.48 (voir les exercices du paragraphe 9.8).

9.9.5 : Parfois, on veut seulement considérer les chemins d'un ou plusieurs arcs, et exclure les sommets isolés. Comment peut-on modifier l'initialisation de la matrice `arc` pour que seuls les chemins de longueur 1 ou plus soient considérés quand on recherche le chemin le plus court d'un sommet à lui-même ?

9.9.6 : * Trouvez tous les 2-chemins acycliques de la figure 9.10.

9.9.7 : * Pourquoi l'algorithme de Floyd n'est-il pas valable lorsqu'il y a à la fois des coûts positifs et négatifs sur les arcs ?

9.9.8 : ** Donnez un algorithme pour trouver le plus long chemin acyclique entre deux sommets donnés.

9.10   Introduction à la théorie des graphes

La théorie des graphes est la branche des mathématiques concernant les propriétés des graphes. Dans les paragraphes précédents, nous avons présenté les définitions élémentaires de la théorie des graphes, ainsi que des algorithmes fondamentaux que des informaticiens ont développé pour étudier efficacement des propriétés fondamentales des graphes. Nous avons vu des algorithmes pour calculer le chemin le plus court, des arbres couvrant et des arbres recherche en profondeur d'abord. Dans ce paragraphe, on présentera quelques nouveaux concepts importants de la théorie des graphes.

Graphes complets

Un graphe non-orienté ayant une arête entre chaque paire de sommets distincts est appelé un graphe *complet*. Un graphe complet ayant n sommets est appelé K_n. La Figure 9.60 montre les graphes complets K_1 à K_4.

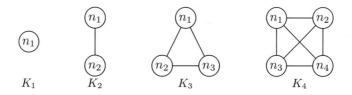

$$K_1 \qquad K_2 \qquad K_3 \qquad K_4$$

Figure 9.60 : Les quatre premiers graphes complets.

Le nombre d'arêtes dans K_n est $n(n-1)/2$, ou $\binom{n}{2}$. Pour s'en apercevoir, considérons une arête $\{u, v\}$ de K_n. Pour u on prend n'importe lequel des n sommets ; pour v on prend un des $n - 1$ sommets restants. Le nombre total de choix est par conséquent $n(n - 1)$. Cependant, on compte chaque arête deux fois de cette manière, une fois comme $\{u, v\}$ et une seconde fois comme $\{v, u\}$. Il faut donc diviser le nombre total de choix par 2 pour obtenir le nombre correct d'arêtes.

Il y a aussi une notion de **graphe orienté complet**. Ce graphe possède un arc de tout sommet vers tout autre sommet, y compris lui-même. Un graphe orienté complet ayant n sommets a n^2 arcs. La figure 9.61 montre le graphe orienté complet ayant 3 sommets et 9 arcs.

Graphes planaires

Un graphe non-orienté est dit *planaire* s'il est possible de placer ses sommets sur un plan et de dessiner ses arêtes comme des lignes contiguës, de façon que deux arêtes ne se croisent pas.

✦ **Exemple 9.29.** Le graphe K_4 a été dessiné dans la figure 9.60 de telle manière que ses deux arêtes diagonales se croisent. Cependant, K_4 est un graphe planaire, comme on

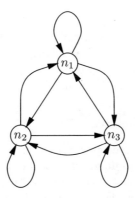

Figure 9.61 : Le graphe orienté complet ayant trois sommets.

peut le voir dans la figure 9.62. Ici, en redessinant une des diagonales à l'extérieur, on évite d'avoir deux arêtes qui se croisent. On dit que la figure 9.62 est une **représentation planaire** du graphe K_4, alors que le dessin de la figure 9.60 est une représentation non-planaire de K_4. Notons qu'il est possible d'avoir des arêtes qui ne sont pas des lignes droites dans une représentation planaire. ✦

Figure 9.62 : Représentation planaire de K_4.

Dans la figure 9.63 on voit quels sont les deux graphes **non-planaires** les plus simples, c'est-à-dire, des graphes qui n'ont pas de représentation planaire. Le graphe complet K_5 ayant 5 sommets en est un. L'autre est parfois appelé $K_{3,3}$; il est formé en prenant deux groupes de trois sommets et en connectant chaque sommet d'un groupe à chaque sommet de l'autre groupe, mais pas les sommets du même groupe. Le lecteur pourrait essayer de redessiner chacun de ces graphes de façon à ce que deux arêtes ne se croisent pas, juste pour comprendre pourquoi ils ne sont pas planaires.

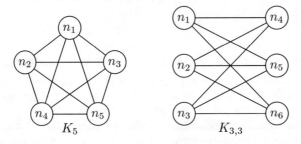

Figure 9.63 : Les deux graphes non-planaires les plus simples.

Le fameux **théorème de Kuratowski** statue que tout graphe non-planaire contient une « copie » d'au moins un de ces deux graphes. Nous devons prendre garde dans l'interprétation de la notion de copie, cependant, puisque pour voir une copie de K_5 ou $K_{3,3}$ dans un graphe non-planaire g arbitraire, il faudrait associer des arêtes dans les graphes de la figure 9.63 avec des chemins du graphe G.

Applications de graphes planaires

La notion de graphe planaire et non-planaire a une importance considérable en informatique. Par exemple, beaucoup de graphes ou de diagrammes similaires ont besoin d'être représentés sur l'écran d'un ordinateur ou sur papier. Pour clarifier, il est souhaitable de faire une représentation planaire du graphe, ou si le graphe est non-planaire, de faire croiser le moins possible d'arêtes.

Le lecteur peut observer qu'au chapitre 13, on dessine des diagrammes de circuits assez complexes, qui sont vraiment des graphes dont les sommets sont des portes et des points de jonction de fils, et dont les arêtes sont des fils. Puisque ces circuits ne sont pas planaires en général, nous devons adopter une convention qui permet aux fils de se croiser sans se toucher ; un point matérialise une connexion entre des fils.

Une application de cela est la conception de circuits intégrés. Les circuits intégrés ou « puces » comprennent des circuits logiques tels que ceux étudiés au chapitre 13. Ils ne nécessitent pas que le circuit logique soit dessiné dans une représentation planaire, il existe une convention qui nous permet d'affecter des arêtes à plusieurs « niveaux », souvent trois ou quatre. A un niveau, le graphe de circuit doit avoir une représentation planaire ; des arêtes ne peuvent se croiser. Cependant, des arêtes de différents niveaux peuvent se croiser.

Coloriage de graphes

Le problème du *coloriage de graphe* pour un graphe G consiste à attribuer une couleur à chaque sommet, de façon que la même couleur ne soit pas attribuée à deux sommets reliés par une arête. On peut alors se poser la question du nombre de couleurs nécessaires pour *colorier* un graphe. Le nombre minimum de couleurs nécessaire pour un graphe G est appelé le **nombre chromatique** de G, souvent dénoté $\chi(G)$. Un graphe qui peut être coloré avec au plus k couleurs est appelé **k-chromatique**.

✦ **Exemple 9.30.** Si un graphe est complet, son nombre chromatique est égal au nombre de sommets ; c'est-à-dire $\chi(K_n) = n$. La preuve est que l'on ne peut pas colorier deux sommets u et v avec la même couleur, car il existe certainement une arête entre eux. Donc chaque sommet nécessite une couleur différente.

A titre d'exemple, le graphe $K_{3,3}$ de la figure 9.63 a un nombre chromatique 2. Par exemple, on peut colorier les trois sommets du groupe de gauche en *rouge*, et les trois sommets sur la droite en *bleue*. Toutes les arêtes vont donc entre une arête *rouge* et une *bleue*. $K_{3,3}$ est un exemple de **graphe bi-chromatique**, qui est un autre nom pour un graphe qui peut être coloré avec au plus deux couleurs. Tous les graphes de ce type peuvent avoir leurs sommets divisés en deux groupes tels qu'aucune arête n'existe entre des membres du même groupe.

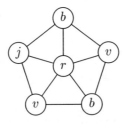

Figure 9.64 : Un graphe 4-chromatique.

Comme exemple final, le nombre chromatique du graphe composé de six sommets de la figure 9.64 est 4. Pour cela, notons que le sommet au centre ne peut avoir la même couleur que tous les autres sommets, puisqu'il est relié à tous. Donc, nous lui réservons une couleur, disons *rouge*. Nous avons besoin d'au moins de deux autres couleurs pour l'anneau de sommets, puisque les voisins dans l'anneau ne doivent pas prendre la même couleur. Cependant, si l'on essaie d'alterner les couleurs — disons, *bleu* et *vert* — comme dans la figure 9.64, alors on aboutit au problème où le cinquième sommet possède à la fois des voisins *bleu* et *vert*, et par conséquent, on a besoin d'une quatrième couleur, *jaune*, dans notre exemple. ✦

Applications des graphes colorés

Trouver le bon coloriage d'un graphe est un autre problème qui possède de multiples utilisations en informatique. Par exemple, dans l'introduction du premier chapitre, nous avons considéré l'organisation de cours dans un emploi du temps de façon que deux cours affectés à la même tranche horaire n'aient pas d'élève commun (inscrit au deux). Le principe était d'ordonner les examens finaux de façon qu'aucun élève ne soit obligé de suivre deux examens en même temps. Nous avons dessiné un graphe dont les sommets sont les cours, avec une arête entre deux cours s'ils possèdent un élève en commun.

La question de combien de périodes de temps sont nécessaires en prévision des examens peut alors être posée comme la question du nombre chromatique de ce graphe. Tous les sommets ayant la même couleur peuvent être planifiés au même moment puisqu'ils n'ont pas d'arête en commun, pris deux par deux. Réciproquement, si une planification engendre un conflit pour un élève, on peut alors colorier avec la même couleur tous les cours planifiés durant cette période, et par conséquent générer un graphe colorié avec autant de couleurs que de périodes d'examens.

Au chapitre 1, nous avons présenté une heuristique basée sur la recherche minimale d'ensembles indépendants pour planifier les examens. C'est aussi une heuristique raisonnable pour trouver le bon coloriage d'un graphe. On peut s'attendre à ce que quelqu'un essaie tous les coloriages possibles pour un graphe aussi petit que le graphe à cinq sommet de la figure 1.1, et évidemment c'est correct. Cependant, le nombre de coloriages possibles d'un graphe croît de manière exponentielle au nombre de sommets, et il n'est pas pensable de considérer tous les coloriages possibles de graphes considérablement plus grands dans notre recherche du plus petit nombre possible de couleurs.

Cliques

Une *clique* dans un graphe non-orienté G est un ensemble de sommets tel qu'il existe une arête entre chaque paire de sommets de l'ensemble. Une clique de k sommets est appelée une k-**clique**. La taille de la plus grande clique dans un graphe est appelé le **nombre de cliques** du graphe.

◆ **Exemple 9.31.** Comme exemple simple, chaque graphe complet K_n est une clique composée de tous les n sommets.

Le graphe de la figure 9.64 contient des cliques de taille trois, mais pas de plus grande. Les 3-cliques sont représentées en triangles. Il ne peut y avoir de 4-clique dans ce graphe, car il faudrait pour cela inclure des sommets de l'anneau. Or, chaque sommet de l'anneau est relié à seulement trois sommets, tel que la 4-clique devrait inclure un sommet v quelconque de l'anneau, ses voisins, et le sommet central. Cependant, les voisins de v sans l'anneau ne possèdent pas d'arête entre deux, donc on a pas de 4-clique. ◆

Comme exemple d'application des cliques, supposons que l'on représente les conflits entre cours, non pas comme dans la figure 1.1, mais plutôt en mettant une arête entre deux sommets, s'ils n'ont pas d'élève en commun. Donc, deux cours reliés par une arête pourraient être planifiés en même temps. On pourrait alors rechercher les **cliques maximales**, c'est-à-dire, des cliques qui n'étaient pas un sous-ensemble des plus grandes cliques, et planifier les examens d'une clique maximale de cours durant la même période.

EXERCICES

9.10.1 : Pour le graphe de la figure 9.4,

a) Quel est le nombre chromatique ?
b) Quel est le nombre de cliques ?
c) Donnez un exemple de plus grande clique.

9.10.2 : Quels sont les nombres chromatiques des versions non-orientées des graphes des figures 9.5(a) et 9.26(b) ? (Traitez les arcs comme des arêtes).

9.10.3 : La figure 9.5 n'est pas représentée d'une manière plane. Le graphe est-il un planaire ? Autrement dit, peut-on le redessiner sans que des arêtes se croisent ?

9.10.4 : * Trois quantités associées à un graphe non-orienté sont ses degrés (nombre maximum de voisins de tout sommet), son nombre chromatique, et son nombre de cliques. Trouvez des inégalités devant être maintenues entre ces quantités. Expliquez pourquoi elles doivent l'être.

9.10.5 : ** Concevez un algorithme qui prendra tout graphe de n sommets, avec m étant le plus grand nombre de sommets et d'arêtes, et dans un temps de $O(m)$, dira si le graphe est bi-chromatique.

9.10.6 : * On peut généraliser le graphe de la figure 9.64 afin d'avoir un sommet central et k sommets en anneau, chaque sommet étant seulement relié à son voisin dans

PROBLEME	ALGORITHME(S)	TEMPS D'EXECUTION
Arbre couvrant minimum	Algorithme de Kruskal	$O(m \log n)$
Détection de cycles	Recherche en profondeur d'abord	$O(m)$
Ordre topologique	Recherche en profondeur d'abord	$O(m)$
Atteignabilité avec un sommet source	Recherche en profondeur d'abord	$O(m)$
Composantes connexes	Recherche en profondeur d'abord	$O(m)$
Fermeture transitive	n recherche en profondeur d'abord	$O(mn)$
Plus-court chemin avec un sommet source	Dijkstra avec implémentation POT	$O(m \log n)$
	Dijkstra avec implémentation de l'exercice 9.8.4	$O(n^2)$
Tous les plus courts chemins	n utilisations de Dijkstra avec implémentation POT	$O(mn \log n)$
	n utilisations de Dijkstra avec implémentation de l'exercice 9.8.4	$O(n^3)$
	Floyd avec matrice d'adjacence	$O(n^3)$

Figure 9.65 : Résumé des algorithmes sur les graphes.

l'anneau et au sommet central. Exprimez en fonction de K, le nombre chromatique de ce graphe.

9.10.7 : * Que peut-on dire au sujet du nombre chromatique d'arbres non-ordonnés et sans racine (comme présentés au paragraphe 9.5) ?

9.10.8 : ** Soit $K_{i,j}$ le graphe formé en prenant un groupe de i sommets et un groupe de j sommets, et en plaçant une arête partant de chaque membre d'un groupe vers tous les membres de l'autre groupe. Nous avons observé que si $i = j = 3$, alors le graphe résultant n'est pas planaire. Pour quelles valeurs de i et j, le graphe $K_{i,j}$ est-il planaire ?

9.11   Résumé du chapitre 9

La table 9.65 résume les divers problèmes que nous avons examinés dans ce chapitre, les algorithmes pour les résoudre et le temps d'exécution de chacun d'eux. Dans cette table, n est le nombre de sommets dans le graphe et m est le plus grand des nombres de sommets et d'arcs/arêtes. Sauf indication contraire, on suppose des graphes représentés par des listes d'adjacence.

D'autre part, nous avons initié le lecteur à la plupart des concepts-clés de la théorie des graphes, qui sont

✦   chemin et plus court chemin,

◆   arbre couvrant,

◆   arbre et arborescence de recherche en profondeur d'abord,

◆   coloriage de graphe et nombre chromatique,

◆   graphe planaire.

9.12   Notes bibliographiques du chapitre 9

Pour plus de détails sur les algorithmes sur les graphes, voir Aho, Hopcroft, et Ullman [1974, 1987]. La recherche en profondeur d'abord a été utilisée pour créer des algorithmes efficaces sur les graphes dans Hopcroft et Tarjan [1973]. L'algorithme de Dijkstra est dans Dijkstra [1959], l'algorithme de Floyd est dans Floyd [1962], l'algorithme de Kruskal est dans Kruskal [1956], et l'algorithme de Warshall dans Warshall [1962].

Berge [1962] couvre la théorie mathématique des graphes. Lawler [1976], Papadimitriou et Steiglitz [1982], et Tarjan [1983] présentent des techniques avancées d'optimisations sur les graphes.

Aho, A.V., J.E.Hopcroft, et J.D.Ullman [1974]. *The Design and Analysis of Computer Algorithms*, Addison Wesley, Reading, Mass.

Aho, A.V., J.E.Hopcroft, et J.D.Ullman [1987]. *Structures de données et Algorithmes*, InterEditions, Paris.

Berge, C. [1962]. *The Theory of Graphs and its Applications*, Wiley, New York.

Dijkstra, E.W. [1959]. « A note on two problems in connexion with graphs, » *Numberische Mathematik* **1**, pp. 269–271.

Floyd, R.W. [1962]. « Algorithm 97: shortest path, » *Comm. ACM* **5**:6, pp. 345.

Hopcroft, J.E., et R.E.Tarjan [1973]. « Efficient algorithms for graph manipulation, » *Comm. ACM* **16**:6, pp. 372-378.

Kruskal, J.B., Jr. [1956]. « On the shortest spanning subtree of a graph and the traveling salesman problem, » *Proc. AMS* **7**:1, pp. 48–50.

Lawler, E. [1976]. *Combinatorial Optimization: Networks and Matroids*, Holt, Rinehart and Winston, New York.

Papadimitriou, C.H., et K.Steiglitz [1982]. *Combinatorial Optimization: Algorithms and Complexity*, Prentice-Hall, Englewood Cliffs, New Jersey.

Tarjan, R.E. [1983]. *Data Structures and Network Algorithms*, SIAM, Philadelphia.

Warshall, S. [1962]. « A theorem on Boolean matrices, » *J. ACM* **9**:1, pp. 11-12.

CHAPITRE 10

Motifs, automates, et expressions régulières

Un motif est un ensemble d'objets possédant une propriété reconnaissable. Un ensemble de chaînes de caractères peut constituer un type de motif : l'ensemble des identificateurs autorisés du Pascal par exemple, chacun étant une chaîne composée de lettres et de chiffres, et commençant par une lettre. Un autre exemple pourrait être l'ensemble des tableaux de 0 et de 1 d'une taille donnée qu'un programme de reconnaissance de caractères pourrait interpréter comme la représentation d'un même symbole. La figure 10.1 montre trois tableaux 7 × 7 qui pourraient être interprétés comme la lettre A. L'ensemble de tous ces tableaux constitueront le motif appelé « A ».

```
0 0 0 1 0 0 0        0 0 0 0 0 0 0        0 0 0 1 0 0 0
0 0 1 1 1 0 0        0 0 1 0 0 0 0        0 0 1 0 1 0 0
0 0 1 0 1 0 0        0 0 1 1 0 0 0        0 1 1 0 1 0 0
0 1 1 0 1 1 0        0 1 0 1 0 0 0        0 1 1 1 1 1 0
0 1 1 1 1 1 0        0 1 1 1 0 0 0        1 1 0 0 0 1 1
1 1 0 0 0 1 1        1 0 0 1 1 0 0        1 0 0 0 0 0 1
1 0 0 0 0 0 1        1 0 0 0 1 0 0        0 0 0 0 0 0 0
```

Figure 10.1 : Trois instances du motif « A ».

La définition et la reconnaissance sont les deux problèmes fondamentaux liés aux motifs, et constituent les sujets de ce chapitre et du chapitre suivant. La reconnaissance de motifs fait partie intégrante de la reconnaissance optique de caractères, dont un exemple est donné en figure 10.1. Dans certaines applications, la reconnaissance de motif est un élément d'un problème plus vaste. Par exemple, la reconnaissance de motifs dans des programmes est un partie essentielle de la compilation — c'est-à-dire, la traduction de programmes écrits dans un langage particulier, comme le Pascal, dans un autre, comme le langage machine.

On pourrait trouver beaucoup d'autres exemples d'utilisation des motifs en informatique. Les motifs jouent un rôle fondamental dans la conception des circuits électroniques utilisés pour construire des ordinateurs ou d'autres appareils numériques. Ils sont utilisés dans les éditeurs de texte pour nous permettre de rechercher des instances d'un mot particulier ou des ensembles de chaînes de caractères, par exemple « les lettres `if` suivies de n'importe quelle séquence de caractères, suivie par `then` ». La plupart des systèmes d'exploitation autorisent l'emploi de motifs dans les commandes ; par exemple, la commande UNIX « `*.o` » donne la liste de tous les fichiers dont le nom se termine par la séquence de deux caractères « `.o` ».

Tout un corpus de connaissances s'est développé autour de la définition et de la reconnaissance de motifs. Cette théorie s'appelle « théorie des automates » ou « théorie des langages », et ses définitions de base font partie des fondements de l'informatique.

10.1   Le propos de ce chapitre

Ce chapitre traite des motifs constitués d'ensembles de chaînes de caractères. Nous y apprendrons que :

✦   L'« automate fini » est une façon de spécifier des motifs en s'appuyant sur des graphes. Il en existe deux variétés, les automates déterministes (paragraphe 10.2) et les automates non-déterministes (paragraphe 10.3).

✦   Un automate déterministe peut être transformé de façon simple en un programme qui reconnaît son motif (paragraphe 10.2).

✦   Un automate non-déterministe peut être transformé en un automate déterministe qui reconnaîtra le même motif, en utilisant la « construction de sous-ensembles » étudiée au paragraphe 10.4.

✦   Les expressions régulières forment une algèbre permettant de décrire les même motifs que ceux décrits par des automates (paragraphes 10.5 à 10.7).

✦   Les expressions régulières peuvent être transformées en automates (paragraphe 10.8) et vice versa (paragraphe 10.9).

Nous parlerons également des motifs de chaînes de caractères dans le chapitre suivant. Commençons par introduire une notation récursive, appelée « grammaire non-contextuelle », et servant à définir des motifs. Nous verrons que cette notation permet de décrire des motifs impossibles à exprimer avec des automates ou des expressions régulières. Cependant, les grammaires ne sont souvent pas aussi faciles à transformer en programmes que les automates ou les expressions régulières.

10.2   Machines à états et automates

Les programmes dédiés à la recherche de motifs possèdent souvent une structure particulière. Il est possible d'identifier dans le code certaines étapes, pour lesquelles nous disposons d'informations sur la progression du programme vers le but qui lui est assigné : trouver une instance d'un motif. On appelle ces positions *états*. On peut se représenter le comportement global du programme comme un déplacement d'un état à l'autre dès qu'il aura lu son entrée.

Pour concrétiser ces idées, considérons un problème particulier de mise en correspondance de motifs : « Quels sont les mots anglais qui contiennent les cinq voyelles dans l'ordre ? » Pour nous aider à répondre à cette question, on peut se servir d'une liste de mots, qu'on peut trouver dans de nombreux systèmes d'exploitations. Dans le système UNIX, par exemple, on peut trouver une telle liste dans le fichier `/usr/dict/words`, où les mots anglais fréquemment utilisés apparaissent, chacun sur une ligne. Dans ce fichier, parmi les mots qui contiennent les voyelles dans l'ordre, on trouvera

> `abstemious`
> `facetious`
> `sacrilegious`

Voyons comment un programme Pascal normal s'y prendrait pour trouver tous les mots contenant les cinq voyelles dans l'ordre. Le programme peut conserver chaque ligne (mot) dans un tableau, puis parcourir les caractères du tableau. En partant du début du tableau, le programme commence par rechercher un `a`. Nous dirons qu'il se trouve dans « l'état 0 » jusqu'à ce qu'il repère un `a`, auquel cas il se retrouvera dans « l'état 1 ». Dans l'état 1, il part en quête d'un `e`, et lorsque celui-ci est trouvé, il se retrouve dans « l'état 2 ». Il continue ainsi, jusqu'à atteindre « l'état 4 », à partir duquel il recherche un `u`. S'il trouve un `u`, le mot contient bien les cinq voyelles, dans l'ordre, et le programme peut rejoindre un « état 5 » d'acceptation, dans lequel il imprime le mot. Il ne lui est pas nécessaire de parcourir le reste du mot, car il sait déjà que le mot est valide, quel que soit ce qui suit le `u`.

On peut interpréter l'état i en disant que le programme a déjà rencontré les i premières voyelles, dans l'ordre, pour $i = 0, 1, \ldots, 5$. Ces six états résument tout ce dont le programme doit se souvenir lorsqu'il parcourt l'entrée de gauche à droite. Par exemple, dans l'état 0, pendant qu'il recherche un `a`, le programme n'a pas à se rappeler s'il a déjà vu un `e`. Cela parce que ce `e` n'est précédé d'aucun `a`, et ne peut pas servir comme `e` de la sous-séquence `aeiou`.

Le cœur de cet algorithme de reconnaissance de motif est `FindChar(A,i,c)`, la fonction de la figure 10.2 qui parcourt le tableau `A` à partir de la position i, jusqu'à ce qu'elle trouve le caractère c ou qu'elle rencontre un blanc. Pour des raisons de simplicité, on suppose que les éléments du tableau `A` forment une séquence de lettres minuscules, suivie d'au moins un blanc. Le type `WORD` est défini par

> `const WORDLENGTH = 50;`
> `type WORD = packed array[1..WORDLENGTH] of char`

La valeur 50 est représentative ; si notre dictionnaire contient des mots plus longs, on pourra modifier la valeur de `WORDLENGTH`.

La boucle des lignes (1) et (2) de la figure 10.2 incrémente i jusqu'à ce que le caractère c voulu soit trouvé, ou que le programme rencontre un blanc, ce qui signifie que la fin du mot est atteinte. La ligne (3) teste ensuite laquelle des deux conditions d'arrêt est survenue. Si le caractère c est trouvé, la valeur de retour est mise à `TRUE` à la ligne (4), ce qui indique un succès. A la ligne (5), le programme ajoute 1 à i pour que, lorsqu'il recherche la voyelle suivante dans la séquence, il ne perde pas de

```
     function FindChar(A: WORD; var i: integer; c: char): Boolean;
     begin
(1)      while (A[i] <> c) AND (A[i] <> ' ') do
(2)          i := i+1;
(3)      if A[i] = c then begin
(4)          FindChar := TRUE;
(5)          i := i+1
     end
     else
(6)          FindChar := FALSE
     end
```

Figure 10.2 : Recherche d'un caractère c donné.

temps à examiner de nouveau le caractère $A[i]$, mais commence directement avec le caractère suivant dans le mot. Enfin, si le test de la ligne (3) détermine qu'un blanc a été rencontré et non le caractère c, le programme retourne F̲A̲L̲S̲E̲ à la ligne (6) pour indiquer l'échec.

La figure 10.3 montre un programme complet qui recherche dans un fichier d'entrée les mots possédant les voyelles dans l'ordre. Le test est effectué par la fonction TestWord. A la ligne (1), le programme initialise la valeur de retour de cette fonction à FALSE ; la valeur est mise à TRUE à la ligne (8) si toutes les voyelles sont trouvées dans le bon ordre.

La ligne (2) initialise à 1 l'indice de position i, et nous pouvons considérer que le programme se trouve dans l'état 0. Dans cet état, il appelle FindChar à la ligne (3), avec pour troisième argument un 'a', ce qui déclenche la recherche de la lettre a. Si un a est trouvé, nous savons depuis l'étude de la figure 10.2 que FindChar retournera TRUE, et incrémentera également i, pour marquer la position suivant le premier a dans le tableau A. Du coup, si FindChar retourne TRUE à la ligne (3), le programme se retrouve dans l'état 1 où, à la ligne (4), il effectue un test similaire pour le e, en ne parcourant que la partie du tableau A qui suit le premier a. Il continue de la sorte pour toutes les voyelles, jusqu'à la ligne (8), où il retourne TRUE si un u est trouvé.

Le programme principal apparaît aux lignes (9) à (12), et il est constitué d'une seule boucle while. A la ligne (10), le corps de cette boucle lit un mot, qui correspond à une ligne du fichier d'entrée. La ligne (11) teste si un mot contient la sous-séquence aeiou, auquel cas le mot est imprimé à la ligne (12). La boucle se termine à la ligne (9), après que la dernière ligne du fichier aura été lue, ce qui se traduit par la rencontre du caractère de fin de fichier.

Des graphes pour représenter des machines à états

On peut se représenter le comportement d'un programme comme celui de la figure 10.3 par un graphe dans lequel les nœuds représentent les états du programme. Peut-être plus important, on peut concevoir un programme en concevant d'abord un graphe, puis en traduisant directement le graphe en programme, soit à la main, soit en utilisant l'un

```
      const WORDLENGTH = 50;
      type WORD = packed array[1..WORDLENGTH] of char;

      function FindChar(A: WORD; var i: integer; c: char): Boolean;
      begin
          while (A[i] <> c) AND (A[i] <> ' ') do
              i := i+1;
          if A[i] = c then begin
              FindChar := TRUE;
              i := i+1
          end
          else
              FindChar := FALSE
      end (* FindChar *);

      function TestWord(A: WORD): Boolean;
      var i: integer; (* la position dans A où commencera la
              recherche d'une voyelle *)
      begin
(1)       TestWord := FALSE;
          (* State 0 *)
(2)       i := 1;
(3)       if FindChar(A, i, 'a') then
              (* State 1 *)
(4)           if FindChar(A, i, 'e') then
                  (* State 2 *)
(5)               if FindChar(A, i, 'i') then
                      (* State 3 *)
(6)                   if FindChar(A, i, 'o') then
                          (* State 4 *)
(7)                       if FindChar(A, i, 'u') then
                              (* State 5 *)
(8)                           TestWord := TRUE
      end (* TestWord *);

      (* Programme principal *)
      var A: WORD;
      begin
(9)       while NOT EOF(input) do begin
(10)          readln(A);
(11)          if TestWord(A) then
(12)              writeln(A)
          end
      end.
```

Figure 10.3 : Recherche des mots contenant la sous-séquence aeiou.

des multiples outils de programmation qui ont été écrits dans ce but.

Les états d'un programme sont représentés par un graphe orienté, dont les arcs sont étiquetés par des ensembles de caractères. Il existe un arc de l'état s vers l'état t, étiqueté par l'ensemble de caractères C si, lorsqu'on est dans l'état s, on se retrouve dans l'état t exactement après avoir vu l'un des caractères de l'ensemble C. Les arcs sont appelés **transitions**. Si x est un caractère de l'ensemble C, qui étiquette la transition de l'état s vers l'état t, alors, si nous sommes dans l'état s et qu'on reçoit un x comme caractère suivant, on dit qu'on « fait une transition sur x vers l'état t. » Dans le cas le plus fréquent où l'ensemble C est réduit au singleton $\{x\}$, on donnera à l'arc l'étiquette x, plutôt que $\{x\}$.

On étiquette aussi certains nœuds **états d'acceptation**. Lorsqu'on atteint l'un de ces états, c'est que le motif a été trouvé et « accepté ». Par convention, les états d'acceptation sont représentés par des doubles cercles. Enfin, l'un des nœuds est appelé *état de départ*, celui où débute la reconnaissance du motif. On indique l'état de départ par une flèche arrivant de nulle part. Un tel graphe est appelé *automate fini* ou simplement **automate**. On peut voir un exemple d'automate à la figure 10.4.

Le comportement d'un automate est simple conceptuellement. On suppose qu'un automate reçoit une liste de caractères appelée *séquence d'entrée*. L'automate commence dans l'état de départ, prêt à lire le premier caractère de la séquence d'entrée. Selon le caractère lu, il effectue une transition, peut-être vers le même état, peut-être vers un autre. Cette transition est imposée par le graphe de l'automate. L'automate lit ensuite le deuxième caractère et effectue la transition appropriée, et ainsi de suite.

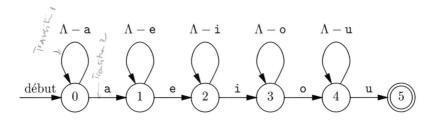

Figure 10.4 : Automate permettant de reconnaître les séquences de lettres contenant la sous-séquence `aeiou`.

✦ **Exemple 10.1.** L'automate correspondant à la fonction `TestWord` de la figure 10.3 apparaît en figure 10.4. Dans ce graphe, on utilise une convention qui resservira par la suite ; la lettre grecque Λ (lambda) représente l'ensemble de toutes les lettres, majuscules et minuscules. On utilise aussi des facilités d'écriture comme $\Lambda - \mathtt{a}$ pour représenter l'ensemble de toutes les lettres sauf le `a`.

Le nœud 0 est l'état de départ. Sur chaque lettre différente de `a`, on reste dans l'état 0, mais sur un `a`, on se retrouve dans l'état 1. De même, une fois l'état 1 atteint, on s'y maintient, sauf si l'on voit un `e`, auquel cas on saute à l'état 2. Les états suivants, 3 et 4, sont atteints de la même manière lorsqu'on voit un `i`, puis un `o`. On reste dans l'état 4 jusqu'à ce qu'apparaisse un `u`, auquel cas on saute à l'état 5, le seul état d'acceptation. Aucune transition ne part de l'état 5, car l'examen du mot testé est interrompu ; en revanche, on annonce le succès en retournant la valeur TRUE.

Il est aussi utile de préciser que si l'on rencontre un blanc (ou n'importe quoi d'autre qui ne soit pas une lettre) entre les états 0 et 4, aucune transition n'est effectuée. Dans ce cas, le traitement s'interrompt et, comme nous ne sommes pas dans un état d'acceptation, l'entrée est *rejetée*. ✦

✦ **Exemple 10.2.** L'exemple suivant est une situation rencontrée en traitement du signal. Au lieu de considérer tous les caractères comme autant d'entrées potentielles d'un automate, on n'autorisera que les entrées 0 et 1. L'automate particulier que nous allons concevoir, appelé parfois **filtre à rebonds** prend en entrée une séquence de 0 et de 1. Le but est de « lisser » la séquence en considérant comme un « bruit » un 0 isolé encadré par des 1, et en le remplaçant par un 1. De la même façon, un 1 encadré par des 0 sera considéré comme un bruit, et remplacé par un 0.

Pour illustrer l'utilisation d'un filtre à rebonds, supposons qu'on veuille parcourir une image numériser en noir et blanc, ligne par ligne. Chaque ligne de l'image est en fait constituée d'une séquence de 0 et de 1. Les images comportant parfois des petits points lumineux de la mauvaise couleur (à cause, par exemple, d'imperfections du film ou dans le traitement photographique), il s'avère utile d'éliminer ce genre de points, si l'on veut réduire le nombre de régions distinctes de l'image et se concentrer sur ses vraies caractéristiques, en éliminant les parasites.

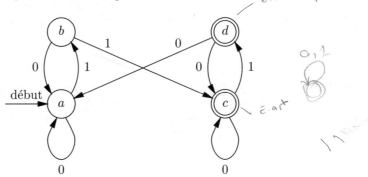

Figure 10.5 : Automate éliminant les 0 et 1 parasites.

La figure 10.5 représente l'automate pour notre filtre à rebonds. On peut interpréter les quatre états de la manière suivante :

a) On vient de voir une séquence de 0, au moins deux dans une rangée.

b) On vient de voir une séquence de 0, suivie d'un seul 1.

c) On vient de voir une séquence d'au moins deux 1.

d) On vient de voir une séquence de 1, suivie d'un seul 0.

L'état a est pris comme état de départ, ce qui implique que notre automate se comportera comme s'il y avait eu un préfixe constitué de 0 avant la séquence d'entrée.

Les états d'acceptation sont c et d. Pour cet automate, l'acceptation prend un sens légèrement différent que pour l'automate de la figure 10.4. Tout à l'heure, lorsqu'on atteignait l'état d'acceptation, on considérait que l'entrée toute entière était acceptée, y compris les caractères que l'automate n'avait même pas encore lu [1]. Ici, on veut qu'un état d'acceptation dise « on sort un 1 », et qu'un état de non-acceptation dise « on sort un 0 ». Avec cette interprétation, on pourra traduire chaque bit d'entrée en un bit de sortie. Le plus souvent, la sortie sera identique à l'entrée, mais il arrivera qu'elle soit différente. Par exemple, la figure 10.6 montre l'entrée, les états, et leurs sorties, lorsque l'entrée vaut 0101101.

Entrée :	0	1	0	1	1	0	1
Etat :	a	a	b	a	b	c	d	c
Sortie :	0	0	0	0	0	1	1	1

Figure 10.6 : Simulation de l'automate de la figure 10.5 sur l'entrée 0101101.

On commence dans l'état a, et comme a n'est pas un état d'acceptation, on sort 0. Il est important de remarquer que cette première sortie n'est pas une réponse à une entrée, mais représente la condition de l'automate lorsqu'on allume l'appareil.

La transition qui part de l'état a étiquetée par l'entrée 0 dans la figure 10.5 aboutit à l'état a lui-même. C'est pourquoi la deuxième sortie est également un 0. La deuxième entrée est un 1, et on effectue une transition sur 1 à partir de l'état a vers l'état b. Cet état « se souvient » que nous n'avons vu qu'un seul 1, mais comme b n'est pas un état d'acceptation, la sortie est encore 0. Sur la troisième entrée, encore un 0, on retourne de l'état b à l'état a, et l'on continue à émettre la sortie 0.

Les deux entrées suivantes sont des 1, qui placent l'automate d'abord dans l'état b, puis dans l'état c. Sur le premier des deux 1, on se retrouve dans l'état b, qui provoque la sortie d'un 0 ; cette sortie s'avère être erronée, car nous amorçons en réalité une série de 1, ce qu'on ne sait pas lorsqu'on lit la quatrième entrée. La simplicité de notre réalisation fait que toutes les suites, qu'elles soient de 0 ou de 1, sont décalées d'une position vers la droite car l'automate a besoin de deux bits dans la rangée pour réaliser qu'il vient de voir le début d'une nouvelle série, et non un bit de « bruit ». Lorsque la cinquième entrée est reçue, nous suivons la transition sur l'entrée 1, qui nous mène de l'état b à l'état c. A ce point, nous sortons notre premier 1, car c est un état d'acceptation.

Les deux dernières entrées sont 0 et 1. Le 0 nous fait passer de l'état c à l'état d, pour que nous puissions nous souvenir que nous n'avons vu qu'un seul 0. La sortie générée par l'état d est encore 1, car c'est un état d'acceptation. Le 1 final nous ramène à l'état c et produit un 1 en sortie. ◆

---

[1]   Cependant, nous aurions pu modifier l'automate pour qu'il lise toutes les lettres suivant le u, en ajoutant une transition sur toutes les lettres, de l'état 5 vers lui-même.

Différence entre automates et programmes

Les automates sont des concepts abstraits. Comme le montrera le paragraphe 10.3, les automates rendent une décision accepté/rejeté pour une séquence quelconque de caractères entrés, en regardant s'il existe un chemin étiqueté par cette séquence entre l'état de départ et un état d'acceptation. Ainsi, par exemple, l'action représentée dans la figure 10.6 sur l'automate du filtre à rebonds de la figure 10.5 nous dit que l'automate rejette les préfixes ϵ, 0, 01, 010, et 0101, alors qu'il accepte 01011, 010110, et 0101101. L'automate de la figure 10.4 accepte les chaînes de caractères comme `abstemiou`, mais rejette `abstemious`, car il n'existe aucune transition sur le `s` final à partir de l'état 5. Ceci dit, les programmes créés à partir d'automates peuvent utiliser la décision accepté/rejeté de multiple façons. Par exemple, le programme de la figure 10.3 utilisait l'automate de la figure 10.4, non pas pour approuver la chaîne de caractère qui étiquette le chemin vers l'état d'acceptation, mais pour approuver la ligne d'entrée toute entière, c'est-à-dire, `abstemious` au lieu de `abstemiou`. Cela est tout à fait raisonnable, et reflète la manière dont nous écririons un programme pour tester l'apparition des cinq voyelles dans l'ordre, sans se demander si nous avons utilisé des automates ou une approche différente. On peut supposer que, sitôt le `u` apparu, notre programme imprimerait le mot entier sans continuer à l'examiner.

L'automate de la figure 10.5 est utilisé d'une manière plus stricte. On verra à la figure 10.8 un programme pour le filtre à rebonds qui se contente de traduire chaque état d'acceptation en une action d'impression d'un `1`, et chaque état de rejet en une action d'impression d'un `0`.

 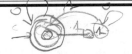

EXERCICES

10.2.1 : Concevez des automates capables de lire des chaînes de 0 et de 1, et

a) Déterminez si la séquence qui vient d'être lue a une parité paire (c'est-à-dire un nombre pair de 1). Plus précisément, l'automate acceptera une chaîne tant que sa parité est paire, et la rejettera si sa parité est impaire.

b) Vérifiez qu'il n'existe pas plus de deux 1 consécutifs. Autrement dit, acceptez tant que la chaîne d'entrée ne contient pas la sous-chaîne 111.

Quelle est, intuitivement, la signification de chacun de vos états ?

10.2.2 : Indiquez l'enchaînement des états et les sorties générées lorsque les automates que vous avez créés à l'exercice 10.2.1 reçoivent l'entrée 101001101110.

10.2.3 : * Concevez un automate capable de lire un mot (une chaîne de caractères) et de dire si les lettres de ce mot apparaissent dans l'ordre alphabétique. Par exemple, les lettres de `adept` et `chilly` sont triées dans l'ordre alphabétique ; ce n'est pas le cas de `baby`, parce que le premier `b` est suivi par un `a`. Le mot doit se terminer par un blanc, pour que l'automate ait un moyen de savoir quand il a lu tous les caractères. (Ici, contrairement à l'exemple 10.1, on ne doit pas accepter avant d'avoir vu tous les caractères, c'est-à-dire, avant d'avoir atteint le blanc positionné à la fin du mot.) De

Terminologie associée aux entrées d'automate

Dans les exemples que nous étudierons ici, les entrées vers un automate sont des caractères, comme des lettres et des chiffres, et il est pratique de penser aux entrées en termes de caractères et aux séquences d'entrée en termes de chaînes de caractères. Ici, on utilisera le plus souvent cette terminologie, mais il nous arrivera d'abréger « chaîne de caractères » en « chaîne ». Cependant, il existe des applications où les entrées sur lesquelles un automate effectue une transition sont choisies dans un ensemble plus général que l'ensemble des caractères ASCII. Par exemple, un compilateur pourra considérer un mot-clé comme **while** comme un symbole d'entrée unique, que nous représenterons par la chaîne **while** en caractères gras. Ainsi, nous ferons parfois référence aux entrées individuelles comme « symboles » plutôt que comme « caractères ».

combien d'états avez-vous besoin ? Quelles sont leurs significations intuitives ? Combien de transitions partent-elles de chaque état ? Combien existe-t-il d'états d'acceptation ?

10.2.4 : Concevez un automate capable de dire si une chaîne de caractères est un identificateur valide en Pascal (une lettre, suivie par des lettres ou des chiffres) suivi d'un blanc.

10.2.5 : Ecrivez des programmes en Pascal qui implémentent les automates des exercices 10.2.1 à 10.2.4.

10.2.6 : Concevez un automate capable de dire si un chaîne de caractères donnée est l'un des pronoms de la troisième personne du singulier en Anglais, **he**, **his**, **him**, **she**, **her**, ou **hers**, suivi d'un blanc.

10.2.7 : * Essayez de convertir l'automate de l'exercice 10.2.6 en une procédure Pascal et utilisez-le dans un programme qui trouve toutes les apparitions des pronoms de la troisième personne du singulier en tant que sous-chaînes d'une chaîne de caractères donnée.

10.3   Automates déterministes et non-déterministes

L'une des opérations les plus classiques effectuées à l'aide d'un automate consiste à prendre une séquence de symboles $a_1 a_2 \cdots a_k$ et de parcourir depuis l'état de départ un chemin dont les arcs ont des étiquettes qui contiennent ces symboles dans le bon ordre. Autrement dit, pour $i = 1, 2, \ldots, k$, a_i est un membre de l'ensemble S_i qui étiquette le $i$ème arc du chemin. La construction de ce chemin et de sa séquence d'état est appelée *simulation* de l'automate sur la séquence d'entrée $a_1 a_2 \cdots a_k$. On dit que ce chemin a **l'étiquette** $a_1 a_2 \cdots a_k$; bien entendu, il peut aussi avoir d'autres étiquettes, sachant que les ensembles S_i étiquetant les arcs le long du chemin peuvent contenir plusieurs caractères.

✦ **Exemple 10.3.** Nous avons effectué une telle simulation à la figure 10.6, où nous avons suivi l'automate de la figure 10.5 sur la séquence d'entrée 0101101. Pour prendre un autre exemple, considérons l'automate de la figure 10.4, que nous avons utilisé pour reconnaître des mots comportant la sous-séquence `aeiou`. Considérons la chaîne de caractères `adept`.

Nous partons de l'état 0. Deux transitions partent de l'état 0, l'une sur l'ensemble de caractères $\Lambda - a$, et l'autre sur un `a` unique. Comme le premier caractère d'`adept` est un `a`, on suit cette dernière transition, qui nous emmène vers l'état 1. Partant de l'état 1, on trouve des transitions sur $\Lambda - e$ et `e`. Comme le second caractère est un `d`, nous devons suivre la première transition, car toutes les lettres différentes de `e` se trouvent dans l'ensemble $\Lambda - e$. Ce qui nous ramène à l'état 1. Comme le troisième caractère est un `e`, on suit la seconde transition qui part de l'état 1, et qui nous amène à l'état 2. Les deux dernières lettres du mot `adept` font toutes deux partie de l'ensemble $\Lambda - i$, et les deux transitions suivantes vont de l'état 2 à l'état 2. Nous terminons donc notre traitement du mot `adept` dans l'état 2. La séquence des transitions entre états est montrée en figure 10.7. Comme l'état 2 n'est pas un état d'acceptation, nous n'acceptons pas l'entrée `adept`. ✦

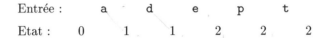

Entrée :	a	d	e	p	t
Etat :	0	1	1	2	2	2

Figure 10.7 : Simulation de l'automate de la figure 10.4 sur l'entrée `adept`.

Automate déterministe

L'automate étudié dans le paragraphe précédent possède une propriété importante. Pour chaque état s et chaque caractère d'entrée x, il existe au plus une transition issue de l'état s et dont l'étiquette contient x. Un tel automate est dit *déterministe*.

La simulation d'un automate déterministe sur une séquence d'entrée donnée est immédiate. Pour chaque état s, connaissant le caractère d'entrée suivant x, on considère chaque étiquette des transitions issues de s. Si l'on trouve une transition dont l'étiquette contient x, cette transition pointe alors sur le prochain état approprié. Si aucune étiquette ne contient x, l'automate « meurt », et ne peut plus traiter d'entrée, de la même manière que l'automate de la figure 10.4 meurt après avoir atteint l'état 5, car il sait qu'il a déjà trouvé la sous-séquence `aeiou`.

Convertir un automate déterministe en programme ne pose pas de difficulté. On écrit un bout de code pour chaque état. Le code de l'état s examine son entrée et choisit, le cas échéant, la transition à suivre à partir de s. Si une transition entre l'état s et l'état t est choisie, le code de l'état s doit s'arranger pour que le code de l'état t soit exécuté ensuite, en utilisant éventuellement une instruction de saut.

✦ **Exemple 10.4.** Écrivons un fragment de code correspondant à l'automate de la figure 10.5, le filtre à rebonds. Nous aurons besoin d'une variable `c` qui servira à lire les caractères entrés. Les états a, b, c, et d seront représentés respectivement par les étiquettes 1, 2, 3, et 4, et nous utiliserons l'étiquette 99 pour marquer la fin du programme, qu'on atteindra si nous rencontrons un caractère autre que 0 ou 1.

```
        label 1, 2, 3, 4, 99;

        var c: char;

        begin
1:          (* état a *)
            write('0');
            read(c);
            if c = '0' then goto 1; (* transition vers l'état a *)
            if c = '1' then goto 2; (* transition vers l'état b *)
            goto 99;

2:          (* état b *)
            write('0');
            read(c);
            if c = '0' then goto 1; (* transition vers l'état a *)
            if c = '1' then goto 3; (* transition vers l'état c *)
            goto 99;

3:          (* état c *)
            write('1');
            read(c);
            if c = '0' then goto 4; (* transition vers l'état d *)
            if c = '1' then goto 3; (* transition vers l'état c *)
            goto 99;

4:          (* état d *)
            write('1');
            read(c);
            if c = '0' then goto 1; (* transition vers l'état a *)
            if c = '1' then goto 3; (* transition vers l'état c *)
            goto 99;

99:
        end;
```

Figure 10.8 : Fragment de programme implémentant l'automate
déterministe de la figure 10.5.

Le code est montré à la figure 10.8. Par exemple, à l'état a, qui correspond à l'étiquette 1, on imprime le caractère 0, car a n'est pas un état d'acceptation. Si le caractère d'entrée est 0, nous restons dans l'état a, et si le caractère d'entrée est 1, nous sautons à l'état b. ◆

Rien dans la définition d'un « automate » n'impose que les étiquettes des transitions issues d'un état donné soient disjointes (des ensembles sont **disjoints** s'il ne possèdent aucun élément commun ; c'est-à-dire, si leur intersection est l'ensemble vide). Si l'on se trouve en présence d'un graphe comme celui de la figure 10.9, où il existe sur l'entrée x des transitions de l'état s vers des états t et u, on voit difficilement comment cet automate pourra être implémenté dans un programme. En d'autres termes, lorsqu'on exécute le code associé à l'état s, si x se trouve être le prochain caractère d'entrée, nous sommes invités à nous brancher au début du code associé à l'état t, ainsi qu'au début du code associé à l'état u. Comme le programme ne peut pas se retrouver à deux endroits en même temps, on voit mal comment on pourrait simuler un automate comportant des étiquettes non-disjointes sur les transitions issues d'un état.

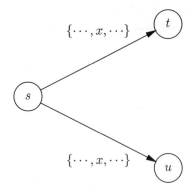

Figure 10.9 : Transition non-déterministe à partir d'un état s sur une entrée x.

Automates non-déterministes

Les automates *non-déterministes* peuvent comporter (mais ce n'est pas obligatoire) deux transitions ou plus, contenant le même symbole; et issues d'un seul état. On notera que, en toute rigueur, un automate déterministe est également non-déterministe, dont il se trouve qu'il ne possède pas de transitions multiples sur un même symbole. Un « automate » est en général non-déterministe, mais nous utiliserons l'expression « automate non-déterministe » quand nous voudrons mettre en avant le fait que l'automate n'a pas besoin d'être déterministe.

Comme nous l'avons dit, les automates non-déterministes ne sont pas directement implémentables par des programmes, mais ce sont des outils conceptuels utiles pour bon nombre d'applications que nous étudierons. De plus, en utilisant la « construction de sous-ensembles », qui sera traitée dans le paragraphe suivant, il est possible de convertir n'importe quel automate non-déterministe en un automate déterministe qui accepte le même ensemble de chaînes de caractères.

Acceptation par des automates non-déterministes

Lorsque l'on essaie de simuler un automate non-déterministe sur une chaîne de caractères $a_1 a_2 \cdots a_k$ en entrée, on pourra constater que la même chaîne de caractères étiquette plusieurs chemins différents. Par convention, on dira que l'automate non-déterministe *accepte* cette chaîne d'entrée si l'un au moins des chemins qu'elle étiquette

Non-déterminisme et formulation d'hypothèses

Une façon utile de regarder le non-déterminisme est de considérer qu'il permet à un automate de « formuler des hypothèses ». Si, dans un état donné, on ne sait pas quoi faire sur un certain caractère d'entrée, il existe plusieurs possibilités pour le choix de l'état suivant. Comme chaque chemin étiqueté par une chaîne de caractères et conduisant à un état d'acceptation est interprété comme acceptable, on fait confiance à l'automate non-déterministe dès qu'il fait une hypothèse juste, quel que soit le nombre d'hypothèses fausses qu'il ait faites auparavant.

conduit à l'acceptation. Même si un seul chemin débouche sur un état d'acceptation, on considérera que la chaîne est acceptée, quel que soit le nombre de chemins débouchant sur un état de non-acceptation.

✦ **Exemple 10.5.** La LASS (League Against Sexist Speech) souhaite filtrer les écrits sexistes contenant le mot « man ». Ils veulent non seulement filtrer les constructions comme « ombudsman », mais aussi les formes plus subtiles de discrimination comme « maniac » ou « emancipate ». La LASS projette de concevoir un programme à l'aide d'un automate ; ce programme devra analyser les chaînes de caractères et les « accepter » s'il trouve la chaîne **man** n'importe où dans l'entrée.

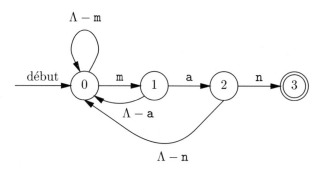

Figure 10.10 : Automate déterministe qui reconnaît la plupart, mais pas la totalité, des chaînes terminant en **man**.

On pourrait tout d'abord essayer un automate déterministe tel que celui de la figure 10.10. Dans cet automate, l'état 0, l'état de départ, représente le cas où nous n'avons pas encore vu les lettres de « man ». L'état 1 permet de représenter la situation dans laquelle nous avons vu un m ; dans l'état 2, nous avons reconnu ma, et dans l'état 3, nous avons vu **man**. Dans les états 0, 1, et 2, si on ne voit pas passer la lettre espérée, on retourne à l'état 0 et on essaye à nouveau.

Pourtant la figure 10.10 n'est pas tout à fait correcte. Sur une chaîne d'entrée comme `command`, l'automate reste dans l'état 0 pendant qu'il lit le `c` et le `o`. Il saute à l'état 1 au premier `m`, mais le deuxième `m` le ramène à l'état 0, qu'il ne pourra plus quitter.

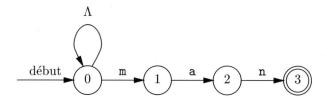

Figure 10.11 : Automate non-déterministe qui reconnaît les chaînes terminant en `man`.

La figure 10.11 montre un automate non-déterministe capable de reconnaître correctement les chaînes de caractères contenant `man`. L'innovation majeure est qu'à l'état 0 on se pose la question de savoir si le `m` marque le début d'un `man` ou non. L'automate étant non-déterministe, il peut formuler les hypothèses « oui » (représentée par la transition de l'état 0 à l'état 1) et « non » (représentée par le fait que la transition de l'état 0 à l'état 0 peut s'effectuer sur toutes les lettres, y compris `m`) en même temps. Comme il suffit d'un chemin vers un état d'acceptation pour considérer qu'un automate non-déterministe accepte l'entrée, nous sommes gagnants sur les deux hypothèses.

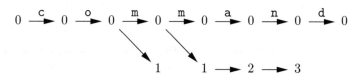

Figure 10.12 : Simulation de l'automate non-détermiste de la figure 10.11 sur la chaîne d'entrée `command`.

La figure 10.12 montre l'action de l'automate non-déterministe de la figure 10.11 sur la chaîne d'entrée `command`. En réponse au `c` et au `o`, l'automate ne peut que rester dans l'état 0. Lorsque le premier `m` se présente, l'automate a le choix de sauter à l'état 0 ou à l'état 1, et il fait donc les deux. Sur le second `m`, il n'y a nulle part où aller depuis l'état 1, et cette branche « meurt ». En revanche, à partir de l'état 0, des sauts vers l'état 0 ou 1 sont à nouveau possibles, et on effectue donc les deux. Lorsque le `a` se présente, on peut aller de l'état 0 à l'état 0 et de l'état 1 à l'état 2. De la même manière, lorsque le `n` se présente, on peut sauter de 0 à 0 et de 2 à 3.

Comme l'état 3 est un état d'acceptation, la chaîne est acceptée à cette étape[2].

---

[2] On remarquera que l'automate de la figure 10.11, comme celui de la figure 10.4, accepte dès qu'il voit le motif qu'il recherche, et qu'il n'attend pas la fin du mot. Quand nous convertirons la figure 10.11 en automate déterministe, nous pourrons partir de là pour concevoir un programme qui imprime le mot entier, comme le programme de la figure 10.3.

Le fait de se retrouver également dans l'état 0 après avoir vu `comman` n'a plus de signification en ce qui concerne l'acceptation. La transition finale se fait sur l'entrée `d`, de l'état 0 à l'état 0. On notera que l'état 3 ne mène à rien, quelle que soit l'entrée, et donc que cette branche meurt. Notez aussi que les transitions de retour à l'état 0, qui étaient présentes à la figure 10.10 pour gérer le cas où le caractère suivant du mot `man` ne serait pas reçu, deviennent inutiles dans la figure 10.11, car dans ce cas, nous ne sommes pas contraints de suivre la séquence depuis l'état 0 vers l'état 1, puis l'état 2, puis l'état 3. En revanche, on fait constamment l'hypothèse que la chaîne `man` ne se présentera pas et qu'on restera dans l'état 0, tout en vérifiant la possibilité qu'un `m` donné débute le mot `man`. ✦

Bien sûr, la construction de la figure 10.11, quoique sympathique, ne peut pas être directement transformée en programme. Nous allons voir tout à l'heure comment on peut transformer l'automate de la figure 10.11 en un automate déterministe comptant seulement quatre états. Cet automate déterministe, contrairement à celui de la figure 10.10, saura reconnaître correctement toutes les occurrences de `man`.

Bien que nous puissions convertir tout automate non-déterministe en un automate déterministe, nous n'aurons pas toujours autant de chance que dans le cas de la figure 10.11. Dans ce cas, il se trouve que l'automate déterministe correspondant possédera autant d'états que l'automate non-déterministe, soit quatre états. Il existe d'autres automates non-déterministes dont les automates déterministes correspondants possèdent beaucoup plus d'états. Un automate non-déterministe à n états pourrait n'être convertible qu'en un automate déterministe à 2^n états. L'exemple suivant est un de ceux où l'automate déterministe possède beaucoup plus d'états que son correspondant non-déterministe. En conséquence, pour un problème donné, un automate non-déterministe peut être beaucoup plus facile à concevoir qu'un automate déterministe.

✦ **Exemple 10.6.** Lorsque Peter Ullman, le fils de l'un des auteurs, était en CM1, son professeur essayait d'enrichir le vocabulaire des élèves en leur donnant des problèmes d'«***anagrammes partielles***». Chaque semaine, on leur donnait un mot et on leur demandait de trouver tous les mots anglais qu'il était possible de construire en utilisant une lettre ou plus de ce mot.

Une semaine, alors que le mot était « Washington », les deux auteurs de ce livre se réunirent et décidèrent d'effectuer une recherche exhaustive, pour voir le nombre de mots qu'il était possible de former. A l'aide du fichier `/usr/dict/words` et d'une procédure en trois étapes, nous avons trouvé 269 mots. Parmi eux se trouvaient cinq mots de 7 lettres :

```
agonist
goatish
showing
washing
wasting
```

Comme la différence minuscule/majuscule n'est pas un paramètre à prendre en compte pour ce problème, notre première étape fut de convertir en minuscules toutes les lettres majuscules du dictionnaire. L'écriture d'un programme menant cette tâche à bien est immédiate.

Notre deuxième étape fut de sélectionner les mots ne contenant que des caractères appartenant à l'ensemble $S = \{$a,g,h,i,n,o,s,t,w$\}$, les lettres de washington. Un automate déterministe, simple, peut effectuer ce travail ; on en voit un à la figure 10.13. Le caractère **newline** est celui qui marque les fins de lignes dans /usr/dict/words. Dans la figure 10.13, on reste à l'état 0 aussi longtemps que nous voyons des lettres se trouvant aussi dans washington. Si nous lisons n'importe quel autre caractère, hormis **newline**, il n'existe pas de transition, et l'automate ne peut jamais atteindre l'état d'acceptation 1. Si l'on rencontre le caractère **newline** après n'avoir lu que des lettres de washington, on effectue la transition de l'état 0 à l'état 1, et le mot est accepté.

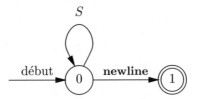

Figure 10.13 : Automate déterministe qui détecte les mots composés de lettres apparaissant dans washington.

L'automate de la figure 10.13 accepte des mots comme hash, dont certaines lettres ont plus d'occurrences que dans le mot washington lui-même. Notre troisième et dernière étape, du coup, consistait à éliminer les mots qui contenaient trois n ou plus, ou deux occurrences ou plus d'autres caractères appartenant à l'ensemble S. Ce travail peut aussi être réalisé par un automate. Par exemple, l'automate de la figure 10.14 accepte les mots qui contiennent au moins deux a. On reste dans l'état 0 jusqu'à ce qu'on voie un a, auquel cas on saute à l'état 1. On reste là jusqu'à ce qu'arrive un deuxième a ; à ce point, on saute à l'état 2, et on accepte. Cet automate accepte des mots qui ne sont pas des anagrammes partielles de washington parce qu'ils contiennent trop de a. Dans ce cas, les mots qui nous intéressent sont exactement ceux qui, durant leur traitement, ne provoquent à aucun moment l'entrée de l'automate dans l'état d'acceptation 2.

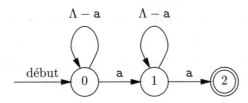

Figure 10.14 : Automate qui accepte les mots contenant deux a.

L'automate de la figure 10.14 est déterministe. Pourtant, il ne traduit qu'une seule des neufs raisons qui font qu'un mot accepté par l'automate de la figure 10.13 pourrait pourtant ne pas être une anagramme partielle de `washington`. Pour accepter tous les mots qui contiennent trop d'occurrences d'une lettre de `washington`, on peut utiliser l'automate non-déterministe de la figure 10.16.

L'automate de la figure 10.16 démarre dans l'état 0, et l'une des possibilités sur une lettre quelconque est de rester dans l'état 0. Si le caractère d'entrée est une lettre de `washington`, un autre choix est possible ; l'automate fait aussi l'hypothèse qu'il pourrait passer à un état dont la fonction est de se souvenir qu'une occurrence de cette lettre a été vue. Par exemple, sur la lettre `i`, nous avons aussi la possibilité de sauter à l'état 7. Nous restons alors à l'état 7 jusqu'à ce que nous ayons vu un autre `i`, auquel cas on saute à l'état 8, qui est l'un des états d'acceptation. Rappelez-vous que dans cet automate, l'acceptation signifie que la chaîne d'entrée n'est *pas* une anagramme partielle de `washington` parce que, dans ce cas précis, elle contient deux `i`.

Comme `washington` contient deux `n`, la lettre `n` est traitée un peu différemment. L'automate peut passer à l'état 9 en voyant un `n`, puis à l'état 10 en voyant un deuxième `n`, puis à l'état 11 en voyant un troisième `n`, où l'entrée est acceptée.

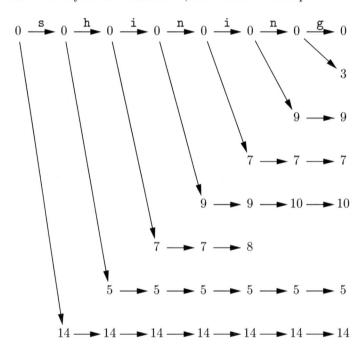

Figure 10.15 : Les états atteints par l'automate non-déterministe de la figure 10.16 sur la chaîne d'entrée `shining`.

Par exemple, la figure 10.15 nous montre tous les états auxquels on peut accéder lorsqu'on lit la chaîne d'entrée `shining`. Comme on atteint l'état 8 après avoir lu le second `i`, le mot `shining` n'est pas une anagramme partielle de `washington`, bien qu'il soit accepté par l'automate de la figure 10.13, puisqu'étant uniquement composé de lettres trouvées dans `washington`.

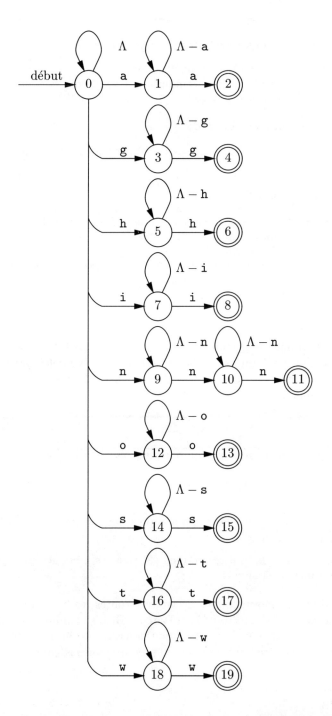

Figure 10.16 : Automate non-déterministe qui détecte les mots
contenant plus d'un a, g, h, i, o, s, t, ou w, ou plus de deux n.

Trouver des anagrammes partielles sans programmer

Il faut savoir que nous avons pu implémenter l'algorithme en trois étapes de l'exemple 10.6 pratiquement sans faire de programmation, à l'aide des commandes du système UNIX. Pour l'étape (1) nous avons utilisé la commande UNIX

$$\texttt{trA} - \texttt{Za} - \texttt{z} < \texttt{/usr/dict/words} \qquad (10.1)$$

pour convertir les majuscules en minuscules. Pour l'étape (2), nous avons utilisé la commande

$$\texttt{egrep}'\char94[\texttt{aghinostw}] * \$' \qquad (10.2)$$

qui, en gros, définit un automate comme celui de la figure 10.13. Pour l'étape (3), nous avons utilisé la commande

$$\texttt{egrep} - \texttt{v}'\texttt{a}. * \texttt{a}|\texttt{g}. * \texttt{g}|\texttt{h}. * \texttt{h}|\texttt{i}. * \texttt{i}|\texttt{n}. * \texttt{n}|\texttt{o}. * \texttt{o}|\texttt{s}. * \texttt{s}|\texttt{t}. * \texttt{t}|\texttt{w}. * \texttt{w}' \qquad (10.3)$$

qui définit quelque chose comme l'automate de la figure 10.16. Tout le travail fut effectué en raccordant bout à bout les trois éléments

```
(10.1) | (10.2) | (10.3)
```

Autrement dit, la commande complète est composée en substituant le texte représenté par chacune des lignes indiquées. La barre verticale, ou symbole « pipe », permet à la sortie de la commande située à sa gauche de devenir l'entrée de la commande située à sa droite. La commande `egrep` est étudiée au paragraphe 10.6.

Pour résumer, notre algorithme comportait trois étapes :

1. Nous avons commencé par convertir toutes les majuscules du dictionnaire en minuscules.

2. Nous avons récupéré tous les mots acceptés par l'automate de la figure 10.13 et donc uniquement composés de lettres appartenant à `washington`.

3. Nous avons éliminé de la liste créée en (2) tous les mots acceptés par l'automate non-déterministe de la figure 10.16.

Cet algorithme est un moyen direct de trouver toutes les anagrammes partielles de « Washington » dans le fichier `/usr/dict/words`. Bien sûr, il nous reste à trouver une façon raisonnable de simuler l'automate non-déterministe de la figure 10.16, et nous allons examiner la manière dont on peut s'y prendre dans les paragraphes qui suivent.

✦

EXERCICES

10.3.1 : Écrivez un programme Pascal permettant d'implémenter l'algorithme de l'automate déterministe de la figure 10.10.

10.3.2 : Concevez un automate déterministe qui trouve correctement toutes les occurrences de `man` dans une chaîne de caractères. Implémentez cet automate dans un programme.

10.3.3 : La LASS souhaite détecter toutes les occurrences des chaînes `man`, `son`, et `father`. Concevez un automate non-déterministe acceptant les séquences d'entrée qui contiennent l'une de ces trois chaînes de caractères.

10.3.4 : * Concevez un automate déterministe capable de résoudre le problème de l'exercice précédent.

10.3.5 : * Simulez les automates de la figure 10.10 et de la figure 10.11 sur la chaîne d'entrée `summand`.

10.3.6 : Simulez l'automate de la figure 10.16 sur les chaînes d'entrée

a) `saint`

b) `antagonist`

c) `hashish`

Lesquelles sont acceptées ?

10.3.7 : On peut représenter un automate par une relation possédant les attributs Etat, Entrée, et Suivant. Le principe est que si (s, x, t) est un tuple, le symbole d'entrée x est une étiquette de la transition entre l'état s et l'état t. Si l'automate est déterministe, peut-on trouver une clé pertinente pour cette relation ? Et si l'automate est non-déterministe ?

10.3.8 : Pourriez-vous suggérer des structures de données pour représenter la relation de l'exercice précédent, si l'on ne voulait retrouver que le(s) état(s) suivant(s), étant donnés un état et un symbole d'entrée ?

10.3.9 : Représentez les automates de

a) la figure 10.11

b) la figure 10.10

c) la figure 10.16

commes des relations. Vous pourrez utiliser des notations abrégées pour représenter les transitions sur de grands ensembles de lettres, comme $\Lambda - \text{m}$.

10.4   Du non-déterminisme au déterminisme

Dans ce paragraphe, nous verrons que tout automate non-déterministe peut être remplacé par un automate déterministe. Comme nous l'avons déjà vu, il est parfois plus facile de penser à un automate non-déterministe pour effectuer certaines tâches. Pourtant, comme nous ne pouvons pas écrire de programme à partir d'automates non-déterministes aussi aisément qu'à partir de machines déterministes, il est tout à fait important de disposer d'un algorithme qui permette de transformer un automate non-déterministe en son équivalent déterministe.

Equivalences entre automates

Dans le paragraphe précédent, nous avons vu deux façons de représenter l'acceptation. Dans certains exemples, comme l'exemple 10.1 (les mots contenant la sous-séquence `aeiou`), nous entendions par acceptation le fait que le mot entier soit accepté, même si le mot tout entier n'avait pas encore été analysé. Dans d'autres exemples, comme celui du filtre à rebonds de l'exemple 10.2, ou pour l'automate de la figure 10.13 (les mots dont les lettres appartiennent toutes à `washington`), l'acceptation n'avait lieu que lorsque nous voulions indiquer que l'entrée approuvée était exactement celle que nous avions au lancement de l'automate. Ainsi dans l'exemple 10.2, nous avons accepté toutes les séquences d'entrée qui donnaient 1 en sortie. Dans la figure 10.13, nous n'acceptions que lorsque nous voyions apparaître le caractère **newline**, ce qui nous assurait que le mot tout entier avait été vu.

Lorsqu'on parle du comportement formel des automates, on ne s'intéresse qu'à la seconde interprétation (ce qui est entré depuis le début est accepté). Formellement, supposons que A et B soit deux automates (déterministes ou non). On dit que A et B sont *équivalents* s'ils acceptent les mêmes chaînes d'entrée. Dit autrement, si $a_1 a_2 \cdots a_k$ est une chaîne de symbole quelconque, les deux conditions suivantes sont vraies :

1. S'il existe un chemin étiqueté $a_1 a_2 \cdots a_k$ entre l'état de départ de A et un état d'acceptation de A, il existe aussi un chemin étiqueté $a_1 a_2 \cdots a_k$ entre l'état de départ de B et un état d'acceptation B, et

2. S'il existe un chemin étiqueté $a_1 a_2 \cdots a_k$ entre l'état de départ de B et un état d'acceptation de B, il existe aussi un chemin étiqueté $a_1 a_2 \cdots a_k$ entre l'état de départ de A et un état d'acceptation A.

✦ **Exemple 10.7.** Considérons l'automate des figures 10.10 et 10.11. Comme nous l'avons remarqué sur la figure 10.12, l'automate de la figure 10.11 accepte la chaîne d'entrée `comman`, car cette séquence de caractères étiquette le chemin $0 \rightarrow 0 \rightarrow 0 \rightarrow 0 \rightarrow 1 \rightarrow 2 \rightarrow 3$ dans la figure 10.11, et que ce chemin a pour origine l'état de départ et qu'il aboutit à un état d'acceptation. Pourtant, dans l'automate de la figure 10.10, qui est déterministe, on peut vérifier que le seul chemin étiqueté par `comman` est $0 \rightarrow 0 \rightarrow 0 \rightarrow 1 \rightarrow 0 \rightarrow 0 \rightarrow 0$. Ainsi, si l'on appelle A l'automate de la figure 10.10 et B l'automate de la figure 10.11, la condition (2) ci-dessus n'est pas respectée, ce qui nous apprend que ces deux automates ne sont pas équivalents. ✦

La construction de sous-ensembles

Nous allons voir à présent comment « extirper le non-déterminisme d'un automate » en construisant un automate déterministe équivalent. Cette technique est appelée la *construction de sous-ensembles*, et son fonctionnement est suggéré par les figures 10.12 et 10.15, dans lesquelles nous avons simulé des automates non-déterministes sur des entrées particulières. On remarque d'après ces dessins qu'à un instant donné quelconque, l'automate non-déterministe se trouve dans un ensemble d'états, et que ces états apparaissent dans une même colonne du diagramme de simulation. Autrement dit, après avoir lu une liste d'entrées $a_1 a_2 \cdots a_k$, l'automate non-déterministe se trouve « dans » les états qui sont atteints à partir de l'état de départ le long des chemins étiquetés $a_1 a_2 \cdots a_k$.

✦ **Exemple 10.8.** Après la lecture de la chaîne d'entrée `shin`, l'automate illustré par la figure 10.15 se trouve dans l'ensemble d'états $\{0, 5, 7, 9, 14\}$. Ce sont les états qui apparaissent dans la colonne suivant immédiatement le premier `n`. Après avoir lu le `i` suivant, il se retrouve dans l'ensemble d'états $\{0, 5, 7, 8, 9, 14\}$, et après avoir lu le `n` suivant, il se retrouve dans les états $\{0, 5, 7, 9, 10, 14\}$. ✦

Nous disposons à présent d'un indice sur la façon de transformer un automate non-déterministe N en un automate déterministe D. Les états de D représenteront chacun un ensemble d'états de N, et les transitions entre les états de D seront déterminées par les transitions de N. Pour comprendre la manière dont les transitions de D sont construites, soit S un état de D et x un symbole d'entrée. Comme S est un état de D, il est constitué d'états de N. Appelons T l'ensemble des états t de l'automate N tels qu'il existe un état s dans S et une transition dans N de s vers t sur un ensemble contenant le symbole d'entrée x. Puis dans l'automate D plaçons une transition de S vers T sur le symbole x.

L'exemple 10.8 illustrait les transitions issues d'un état déterministe vers un autre, sur différents symboles d'entrée. Lorsque l'état déterministe courant est l'ensemble $\{0, 5, 7, 9, 14\}$, et que le symbole d'entrée est la lettre `i`, nous avons vu dans cet exemple que l'ensemble des états non-déterministes suivants, d'après l'automate non-déterministe de la figure 10.16, est $T = \{0, 5, 7, 8, 9, 14\}$. A partir de cet état déterministe sur le symbole d'entrée `n`, l'ensemble suivant des états non-déterministes U est $\{0, 5, 7, 9, 10, 14\}$. Ces deux transitions déterministes sont montrées à la figure 10.17.

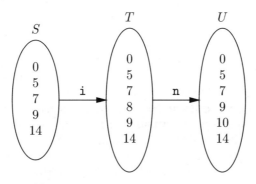

Figure 10.17 : Transitions entre les états déterministes S, T, et U.

Nous savons maintenant comment construire une transition entre deux états de l'automate déterministe D, mais il nous faut examiner l'ensemble exact des états de D, son état de départ, et ses états d'acceptation. On construit les états de D par récurrence.

LA BASE. Si l'état de départ de l'automate non-déterministe N est s_0, l'état de départ de l'automate déterministe D est $\{s_0\}$, c'est-à-dire l'ensemble contenant l'élément unique s_0.

LA RÉCURRENCE. Supposons que S, un ensemble d'états de N, soit un état de D. On considère chaque caractère d'entrée possible x, chacun son tour. Pour un x donné, on appelle T l'ensemble des états t de N tels que pour un état s de S, il existe une transition de s vers t dont l'étiquette contient x. Posons à présent que T est un état de D, et qu'il existe une transition de S vers T sur l'entrée x.

Les états d'acceptation de D sont les ensembles d'états de N qui contiennent au moins un état d'acceptation de N. Ce qui ne choque pas l'intuition. Si S est un état de D et un ensemble d'états de N, les entrées $a_1 a_2 \cdots a_k$ qui amènent D de son état de départ vers l'état S amènent aussi N de son état de départ vers tous les états de S. Si S contient un état d'acceptation, $a_1 a_2 \cdots a_k$ est acceptée par N, et D doit également l'accepter. Comme D ne se retrouve que dans l'état S sur l'entrée reçue $a_1 a_2 \cdots a_k$, S doit être un état d'acceptation de D.

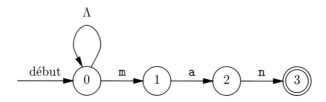

Figure 10.18 : Automate non-déterministe qui reconnaît les chaînes se terminant par `man`.

✦ **Exemple 10.9.** Convertissons l'automate non-déterministe de la figure 10.11, que nous avons reproduit ici à la figure 10.18, en un automate déterministe D. On commence avec $\{0\}$, qui est l'état de départ de D.

La partie inductive de la construction impose que nous regardions chaque état de D et que nous déterminions ses transitions. Pour $\{0\}$, il suffit de savoir où mène l'état 0. La réponse, qu'on obtient en examinant la figure 10.18, est que sur n'importe quelle lettre hormis `m`, l'état 0 se contente de retourner à l'état 0, alors que sur une entrée `m`, il saute vers 0 et 1. L'automate D a donc besoin de l'état $\{0\}$, déjà présent, et de l'état $\{0, 1\}$, qu'il faut ajouter. Les transitions et les états construits jusqu'à présent pour D sont montrés dans la figure 10.19.

Il faut ensuite considérer les transitions issues de $\{0, 1\}$. En examinant à nouveau la figure 10.18, on voit que sur toutes les entrées hormis `m` et `a`, l'état 0 mène uniquement à l'état 0, et que l'état 1 ne mène nulle part. Il existe donc une transition de l'état $\{0, 1\}$ vers l'état $\{0\}$, étiquetée par toutes les lettres excepté `m` et `a`. Sur une entrée `m`, l'état 1 ne mène toujours nulle part, mais l'état 0 mène à l'état 0 ainsi qu'à l'état 1. Il existe donc une transition de $\{0, 1\}$ vers lui-même, étiquetée par `m`. Enfin, sur une

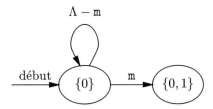

Figure 10.19 : Etat $\{0\}$ et ses transitions.

entrée a, l'état 0 retourne à lui-même, mais l'état 1 saute à l'état 2. Il existe donc une transition d'étiquette a de l'état $\{0,1\}$ vers l'état $\{0,2\}$. La portion de D construite jusqu'à présent est montrée à la figure 10.20.

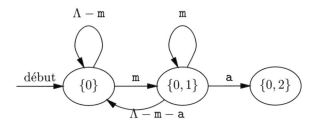

Figure 10.20 : Les états $\{0\}$ et $\{0,1\}$ avec leurs transitions.

On doit maintenant construire les transitions issues de l'état $\{0,2\}$. Sur toutes les entrées excepté m et n, l'état 0 mène uniquement à l'état 0, et l'état 2 ne mène nulle part, et il existe donc une transition de $\{0,2\}$ vers $\{0\}$, étiquetée par toutes les lettres sauf m et n. Sur une entrée m, l'état 2 ne mène nulle part, et 0 mène à 0 et 1, et il existe donc une transition de $\{0,2\}$ vers $\{0,1\}$ d'étiquette m. Sur une entrée n, l'état 0 retourne à lui-même et l'état 2 mène à l'état 3. Il existe donc une transition d'étiquette n de $\{0,2\}$ vers $\{0,3\}$. Cet état de D est un état d'acceptation, car il contient l'état d'acceptation de la figure 10.18, l'état 3.

Enfin, il faut fournir les transitions issues $\{0,3\}$. Comme l'état 3 ne mène nulle part quelle que soit l'entrée, les transitions issues de $\{0,3\}$ reflèteront celles issues de 0 uniquement, et mèneront donc aux mêmes états que l'état $\{0\}$. Comme les transitions issues de $\{0,3\}$ ne nous mènent à aucun état de D que nous n'ayons déjà vu, la construction de D est terminée. L'automate déterministe complet apparaît à la figure 10.21.

On notera que cet automate déterministe accepte correctement toutes les chaînes de lettres, et seulement celles-là, qui finissent en man. Intuitivement, l'automate se trouvera dans l'état $\{0\}$ chaque fois que la chaîne de caractères lue jusqu'alors ne se termine pas par un préfixe quelconque de man, sauf pour la chaîne vide. L'état $\{0,1\}$

Réflexion sur la construction de sous-ensembles

La construction de sous-ensembles n'est pas triviale. En particulier, l'idée que des états (de l'automate déterministe) puissent être des ensembles d'états (de l'automate non-déterministe) peut demander de la réflexion et qu'on y réfléchisse posément. Pourtant, ce mélange d'objets structurés (l'ensemble des états) et d'objets atomiques (un état d'automate déterministe) en un seul et même objet est un concept important de l'informatique. Nous avons vu, et sommes souvent amenés à utiliser, ce principe dans des programmes. Par exemple, un argument d'une procédure, disons L, apparemment atomique, peut aussi se révéler, après examen détaillé, être un objet de structure complexe, par exemple un enregistrement avec des champs reliés à d'autres enregistrements, formant ainsi une liste. De la même manière, l'état de D que nous appelons $\{0, 2\}$ dans la figure 10.21, par exemple, pourrait tout aussi bien avoir reçu un nom simple, comme « 5 » ou « a ».

signifie que la chaîne déjà lue se termine par m, $\{0, 2\}$ signifie qu'elle se termine par ma, et $\{0, 3\}$ signifie qu'elle se termine par man. ✦

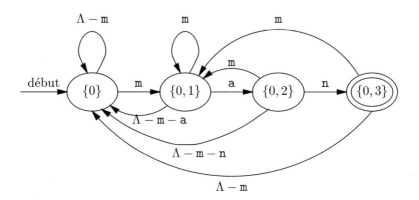

Figure 10.21 : L'automate déterministe D.

✦ **Exemple 10.10.** L'automate non-déterministe de la figure 10.18 comporte quatre états, et son automate déterministe équivalent de la figure 10.21 comporte également quatre états. Il serait sympathique que tous les automates non-déterministes puissent être convertis en petits automates déterministes, et dans bon nombre de situations souvent rencontrées en compilation des langages de programmation, la conversion aboutit effectivement à des automates déterministes relativement réduits. Il n'existe pourtant aucune garantie pour que l'automate déterministe soit réduit, et la conversion d'un automate non-déterministe à k états pourrait donner un automate déterministe comportant jusqu'à 2^k états. Autrement dit, l'automate déterministe pourrait comporter un état pour chaque élément de l'ensemble des parties de l'ensemble des états de l'automate non déterministe.

Comme exemple d'obtention de nombreux états, considérons l'automate de la figure 10.16, dans le paragraphe précédent. Comme cet automate non-déterministe comporte 20 états, on peut s'attendre à ce que l'automate déterministe construit grâce à la construction de sous-ensembles ait jusqu'à 2^{20} états, soit plus d'un million d'états ; ces états appartiendraient tous à l'ensemble des parties de $\{0, 1, \ldots, 19\}$. Il s'avère que l'automate résultant n'en contient pas autant, mais il y en a tout de même un bon paquet.

Nous n'essayerons pas de dessiner l'automate déterministe équivalent à celui de la figure 10.16. Demandons-nous plutôt de quels ensembles d'états nous avons réellement besoin. D'abord, comme il existe une transition de l'état 0 vers lui-même sur chaque lettre, tous les ensembles d'états que nous voyons effectivement contiendrons 0. Si la lettre a n'est pas encore apparue, on ne peut pas atteindre l'état 1. Cependant, si nous avons vu exactement un a, nous nous retrouverons dans l'état 1, quel que soit ce que nous aurons vu par ailleurs. On peut faire une observation analogue à propos de toutes les autres lettres de washington.

Si l'on fait commencer l'automate de la figure 10.16 dans l'état 0 et qu'on lui fournit une séquence de lettres qui forment un sous-ensemble de celles qui apparaissent dans washington, alors en plus de se trouver dans l'état 0, on se retrouve également dans le sous-ensemble des états 1, 3, 5, 7, 9, 12, 14, 16, et 18. En choisissant les lettres d'entrée de façon pertinente, on peut s'arranger pour être dans n'importe lequel de ces ensembles d'états. Comme il existe $2^9 = 512$ ensembles de cette sorte, il existe au moins autant d'états dans l'automate déterministe équivalent de celui de la figure 10.16.

Il existe même plus d'états, parce que la lettre n reçoit un traitement spécifique dans la figure 10.16. Si nous sommes dans l'état 9, on peut aussi être dans l'état 10, et en fait nous nous retrouverons en même temps dans les états 9 et 10 si nous avons déjà vu deux n. Ainsi, alors que pour les huit autres lettres nous disposons de deux possibilités (par exemple, pour la lettre a, soit inclure l'état 1 soit ne pas l'inclure), pour la lettre n nous avons trois choix possibles (n'inclure ni 9 ni 10, inclure uniquement 9, ou inclure 9 et 10 ensemble). Il existe donc au moins $3 \times 2^8 = 768$ états.

Mais ce n'est pas tout. Si l'entrée déjà prise en compte se termine par une lettre de washington, et si nous avons vu auparavant assez d'occurrences de cette lettre, nous devrons également nous retrouver dans l'état d'acceptation correspondant à cette lettre (par exemple, l'état 2 pour a). Mais on ne peut pas se retrouver dans deux états d'acceptation après avoir lu la même entrée. Recenser le nombre d'ensembles supplémentaires devient scabreux.

Supposons que l'état d'acceptation 2 est un élément de l'ensemble. Nous savons alors que 1 fait partie de l'ensemble, et bien sûr 0 en fait partie aussi, mais toutes les possibilités sont encore ouvertes pour les états correspondants aux lettres autres que a ; le nombre de ces ensembles est 3×2^7, soit 384. Le même raisonnement s'applique si notre ensemble contient les états d'acceptation 4, 6, 8, 13, 15, 17, ou 19 ; dans chaque cas il existe 384 ensembles contenant cet état d'acceptation. La seule exception intervient lorsque l'état d'acceptation 11 appartient à l'ensemble (ce qui impose la présence des états 9 et 10). Dans ce cas, il n'existe plus que $2^8 = 256$ options. Le nombre total des états dans l'automate déterministe équivalent est donc

$$768 + 8 \times 384 + 256 = 4864$$

Le premier terme, 768, prend en compte les ensembles qui ne contiennent pas d'état d'acceptation. Le terme suivant traduit les huits cas dans lesquels l'ensemble contient l'état d'acceptation pour l'une des huits lettres autres que **n**, et le troisième terme, 256, représente les ensembles qui contiennent l'état 11. ✦

Pertinence de la construction de sous-ensembles

Il apparaît clairement que si D est construit à partir d'un automate non-déterministe N à l'aide de la construction de sous-ensembles, alors D est un automate déterministe. La raison en est que pour chaque symbole d'entrée x et chaque état S de D, nous avons défini un état particulier T de D tel que l'étiquette de la transition de S vers T contienne x. Mais comment savons-nous que les automates N et D sont équivalents? Autrement dit, pour une séquence d'entrée quelconque $a_1 a_2 \cdots a_k$, nous avons besoin de savoir que l'état S, atteint par l'automate D lorsque nous

1.   commençons à l'état de départ et

2.   suivons le chemin étiqueté $a_1 a_2 \cdots a_k$,

est un état d'acceptation si et seulement si N accepte $a_1 a_2 \cdots a_k$. Rappelez-vous que N accepte $a_1 a_2 \cdots a_k$ si et seulement si il existe un chemin partant de l'état de départ de N, étiqueté $a_1 a_2 \cdots a_k$, et menant à un chemin d'acceptation de N.

Le lien entre ce que fait D et ce que fait N est même plus fort. Si D contient un chemin entre son état de départ et l'état S, étiqueté $a_1 a_2 \cdots a_k$, alors l'ensemble S, pris comme un ensemble d'états de N, est exactement l'ensemble des états atteints à partir de l'état de départ de N, le long d'un chemin étiqueté par $a_1 a_2 \cdots a_k$. Cette relation est suggérée par la figure 10.22. Comme nous avons défini S comme un état d'acceptation de D exactement quand l'un des membres de S est un état d'acceptation de N, la relation suggérée par la figure 10.22 est tout ce qu'il nous faut pour conclure que $a_1 a_2 \cdots a_k$ est acceptée soit par les deux états D et N, soit par aucun; autrement dit D et N sont équivalents.

On doit prouver la relation de la figure 10.22; la preuve est une récurrence sur k, la longueur de la chaîne d'entrée. L'hypothèse formelle à prouver par récurrence sur k est que l'état $\{s_1, s_2, \ldots, s_n\}$, atteint dans D quand on suit le chemin étiqueté $a_1 a_2 \cdots a_k$ depuis l'état de départ de D, est exactement l'ensemble des états de N atteints depuis l'état de départ de N en suivant un chemin étiqueté $a_1 a_2 \cdots a_k$.

LA BASE. Soit $k = 0$. Un chemin de longueur 0 nous laisse à l'endroit d'où nous sommes partis, c'est-à-dire, dans l'état de départ des deux automates D et N. Rappelez-vous que si s_0 est l'état de départ de N, alors l'état de départ de D est $\{s_0\}$. L'hypothèse de récurrence est donc vraie pour $k = 0$.

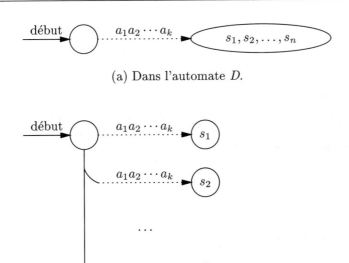

(a) Dans l'automate D.

(b) Dans l'automate N.

Figure 10.22 : Relation entre l'action de l'automate non-déterministe N
et celle de son correspondant déterministe D.

LA RÉCURRENCE. Supposons que l'hypothèse soit vraie pour k, et considérons une
chaîne d'entrée

$$a_1 a_2 \cdots a_k a_{k+1}$$

Le chemin allant de l'état de départ de D à l'état T et étiqueté par $a_1 a_2 \cdots a_k a_{k+1}$
apparaît comme sur la figure 10.23 ; c'est-à-dire qu'il passe par un état S juste avant
d'effectuer la dernière transition vers T sur l'entrée a_{k+1}.

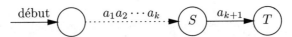

Figure 10.23 : S est l'état atteint par D juste avant d'atteindre l'état T.

On peut supposer, d'après l'hypothèse de récurrence, que S est exactement l'ensemble des états rencontrés par l'automate N le long du chemin étiqueté $a_1 a_2 \cdots a_k$
quand il commence dans son état de départ, et on doit prouver que T est exactement
l'ensemble des états de N rencontrés le long du chemin d'étiquette $a_1 a_2 \cdots a_k a_{k+1}$ à
partir de son état de départ. La démonstration se divise en deux parties.

1. Il faut prouver que T ne contient pas trop d'états ; autrement dit, si t est un
    état de N qui se trouve dans T, alors t est atteint par un chemin d'étiquette
    $a_1 a_2 \cdots a_k a_{k+1}$ depuis l'état de départ de N.

Réduction des automates

L'un des problèmes à résoudre au sujet des automates, notamment lorsqu'ils sont utilisés pour concevoir des circuits, porte sur le nombre minimal d'états nécessaires pour mener à bien une tâche donnée. En d'autres termes, étant donné un automate, existe-t-il un automate équivalent comportant moins d'états, et dans ce cas, quel est le nombre d'états minimal pour un automate équivalent ?

Il s'avère que si nous nous restreignons à des automates déterministes, il n'existe qu'un seul automate déterministe comportant un minimum d'états et équivalent à un automate donné quelconque, et qu'il est assez facile à trouver. Le principe est de montrer que deux états s et t d'un automate déterministe sont *équivalents*, c'est-à-dire, pour une séquence d'entrée quelconque, les chemins partant de s et t étiquetés par cette séquence soit mènent tous deux à des états d'acceptation, soit n'y mènent ni l'un ni l'autre. Si les états s et t sont équivalents, alors il n'existe aucun moyen de les différencier en fournissant des entrées à l'automate, et on peut donc fusionner s et t en un seul et même état. En réalité, il est plus facile de montrer que deux états ne sont pas équivalents, de la manière suivante.

LA BASE. Si s est un état d'acceptation et t n'en est pas un, ou vice versa, alors s et t ne sont pas équivalents.

LA RÉCURRENCE. S'il existe un symbole d'entrée x tel qu'il existe des transitions partant des états s et t sur l'entrée x vers deux états dont on sait qu'ils ne sont pas équivalents, alors s et t ne sont pas équivalents.

Pour que ce test fonctionne, nous avons besoin de quelques détails supplémentaires ; en particulier, il se pourrait qu'on soit contraint d'ajouter un « *état mort* », qui n'est pas un état d'acceptation et possède des transitions sur lui-même pour toutes les entrées. Comme un automate déterministe peut n'avoir aucune transition issue d'un état donné sur un symbole donné, avant d'effectuer cette procédure de réduction, il nous faut ajouter des transitions vers l'état mort en partance de chaque état, sur toutes les entrées pour lesquelles il n'existe pas d'autre transition. Vous noterez qu'il n'existe aucune théorie semblable pour la réduction des automates non-déterministes.

2. Il faut prouver que T contient assez d'états ; autrement dit, si t est un état de N rencontré à partir de l'état de départ le long d'un chemin étiqueté $a_1 a_2 \cdots a_k a_{k+1}$, alors t est dans T.

Pour (1), soit un état t appartenant à T. Alors, comme nous le suggère la figure 10.24, il doit y avoir un état s dans S qui justifie que t est dans T. C'est-à-dire, il existe dans N une transition de s à t, et son étiquette contient a_{k+1}. D'après l'hypothèse de récurrence, comme s est dans S, il doit exister un chemin partant de l'état de départ de N et allant vers s, étiqueté $a_1 a_2 \cdots a_k$. Il existe donc un chemin vers t commençant à l'état de départ de N et étiqueté $a_1 a_2 \cdots a_k a_{k+1}$.

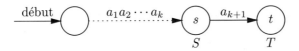

Figure 10.24 : L'état s dans S justifie la présence de t dans T.

Il faut maintenant démontrer (2), c'est-à-dire que s'il existe un chemin étiqueté $a_1 a_2 \cdots a_k a_{k+1}$, depuis l'état de départ de N vers l'état t, alors t est dans T. Ce chemin doit passer par un état s juste avant d'effectuer une transition vers t sur l'entrée a_{k+1}. Il existe donc un chemin vers s, étiqueté par $a_1 a_2 \cdots a_k$ et issu de l'état de départ de N. D'après l'hypothèse de récurrence, s est dans l'ensemble d'états S. Comme N possède une transition de s vers t, avec une étiquette qui contient a_{k+1}, la construction de sous-ensembles s'applique à l'ensemble des états S et le symbole d'entrée a_{k+1}, implique que t soit placé dans T. t appartient donc à T.

Etant posée l'hypothèse de récurrence, nous avons montré à présent que T était exactement constitué des états de N qu'on peut atteindre depuis l'état de départ de N le long d'un chemin étiqueté $a_1 a_2 \cdots a_k a_{k+1}$. C'est l'étape de récurrence, et nous pouvons en conclure que l'état de l'automate déterministe D atteint le long du chemin étiqueté par $a_1 a_2 \cdots a_k$ est toujours l'ensemble des états de N accessibles le long d'un chemin possédant cette étiquette. Comme les états d'acceptation de D sont ceux qui contiennent un état d'acceptation de N, on peut conclure que D et N acceptent la même chaîne ; autrement dit, que D et N sont équivalents, et que la construction de sous-ensembles « fonctionne ».

EXERCICES

10.4.1 : Convertissez vos automates non-déterministes de

a) l'exercice 10.3.3
b) l'exercice 10.3.7

en automates déterministes, à l'aide de la construction de sous-ensembles.

10.4.2 : Quels sont les motifs reconnus par les automates non-déterministes (a) à (d) de la figure 10.25 ?

10.4.3 : Convertissez les automates non-déterministes (a) à (d) de la figure 10.25 en automates déterministes finis.

10.4.4 : * Certains automates possèdent des combinaisons état-entrée pour lesquelles il n'existe aucune transition. Si l'état s ne possède pas de transition sur un symbole x, on peut ajouter une transition de s vers un « état mort » particulier sur l'entrée x. L'état mort n'est pas un état d'acceptation, et possède une transition vers lui-même sur

chaque symbole d'entrée. Montrez que l'ajout d'un « état mort » produit un automate
équivalent à l'automate initial.

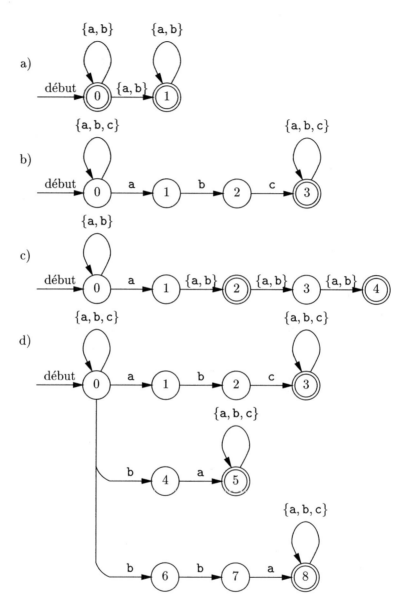

Figure 10.25 : Automates non-déterministes.

10.4.5 : Montrez que si l'on ajoute un état mort à un automate déterministe, on obtient
un automate équivalent qui contient des chemins issus de l'état de départ et étiquetés
par chaque chaîne possible.

10.4.6 : * Montrez qu'en appliquant la technique de construction de sous-ensembles à un automate déterministe, nous obtenons soit le même automate, avec chaque état s renommé $\{s\}$, soit on ajoute un état mort (correspondant à l'ensemble vide des états).

10.4.7 : ** Supposez qu'on prenne un automate déterministe et qu'on change chacun de ses états d'acceptation en états de non-acceptation et chaque état de non-acceptation en état d'acceptation.

a) Comment décririez-vous le langage accepté par le nouvel automate en fonction du langage reconnu par l'ancien automate ?

b) Reprenez (a) en commençant par ajouter un état mort à l'automate initial.

c) Reprenez (a) avec un automate initial non-déterministe.

10.5   Expressions régulières $\lor$

Un automate définit un motif, c'est-à-dire l'ensemble des chaînes de caractères étiquetant les chemins menant de l'état initial à un état d'acceptation du graphe de l'automate. Dans ce paragraphe, nous ferons connaissance avec les *expressions régulières*, qui sont une manière algébrique de définir les motifs. Les expressions régulières ont des analogies avec l'algèbre des expressions arithmétiques qui nous est familière, et avec l'algèbre relationnelle que nous avons étudiée au chapitre 8. Détail intéressant, l'ensemble des motifs qu'on peut représenter dans l'algèbre des expressions régulières est exactement le même que celui qu'on peut décrire avec les automates.

Opérandes des expressions régulières

Comme toutes les algèbres, les expressions régulières possèdent certains types d'opérandes atomiques. Dans l'algèbre des expressions arithmétiques, les opérandes atomiques sont des constantes (les entiers ou les réels, par exemple) ou des variables dont les valeurs possibles sont des constantes, et pour l'algèbre relationnelle, les opérandes atomiques sont soit des relations fixes, soit des variables pouvant prendre pour valeur des relations. Dans l'algèbre des expressions régulières, un opérande atomique est l'un des suivants :

1.   un caractère,

2.   le symbole ϵ,

3.   le symbole $\emptyset$, ou

4.   une variable pouvant prendre la valeur d'un motif quelconque défini par une expression régulière.

Valeurs des expressions régulières

Les expressions d'une algèbre quelconque prennent des valeurs d'un certain type. Pour les expressions arithmétiques, les valeurs sont des entiers, des réels, ou n'importe quel autre type de nombres avec lequel on travaille. Pour l'algèbre relationnelle, la valeur d'une expression est une relation.

Notations conventionnelles

Nous continuerons à utiliser des caractères de type machine à écrire pour les caractères qui apparaissent dans les chaînes. L'opérande atomique d'une expression régulière pour un caractère donné sera représenté par ce même caractère en gras. Par exemple, **a** est l'expression régulière correspondant au caractère a. Lorsque nous devrons utiliser une variable, nous l'écrirons en italique. Les variables sont utilisées pour représenter des expressions complexes. Par exemple, nous utiliserons la variable *lettre* pour « n'importe quelle lettre », un ensemble dont nous allons bientôt rencontrer l'expression régulière.

Pour les expressions régulières, la valeur de chaque expression est un motif constitué d'ensemble de chaînes, souvent appelé un *langage*. On appellera $L(E)$, ou « langage de E », le langage défini par une expression régulière E. Les langages des opérandes atomiques sont définis comme suit.

1. Si x est un caractère quelconque, l'expression régulière **x** définit le langage $\{x\}$; autrement dit, $L(\mathbf{x}) = \{x\}$. On remarquera que ce langage est un ensemble qui contient une chaîne unique; la chaîne est de longueur 1, et à la première et seule position de la chaîne se trouve le caractère x.

2. $L(\epsilon) = \{\epsilon\}$. Le symbole spécial ϵ, pris comme expression régulière représente la chaîne vide, ou la chaîne de longueur 0.

3. $L(\emptyset) = \emptyset$. Le symbole spécial $\emptyset$, pris comme expression régulière, représente l'ensemble de chaînes vide.

Remarquez qu'on ne définit pas de valeur pour un opérande atomique qui serait une variable. Un tel opérande ne prend de valeur que lorsqu'on remplace la variable par une expression concrète, et sa valeur est alors égale à la valeur de cette expression.

Opérateurs des expressions régulières

Il existe trois opérateurs utilisés dans les expressions régulières. On peut les regrouper à l'aide de parenthèses, comme pour les algèbres qui nous sont familières. Il existe un ordre de préséance et des lois d'associativité qui nous permettent d'omettre certaines paires de parenthèses, comme nous le faisons pour les expressions arithmétiques. Nous allons décrire les règles de parenthésage après avoir examiné les opérateurs.

Union

Le premier, et le plus familier, est l'opérateur *union*, que nous noterons | [3]. La règle pour l'union est que si R et S sont deux expressions régulières, alors $R \mid S$ représente l'union des langages décrits par R et S. Autrement dit, $L(R \mid S) = L(R) \cup L(S)$.

---

[3] On utilise aussi fréquemment le signe + pour représenter l'opérateur d'union dans les expressions régulières; néanmoins, nous ne le ferons pas ici.

Rappelez-vous que $L(R)$ et $L(S)$ sont chacun des ensembles de chaînes, et donc que prendre l'union des deux a un sens.

✦ **Exemple 10.11.** Nous savons que **a** est une expression régulière représentant {**a**}, et que **b** est une expression régulière représentant {**b**}. Ainsi **a** | **b** est une expression régulière représentant {**a**, **b**}. C'est l'ensemble contenant les deux chaînes **a** et **b**, chacune de longueur 1.

De la même manière, on peut écrire une expression telle que (**a** | **b**) | **c** pour décrire l'ensemble {**a**, **b**, **c**}. L'union étant un opérateur associatif, c'est-à-dire qu'il ne dépend pas de l'ordre dans lequel les opérandes sont groupés lorsqu'on prend l'union de trois ensembles, on peut omettre les parenthèses et se contenter d'écrire **a** | **b** | **c**. ✦

Concaténation

Le deuxième opérateur pour l'algèbre des expressions régulières est appelé *concaténation*. Il n'est représenté par aucun symbole, de la même manière que parfois la multiplication s'écrit sans opérateur ; par exemple, en arithmétique, *ab* représente le produit de *a* et *b*. Comme l'union, la concaténation est un opérateur infixe et binaire. Si R et S sont des expressions régulières, alors RS est la concaténation de R et S [4].

$L(RS)$, le langage décrit par RS, est construit à partir des langages $L(R)$ et $L(S)$, de la manière suivante. Pour chaque chaîne r de $L(R)$ et chaque chaîne s dans $L(S)$, la chaîne rs, issue de la concaténation des chaînes r et s, est dans $L(RS)$. Rappelez-vous que la concaténation de deux listes, des chaînes de caractères par exemple, s'effectue en prenant les éléments de la première liste, dans l'ordre, et en les faisant suivre par les éléments de la deuxième liste, dans l'ordre.

✦ **Exemple 10.12.** Soit R l'expression régulière **a**. $L(R)$ est donc l'ensemble {**a**}. Soit aussi S l'expression régulière **b**. On a $L(S) = \{\mathbf{b}\}$. Alors RS est l'expression **ab**. Pour construire $L(RS)$, on doit prendre chaque chaîne de $L(R)$ et la concaténer avec chaque chaîne de $L(S)$. Dans ce cas simple, les deux langages $L(R)$ et $L(S)$ sont des singletons, nous n'avons donc qu'une possibilité pour chacun. Nous tirons **a** de $L(R)$ et **b** de $L(S)$, et nous concaténons ces listes de longueur 1 pour obtenir la chaîne **ab**. Et $L(RS)$ vaut donc {**ab**}. ✦

L'exemple 10.12 peut être généralisé, c'est-à-dire qu'une chaîne quelconque écrite en caractères gras sera une expression régulière décrivant le langage constitué d'une seule chaîne, autrement dit la liste de caractères correspondante. Par exemple, **then** est une expression régulière dont le langage est {**then**}. Nous verrons que la concaténation est un opérateur associatif, il ne dépend donc pas de l'ordre de regroupement des caractères dans l'expression régulière, et nous n'avons pas besoin d'utiliser de parenthèses.

---

[4] En toute rigueur, on pourrait écrire $(R)(S)$ au lieu de RS, pour faire ressortir le fait que R et S sont des expressions séparées et que leurs composants ne sont pas mélangés, à cause des règles de préséance. On peut comparer cette situation à la multiplication d'une expression arithmétique $w+x$ par une expression arithmétique $y+z$. Nous devrions dans ce cas écrire le produit ainsi : $(w+x)(y+z)$. On remarquera que, à cause de la préséance de la multiplication sur l'addition, le produit sans parenthèse $w + xy + z$, ne serait pas interprété comme le produit de $w + x$ et $y + z$. Comme nous le verrons, la concaténation et l'union suivent des règles de préséance qui les rendent similaires respectivement à la multiplication et à l'addition.

Quelques distinctions subtiles parmi les types

Le lecteur ne devra pas être embrouillé par la multiplicité d'objets qui semblent similaires, mais qui sont en réalité tout à fait différents. Par exemple, la chaîne vide ϵ n'a rien à voir avec l'ensemble vide $\emptyset$, et n'est pas non plus identique à l'ensemble contenant la chaîne vide $\{\epsilon\}$. Le premier est du type « chaîne de caractères » ou « liste de caractères », alors que le deuxième et le troisième sont du type « ensemble de chaînes ». Il ne faudra pas non plus oublier de faire la distinction entre le caractère a, qui est du type « caractère », la chaîne a de longueur 1, qui est du type « chaîne », et $\{a\}$ qui, comme la valeur de l'expression régulière a, est du type « ensemble de chaînes ». Vous noterez également que dans un autre contexte, $\{a\}$ pourrait être l'ensemble contenant le caractère a, et que nous n'avons pas de notation conventionnelle pour distinguer les deux significations de $\{a\}$. Cependant, dans le cadre de ce chapitre, $\{a\}$ prendra normalement la première signification, c'est-à-dire « ensemble de chaînes », et non « ensemble de caractères ».

Exemple 10.13. Penchons-nous à présent sur la concaténation de deux expressions régulières dont les langages ne sont pas des ensembles singletons. Soit R l'expression régulière a | (ab) [5]. Le langage $L(R)$ est l'union de $L(a)$ et $L(ab)$, autrement dit $\{a, ab\}$. Soit S l'expression régulière c | (bc). On a, ici aussi, $L(S) = \{c, bc\}$. L'expression régulière RS est $\big(a \mid (ab)\big)\big(c \mid (bc)\big)$. On notera que les parenthèses autour de R et S sont obligatoires, à cause des règles de préséance.

	c	bc
a	ac	abc
ab	abc	abbc

Figure 10.26 : Concaténation de $\{a, ab\}$ et $\{c, bc\}$.

Pour retrouver les chaînes de $L(RS)$, on apparie chacune des deux chaînes de $L(R)$ avec chacune des deux chaînes de $L(S)$. Cet appariement est suggéré dans la figure 10.26. A partir de a dans $L(R)$ et c dans $L(S)$, on obtient la chaîne ac. La chaîne abc est obtenue de deux façons différentes, soit avec (a)(bc) soit avec (ab)(c). Enfin, on obtient la chaîne abbc en concaténant la chaîne ab de $L(R)$ et la chaîne bc de $L(S)$. $L(RS)$ vaut donc $\{ac, abc, abbc\}$. ✦

On notera que le nombre de chaîne du langage $L(RS)$ ne peut pas être plus grand que le produit du nombre de chaînes dans $L(R)$ par le nombre de chaînes dans $L(S)$. En fait, le nombre de chaînes dans $L(RS)$ est exactement égal à ce produit, à moins qu'on

---

[5] Comme nous le verrons, la concaténation est prioritaire sur l'union, et les parenthèses sont donc redondantes.

trouve des « coïncidences », pour lesquelles la même chaîne peut être formée de deux manières différentes. L'exemple 10.13 était un cas où la chaîne abc était produite de deux façons, et le nombre de chaînes dans $L(RS)$, 3, valait un de moins que le produit des nombres de chaînes dans chaque langage R et S. De même, le nombre de chaînes du langage $L(R \mid S)$ ne dépasse pas la somme des nombres de chaînes des langages $L(R)$ et $L(S)$, et ne peut valoir moins que s'il existe des chaînes communes à $L(R)$ et $L(S)$. Comme nous le verrons quand nous étudierons les lois algébriques pour ces opérateurs, il y a une analogie étroite, mais pas complète, entre l'union et la concaténation d'une part, et les opérateurs arithmétiques $+$ et $\times$ d'autre part.

✓ **Fermeture**

Le troisième opérateur est appelé *fermeture de Kleene* ou simplement *fermeture*[6]. C'est un opérateur postfixe, et unaire ; c'est-à-dire qu'il ne s'applique qu'à un seul opérande, et qu'il apparaît après cet opérande. La fermeture est représentée par une étoile, R^* est donc la fermeture de l'expression régulière R. Comme l'opérateur de fermeture possède la plus haute priorité, il est souvent nécessaire de placer des parenthèses autour de R, et d'écrire $(R)^*$.

L'opérateur de fermeture a pour effet de dire « zéro occurrence ou plus des chaînes de R ». Autrement dit, $L(R^*)$ est constitué de

1. La chaîne vide ϵ, qu'on peut considérer comme représentant zéro occurrence des chaînes de R.

2. Toutes les chaînes de $L(R)$; elles représentent une occurrence des chaînes de $L(R)$.

3. Toutes les chaînes de $L(RR)$, la concaténation de $L(R)$ avec lui-même ; elles représentent deux occurrences des chaînes de $L(R)$.

4. Toutes les chaînes de $L(RRR)$, $L(RRRR)$, et ainsi de suite, représentant trois, quatre occurrences ou plus des chaînes de $L(R)$.

De façon informelle, on peut écrire

$$R^* = \epsilon \mid R \mid RR \mid RRR \mid \cdots$$

Cependant, il faut comprendre que l'expression située à droite du signe égal n'est pas une expression régulière, car elle contient un nombre infini d'occurrences de l'opérateur d'union. Toutes les expressions régulières sont construites à partir d'un nombre fini d'occurrences des trois opérateurs.

✦ **Exemple 10.14.** Soit $R = \mathbf{a}$. Que peut-on dire de $L(R^*)$? A coup sûr, ϵ fait partie du langage, puisqu'il doit se trouver dans toute fermeture. La chaîne a, qui est la seule chaîne de $L(R)$, fait partie du langage, de même que aa tiré de $L(RR)$, aaa tiré de $L(RRR)$, etc. En d'autre termes, $L(\mathbf{a}^*)$ est l'ensemble des chaînes de zéro a ou plus, ou $\{\epsilon, \mathbf{a}, \mathbf{aa}, \mathbf{aaa}, \ldots\}$. ✦

✦ **Exemple 10.15.** Soit à présent R l'expression régulière $\mathbf{a} \mid \mathbf{b}$, et $L(R) = \{\mathbf{a}, \mathbf{b}\}$. Considérons ce qu'est $L(R^*)$. Là aussi, ce langage contient ϵ, qui représente zéro occurrence

---

[6] Steven C. Kleene est l'auteur du premier article décrivant l'algèbre des expressions régulières.

des chaînes de $L(R)$. Une seule occurrence d'une chaîne de R nous donne $\{a, b\}$ pour $L(R^*)$. Deux occurrences nous donnent les quatre chaînes $\{aa, ab, ba, bb\}$, Trois occurrences nous donnent huit chaînes de longueur trois, constituées de a et/ou de b, et ainsi de suite. Ainsi $L(R^*)$ contient toutes les chaînes de a et de b d'une longueur finie quelconque. ✦

⟋ 10.5.1 Préséance des opérateurs d'expressions régulières

Comme nous l'avons déjà indiqué de façon informelle, on convient d'un ordre de préséance pour les trois opérateurs union, concaténation, et fermeture. Cet ordre est

1. la fermeture (la plus forte priorité), puis

2. la concaténation, puis

3. l'union (la plus faible priorité).

Ainsi, lorsque l'on interprète une expression, on regroupe d'abord les opérateurs de fermeture en trouvant la plus petite expression bien formée (c'est-à-dire avec ses éventuelles parenthèses équilibrées), et située immédiatement à gauche d'un signe * donné. On pourra placer des parenthèses autour de cette expression et du signe *.

Ensuite, on pourra considérer les opérateurs de concaténation, en partant de la gauche. Pour chacun d'eux, on trouve la plus petite expression placée immédiatement à gauche, et la plus petite expression immédiatement à droite, et on place des parenthèses autour de cette paire d'expressions. Enfin, on considère les opérateurs d'union à partir de la gauche. On trouve la plus petite expression immédiatement à gauche et à droite de chaque opérateur d'union, et on place des parenthèses autour de cette paire d'expressions séparées par le symbole d'union.

✦ **Exemple 10.16.** Considérons l'expression **a | bc*d**. On commence par s'intéresser aux signes *. Il n'en existe qu'un, et à sa gauche, la plus petite expression est **c**. On pourra donc grouper ce signe * avec son opérande, ainsi : **a | b(c*)d**.

Ensuite, on s'intéresse aux concaténations présentes dans l'expression ci-dessus. Il en existe deux, une entre le **b** et la parenthèse gauche, et la seconde entre la parenthèse droite et le **d**. Pour la première, on trouve l'expression **b** immédiatement à gauche, mais vers la droite, on doit continuer jusqu'à inclure la parenthèse droite, car les expressions doivent posséder des parenthèses équilibrées. Les opérandes de la première concaténation sont donc **b** et $(\mathbf{c}^*)$. On place des parenthèses autour d'eux pour obtenir l'expression

$$\mathbf{a} \mid \big(\mathbf{b}(\mathbf{c}^*)\big)\mathbf{d}$$

Pour la seconde concaténation, la plus petite expression immédiatement à gauche est maintenant $\big(\mathbf{b}(\mathbf{c}^*)\big)$, et la plus petite expression immédiatement à droite est **d**. Après l'ajout des parenthèses de regroupement des opérandes de cette concaténation, l'expression devient

$$\mathbf{a} \mid \bigg(\big(\mathbf{b}(\mathbf{c}^*)\big)\mathbf{d}\bigg)$$

Enfin, il faut considérer les unions. Il n'en existe qu'une ; son opérande gauche est **a**, et son opérande droit est le reste de l'expression ci-dessus. Techniquement, ont doit placer des parenthèses autour de l'expression toute entière, ce qui donne

$$\left(\mathbf{a} \mid \left((\mathbf{b}(\mathbf{c}^*))\mathbf{d}\right)\right)$$

Mais les parenthèses extérieures sont redondantes. ✦

Autres exemples d'expression régulières

Nous terminons ce paragraphe avec quelques exemples plus complexes d'expressions régulières.

✦ **Exemple 10.17.** On peut généraliser l'idée de l'exemple 10.15 avec des « chaînes de longueur quelconque composées des symboles $\mathbf{a}_1, \mathbf{a}_2, \ldots, \mathbf{a}_n$ » au moyen de l'expression régulière

$$(\mathbf{a}_1 \mid \mathbf{a}_2 \mid \cdots \mid \mathbf{a}_n)^*$$

Par exemple, on peut décrire les identificateurs Pascal de la manière suivante. Commençons par définir l'expression régulière

$$lettre = \mathbf{A} \mid \mathbf{B} \mid \cdots \mid \mathbf{Z} \mid \mathbf{a} \mid \mathbf{b} \mid \cdots \mid \mathbf{z}$$

De même, on définit

$$chiffre = \mathbf{0} \mid \mathbf{1} \mid \cdots \mid \mathbf{9}$$

Alors, l'expression régulière

$$lettre(lettre \mid chiffre)^*$$

définit un langage dont les chaînes commencent par une lettre, suivie ou non par des lettres ou des chiffres. ✦

✦ **Exemple 10.18.** Considérons maintenant une expression régulière un peu plus compliquée à écrire : le problème du filtre à rebonds étudié dans l'exemple 10.2. Il faut se souvenir que nous avons décrit un automate qui sortait un 1 chaque fois que l'entrée se terminait par une séquence de 1, interprétation indulgente. Autrement dit, nous décidions qu'on se trouvait en présence d'une séquence de 1 dès que deux 1 apparaissaient à la suite dans une rangée, mais qu'une fois la décision prise, l'arrivée d'un zéro isolé ne remettait pas en question cette conclusion. Ainsi, la sortie effectuée par l'automate dans l'exemple 10.2 vaut 1 dès lors que l'entrée se termine par une séquence de deux 1, suivis par n'importe quoi, tant que chaque zéro est immédiatement suivi d'un 1, ou s'avère être le dernier caractère vu. On exprime cette condition avec l'expression régulière

$$(\mathbf{0} \mid \mathbf{1})^*\mathbf{11}(\mathbf{1} \mid \mathbf{01})^*(\epsilon \mid \mathbf{0})$$

Pour comprendre cette expression, commençons par remarquer que $(\mathbf{0} \mid \mathbf{1})^*$ représente une chaîne quelconque de 0 et de 1. Ces chaînes doivent être suivie par deux 1, ce qu'on peut représenter par l'expression **11**. Le langage associé à $(\mathbf{0} \mid \mathbf{1})^*\mathbf{11}$ contient toutes les chaînes de 0 et 1 qui se terminent par (au moins) deux 1.

Ensuite, l'expression $(1 \mid 01)^*$ représente toutes les chaînes de 0 et 1 dans lequelles tous les 0 sont suivis par des 1. Autrement dit, les chaînes du langage associé à cette expression sont construites en concaténant des chaînes 1 et 01 dans un ordre quelconque, et en quantité quelconque. Tandis que **1** nous permet d'ajouter 1 à la chaîne en cours de construction à n'importe quel moment, **01** nous oblige à faire suivre chaque 0 par un 1. L'expression $(0 \mid 1)^*11(1 \mid 01)^*$ représente donc toutes les chaînes de 0 et de 1 qui se terminent par deux 1, suivis par une séquence quelconque dans laquelle les 0 éventuels sont immédiatement suivis par des 1. Le dernier facteur $(\epsilon \mid 0)$, signifie « un 0 optionnel », c'est-à-dire que les chaînes ci-dessus peuvent être suivies ou non par un 0, au choix. ✦

EXERCICES

10.5.1 : Dans l'exemple 10.13 on a considéré l'expression régulière $(\mathbf{a} \mid \mathbf{ab})(\mathbf{c} \mid \mathbf{bc})$, et nous avons vu que le langage associé était constitué des trois chaînes ac, abc, et abbc, c'est-à-dire un a et un c, séparés par zéro à deux b. Ecrivez deux autres expressions régulières qui définissent le même langage.

10.5.2 : Ecrivez des expressions régulières qui définissent les langages suivants.

a) Les chaînes correspondant aux six opérateurs de comparaison du Pascal, =, <>, etc.

b) Toutes les chaînes de 0 et de 1 se terminant par un 0.

c) Toutes les chaînes de 0 et de 1 contenant au moins un 1.

d) Toutes les chaînes de 0 et de 1 contenant au plus un 1.

e) Toutes les chaînes de 0 et de 1 telles que la troisième position à partir de la droite soit occupée par un 1.

f) Toutes les chaînes de lettres minuscules triées dans l'ordre.

10.5.3 : * Ecrivez des expressions régulières qui définissent les langages suivants.

a) Toutes les chaînes de a et b telles que toutes les séries de a aient une longueur paire. En d'autres termes, des chaînes comme bbbaabaaaa, aaaabb, et ϵ appartiennent au langage ; abbabaa et aaa n'y appartiennent pas.

b) Les chaînes qui représentent les nombres réels du Pascal, comme 123.456789, ou 0.12345.

c) Les chaînes de 0 et de 1 de parité paire, c'est-à-dire ayant un nombre pair de 1. *Une indication* : Pensez aux chaînes de parité paire comme la concaténation de chaînes élémentaires de parité paire, soit un zéro isolé, soit une paire de 1 séparés uniquement par des 0.

10.5.4 : ** Ecrivez des expressions régulières qui définissent les langages suivants.

a) L'ensemble de tous les identificateurs Pascal qui ne sont pas des mots-clés. Si vous oubliez certains mots-clés, cela n'a pas d'importance. L'objet de cet exercice est d'exprimer les chaînes qui n'appartiennent *pas* à un ensemble de chaînes relativement grand.

b) Toutes les chaînes de a, b, et c telles que deux caractères identiques n'apparaissent pas à des positions consécutives.

c) L'ensemble de toutes les chaînes de deux lettres minuscules non-identiques. *Une indication* : Pour celui-ci, on peut y aller « à la machette », mais il existe 650 paires de lettres distinctes. Il est plus pertinent de procéder à des regroupements. Par exemple, l'expression relativement réduite

$$(a \mid b \mid \cdots \mid m)(n \mid o \mid \cdots \mid z)$$

couvre 169 des 650 paires.

d) Toutes les chaînes de 0 et de 1 qui, prises comme des nombres binaires, représentent un entier multiple de 3.

10.5.5 : Placez des parenthèses dans les expressions régulières suivantes pour indiquer les regroupements appropriés d'opérandes, selon la préséance des opérateurs union, concaténation, et fermeture.

a) a | bc | de
b) a | b* | (a | b)*a

10.5.6 : Eliminez les parenthèses redondantes des expressions suivantes autrement dit, celles qui provoquent un regroupement qui serait impliqué par la préséance des opérateurs et le fait que l'union et la concaténation sont associatives (et du coup, le regroupement d'unions adjacentes ou de concaténations adjacentes ne s'impose pas).

a) $(ab)(cd)$

b) $\Big(a \mid (b(c)^*)\Big)$

c) $\Big(((a) \mid b)(c \mid d)\Big)$

10.5.7 : * Décrivez les langages définis par les expressions régulières suivantes.

a) $\emptyset \mid \epsilon$
b) ϵa
c) $(a \mid b)^*$
d) $(a^*b^*)^*$
e) $(a^*ba^*b)^*a^*$
f) ϵ^*
g) R^{**}, où R est une expression régulière quelconque.

10.6 Les extensions UNIX pour les expressions régulières

Le système d'exploitation UNIX dispose de plusieurs commandes qui utilisent une notation inspirée des expressions régulières pour décrire des motifs. Même si le lecteur n'est pas familiarisé avec UNIX ou avec la plupart de ces commandes, ces notations sont utiles à connaître. On trouve des expressions régulières utilisées dans au moins trois sortes de commandes.

1. *Les éditeurs.* Les éditeurs UNIX `ed` et `vi`, ainsi que la plupart des éditeurs modernes, permettent d'analyser un texte pour trouver l'emplacement d'une instance d'un motif donné. Le motif est spécifié par une expression régulière, bien qu'il n'existe pas d'opérateur général d'union, mais seulement des « classes de caractères », que nous étudierons par la suite.

2. *Le programme d'équivalence de motif* `grep` *et ses cousins.* La commande UNIX `grep` analyse un fichier et en examine chaque ligne. Si la ligne contient une sous-chaîne équivalente au motif spécifié par une expression régulière, la ligne est alors imprimée (`grep` est l'acronyme de « *g*lobally search for *regular expression* and *print* »). La commande `grep` elle-même n'autorise qu'un sous-ensemble des expressions régulières, mais la commande étendue `egrep` autorise la notation complète des expressions régulières, plus quelques extensions supplémentaires. La commande `awk` permet la recherche d'expressions régulières complètes, et traite aussi les lignes de texte comme si elles étaient les tuples d'une relation, ce qui permet à des opérations d'algèbre relationnelle comme la sélection et la projection d'être effectuées sur des fichiers.

3. *L'analyse lexicale.* La commande UNIX `lex` est utile pour écrire une partie spécifique des compilateurs et pour beaucoup d'autres tâches similaires. La première chose à faire pour un compilateur est de séparer le programme en **jetons**, qui sont des sous-chaînes qui s'adaptent logiquement les unes aux autres. Parmi ces jetons on peut trouver des identificateurs, des constantes, des mots-clés comme `then`, et des opérateurs comme `+` ou `<=`. Chaque type de jeton peut être défini sous forme d'expression régulière ; ainsi l'exemple 10.17 nous montrait une manière de définir la classe de jetons « identificateurs ». La commande `lex` permet à l'utilisateur de spécifier les classes de jetons au moyen d'expressions régulières. Elle produit ensuite un programme pouvant servir d'*analyseur lexical*, autrement dit, un programme qui sépare son entrée en jetons.

Classes de caractères

Souvent, on a besoin d'écrire une expression régulière qui décrit un ensemble de caractères, ou plus exactement, un ensemble de chaînes de caractères de longueur un, chaque chaîne étant composée d'un caractère différent de l'ensemble. Ainsi, dans l'exemple 10.17, nous avons défini l'expression *lettre* pour décrire toutes les chaînes composées d'une lettre majuscule ou minuscule, et l'expression *chiffre* nous permettait de décrire toutes les chaînes constituées d'un seul chiffre. Ces expressions ont tendance à être plutôt longues, et UNIX fournit quelques raccourcis utiles.

Premièrement, il est possible d'encadrer une liste de caractères quelconques entre crochets, pour signifier que l'expression régulière représente leur union. Une telle expression s'appelle une *classe de caractères*. Par exemple, l'expression [**aghinostw**] indique l'ensemble des lettres apparaissant dans le mot `washington`, et [**aghinostw**]* indique l'ensemble des chaînes composées de ces lettres uniquement.

Deuxièmement, rien ne nous oblige à énumérer explicitement tous les caractères. Il faut se souvenir que les caractères sont codés, habituellement à l'aide du code AS-CII. Ce code affecte aux divers caractères des chaînes de bits, qui sont naturellement interprétées comme des entiers, et cette affectation s'effectue de manière rationnelle. Par exemple, on assigne aux lettres capitales des entiers consécutifs. En termes Pascal, ORD('A'), ORD('B'), etc., sont des entiers consécutifs. De la même manière, on assigne aux lettres minuscules des entiers consécutifs, et il en va de même pour les chiffres.

Si on place un tiret entre deux caractères, on spécifie non seulement ces caractères, mais aussi tous ceux dont les codes se trouvent entre leurs codes.

✦ **Exemple 10.19.** On peut définir les lettres majuscules et minuscules par [**A-Za-z**]. Les trois premiers caractères, **A-Z**, représentent tous les caractères dont les codes sont compris entre le code de **A** et celui de **Z**, autrement dit, les lettres majuscules. De même, les trois caractères suivants, **a-z**, indiquent les lettres minuscules.

Notons au passage que cette signification particulière du tiret impose que nous soyons prudent lorsqu'on veut définir une classe de caractères incluant **-**. On doit placer le tiret soit au début soit à la fin de la liste. Par exemple, on pourrait spécifier l'ensemble des quatre opérateurs arithmétiques avec [-+*/], mais il serait erroné d'écrire [+-*/], parce que l'intervalle +-* décrirait tous les caractères dont les codes sont compris entre + et *. ✦

Début et fin de ligne

Comme les commandes UNIX traitent fréquemment des lignes de texte isolées, la notation UNIX pour les expressions régulières prévoit des symboles spéciaux indiquant le début et la fin d'une ligne. Le symbole ^ indique le début d'une ligne, et $ indique la fin d'une ligne.

✦ **Exemple 10.20.** Quand on le fait démarrer au début d'une ligne, l'automate de la figure 10.13 du paragraphe 10.3 n'acceptera cette ligne que si et seulement si elle est constituée de lettres appartenant au mot washington. On peut exprimer ce motif comme une expression régulière UNIX ; ^[**aghinostw**]*$. En clair, le motif est « le début de ligne, suivi par une séquence quelconque de lettres appartenant au mot washington, suivie par la fin de la ligne ».

Comme illustration de la manière dont on utilise cette expression régulière, la ligne de commande UNIX

```
grep '^[aghinostw]*$' /usr/dict/words
```

imprimera tous les mots du dictionnaire composés uniquement de lettres tirées de washington. UNIX impose, dans ce cas, que l'expression régulière soit une chaîne écrite entre apostrophes. La commande a pour conséquence l'examen de chaque ligne du fichier /usr/dict/words. Si elle contient une sous-chaîne quelconque qui se trouve dans l'ensemble de chaînes décrit par l'expression régulière, la ligne est imprimée ; sinon, la ligne n'est pas imprimée. On notera que les symboles de début et fin de ligne sont essentiels ici. Supposons qu'ils soient absents. Comme la chaîne vide se trouve dans le langage décrit par l'expression régulière [**aghinostw**]*, on trouverait que chaque ligne contient une sous-chaîne (ϵ pour ne pas le nommer) appartenant au langage de l'expression régulière, et toutes les lignes seraient donc imprimées. ✦

Donner aux caractères leur signification littérale

Au passage, comme on donne aux caractères ^ et $ une signification spéciale dans les expressions régulières, il semblerait que nous n'ayons aucun moyen de spécifier ces caractères eux-mêmes dans des expressions régulières UNIX. En réalité, UNIX se sert de l'anti-slash, \, comme d'un *caractère d'échappement*. Si l'on fait précéder ^ ou $ par un anti-slash, alors l'association des deux caractères est interprétée comme ayant la signification littérale du second caractère, et non plus sa signification spéciale. Par exemple, \$ représente le caractère $ à l'intérieur d'une expression régulière. De même, deux anti-slash seront interprétés comme un anti-slash unique, dépouillé de sa signification spéciale de caractère d'échappement. La chaîne \\$ dans une expression régulière UNIX indique un caractère anti-slash, suivi par une fin de ligne.

Nombre de caractères ont sous UNIX une signification particulière dans certaines situations, et ces caractères peuvent toujours être considérés dans leur sens littéral, c'est-à-dire sans leur signification particulière, en les faisant précéder par un anti-slash. Par exemple, les crochets devront subir ce traitement si l'on veut éviter de les interpréter comme des délimiteurs d'une classe de caractères.

Le symbole joker

Dans les expressions régulières sous UNIX, on peut utiliser le caractère . pour remplacer « un caractère quelconque hormis le caractère de passage à la ligne ».

◆ **Exemple 10.21.** L'expression régulière

    .*a.*e.*i.*o.*u.*

décrit toutes les chaînes contenant les voyelles dans l'ordre. On pourrait utiliser grep avec cette expression régulière pour compulser le dictionnaire à la recherche de tous les mots où les voyelles apparaissent dans l'ordre croissant. Cependant, il est plus efficace d'omettre les .* de début et de fin, car grep recherche le motif spécifié dans une sous-chaîne, et non dans la ligne entière, à moins que nous ajoutions les symboles de début et de fin explicitement. Ainsi, cette commande

    grep 'a.*e.*i.*o.*u' /usr/dict/words

trouvera et imprimera tous les mots contenant la sous-séquence aeiou.

Le fait que les points puissent correspondre à des caractères autres que des lettres n'est pas grave, car il n'existe aucun autre caractère entre les lettres et le caractère de passage à la ligne dans le fichier /usr/dict/words. D'autre part, si le point pouvait correspondre au caractère de passage à la ligne, cette expression régulière permettrait à grep de se servir de plusieurs lignes regroupées pour trouver une occurrence des voyelles dans l'ordre. C'est à cause de situations comme celles-là que le point est défini de manière à ne pas s'accorder avec le caractère de passage à la ligne. ◆

Opérateurs supplémentaires

Les expressions régulières des commandes UNIX `awk` et `egrep` comportent également des opérateurs supplémentaires.

1. Contrairement à `grep`, les commandes `awk` et `egrep` autorisent l'emploi de l'opérateur union | dans leurs expressions régulières.

2. Les opérateurs unaires postfixes ? et $^+$ ne nous permettent pas de définir des langages supplémentaires, mais rendent souvent plus facile l'expression des langages. Si R est une expression régulière, alors R? équivaut à $\epsilon \mid R$, c'est-à-dire un R optionnel. Ainsi $L(R?)$ équivaut à $L(R) \cup \{\epsilon\}$. R^+ équivaut à RR^*, ou si l'on veut, « une occurrence ou plus de mots de R ». Donc,

$$L(R^+) = L(R) \cup L(RR) \cup L(RRR) \cdots$$

En particulier, si ϵ appartient à $L(R)$, alors $L(R^+)$ et $L(R^*)$ définissent le même langage. Si ϵ n'appartient pas à $L(R)$, alors $L(R^+)$ décrit $L(R^*) - \{\epsilon\}$. Les opérateurs $^+$ et ? suivent les mêmes règles d'associativité et de préséance que *.

✦ **Exemple 10.22.** Supposons que nous voulions spécifier au moyen d'une expression régulière les nombres réels constitués d'un chaîne non vide de chiffres et d'un point décimal. Il ne serait pas correct d'écrire cette expression de cette manière : [0-9]*\.[0-9]*, car alors la chaîne constituée d'un point tout seul serait considérée comme un nombre réel. Une façon d'écrire l'expression à l'aide de `egrep` est

[0-9]$^+$\.[0-9]* | \.[0-9]$^+$

Ici, le premier terme de l'union couvre les nombres qui ont au moins un chiffre à gauche du point décimal, et le second terme couvre les nombres qui commencent avec le point décimal, et qui du coup doivent comporter au moins un chiffre à la suite du point décimal. Remarquez qu'un anti-slash est placé avant le point de manière que le point n'acquière pas la signification conventionnelle de « joker ». ✦

✦ **Exemple 10.23.** On peut parcourir l'entrée à la recherche de toutes les lignes dont les lettres sont dans un ordre alphabétique croissant au moyen de la commande `egrep`

    egrep '^a?b?c?d?e?f?g?h?i?j?k?l?m?n?o?p?q?r?s?t?u?v?w?x?y?z?$'

Autrement dit, on parcourt chaque ligne pour voir si entre le début et la fin de la ligne il existe un `a` optionnel, et un `b` optionnel, etc. Une ligne contenant le mot `adept`, par exemple, concorde avec cette expression, parce que les ? qui suivent `a`, `d`, `e`, `p`, et `t` peuvent être interprétés comme « une occurrence », alors que les autres ? peuvent être interprétés comme « zéro occurrence », c'est-à-dire ϵ. ✦

EXERCICES

10.6.1 : Ecrivez des expressions correspondant aux classes de caractères suivantes.

a) Tous les caractères qui sont des opérateurs ou des symboles de ponctuation en Pascal. `+` et les parenthèses en font partie.

b) Toutes les voyelles minuscules.

c) Toutes les consonnes minuscules.

10.6.2 : * Si vous pouvez accéder à UNIX, écrivez des programmes `egrep` qui examinent le fichier

      /usr/dict/words

et trouvez

a) Tous les mots qui finissent en `dous`.

b) Le plus long mot ne comportant qu'une seule voyelle.

c) Tous les mots comportant des consonnes et des voyelles en alternance.

d) Tous les mots comportant quatre consonnes consécutives ou plus.

10.7   Lois algébriques pour les expressions régulières

Deux expressions régulières peuvent décrire le même langage, de même que deux expressions arithmétiques peuvent décrire la même fonction sur leurs opérandes. Par exemple, les expressions arithmétiques $x + y$ et $y + x$ décrivent la même fonction sur x et y, car l'addition est commutative. De la même manière, les expressions régulières $R \mid S$ et $S \mid R$ décrivent le même langage, quelles que soient les expressions représentées par R et S ; la raison en est que l'union est également une opération commutative.

Il est souvent utile de simplifier les expressions régulières. Nous verrons bientôt que, quand on construit des expressions régulières à partir d'automates, on se retrouve souvent en présence d'une expression régulière abusivement complexe. Toute une collection d'équivalences algébriques peut nous permettre de « simplifier » des expressions, c'est-à-dire de remplacer une expression régulière par une autre qui met en jeu moins d'opérandes et/ou d'opérateurs, tout en décrivant le même langage. Le processus est analogue à celui que nous avions suivi lorsque nous manipulions des expressions arithmétiques pour simplifier une expression trop lourde. Par exemple, on pourrait multiplier deux grands polynômes, puis simplifier le résultat en regroupant les termes de même dimension. Autre exemple, nous avons simplifié des expressions de l'algèbre relationnelle du paragraphe 8.9 pour permettre une évaluation plus rapide.

Deux expressions régulières R et S sont **équivalentes**, ce qui s'écrit $R \equiv S$, si $L(R) = L(S)$. Dans ce cas, on dit que $R \equiv S$ est une *équivalence*. Dans ce qui suit, on supposera que R, S, et T sont des expressions régulières choisies arbitrairement, et nous établirons nos équivalences avec ces opérandes.

En quoi peut-on comparer l'union et la concaténation à l'addition et la multiplication ?

Dans ce paragraphe, nous passerons en revue les équivalences les plus importantes mettant en œuvre les opérateurs des expressions régulières union, concaténation, et fermeture. Commençons avec l'analogie reliant union et concaténation d'une part, avec addition et multiplication d'autre part. Cette analogie n'est pas parfaite, comme nous le verrons, surtout à cause de la non-commutativité de la concaténation, alors que,

Démonstration d'équivalences

Dans ce paragraphe, nous allons démontrer plusieurs équivalences mettant en jeu des expressions régulières. Rappelez-vous qu'une équivalence entre deux expressions régulières revient à affirmer que les langages décrits par ces deux expressions sont égaux, quels que soient les langages représentés par leurs variables. On démontre donc une équivalence en montrant l'égalité de deux langages, c'est-à-dire, de deux ensembles de chaînes. En général, on démontre qu'un ensemble S_1 est égal à un ensemble S_2 en établissant leurs inclusions réciproques. En d'autres termes, on prouve que $S_1 \subseteq S_2$, et également que $S_2 \subseteq S_1$. Les deux sens sont nécessaires pour prouver l'égalité entre des ensembles.

bien entendu, la multiplication est commutative. Toutefois, il existe de nombreuses ressemblances entre ces deux paires d'opérateurs.

Pour commencer, l'union comme la concaténation admettent un opérande identité. L'identité pour l'union est $\emptyset$, et pour la concaténation, l'identité est ϵ.

1. *Identité pour l'union.* $(\emptyset \mid R) \equiv (R \mid \emptyset) \equiv R$.

2. *Identité pour la concaténation.* $\epsilon R \equiv R\epsilon \equiv R$.

L'équivalence (1) se déduit naturellement de la définition de l'ensemble vide et de l'union. Pour démontrer la validité de (2), on peut voir que si la chaîne x se trouve dans $L(\epsilon R)$, alors x est la concaténation d'une chaîne de $L(\epsilon)$ avec une chaîne r de $L(R)$. Mais la seule chaîne de $L(\epsilon)$ est ϵ lui-même, et nous pouvons donc dire que $x = \epsilon r$. D'autre part, la chaîne vide concaténée avec une chaîne r quelconque donnant r elle-même, on a $x = r$. Autrement dit, x est dans $L(R)$. De la même manière, on peut voir que si x est dans $L(R\epsilon)$, alors x est dans $L(R)$.

Pour démontrer la paire d'équivalences (2), il faut non seulement montrer que tout élément de $L(\epsilon R)$ ou $L(R\epsilon)$ est dans $L(R)$, mais aussi qu'inversement, tout élément de $L(R)$ se trouve dans $L(\epsilon R)$ et dans $L(R\epsilon)$. Si r est dans $L(R)$, alors ϵr est dans $L(\epsilon R)$. Mais $\epsilon r = r$, et donc r est dans $L(\epsilon R)$. Le même raisonnement nous dit que r se trouve également dans $L(R\epsilon)$. Nous avons ainsi montré que $L(R)$ et $L(\epsilon R)$ sont un seul et même langage et que $L(R)$ et $L(R\epsilon)$ représentent aussi le même langage, ce que traduisent les équivalences de (2).

Ainsi $\emptyset$ est analogue au 0 de l'arithmétique, et ϵ est analogue au 1. Cette analogie est renforcée par une autre propriété. $\emptyset$ est *absorbant* pour la concaténation ; c'est-à-dire :

3. *Elément absorbant pour la concaténation.* $\emptyset R \equiv R\emptyset \equiv \emptyset$. Autrement dit, lorsqu'on concatène l'ensemble vide avec un ensemble quelconque, on obtient l'ensemble vide. De même, 0 est absorbant pour la multiplication, car $0 \times x = x \times 0 = 0$.

On peut établir la véracité de (3) de la façon suivante. Pour qu'une chaîne x se trouve dans $L(\emptyset R)$, il faudrait qu'on puisse construire x en concaténant une chaîne de $L(\emptyset)$ avec une chaîne de $L(R)$. Comme il n'existe aucune chaîne dans $L(\emptyset)$, il est impossible de construire x. Un argument similaire montre que $L(R\emptyset)$ est obligatoirement vide.

Les équivalences suivantes sont les lois de commutativité et d'associativité pour l'union telles que nous les avons étudiées au chapitre 7.

4.   *Commutativité de l'union.* $(R \mid S) \equiv (S \mid R)$.

5.   *Associativité de l'union.* $\big((R \mid S) \mid T\big) \equiv \big(R \mid (S \mid T)\big)$.

Comme nous l'avons dit, la concaténation est également associative. C'est-à-dire :

6.   *Associativité de la concaténation.* $\big((RS)T\big) \equiv \big(R(ST)\big)$.

Pour comprendre pourquoi (6) est vraie, supposons que la chaîne x se trouve dans $L\big((RS)T\big)$. Alors x est la concaténation d'une certaine chaîne y de $L(RS)$ et d'une certaine chaîne t de $L(T)$. A son tour, y doit être la concaténation d'une certaine chaîne r de $L(R)$ et d'une certaine chaîne s de $L(S)$. Et donc $x = yt = rst$. Considérons à présent $L\big(R(ST)\big)$. La chaîne st doit se trouver dans $L(ST)$, et rst, qui est égale à x, se trouve alors dans $L\big(R(ST)\big)$. Toute chaîne x de $L\big((RS)T\big)$ appartient donc aussi à $L\big(R(ST)\big)$. Par un raisonnement similaire, on établit que toute chaîne de $L\big(R(ST)\big)$ doit aussi se trouver dans $L\big((RS)T\big)$. Ces deux langages sont donc les mêmes, et l'équivalence (6) est valide.

Ensuite, on a les lois de distributivité de la concaténation sur l'union, c'est-à-dire :

7.   *Distributivité à gauche de la concaténation sur l'union.* $\big(R(S \mid T)\big) \equiv (RS \mid RT)$.

8.   *Distributivité à droite de la concaténation sur l'union.* $\big((S \mid T)R\big) \equiv (SR \mid TR)$.

Voyons comment (7) se justifie ; (8) est laissée en exercice. Si x se trouve dans

$$L\big(R(S \mid T)\big)$$

alors $x = ry$, où r est un élément de $L(R)$ et y appartient soit à $L(S)$, soit à $L(T)$, soit aux deux. Si y est dans $L(S)$, alors x est dans $L(RS)$, et si y est dans $L(T)$, alors x est dans $L(RT)$. Dans les deux cas, x se trouve dans $L(RS \mid RT)$. Donc tout élément de $L\big(R(S \mid T)\big)$ appartient à $L(RS \mid RT)$.

Il faut aussi démontrer que la réciproque est vraie, que tout élément de $L(RS \mid RT)$ appartient à

$$L\big(R(S \mid T)\big)$$

Si x se trouve dans le premier langage, alors x est élément soit de $L(RS)$, soit de $L(RT)$. Supposons que x soit élément de $L(RS)$. Dans ce cas $x = rs$, où r est élément de $L(R)$ et s est élément de $L(S)$. Alors s est dans $L(S \mid T)$, et x est donc dans $L\big(R(S \mid T)\big)$. De même, si x est dans $L(RT)$, on peut montrer que x appartient obligatoirement à $L\big(R(S \mid T)\big)$. Nous avons maintenant démontré l'inclusion réciproque, qui prouve l'équivalence (7).

En quoi l'union et la concaténation diffèrent-elles de l'addition et la multiplication ?

L'une des raisons pour laquelle l'union n'est pas parfaitement assimilable à l'addition est la loi d'idempotence. En fait, l'union est idempotente, contrairement à l'addition.

9. *Idempotence de l'union.* $(R \mid R) \equiv R$.

La concaténation diffère aussi de la multiplication pour une raison importante, à savoir que la concaténation est n'est pas commutative, contrairement à la multiplication des réels ou des entiers. Pour illustrer pourquoi RS n'est en général pas équivalente à SR, prenons un simple exemple, comme $R = \mathbf{a}$ et $S = \mathbf{b}$. Dans ce cas $L(RS) = \{\mathbf{ab}\}$, alors que $L(SR) = \{\mathbf{ba}\}$, les deux ensembles sont donc différents.

Equivalences mettant en jeu la fermeture

Il existe de nombreuses équivalences utiles qui mettent en jeu l'opérateur de fermeture.

10. $\emptyset^* \equiv \epsilon$. On peut vérifier que les deux membres décrivent le langage $\{\epsilon\}$.

11. $RR^* \equiv R^*R$. On remarque que les deux membres sont équivalents à R^+ dans la notation étendue du paragraphe 10.6.

12. $(RR^* \mid \epsilon) \equiv R^*$. En d'autres termes, l'union de R^+ avec la chaîne vide est équivalente à R^*.

EXERCICES

10.7.1 : Prouvez que la loi de distributivité à droite de la concaténation sur l'union, l'équivalence (8), est valide.

10.7.2 : Les équivalences $\emptyset\emptyset \equiv \emptyset$ et $\epsilon\epsilon \equiv \epsilon$ s'obtiennent à partir d'équivalences déjà vues par simples substitutions de variables. Quelles équivalences avons-nous utilisées ?

10.7.3 : Démontrez les équivalences (10) à (12).

10.7.4 : Montrez que

a) $(R \mid R^*) \equiv R^*$

b) $(\epsilon \mid R^*) \equiv R^*$

10.7.5 : * Peut-on trouver des exemples d'expressions régulières R et S particulières qui soient « commutatives », en ce sens que $RS = SR$ pour ces expressions ? Si oui, donnez des exemples, sinon donnez une preuve.

10.7.6 : * L'opérande $\emptyset$ n'est pas utile dans les expressions régulières, sauf que sans lui, on ne pourrait pas trouver une expression régulière dont le langage associé est l'ensemble vide. On appelle **sans-$\emptyset$** une expression régulière qui ne contient aucune occurrence de $\emptyset$. Prouvez par induction sur le nombre d'occurrences d'opérateur dans une expression régulière R sans-$\emptyset$, que $L(R)$ n'est pas l'ensemble vide. *Une indication* : le paragraphe suivant donne un exemple d'une induction sur le nombre d'occurrences d'opérateur d'une expression régulière.

10.7.7 : ** Montrez par induction sur le nombre d'occurrences d'opérateurs dans une expression régulière R que R est équivalente soit à l'expression régulière $\emptyset$, soit à une expression régulière sans-$\emptyset$.

Les automates ne peuvent pas décrire tous les langages

Bien que nous ayons rencontré de nombreux langages descriptibles au moyen d'automates ou d'expressions régulières, il en existe qu'on ne peut pas décrire de cette façon. Intuitivement, « les automates ne savent pas compter ». Autrement dit, si l'on présente à un automate à n états une séquence de n fois le même symbole, il devra passer au moins deux fois par le même état. Il sera donc incapable de se rappeler le nombre exact de symboles qu'il a vu. Du coup, il est impossible, par exemple, de faire reconnaître à un automate toutes les chaînes de parenthèses équilibrées, et seulement celles-là. Comme les expressions régulières et les automates définissent les mêmes langages, on ne trouvera pas non plus d'expressions régulières dont le langage associé est exactement celui des chaînes de parenthèses équilibrées. Nous étudierons le problème des langages impossibles à décrire avec des automates dans le chapitre suivant.

10.8   Des expressions régulières aux automates

Souvenez-vous de notre première étude des automates au paragraphe 10.2, où nous observions une corrélation étroite entre les automates déterministes et les programmes qui utilisaient le concept d'« états » pour distinguer les rôles joués par différentes parties du programme. Nous disions alors que la conception d'automates était souvent un bon moyen de concevoir ce type de programmes. Cependant, nous avions également remarqué que ces automates déterministes pouvaient être difficiles à concevoir. Nous avons vu au paragraphe 10.3 qu'il était parfois plus commode de concevoir des automates non-déterministes, et que la construction de sous-ensembles nous permettait de transformer n'importe quel automate non-déterministe en un automate déterministe. A présent que nous sommes familiarisés avec les expressions régulières, on voit qu'il est même plus facile d'écrire des expressions régulières que de concevoir des automates non-déterministes.

Il sera donc plaisant de savoir qu'il existe un moyen de convertir une expression régulière quelconque en un automate non-déterministe, à partir duquel nous ferons appel à la construction de sous-ensembles pour obtenir un automate déterministe. En fait, nous verrons dans le paragraphe suivant qu'il est également possible de convertir un automate quelconque en une expression régulière dont le langage associé est exactement l'ensemble de chaînes accepté par l'automate. Les automates et les expressions régulières disposent donc exactement des mêmes capacités de description des langages.

Dans ce paragraphe, nombre de choses nous seront nécessaires pour montrer comment des expressions régulières peuvent être converties en automates.

1.   Nous introduirons les automates avec ϵ-transitions, c'est-à-dire avec des arcs étiquetés par ϵ. Ces arcs sont utilisés dans les chemins mais ne contribuent pas à la formation d'étiquette pour ces chemins. Cette forme d'automate est un intermédiaire entre les expressions régulières et les automates étudiés précédemment dans ce chapitre.

2.   Nous montrerons comment convertir une expression régulière quelconque en un

automate avec ϵ-transitions décrivant le même langage.

3. Nous montrerons comment convertir n'importe quel automate avec ϵ-transitions en un automate sans ϵ-transitions acceptant le même langage.

Automates avec epsilon-transitions

Commençons par étendre notre notion des automates pour y inclure les arcs étiquetés par ϵ. Ces automates continuent d'accepter une chaîne s si et seulement si il existe un chemin étiqueté par s ayant pour origine l'état de départ et aboutissant à un état d'acceptation. Toutefois, on remarquera que ϵ, la chaîne vide, est «invisible» à l'intérieur des chaînes, et ainsi lorsqu'on construit une étiquette pour un chemin, on efface en réalité tous les ϵ et on n'utilise que les caractères «réels».

✦ **Exemple 10.24.** Considérons l'automate avec ϵ-transitions présenté à la figure 10.27. Ici, l'état 0 est l'état de départ, et l'état 3 est l'unique état d'acceptation. L'un des chemins possibles entre l'état 0 et l'état 3 est

$$0, 4, 5, 6, 7, 8, 7, 8, 9, 3$$

Les étiquettes des arcs forment la séquence

$$\epsilon \; b \; \epsilon \; \epsilon \; c \; \epsilon \; c \; \epsilon \; \epsilon$$

Quand on se souvient que ϵ concaténé avec une autre chaîne donne cette autre chaîne, on voit qu'on peut «éliminer» les ϵ pour obtenir la chaîne bcc, qui est l'étiquette du chemin en question.

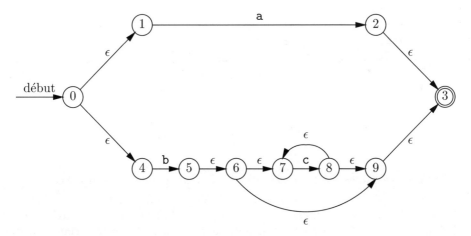

Figure 10.27 : Un automate avec ϵ-transitions pour l'expression **a** | **bc***.

Vous pouvez sans doute vous rendre compte que les chemins partant de l'état 0 et menant à l'état 3 sont étiquetés par toutes les chaînes a, b, bc, bcc, bccc, etc., et seulement celles-là. Une expression régulière pour cet ensemble est **a** | **bc***, et nous verrons que l'automate de la figure 10.27 se construit naturellement à partir de cette expression. ✦

Des expressions aux automates avec epsilon-transitions

On peut transformer une expression régulière en automate, au moyen d'un algorithme dérivé d'une récurrence complète sur le nombre d'occurrences d'opérateurs dans l'expression régulière. Le principe rejoint celui de la récurrence structurelle sur les arbres que nous avions introduite au paragraphe 5.5, et la correspondance devient évidente si l'on représente les expressions régulières par leurs arbres d'expression, avec les opérandes atomiques aux feuilles, et les opérateurs aux nœuds intérieurs. L'assertion à démontrer est la suivante :

ASSERTION $S(n)$: Si R est une expression régulière à n occurrences d'opérateurs et aucune variable comme opérandes atomiques, alors il existe un automate A avec ϵ-transitions qui accepte les chaînes de $L(R)$ et aucune autre. Mieux, A n'a

1. qu'un seul état d'acceptation,
2. pas d'arc vers son état de départ, et
3. pas d'arc issu de son état d'acceptation.

LA BASE. Si $n = 0$, alors R doit être un opérande atomique, qui est soit $\emptyset$, soit ϵ, ou encore **x** pour un certain symbole **x**. Pour chacun de ces trois cas, on peut concevoir un automate à 2 états pour lequel l'assertion $S(0)$ est vraie. Ces automates sont montrés à la figure 10.28.

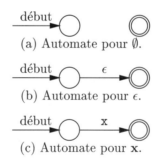

Figure 10.28 : Automates pour les cas de la base de récurrence.

Il est important de comprendre que nous créons un nouvel automate, avec des états distincts de ceux de n'importe quel autre automate, pour chaque occurrence d'un opérande de l'expression régulière. Par exemple, si l'on rencontrait trois occurrences de **a** dans l'expression, on créerait trois automates différents, avec six états en tout, tous sur le modèle de la figure 10.28(c), mais avec un **a** à la place du **x**.

L'automate de la figure 10.28(a) n'accepte manifestement aucune chaîne, puisqu'il est impossible d'aller directement de l'état de départ à l'état d'acceptation ; le langage associé est donc $\emptyset$. La figure 10.28(b) peut s'appliquer à la chaîne ϵ, car la chaîne vide y est acceptée, mais c'est la seule. La figure 10.28(c) représente un automate qui n'accepte que la chaîne **x**. On peut créer de nouveaux automates en donnant différentes valeurs de notre choix au symbole x. On notera que chacun de ces automates satisfait aux trois propriétés établies ci-dessus ; il n'existe qu'un état d'acceptation, aucun arc n'aboutit à l'état de départ, et aucun arc n'est issu de l'état d'acceptation.

LA RÉCURRENCE. Supposons maintenant que $S(i)$ soit vraie pour tout $i \leq n$; autrement dit, pour une expression régulière R quelconque avec au plus n occurrences d'opérateurs, il existe un automate satisfaisant les conditions de l'hypothèse de récurrence et acceptant toutes les chaînes de $L(R)$ et seulement celles-là. A présent, soit R une expression régulière avec $n + 1$ occurrences d'opérateur. On s'intéresse à l'opérateur « le plus extérieur » de R ; c'est-à-dire que R ne peut être que de la forme $R_1 \mid R_2$, $R_1 R_2$, ou $R_1{}^*$, selon que le dernier opérateur utilisé pour construire R était l'union, la concaténation, ou la fermeture.

Dans chacun de ces trois cas, R_1 et R_2 ne peuvent pas comporter plus de n opérateurs, parce qu'un opérateur de R ne fait partie ni de l'une ni de l'autre [7]. L'hypothèse d'induction s'applique donc à R_1 et R_2 dans chacun des trois cas. On peut démontrer $S(n + 1)$ en considérant ces cas un par un.

Cas 1. Si $R = R_1 \mid R_2$, on construit l'automate de la figure 10.29(a). Pour cela, on prend les automates associés à R_1 et R_2, et on ajoute deux états supplémentaires, l'un pour l'état de départ, et l'autre l'état d'acceptation. L'état de départ de l'automate associé à R comporte des ϵ-transitions vers les états de départ des automates associés à R_1 et R_2. Les états d'acceptation de ces deux automates ont chacun une ϵ-transition vers l'état d'acceptation de R. Pourtant, les états de départ et d'acceptation des automates associés à R_1 et R_2 ne sont pas ceux de l'automate juste construit.

La pertinence de cette construction réside dans le fait que la seule façon d'atteindre un état d'acceptation à partir d'un état de départ dans l'automate associé à R est de suivre un arc étiqueté par ϵ dirigé vers l'état de départ de l'automate associé à R_1 ou de celui associé à R_2. Puis, il faut suivre un chemin dans l'automate choisi qui mènera à son état d'acceptation, et enfin une ϵ-transition vers l'état d'acceptation de l'automate associé à R. Ce chemin est étiqueté par une certaine chaîne s acceptée par l'automate venant d'être parcouru, car nous sommes partis de l'état de départ de cet automate, et nous avons atteint son état d'acceptation. s appartient donc soit à $L(R_1)$, soit à $L(R_2)$, selon l'automate traversé. Comme nous n'avons ajouté que ·des ϵ à cette étiquette de chemin, l'automate de la figure 10.29(a) accepte aussi s. Les chaînes acceptées sont donc celles de $L(R_1) \cup L(R_2)$, autrement dit $L(R_1 \mid R_2)$, ou encore $L(R)$.

Cas 2. Si $R = R_1 R_2$, on construira l'automate de la figure 10.29(b). L'état de départ de cet automate est celui de l'automate associé à R_1, et son état d'acceptation est celui de l'automate associé à R_2. On ajoute une ϵ-transition entre l'état d'acceptation de l'automate associé à R_1 et l'état de départ de l'automate associé à R_2. L'état d'acceptation du premier automate ne correspond plus à l'état d'acceptation dans l'automate ainsi construit, et l'état de départ du second automate ne correspond plus à l'état de départ.

---

[7] N'oublions pas que, bien qu'elle soit représentée par une simple juxtaposition, et non un symbole d'opération visible, chaque concaténation est à prendre en compte dans la recherche du nombre d'occurrences d'opérateurs présentes dans R.

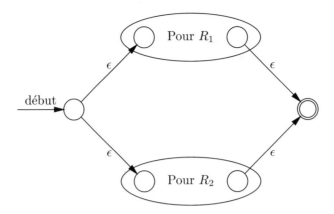

(a) Construction de l'automate d'union pour deux expressions régulières.

(b) Construction de l'automate de concaténation pour deux expressions régulières.

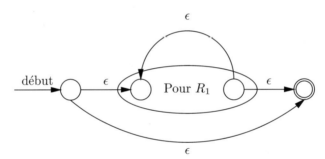

(c) Construction de l'automate de fermeture pour deux expressions régulières.

Figure 10.29 : Partie inductive de la construction d'un automate à partir d'une expression régulière.

La seule façon de passer de l'état de départ à l'état d'acceptation dans l'automate de la figure 10.29(b) est de suivre

1. un chemin étiqueté par une chaîne s dans $L(R_1)$, pour rejoindre l'état d'acceptation de l'automate associé à R_1, puis

2. l'arc étiqueté par ϵ vers l'état de départ de l'automate associé à R_2, et enfin

3. un chemin étiqueté par une certaine chaîne t dans $L(R_2)$ pour rejoindre l'état d'acceptation.

L'étiquette de ce chemin est *st*. Ainsi, l'automate de la figure 10.29(b) accepte exactement les chaînes de $L(R_1 R_2)$, ou $L(R)$.

Cas 3. Si $R = R_1{}^*$, on construira l'automate de la figure 10.29(c). On ajoute à l'automate associé à R_1 un nouvel état de départ et un nouvel état d'acceptation. L'état de départ comporte une ϵ-transition vers l'état d'acceptation (la chaîne ϵ est donc acceptée), et vers l'état de départ de l'automate associé à R_1. On attribue à l'état d'acceptation de l'automate associé à R_1 une ϵ-transition retournant vers son état de départ, et une autre vers l'état d'acceptation de l'automate associé à R. Les états de départ et d'acceptation de l'automate associé à R_1 ne sont pas les états de départ et d'acceptation du nouvel automate.

Les chemins reliant les états de départ et d'acceptation dans la figure 10.29(c) sont étiquetés soit par ϵ (si l'on passe par la voie directe), soit par la concaténation d'une ou plusieurs chaînes de $L(R_1)$, lorsqu'on entre dans l'automate associé à R_1, avec la possibilité de repasser autant de fois que l'on veut par son état de départ. On notera qu'il n'est pas nécessaire de suivre le même chemin dans l'automate associé à R_1 à chaque nouvelle boucle. Les étiquettes des chemins pouvant traverser la figure 10.29(c) sont exactement les chaînes de $L(R_1{}^*)$, autrement dit $L(R)$.

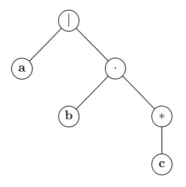

Figure 10.30 : Arbre d'expression pour l'expression régulière **a | bc***.

◆ **Exemple 10.25.** On se propose de construire l'automate associé à l'expression régulière **a | bc***. La figure 10.30 montre un arbre d'expression pour cette expression régulière ; il est analogue à ceux que nous avions étudiés au paragraphe 5.2, et nous permet de mieux voir l'ordre dans lequel les opérateurs sont appliqués aux opérandes.

Cet arbre contient trois feuilles, et on construit pour chacune d'elles une instance de l'automate de la figure 10.28(c). Ces automates sont représentés à la figure 10.31, et nous avons utilisé les états qui sont cohérents avec l'automate de la figure 10.27 qui, comme nous l'avons dit, est celui que nous nous proposons de construire à partir de notre expression régulière. Toutefois, il faut bien comprendre qu'il est essentiel que des automates correspondant à différentes occurrences d'opérandes aient des états distincts. Dans notre exemple, comme chaque opérande est différent, il n'est pas surprenant qu'à chacun corresponde un état différent, mais il nous faudrait aussi créer des automates distincts si l'expression comportait plusieurs occurrences de **a**, par exemple.

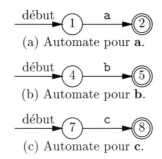

(a) Automate pour **a**.

(b) Automate pour **b**.

(c) Automate pour **c**.

Figure 10.31 : Automates pour **a**, **b**, et **c**.

Il faut à présent utiliser l'arbre de la figure 10.30, en appliquant les opérateurs, et en construisant des automates plus importants. Le premier opérateur appliqué est l'opérateur de fermeture, et il est appliqué à l'opérande **c**. On se sert de la construction de la figure 10.29(c) pour la fermeture. Les nouveaux états introduits sont appelés 6 et 9, là encore pour rester cohérent avec la figure 10.27. La figure 10.32 montre l'automate associé à l'expression régulière **c***.

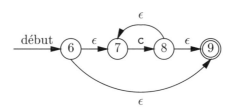

Figure 10.32 : Automate associé à **c***.

Ensuite, on applique l'opérateur de concaténation aux expressions **b** et **c***. On se sert de la construction de la figure 10.29(b), et l'automate résultant est représenté par la figure 10.33.

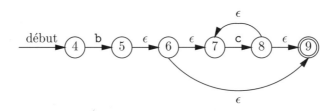

Figure 10.33 : Automate associé à **bc***.

Enfin, on applique l'opérateur d'union aux expressions **a** et **bc***. La construction utilisée est celle de la figure 10.29(a), et nous avons appelé 0 et 3 les nouveaux états introduits. L'automate résultant apparaît à la figure 10.27. ✦

Elimination des epsilon-transitions

Dans un automate, si l'on se trouve dans un état s quelconque comportant des ϵ-transitions, on se trouve en réalité dans le même temps dans chaque état accessible à partir de s en suivant un chemin d'arcs étiquetés par ϵ. En effet, quelle que soit la chaîne étiquetant le chemin qui nous a mené dans l'état s, cette même chaîne sera l'étiquette du chemin étendu en ajoutant les ϵ-transitions.

✦ **Exemple 10.26.** Dans la figure 10.27, on peut atteindre l'état 5 en suivant un chemin étiqueté par b. A partir de l'état 5, on peut atteindre les états 6, 7, 9, et 3 en suivant les arcs étiquetés par ϵ. Ce qui signifie que si nous sommes dans l'état 5, nous sommes aussi, de fait, dans ces quatre autres états. Par exemple, comme 3 est un état d'acceptation, on peut considérer que l'état 5 est également un état d'acceptation, étant donné que toute chaîne nous amenant à l'état 5 nous amène de fait dans l'état 3, et sera du coup acceptée. ✦

La première question à se poser est donc, à partir de chaque état, quels sont les états accessibles en suivant uniquement des ϵ-transitions ? Nous avons donné un algorithme qui répond à cette question au paragraphe 9.7, lorsque nous avons étudié l'atteignabilité comme une application de la recherche en profondeur. Pour le problème qui nous occupe, il nous suffit de modifier le graphe de l'automate fini en éliminant toutes les transitions sauf celles sur ϵ. En d'autre termes, pour chaque symbole x, on élimine tous les arcs étiquetés par x. Puis, on effectue une recherche en profondeur sur le reste du graphe à partir de chaque nœud. Les nœuds rencontrés pendant la recherche en profondeur à partir du nœud v forment exactement l'ensemble des nœuds accessibles depuis v en ne suivant que les ϵ-transitions.

Souvenez-vous que la complexité en temps d'une recherche en profondeur est $O(m)$, où m représente le nombre de nœuds ou le nombre d'arcs du graphe, le plus grand des deux. Dans ce cas, il faut effectuer n recherches en profondeur, si le graphe contient n nœuds, ce qui donne une complexité totale de $O(mn)$. Cependant, deux arcs au plus partent d'un nœud donné de l'automate, s'il est construit à partir d'expressions régulières par l'algorithme décrit précédemment. D'où $m \leq 2n$, et $O(mn)$ vaut donc $O(n^2)$.

✦ **Exemple 10.27.** Dans la figure 10.34, on peut voir les arcs qui restent après que les trois arcs de la figure 10.27 étiquetés par un symbole réel a, b, ou c, ont été effacés. La figure 10.35 représente un tableau donnant les informations d'atteignabilité concernant la figure 10.34 ; autrement dit, un 1 dans la rangée i et la colonnne j signifie qu'il existe un chemin de longueur 0 ou plus à partir du nœud i vers le nœud j. ✦

Armé de ces informations d'atteignabilité, on peut construire notre automate équivalent débarrassé de ses ϵ-transitions. L'idée est de rassembler dans une seule transition du nouvel automate un chemin de zéro ϵ-transitions ou plus de l'ancien automate, suivie par une seule transition de l'ancien automate sur un symbole réel. Toutes les transitions

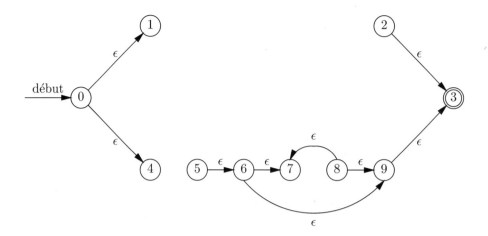

Figure 10.34 : Les ε-transitions de la figure 10.27.

de ce type nous amènent au deuxième état de l'un des automates qui ont été introduits avec la règle de la base de récurrence de la figure 10.28(c), celles prenant en compte les opérandes représentés par des symboles réels. En effet, seuls ces états sont atteints par des arcs étiquetés par des symboles réels. Notre nouvel automate n'a donc besoin que de ces états et de l'état de départ pour former son propre ensemble d'états.

	0	1	2	3	4	5	6	7	8	9
0	1	1			1					
1		1								
2			1	1						
3				1						
4					1					
5				1			1	1	1		1
6				1				1	1		1
7								1			
8				1				1	1	1	
9				1						1	

Figure 10.35 : Tableau d'atteignabilité pour la figure 10.34.

Dans le nouvel automate, il existe une transition de l'état i vers l'état j dont l'étiquette contient le symbole x s'il existe un certain état k tel que

1. L'état k est accessible à partir de l'état i en suivant un chemin de zéro ε-transitions ou plus. On notera que $k = i$ est toujours autorisé.

2. Il existe, dans l'ancien automate, une transition de l'état k vers l'état j, étiquetée par x.

On doit aussi décider quels seront les états d'acceptation du nouvel automate. Comme nous l'avons mentionné, lorsque nous sommes dans un certain état, nous sommes aussi de fait dans chaque état accessible au moyen d'arcs étiquetés par ϵ, et ainsi, dans le nouvel automate, nous déclarerons que i est un état d'acceptation s'il existe, dans l'ancien automate, un chemin formé d'arcs étiquetés par ϵ partant de l'état i et aboutissant à l'état d'acceptation de l'ancien automate. On notera que i pourra lui-même être un état d'acceptation de l'ancien automate qui, du coup, est encore un état d'acceptation dans le nouvel automate.

◆ **Exemple 10.28.** On se propose de convertir l'automate de la figure 10.27 en un automate débarrassé de ses ϵ-transitions, et acceptant le même langage. Tout d'abord, les états dont nous aurons besoin sont l'état 0, qui est l'état initial, ainsi que les états 2, 5, et 8, car ils sont atteints par des arcs étiquetés par un symbole réel.

On commencera par établir les transitions issues de l'état 0. D'après la figure 10.35, les états 0, 1, et 4 sont accessibles à partir de l'état 0 en suivant des chemins composés d'arcs étiquetés par ϵ. On trouve une transition sur a entre les états 1 et 2 et une transition sur b entre les états 4 et 5. Ainsi, dans le nouvel automate, nous aurons une transition de 0 vers 2 étiquetée par a et une autre de 0 vers 5 étiquetée par b. On remarquera que nous avons réduit les chemins $0 \rightarrow 1 \rightarrow 2$ et $0 \rightarrow 4 \rightarrow 5$ de la figure 10.27 à des transitions uniques en leur donnant l'étiquette de la transition non-ϵ contenue dans ces chemins. Comme ni l'état 0, ni les états 1 et 4 atteints le long des chemins étiquetés par ϵ ne sont des états d'acceptation, l'état 0 ne sera pas un état d'acceptation dans le nouvel automate.

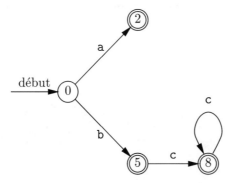

Figure 10.36 : Automate construit à partir de la figure 10.27 en éliminant les ϵ-transitions. On notera que cet automate accepte toutes les chaînes de $L(\mathbf{a} \mid \mathbf{bc}^*)$, et seulement celles-là.

Considérons ensuite les transitions issues de l'état 2. La figure 10.35 nous dit que seuls les états 2 et 3 sont accessibles à partir de 2 en suivant des ϵ-transitions, et qu'il nous faut donc chercher des transitions issues des états 2 et 3, sur des symboles réels.

Comme nous n'en trouvons aucune, nous savons qu'aucune transition ne partira de l'état 2 dans le nouvel automate. Toutefois, comme 3 est un état d'acceptation, et que 2 atteint 3 via des ϵ-transitions, nous décidons que 2 sera un état d'acceptation dans le nouvel automate.

Lorsqu'on considère l'état 5, la figure 10.35 nous suggère de regarder les états 3, 5, 6, 7, et 9. Parmi ceux-là, seul l'état 7 est à l'origine d'une transition non-ϵ; elle est étiquetée par c et mène à l'état 8. Ainsi, dans le nouvel automate, la seule transition issue de l'état 5 est une transition sur c vers l'état 8. Comme il atteint l'état d'acceptation 3 en suivant des arcs étiquetés par ϵ, on décide que 5 sera un état d'acceptation du nouvel automate.

Enfin, nous devons examiner les transitions issues de l'état 8. En raisonnant de la même façon que pour l'état 5, on arrive à la conclusion que, dans le nouvel automate, la seule transition issues de l'état 8 est dirigée vers lui-même et est étiquetée par c. L'état 8 est donc un état d'acceptation du nouvel automate.

La figure 10.36 montre le nouvel automate. On remarquera que l'ensemble des chaînes qu'il accepte correspond exactement à celles contenues dans $L(\mathbf{a} \mid \mathbf{bc}^*)$, c'est-à-dire la chaîne a (qui nous mène à l'état 2), la chaîne b (qui nous mène à l'état 5), et les chaînes bc, bcc, bccc, etc., qui nous mènent toutes à l'état 8. Il se trouve que l'automate de la figure 10.36 est déterministe. Dans le cas contraire, nous aurions dû utiliser la construction de sous-ensembles pour le convertir en automate déterministe, si nous avions souhaité concevoir un programme capable de reconnaître les chaînes de l'expression régulière initiale. ✦

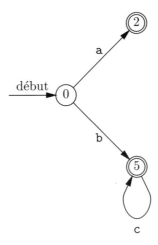

Figure 10.37 : Automate simplifié pour le langage $L(\mathbf{a} \mid \mathbf{bc}^*)$.

Soit dit en passant, il existe un automate déterministe plus simple qui accepte le même langage que celui de la figure 10.36. Cet automate est montré à la figure 10.37. En effet, nous obtenons l'automate amélioré en réalisant que les états 5 et 8 sont équivalents et peuvent être fusionnés. L'état résultant est appelé 5 dans la figure 10.37.

EXERCICES

10.8.1 : Construisez des automates avec ϵ-transitions pour les expressions régulières suivantes.

a) **aaa** *Une indication* : N'oubliez pas de créer un nouvel automate pour chaque occurrence de l'opérande **a**.

b) **(ab | ac)***

c) **(0 | 1 | 1***)***

10.8.2 : Pour chaque automate construit à l'exercice 10.8.1, trouvez les ensembles de nœuds accessibles pour le graphe formé à partir des arcs étiquetés par ϵ. On notera que, lors de la construction de l'automate sans ϵ-transition, il suffit de construire les ensembles d'états accessibles à partir de l'état de départ et des états qui comportent des transitions non-ϵ.

10.8.3 : Pour chaque automate de l'exercice 10.8.1, construisez un automate équivalent sans ϵ-transition.

10.8.4 : Quels sont les automates de l'exercice 10.8.3 qui sont déterministes ? Pour ceux qui ne le sont pas, construisez un automate déterministe équivalent.

10.8.5 : * Pour les automates déterministes construits aux exercices 10.8.3 et 10.8.4, existe-t-il des automates déterministes équivalents comportant moins d'états ? Si oui, trouvez les automates minimaux.

10.8.6 : * Notre construction d'un automate à ϵ-transitions à partir d'une expression régulière peut se généraliser pour y inclure les expressions utilisant les opérateurs étendus du paragraphe 10.7. Cette assertion est vraie en principe, car chacune de ces extensions est un raccourci d'une expression régulière « ordinaire », qu'on pourrait substituer à l'opérateur étendu. Toutefois, il est également possible d'incorporer les opérateurs étendus directement dans notre construction. Donnez les modifications à apporter à la construction pour prendre en compte

a) l'opérateur ? (zéro ou une occurrence)

b) l'opérateur $^+$ (une occurrence ou plus)

c) les classes de caractères.

10.8.7 : On peut modifier le cas de la concaténation dans notre algorithme pour convertir une expression régulière en automate. Dans la figure 10.29(b), nous avons introduit une ϵ-transition allant de l'état d'acceptation de l'automate associé à R_1 jusqu'à l'état initial de l'automate associé à R_2. On peut aussi fusionner l'état d'acceptation de R_1 avec l'état initial de R_2, comme le montre la figure 10.38. Construire un automate pour l'expression régulière **ab*c** à l'aide des deux algorithmes, l'original et le modifié.

10.9 Des automates aux expressions régulières

Dans ce paragraphe, nous démontrerons l'autre partie de l'équivalence entre les automates et les expressions régulières, en prouvant que pour tout automate A, il existe

Figure 10.38 : Autre automate possible pour la concaténation de deux expressions régulières.

une expression régulière dont le langage est exactement l'ensemble des chaînes acceptées par A. Bien qu'on suive la plupart du temps la direction étudiée au paragraphe précédent, où nous avions converti des « concepts » sous forme d'expressions régulières en programmes, la direction inverse, qui fait partir des automates, est également intéressante et instructive. Elle complète, avec force, la démonstration de l'équivalence entre deux notations radicalement différentes pour la description des motifs.

Notre construction passe par l'élimination progressive de chaque état d'un automates. De la manière dont nous procédons, on remplace les étiquettes des arcs, qui sont initialement des ensembles de caractères, par des expressions régulières plus compliquées. Au départ, si l'on est en présence de l'étiquette $\{x_1, x_2, \ldots, x_n\}$ sur un arc, on la remplace par l'expression régulière $x_1 \mid x_2 \mid \cdots \mid x_n$, qui représente essentiellement le même ensemble de symboles, bien qu'en toute rigueur, l'expression régulière représente des chaînes de longueur 1.

Le plus souvent, on peut considérer l'étiquette d'un chemin comme la concaténation des expressions régulières le long de ce chemin, ou comme le langage défini par la concaténation de ces expressions. Cette manière de voir est cohérente avec notre notion de chemin étiqueté par une chaîne. Autrement dit, si les arcs d'un chemin sont étiquetés par les expressions régulières $R_1, R_2, \ldots, R_n$, dans cet ordre, alors le chemin est étiqueté par w si et seulement si la chaîne w se trouve dans le langage $L(R_1 R_2 \cdots R_n)$.

◆ **Exemple 10.29.** Considérons le chemin $0 \to 1 \to 2$ de la figure 10.39. Les expressions régulières étiquetant les arcs sont **a** $\mid$ **b** et **a** $\mid$ **b** $\mid$ **c**, dans cet ordre. L'ensemble des chaînes étiquetant ce chemin est donc celui du langage défini par l'expression régulière

$(\mathbf{a} \mid \mathbf{b})(\mathbf{a} \mid \mathbf{b} \mid \mathbf{c})$,

c'est-à-dire, $\{\mathtt{aa}, \mathtt{ab}, \mathtt{ac}, \mathtt{ba}, \mathtt{bb}, \mathtt{bc}\}$. ◆

Figure 10.39 : Chemin avec des expressions régulières en guise d'étiquettes. L'étiquette du chemin est le langage de ces expressions régulières concaténées.

La construction par élimination d'états

L'étape-clé de la transformation d'un automate en expression régulière est l'élimination d'états, illustrée dans la figure 10.40. On souhaite éliminer l'état u, mais on doit conserver les étiquettes d'expressions régulières présentes sur les arcs de façon que l'ensemble des étiquettes de chemins entre deux quelconques des états restants ne soit pas modifié. Dans la figure 10.40, les prédecesseurs de l'état u sont $s_1, s_2, \ldots, s_n$, et ses successeurs sont $t_1, t_2, \ldots, t_m$. Bien que nous ayons vu que les s et les t étaient des ensembles d'états disjoints, il se pourrait en réalité que certains états soient communs aux deux groupes.

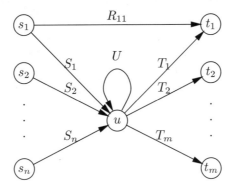

Figure 10.40 : On souhaite éliminer l'état u.

Toutefois, si u est son propre successeur, on représentera ce fait explicitement par un arc étiqueté U. Si ce type de boucle n'existe pas sur l'état u, nous introduirons un arc portant l'étiquette $\emptyset$. Un arc étiqueté par $\emptyset$ est « absent », car la concaténation d'une étiquette de chemin quelconque avec cet arc se traduira par une concaténation d'expressions régulières contenant $\emptyset$. $\emptyset$ étant absorbant pour la concaténation, toutes les concaténations de ce type définiront le langage vide.

Nous avons aussi montré de manière explicite un arc reliant s_1 à t_1, et étiqueté par R_{11}. De façon générale, on supposera que pour tout $i = 1, 2, \ldots, n$, et pour tout $j = 1, 2, \ldots, m$, il existe un arc reliant s_i à t_j, étiqueté par une expression régulière R_{ij}. Si l'arc $s_i \rightarrow t_j$ est en fait absent, on peut l'introduire en lui attribuant l'étiquette $\emptyset$.

Enfin, dans la figure 10.40, il existe un arc issu de chaque s_i et dirigé vers u, étiqueté par l'expression régulière S_i, et il existe un arc de u vers chaque t_j, étiqueté par l'expression régulière T_j. Si l'on élimine le noeud u, ces arcs, de même que celui étiqueté par U dans la figure 10.40 seront supprimés. Pour préserver l'ensemble des chaînes étiquetant les chemins, on doit considérer chaque paire s_i et t_j, et ajouter à l'étiquette de l'arc $s_i \rightarrow t_j$ une expression régulière qui prend en compte ce qui a disparu.

Avant d'éliminer u, l'ensemble des chaînes étiquetant les chemins de s_i à u, y compris celles passant par la boucle $u \rightarrow u$ plusieurs fois, puis de u à t_j, est décrit par l'expression régulière $S_i U^* T_j$. Autrement dit, une chaîne de $L(S_i)$ nous mène de s_i à u; une chaîne de $L(U^*)$ nous mène de u à u, en suivant la boucle zéro, une, ou plusieurs fois. Enfin, une chaîne de $L(T_j)$ nous mènera de u à t_j.

Ensuite, après avoir éliminé u et tous les arcs partant ou menant à u, on doit remplacer R_{ij}, l'étiquette de l'arc $s_i \rightarrow t_j$, par

$$R_{ij} \mid S_i U^* T_j$$

Il existe un bon nombre de cas particuliers utiles. D'abord, si $U = \emptyset$, c'est-à-dire que la boucle sur u n'a pas d'existence réelle, alors $U^* = \emptyset^* = \epsilon$. Comme ϵ représente la constante identité pour la concaténation, $(S_i\epsilon)T_j = S_iT_j$; autrement dit, U a vraiment disparu, comme prévu. De même, si $R_{ij} = \emptyset$, ce qui signifie qu'aucun arc n'a pu être construit de s_i vers t_j, on introduit cet arc, et on lui attribue l'étiquette $S_iU^*T_j$, ou simplement S_iT_j, si $U = \emptyset$. Cette dernière action est justifiée par le fait que $\emptyset$ est la constante identité pour l'union, et donc que $\emptyset \mid S_iU^*T_j = S_iU^*T_j$.

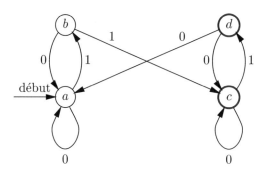

Figure 10.41 : Automate fini pour le filtre à rebonds.

✦ **Exemple 10.30.** Considérons l'automate du filtre à rebonds de la figure 10.5, que nous avons reproduit ici, à la figure 10.41. Supposons que l'on veuille éliminer l'état b, et lui faire jouer ainsi le rôle de l'état u de la figure 10.40. L'état b a un prédécesseur, a, et deux successeurs, a et c. Il n'existe aucune boucle sur b, et nous en introduisons donc une, étiquetée par $\emptyset$. Il existe un arc de a vers lui-même, d'étiquette **0**. Comme a est aussi bien prédécesseur que successeur de b, cet arc est utile pour la transformation. La seule autre paire prédécesseur-successeur est a et c. Comme il n'existe aucun arc $a \rightarrow c$, on l'ajoute en lui attribuant l'étiquette $\emptyset$. Le diagramme des états et des arcs pertinents est montré à la figure 10.42.

Pour la paire a–a, on remplace l'étiquette de l'arc $a \rightarrow a$ par **0** | **1**$\emptyset$***0**. Le terme **0** représente l'étiquette initiale de l'arc, **1** est celle de l'arc $a \rightarrow b$, $\emptyset$ est celle de la boucle $b \rightarrow b$, et le second **0** est celle de l'arc $b \rightarrow a$. On peut simplifier, comme nous l'avons décrit plus haut, pour éliminer $\emptyset^*$, il nous reste alors l'expression **0** | **10**. La logique est respectée. Dans la figure 10.41, les chemins de a vers a, et passant par b zéro fois ou plus, mais en ne passant par aucun autre état, possèdent l'ensemble d'étiquettes $\{0, 10\}$.

La paire a–c est gérée de la même manière. On remplace l'étiquette $\emptyset$ sur l'arc $a \rightarrow c$ par $\emptyset$ | **1**$\emptyset$***1**, ce qui se simplifie en **11**. Là encore, la logique est respectée, sachant que dans la figure 10.41, le seul chemin de a vers c, via b, porte l'étiquette **11**. Lorsqu'on élimine le noeud b et qu'on modifie l'étiquette des chemins, la figure 10.41 devient la figure 10.43. On notera que dans cet automate, certains arcs portent des étiquettes qui sont des expressions régulières dont les langages associés contiennent des chaînes de caractères de longueur supérieure à 1. Toutefois, l'ensemble des étiquettes de chemins passant par les états a, c, et d n'a pas changé depuis la figure 10.41. ✦

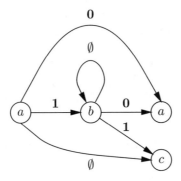

Figure 10.42 : L'état b, ses prédécesseurs et ses successeurs.

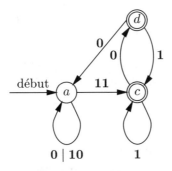

Figure 10.43 : Automate du filtre à rebonds après élimination de l'état b

Réduction complète des automates.

Pour obtenir une expression régulière qui décrive toutes les chaînes acceptées par un automate A, et seulement celles-là, on considère un par un chaque état d'acceptation t de A. Chaque chaîne acceptée par A l'est parce qu'elle est l'étiquette d'un chemin, qui va de l'état de départ s à un état d'acceptation t. On peut développer une expression régulière pour les chaînes qui nous mènent de s à un état d'acceptation particulier t, de la façon suivante.

On élimine les uns après les autres les états de A, jusqu'à ne garder que les états s et t. A ce stade, l'automate ressemble à celui de la figure 10.44. Nous avons montré tous les arcs possibles, au nombre de quatre, chacun étiqueté par une expression régulière. Parmi les arcs possibles, si certains ne sont pas présents, on pourra les introduire, en leur donnant l'étiquette $\emptyset$.

Il faut maintenant trouver l'expression régulière qui décrit l'ensemble d'étiquettes de chemins commençant à s et finissant à t. Une manière d'exprimer cette ensemble

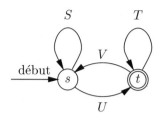

Figure 10.44 : Un automate réduit à deux états.

de chaînes est de constater que chacun de ces chemins commencent par atteindre t une première fois, puis bouclent sur t zéro fois ou plus, en passant éventuellement par s. L'ensemble des chaînes qui nous mènent à t pour la première fois est $L(S^*U)$. Autrement dit, on se sert de chaînes de $L(S)$ zéro fois ou plus, qui nous maintiennent dans l'état s un certain temps, puis on suit une chaîne de $L(U)$. On peut rester dans l'état t soit en suivant une chaîne de $L(T)$, qui nous emmène de t vers t, soit en suivant une chaîne de VS^*U, qui nous emmène vers l'état s, nous maintient un certain temps en s, puis nous fait revenir à t. On peut suivre zéro chaîne ou plus de ces deux groupes, dans n'importe quel ordre, ce qu'on peut exprimer par $(T \mid VS^*U)^*$. Ainsi, l'ensemble des chaînes permettant de passer de l'état s à l'état t peut être décrit par l'expression régulière suivante :

$$S^*U(T \mid VS^*U)^* \tag{10.4}$$

Il existe un cas particulier, celui où l'état de départ s est lui-même un état d'acceptation. Dans ce cas, il existe des chaînes qui sont acceptées parce qu'elles empruntent l'automate A de s jusqu'à s. On élimine tous les états hormis l'état s, laissant un automate ressemblant à celui de la figure 10.45. L'ensemble des chaînes qui empruntent A de s jusqu'à s est $L(S^*)$. On pourra donc utiliser S^* comme une expression régulière prenant en compte le cas où s est un état d'acceptation.

Figure 10.45 : Automate réduit au seul état de départ.

L'algorithme complet permettant de convertir un automate A comportant un état de départ s en son expression régulière équivalente est donné ci-dessous. Pour chaque état d'acceptation t, on élimine les états de A jusqu'à ne garder que les états s et t. Bien entendu, pour chaque nouvel état t, on recommence à partir de l'automate A initial.

Si $s \neq t$, on utilise la formule (10.4) pour obtenir une expression régulière dont le langage associé est l'ensemble des chaînes qui font passer A de s à t. Si $s = t$, on utilise comme expression régulière S^*, où S est l'étiquette de l'arc $s \rightarrow s$. Ensuite, on prend l'union des expressions régulières obtenues pour chaque état d'acceptation t. Le langage associé à cette expression est exactement l'ensemble des chaînes acceptées par A.

◆ **Exemple 10.31.** Construisons l'expression régulière de l'automate du filtre à rebonds de la figure 10.41. Comme c et d sont des états d'acceptation, il faut

1. Eliminer les états b et d de la figure 10.41, pour obtenir un automate ne comportant que les états a et c.

2. Eliminer les états b et c de la figure 10.41, pour obtenir un automate ne comportant que les états a et d.

Sur la figure 10.43, le chemin est déjà à demi effectué, pour un objectif comme pour l'autre, car il faut dans chaque cas éliminer l'état b. Pour (1), commençons par éliminer l'état d de la figure 10.43. Il existe un chemin d'étiquette **00** de c à a via d, et on devra donc introduire un arc étiqueté par **00** de c à a. Il existe un chemin d'étiquette **01** de c vers lui-même, via d, et on doit donc ajouter l'étiquette **01** sur la boucle allant de c à c. L'étiquette de cette boucle devient alors **1 | 01**. L'automate résultant de ces opérations est montré à la figure 10.46.

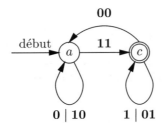

Figure 10.46 : L'automate de la figure 10.41 réduit aux états a et c.

A présent, pour réaliser l'objectif (2) on part également de la figure 10.43 et l'on élimine cette fois-ci l'état c. Dans la figure 10.43, on peut passer de l'état a à l'état d via c, et l'expression régulière décrivant les chaînes possibles est **111*0** [8]. Autrement dit, **11** nous fait passer de a à c, **1*** nous permet de boucler en c zéro fois ou plus, et finalement **0** nous amène de c à d. On introduit donc un arc d'étiquette **111*0** de a à d. De même, dans la figure 10.43, on peut aller de d vers lui-même, via c, en suivant les chaînes de **11*0**. Cette expression devient donc l'étiquette d'une boucle en d. L'automate réduit est montré à la figure 10.47.

---

[8] N'oubliez pas que, du fait de la préséance de * sur la concaténation, **111*0** se découpe en **11(1*)0**, et représente les chaînes constituées de deux 1 suivis d'un 0.

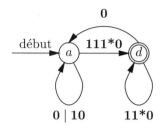

Figure 10.47 : L'automate de la figure 10.41 réduit aux états a et d.

On pourrait maintenant appliquer la formule donnée en (10.4) aux automates des figures 10.46 et 10.47. Pour la figure 10.46, on a $S = \mathbf{0} \mid \mathbf{10}$, $U = \mathbf{11}$, $V = \mathbf{00}$, et $T = \mathbf{1} \mid \mathbf{01}$. L'ensemble des chaînes qui conduisent l'automate de la figure 10.41 de l'état a à l'état d'acceptation c est donc décrit par l'expression régulière

$$(\mathbf{0} \mid \mathbf{10})^*\mathbf{11}\big((\mathbf{1} \mid \mathbf{01}) \mid \mathbf{00}(\mathbf{0} \mid \mathbf{10})^*\mathbf{11}\big)^* \tag{10.5}$$

et les chaînes qui mènent de l'état a à l'état d'acceptation d sont décrites par l'expression

$$(\mathbf{0} \mid \mathbf{10})^*\mathbf{111}^*\mathbf{0}\big(\mathbf{11}^*\mathbf{0} \mid \mathbf{0}(\mathbf{0} \mid \mathbf{10})^*\mathbf{111}^*\mathbf{0}\big)^* \tag{10.6}$$

L'expression qui décrit les chaînes acceptées par l'automate du filtre à rebonds est l'union de (10.5) et (10.6), soit

$$\Big((\mathbf{0} \mid \mathbf{10})^*\mathbf{11}\big((\mathbf{1} \mid \mathbf{01}) \mid \mathbf{00}(\mathbf{0} \mid \mathbf{10})^*\mathbf{11}\big)^*\Big) \mid$$
$$\Big((\mathbf{0} \mid \mathbf{10})^*\mathbf{111}^*\mathbf{0}\big(\mathbf{11}^*\mathbf{0} \mid \mathbf{0}(\mathbf{0} \mid \mathbf{10})^*\mathbf{111}^*\mathbf{0}\big)^*\Big)$$

On ne peut faire beaucoup mieux pour simplifier cette expression. On a un facteur initial commun $(\mathbf{0} \mid \mathbf{10})^*\mathbf{11}$, mais pas grand chose d'autre en commun. On peut également éliminer les parenthèses autour du facteur $(\mathbf{1} \mid \mathbf{01})$ dans (10.5), car l'union est associative. L'expression qui en résulte est

$$(\mathbf{0} \mid \mathbf{10})^*\mathbf{11}\Big((\mathbf{1} \mid \mathbf{01} \mid \mathbf{00}(\mathbf{0} \mid \mathbf{10})^*\mathbf{11})^* \mid \mathbf{1}^*\mathbf{0}(\mathbf{11}^*\mathbf{0} \mid \mathbf{0}(\mathbf{0} \mid \mathbf{10})^*\mathbf{111}^*\mathbf{0})^*\Big)$$

Vous vous souvenez peut-être que nous avions suggéré une expression régulière beaucoup plus simple pour le même langage :

$$(\mathbf{0} \mid \mathbf{1})^*\mathbf{11}(\mathbf{1} \mid \mathbf{01})^*(\epsilon \mid \mathbf{0})$$

Cette différence nous rappelle qu'il peut y avoir plus d'une expression régulière pour décrire le même langage, et que l'expression obtenue par conversion d'un automate n'est pas nécessairement la plus simple pour ce langage. ✦

EXERCICES

10.9.1 : Trouvez une expression régulière pour les automates de

a) la figure 10.4,

b) la figure 10.10,

c) la figure 10.11,

d) la figure 10.13,

e) la figure 10.14,

f) la figure 10.18,

g) la figure 10.21.

Vous souhaiterez peut-être utiliser les raccourcis du paragraphe 10.6.

10.9.2 : Convertissez les automates de l'exercice 10.4.1 en expressions régulières.

10.9.3 : * Montrez que pour décrire l'ensemble de chaînes qui font passer de l'état s à l'état t à la figure 10.44, on aurait pu utiliser cette autre expression régulière : $(S \mid UT^*V)^*UT^*$.

10.9.4 : Comment pourrait-on modifier la construction décrite dans ce paragraphe pour que des automates avec ϵ-transitions puissent générer ces expressions régulières ?

10.10   Résumé du chapitre 10

La construction de sous-ensembles du paragraphe 10.4, ainsi que les conversions des paragraphes 10.8 et 10.9, nous enseignent qu'il existe trois manières différentes, mais de puissances exactement équivalentes, pour décrire les langages. Autrement dit, les trois assertions suivantes concernant un langage L sont soit toutes vraies, soit toutes fausses.

1. Il existe un automate déterministe qui accepte toutes les chaînes de L, et uniquement celles-là.

2. Il existe un automate (qui peut être non-déterministe) qui accepte toutes les chaînes de L, et uniquement celles-là.

3. L est égal à $L(R)$ pour une expression régulière R.

La construction de sous-ensembles montre que (2) implique (1). Evidemment (1) implique (2), puisqu'un automate déterministe est un cas particulier d'automate non-déterministe. Nous avons démontré que (3) implique (2) au paragraphe 10.8, et que (2) implique (3) au paragraphe 10.9. Donc (1), (2), et (3) sont toutes équivalentes.

En plus de ces équivalences, on retirera quelques idées importantes du chapitre 10.

✦ Les automates déterministes peuvent servir comme base à des programmes de reconnaissance de toutes sortes de motifs dans des chaînes de caractères.

✦ Les expressions régulières se révèlent souvent pratiques pour la description de motifs.

✦ Il existe des lois algébriques pour les expressions régulières qui rendent le comportement de l'union et la concaténation semblable sur de nombreux points à celui de + et ×, malgré quelques différences.

10.11   Notes bibliographiques du chapitre 10

Le lecteur pourra en apprendre plus sur la théorie des automates et des langages s'il se réfère à Hopcroft et Ullman [1979].

Le modèle de l'automate pour le traitement des chaînes a été publié pour la première fois sous une forme très proche de celle-ci par Huffman [1954], bien que de nombreux modèles similaires aient été étudiés auparavant et au même moment ; on pourra en trouver l'historique chez Hopcroft et Ullman [1979]. Les expressions régulières et leurs équivalences avec les automates viennent de Kleene [1956]. Les automates non-déterministes et la construction de sous-ensembles sont dus à Rabin et Scott [1959]. La construction d'automates non-déterministes à partir d'expressions régulières que nous avons utilisée au paragraphe 10.8 est due à McNaughton et Yamada [1960], tandis que la construction inverse, au paragraphe 10.9 est tirée de l'article de Kleene.

L'utilisation des expressions régulières comme moyen de décrire des motifs dans des chaînes de caractères est apparue pour la première fois dans le système QED de Ken Thompson (Thompson [1968]), et de nombreuses commandes de son système UNIX ont été plus tard influencées par les mêmes idées. On trouve dans les logiciels système beaucoup d'autres applications des expressions régulières, dont un grand nombre est décrit dans Aho, Sethi, et Ullman [1986].

Aho, A. V., R. Sethi, et J. D. Ullman [1989]. *Compilateurs. Principes, techniques, et outils*, InterEditions, Paris.

Hopcroft, J. E. et J. D. Ullman [1979]. *Introduction to Automata Theory, Languages, and Computation*, Addison Wesley, Reading, Mass.

Huffman, D. A. [1954]. « The synthesis of sequential switching machines », *Journal of the Franklin Institute* **257**:3-4, pp. 161–190 et 275–303.

Kleene, S. C. [1956]. « Representation of events in nerve nets and finite automata », in *Automata Studies* (C. E. Shannon et J. McCarthy, eds.), Princeton University Press.

McNaughton, R. et H. Yamada [1960]. « Regular expressions and state graphs for automata », *IEEE Trans. on Computers* **9**:1, pp. 39–47.

Rabin, M. O. et D. Scott [1959]. « Finite automata and their decision problems », *IBM J. Research and Development* **3**:2, pp. 115–125.

Thompson, K. [1968]. « Regular expression search algorithm », *Comm. ACM* **11**:6, pp. 419–422.

CHAPITRE 11

Description
récursive
de motifs

Dans le chapitre précédent, nous avons vu deux façons équivalentes de décrire des motifs. L'une était liée à la théorie des graphes, et se servait des étiquettes des chemins contenus dans une sorte de graphe appelé « automate ». L'autre était algébrique, et faisait appel à la notation des expressions régulières. Dans ce chapitre, nous aborderons une troisième manière de décrire des motifs, qui fera appel à une définition récursive appelée « grammaire non-contextuelle » (on dira « grammaire » pour aller plus vite).

Les grammaires trouvent une importante application dans la spécification de langages de programmation. Ce sont des notations concises qui permettent de décrire la syntaxe des langages de programmation classiques ; nous en verrons de nombreux exemples dans ce chapitre. De plus, il est possible de transformer mécaniquement une grammaire décrivant un langage de programmation typique en « analyseur », l'une des parties-clés d'un compilateur de langage. L'analyseur fait apparaître la structure du programme source, souvent sous la forme d'un arbre d'expression pour chaque instruction du programme.

11.1   Le propos de ce chapitre

Ce chapitre s'attachera particulièrement aux sujets suivants :

✦   Les grammaires, et comment les utiliser pour définir des langages (paragraphes 11.2 et 11.3).

✦   Les arbres d'analyse, qui sont des représentations en arbre qui affichent la structure des chaînes, selon une grammaire donnée (paragraphe 11.4).

✦   L'ambiguïté, le problème qui survient quand une même chaîne possède deux arbres d'analyse différents ou plus, et ne présente donc pas une « structure » unique, en regard d'une grammaire donnée (paragraphe 11.5).

◆ Une manière de transformer une grammaire en analyseur, qui est en fait un algorithme permettant de décider si une chaîne donnée appartient à un langage (paragraphes 11.6 et 11.7).

◆ Une démonstration que les grammaires sont plus puissantes que les expressions régulières pour décrire les langages (paragraphe 11.8). On commencera par prouver que les grammaires sont au moins aussi descriptives que les expressions régulières en montrant comment simuler une expression régulière avec une grammaire. Puis, on décrira un langage particulier qui peut être spécifié par une grammaire mais par aucune expression régulière.

11.2   Grammaires non-contextuelles

Les expressions arithmétiques peuvent être définies simplement à l'aide d'une définition récursive. L'exemple suivant illustre la manière dont fonctionne la définition. Considérons les expressions arithmétiques qui mettent en jeu

1. Les quatre opérateurs binaires $+$, $-$, $*$, et $/$,

2. Des parenthèses qui permettent les regroupements, et

3. Des opérandes qui sont des nombres.

La définition habituelle de ce genre d'expression est une récurrence de la forme :

LA BASE. Un nombre est une expression.

LA RÉCURRENCE. Si E est une expression, alors tout ce qui suit est également une expression :

a) (E). Autrement dit, on peut placer des parenthèses autour d'une expression pour obtenir une nouvelle expression.

b) $E + E$. Autrement dit, deux expressions reliées par une signe plus forment une expression.

c) $E - E$. Cette règle ainsi que les deux suivantes est analogue à (2), mais avec les autres opérateurs.

d) $E * E$.

e) E/E.

Cette récurrence définit un langage, c'est-à-dire un ensemble de chaînes. La base de la récurrence affirme que tout nombre se trouve dans le langage. La règle (a) affirme que si s est une chaîne du langage, la chaîne parenthésée (s) également ; cette chaîne est s précédée d'une parenthèse gauche et suivie d'une parenthèse droite. Les règles (b) à (e) disent que si s et t sont deux chaînes du langage, alors les chaînes $s+t$, $s-t$, $s*t$, et s/t en font également partie.

Les grammaires permettent d'écrire ce type de règles de manière condensée et précise. En guise d'exemple, nous pourrions écrire notre définition des expressions arithmétiques à l'aide de la grammaire donnée en figure 11.1.

(1)   *<Expression>* $\rightarrow$ *nombre*
(2)   *<Expression>* $\rightarrow$ (*<Expression>*)
(3)   *<Expression>* $\rightarrow$ *<Expression>* + *<Expression>*
(4)   *<Expression>* $\rightarrow$ *<Expression>* − *<Expression>*
(5)   *<Expression>* $\rightarrow$ *<Expression>* * *<Expression>*
(6)   *<Expression>* $\rightarrow$ *<Expression>* / *<Expression>*

Figure 11.1 : Grammaire pour des expressions arithmétiques simples.

Les symboles utilisés dans la figure 11.1 demande quelques explications. Le symbole

<Expression>

s'appelle une **catégorie syntactique** ; il représente une chaîne quelconque dans le langage des expressions arithmétiques. Le symbole $\rightarrow$ signifie « peut être composé de ». Par exemple, la règle (2) de la figure 11.1 établit qu'une expression peut être composée d'une parenthèse gauche, suivie d'une expression quelconque, suivie d'une parenthèse droite. La règle (3) affirme qu'une expression peut être composée de n'importe quelle expression, du caractère +, et d'une autre expression. Les règles (4) à (6) sont semblables à la règle (3).

La règle (1) est différente parce que le symbole *nombre* à droite de la flèche ne représente pas une chaîne littérale, mais n'importe quelle chaîne interprétable comme un nombre. On montrera plus tard comment les nombres peuvent être définis grammaticalement, mais pour le moment, considérons que *nombre* est un symbole abstrait, et que les expressions font appel à ce symbole pour représenter un opérande atomique quelconque.

La terminologie des grammaires

Trois sortes de symboles peuvent apparaître dans les grammaires. Les premiers sont les « **métasymboles** », qui jouent un rôle particulier et ne sont pas pris pour eux-mêmes. Le seul exemple que nous ayons vu jusqu'ici est le symbole $\rightarrow$, qui est utilisé pour séparer la catégorie syntactique en cours de définition de la manière dont les chaînes de cette catégorie syntactique pourrait être construites. La deuxième sorte de symboles regroupe les catégories syntactiques qui, comme nous l'avons dit, représentent un ensemble de chaînes en cours de définition. La troisième espèce regroupe les symboles dits **terminaux**. Les symboles terminaux peuvent être des caractères, comme + ou (, ou encore des symboles abstraits comme *nombre*, qui représentent une ou plusieurs chaînes, en attente d'une définition ultérieure.

Une grammaire est constituée d'une ou plusieurs **productions**. Chaque ligne de la figure 11.1 est une production. En général, une production se compose de trois parties :

1. Une **tête**, qui est la catégorie syntactique à gauche de la flèche,

2. Le métasymbole $\rightarrow$, et

3. Un **corps**, constitué de 0 catégorie syntactique ou plus et/ou de symboles terminaux à droite de la flèche.

Conventions de notation

Les catégories syntactiques sont indiquées par un nom en italiques, entouré par des chevrons, par exemple *<Expression>*. Les symboles terminaux présents dans les productions seront indiqués soit par un **x** en caractères gras, représentant la chaîne **x** (par analogie avec la convention utilisée pour les expressions régulières expressions), soit par une chaîne de caractères en italique sans chevron dans le cas d'un symbole abstrait, comme *nombre*.

On utilise le métasymbole ϵ pour représenter un corps vide. La production $<S> \to \epsilon$ signifie donc que la chaîne vide se trouve dans le langage de la catégorie syntactique $<S>$. On regroupe parfois les corps concernant la même catégorie syntactique en une seule production, en les reliant par le métasymbole $|$, qu'on peut lire « ou ». Par exemple, s'il existe des productions

$$<S> \to B_1, \; <S> \to B_2, \ldots, <S> \to B_n$$

où les B sont chacun le corps d'une production issue de la catégorie syntactique $<S>$, on peut écrire ces productions ainsi :

$$<S> \to B_1 \mid B_2 \mid \cdots \mid B_n$$

Par exemple, dans la règle (2) de la figure 11.1, la tête est $<Expression>$, et le corps consiste en trois symboles : le terminal **(**, la catégorie syntactique $<Expression>$, et le terminal **)**.

✦ **Exemple 11.1.** On peut élargir la définition des expressions avec laquelle nous avions commencé ce paragraphe en fournissant une définition de *nombre*. On suppose queles nombres sont des chaînes composées d'un ou plusieurs chiffres. En prenant la notation étendue du paragraphe 10.6 pour les expressions régulières, on pourrait dire

$$chiffre = [\textbf{0-9}]$$
$$nombre = chiffre^+$$

Toutefois, on peut aussi exprimer la même idée à l'aide d'une notation grammaticale. On pourrait écrire les productions

$$<Chiffre> \to \textbf{0} \mid \textbf{1} \mid \textbf{2} \mid \textbf{3} \mid \textbf{4} \mid \textbf{5} \mid \textbf{6} \mid \textbf{7} \mid \textbf{8} \mid \textbf{9}$$

$$<Nombre> \to <Chiffre>$$
$$<Nombre> \to <Nombre> <Chiffre>$$

On remarquera que, par l'application de notre convention concernant le métasymbole $|$, la première ligne est un raccourci pour les dix productions

$$<Chiffre> \to \textbf{0}$$
$$<Chiffre> \to \textbf{1}$$
$$\cdots$$
$$<Chiffre> \to \textbf{9}$$

On aurait pu de la même façon combiner les deux productions issues de $<Nombre>$

Motifs grammaticaux fréquents

L'exemple 11.1 s'appuyait sur les deux productions issues de $<Nombre>$ pour dire « un nombre est une chaîne de un ou plusieurs chiffres ». Ce motif est fréquemment rencontré. En général, si l'on dispose d'une catégorie syntactique $<X>$, et que Y est soit un terminal soit une autre catégorie syntactique, les productions

$$<X> \rightarrow <X>Y \mid Y$$

établissent que toute chaîne constituée d'un ou plusieurs Y est un $<X>$. Ou encore, si l'on adopte la notation des expressions régulières, $<X> = Y^+$. De la même manière, les productions

$$<X> \rightarrow <X>Y \mid \epsilon$$

établissent que chaque chaîne composée de zéro Y ou plus est un $<X>$, ou encore, $<X> = Y^*$. Un autre motif fréquent peut se décrire avec la paire de productions suivantes, de façon légèrement plus complexe :

$$<X> \rightarrow <X>ZY \mid Y$$

qui dit que toute chaîne alternée de Y et de Z, commençant et finissant par un Y, est un $<X>$. Autrement dit, $<X> = Y(ZY)^*$.

D'autre part, il est possible d'inverser l'ordre des symboles dans le corps de la production récursive, pour chacun des trois exemples ci-dessus. Par exemple,

$$<X> \rightarrow Y<X> \mid Y$$

définit également $<X> = Y^+$.

---

en une seule ligne. On notera que la première production issue de $<Nombre>$ affirme qu'un chiffre isolé est un nombre, et la seconde que tout nombre suivi d'un chiffre est encore un nombre. Ces deux productions associées établissent que toute chaîne composée d'un ou plusieurs chiffres est un nombre.

La figure 11.2 est une grammaire de développement des expressions, dans lesquelles le symbole terminal abstrait *nombre* a été remplacé par des productions définissent le concept. On notera que la grammaire comporte les trois catégories syntactiques suivantes : $<Expression>$, $<Nombre>$ et $<Chiffre>$. Nous traiterons la catégorie syntactique $<Expression>$ en tant que **symbole de départ** ; il génère les chaînes (dans ce cas, les expressions arithmétiques bien formées) que nous voulons définir à l'aide de la grammaire. Les autres catégories syntactiques, $<Nombre>$ et $<Chiffre>$, représentent des concepts auxiliaires qui sont essentiels, mais qui ne sont pas le concept principal pour lequel la grammaire a été écrite. ✦

✦ **Exemple 11.2.** Au paragraphe 2.6, nous avons étudié la notion de chaînes de parenthèses équilibrées. Nous en avions donné une définition par récurrence qui était le pendant informel du style formel que nous utilisons pour écrire les grammaires étudiées dans ce paragraphe. Nous avions défini une catégorie syntactique de « chaînes de pa-

(1) $<Chiffre>$ $\rightarrow$ **0** | **1** | **2** | **3** | **4** | **5** | **6** | **7** | **8** | **9**

(2) $<Nombre>$ $\rightarrow$ $<Chiffre>$

(3) $<Nombre>$ $\rightarrow$ $<Nombre>$ $<Chiffre>$

(4) $<Expression>$ $\rightarrow$ $<Nombre>$

(5) $<Expression>$ $\rightarrow$ ($<Expression>$)

(6) $<Expression>$ $\rightarrow$ $<Expression>$ + $<Expression>$

(7) $<Expression>$ $\rightarrow$ $<Expression>$ − $<Expression>$

(8) $<Expression>$ $\rightarrow$ $<Expression>$ * $<Expression>$

(9) $<Expression>$ $\rightarrow$ $<Expression>$ / $<Expression>$

Figure 11.2 : Grammaire pour les expressions arithmétiques, avec une définition grammaticale des nombres.

renthèses équilibrées », qu'on pourrait appeler $<Equilibrée>$. Nous avions pris comme règle de base que la chaîne vide était équilibrée. On peut écrire cette règle sous la forme d'une production :

$<Equilibrée>$ $\rightarrow$ ϵ

Nous avions ensuite une étape de récurrence qui affirmait que si x et y étaient des chaînes équilibrées, tel était aussi le cas de $(x)y$. On peut écrire cette règle sous la forme d'une production :

$<Equilibrée>$ $\rightarrow$ ($<Equilibrée>$) $<Equilibrée>$

La grammaire de la figure 11.3 peut donc servir à définir les chaînes de parenthèses équilibrées.

$<Equilibrée>$ $\rightarrow$ ϵ
$<Equilibrée>$ $\rightarrow$ ($<Equilibrée>$) $<Equilibrée>$

Figure 11.3 : Une grammaire pour les chaînes de parenthèses équilibrées.

Il existe une autre manière de définir les chaînes de parenthèses équilibrées. Si l'on se souvient du paragraphe 2.6, notre motivation initiale pour décrire ces chaînes était qu'elles étaient des sous-séquences de parenthèses qui apparaissaient dans les expressions lorsqu'on effaçait tout le reste. La figure 11.1 nous donne une grammaire pour les expressions. Considérons ce qui se passe lorsqu'on élimine tous les symboles terminaux qui ne sont pas des parenthèses. La production (1) devient

$<Expression>$ $\rightarrow$ ϵ

La production (2) devient

$<Expression>$ $\rightarrow$ ($<Expression>$)

et les productions (3) à (6) sont toutes transformées en

$<Expression>$ $\rightarrow$ $<Expression>$ $<Expression>$

Si l'on remplace la catégorie syntaxique $<Expression>$ par un nom plus approprié,

<*EEquilibrée*>, on obtient une autre grammaire pour les chaînes de parenthèses équilibrées, qu'on peut voir à la figure 11.4. Ces productions sont assez naturelles. Elles établissent que

1. La chaîne vide est équilibrée,

2. Si l'on met entre parenthèses une chaîne équilibrée, le résultat est équilibré, et

3. La concaténation de chaînes équilibrées est équilibrée.

$$<EEquilibrée> \rightarrow \epsilon$$
$$<EEquilibrée> \rightarrow (\ <EEquilibrée>\ )$$
$$<EEquilibrée> \rightarrow\ <EEquilibrée>\ <EEquilibrée>$$

Figure 11.4 : Une grammaire pour les chaînes de parenthèses équilibrées produite à partir d'une grammaire pour expressions arithmétiques.

Les grammaires des figures 11.3 et 11.4 semblent assez éloignées l'une de l'autre, mais elles définissent bien le même ensemble de chaînes. Le moyen le plus facile de le prouver est sans doute de montrer que les chaînes définies par <*EEquilibrée*> dans la figure 11.4 sont exactement les chaînes « profil-équilibrées » définies au paragraphe 2.6. Nous avions alors démontré la même assertion au sujet des chaînes définies par <*Equilibrée*> dans la figure 11.3. ✦

✦ **Exemple 11.3.** On peut aussi décrire la structure du flux des instructions de contrôle du Pascal à l'aide d'une grammaire. Pour un exemple simple, il est utile d'imaginer qu'il existe des symboles terminaux abstraits qu'on appelera *condition* et *instrSimple*. Le premier représente une expression conditionnelle en Pascal. On pourrait remplacer ce symbole terminal par une catégorie syntactique, <*Condition*> par exemple, avec des règles proches de la grammaire d'expressions ci-dessus, mais avec des opérateurs logiques comme **AND**, des opérateurs de comparaison comme $<$, et des opérateurs arithmétiques. Le symbole terminal *instrSimple* représente une instruction ne mettant pas en œuvre une structure de contrôle imbriquée. Par exemple une instruction d'affectation, d'appel, de lecture, ou d'écriture. Ici encore, on pourrait remplacer ce terminal par une catégorie syntactique avec ses règles de développement.

On utilisera la dénomination <*Instruction*> pour notre catégorie syntactique des instructions du Pascal. On peut former des instructions à l'aide de la construction `while`. Autrement dit, si l'on dispose d'une instruction pouvant jouer le rôle de corps d'une boucle, on peut le faire précéder par le mot-clé **while**, une condition, et le mot-clé **do** pour former une autre instruction. La production associée à cette règle de formation d'instructions est

$$<Instruction> \rightarrow \textbf{while } condition \textbf{ do } <Instruction>$$

Une autre façon de construire des instructions met en œuvre des constructions `if`. Ces instructions prennent deux formes, selon qu'elles ont ou non une partie `else`; elles sont exprimées par les deux règles

$$<Instruction> \rightarrow \textbf{if } condition \textbf{ then } <Instruction>$$
$$<Instruction> \rightarrow \textbf{if } condition \textbf{ then } <Instruction> \textbf{ else } <Instruction>$$

On peut tout aussi bien former des instructions à partir des instructions **for**, **repeat**, et **case**. On laissera ces productions en exercices ; elles sont dans le même esprit que celles que nous avons déjà vues.

Toutefois, une autre règle de formation importante met en œuvre la notion de bloc, qui est quelque peu différente. Un bloc utilise les mots-clés **begin** et **end** pour encadrer une liste d'une ou plusieurs instructions. Pour décrire les blocs, nous avons besoin d'une catégorie syntaxique auxiliaire, qu'on peut appeler *<ListeInstr>* ; elle représente une liste d'instructions. Les productions associées à *<ListeInstr>* sont simples :

$$<ListeInstr> \rightarrow <Instruction>$$
$$<ListeInstr> \rightarrow <ListeInstr> \; ; \; <Instruction>$$

En d'autres termes, la première production établit que chaque instruction est une liste d'instructions à un seul élément. La seconde production établit que si l'on fait suivre une liste d'instructions par un point-virgule et une autre instruction, on obtient une autre liste d'instructions. Dit autrement, une *<ListeInstr>* est une *<Instruction>* suivie de zéro paire ou plus, chacune étant constituée d'un point-virgule et d'une *<Instruction>*.

On peut à présent définir les instructions qui sont des blocs comme des listes encadrées par **begin** et **end**, c'est-à-dire

$$<Instruction> \rightarrow \textbf{begin} \; <ListeInstr> \; \textbf{end}$$

Les productions que nous venons de développer, ainsi que la production de base qui établit qu'une instruction peut être une instruction simple (affectation, appel, ou lecture/écriture) apparaissent dans la figure 11.5. ◆

$$<Instruction> \rightarrow \textbf{while} \; condition \; \textbf{do} \; <Instruction>$$
$$<Instruction> \rightarrow \textbf{if} \; condition \; \textbf{then} \; <Instruction>$$
$$<Instruction> \rightarrow \textbf{if} \; condition \; \textbf{then} \; <Instruction> \; \textbf{else} \; <Instruction>$$
$$<Instruction> \rightarrow \textbf{begin} \; <ListeInstr> \; \textbf{end}$$
$$<Instruction> \rightarrow instrSimple$$

$$<ListeInstr> \rightarrow <Instruction>$$
$$<ListeInstr> \rightarrow <ListeInstr> \; ; \; <Instruction>$$

Figure 11.5 : Productions définissant certaines formes d'instruction du Pascal.

EXERCICES

11.2.1 : Donnez une grammaire qui définit la catégorie syntactique *<Identificateur>*, pour toutes les chaînes qui sont des identificateurs Pascal. Vous trouverez peut-être utile de définir des catégories syntactiques auxiliaires comme *<Chiffre>*.

11.2.2 : Les expressions arithmétiques en Pascal peuvent prendre comme opérandes aussi bien des identificateurs que des nombres. Modifiez la grammaire de la figure 11.2 de manière que les opérandes puissent aussi être des identificateurs. Utilisez votre grammaire de l'exercice 11.2.1 pour définir les identificateurs.

11.2.3 : Les nombres peuvent être aussi bien des nombres réels, avec un point décimal et une puissance de 10 optionnelle, que des entiers. Modifiez la grammaire des expressions de la figure 11.2, ou votre grammaire de l'exercice 11.2.2, pour autoriser les opérandes réels.

11.2.4 : * Les opérandes des expressions arithmétiques du Pascal peuvent aussi être des expressions contenant des pointeurs (l'opérateur ^), des champs d'une structure d'enregistrement (l'opérateur .), ou une indexation de tableau. L'index d'un tableau peut être une expression quelconque, et il peut y avoir une liste d'indices entre les crochets d'un index de tableau. Autrement dit, un index de tableau peut être quelque chose comme [i+1, j-2*i].

a) Ecrivez une grammaire pour la catégorie syntactique <*RefTableau*> pour définir les chaînes constituées d'une paire de crochets entourant une ou plusieurs expressions décrivant les indices d'un tableau. Vous pouvez utiliser la catégorie syntactique <*Expression*> comme auxiliaire, et vous voudrez sans doute définir au moins un auxiliaire supplémentaire.

b) Ecrivez une grammaire pour la catégorie syntactique <*Nom*> pour définir les chaînes qui se réfèrent aux opérandes. D'après notre étude du paragraphe 1.4, a^.b[c,d] est un exemple de nom. Vous pouvez utiliser <*RefTableau*> comme auxiliaire.

c) Ecrivez une grammaire pour les expressions arithmétiques qui autorisent les noms comme opérandes. Vous pourrez utiliser <*Nom*> comme auxiliaire. Lorsque vous assemblez les productions obtenues pour (a), (b), et (c), obtenez-vous une grammaire qui autorise les expressions du genre a[b.c,d^]+e ?

11.2.5 : * Montrez que la grammaire donnée dans la figure 11.4 génère les chaînes profiléquilibrées définies au paragraphe 2.6. *Une indication*: Utilisez deux récurrences sur la longueur des chaînes, comme pour les preuves du paragraphe 2.6.

11.2.6 : * Les expressions possèdent parfois deux sortes de parenthèses équilibrées ou plus. Par exemple, les expressions Pascal peuvent posséder aussi bien des parenthèses classiques que des crochets, et les deux doivent être équilibrées ; autrement dit, chaque (doit correspondre à une), et chaque [doit correspondre à un]. Ecrivez une grammaire pour les chaînes de parenthèses équilibrées de ces deux types. En d'autres termes, vous devez générer toutes les chaînes parenthésées pouvant apparaître dans les expressions Pascal bien formées, et seulement celles-là.

11.2.7 : Ajoutez à la figure 11.5 des productions qui définissent les instructions **for**, **repeat**, et case. Utilisez les symboles terminaux et les règles syntactiques auxiliaires de manière pertinente.

11.2.8 : * Développez le terminal abstrait *condition* de l'exemple 11.3 pour montrer l'utilisation des opérateurs logiques. Autrement dit, définissez une catégorie syntactique <*Condition*> qui remplacera le symbole terminal *condition*. Vous pouvez utiliser un terminal abstrait *comparaison* pour représenter une expression de comparaison quelconque, comme x+1<y+z. Puis remplacez *comparaison* par une catégorie syntactique <*Comparaison*> qui exprimera les comparaisons arithmétiques à l'aide d'opérateurs de comparaison comme < et d'une catégorie syntactique <*Expression*>. Cette dernière peut être directement définie comme au début du paragraphe 11.2, mais avec des opérateurs supplémentaires présent dans Pascal, comme les opérateurs unaires moins et MOD.

11.2.9 : * Ecrivez des productions définissant la catégorie syntactique $<InstrSimple>$, pour remplacer le terminal abstrait *instrSimple* dans la figure 11.5. Vous pourrez supposer que la catégorie syntactique $<Expression>$ représente les expressions arithmétiques du Pascal. Souvenez-vous qu'une « instruction simple » peut être une affectation, un appel de procédure, une instruction de lecture ou d'écriture, et que la chaîne vide est également une instruction simple.

11.3 Langages issus des grammaires

Une grammaire est essentiellement une définition récursive mettant en jeu des ensembles de chaînes. La principale conséquence des exemples de définitions récursives étudiés au paragraphe 2.6 et de nombre de ceux du paragraphe 11.2 est qu'on peut définir plusieurs catégories syntactiques de façon immédiate à partir d'une seule grammaire. Nos exemples du paragraphe 2.6, en revanche, ne permettaient de définir chacun qu'une seule notion. Néanmoins, la manière dont nous avions construit l'ensemble des objets définis au paragraphe 2.6 s'applique aussi aux grammaires. Pour chaque catégorie syntactique $<S>$ d'une grammaire, on définit un langage $L(<S>)$, de la façon suivante :

LA BASE. On commence par supposer que pour chaque catégorie syntactique $<S>$ de la grammaire, le langage $L(<S>)$ est vide.

LA RÉCURRENCE. Supposons que la grammaire possède une production $<S> \rightarrow X_1 X_2 \cdots X_n$, où chaque X_i, pour $i = 1, 2, \ldots, n$, est soit une catégorie syntactique, soit un terminal. Pour chaque $i = 1, 2, \ldots, n$, on choisit une chaîne s_i pour X_i comme suit :

1. Si X_i est un symbole terminal, on prend X_i comme chaîne s_i.

2. Si X_i est une catégorie syntactique, on choisit comme s_i toute chaîne dont on sait déjà qu'elle se trouve dans $L(X_i)$. Si on trouve plusieurs X_i pour la même catégorie syntactique, on peut prendre une chaîne différente de $L(X_i)$ pour chaque occurrence.

Alors la concaténation $s_1 s_2 \cdots s_n$ des chaînes ainsi choisies produit une chaîne du langage $L(<S>)$. On remarque que si $n = 0$, on placera ϵ dans le langage.

On peut implémenter cette définition de manière systématique en construisant les productions de la grammaire étape par étape. A chaque étape, on met à jour le langage de chaque catégorie syntactique, en utilisant la règle de récurrence de toutes les façons possibles, c'est-à-dire en faisant tous les choix possibles pour les divers s_i.

✦ **Exemple 11.4.** Considérons une grammaire composée de certaines des productions de l'exemple 11.3, la grammaire des instructions Pascal. Pour simplifier, nous n'utiliserons que les productions concernant les instructions while, les blocs, et les instructions simples, ainsi que les deux productions concernant les listes d'instructions. Par ailleurs, nous utiliserons un raccourci qui réduira considérablement la longueur des chaînes. Ce raccourci utilise les terminaux **w** (*while*), **c** (*condition*), **d** (*do*), **b** (*begin*), **e** (*end*), **s** (*simpleStat*), et le point-virgule. La grammaire utilise la catégorie syntactique <S> pour les instructions, et la catégorie syntactique <L> pour les listes d'instructions. Les productions apparaissent dans la figure 11.6.

(1)   <S> → **w c d** <S>
(2)   <S> → **b** <L> **e**
(3)   <S> → **s**
(4)   <L> → <L> **;** <S>
(5)   <L> → <S>

Figure 11.6 : Grammaire simplifiée pour les instructions.

Soit L le langage de chaînes de la catégorie syntactique <L>, et soit S le langage de chaînes de la catégorie syntactique <S>. Initialement, d'après la règle de base de la récurrence, L comme S sont vides. Pour la première étape, seule la production (3) est utile, car les corps de toutes les autres contiennent chacune une catégorie syntactique, et nous n'avons encore aucune chaîne dans les langages associés aux catégories syntactiques. La production (3) nous permet de déduire que **s** est une chaîne du langage S.

La deuxième étape part de L vide, et $S = \{\mathbf{s}\}$. Comme **s** est déjà dans S, la production (1) nous permet maintenant d'y ajouter **wcds**. Autrement dit, dans le corps de la production (1), les symboles terminaux **w**, **c**, et **d** ne peuvent représenter qu'eux-mêmes, mais la catégorie syntactique <S> peut être remplacée par n'importe quelle chaîne du langage S. Jusqu'ici, la chaîne **s** est le seul membre de S, nous n'avions qu'un choix possible, et ce choix génère la chaîne **wcds**.

L étant encore vide, la production (2) n'ajoute rien. Comme le corps de la production (3) est constitué d'un symbole terminal, il ne produira jamais aucune autre chaîne que **s**, on peut donc oublier cette production à partir de maintenant. On ne peut toujours pas se servir de la production (4), mais on peut utiliser la production (5) pour ajouter **s** à L. A la fin de cette étape, les langages sont $S = \{\mathbf{s}, \mathbf{wcds}\}$, et $L = \{\mathbf{s}\}$.

A l'étape suivante, on peut utiliser les productions (1), (2), (4), et (5) pour produire de nouvelles chaînes. La production (1) nous donne deux possibilités de substitution pour <S>, les chaînes **s** et **wcds**. La première nous donne une chaîne du langage S que nous avons déjà, mais la seconde nous donne la nouvelle chaîne **wcdwcds**. La production (2) ne nous permet que de substituer **s** à <L>, ce qui nous donne la chaîne **bse** pour le language S. Dans la production (4), on ne peut substituer que **s** à <L>, mais on peut remplacer <S> par **s** ou **wcds**, ce qui nous donne pour le langage L les deux chaînes supplémentaires **s;s** et **s;wcds**. Enfin, la production (5) ajoute à L la nouvelle chaîne **wcds** [1].

---

[1] Nous sommes extrêmement systématiques dans notre façon de remplacer les catégories syntactiques par des chaînes. On suppose qu'à chaque étape, les langages L et S sont dans l'état où ils étaient à la fin de l'étape précédente. Les substitutions sont effectuées dans chaque corps de production. Les corps permettent de produire de nouvelles chaînes pour les catégories syntactiques des têtes mais, dans une même étape, nous n'utilisons pas dans le corps d'une autre production les chaînes qui viennent d'être construites à partir d'une production donnée. Cela n'a pas d'importance ; toutes les chaînes qui doivent être générées le seront à une étape ou une autre, que les nouvelles chaînes soit immédiatement réutilisées dans les corps de production ou qu'elles attendent la prochaine étape.

Jusqu'ici, les langages courants sont définis par $S = \{\texttt{s, wcds, wcdwcds, bse}\}$, et

$$L = \{\texttt{s, s;s, s;wcds, wcds}\}$$

On pourrait continuer de la sorte aussi longtemps qu'on le souhaite. La figure 11.7 résume les trois premières étapes. ✦

	S	L
Etape 1:	s	
Etape 2:	wcds	s
Etape 3:	wcdwcds	s;wcds
	bse	s;s
		wcds

Figure 11.7 : Les nouvelles chaînes construites lors des trois premières étapes.

Dans l'exemple 11.4, le langage défini par une grammaire pourrait être infini. Lorsqu'un langage est infini, on ne peut pas recenser toutes les chaînes. Le mieux que l'on puisse faire est d'*énumérer* les chaînes étape par étape, comme nous avons commencé à le faire à l'exemple 11.4. Toute chaîne du langage finira par apparaître à une certaine étape, mais il n'existe pas d'étape où toutes les chaînes auront été produites. L'ensemble des chaînes qui seront ajoutées dans le langage associé à une catégorie syntactique $<S>$ forme le langage (infini) $L(<S>)$.

EXERCICES

11.3.1 : Quelles sont les nouvelles chaînes qui apparaîtront à la quatrième étape de l'exemple 11.4 ?

11.3.2 : * Parmi les nouvelles chaînes construites à la $i$ème étape de l'exemple 11.4, quelle est la longueur de la chaîne la plus courte pour chacune des catégories syntactiques ? Quelle est la longueur de la nouvelle chaîne la plus longue pour

a) $<S>$?
b) $<L>$?

11.3.3 : A l'aide des grammaires des figures

a) 11.3
b) 11.4,

générez les chaînes de parenthèses équilibrées par étapes successives. Les deux grammaires génèrent-elles les mêmes chaînes aux mêmes étapes ?

11.3.4 : On suppose que chaque production ayant pour tête $<S>$ contient aussi $<S>$ quelque part dans son corps. Pourquoi $L(<S>)$ est-il vide ?

11.3.5 : * Lorsqu'on génère des chaînes par étapes, comme on le voit dans ce paragraphe, les seules chaînes nouvelles qui peuvent être générées pour une catégorie syntactique $<S>$ le sont par substitution du corps d'une certaine production associée à $<S>$, de telle manière qu'au moins une chaîne substituée était nouvelle à l'étape précédente. Expliquez pourquoi cette affirmation est vraie.

11.3.6 : * On suppose qu'on veuille établir si une chaîne particulière s appartient au langage d'une catégorie syntactique $<S>$.

a) Expliquez pourquoi, si à une certaine étape, toutes les nouvelles chaînes générées pour une chaque catégorie syntactique sont plus longues que s, et que s n'a pas encore été générée pour $L(<S>)$, alors s ne pourra jamais être ajoutée à $L(<S>)$.

b) Expliquez pourquoi, après un certain nombre fini d'étapes, on ne peut plus générer de nouvelles chaînes de longueur inférieure ou égale à celle de s.

c) Utilisez (a) et (b) pour trouver un algorithme qui, à partir d'une grammaire, d'une de ses catégories syntactiques $<S>$, et d'une chaîne de symboles terminaux s, puisse dire si s appartient à $L(<S>)$.

11.4   Arbres d'analyse

Comme nous l'avons vu, on peut découvrir qu'une chaîne s appartient à un langage $L(<S>)$, pour une catégorie syntactique $<S>$, en appliquant des productions de manière répétitive. Nous commençons par des chaînes dérivées des productions de base, celles qui ne comportent pas de catégorie syntactique dans leur corps. On « applique » ensuite les productions aux chaînes déjà dérivées pour les diverses catégories syntactiques. Chaque application met en œuvre la substitution de chaînes pour des occurrences de diverses catégories syntactiques dans le corps de la production, et donc la construction d'une chaîne qui appartient à la catégorie syntactique de la tête. En fin de compte, on construit la chaîne s en appliquant une production dont la tête est $<S>$.

Il est souvent utile de dessiner un arbre, que nous appellerons *arbre d'analyse*, pour établir la « preuve » que s appartient à $L(<S>)$. Les nœuds d'un arbre d'analyse sont étiquetés, soit par des symboles terminaux, soit par des catégories syntactiques, soit encore par le symbole ϵ. Les feuilles sont étiquetées uniquement par des terminaux ou par ϵ, et les nœuds intérieurs sont étiquetés uniquement par des catégories syntactiques.

Chaque nœud intérieur v représente l'application d'une production. Autrement dit, il doit exister une production telle que

1.   La catégorie syntactique étiquetant v est la tête de la production, et

2.   Les étiquettes des fils de v, à partir de la gauche, forment le corps de la production.

♦ **Exemple 11.5.** La figure 11.8 est un exemple d'arbre d'analyse, basé sur la grammaire de la figure 11.2. Toutefois, nous avons abrégé les nom des catégories syntactiques $<Expression>$, $<Nombre>$, et $<Chiffre>$ en $<E>$, $<N>$, et $<C>$, respectivement. La chaîne représentée par cet arbre d'analyse est `3*(2+14)`.

Par exemple, la racine et son fils représentent la production

$$<E> \to <E> * <E>$$

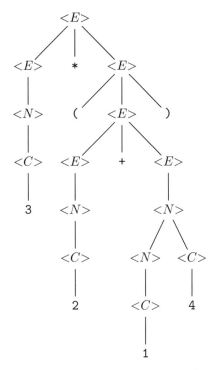

Figure 11.8 : Arbre d'analyse pour la chaîne 3 ∗ (2 + 14) à l'aide de la grammaire de la figure 11.2.

qui est la production (6) de la figure 11.2. Le fils le plus à droite de la racine et ses trois fils forment la production $<E> \rightarrow (<E>)$, c'est-à-dire la production (5) de la figure 11.2. ✦

Construction d'arbres d'analyse

Chaque arbre d'analyse représente une chaîne de symboles terminaux s, que nous appelons **chaîne générée**. La chaîne s est composée des étiquettes présentes sur les feuilles de l'arbre, en allant de gauche à droite. On peut aussi trouver la chaîne générée en effectuant un préordre transversal de l'arbre d'analyse et en ne retenant que les étiquettes qui sont des symboles terminaux. Par exemple, la chaîne générée de l'arbre d'analyse de la figure 11.8 est 3∗(2+14).

Si un arbre n'a qu'un seul nœud, ce nœud sera étiqueté par un terminal ou par ϵ, car c'est une feuille. Si l'arbre contient plusieurs nœuds, la racine sera étiquetée avec une catégorie syntactique, car la racine d'un arbre de deux nœuds ou plus est toujours un nœud intérieur. Cette catégorie syntactique comprendra toujours, parmi les chaînes qu'elle représente, la chaîne générée de l'arbre. Ce qui suit est une définition récursive de l'arbre d'analyse associé à une grammaire donnée.

LA BASE. Pour chaque terminal de la grammaire, disons x, il existe un arbre à un seul nœud étiqueté par x. Cet arbre a pour chaîne générée x, bien sûr.

LA RÉCURRENCE. Supposons qu'on ait une production $<S> \rightarrow X_1 X_2 \cdots X_n$, où chacun des X_i est soit un terminal soit une catégorie syntactique. Si $n = 0$, c'est-à-dire que la production est en réalité $<S> \rightarrow \epsilon$, alors il existe un arbre comme celui de la figure 11.9. La chaîne générée est ϵ, et la racine est $<S>$; la chaîne ϵ est à coup sûr dans $L(<S>)$, à cause de cette production.

Figure 11.9 : Arbre d'analyse à partir de la production $<S> \rightarrow \epsilon$.

Supposons maintenant que $<S> \rightarrow X_1 X_2 \cdots X_n$ et $n \geq 1$. On pourrait choisir un arbre T_i pour chaque X_i, $i = 1, 2, \ldots, n$, comme suit :

1. Si X_i est un terminal, on devra prendre l'arbre à un seul nœud étiqueté par X_i. Si l'on trouve parmi les X plusieurs occurrences du même terminal, on devra choisir des arbres à un seul nœud différents mais portant la même étiquette pour chaque occurrence de ce terminal.

2. Si X_i est une catégorie syntactique, on pourra prendre n'importe quel arbre d'analyse déjà construit et dont la racine porte l'étiquette X_i. A partir de là, on construit un arbre sur le même modèle qu'à la figure 11.10. En d'autre termes, on crée une racine étiquetée par $<S>$, la catégorie syntactique située en tête de la production, et on lui donne comme fils les arbres choisis pour $X_1, X_2, \ldots, X_n$, en partant de la gauche. Si l'on trouve parmi les X plusieurs occurrences de la même catégorie syntactique, on pourra prendre plusieurs fois le même arbre, mais en attribuant à chaque occurrence trouvée une copie distincte de cet arbre. On peut aussi choisir des arbres différents pour chaque occurrence de la même catégorie syntactique.

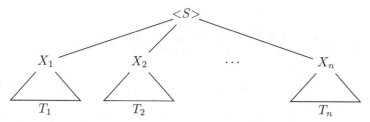

Figure 11.10 : Construction d'un arbre d'analyse à partir d'une production et d'un autre arbre d'analyse.

◆ **Exemple 11.6.** Inspirons-nous de la construction de l'arbre d'analyse de la figure 11.8, et voyons comment cette construction ressemble à une preuve que la chaîne 3*(2+14) appartient à $L(<E>)$. D'abord, on peut construire un arbre à un seul nœud pour chacun des symboles terminaux de l'arbre. Ensuite, le groupe de productions à la ligne (1) de la figure 11.2 nous informe que chacun des neufs chiffres est une chaîne de longueur 1 appartenant à $L(<C>)$. Quatre de ces productions vont servir à créer les quatre arbres montrés à la figure 11.11. Par exemple, on utilise la production $<C> \rightarrow \mathbf{1}$ pour créer l'arbre d'analyse de la figure 11.11(a) de la manière suivante. On commence par créer un arbre avec un nœud unique d'étiquette 1 pour le symbole **1** dans le corps. On crée ensuite un nœud racine étiqueté $<C>$, et on lui ajoute un fils, qui est la racine (et nœud unique) de l'arbre choisi pour **1**.

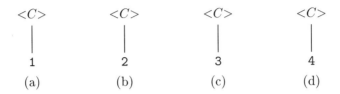

Figure 11.11 : Arbres d'analyse construits à partir de la production $<C> \rightarrow \mathbf{1}$ et d'autres productions similaires.

L'étape suivante consiste à utiliser la production (2) de la figure 11.2, autrement dit $<N> \rightarrow <C>$, pour découvrir que les chiffres sont des nombres. Par exemple, on pourrait choisir l'arbre de la figure 11.11(a) pour remplacer le $<C>$ de la production (2), et obtenir l'arbre de la figure 11.12(a). Les deux autres arbres de la figure 11.12 sont produits de la même manière.

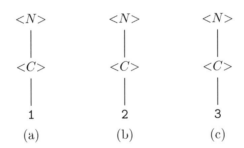

Figure 11.12 : Arbres d'analyse construits à l'aide de la production $<N> \rightarrow <C>$.

On peut maintenant utiliser la production (3), qui est $<N> \rightarrow <N><C>$. Pour le $<N>$ du corps, on choisira l'arbre de la figure 11.12(a), et pour le $<C>$, on prendra la figure 11.11(d). On crée un nouveau nœud d'étiquette $<N>$, pour la tête, en lui donnant deux fils, les racines des deux arbres choisis. L'arbre qui en résulte apparaît à la figure 11.13. La chaîne générée de cet arbre est le nombre **14**.

Le prochain travail consiste à créer un arbre associé à la somme **2+14**. On commence par utiliser la production (4), autrement dit $<E> \rightarrow <N>$, pour construire les arbres d'analyse de la figure 11.14. Ces arbres montrent que **3**, **2**, et **14** sont des expressions. Le premier de ces arbres est la conséquence du choix de l'arbre de la figure 11.12(c)

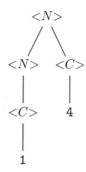

Figure 11.13 : Arbres d'analyse construits à l'aide de la production
$<N> \rightarrow <N><C>$.

lorsqu'on a voulu représenter le $<N>$ du corps de la production. Le deuxième est obtenu en choisissant l'arbre de la figure 11.12(b) pour $<N>$, et le troisième est dû au choix de l'arbre de la figure 11.13.

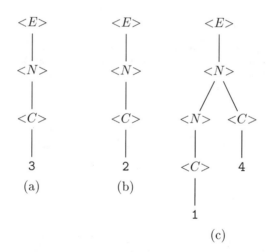

Figure 11.14 : Arbres d'analyse construits à partir de la production
$<E> \rightarrow <N>$.

On se sert ensuite de la production (6), qui est $<E> \rightarrow <E>+<E>$. Pour le premier $<E>$ du corps, on utilise l'arbre de la figure 11.14(b), et pour le second, on utilise l'arbre de la figure 11.14(c). Pour le terminal + du corps, on fait appel à un arbre à un seul nœud, étiqueté par +. L'arbre qui en résulte est montré à la figure 11.15 ; sa chaîne générée est 2+14.

On utilise ensuite la production (5), autrement dit $<E> \rightarrow (<E>)$, pour construire l'arbre d'analyse de la figure 11.16. Nous nous sommes contenté de choisir l'arbre d'analyse de la figure 11.15 pour le $<E>$ du corps, et nous choisissons les arbres à un seul nœud qui s'imposent pour les parenthèses terminales.

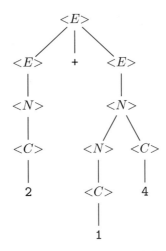

Figure 11.15 : Arbre d'analyse construit à l'aide de la production
$<E> \rightarrow <E>+<E>$.

Enfin, la production (8), c'est-à-dire $<E> \rightarrow <E> * <E>$, nous permet de construire l'arbre d'analyse qui apparaissait initialement dans la figure 11.8. Pour le premier $<E>$ du corps, on choisit l'arbre de la figure 11.14(a), et pour le second, on prend l'arbre de la figure 11.16. ✦

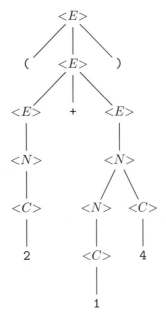

Figure 11.16 : Arbre d'analyse construit à l'aide de la production
$<E> \rightarrow (<E>)$.

Pourquoi les arbres d'analyse « fonctionnent-ils »

La construction d'arbres d'analyse ressemble beaucoup à la définition récursive des chaînes appartenant à une catégorie syntaxique. On peut prouver, à l'aide de deux récurrences simples, que les chaînes générées par les arbres d'analyse dont la racine est $<S>$ sont exactement les chaînes de $L(<S>)$, quelle que soit la catégorie syntaxique $<S>$. Autrement dit,

1. Si T est un arbre d'analyse dont la racine est étiquetée par $<S>$ et la chaîne générée est s, alors la chaîne s appartient au langage $L(<S>)$.

2. Si la chaîne s appartient à $L(<S>)$, alors il existe un arbre d'analyse dont la chaîne générée est s et dont la racine porte l'étiquette $<S>$.

Cette équivalence semble assez intuitive. En gros, les arbres d'analyse sont assemblés à partir d'arbres d'analyse plus petits de la même façon que nous assemblions les longues chaînes à partir de plus petites en les substituant aux catégories syntaxiques dans le corps des productions. Commençons par l'assertion (1), que nous prouvons par une récurrence complète sur la hauteur de l'arbre T.

LA BASE. Supposons que l'arbre d'analyse soit de hauteur 1. L'arbre ressemble donc à celui de la figure 11.17, ou, dans le cas particulier où $n = 0$, à celui de la figure 11.9. On ne peut construire un tel arbre que s'il existe une production $<S> \rightarrow \mathbf{x}_1\mathbf{x}_2 \cdots \mathbf{x}_n$, dans laquelle chaque $\mathbf{x}$ est un terminal (si $n = 0$, la production est $<S> \rightarrow \epsilon$). Ainsi, $\mathbf{x}_1\mathbf{x}_2 \cdots \mathbf{x}_n$ est bien une chaîne de $L(<S>)$.

Figure 11.17 : Arbre d'analyse de hauteur 1.

LA RÉCURRENCE. Supposons que l'assertion (1) soit vraie pour tous les arbres de hauteur k ou moins. Considérons alors un arbre de hauteur $k + 1$, qui ressemble à celui de la figure 11.10. Dans ce cas, la hauteur de chaque sous-arbre T_i, pour $i = 1, 2, \ldots, n$, ne pourra pas dépasser k. En d'autres termes, si l'un des sous-arbres avait une hauteur de $k + 1$ ou plus, l'arbre tout entier aurait une hauteur d'au moins $k + 2$. L'hypothèse de récurrence s'applique donc à tous les arbres T_i.

D'après l'hypothèse de récurrence, si X_i, la racine du sous-arbre T_i, est une catégorie syntaxique, alors la chaîne générée de T_i, disons s_i, appartient au langage $L(X_i)$. Si X_i est un symbole terminal, on peut affecter à la chaîne s_i la valeur de X_i. Dans ce cas, la chaîne générée de l'arbre tout entier est $s_1 s_2 \cdots s_n$.

On sait que $<S> \rightarrow X_1 X_2 \cdots X_n$ est une production, par définition d'un arbre d'analyse. Supposons que l'on remplace X_i par s_i, chaque fois que X_i est une catégorie syntaxique. Par définition, X_i vaut s_i si X_i est un terminal. On en déduit qu'après substitution, le corps prend la valeur $s_1 s_2 \cdots s_n$, c'est-à-dire celle de la chaîne générée de l'arbre. D'après la règle de récurrence appliquée au langage de $<S>$, on sait que $s_1 s_2 \cdots s_n$ appartient à $L(<S>)$.

Il faut maintenant prouver l'affirmation (2), selon laquelle chaque chaîne s d'une catégorie syntactique $<S>$ possède un arbre d'analyse dont la racine est $<S>$ et dont la chaîne générée est s. Commençons par remarquer que pour chaque symbole terminal x, il existe un arbre d'analyse dont la racine et la chaîne générée valent toutes deux x. On utilise maintenant une récurrence complète sur le nombre de fois où nous avons appliqué l'étape de récurrence (décrite au paragraphe 11.3), quand nous avions déduit que s appartenait à $L(<S>)$.

LA BASE. Donnons-nous une chaîne s telle qu'il ne faille appliquer qu'une seule fois l'étape d'induction pour démontrer que s appartient $L(<S>)$. Il existe alors une production $<S> \rightarrow \mathbf{x}_1 \mathbf{x}_2 \cdots \mathbf{x}_n$, dans laquelle tous les x sont des terminaux, et dans ce cas $s = \mathbf{x}_1 \mathbf{x}_2 \cdots \mathbf{x}_n$. On sait qu'il existe un arbre d'analyse à un seul nœud, d'étiquette $\mathbf{x}_i$, pour $i = 1, 2, \ldots, n$. Il existe donc un arbre d'analyse de chaîne générée s et dont la racine porte l'étiquette $<S>$; cet arbre ressemble à celui de la figure 11.17. Dans le cas particulier où $n = 0$, on sait que $s = \epsilon$, et on se servira à la place de l'arbre de la figure 11.9.

LA RÉCURRENCE. Supposons qu'une chaîne t, découverte comme appartenant au langage d'une catégorie syntactique $<T>$ quelconque après k applications ou moins de l'étape de récurrence, possède un arbre d'analyse de chaîne générée t et de racine $<T>$. Considérons une chaîne s dont on a découvert qu'elle appartenait au langage de la catégorie syntactique $<S>$ après $k+1$ applications de l'étape de récurrence. Il existe alors une production $<S> \rightarrow X_1 X_2 \cdots X_n$, et dans ce cas $s = s_1 s_2 \cdots s_n$, où chaque sous-chaîne s_i vaut soit

1. X_i, si X_i est un symbole terminal, soit

2. une chaîne dont on a su qu'elle appartenait à $L(X_i)$ après au plus k applications de la règle de récurrence, si X_i est une catégorie syntactique.

Ainsi, pour chaque i, on peut trouver un arbre T_i, de chaîne générée s_i et dont la racine est étiquetée par X_i. Si X_i est une catégorie syntactique, on invoque l'hypothèse de récurrence pour affirmer que T_i existe, et si X_i est un terminal, nous n'avons pas besoin de l'hypothèse de récurrence pour affirmer qu'il existe un arbre à un seul nœud d'étiquette X_i. Ainsi, l'arbre construit conformément à la figure 11.10 possède une chaîne générée s et une racine d'étiquette $<S>$, ce qui prouve l'étape de récurrence.

EXERCICES

11.4.1 : Trouvez un arbre d'analyse pour les chaînes

a) 35+21

b) 123-(4*5)

c) 1*2*(3-4)

Arbres syntaxiques et arbres d'expressions

On utilise souvent, pour représenter des expressions, des arbres qui ressemblent aux arbres d'analyse. Par exemple, nous avons utilisé des *arbres d'expression* comme exemples au long du chapitre 5. *Arbre syntaxique* est un autre nom pour « arbre d'expression ». Quand on dispose d'une grammaire d'expressions comme celle de la figure 11.2, on peut convertir les arbres d'analyse en arbres d'expression au moyen de trois transformations :

1. Chaque opérande atomique est réduit à un seul nœud, étiqueté par cet opérande.

2. Les opérateurs sont déplacés depuis les feuilles jusqu'à leur nœud père. En d'autres termes, un symbole d'opérateur, comme +, devient l'étiquette du nœud supérieur qui était étiqueté par la catégorie syntactique « expression ».

3. Les nœuds intérieurs qui restent étiquetés par « expression » voient leur étiquette supprimée.

Par exemple, l'arbre d'analyse de la figure 11.8 deviendra l'arbre syntaxique ou d'expression suivant :

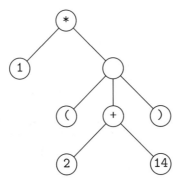

en accord avec la grammaire de la figure 11.2. La catégorie syntactique de la racine devra être $<E>$ dans chaque cas.

11.4.2 : A l'aide de la grammaire d'instructions de la figure 11.6, trouvez l'arbre d'analyse des chaînes suivantes : (a) `wcdwcds`, (b) `bse`, (c) `bs;wcdse`. La catégorie syntactique de la racine devra être $<S>$ dans chaque cas.

11.4.3 : A l'aide de la grammaire des parenthèses équilibrées de la figure 11.3, trouvez les arbres d'analyse pour les chaînes de caractères suivantes : (a) ()(), (b) ((())), (c) ((())()).

11.4.4 : Trouvez les arbres d'analyse correspondant aux chaînes de l'exercice 11.4.3, à l'aide de la grammaire donnée en figure 11.4.

11.5   Ambiguïté et conception des grammaires

Considérons la grammaire des parenthèses équilibrées présentée initialement à la figure 11.4, avec la catégorie syntactique *<E>*, abréviation pour *<Equilibrée>* :

$$<E> \rightarrow (<E>) \mid <E><E> \mid \epsilon \tag{11.1}$$

Supposons que nous voulions un arbre d'analyse pour la chaîne ()()(). Deux arbres de ce type sont montrés dans la figure 11.18, l'un dans lequel les deux premières paires de parenthèses sont regroupées en premier, et l'autre dans lequel on commence par regrouper les deux dernières paires de parenthèses.

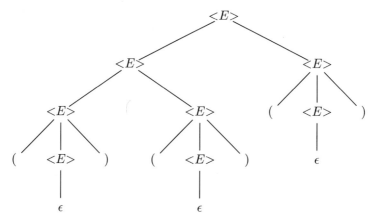

(a) Arbre d'analyse qui regroupe à partir de la gauche.

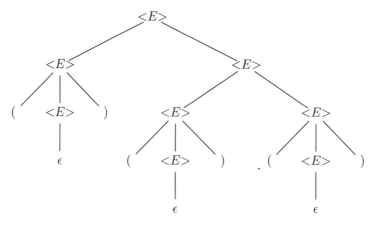

(b) Arbre d'analyse qui regroupe à partir de la droite.

Figure 11.18 : Deux arbres d'analyse possédant une chaîne générée et une racine identiques.

Il n'est pas surprenant que ces deux arbres d'analyse existent. Une fois qu'on a établi que () et () () sont toutes deux des chaînes de parenthèses équilibrées, on peut se servir de la production $<E> \to <E><E>$ en remplaçant le premier $<E>$ du corps par (), et le second par () (), ou vice versa. Dans un cas comme dans l'autre, on en conclut que la chaîne () () () se trouve dans la catégorie syntactique $<E>$.

Une grammaire dans laquelle il existe plusieurs arbres pour une même chaîne générée et une même catégorie syntactique à la racine est dite **ambiguë**. On notera qu'il n'est pas nécessaire que toutes les chaînes de la catégorie syntactique soient chacune générée par plusieurs arbres d'analyse ; il suffit qu'il existe une seule chaîne dans ce cas, pour que la grammaire soit ambiguë. Par exemple, le cas de la chaîne () () () nous suffit pour conclure que la grammaire 11.1 est ambiguë. Une grammaire qui n'est pas ambiguë est dite *non-ambiguë*. Dans une grammaire non-ambiguë, pour chaque chaîne s d'une catégorie syntactique $<S>$, il existe au plus un arbre d'analyse dont la chaîne générée est s et dont la racine porte l'étiquette $<S>$.

Par exemple, la grammaire de la figure 11.3, que nous reproduisons ici avec $<E>$ en remplacement de $<Equilibrée>$,

$$<E> \to (<E>)<E> \mid \epsilon \tag{11.2}$$

est une grammaire non-ambiguë. Donner une preuve que la grammaire est non-ambiguë est un exercice plutôt difficile. Dans la figure 11.19 on voit le seul arbre d'analyse ayant () () () pour chaîne générée ; bien sûr, le fait que cette chaîne ait un arbre d'analyse unique ne prouve pas que la grammaire 11.2 soit non-ambiguë, sachant que la non-ambiguïté ne peut être prouvée que si l'on montre que chaque chaîne du langage possède un arbre d'analyse unique.

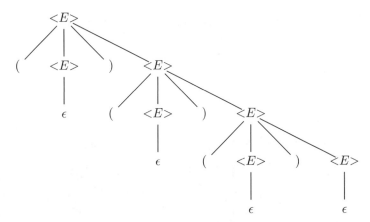

Figure 11.19 : Seul arbre d'analyse possible pour la chaîne ( ) ( ) ( )
quand on se sert de la grammaire 11.2.

Ambiguïté dans les expressions

Bien que la grammaire représentée à la figure 11.4 soit ambiguë, cette ambiguïté ne porte pas trop à conséquences, car le regroupement à partir de la gauche ou de la

Importance de la non-ambiguïté

L'analyseur, qui construit les arbres d'analyse pour les programmes est une partie essentielle des compilateurs. Si une grammaire décrivant un langage de programmation est ambiguë, et si ses ambiguïtés ne sont pas résolues, on aura, pour certains programmes au moins, plusieurs arbres d'analyse. Des arbres d'analyse différents conduiront à des significations différentes pour un même programme, le mot « signification » étant pris dans le sens de l'action effectuée par le programme en langage machine dans lequel le programme initial aura été converti. Ainsi, si la grammaire d'un programme est ambiguë, un compilateur ne peut pas choisir correctement l'arbre d'analyse à utiliser pour un programme donné, et ne peut donc décider de ce que devra faire le programme en langage machine. Pour cette raison, les compilateurs doivent employer des spécifications non-ambiguës.

droite de plusieurs chaînes de parenthèses équilibrées importe peu. Lorsqu'on considère des grammaires des expressions, comme celle de la figure 11.2 au paragraphe 11.2, on risque de rencontrer des problèmes plus sérieux. En particulier, certains arbres d'analyse conduisent à une valeur erronée pour l'expression, alors que d'autres conduisent à la bonne valeur.

✦ **Exemple 11.7.** Penchons-nous sur l'expression 1-2+3, en utilisant la notation abrégée pour la grammaire d'expression développée à l'exemple 11.5. Cette expression possède deux arbres d'analyse, selon que l'on regroupe les opérateurs à partir de la gauche ou à partir de la droite. Ces arbres d'analyse apparaissent sur la figure 11.20(a) et (b).

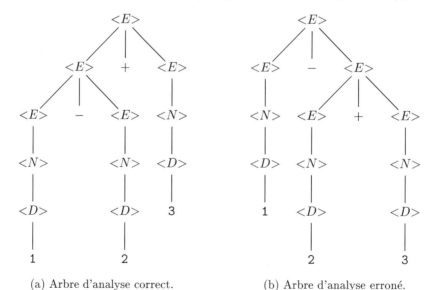

(a) Arbre d'analyse correct.   (b) Arbre d'analyse erroné.

Figure 11.20 : Deux arbres d'analyse pour l'expression $1 - 2 + 3$.

L'arbre de la figure 11.20(a) associe à partir de la gauche, et regroupe donc les opérateurs à partir de la gauche. Cette façon de procéder est correcte, car nous regroupons en général les opérateurs de même préséance à partir de la gauche ; par convention, on interprète `1-2+3` comme `(1-2)+3`, dont la valeur est 2. Si l'on évalue les expressions représentées par les sous-arbres, en décomposant l'arbre de la figure 11.20(a), on commence par calculer $1 - 2 = -1$ dans le fils le plus à gauche de la racine, puis on effectue le calcul $-1 + 3 = 2$ au niveau de la racine.

En revanche, l'arbre de la figure 11.20(b), qui associe à partir de la droite, regroupe l'expression de manière à donner `1-(2+3)`, dont la valeur -4. Cette interprétation de l'expression n'est pas pas conventionnelle. Pour obtenir la valeur -4 on peut décomposer l'arbre de la figure 11.20(b), l'évaluation du fils le plus à droite de la racine donnant $2 + 3 = 5$ et donc $1 - 5 = -4$ à la racine. ✦

L'association d'opérateurs ayant même préséance en partant du mauvais côté peut poser des problèmes. Les problèmes existent aussi avec des opérateurs de préséances différentes ; il est possible de regrouper un opérateur de faible préséance avant un opérateur de préséance plus forte.

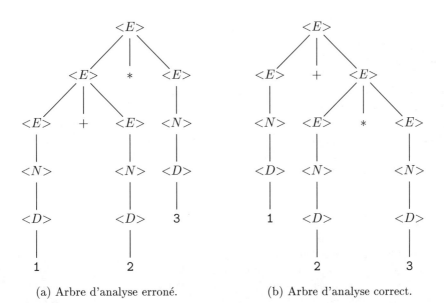

(a) Arbre d'analyse erroné.   (b) Arbre d'analyse correct.

Figure 11.21 : Deux arbres d'analyse pour l'expression `1+2*3`.

✦ **Exemple 11.8.** Considérons l'expression `1+2*3`. Dans la figure 11.21(a), on peut voir l'expression regroupée malencontreusement à partir de la gauche, alors que dans la figure 11.21(b), l'expression est correctement regroupée à partir de la droite, de façon que les opérandes de la multiplication soit regroupés avant ceux de l'addition. Le première façon de regrouper génère la valeur erronée 9, tandis que la seconde produit la valeur conventionnelle 7. ✦

Grammaires non-ambiguës pour les expressions

De même que la grammaire 11.2 pour les parenthèses équilibrées peut être vue comme une version non-ambiguë de la grammaire 11.1, il est possible de construire une version non-ambiguë de la grammaire d'expression de l'exemple 11.5. L'« astuce » est de définir trois catégories syntactiques, ayant des significations intuitives, de la manière suivante.

1. *<Facteur>* génère les expressions qu'on ne peut pas « fragmenter », autrement dit, un facteur sera soit un opérande isolé, soit une expression parenthésée quelconque.

2. *<Terme>* génère un produit ou un quotient de facteurs. Un terme est donc soit un facteur, soit une séquence de facteurs séparés par les opérateurs $*$ ou $/$. 12 et 12/3*45 sont des termes.

3. *<Expression>* génère une somme ou une différence de termes. Une expression est donc soit un terme, soit une séquence de termes séparés par les opérateurs $+$ ou $-$. 12, 12/3*45, et 12+3*45-6 sont des expressions.

La figure 11.22 montre une grammaire qui exprime les liens unissant les expressions, les termes et les facteurs. On utilise les initiales *<E>*, *<T>*, et *<F>* à la place de *<Expression>*, *<Terme>*, et *<Facteur>*, respectivement.

(1) $<E> \rightarrow <E> + <T> \mid <E> - <T> \mid <T>$

(2) $<T> \rightarrow <T> * <F> \mid <T>/<F> \mid <F>$

(3) $<F> \rightarrow (<E>) \mid <N>$

(4) $<N> \rightarrow <N><D> \mid <D>$

(5) $<D> \rightarrow \mathbf{0} \mid \mathbf{1} \mid \cdots \mid \mathbf{9}$

Figure 11.22 : Grammaire non-ambiguë pour les expressions arithmétiques.

Par exemple, les trois productions de la ligne (1) définissent une expression comme étant soit une expression plus petite suivie par un + ou un - et un autre terme, soit un terme isolé. Si l'on rassemble ces idées, les productions traduisent que toute expression est un terme, suivi par zéro ou plusieurs paires, chaque paire étant constituée d'un + ou d'un - et d'un terme. De même, la ligne (2) traduit le fait qu'un terme est soit un terme plus petit suivi par $*$ ou $/$ et un facteur, soit un facteur isolé. Autrement dit, un terme est un facteur suivi de zéro ou plusieurs paires, chacune étant constituée d'un $*$ ou d'un $/$ et d'un facteur. La ligne (3) nous dit que les facteurs sont soit des nombres, soit des expressions encadrées par des parenthèses. Les lignes (4) et (5) définissent les nombres et les chiffres, comme nous l'avions déjà vu.

L'utilisation aux lignes (1) et (2) de productions comme

$<E> \rightarrow <E> + <T>$

au lieu de $<E> \rightarrow <T> + <E>$, apparemment équivalente, oblige les termes à être regroupés à partir de la gauche. Du coup, on verra qu'une expression comme 1-2+3 donne lieu au regroupement (1-2)+3 attendu. De la même manière, des termes comme 1/2*3 se retrouvent groupés correctement dans (1/2)*3, et non de façon erronée dans 1/(2*3). La figure 11.23 montre le seul arbre d'analyse possible pour l'expression 1-2+3 dans la grammaire de la figure 11.22. On notera que l'expression 1-2 doit être regroupée en premier. Si nous avions d'abord associé 2+3, comme dans la figure 11.20(b), nous n'aurions jamais pu, avec la grammaire de la figure 11.22, attacher le 1- à cette expression.

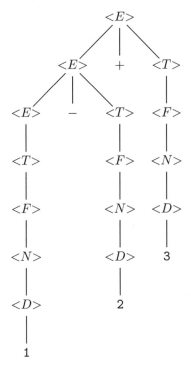

Figure 11.23 : Arbre d'analyse pour l'expression $1 - 2 + 3$ dans la grammaire non-ambiguë de la figure 11.22.

La distinction entre expressions, termes, et facteurs force le regroupement correct des opérateurs à différents niveaux de préséance. Par exemple, l'expression 1+2*3 possède le seul arbre d'analyse de la figure 11.24, qui commence par regrouper la sous-expression 2*3, comme l'arbre de la figure 11.21(b) et contrairement à l'arbre erroné de la figure 11.21(a), qui commence par regrouper 1+2.

Comme pour le problème des parenthèses équilibrées, nous n'avons pas prouvé que la grammaire de la figure 11.22 était non-ambiguë. Les exercices proposent quelques exemples supplémentaires qui pourront aider à convaincre le lecteur que cette grammaire n'est pas seulement non-ambiguë, mais qu'elle donne aussi le regroupement correct quelle que soit l'expression. Nous faisons également des suggestions quant à l'extension possible de cette grammaire à des familles d'expressions plus générales.

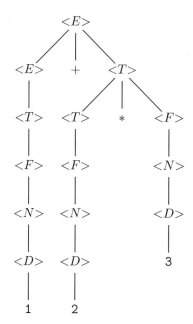

Figure 11.24 : Arbre d'analyse pour $1 + 2 * 3$ dans la grammaire non-ambiguë de la figure 11.22.

EXERCICES

11.5.1 : Dans la grammaire de la figure 11.22, donnez l'arbre d'analyse pour chacune des expressions suivantes :

a) `(1+2)/3`,

b) `1*2-3`,

c) `(1+2)*(3+4)`.

11.5.2 : * Les expressions de la grammaire de la figure 11.22 ont deux niveaux de préséance ; + et − à un niveau, et * et / au second niveau, le plus haut. En général, on peut gérer des expressions à k niveaux de préséance en utilisant $k + 1$ catégories syntactiques. Modifiez la grammaire de la figure 11.22 pour y inclure l'opérateur d'exponentiation ^, qui se trouve à un niveau de préséance supérieur à celui de * et /. On conseille de définir un *primaire*, qui pourra être un opérande ou une expression parenthésée, et de redéfinir un *facteur* comme étant un ou plusieurs primaires, reliés par l'opérateur exponentiel. On remarquera que l'exponentiation regroupe à partir de la droite, et non à partir de la gauche, et que `2^3^4` signifie `2^(3^4)`, et non `(2^3)^4`. Comment allons-nous forcer les primaires à se regrouper à partir de la droite ?

11.5.3 : * Etendez la grammaire d'expression non-ambiguë pour autoriser les opérateurs de comparaison =, <=, etc., qui ont tous le même niveau de préséance. Cette préséance est inférieure à celle de + et −. On notera que les opérateurs de comparaison sont **non-associatifs**; autrement dit, on ne peut pas regrouper plus de deux opérateurs de comparaison. Par exemple 1<2<3 n'est pas une expression légale en Pascal.

11.5.4 : Etendez la grammaire d'expression de la figure 11.22 pour inclure l'opérateur de signe, le moins unaire. On notera que cette opérateur possède une préséance plus forte que les autres opérateurs; par exemple, on regroupera -2*-3 en (-2)*(-3).

11.5.5 : Etendez la grammaire construite à l'exercice 11.5.3 pour y inclure les opérateurs logiques AND, OR, et NOT. Donner à AND la même préséance que *, à OR la même préséance que +, et à NOT une préséance plus forte que le − unaire. AND et OR sont des opérateurs binaires, pour qui l'on effectue les regroupement à partir de la gauche.

11.5.6 : * La grammaire d'expression ambiguë à la figure 11.2 du paragraphe 11.2 n'engendre pas que des expressions ayant plusieurs arbres d'analyse. Donner plusieurs exemples d'expressions en accord avec cette grammaire et ne possédant qu'une seul arbre d'analyse. Pouvez-vous donner une règle indiquant les raisons pour lesquelles une expression n'aura qu'un seul arbre d'analyse ?

11.5.7 : La grammaire suivante définit l'ensemble des chaînes (autres que ϵ) constituées uniquement de 0 et de 1.

$$<String> \rightarrow <String><String> \mid \mathbf{0} \mid \mathbf{1}$$

Dans cette grammaire, combien d'arbres d'analyse posséderont la chaîne 010 ?

11.5.8 : Donnez une grammaire non-ambiguë qui définit le même langage que la grammaire de l'exercice 11.5.7.

11.5.9 : * Combien d'arbres possèdent la chaîne vide dans la grammaire 11.1 ? Montrez trois arbres d'analyse différents pour la chaîne vide.

11.6   Construction d'arbres d'analyse

Les grammaires ont en commun avec les expressions régulières le fait qu'elles permettent de décrire des langages, mais ne donnent pas directement un algorithme permettant de déterminer si une chaîne appartient au langage ainsi défini. Pour les expressions régulières, nous avions appris au chapitre 10 la manière de convertir une expression régulière en automate non-déterministe, puis en automate déterministe; ce dernier pouvait être directement implémenté dans un programme.

Il existe un procédé assez semblable pour les grammaires. Il n'est pas possible, en général, de convertir une grammaire en automate déterministe; le paragraphe suivant donnera quelques exemples pour lesquels cette conversion est impossible. Cependant, il est souvent possible de convertir une grammaire en programme qui, comme un automate, peut lire une entrée du début jusqu'à la fin, et dire si la chaîne d'entrée appartient au langage de la grammaire. Parmi les techniques employées, la plus importante, appelée « analyse LR » (LR signifie que le parcours de l'entrée s'effectue de la gauche vers la droite — *Left-to-right* — et que la construction s'effectue en dérivation inverse à partir de la droite — *Rightmost*), sort du champ de ce livre.

Analyse par descente récursive

On donnera en revanche une technique d'analyse plus simple mais moins puissante appelée « descente récursive », dans laquelle la grammaire est remplacée par une collection de fonctions récursives imbriquées, chacune correspondant à une catégorie syntactique de la grammaire. Le but de la fonction S qui correspond à la catégorie syntactique $<S>$ est de lire une séquence de caractères d'entrée qui forment une chaîne du langage $L(<S>)$, et retourne un pointeur vers la racine d'un arbre d'analyse pour cette chaîne.

Le corps d'une production peut être vu comme une succession d'objectifs — les symboles terminaux et les catégories syntactiques — qu'il faut remplir l'un après l'autre pour trouver une chaîne appartenant à la catégorie syntactique située en tête. Par exemple, considérons la grammaire non-ambiguë pour les parenthèses équilibrées, que nous reproduisons ici à la figure 11.25.

(1) $<B> \rightarrow \epsilon$
(2) $<B> \rightarrow (\ <B> \ ) \ <B>$

Figure 11.25 : Grammaire pour les parenthèses équilibrées.

La production (2) affirme que la seule manière de trouver une chaîne de parenthèses équilibrée est remplir les quatre objectifs suivants dans l'ordre :

1.   Trouver le caractère (, puis

2.   Trouver une chaîne de parenthèses équilibrées, puis

3.   Trouver le caractère), et enfin

4.   Trouver une autre chaîne de parenthèses équilibrées.

En général, un objectif terminal est satisfait si l'on trouve que ce terminal est le symbole d'entrée suivant, et il ne peut pas être satisfait si le symbole d'entrée suivant est quelque chose d'autre. Une catégorie syntactique présente dans le corps de la production est satisfaite en appelant la fonction associée à cette catégorie syntactique.

La marche à suivre pour la construction d'arbres d'analyse est suggérée à la figure 11.26. Supposons que l'on veuille déterminer si une séquence de symboles terminaux $X_1 X_2 \cdots X_n$ est une chaîne appartenant à la catégorie syntactique $<S>$ et, si oui, trouver son arbre d'analyse. On place alors dans le fichier d'entrée la séquence $X_1 X_2 \cdots X_n$ MFIN, où MFIN est un symbole spécial qui n'est pas un terminal. On appelle MFIN le *marqueur de fin*, et son rôle est d'indiquer que la chaîne examinée a été lue entièrement.

$$X_1 \qquad X_2 \quad \cdots \quad X_n \quad \text{MFIN}$$
$$\uparrow$$
$$\text{Appel de } S$$

Figure 11.26 : Initialisation du programme qui recherche $<S>$ dans l'entrée.

Un **curseur d'entrée** marque le terminal suivant à traiter. La lecture de ce terminal s'effectue dans une variable `NextTerminal` de type `TERMINAL` ; ce type pourra être `char`, ou un type énuméré quelconque si l'on travaille avec des terminaux abstraits. On commence notre programme d'analyse en appelant la fonction S pour la catégorie syntactique $<S>$.

Chaque fois que l'on travaille sur le corps d'une production, et que l'on tombe sur un terminal **a** dans la production, on cherche si la valeur de `NextTerminal` est bien le terminal **a** correspondant. Si c'est le cas, on fait avancer le curseur d'entrée en lisant une nouvelle valeur de `NextTerminal` dans le fichier d'entrée. Si la valeur de `NextTerminal` est autre chose que **a**, la comparaison échoue, et on ne peut pas trouver d'arbre d'analyse pour la chaîne d'entrée.

Un analyseur par descente récursive pour les parenthèses équilibrées

Avant de se pencher sur les détails de l'algorithme d'analyse par descente récursive, voyons comment on pourrait concevoir la fonction récursive B associée à la catégorie syntactique $<B>$ de la grammaire présentée à la figure 11.25. La partie difficile est de décider si l'on va satisfaire l'objectif $<B>$ grâce à la production (1), $<B> \rightarrow \epsilon$, qui réussit toujours immédiatement, ou en utilisant la production (2), c'est-à-dire $<B> \rightarrow (<B>)<B>$. Nous utiliserons la stratégie suivante : chaque fois que le terminal suivant sera (, on choisit la production (2) ; quand le terminal suivant est) ou le marqueur de fin, on choisit la production (1). La fonction B est donnée en figure 11.27.

Nous avons fait un certain nombre de suppositions dans le code de la figure 11.27 :

1. Il existe un type `TREE` pertinent pour représenter un arbre d'analyse ou n'importe lequel de ses sous-arbres. `TREE` pourrait être, par exemple, un pointeur sur un enregistrement représentant le nœud racine de l'arbre. La fonction B retourne une valeur de ce type.

2. Il arrive parfois qu'on ne puisse pas trouver une chaîne de parenthèses équilibrées, et donc que la production d'un arbre d'analyse s'avère impossible. Dans ces situations, la fonction B retourne la valeur `FAILED`, qui pourrait être `NIL`, par exemple.

3. Il existe un type `TERMINAL`, qui est le type auquel appartiennent les symboles terminaux, y compris le marqueur de fin. Ce type pourrait être `char`, par exemple, ou encore un type énuméré constitué uniquement des symboles '(', ')', et `MFIN`.

4. Il existe des fonctions capables de créer des arbres à partir de sous-arbres et qui retournent l'arbre créé, une valeur du type `TREE`.

    a) La fonction *makeNode*0(x) crée un nœud sans fils, c'est-à-dire une feuille, et étiquette cette feuille avec le symbole x. L'arbre constitué de ce seul nœud est retourné. Les symboles x autorisés pour cette fonction et pour les autres fonctions de construction d'arbres sont '(' et ')' qui se représentent elles-mêmes, 'B' qui représente $<B>$, et 'e', qui représente ϵ.

    b) La fonction *makeNode*1(x, t) crée un nœud avec un fils. L'étiquette du nouveau nœud est x, et le fils est la racine de l'arbre t. L'arbre dont la racine est le nœud ainsi créé est retourné.

```
        var NextTerminal: TERMINAL,
            ParseTree: TREE;

        function B: TREE;

        var firstB, secondB: TREE;

        begin
(1)          if NextTerminal = '(' then begin
                 (* ici, on suit la production (2) *)
(2)              read(NextTerminal);
(3)              firstB := B;
(4)              if (NextTerminal = ')') AND (firstB <> FAILED) then
                     begin
(5)                      read(NextTerminal);
(6)                      secondB := B;
(7)                      if secondB = FAILED then (* impossible de
                                 trouver une chaîne de parenthèses
                                 équilibrée *)
(8)                          B := FAILED (* cet appel à B échoue *)
                         else
(9)                          B := makeNode4('B', makeNode0('('),
                                 firstB, makeNode0(')'), secondB)
                     end
                 else (* Le test de la ligne (4) a échoué. Soit la
                          première chaîne équilibrée n'a pas été trouvée,
                          soit elle a été suivie
                          par autre chose qu'une parenthèse droite *)
(10)                 B := FAILED (* du coup, cet appel à B échoue *)
             end
             else (* Le test de la ligne (1) échoue. La chaîne ne
                      commence pas par une parenthèse gauche. On suppose
                      que la production (1) est le choix correct. *)
(11)             B := makeNode1('B', makeNode0('e'))
        end; (* B *)


        begin (* Programme principal *)
(12)        read(NextTerminal);
(13)        ParseTree := B;
(14)        if NextTerminal <> MFIN then
                ParseTree := FAILED
        end.
```

Figure 11.27 : Fonction permettant de construire des arbres d'analyse
pour les chaînes de parenthèses équilibrées.

c)   La fonction $makeNode4(x, t_1, t_2, t_3, t_4)$ crée un nœud avec quatre fils. L'étiquette du nœud est x, et les fils sont les racines des arbres t_1, t_2, t_3, et t_4, en
partant de la gauche. L'arbre dont la racine est le nœud ainsi créé est retourné.

5.   Chaque fois que B est appelée, il existe un terminal dans `NextTerminal`. Ce
terminal est le début de la partie de l'entrée qui n'a pas encore été utilisée. On
notera que `NextTerminal` est une variable globale pour tous les appels à B. Sa
valeur est donc préservée entre l'entrée dans B et la sortie de l'appel.

6.   Lorsque B retourne, elle a trouvé une chaîne équilibrée jusqu'à mais non compris
le terminal contenu dans `NextTerminal`, et l'arbre retourné par B est un arbre
d'analyse pour la chaîne trouvée.

On peut maintenant examiner le programme de la figure 11.27 ligne par ligne. La
ligne (1) teste si le terminal suivant en entrée est (. Si oui, on cherchera un instance du
corps de la production (2), et sinon, on supposera que c'est la production (1) qu'il faut
utiliser, et que ϵ est la chaîne équilibrée recherchée. A la ligne (2), on lit le terminal
suivant dans `NextTerminal`, car le symbole (de `NextTerminal` a trouvé une correspondance avec le symbole (du corps de la production (2). Il faut préparer un appel à
B qui trouvera une chaîne équilibrée pour le premier $<B>$ présent dans le corps de la
production (2). Cet appel intervient à la ligne (3), et l'arbre retourné est stocké dans
la variable `firstB` qui servira plus tard dans l'appel courant à B à construire un arbre
d'analyse.

A la ligne (4) on vérifie qu'on est encore en mesure de trouver une chaîne équilibrée ;
c'est-à-dire qu'on teste si la valeur courante de `NextTerminal` est bien). Souvenez-
vous que, d'après la supposition (6), au retour de B, `NextTerminal` contient le prochain
terminal d'entrée devant faire partie de la chaîne équilibrée. Si la production choisie
est la (2), et qu'on a déjà rencontré le symbole (et le premier $<B>$, on doit ensuite
trouver un symbole), ce qui explique la première partie du test. La seconde partie
demande que `firstB` n'ait pas la valeur `FAILED` ; autrement dit, on vérifie que l'appel
à B à la ligne (3) n'a pas échoué en recherchant une chaîne équilibrée. Si l'un des deux
tests échoue, l'appel courant à B échoue lui aussi à la ligne (10).

Si l'on passe le test de la ligne (4), alors aux lignes (5) et (6), on récupère l'entrée
suivante et B est appelée de nouveau, pour trouver une correspondance avec le dernier
$<B>$ de la production (2). L'arbre retourné est temporairement stocké dans `secondB`.

Si l'appel à B de la ligne (6) échoue, alors `secondB` aura la valeur `FAILED` ; la
ligne (7) sert à détecter cette condition. Une réponse positive indique qu'il n'a pas été
possible de trouver une chaîne équilibrée, et l'appel courant à B échoue également, à
la ligne (8).

La ligne (9) couvre le cas où nous avons réussi à trouver une chaîne équilibrée. On
retourne un arbre construit par $makeNode4$. Cet arbre possède une racine d'étiquette B,
et quatre fils. Le premier fils est une feuille d'étiquette (, construite par $makeNode0$. Le
deuxième est l'arbre qui se trouvait dans `firstB`, et qui correspond à l'arbre d'analyse
issu de l'appel à B de la ligne (3). Le troisième fils est une feuille d'étiquette), et le
quatrième est l'arbre d'analyse contenu dans `secondB`, et retourné par le second appel
à B, en ligne (6).

Enfin, la ligne (11) gère le cas où le test initial de la ligne (1) aurait échoué en
comparant (avec le premier caractère. Dans ce cas, on suppose que la production (1)

est correcte. Cette production a pour corps ϵ, ce qui ne fait pas avancer dans la chaîne d'entrée, mais permet de retourner un nœud, créé par *makeNode*1, étiqueté par B et dont le seul fils porte l'étiquette ϵ.

Le programme principal en ligne (12) initialise `NextTerminal` pour qu'il contienne le premier terminal de l'entrée, et appelle B à la ligne (13). L'arbre d'analyse retourné est stocké dans la variable `ParseTree`.

◆ **Exemple 11.9.** Supposons qu'on ait en entrée les terminaux ( ) ( ) MFIN. Le premier appel à B, à la ligne (13), permet de donner à `NextTerminal` la valeur (, et le test de la ligne (1) réussit.) est alors lu dans `NextTerminal` à la ligne (2), et un deuxième appel à B est effectué en ligne (3), comme le suggère l'expression « Appel 2 » de la figure 11.28.

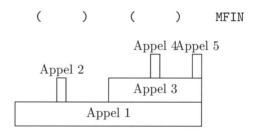

Figure 11.28 : Les appels effectués pendant le traitement de l'entrée
( ) ( ) MFIN.

Lors de l'appel 2, le test de la ligne (1) échoue, et on retourne donc l'arbre de la figure 11.29(a) en ligne (11). On retourne ensuite à l'appel 1, que nous avions laissé à la ligne (4), avec) dans `NextTerminal` et l'arbre de la figure 11.29(a) dans `firstB`. Du coup, le test de la ligne (4) réussit. On place le deuxième (de l'entrée dans `NextTerminal` et on appelle B à la ligne (6). Ceci est concrétisé par l'« Appel 3 » de la figure 11.28.

A l'appel 3, on passe la ligne (1) avec succès, on lit) dans `NextTerminal` en ligne (2), et on appelle B à la ligne (3) ; cet appel est représenté par « Appel 4 » sur la figure 11.28. Comme pour l'appel 2, l'appel 4 échoue lors du test de la ligne (1), et retourne un arbre du genre de celui de la figure 11.29(a) à la ligne (11).

On retourne ensuite à l'appel 3, où `NextTerminal` contient toujours), `firstB` (local à cet appel de B) contient maintenant un arbre comme celui de la figure 11.29(a), et tout cela est contrôlé à la ligne (4). Le test réussit, on lit alors MFIN, qui se retrouve dans `NextTerminal` à la ligne (5), et on effectue le cinquième appel à B en ligne (6). Cet appel échoue lors du test de sa ligne (1) et retourne une autre copie de la figure 11.29(a) à la ligne (11). Cet arbre devient la valeur de `secondB` pour l'appel 3, et le test de la ligne (7) échoue. Du coup, à la ligne (9) de l'appel 3, on construit l'arbre qui apparaît sur la figure figure 11.29(b).

A cet instant, l'appel 3 retourne avec succès vers l'appel 1 en ligne (7), ce qui fait que le `secondB` de l'appel 1 contient maintenant l'arbre de la figure 11.29(b). Comme pour l'appel 3, le test de la ligne (7) échoue, et à la ligne (9) on construit un arbre avec un nouveau nœud racine, dont le deuxième fils est une copie de l'arbre de la figure 11.29(a)

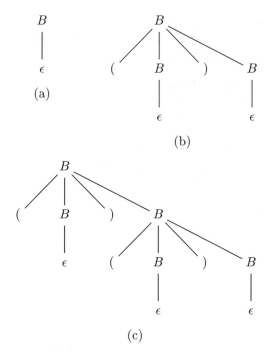

Figure 11.29 : Arbres construits par des appels récursifs à B.

— cet arbre était contenu dans le `firstB` de l'appel 1 — et dont le quatrième fils est l'arbre de la figure 11.29(b). L'arbre résultant, qui est placé dans `ParseTree` à la ligne (13), est montré à la figure 11.29(c). ✦

Construction d'analyseurs par descente récursive

Il est possible de généraliser la technique utilisée pour la figure 11.27 à de nombreuses grammaires, mais pas à toutes. L'impératif principal est que pour chaque catégorie syntactique $<S>$, s'il existe plusieurs productions comportant $<S>$ à leur tête, on puisse décider de la production à essayer, simplement en regardant le terminal suivant (souvent appelé *lookahead* ou symbole de *pré-lecture*. Par exemple, dans la figure 11.27, notre stratégie de décision consistait à prende la seconde production, celle dont le corps était $(<B>)<B>$, chaque fois que le symbole de pré-lecture était (, et de choisir la première production, celle dont le corps était ϵ, quand le symbole de pré-lecture était) ou `MFIN`.

Il est impossible de dire, en général, s'il existe un algorithme pour une grammaire donnée qui prendra toujours la bonne décision. Dans le cas de la figure 11.27, nous avions affirmé, sans le démontrer, que la stratégie énoncée ci-dessus était pertinente. Cependant, si nous avons une stratégie de décision que nous croyons pertinente, alors, pour chaque catégorie syntactique $<S>$, on peut concevoir une fonction S qui agira de la façon suivante :

1. Examiner le symbole de pré-lecture et décider de la production à essayer. Suppo-sons que la production choisie ait pour corps $X_1 X_2 \cdots X_n$.

2. Pour $i = 1, 2, \ldots, n$, appliquer à X_i le traitement suivant :

    a) Si X_i est un symbole terminal, tester si le symbole de pré-lecture est X_i. Si oui, lire le terminal d'entrée suivant. Sinon, cet appel à S échoue.

    b) Si X_i est une catégorie syntactique, comme $<T>$, appeler la procédure T correspondant à cette catégorie syntactique. Si le retour de T se solde par un échec, alors l'appel à S échoue. Si T retourne avec succès, ranger l'arbre retourné en vue d'une utilisation ultérieure.

3. Si, après avoir considéré tous les X_i, nous n'avons rencontré aucun échec, as-sembler l'arbre d'analyse à retourner, en créant un nouveau nœud avec des fils correspondant à $X_1, X_2, \ldots, X_n$, dans cet ordre. Si X_i est un terminal, alors le fils correspondant à X_i est une nouvelle feuille, d'étiquette X_i. Si X_i est une catégo-rie syntactique, alors le fils correspondant à X_i est la racine de l'arbre qui était retourné après que l'appel de la fonction correspondant à X_i se fut terminé. La figure 11.29 était un exemple de cette manière de construire un arbre.

Si la catégorie syntactique $<S>$ représente le langage contenant les chaînes que nous souhaitons reconnaître et analyser, alors on commence le processus d'analyse en donnant à la première entrée le statut de symbole de pré-lecture. Un appel à la fonction S donnera l'arbre d'analyse associé à l'entrée s'il existe, et retournera un échec si l'entrée n'appartient pas au langage $L(<S>)$.

EXERCICES

11.6.1 : Montrez la séquence d'appels effectuée par le programme de la figure 11.27 sur les entrées

a) (( ))
b) (( ) ( ))
c) ( )) (

suivies dans chaque cas du marqueur de fin `MFIN`.

11.6.2 : On considère la grammaire suivante pour les nombres.

$<Nombre> \rightarrow <Chiffre><Nombre> \mid \epsilon$
$<Chiffre> \rightarrow \mathbf{0} \mid \mathbf{1} \mid \cdots \mid \mathbf{9}$

Concevez un analyseur par descente récursive pour cette grammaire ; autrement dit, écrivez deux fonctions, l'une pour $<Nombre>$ et l'autre pour $<Chiffre>$. On pourra s'inspirer de la figure 11.27 et supposer qu'il existe des fonctions comme $MakeNode1$ qui retournent des arbres dont la racine porte le nombre de fils spécifié.

11.6.3 : * Supposons que les productions correspondant à $<Nombre>$ dans l'exercice 11.6.2 aient été écrites ainsi :

$<Nombre> \rightarrow <Chiffre><Nombre> \mid <Chiffre>$

ou ainsi

$$<Nombre> \rightarrow <Nombre><Chiffre> \mid \epsilon$$

Auriez-vous été capable de concevoir un analyseur par descente récursive ? Pourquoi ?

(1) $<L> \rightarrow (<E> <Q>$
(2) $<Q> \rightarrow , <E> <Q>$
(3) $<Q> \rightarrow)$
(4) $<E> \rightarrow <L>$
(5) $<E> \rightarrow atom$

Figure 11.30 : Grammaire pour des structures de liste

11.6.4 : * La grammaire de la figure 11.30 définit des listes non-vides, constituées d'éléments séparés par des virgules, et encadrés par des parenthèses. Un élément peut être soit un atome, soit une structure de liste. Ici, $<E>$ représente un élement, $<L>$ une liste, et $<Q>$ pour « queue », c'est-à-dire soit une) fermante, soit un couple virgule/élément suivi par une). Ecrivez un analyseur par descente récursive pour la grammaire de la figure 11.30.

11.7   Un algorithme fondé sur les tables d'analyse

Comme nous l'avons vu au paragraphe 6.7, les appels de procédure sont en général implémentés à l'aide d'une pile d'enregistrements d'activation. Comme les procédures contenues dans un analyseur par descente récursive ont des actions très spécifiques, il est possible de les remplacer par une procédure unique, qui examine une table et manipule elle-même une pile.

Il faut se souvenir que la procédure S associée à une catégorie syntaxique $<S>$ commence par décider de la production à utiliser, puis entame une série d'étapes, une pour chaque symbole présent dans le corps de la production choisie. Cela nous permet de gérer une pile de symboles grammaticaux qui trouvent une correspondance directe avec la pile des enregistrements d'activation. Les terminaux, comme les catégories syntactiques, sont placés sur la pile. Lorsqu'une catégorie syntaxique $<S>$ se trouve au sommet de la pile, on commence par choisir la production correcte. On remplace ensuite $<S>$ par le corps de la production choisie en plaçant l'extrémité gauche au sommet de la pile. Lorsqu'un terminal se trouve au sommet de la pile, on s'assure qu'il correspond au symbole d'entrée courant, auquel cas on le dépile.

Pour se représenter intuitivement la pertinence de cette organisation, supposons qu'un analyseur par descente récursive vienne juste d'appeler S, la procédure associée à la catégorie syntaxique $<S>$, et que la production choisie ait pour corps **a**$<B><C>$. Dans ce cas, l'enregistrement d'activation lié à S sera activé quatre fois :

1.   Lors du test d'un **a** en entrée,

2.   Lors de l'appel à B,

3.   Lorsque cet appel retourne et que C est appelé, et

4. Lorsque l'appel à C retourne et que S se termine.

Si, dans l'analyseur par tables d'analyse, on remplace immédiatement $<S>$ par les symboles présents dans le corps, soit **a**$<B><C>$ dans cet exemple, la pile fera apparaître ces symboles aux mêmes moments de la lecture que lorsque le contrôle est repassé à l'activation correspondante de S dans l'analyseur par descente récursive.

1. La première fois, **a** apparaît, et on le compare à l'entrée, exactement comme le ferait la procédure S.

2. La deuxième fois, qui survient immédiatement après, S aurait appelé B, mais nous avons déjà $<B>$ au sommet de la pile, ce qui aura le même effet.

3. La troisième fois, S appelle C, mais on trouve $<C>$ au sommet de la pile, ce qui provoque la même chose.

4. La quatrième fois, S retourne, et les symboles par lesquels $<S>$ a été remplacée ont tous été consommés. Du coup, le symbole situé en-dessous du point de la pile qui contenait précédemment $<S>$ est maintenant découvert. De la même façon, l'enregistrement d'activation situé sous celui de S recevra le contrôle dans l'analyseur par descente récursive.

Tables d'analyse

Au lieu d'écrire une collection de fonctions récursives, on peut construire une *table d'analyse*, dont les rangées correspondront aux catégories syntactiques, et dont les colonnes correspondront aux symboles de pré-lecture possibles. A l'intersection de la rangée de la catégorie syntactique $<S>$ et de la colonne du symbole de pré-lecture X se trouve le numéro de la production de tête $<S>$ et devant être utilisé pour $<S>$ lorsque le symbole de pré-lecture est X. Si l'entrée est un blanc, cela signifie l'échec ; si cette combinaison de catégorie syntactique et de symbole de pré-lecture survient, alors la chaîne d'entrée ne se trouve pas dans le langage.

✦ **Exemple 11.10.** A la figure 11.31, on peut voir la table d'analyse de la grammaire 11.2, la grammaire non-ambiguë pour les chaînes de parenthèses équilibrées. Cette table d'analyse est assez simple, car il n'existe qu'une seule catégorie syntactique. La table exprime la même stratégie que celle utilisée pour notre exemple étape par étape précédent. Développer à l'aide de la production (2), c'est-à-dire $<B> \rightarrow (<B>)<B>$, si le symbole de pré-lecture est (, et développer en s'appuyant sur la production (1), c'est-à-dire $<B> \rightarrow \epsilon$, dans les autres cas. Nous verrons rapidement comment on utilise des tables d'analyse comme celle-là. ✦

	(	)	MFIN
$<B>$	2	1	1

Figure 11.31 : Table d'analyse pour la grammaire des parenthèses équilibrées.

	w	c	d	b	e	s	;	MFIN
$<S>$	1			2		3		
$<L>$	4			4		4		
$<T>$					6		5	

Figure 11.32 : Table d'analyse pour la grammaire de la figure 11.33.

◆ **Exemple 11.11.** La figure 11.32 est un autre exemple de table d'analyse. Elle correspond à la grammaire de la figure 11.33, qui est une variante de la grammaire d'instruction de la figure 11.6.

(1) $<S> \rightarrow$ **w c d**$<S>$
(2) $<S> \rightarrow$ **b**$<L>$**e**
(3) $<S> \rightarrow$ **s**

(4) $<L> \rightarrow <S><T>$

(5) $<Q> \rightarrow$ **;**$<L>$
(6) $<Q> \rightarrow \epsilon$

Figure 11.33 : Grammaire pour des instructions simples, analysable par descente récursive.

La structure de la grammaire de la figure 11.33 lui permet d'être analysée par descente récursive (ou, de manière équivalente, par l'algorithme fondé sur les tables d'analyse que nous sommes en train de décrire). Pour comprendre la nécessité de cette structure, commençons avec la grammaire de la figure 11.6, qui possède les trois mêmes productions pour $<S>$, mais dans laquelle les productions pour $<L>$ prennent la forme

$$<L> \rightarrow <L>;<S> \mid <S>$$

Ces productions ne sont pas analysables par descente récursive. Le problème est que lorsqu'on appelle la fonction associée à $<L>$ avec un symbole de pré-lecture qui peut commencer une instruction, c'est-à-dire **w**, **b**, ou **s**, il n'est pas possible de savoir quelle production on doit utiliser. Il ne fait pas de doute que $<L> \rightarrow <S>$ pourrait convenir, car la liste peut ne comporter qu'une seule instruction. Toutefois, si la liste comporte n instructions, il nous faudra d'abord utiliser la production

$$<L> \rightarrow <L>;<S>$$

$n-1$ fois pour tenir compte des points-virgules et des instructions supplémentaires qui apparaîtront par la suite dans la chaîne d'entrée. Mais, en ne regardant que le symbole de pré-lecture, il est impossible de prévoir le nombre d'instructions contenues dans la liste, ce qui nous empêche de faire le bon choix pour la production de $<L>$.

Une autre façon d'écrire les productions associées à une liste est d'inverser l'ordre dans lequel les instructions d'une liste sont regroupées. On écrit les productions de $<L>$ ainsi :

$$<L> \rightarrow <S>;<L> \mid <S> \tag{11.3}$$

Si le symbole de pré-lecture est un terminal qui commence une instruction, on ne peut toujours pas décider de la production à utiliser, parce qu'elles ont toutes un corps qui commence avec une instruction. Cependant, on peut reporter la décision jusqu'à ce qu'apparaisse soit un point-virgule, indiquant qu'il faut utiliser la première production, soit un e, qui représente le mot-clé **end**, avertissant que la liste sur laquelle on travaille est terminée et qu'il faudra utiliser la seconde production.

Pour pouvoir reporter la décision, on introduit une nouvelle catégorie syntactique $<Q>$, qui servira à représenter la « queue » d'une liste. On **factorise à gauche** les deux membres de (11.3) en disant qu'une liste est une instruction suivie d'une queue, puis en affirmant qu'une qu'une queue est ce qui suit $<S>$ dans chacune des productions de (11.3). Autrement dit, on utilise uniquement la production

$$<L> \rightarrow <S><Q>$$

pour $<L>$, et pour $<Q>$ on utilise

$$<Q> \rightarrow ;<L> \mid \epsilon$$

Ce sont les productions (4) à (6) de la figure 11.33.

Etudions à présent comment les entrées de la table d'analyse de la figure 11.32 ont été choisies. Il existe trois productions pour la catégorie syntactique $<S>$, numérotées (1), (2), et (3) dans la figure 11.33. Chacune de ces productions possède un corps qui commence par un terminal différent, respectivement w, b, et s. Ainsi, pour chacun de ces trois symboles de pré-lecture, on choisit de développer $<S>$ à l'aide de la production dont le corps commence par ce symbole. Pour les autres symboles de pré-lecture, aucune des trois productions ne pourra générer une chaîne possédant ce symbole de pré-lecture, ce qui fait échouer notre tentavive de trouver un arbre d'analyse.

La catégorie syntactique $<L>$ possède la seule production $<L> \rightarrow <S><Q>$. On pourrait utiliser cette production pour développer $<L>$ pour tout symbole de pré-lecture, mais nous venons de remarquer que le langage de $<S>$ ne pouvait contenir que les chaînes commençant par w, b, ou s. Comme l'étape qui suit le développement de $<L>$ sera le développement de $<S>$, on peut échouer sur les autres symboles de pré-lecture.

Enfin, considérons le choix de la production associée à la catégorie syntactique $<Q>$. La production (5) de la figure 11.33, qui est $<Q> \rightarrow ;<L>$, ne pourra être utilisée que si le symbole de pré-lecture est ;. En fait, comme nous l'avons vu, toute production dont le corps commence par un terminal ne peut être utilisée que lorsque ce terminal est le symbole de pré-lecture. On pourrait choisir la production (6), ou $<T> \rightarrow \epsilon$, sur tous les autres symboles de pré-lecture. Pourtant, quand on examine la grammaire de la figure 11.33, on remarque que $<Q>$ ne peut se présenter qu'à la fin d'un $<L>$ (à cause de la production 4), et que les $<L>$ sont toujours suivies par un e (à cause de la production 2). Donc, chaque fois qu'on remplace $<Q>$ par ϵ, on peut s'attendre à ce que le terminal suivant soit e, et c'est seulement sur ce symbole de pré-lecture qu'on devra développer $<Q>$ à l'aide de la production (6). Sur tous les symboles de pré-lecture en dehors de ; et e, on échouera, étant donné qu'il ne peut y avoir d'arbre d'analyse pour cette entrée. ◆

Fonctionnement de l'analyseur par tables d'analyse

Toutes les tables d'analyse peuvent servir de données à des programmes tous inspirés du même modèle. Ce programme **pilote** garde une trace des symboles de la grammaire, terminaux et catégories syntaxiques. Cette pile peut être vue comme une séquence d'objectifs à satisfaire par ce qui n'a pas encore été lu dans la chaîne d'entrée ; les objectifs doivent être remplis l'un après l'autre, depuis le sommet jusqu'au bas de la pile.

1. Un objectif terminal est satisfait si on trouve que ce terminal est le symbole de pré-lecture de l'entrée. Autrement dit, chaque fois qu'un terminal x se trouve au sommet de la pile, on vérifie que le symbole de pré-lecture est x, auquel cas on dépile x de la pile et on lit le terminal d'entrée suivant, qui deviendra le nouveau symbole de pré-lecture.

2. L'objectif d'une catégorie syntaxique $<S>$ est satisfait en consultant dans table d'analyse la valeur située à la rangée de $<S>$ et à la colonne du symbole de pré-lecture.

    a) Si c'est un blanc, la recherche d'un arbre d'analyse correspondant à la chaîne d'entrée a échoué. Le programme pilote se termine.

    b) Si l'entrée contient la production i, on dépile $<S>$ et on empile chaque symbole du corps de la production i. Les symboles du corps sont empilés le plus à droite en premier, de façon qu'à la fin, le premier symbole du corps se retrouve au sommet de la pile, le deuxième juste en-dessous, etc. On remarquera que, dans le cas particulier de ϵ comme unique symbole du corps, on se contente de dépiler $<S>$, sans rien empiler.

Supposons que l'on souhaite déterminer l'appartenance d'une chaîne s à un langage $L(<S>)$. Dans ce cas, on lance notre pilote sur la chaîne d'entrée s MFIN [2], et on lit le premier terminal comme symbole de pré-lecture. La pile n'est composée au départ que de la catégorie syntaxique $<S>$.

✦ **Exemple 11.12.** Commençons par utiliser la table d'analyse de la figure 11.32 sur l'entrée

        b w c d s ; s e MFIN

La figure 11.34 montre les étapes suivies par l'analyseur piloté par la table d'analyse. Les contenus de la pile sont montrés avec le sommet à l'extrême gauche, de façon que si l'on remplace une catégorie syntaxique du sommet de la pile par le corps de l'une de ses productions, le corps apparaisse dans les positions supérieures de la pile, avec ses symboles dans l'ordre habituel.

La ligne (1) de la figure 11.34 montre la situation initiale. Comme $<S>$ est la catégorie syntaxique pour laquelle on souhaite tester l'appartenance de la chaîne bwcds;se,

---

[2] Il arrive qu'on ait besoin du marqueur de fin MFIN comme symbole de pré-lecture pour savoir si la fin de l'entrée est atteinte ; d'autre fois, il est inutile et n'est jamais utilisé. Par exemple, MFIN est nécessaire dans la figure 11.31, parce qu'on peut toujours avoir d'autres parenthèses à la suite d'une chaîne équilibrée, mais il est inutile à la figure 11.32, comme l'indique le fait qu'aucune valeur n'est jamais placée dans la colonne de MFIN.

	PILE	PRE-LECTURE	ENTRÉE RESTANTE
1)	$<S>$	b	`wcds;seMFIN`
2)	**b**$<L>$**e**	b	`wcds;seMFIN`
3)	$<L>$**e**	w	`cds;seMFIN`
4)	$<S><Q>$**e**	w	`cds;seMFIN`
5)	**wcd**$<S><Q>$**e**	w	`cds;seMFIN`
6)	**cd**$<S><Q>$**e**	c	`ds;seMFIN`
7)	**d**$<S><Q>$**e**	d	`s;seMFIN`
8)	$<S><Q>$**e**	s	`;seMFIN`
9)	**s**$<Q>$**e**	s	`;seMFIN`
10)	$<Q>$**e**	;	`seMFIN`
11)	**;**$<L>$**e**	;	`seMFIN`
12)	$<L>$**e**	s	`eMFIN`
13)	$<S><Q>$**e**	s	`eMFIN`
14)	**s**$<Q>$**e**	s	`eMFIN`
15)	$<Q>$**e**	e	`MFIN`
16)	**e**	e	`MFIN`
17)	ϵ	`MFIN`	ϵ

Figure 11.34 : Etapes de l'analyseur piloté par la table de la figure 11.32.

on commence avec uniquement $<S>$ au sommet de la pile. Le premier symbole de la chaîne donnée, b, est le symbole de pré-lecture, et le reste de la chaîne, suivi par END représente l'entrée encore à lire.

Si l'on consulte la table de la figure 11.32 pour la catégorie syntactique $<S>$ et le symbole de pré-lecture b, on voit qu'il faut développer $<S>$ selon la production (2). Le corps de cette production est **b**$<L>$**e**, et on voit que cette séquence de trois symboles grammaticaux a remplacé $<S>$ au sommet de la pile quand on arrive à la ligne (2).

Le sommet de la pile contient à présent le terminal **b**. On le compare donc avec le symbole de pré-lecture. Comme le sommet de la pile et le symbole de pré-lecture correspondent, on dépile, et on lit le symbole d'entrée suivant, w, qui devient le nouveau symbole de pré-lecture. Ces changements sont traduits à la ligne (3).

Ensuite, avec $<L>$ au sommet de la pile et w comme symbole de pré-lecture, on consulte la figure 11.32 et on trouve que l'action appropriée est de développer la production (4). On dépile ensuite $<L>$ et on empile $<S><T>$, comme on le voit à la ligne (4). De même, le $<S>$ qui se trouve à présent au sommet de la pile est remplacé par le corps de la production (1), car c'est l'action décrite à l'intersection de la rangée de $<S>$ et de la colonne du symbole de pré-lecture w, sur la figure 11.32 ; ce changement est refleté à la ligne (5). Aux lignes (6), (7), et (8), les terminaux du sommet de la pile sont comparés avec le symbole de pré-lecture courant, et comme la correspondance est chaque fois établie, ils sont dépilés et l'entrée suivante est lue.

Le lecteur est invité à suivre les lignes (9) à (17) et à vérifier que chacune correspond à l'action appropriée d'après la table d'analyse. Comme chaque terminal, lorsqu'il arrive au sommet de la pile, correspond au symbole de pré-lecture courant, on n'échoue jamais. On en conclut que la chaîne `bwcds;se` appartient à la catégorie syntactique $<S>$; autrement dit, c'est une instruction. ✦

Construction d'un arbre d'analyse

L'algorithme décrit ci-dessus nous permet de savoir si une chaîne donnée appartient à une catégorie syntactique donnée, mais il ne produit pas d'arbre d'analyse. Il suffit pourtant d'une légère modification pour que cet alogrithme nous donne aussi un arbre d'analyse, lorsque la chaîne d'entrée se trouve dans la catégorie syntactique avec laquelle nous avions initialisé la pile. L'analyseur par descente récursive décrit dans les paragraphes précédents construit ses arbres d'analyses du bas vers le haut, c'est-à-dire en commençant par les feuilles et en les combinant en sous-arbres de plus en plus gros à chaque retour d'un appel de fonction. Pour l'analyseur, il est plus facile de construire les arbres d'analyse du haut vers le bas. En d'autres termes, on part de la racine, et pendant qu'on choisit la production qui servira à développer la catégorie syntactique au sommet de la pile, on crée simultanément des fils pour un nœud de l'arbre en construction ; ces fils correspondent aux symboles du corps de la production choisie.

1. Au départ la pile contient seulement une catégorie syntactique, disons $<S>$. On initialise l'arbre d'analyse en ne lui donnant qu'un seul nœud, d'étiquette $<S>$. Le $<S>$ de la pile *correspond au* nœud unique de l'arbre d'analyse en construction.

2. En général, si la pile est composée des symboles $X_1 X_2 \cdots X_n$, avec X_1 au sommet, alors les feuilles de l'arbre d'analyse courant, prises de la gauche vers la droite, portent des étiquettes qui forment une chaîne s dont $X_1 X_2 \cdots X_n$ est un suffixe. Les n dernières feuilles de l'arbre d'analyse *correspondent aux* symboles de la pile, en ce sens que chaque symbole X_i correspond à une feuille d'étiquette X_i.

3. Supposons qu'une catégorie syntactique $<S>$ se trouve au sommet de la pile, et qu'on choisisse de remplacer $<S>$ par le corps d'une production $<S> \rightarrow Y_1 Y_2 \cdots Y_n$. On trouve la feuille de l'arbre d'analyse correspondant à cette $<S>$ (ce sera la feuille la plus à gauche ayant pour étiquette une catégorie syntactique), et on lui donne n fils, étiquetés par $Y_1, Y_2, \ldots, Y_n$, à partir de la gauche. Dans le cas particulier où le corps est ϵ, on crée plutôt un seul fils, étiqueté par ϵ.

✦ **Exemple 11.13.** Construisons l'arbre d'analyse au vol, en suivant les étapes de la figure 11.34. Pour commencer, à la ligne (1), la pile contient uniquement $<S>$, et l'arbre correspondant est le simple nœud montré à la figure 11.35(a). A la ligne (2), $<S>$ a été développé à l'aide de la production

$$<S> \rightarrow \mathbf{b}<L>\mathbf{e}$$

et on donne donc à la feuille de la figure 11.35(a) trois fils, d'étiquettes $\mathbf{b}$, $<L>$, et $\mathbf{e}$, en partant de la gauche. L'arbre de la ligne (2) apparaît en figure 11.35(b).

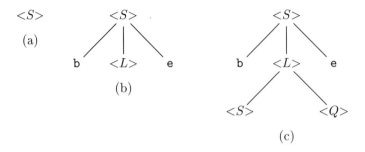

(a)

(b)

(c)

Figure 11.35 : Premières étapes de la construction de l'arbre d'analyse.

La ligne (3) n'apporte aucune modification à l'arbre d'analyse, car elle ne concerne que la comparaison de terminaux, et non le développement d'une catégorie syntactique. En revanche, à la ligne (4) on développe $<L>$ en $<S><Q>$, et on donne à la feuille d'étiquette $<L>$ à la figure 11.35(b) deux fils avec pour étiquette ces deux symboles, comme le montre la figure 11.35(c). Puis, à la ligne (5), $<S>$ est développé en **wcd**$<S>$, ce qui a pour conséquence de donner quatre fils à la feuille d'étiquette $<S>$ sur la figure 11.35(c). Le lecteur est invité à continuer le processus. L'arbre d'analyse final apparaît à la figure 11.36. ✦

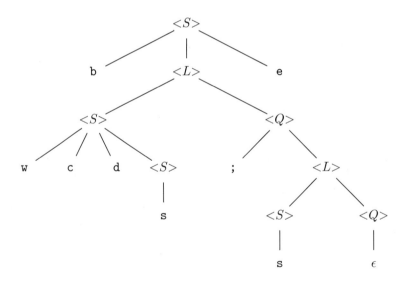

Figure 11.36 : Arbre d'analyse complet pour la figure 11.34.

EXERCICES

11.7.1 : Simulez l'analyseur piloté par table d'analyse en utilisant la table de la figure 11.32 sur les chaînes d'entrée suivantes :

a) `bse`

b)   `wcdbs;se`

c)   `bbs;se;se`

d)   `bs;s;e`

11.7.2 : Pour chacune des analyses réussies de l'exercice 11.7.1, montrez comment l'arbre d'analyse est construit pendant l'analyse.

11.7.3 : Simulez l'analyseur piloté par table d'analyse, en utilisant la table d'analyse de la figure 11.31, sur les chaînes d'entrée de l'exercice 11.6.1.

11.7.4 : Montrez la construction des arbres d'analyse pendant les analyses de l'exercice 11.7.3.

11.7.5 : * La grammaire suivante

(1)   *\<Instruction\>* → **if** *condition* **then** *\<Instruction\>* **else** *\<Instruction\>*
(2)   *\<Instruction\>* → **if** *condition* **then** *\<Instruction\>*
(3)   *\<Instruction\>* → *InstSimple*

représente les instructions de branchement comme en Pascal. Elle n'est pas analysable par descente récursive (ni, de façon similaire, par un analyseur piloté par table d'analyse), parce qu'avec le symbole de pré-lecture **if**, on ne peut pas dire laquelle des deux productions utiliser. Factoriser à gauche la grammaire pour la rendre analysable par les algorithmes de ce paragraphe et du paragraphe 11.6. *Une indication*: Quand on factorise, on obtient une nouvelle catégorie syntactique avec deux productions. L'une a pour corps ϵ ; le corps de l'autre commence par **else**. Manifestement, lorsque **else** est un symbole de pré-lecture, le choix portera sur la seconde production. On ne la choisira pour aucun autre symbole de pré-lecture. Mais, si l'on regarde sur quel symbole de pré-lectures il serait pertinent d'effectuer le développement à l'aide de la production de corps ϵ, on découvre que ces symboles de pré-lecture comprennent **else**. Toutefois, on peut arbitrairement décider de ne jamais développer avec ϵ quand le symbole de pré-lecture est **else**. Ce choix correspond à la règle du Pascal selon laquelle « un **else** correspond au dernier **then** isolé ». Ce choix est donc « correct ». Vous aimeriez peut-être trouver un exemple de chaîne d'entrée où le développement par ϵ du symbole de pré-lecture **else** permette à l'analyseur de terminer l'analyse. On s'apercevra que l'arbre d'analyse construit avec ce type d'analyse fait correspondre un **else** avec le « mauvais » **then**.

11.7.6 : ** La grammaire suivante

\<Enregistrement\> → **record** *\<ListeChamps\>* **end**
\<ListeChamps\> → *Nomchamp* : *type* ; *\<ListeChamps\>*
\<ListeChamps\> → *Nomchamp* : *type*

doit être modifiée pour être analysable par les méthodes exposées dans ce paragraphe ou dans le précédent. Réécrivez la grammaire pour la rendre analysable, et construisez la table d'analyse.

11.8   Grammaires versus expressions régulières

Les grammaires et les expressions régulières sont deux notations qui permettent de décrire les langages. On a vu au chapitre 10 que la notation utilisant les expressions régulières était équivalente à deux autres notations, celle utilisant les automates déterministes et non-déterministes, au sens que l'ensemble des langages descriptibles avec chacune de ces notations est le même. Se peut-il que les grammaires soient une autre notation équivalente à celles que nous avons vues précédemment ?

La réponse est « non » ; les grammaires sont plus puissantes que les notations telles que les expressions régulières introduites au chapitre 10. Nous démontrerons cette puissance d'expression des grammaires en deux étapes. Nous verrons d'abord que tout langage descriptible par une expression régulière est également descriptible par une grammaire. Puis nous mettrons en avant un langage pouvant être décrit par une grammaire, mais pas par une expression régulière.

Simulation d'expressions régulières avec des grammaires

L'idée intuitive qui préside à cette simulation est que les trois opérateurs des expressions régulières, l'union, la concaténation, et la fermeture, peuvent chacun être « simulé » par une ou deux productions. Formellement, on prouve l'affirmation suivante par récurrence complète sur n, le nombre d'occurrences d'opérateur dans l'expression régulière R.

ASSERTION   Quelle que soit l'expression régulière R, il existe une grammaire telle que pour l'une de ses catégories syntactiques $<S>$, on a $L(<S>) = L(R)$.

En d'autres termes, le langage décrit par l'expression régulière est aussi le langage de la catégorie syntactique $<S>$.

LA BASE. On prend comme cas initial celui où $n = 0$, pour lequel l'expression régulière R n'a aucune occurrence d'opérateur. Soit R est un symbole isolé — disons $\mathbf{x}$ —, soit R vaut ϵ ou $\emptyset$. On crée une nouvelle catégorie syntactique $<S>$. Dans le cas où $R = \mathbf{x}$, on crée aussi la production $<S> \rightarrow \mathbf{x}$. Ainsi, on a $L(<S>) = \{\mathbf{x}\}$, et $L(R)$ est le même langage composé d'une seule chaîne. Si R vaut ϵ, on crée de la même manière la production $<S> \rightarrow \epsilon$ pour $<S>$, et si $R = \emptyset$, on ne crée aucune production pour $<S>$. Alors $L(<S>)$ vaut $\{\epsilon\}$ quand R vaut ϵ, et $L(<S>)$ vaut $\emptyset$ quand R vaut $\emptyset$.

LA RÉCURRENCE. Supposons que l'hypothèse de récurrence soit vraie pour les expressions régulières comportant n occurrences d'opérateur ou moins. Soit R une expression régulière avec $n+1$ occurrences d'opérateur. Il existe trois cas, selon que le dernier opérateur appliqué pour construire R est l'union, la concaténation, ou la fermeture.

1. $R = R_1 \mid R_2$. Comme il n'existe qu'une occurrence d'opérateur, $\mid$ (union), à ne faire partie ni de R_1 ni de R_2, on sait que ni R_1 ni R_2 ne possèdent plus de n occurrences d'opérateur. Du coup, l'hypothèse de récurrence s'applique à l'une comme à l'autre ; on peut donc trouver une grammaire G_1 possédant une catégorie syntactique $<S_1>$, et une grammaire G_2 possédant une catégorie syntactique $<S_2>$, telles que $L(<S_1>) = L(R_1)$ et $L(<S_2>) = L(R_2)$. Pour éviter les coïncidences lors de la fusion des deux grammaires, on peut supposer que lorsqu'on construit

de nouvelles grammaires, on crée toujours des catégories syntactiques dont le nom n'apparaît dans aucune autre grammaire. De cette manière, G_1 et G_2 n'ont aucune catégorie syntactique en commun. On crée une nouvelle catégorie syntactique $<S>$ qui n'apparaît ni dans G_1, ni dans G_2, ni dans aucune autre grammaire que nous aurions déjà pu construire pour d'autres expressions régulières. Aux productions de G_1 et G_2, on ajoute les deux productions

$$<S> \rightarrow <S_1> \mid <S_2>$$

Alors le langage de $<S>$ est constitué de toutes les chaînes des langages de $<S_1>$ et $<S_2>$. Ce sont respectivement $L(R_1)$ et $L(R_2)$, et ainsi

$$L(<S>) = L(R_1) \cup L(R_2) = L(R)$$

comme nous le souhaitions.

2. $R = R_1 R_2$. Comme dans le cas (1), on suppose qu'il existe des grammaires G_1 et G_2, possédant respectivement les catégories syntactiques $<S_1>$ et $<S_2>$, telles que $L(<S_1>) = L(R_1)$ et $L(<S_2>) = L(R_2)$. On crée ensuite une nouvelle catégorie syntactique $<S>$ et on ajoute la production

$$<S> \rightarrow <S_1><S_2>$$

à celles de G_1 et G_2. Alors $L(<S>) = L(<S_1>)L(<S_2>)$.

3. $R = R_1*$. Soit G_1 une grammaire possédant la catégorie syntactique $<S_1>$ telle que $L(<S_1>) = L(R_1)$. On crée une nouvelle catégorie syntactique $<S>$ et on ajoute les productions

$$<S> \rightarrow <S_1><S> \mid \epsilon$$

Alors $L(<S>) = L(<S_1>)^*$ car $<S>$ génère des chaînes de zéro $<S_1>$ ou plus.

✦ **Exemple 11.14.** On considère l'expression régulière **a** | **bc***. On peut commencer à créer des catégories syntactiques pour les trois symboles qui apparaissent dans l'expression [3]. On a donc les productions

$$<A> \rightarrow \mathbf{a}$$
$$<B> \rightarrow \mathbf{b}$$
$$<C> \rightarrow \mathbf{c}$$

D'après les règles de regroupement pour les expressions régulières, notre expression doit être regroupée ainsi : **a** | $\left(\mathbf{b}(\mathbf{c})^*\right)$. Il faut donc commencer par créer la grammaire pour **c***. D'après la règle (3) ci-dessus, on ajoute à la production $<C> \rightarrow \mathbf{c}$, qui est la grammaire associée à l'expression régulière **c**, les productions

$$<D> \rightarrow <C><D> \mid \epsilon$$

Ici, la catégorie syntactique $<D>$ a été choisie arbitrairement, et aurait pu être n'importe quelle catégorie hormis $<A>$, $<B>$, et $<C>$, qui sont déjà utilisées. On notera que

$$L(<D>) = \left(L(<C>)\right)^* = c^*$$

---

[3] Si l'un de ces symboles apparaissait deux ou plusieurs fois, il serait inutile de créer une nouvelle catégorie syntactique pour chaque occurrence ; une seule catégorie par symbole suffirait.

Il nous faut à présent une grammaire pour **bc***. On prend la grammaire pour **b**, qui contient l'unique production $<B> \rightarrow$ **b**, et la grammaire pour **c***, qui est

$$<C> \rightarrow \text{c}$$
$$<D> \rightarrow <C><D> \mid \epsilon$$

On crée une nouvelle catégorie syntactique $<E>$ et on ajoute la production

$$<E> \rightarrow <B><D>$$

Cette production est utilisée à cause de la règle (2) ci-dessus, pour le cas de la concaténation. Son corps contient $<B>$ et $<D>$ parce que ce sont les catégories syntactiques pour les expressions régulières, **b** et **c***, respectivement. La grammaire pour **bc*** est donc

$$<E> \rightarrow <B><D>$$
$$<D> \rightarrow <C><D> \mid \epsilon$$
$$<B> \rightarrow \text{b}$$
$$<C> \rightarrow \text{c}$$

et $<E>$ est la catégorie syntactique associé au langage désiré.

Enfin, pour obtenir une grammaire pour l'expression régulière complète, on utilise la règle (1), celle qui concerne l'union. On invente une nouvelle catégorie syntactique $<F>$, avec les productions

$$<F> \rightarrow <A> \mid <E>$$

On notera que $<A>$ est la catégorie syntactique pour la sous-expression **a**, alors que $<E>$ est la catégorie syntactique pour la sous-expression **bc***. La grammaire finale est

$$<F> \rightarrow <A> \mid <E>$$
$$<E> \rightarrow <B><D>$$
$$<D> \rightarrow <C><D> \mid \epsilon$$
$$<A> \rightarrow \text{a}$$
$$<B> \rightarrow \text{b}$$
$$<C> \rightarrow \text{c}$$

et $<F>$ est la catégorie syntactique dont le langage est décrit par l'expression régulière initiale. ◆

Un langage possédant une grammaire mais pas d'expression régulière

On va montrer maintenant que les grammaires sont non seulement aussi puissantes que les expressions régulières, mais plus puissantes encore. Pour cela, on utilise un langage qui possède une grammaire mais pas d'expression régulière. Le langage, que nous appellerons E, est l'ensemble des chaînes constituées d'un ou plusieurs 0, suivis par un nombre égal de 1. C'est-à-dire

$$E = \{01, 0011, 000111, \ldots\}$$

Pour décrire les chaînes de E, il existe une notation utile, fondée sur les exposants. Soit s^n, où s est une chaîne et n un entier, une représentation de $ss \cdots s$ (n fois), c'est-à-dire, s concaténée n fois avec elle-même. Alors

$$E = \{0^1 1^1, 0^2 1^2, 0^3 1^3, \ldots\}$$

ou, en utilisant un descripteur d'ensemble,

$$E = \{0^n 1^n \mid n \geq 1\}$$

Commençons par nous persuader qu'il est possible de décrire E au moyen d'une gramaire. Ce qui suit montre comment.

(1) $<S> \rightarrow \mathbf{0}<S>\mathbf{1}$
(2) $<S> \rightarrow \mathbf{01}$

Une seule utilisation de la production (2) nous dit que 01 est dans $L(<S>)$. On peut ensuite se servir de la production (1), avec 01 à la place de $<S>$ dans le corps, ce qui génère $0^2 1^2$ pour $L(<S>)$. Une autre application de (1) avec $0^2 1^2$ à la place de $<S>$ nous apprend que $0^3 1^3$ se trouve $L(<S>)$, etc. En général, $0^n 1^n$ ne requiert qu'une utilisation de la production (2) suivie de $n - 1$ utilisation de la production (1). Comme on ne peut pas produire d'autres chaînes à partir de ces productions, on voit que $E = L(<S>)$.

Une preuve que E n'est défini par aucune expression régulière

Il faut à présent démontrer que E ne peut pas être décrit par une expression régulière. Il s'avère qu'il est plus facile de montrer que E n'est décrit par aucun automate déterministe fini. Cette preuve permet aussi de montrer que E ne possède pas d'expression régulière, car si E était le langage d'une expression régulière R, on pourrait convertir R en un automate déterministe fini à l'aide des techniques du paragraphe 10.8. Cet automate déterministe fini définirait donc le langage E.

On suppose donc que E est le langage associé à une certain automate déterministe fini A. Alors A comporte un certain nombre d'états, disons m états. Considérons ce qui se passe lorsque A reçoit la séquence d'entrée $000\cdots$. Donnons à l'état initial de l'automate inconnu A le nom s_0. Il faut que A possède sur l'entrée 0 une transition de s_0 vers un certain état que nous appellerons s_1. A partir de cet état, un autre 0 mène A vers un état que nous appellerons s_2, et ainsi de suite. En général, après avoir lu i 0, A se trouve dans l'état s_i, comme le suggère la figure 11.37 [4].

Figure 11.37 : Provisions de 0 à l'automate A.

Par ailleurs A était censé posséder exactement m états, et il existe $m + 1$ états dans la séquence $s_0, s_1, \ldots, s_m$. Il est donc impossible que tous ces états soit différents. Il doit exister deux entiers i et j distincts dans l'intervalle 0 à m, tels que s_i et s_j soient en réalité un seul et même état. Si l'on suppose que i est le plus petit des deux entiers

---

[4]   Le lecteur devra se souvenir que nous ne connaissons pas réellement les noms des états de A ; on sait seulement que A possède m états pour un certain entier m. Du coup, les noms $s_0, \ldots, s_m$ ne sont pas les noms des états de A, mais plutôt les noms par lesquels nous désignons ses états. Ce n'est pas si tordu que ça en a l'air. Par exemple, il nous est très facile de créer un tableau s, indexé entre 0 et m, et de stocker dans $s[i]$ une certaine valeur, qui pourrait être le nom d'un état de l'automate A. On pourra ensuite, dans un programme, faire référence à ce nom d'état au moyen de $s[i]$, et sans utiliser son vrai nom.

Le principe du nid de pigeon

La preuve que le langage E ne possède pas d'automate déterministe fini a fait appel à une technique connue sous le nom de *principe du nid de pigeon*, qu'on définit en général de la façon suivante :

> « Si $m + 1$ pigeons volent vers m nids, un nid au moins contiendra deux pigeons. »

Dans ce cas, les nids sont les états de l'automate A, et les pigeons sont les m états dans lesquels se retrouve A après avoir vu zéro, un, deux, et jusqu'à m 0.

On notera que pour pouvoir appliquer le principe des nids de pigeons, m doit être fini. L'histoire de l'hôtel infini au paragraphe 7.11 nous enseigne que le contraire peut être vrai dans le cas d'ensembles infinis. Nous avions vu alors un hôtel avec un nombre de chambres infini (correspondant aux nids de pigeons), et un nombre d'invités (correspondant aux pigeons) supérieur d'un au nombre de chambres. Il était néanmoins possible de loger chaque invité dans une chambre, sans avoir à en mettre deux dans la même chambre.

i et j, alors le chemin de la figure 11.37 doit comporter au moins une boucle comme le suggère la figure 11.38. En pratique, il pourrait y avoir beaucoup plus de boucles et de répétitions d'états que ne le suggère la figure 11.38. On remarquera également que i pourra valoir 0, auquel cas le chemin partant de s_0 et menant à s_i tel que le montre la figure 11.38 n'est en réalité qu'un nœud unique. De la même manière, s_j pourrait valoir s_m, auquel cas, le chemin allant de s_j vers s_m n'est qu'un nœud unique.

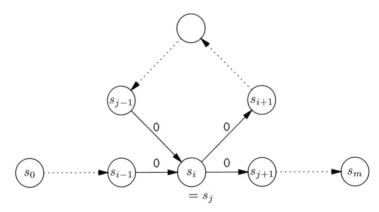

Figure 11.38 : Le chemin de la figure 11.37 comporte au moins une boucle.

La figure 11.38 indique que l'automate A ne peut pas se « souvenir » du nombre de 0 qu'il a vus. S'il se trouve dans l'état s_m, il peut avoir vu exactement m 0, et dans ce cas, si on part de l'état m pour fournir à A exactement m 1, A doit arriver à un état d'acceptation, comme le suggère la figure 11.39.

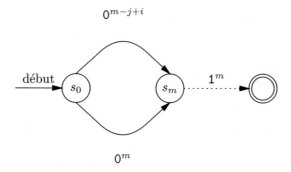

Figure 11.39 : L'automate A ne peut pas savoir s'il a déjà vu m 0 ou
$m - j + i$ 0.

Supposons pourtant que nous ayons fourni à A une chaîne de $m + j - i$ 0. En
regardant la figure 11.38, on s'aperçoit que i 0 mènent A de s_0 à s_i, qui est le même
état que s_j. On voit également que $m - j$ 0 mènent A de s_j à s_m. Du coup, $m - j + i$
0 mènent A de s_0 à s_m, comme le suggère le chemin supérieur de la figure 11.39.

On en déduit que $m - j + i$ 0 suivis de m 1 font passer A de l'état s_0 à un état
d'acceptation. Autrement dit, la chaîne $0^{m-j+i}1^m$ appartient au langage de A. Mais
comme j est plus grand que i, cette chaîne possède plus de 1 que de 0, et ne se trouve
pas dans le langage E. On en conclut que le langage décrit par A n'est pas exactement
E, comme on l'avait supposé initialement.

Comme nous sommes partis de la supposition que E était décrit par un automate
fini déterministe et que nous aboutissons à une contradiction, on conclut que notre
hypothèse de départ était fausse ; autrement dit, E ne peut pas être décrit par une
automate déterministe fini. Donc E ne peut pas non plus être décrit par une expression
régulière.

Le langage $\{0^n 1^n \mid n \geq 1\}$ n'est qu'un exemple parmi une infinité de langages pouvant être spécifiés par une grammaire mais pas par une expression régulière. D'autres
exemples sont proposés en exercices.

EXERCICES

11.8.1 : Trouvez des grammaires qui définissent les langages des expressions régulières
suivantes.

a) **(a | b)*a**

b) **a* | b* | (ab)***

c) **a*b*c***

11.8.2 : * Montrez que l'ensemble des chaînes de parenthèses équilibrées ne peut pas
être défini par une expression régulière. *Une indication* : La démonstration ressemble à
celle utilisée pour le langage E ci-dessus. Supposons que l'ensemble des chaînes équilibrées puisse être décrit par un automate déterministe fini à m états. Fournissez (à cet

Langages impossibles à définir à l'aide d'une grammaire

On pourrait se demander si les grammaires sont la notation la plus puissante pour décrire les langages. La réponse est « loin s'en faut ». Il existe des langages simples dont on peut montrer qu'ils ne possèdent par de grammaire associée, quoique la technique de démonstration dépasse le cadre de ce livre. Un exemple d'un tel langage est l'ensemble des chaînes composées d'un nombre égal de 0, 1, et 2, dans l'ordre, c'est-à-dire

$$\{012, 001122, 000111222, \ldots\}$$

En guise d'exemple de notation plus puissante pour décrire les langages, considérons Pascal lui-même. Pour une grammaire quelconque, et n'importe laquelle de ses catégories syntaxiques $<S>$, il est possible d'écrire un programme Pascal qui dise si une chaîne appartient à $L(<S>)$. Mieux, un programme Pascal qui teste l'appartenance d'une chaîne au langage décrit plus haut, n'est pas difficile à écrire.

Il existe pourtant des langages impossibles à définir en Pascal. L'élégante théorie des « problèmes indécidables » peut permettre de montrer que certaines problèmes sont impossibles à résoudre par le truchement d'un programme informatique. La théorie de l'indécidabilité, ainsi que quelques exemples de problèmes indécidables, est étudiée brièvement au paragraphe 14.10.

---

automate m, et regardez les états par lesquels il passe. Montrez qu'on peut tromper l'automate en lui faisant accepter une chaîne de parenthèses non équilibrées.

11.8.3 : * Montrez que le langage constitué des chaînes de la forme 0^n10^n, c'est-à-dire deux séries de 0 d'égales longueurs séparées par un seul 1, ne peut pas être défini à l'aide d'une expression régulière.

11.8.4 : * On rencontre parfois des affirmations *fallacieuses* selon lesquelles un langage, comme le E de ce paragraphe, est décrit par une expression régulière. L'argument est que pour chaque n, 0^n1^n est une expression régulière définissant le langage à une seule chaîne 0^n1^n. Ainsi

$$01 \mid 0^21^2 \mid 0^31^3 \mid \cdots$$

est une expression régulière qui décrit E. Où est l'erreur dans cette argumentation ?

11.8.5 : * Un autre argument fallacieux concernant les langages affirme que E est décrit par l'automate fini suivant. Cet automate possède un seul état a, qui est à la fois l'état de départ et l'état d'acceptation. Il existe une transition de a vers lui-même sur les symboles 0 et 1. Dans ce cas, on peut être sûr que la chaîne 0^i1^i fait passer de l'état a à lui-même, et est donc acceptée. Montrez que cet argument ne montre pas que E est le langage d'un automate fini.

11.8.6 : ** Montrez qu'aucun des langages suivants ne peut être défini par une expression régulière.

a) $\{ww^R \mid w$ est une chaîne composée de plusieurs a et b, et w^R la chaîne inverse$\}$

b) $\{0^i \mid i$ est un carré parfait$\}$

c) $\{0^i \mid i$ est un nombre premier$\}$

Quels sont ceux qui peuvent être définis par une grammaire ?

11.9 Résumé du chapitre 11

Après avoir lu ce chapitre, le lecteur devrait savoir :

✦ Comment une grammaire (non-contextuelle) permet de définir un langage.

✦ Comment construire un arbre d'analyses pour représenter la structure grammaticale d'une chaîne.

✦ Ce qu'est l'ambiguïté, et pourquoi les grammaires ambiguës sont à rejeter quand on souhaite spécifier des langages de programmation.

✦ Qu'il existe une technique appelée analyse par descente récursive, qui peut servir à construire des arbres d'analyse pour certaines classes de grammaires.

✦ Qu'il existe une façon d'implémenter des analyseurs par descente récursive, pilotée par des tables d'analyse.

✦ Pourquoi les grammaires sont une notation plus puissante pour décrire les langages que ne le sont les expressions régulières ou les automates finis.

11.10 Notes bibliographiques du chapitre 11

Les grammaires non-contextuelles ont été étudiées pour la première fois par Chomsky [1956] en tant que formalisme de description pour les langages naturels. Des formalismes similaires ont été utilisés pour définir la syntaxe de deux des premiers langages de programmation importants, Fortran (Backus et al. [1957]) et Algol 60 (Naur [1963]). C'est pourquoi l'on fait souvent référence aux grammaires non-contextuelles en parlant de forme de Backus-Naur (en abrégé, BNF). L'étude des grammaires non-contextuelles via leurs propriétés mathématiques a commencé avec Bar-Hillel, Perles, et Shamir [1961]. Pour une étude plus complète des grammaires non-contextuelles et de leurs applications, voir Hopcroft et Ullman [1979] ou Aho, Sethi, et Ullman [1989].

Les analyseurs par descente récursive ont été utilisés dans de nombreux compilateurs et systèmes d'écriture de compilateurs (voir Lewis, Rosenkrantz, et Stearns [1974]). Knuth [1965] fut le premier à identifier les grammaires LR, la plus grande classe naturelle de grammaires pouvant être analysées de façon déterministe, en balayant la chaîne d'entrée de gauche à droite.

Aho, A. V., R. Sethi, et J. D. Ullman [1989]. *Compilateurs. Principes, techniques, et outils*, InterEditions, Paris.

Backus, J. W. [1957]. « The FORTRAN automatic coding system », *Proc. AFIPS Western Joint Computer Conference*, pp. 188–198, Spartan Books, Baltimore.

Bar-Hillel, Y., M. Perles, et E. Shamir [1961]. « On formal properties of simple phrase structure grammars », *Z. Phonetik, Sprachwissenschaft und Kommunikationsforschung* **14**, pp. 143–172.

Chomsky, N. [1956]. « Three models for the description of language », *IRE Trans. Information Theory* **IT-2**:3, pp. 113–124.

Hopcroft, J. E., et J. D. Ullman [1979]. *Introduction to Automata Theory, Languages, and Computation*, Addison Wesley, Reading, Mass.

Knuth, D. E. [1965]. « On the translation of languages from left to right », *Information and Control* **8**:6, pp. 607–639.

Lewis, P. M., D. J. Rosenkrantz, et R. E. Stearns [1974]. « Attributed translations », *J. Computer and System Sciences* **9**:3, pp. 279–307.

Naur, P. (ed.) [1963]. « Revised report on the algorithmic language Algol 60 », *Comm. ACM* **6**:1, pp. 1–17.

CHAPITRE 12

Logique propositionnelle

Dans ce chapitre, nous introduirons la logique propositionnelle, une algèbre qui remonte à Aristote, et dont l'objectif initial est de modéliser le raisonnement. Plus récemment, cette algèbre, comme beaucoup d'autres, a prouvé son utilité comme outil de conception — en particulier, nous verrons dans le prochain chapitre comment la logique propositionnelle peut servir à concevoir des circuits d'ordinateur. Une troisième utilisation de la logique consiste à s'en servir comme modèle de calcul, grâce aux divers langages de programmation existants fondés sur la logique, comme Prolog. De nombreux systèmes de raisonnement par ordinateur, notamment les démonstrateurs de théorèmes, les vérificateurs de programmes, et les applications gravitant autour de l'intelligence artificielle, ont été implémentés à l'aide de langages de programmations fondés sur la logique. Ces langages utilisent le plus souvent la « logique des prédicats », une forme de logique plus puissante qui étend les possibilités de la logique propositionnelle. Nous aborderons la logique des prédicats au chapitre 14.

12.1   Le propos de ce chapitre

Le paragraphe 12.2 donne une explication intuitive de ce qu'est la logique propositionnelle, et de son utilité. Le paragraphe suivant, 12.3, introduit une algèbre pour les expressions logiques avec des opérandes à valeurs booléennes et des opérateurs logiques comme AND, OR, et NOT qui agissent sur des valeurs booléennes (vrai/faux). Cette algèbre est souvent appelée **Algèbre de Boole** en hommage à George Boole, le logicien qui le premier donna à la logique une structure d'algèbre. Nous apprendrons ensuite les choses suivantes.

✦   Les tables de vérités sont une manière utile de représenter la signification d'une expression en logique (paragraphe 12.4).

✦   On peut convertir une table de vérité en une expression logique ayant la même fonction logique (paragraphe 12.5).

✦ La table de Karnaugh est une technique utile pour simplifier les expressions logiques (paragraphe 12.6).

✦ Il existe un ensemble important de « tautologies », ou lois algébriques qui peuvent être appliquées aux expressions logiques (paragraphes 12.7 et 12.8).

✦ Certaines tautologies de la logique propositionnelles nous permettent d'expliquer certaines techniques de preuve, comme la « preuve par l'absurde » ou la « preuve par contre-apposée » (paragraphe 12.9).

✦ La logique propositionnelle est aussi amenable par « déduction », c'est-à-dire que le développement de preuves par écriture d'une série de ligne, chacune d'elles étant soit donnée, soit justifiée par certaines des lignes précédentes (paragraphe 12.10). C'est le mode de démonstration que la plupart d'entre nous ont appris en classe de géométrie plane au lycée.

✦ Une technique puissante appelée « résolution » qui peut nous aider à trouver des preuves rapidement (paragraphe 12.11).

12.2   Qu'est-ce que la logique propositionnelle ?

Samuel a écrit un programme Pascal contenant l'instruction `if`

```
if (a<b) OR ((a>=b) AND (c=d)) then ...                    (12.1)
```

Sophie a examiné ce programme et s'est rendu compte que l'expression conditionnelle de l'instruction `if` aurait pu être écrite plus simplement :

```
if (a<b) OR (c=d) then ...                                 (12.2)
```

Comment Sophie en est-elle arrivée à cette conclusion ?

Elle pourrait avoir raisonné de la façon suivante. Supposons que `a<b`. Alors la première des deux conditions reliées par `OR` est vraie pour les deux instructions et, dans un cas comme dans l'autre, on emprunte le branchement `then`. Supposons à présent que `a<b` soit fausse. Dans ce cas, nous ne pouvons emprunter le branchement `then` que si la condition à droite du `OR` est vraie. Pour l'instruction (12.1), on se demande si

```
(a>=b) AND (c=d)
```

est vraie. Comme nous supposons que `a<b` est fausse, `a>=b` est sûrement vraie. On empruntera donc le branchement `then` de (12.1) si et seulement si `c=d` est vraie. Pour l'instruction (12.2), on emprunte le branchement `then` exactement si `c=d`. Donc quelles que soient les valeurs de `a`, `b`, `c`, et `d`, soit les deux instructions `if` dirigeront le programme vers le branchement `then`, soit aucune. On en conclut que Sophie a raison, et que l'expression conditionnelle simplifiée peut être substituée à la première sans modifier le comportement du programme.

La logique propositionnelle est un modèle mathématique qui nous permet de raisonner sur la nature vraie ou fausse des expressions logiques. Nous définirons les expressions logiques formellement dans le paragraphe suivant, mais pour l'instant, on peut voir une expression logique comme une simplification d'une expression conditionnelle comme celles des lignes (12.1) ou (12.2) ci-dessus.

Propositions et valeurs de vérité

On notera que notre raisonnement concernant les deux instructions `if` ci-dessus ne dépend pas de la « signification » de `a<b` ou d'autres conditions similaires. Il a suffit de savoir que `a<b` et `a>=b` étaient *complémentaires*, autrement dit, quand l'une est vraie, l'autre est fausse, et vice versa. On pourrait donc remplacer `a<b` par un symbole unique p, remplacer `a>=b` par l'expression `NOT` p, et remplacer `c=d` par le symbole q. Les symboles p et q s'appellent des **variables propositionnelles**, car elles peuvent représenter n'importe quelle « proposition » c'est-à-dire n'importe quel énoncé pouvant prendre l'une des deux *valeurs de vérité*, vrai ou faux. Une variable propositionnelle est essentiellement identique à une variable du type `Boolean` en Pascal.

Les expressions logiques peuvent contenir des opérateurs logiques comme `AND`, `OR`, et `NOT`. Quand les valeurs des opérandes des opérateurs logiques sont connues dans une expression logique, la valeur de l'expression peut être déterminée à l'aide de règles comme

1. L'expression p `AND` q est vraie si et seulement si p et q sont vraies ; elle est fausse sinon.

2. L'expression p `OR` q est vraie si p ou q, ou les deux, sont vraies ; elle est fausse sinon.

3. L'expression `NOT` p est vraie si p est fausse, et fausse si p est vraie.

On remarquera que ces règles sont exactement les mêmes que les règles d'évaluation des expressions booléennes en Pascal.

La condition de la ligne (12.1) peut être écrite sous la forme de l'expression logique

$$p \ \text{OR} \ \big((\text{NOT} \ p) \ \text{AND} \ q\big)$$

et celle de la ligne (12.2) peut s'écrire p `OR` q. Notre raisonnement concernant les deux instructions `if`, (12.1) et (12.2), a montré la proposition générale selon laquelle

$$\Big(p \ \text{OR} \ \big((\text{NOT} \ p) \ \text{AND} \ q\big)\Big) \equiv (p \ \text{OR} \ q) \tag{12.3}$$

où $\equiv$ signifie « est équivalent à » ou « a la même valeur booléenne que ». C'est-à-dire que, sans présumer des valeurs de vérités assignées aux variables propositionnelles p et q, les expressions situées de part et d'autre du signe $\equiv$ sont soit toutes les deux vraies, soit toutes les deux fausses. Nous avons découvert que, pour l'équivalence ci-dessus, les deux sont vraies lorsque p est vrai ou lorsque q est vrai, et les deux sont fausses si p et q sont tous les deux faux. Nous sommes donc en présence d'une équivalence valide.

Comme p et q peuvent être des propositions quelconques, on peut se servir de l'équivalence (12.3) pour simplifier de nombreuses expressions différentes. Par exemple, on pourrait donner à p la valeur

```
(a=b+1) AND (c<d)
```

et à q la valeur `(a=c) OR (b=c)`. Dans ce cas, le membre gauche de (12.3) devient

```
((a=b+1) AND (c<d)) OR
    ((NOT((a=b+1) AND (c<d))) AND ((a=c) OR (b=c)))
```
(12.4)

L'équivalence (12.3) nous dit que (12.4) peut être simplifiée en la remplaçant par le membre droit de (12.3), qui est

```
((a=b+1) AND (c<d)) OR ((a=c) OR (b=c))
```

De la même manière, on pourrait donner à p la valeur propositionnelle « Il fait beau », et à q la valeur « Jean prend son parapluie ». Le membre gauche de (12.3) deviendrait

« Il fait beau, ou il ne fait pas beau et Jean prend son parapluie ».

tandis que le membre droit, qui dit la même chose, deviendrait

« Il fait beau ou Jean prend son parapluie ».

12.3   Expressions logiques

Les expressions apparaissant dans les instructions conditionnelles du Pascal sont classiques des expressions de la logique propositionnelle, quand on remplace les comparaisons comme a<b par des variables propositionnelles. Un premier ensemble d'*expressions logiques* peut être défini par récurrence de la manière suivante :

LA BASE. Les variables propositionnelles et les constantes logiques, TRUE et FALSE, sont des expressions logiques. Ce sont des opérandes atomiques.

LA RÉCURRENCE. Si E et F sont des expressions logiques, il en va de même pour

a) E AND F. La valeur de cette expression est TRUE si E et F ont toutes les deux pour valeur TRUE, et FALSE sinon.

b) E OR F. La valeur de cette expression est TRUE si E ou F ou les deux ont la valeur TRUE, et la valeur est FALSE si E et F ont toutes les deux pour valeur FALSE.

c)   NOT E. Cette expression vaut TRUE si E vaut FALSE, et elle aura la valeur FALSE si E prend la valeur TRUE.

Autrement dit, les expressions logiques peuvent être construites à partir des opérateurs binaires infixes AND et OR, et de l'opérateur unaire préfixe NOT. Comme pour d'autres algèbres, des parenthèses seront nécessaires pour les regroupements, mais dans certains cas on pourra se servir de la préséance et de l'associativité des opérateurs pour éliminer les paires de parenthèses redondantes, comme on a l'habitude de le faire avec les expressions conditionnelles du Pascal impliquant ces opérateurs logiques. Dans le prochain paragraphe, nous verrons d'autres opérateurs logiques susceptibles d'apparaître dans les expressions logiques.

✦ **Exemple 12.1.** Voici quelques exemples d'expressions logiques :

1.   TRUE

2.   TRUE OR FALSE

3.   NOT p

Ce que la logique propositionnelle ne sait pas faire

La logique propositionnelle est un outil utile pour le raisonnement, mais elle est limitée parce qu'elle ne peut pas voir à l'intérieur des propositions et tirer avantage des relations internes. Par exemple, Sophie écrivit une fois l'instruction `if`

```
if (a<b) AND (a<c) AND (b<c) then ...
```

Samuel fit alors remarquer qu'il suffisait d'écrire

```
if (a<b) AND (b<c) then ...
```

Si nous donnons à p, q, et r respectivement la valeur des propositions `(a<b)`, `(a<c)`, et `b<c`, alors Samuel semblerait dire que

$$(p \text{ AND } q \text{ AND } r) \equiv (p \text{ AND } r)$$

Néanmoins, cette équivalence, n'est pas toujours vraie. Par exemple, supposons que p et r soient vrais, mais que q soit faux. Dans ce cas le membre droit serait faux et le membre gauche serait vrai.

Il s'avère que la simplification de Samuel est correcte, mais pas pour une raison que l'on pourrait découvrir grâce à la logique propositionnelle. Vous vous souvenez sans doute que nous avions établi au paragraphe 7.10 que $<$ était une relation transitive. Autrement dit, dès que p et r, c'est-à-dire `a<b` et `b<c`, sont tous les deux vrais, alors q, c'est-à-dire `a<c`, est nécessairement vrai.

Au chapitre 14, nous considérerons un modèle plus puissant appelé **logique des prédicats**, qui nous permet d'attacher des arguments aux propositions. Ce privilège nous permet d'exploiter les propriétés particulières d'opérateurs comme $<$. (Pour ce qui nous concerne, on peut voir un prédicat comme le nom d'une relation au sens de la théorie des ensembles des chapitres 7 et 8). Par exemple, on pourrait créer un prédicat lt pour représenter l'opérateur $<$, et écrire p, q, et r ainsi : $lt(a,b)$, $lt(a,c)$, et $lt(b,c)$. Alors grâce aux lois appropriées qui expriment les propriétés de lt, comme la transitivité, on pourrait conclure que

$$\big(lt(a,b) \text{ AND } lt(a,c) \text{ AND } lt(b,c)\big) \equiv \big(lt(a,b) \text{ AND } lt(b,c)\big)$$

En fait, l'équivalence ci-dessus est valide pour n'importe quel prédicat lt qui obéit à la loi de transitivité, pas seulement pour le prédicat $<$.

---

4. $p \text{ AND } (q \text{ OR } r)$

5. $(q \text{ AND } p) \text{ OR } (\text{NOT } p)$

Dans ces expressions, p, q, et r sont des variables propositionnelles. ◆

Préséance des opérateurs logiques

Comme avec les autres expressions, on attribue une préséance aux opérateurs logiques, que l'on pourra ensuite utiliser pour éliminer certaines paires de parenthèses. L'ordre de préséance pour les opérateurs que nous avons déjà vus est NOT (le plus fort), puis AND, et enfin OR (le plus faible). AND et OR sont normalement regroupés à partir de la gauche, bien qu'ils soient associatifs, comme nous le verrons, et que le regroupement n'ait donc aucune raison d'être. NOT étant un opérateur unaire préfixe, il ne peut être regroupé qu'à partir de la droite.

✦ **Exemple 12.2.** NOT NOT p OR q se regroupe ainsi : $\big(\text{NOT }(\text{NOT }p)\big)$ OR q. NOT p OR q AND r se regroupe ainsi : $(\text{NOT }p)$ OR $(q \text{ AND } r)$. Vous remarquerez qu'il existe une analogie entre la préséance et l'associativité de AND, OR, et NOT d'un côté, et les opérateurs arithmétiques $\times$, $+$, et le moins unaire $-$ de l'autre. Par exemple, la seconde des expressions ci-dessus peut être comparée à l'expression arithmétique $-p + q \times r$, qui se regroupe de la même façon : $(-p) + (q \times r)$. ✦

Evaluation des expressions logiques

Lorsque toutes les variables propositionnelles d'une expression logique sont instanciées par des valeurs de vérité, l'expression elle-même acquiert une valeur de vérité. On peut alors évaluer une expression logique de la même manière que nous le ferions pour une expression arithmétique ou une expression relationnelle.

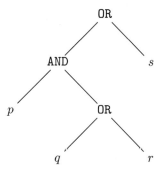

Figure 12.1 : Arbre d'expression pour l'expression logique
p AND $(q$ OR $r)$ OR s.

Le déroulement du processus apparaît plus clairement sur l'arbre d'expression associé, comme celui de la figure 12.1, pour l'expression p AND $(q$ OR $r)$ OR s. Etant donnée une **affectation d'une valeur de vérité**, c'est-à-dire l'attribution d'une valeur TRUE ou FALSE à chaque variable, on commence par les feuilles, qui sont des opérandes atomiques. Chaque opérande atomique est soit l'une des constantes logiques TRUE ou FALSE, soit une variable à laquelle on attribue la valeur TRUE ou FALSE selon l'affectation choisie. L'arbre est alors construit au fur et à mesure. Une fois que la valeur des fils d'un nœud intérieur v est connue, on peut appliquer l'opérateur en v à ces valeurs pour produire une valeur de vérité pour le nœud v. La valeur de vérité de la racine est la valeur de vérité de l'expression toute entière.

✦ **Exemple 12.3.** Supposons que nous voulions évaluer l'expression p AND $(q$ OR $r)$ OR s pour l'affectation TRUE, FALSE, TRUE, FALSE, respectivement pour p, q, r, et s. On commence par considérer le nœud intérieur le plus bas de la figure 12.1, qui représente l'expression q OR r. Comme q vaut FALSE, mais que r vaut TRUE, la valeur de q OR r est TRUE.

On se penche maintenant sur le nœud possédant l'opérateur AND. Ses deux fils, qui représentent les expressions p et q OR r, ont la valeur TRUE. Ce nœud, qui représente l'expression p AND $(q$ OR $r)$, prend donc aussi la valeur TRUE.

Enfin, on arrive à la racine, qui possède l'opérateur OR. Son fils gauche, nous venons juste de découvrir qu'il avait la valeur TRUE, et son fils droit, qui représente l'expression s, a la valeur FALSE d'après l'affectation initiale. Comme TRUE OR FALSE prend la valeur TRUE, l'expression entière a la valeur TRUE. ✦

Fonctions booléennes

La « signification » d'une expression peut être décrite formellement comme une fonction qui donne une valeur pour l'expression entière à partir de la valeur de ses arguments. Par exemple, l'expression arithmétique $x \times (x+y)$ est une fonction qui prend les valeurs (disons réelles) de x et y et qui retourne la valeur obtenue en additionnant les deux arguments et en multipliant cette somme par le premier argument. Son comportement est similaire à celui d'une fonction Pascal déclarée par

```
function foo(x,y: real): real;
```

En terme de théorie des ensembles, l'expression ressemble à une fonction reliant des couples (x, y) à des valeurs. Cette fonction donne naissance à des éléments comme $((3, 4), 21)$, ou $((10, 12), 220)$.

De même, la signification d'une expression logique est une fonction qui prend ses arguments dans une affectation donnée, et qui retourne soit TRUE soit FALSE. De telles fonctions sont appelées *fonctions booléennes*. Par exemple, l'expression logique

E: p AND $(p$ OR $q)$

est similaire à une fonction Pascal déclarée

```
function foo(p,q: Boolean): Boolean;
```

On peut aussi considérer une fonction de la théorie des ensembles, qui relie des couples (p, q) aux valeurs booléennes TRUE ou FALSE. Par exemple, l'expression E ci-dessus peut être représentée par une fonction à quatre éléments. $((\text{TRUE}, \text{FALSE}), \text{TRUE})$ est l'un d'entre eux. Cet élément représente le fait que lorsque p vaut TRUE et q vaut FALSE, E prend la valeur TRUE. On peut déterminer cette valeur en construisant l'arbre d'expression pour E, en utilisant le processus de l'exemple 12.3. Le lecteur peut évaluer E pour les trois autres affectations, et construire ainsi la fonction booléenne complète représentée par E.

EXERCICE

12.3.1 : Evaluez les expressions suivantes pour toutes les valeurs de vérité possibles, de manière à exprimer leurs fonctions booléennes comme une fonction de la théorie des ensembles.

a) p AND $(p$ OR $q)$

b) NOT p OR q

c) $(p$ AND $q)$ OR $($NOT p AND NOT $q)$

12.4   Tables de vérité

Une fonction booléenne peut être représentée de façon pratique dans une *table de vérité*, dont les rangées correspondent à toutes les combinaisons de valeurs de vérité pour les arguments. Il existe une colonne par argument et une colonne pour la valeur de la fonction.

p	q	p AND q
0	0	0
0	1	0
1	0	0
1	1	1

p	q	p OR q
0	0	0
0	1	1
1	0	1
1	1	1

p	NOT p
0	1
1	0

Figure 12.2 : Tables de vérité pour AND, OR, et NOT.

✦ **Exemple 12.4.** Les tables de vérité pour AND, OR, et NOT apparaissent à la figure 12.2. Ici, comme souvent dans ce chapitre, on utilisera la notation abrégée 1 pour TRUE et 0 pour FALSE. La table de vérité de AND nous indique donc que le résultat est TRUE si et seulement si les deux opérandes ont la valeur TRUE ; la deuxième table de vérité indique que l'application de l'opérateur OR a pour résultat TRUE si l'un des deux opérandes, ou les deux, ont la valeur TRUE ; la troisième table de vérité indique que l'application de l'opérateur NOT a pour résultat TRUE si et seulement si l'opérande a la valeur FALSE.
✦

La taille des tables de vérité

La table de vérité d'une fonction booléenne à k arguments possède 2^k rangées, une pour chaque chaîne de k 0 et 1 représentant les valeurs des k arguments. Par exemple, si $k = 2$, elle possèdera quatre rangées, correspondant à 00, 01, 10, et 11, comme nous le voyons pour les tables de vérité de AND et OR à la figure 12.2.

Chaque rangée d'une table de vérité assigne une valeur 0 ou 1 à la fonction, ce qui donne $2 \times 2 \times 2 \times 2 = 16$ fonctions possibles à deux arguments. Nous avons déjà rencontré deux de ces fonctions, AND et OR. D'autres sont triviales, comme la fonction qui a la valeur 1, quels que soient ses arguments. Cela dit, il existe de nombreuses

Un mot sur le dénombrement

Il est utile d'observer que si l'on souhaite affecter une valeur parmi a à un objet parmi b, il existe a^b moyens de le faire. Par exemple, si nous avons quatre maisons dans une rangée, et que l'on souhaite peindre chacune avec une couleur choisie parmi trois, il y a $3^4 = 81$ façons de peindre les quatre maisons. Autrement dit, on peut peindre la première maison avec l'une des trois couleurs. Pour chaque choix de couleur pour la première maison, il existe trois manières de peindre la deuxième, soit neuf façons de peindre les deux premières maisons. Pour chacune de ces trois façons, la troisième maison peut être peinte de trois manières, ce qui donne un total de 27 façons de peindre les trois premières maisons. De même, pour chacune des 27 façons, la dernière maison peut être peinte de trois manières différentes, ce qui fournit 81 façons de peindre les quatres maisons. La règle générale peut être facilement prouvée par récurrence sur b. Nous avons observé plusieurs fois que le nombre de chaînes de 0 et de 1 de longueur k est 2^k. Cela se déduit du principe général ; imaginez que 0 et 1 soient les couleurs, et que les k positions de la chaîne soient les k maisons. Alors $a = 2$ et $b = k$. Autre application intéressante : on pourrait avoir envie de savoir combien il existe de fonctions booléennes à k arguments. Chacune de ces fonctions est représentée par une table de vérité à 2^k rangées, comme nous l'avons vu. Chaque rangée peut être « coloriée » en 0 ou 1 ; la couleur est la valeur de vérité retournée par la fonction quand ses arguments ont les valeurs d'affectation pour cette rangée. On a donc 2 « couleurs » et 2^k « maisons », pour un total de 2^{2^k} fonctions. Par exemple, lorsque $k = 2$, il existe $2^{2^2} = 16$ fonctions possibles, comme on l'a déjà dit, et pour $k = 5$ il en existe $2^{2^5} = 2^{32}$, soit environ quatre milliards de fonctions.

autres fonctions utiles à deux arguments, et nous les rencontrerons plus tard dans ce paragraphe. Nous avons vu NOT également, une fonction utile à un argument, et on utilise aussi fréquemment des fonctions booléennes à trois arguments ou plus.

Alors que les tables de vérité qui mettent en jeu une, deux, ou trois variables sont relativement petites, le fait que le nombre de rangées soit 2^k pour une fonction d'arité k indique que k ne doit pas être trop grand si l'on veut être en mesure de dessiner les tables de vérité. Par exemple, une fonction à dix arguments aura plus de 1000 rangées. Dans les paragraphes suivants, nous aurons à nous débattre avec le fait que, bien que les tables de vérité soient finies, et qu'elles puissent en principe nous donner toutes les informations voulues sur une fonction booléenne, leur croissance exponentielle oblige souvent à trouver d'autres moyens de comprendre, d'évaluer, ou de comparer des fonctions booléennes.

Opérateurs logiques supplémentaires

Il existe quatre autres fonctions booléennes à deux arguments qui se révèleront très utiles dans ce qui va suivre.

Comprendre les « implications »

La signification de l'opérateur d'implication → peut ne pas sembler intuitive, puisqu'il faut se convaincre que « la fausseté implique tout ». On ne doit pas confondre → avec la causalité. Autrement dit $p \to q$ peut être vrai, bien que p ne soit en aucune façon la « cause » de q. Par exemple, soit p la proposition « il pleut », et q la propostion « Jean prend son parapluie ». On pourrait affirmer que $p \to q$ est vraie. Il se pourrait même que la pluie soit la cause du fait que Jean prenne son parapluie. Cela dit, il se pourrait aussi que Jean soit le genre de personne qui ne croit pas les bulletins météo, et qu'il préfère toujours emporter son parapluie avec lui.

1. *L'implication*, notée →. On écrit $p \to q$ pour signifier que « si p est vrai, alors q est vrai ». La table de vérité pour → est montrée à la figure 12.3. Remarquez qu'il n'existe qu'une seule manière de rendre $p \to q$ fausse : p doit être vrai et q doit être faux. Si p est faux, alors $p \to q$ est toujours vrai, et si q est vrai, alors $p \to q$ est toujours vrai.

p	q	$p \to q$
0	0	1
0	1	1
1	0	0
1	1	1

Figure 12.3 : Table de vérité pour les « implications ».

2. *L'équivalence*, notée ≡, signifie « si et seulement si » ; autrement dit, $p \equiv q$ est vraie quand p et q sont tous les deux vrais, ou lorsqu'ils sont tous les deux faux, mais jamais dans un autre cas. Sa table de vérité est montrée à la figure 12.4. On peut aussi voir l'opérateur ≡ comme une affirmation que les opérandes droite et gauche ont même valeur de vérité. C'est ce que nous voulions dire au paragraphe 12.2, lorsque nous affirmions par exemple que $\big(p \text{ OR } (\text{NOT } p \text{ AND } q)\big) \equiv (p \text{ OR } q)$.

p	q	$p \equiv q$	p	q	p NAND q	p	q	p NOR q
0	0	1	0	0	1	0	0	1
0	1	0	0	1	1	0	1	0
1	0	0	1	0	1	1	0	0
1	1	1	1	1	0	1	1	0

Figure 12.4 : Tables de vérité pour l'équivalence, NAND, et NOR.

3. L'opérateur NAND, ou « non-et », applique un AND à ses opérandes et complémente le résultat en appliquant un NOT. On écrit p NAND q pour dire NOT $(p$ AND $q)$.

4. De même, l'opérateur NOR, ou « non-ou », prend la disjonction (OR) de ses opérandes, et complémente le résultat ; p NOR q signifie NOT $(p$ OR $q)$. Les tables de vérité de NAND et NOR apparaissent à la figure 12.4.

Opérateurs avec plusieurs arguments

Certains opérateurs logiques peuvent prendre plus de deux arguments, quand on leur donne une extension naturelle. Par exemple, il est facile de voir que AND est associatif $[(p$ AND $q)$ AND r est équivalent à p AND $(q$ AND $r)]$. Une expression de la forme p_1 AND p_2 AND $\cdots$ AND p_k peut donc être regroupée dans n'importe quel ordre ; sa valeur sera TRUE si et seulement si tous les $p_1, p_2, \ldots, p_k$ ont la valeur TRUE. On peut donc écrire cette expression comme une fonction à k arguments,

$$\text{AND } (p_1, p_2, \ldots, p_k)$$

Sa table de vérité est suggérée par la figure 12.5. Comme on le voit, le résultat vaut 1 uniquement lorsque tous les arguments valent 1.

p_1	p_2	$\cdots$	p_{k-1}	p_k	AND $(p_1, p_2, \ldots, p_k)$
0	0	$\cdots$	0	0	0
0	0	$\cdots$	0	1	0
0	0	$\cdots$	1	0	0
0	0	$\cdots$	1	1	0
.	.		.	.	.
.	.		.	.	.
.	.		.	.	.
1	1	$\cdots$	1	0	0
1	1	$\cdots$	1	1	1

Figure 12.5 : Table de vérité pour un AND à k arguments.

De même, OR est associatif, et on peut écrire l'expression booléenne p_1 OR p_2 OR $\cdots$ OR p_k comme une fonction booléenne unique OR $(p_1, p_2, \ldots, p_k)$. La table de vérité de ce OR d'arité k, que nous ne montrerons pas, comporte 2^k rangées, comme celle du AND d'arité k. Cependant, pour le OR, la première rangée, où les $p_1, p_2, \ldots, p_k$ valent tous 0, a la valeur 0 ; les $2^k - 1$ rangées restantes ont la valeur 1.

Les opérateurs binaires NAND et NOR sont commutatifs, mais pas associatifs. L'expression sans parenthèses p_1 NAND p_2 NAND $\cdots$ NAND p_k, n'a donc pas de signification intrinsèque. Lorsque l'on parle d'un NAND d'arité k, on ne pense à aucun des regroupements possibles de

$$p_1 \text{ NAND } p_2 \text{ NAND } \cdots \text{ NAND } p_k$$

On définit plutôt NAND $(p_1, p_2, \ldots, p_k)$ comme étant équivalent à l'expression

Signification de certains opérateurs

La raison pour laquelle nous nous intéressons particulièrement aux AND, OR, NAND, et NOR d'arité k, est que ces opérateurs sont particulièrement faciles à implémenter électroniquement. Autrement dit, il existe des moyens simple de construire des « portes », qui sont des circuits électroniques qui prennent k entrées et donnent la valeur des fonctions AND, OR, NAND, ou NOR pour ces entrées. Bien que le détail des technologies électroniques sous-jacentes sorte du champ de ce livre, l'idée générale est de représenter 1 et 0, c'est-à-dire TRUE et FALSE, par deux niveaux de voltage différents. D'autres opérateurs, comme $\equiv$ ou $\rightarrow$, sont moins faciles à implémenter électroniquement, et il faut en général utiliser plusieurs portes NAND ou NOR pour les implémenter. L'opérateur NOT, toutefois, peut être vu soit comme un NAND à 1 argument, soit comme un NOR à 1 argument, et est donc lui aussi « facile » à implémenter.

$$\text{NOT } (p_1 \text{ AND } p_2 \text{ AND } \cdots \text{ AND } p_k)$$

Autrement dit, NAND $(p_1, p_2, \ldots, p_k)$ a la valeur 0 si tous les $p_1, p_2, \ldots, p_k$ ont la valeur 1, et sa valeur est 1 pour toutes les $2^k - 1$ combinaisons restantes.

De même, NOR $(p_1, p_2, \ldots, p_k)$ représente NOT $(p_1 \text{ OR } p_2 \text{ OR } \cdots \text{ OR } p_k)$. Il prend la valeur 1 si $p_1, p_2, \ldots, p_k$ ont tous la valeur 0 ; sinon, il prend la valeur 0.

Associativité et préséance des opérateurs logiques

L'ordre de préséance que nous utiliserons est

1. NOT (la plus forte)
2. NAND
3. NOR
4. AND
5. OR
6. $\rightarrow$
7. $\equiv$ (la plus faible)

Ainsi, $p \rightarrow q \equiv \text{NOT } p \text{ OR } q$ sera par exemple regroupé en $(p \rightarrow q) \equiv ((\text{NOT } p) \text{ OR } q)$.

Comme nous l'avons dit précédemment, AND et OR sont associatifs et commutatifs, et nous supposerons qu'ils se regroupent à partir de la gauche quand il sera nécessaire de le spécifier. Les autres opérateurs binaires énumérés ci-dessus ne sont pas associatifs. En général, on montrera explicitement les parenthèses qui les entourent, pour éviter les ambiguïtés, mais chacun des opérateurs $\rightarrow$, $\equiv$, NAND, et NOR sera regroupé à partir de la gauche dans des chaînes de deux occurrences ou plus du même opérateur.

Utilisation des tables de vérité pour évaluer les expressions logiques

La table de vérité est un moyen pratique de calculer et d'afficher la valeur d'une expression E pour toutes les affectations de vérité possibles, tant que l'expression ne contient pas trop de variables. On commence par les colonnes de chacune des variables apparaissant dans E, et on continue avec les colonnes des diverses sous-expressions de E, dans un ordre qui représente une évaluation du bas vers le haut de l'arbre d'expression de E.

Quand on applique un opérateur sur les colonnes représentant les valeurs de certains nœuds, on effectue une opération sur les colonnes, qui correspond directement à l'opérateur. Par exemple si l'on souhaite prendre le AND de deux colonnes, on place 1 dans les rangées qui ont 1 dans les deux colonnes, et on place des 0 dans les autres rangées. Pour prendre le OR de deux colonnes, on place un 1 dans les rangées pour lesquelles l'une des colonnes au moins contient 1, et on place des 0 ailleurs. Pour prendre le NOT d'une colonne, on *complémente* la colonne, en plaçant un 1 là où la colonne comporte un 1, et vice versa. Dernier exemple, quand on applique l'opérateur $\rightarrow$ à deux colonnes, le résultat sera 0 uniquement quand la première vaudra 1 et la seconde 0 ; les autres rangées vaudront toutes 1.

La règle concernant certains autres opérateurs est laissée en exercice. En général, on applique un opérateur à plusieurs colonnes en l'appliquant, rangée par rangée, aux valeurs de cette rangée.

(1)	(2)	(3)	(4)	(5)	(6)
p	q	r	p AND q	p OR r	E
0	0	0	0	0	1
0	0	1	0	1	1
0	1	0	0	0	1
0	1	1	0	1	1
1	0	0	0	1	1
1	0	1	0	1	1
1	1	0	1	1	1
1	1	1	1	1	1

Figure 12.6 : Table de vérité pour $(p$ AND $q) \rightarrow (p$ OR $r)$.

✦ **Exemple 12.5.** Considérons l'expression E : $(p$ AND $q) \rightarrow (p$ OR $r)$. La figure 12.6 montre la table de vérité pour cette expression et ses sous-expressions. Les colonnes (1), (2), et (3) donnent les valeurs des variables p, q, et r pour toutes les combinaisons. La colonne (4) donne la valeur de la sous-expression p AND q, qui est calculée en plaçant un 1 chaque fois qu'apparaît un 1 dans les colonnes (1) et (2) en même temps. La colonne (5) montre la valeur de l'expression p OR r ; elle est obtenue en plaçant un 1 dans les rangées pour lesquelles soit la colonne (1), soit la colonne (3), soit les deux, contiennent un 1. Enfin, la colonne (6) représente l'expression E complète. Elle est formée à partir des colonnes (4) et (5) ; elle contient 1, sauf dans les rangées où la colonne (4) a la valeur 1 et la colonne (5) a la valeur 0. Comme aucune rangée de ce type n'existe, la colonne (6) est remplie de 1, ce qui signifie que E a pour valeur de vérité 1, quels que soient ces arguments. Une telle expression porte le nom de « tautologie », comme nous le verrons au paragraphe 12.7. ✦

Diagrammes de Venn et tables de vérité

Il y a une similarité entre les tables de vérité et les diagrammes de Venn pour les opérations ensemblistes que nous avons étudiées au paragraphe 7.3. D'abord, l'opération union sur les ensembles se comporte comme OR sur les tables de vérité, et l'intersection se comporte comme AND. Nous verrons au paragraphe 12.8 que ces deux paires d'opérations obéissent aux mêmes lois algébriques. De même qu'une expression mettant en jeu k ensembles donne un diagramme de Venn à 2^k régions, une expression logique à k variables donne une table de vérité à 2^k rangées. Par ailleurs, il existe une correspondance naturelle entre les régions et les rangées. Par exemple, une expression logique comportant les variables p, q, et r correspond à une expression ensembliste comportant les ensembles P, Q, et R. Considérons le diagramme de Venn pour ces ensembles :

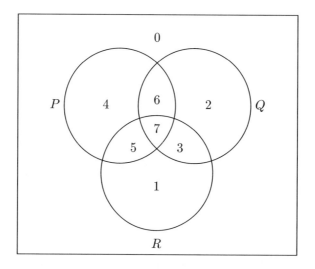

Ici, la région 0 correspond à l'ensemble des éléments qui n'appartiennent ni à P, ni à Q, ni à R. La région 1 correspond aux éléments qui sont dans R, mais pas dans P ni Q. En général, si l'on regarde la représentation binaire à 3 positions d'un numéro de région, disons abc, les élements de la région sont dans P si $a = 1$, dans Q si $b = 1$, et dans R si $c = 1$. La région numérotée $(abc)_2$ correspond donc à la rangée de la table de vérité dans laquelle p, q, et r ont pour valeur de vérité respectives a, b, et c.

Lorsque nous avons étudié les diagrammes de Venn, nous avons pris l'union de deux ensembles de régions pour prendre en compte les régions des deux ensembles. Par analogie, quand on prend le OR de deux colonnes d'une table de vérité, on place un 1 dans l'union des rangées qui possèdent un 1 dans la première colonne avec celles qui possèdent un 1 dans la seconde colonne. De la même manière, on prend l'intersection d'ensembles de régions dans un diagramme de Venn en ne conservant que les régions qui se trouvent en même temps dans les deux ensembles, et on prend le AND des colonnes en plaçant un 1 dans l'intersection de l'ensemble des rangées possédant 1 dans la première colonne avec l'ensemble des rangées possédant 1 dans la seconde colonne.

L'opérateur logique NOT ne correspond pas tout à fait à un opérateur ensembliste. Toutefois, si l'on imagine que l'union de toutes les régions est un « ensemble universel », alors le NOT logique revient à prendre un ensemble de régions et à produire l'ensemble constitué des régions restantes dans le diagramme de Venn, c'est-à-dire, soustraire l'ensemble donné de l'ensemble universel.

EXERCICES

12.4.1 : Donnez la règle de calcul des (a) NAND (b) NOR (c) $\equiv$ de deux colonnes d'une table de vérité.

12.4.2 : Calculez la table de vérité pour les expressions suivantes, ainsi que pour leurs sous-expressions.

a) $(p \rightarrow q) \equiv (\text{NOT } p \text{ OR } q)$

b) $p \rightarrow \big(q \rightarrow (r \text{ OR NOT } p)\big)$

c) $(p \text{ OR } q) \rightarrow (p \text{ AND } q)$

12.4.3 : * A quel opérateur ensembliste correspond l'expression logique p AND NOT q ? (Voir l'encadré comparant les diagrammes de Venn et les tables de vérité).

12.4.4 : * Donnez des exemples pour montrer que $\rightarrow$, $\equiv$, NAND, et NOR ne sont pas associatifs.

12.4.5 : ** Une fonction booléenne f *ne dépend pas du premier argument* si

$$f(\text{TRUE}, x_2, x_3, \ldots, x_k) = f(\text{FALSE}, x_2, x_3, \ldots, x_k)$$

pour des valeurs $x_2, x_3, \ldots, x_k$ quelconques. De même, on peut dire que f ne dépend pas de son $i^{ème}$ argument si la valeur de f n'est jamais modifiée lorsque son $i^{ème}$ argument passe de TRUE à FALSE. Combien de fonctions booléennes à deux arguments ne dépendent pas de leur premier ou de leur second argument (ou des deux) ?

12.4.6 : * Construisez les tables de vérité pour les 16 fonctions booléennes à deux variables. Combien de ces fonctions sont commutatives ?

12.4.7 : * Démontrez par récurrence sur b qu'il existe a^b manières de peindre b maisons, chacune avec une couleur choisie parmi a.

12.5   Des fonctions booléennes aux expressions logiques

Considérons à présent le problème de la construction d'une expression logique à partir d'une table de vérité. On commence avec une table de vérité en guise de spécification de l'expression logique, et notre objectif est de trouver une expression pour la table de vérité donnée. En général, il existe une infinité d'expressions différentes : nous limiterons habituellement notre choix à un ensemble d'opérateurs particulier, et nous rechercherons souvent l'expression « la plus simple possible ».

Ce problème est l'un des plus importants pour la conception de circuits. Les opérateurs logiques de l'expression peuvent être vus comme les portes d'un circuit, et il existe donc une translation directe entre une expression logique et un circuit électronique, par un processus que nous étudierons au chapitre suivant.

✦ **Exemple 12.6.** Comme nous l'avons vu au paragraphe 1.3, on peut concevoir un additionneur 32-bits à partir d'additionneurs un-bit du type montré à la figure 12.7. L'additionneur un-bit réalise la somme les deux bits d'entrée x et y, et un bit de retenue entrante c, pour produire un bit de retenue sortante d et un bit de somme z.

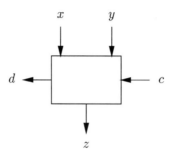

Figure 12.7 : Un additionneur un-bit : $(dz)_2$ représente la somme
$$x + y + c.$$

La table de vérité de la figure 12.8 nous donne la valeur du bit de retenue sortante d et du bit de somme z, en fonction de x, y, et c, pour chacune des huit combinaisons des valeurs d'entrée. Le bit de retenue sortante d vaut 1 si au moins deux bits parmi x, y, et c ont la valeur 1, et $d = 0$ si seulement zéro ou une entrée est à 1. Le bit de somme z vaut 1 si un nombre impair de bits parmi x, y, et c sont à 1, et elle vaut 0 sinon.

	x	y	c	d	z
0)	0	0	0	0	0
1)	0	0	1	0	1
2)	0	1	0	0	1
3)	0	1	1	1	0
4)	1	0	0	0	1
5)	1	0	1	1	0
6)	1	1	0	1	0
7)	1	1	1	1	1

Figure 12.8 : La table de vérité pour le bit de retenue sortante d et le bit de somme z.

Nous allons présenter un moyen général de passer d'une table de vérité à une expression logique dans un moment. Toutefois, étant donnée la fonction de retenue sortante *d* de la figure 12.8, on pourrait raisonner de la manière suivante pour construire une expression logique correspondante.

1. D'après les rangées 3 et 7, *d* vaut 1 si *y* et *c* valent tous les deux 1.

2. D'après les rangées 5 et 7, *d* vaut 1 si *x* et *c* valent tous les deux 1.

3. D'après les rangées 6 et 7, *d* vaut 1 si *x* et *y* valent tous les deux 1.

La condition (1) peut être modélisée par l'expression logique *y* AND *c*, car *y* AND *c* est vraie exactement quand *y* et *c* sont tous deux à 1. De même, on peut modéliser la condition (2) par *x* AND *c*, et la condition (3) par *x* AND *y*.

Toutes les rangées pour lesquelles *d* = 1 sont incluses dans au moins l'une de ces trois paires de rangées. On peut donc écrire une expression logique qui est vraie dès que l'une ou plus des trois conditions est vraie, en prenant le OR logique de ces trois expressions :

$$(y \text{ AND } c) \text{ OR } (x \text{ AND } c) \text{ OR } (x \text{ AND } y) \tag{12.5}$$

L'exactitude de cette expression est vérifiée à la figure 12.9. Les quatre dernières colonnes correspondent aux sous-expressions *y* AND *c*, *x* AND *c*, *x* AND *y*, et à l'expression (12.5). ✦

x	*y*	*c*	*y* AND *c*	*x* AND *c*	*x* AND *y*	*d*
0	0	0	0	0	0	0
0	0	1	0	0	0	0
0	1	0	0	0	0	0
0	1	1	1	0	0	1
1	0	0	0	0	0	0
1	0	1	0	1	0	1
1	1	0	0	0	1	1
1	1	1	1	1	1	1

Figure 12.9 : Table de vérité pour l'expression (12.5) de la retenue sortante et ses sous-expressions.

Notations abrégées

Avant de décrire la construction d'expressions à partir de tables de vérité, certaines simplifications dans la notation s'avéreront utiles.

1. On peut représenter l'opérateur AND par une simple juxtaposition, c'est-à-dire par aucun opérateur, exactement comme pour la multiplication, et comme pour la concaténation du chapitre 10.

2. L'opérateur OR peut être représenté par +.

3. L'opérateur NOT peut être représenté par une barre supérieure. Cette convention est particulièrement utile lorsque le NOT s'applique à une variable unique, et on écrira souvent NOT p sous la forme $\bar{p}$.

♦ **Exemple 12.7.** L'expression p AND q OR r peut être écrite $pq + r$. L'expression p AND NOT q OR NOT r peut être écrite $p\bar{q} + \bar{r}$. Il est même possible de mélanger notre notation initiale avec la nouvelle. Par exemple, l'expression $\big((p \text{ AND } q) \to r\big)$ AND $(p \to s)$ pourra s'écrire $(pq \to r)$ AND $(p \to s)$, voire $(pq \to r)(p \to s)$. ♦

Un intérêt important de la nouvelle notation est qu'elle nous permet de penser à AND et OR comme à la multiplication et l'addition de l'arithmétique. On peut donc leur appliquer des lois familières comme la commutativité, l'associativité, et la distributivité, dont nous verrons au paragraphe 12.8 qu'elles s'appliquent à ces opérateurs logiques, exactement comme à leurs pendants arithmétiques. Par exemple, nous verrons que $p(q + r)$ peut être remplacé par $pq + pr$, puis par $rp + qp$, que les opérateurs soient AND et OR, ou la multiplication et l'addition.

A cause de cette notation abrégée, on fait habituellement référence au AND d'expressions comme un **produit**, et au OR d'expressions comme une **somme**. Un autre nom pour le AND d'expressions est la **conjonction**, et on parle aussi du OR d'expressions comme d'une **disjonction**.

Construction d'une expression logique à partir d'une table de vérité

Une fonction booléenne quelle qu'elle soit peut être représentée par une expression logique utilisant seulement les opérateurs AND, OR, et NOT. En général, trouver l'expression la plus simple est un problème très difficile, mais on peut facilement construire une expression pour chaque fonction booléenne exprimée avec une table de vérité. La technique est sans détour : on construit une expression logique de la forme

$$m_1 \text{ OR } m_2 \text{ OR } \cdots \text{ OR } m_n$$

où chaque m_i est un terme qui correspond à l'une des rangées de la table de vérité pour laquelle la fonction a la valeur 1. Il y a donc autant de termes dans cette expression que de 1 dans la colonne de cette fonction. Chaque terme m_i est appelé **minterme** et a une forme particulière que nous allons décrire.

Pour commencer notre description des mintermes, un **littéral** est une expression qui est soit une variable unique, comme p, soit une variable niée comme NOT p, que l'on écrira souvent $\bar{p}$. Si la table de vérité contient k colonnes variables, alors chaque minterme est constitué du AND logique, ou « produit », de k littéraux. Soit r une rangée dont on souhaite construire le minterme. Si la variable p a la valeur 1 dans la rangée r, alors on choisit le littéral p. Si p a la valeur 0 dans la rangée r, alors on choisit $\bar{p}$ comme littéral. Le minterme de la rangée r est le produit des littéraux de chaque variable. Manifestement, le minterme ne peut prendre que la valeur 1 si toutes les variables ont les valeurs qui apparaissent dans la rangée r de la table de vérité.

Construisons maintenant une expression de la fonction en prenant le OR logique, ou « somme », des mintermes qui correspondent aux rangées pour lesquelles la fonction vaut 1. L'expression qui en résulte a une forme de « somme de produits », ou encore une **forme normale disjonctive**. L'expression est valide, car elle vaut 1 si et seulement

Ensembles complets d'opérateurs

La technique des mintermes pour construire une expression de type « somme de produits » comme (12.6), montre la *complétude* de l'ensemble des opérateurs logiques AND, OR, et NOT, ce qui signifie que toute fonction booléenne peut s'exprimer à l'aide de ces opérateurs uniquement. Il n'est pas difficile de montrer que l'opérateur NAND est complet par lui-même. On peut exprimer les fonctions AND, OR, et NOT, avec seulement des NAND, ainsi :

1. $(p \text{ AND } q) \equiv ((p \text{ NAND } q) \text{ NAND TRUE})$

2. $(p \text{ OR } q) \equiv ((p \text{ NAND TRUE}) \text{ NAND } (q \text{ NAND TRUE}))$

3. $(\text{NOT } p) \equiv (p \text{ NAND TRUE})$

On peut convertir n'importe quelle expression somme de produits en une autre ne mettant en jeu que l'opérateur NAND, en substituant l'expression NAND appropriée pour chaque utilisation de AND, OR, et NOT. De même, NOR est par lui-même complet.

A titre d'exemple, AND et OR sont des ensembles qui ne sont complets ni l'un ni l'autre. Par exemple, ils ne peuvent pas exprimer la fonction NOT. Pour comprendre pourquoi, il suffit de remarquer que AND et OR sont **monotones**, ce qui signifie que lorsque l'on change une seule entrée de 0 en 1, la sortie ne peut pas passer de 1 à 0. On peut montrer par récurrence sur la taille d'une expression que n'importe quelle expression ne comportant que les opérateurs AND et OR est monotone. Mais NOT n'est manifestement pas monotone. On voit donc qu'il est impossible d'exprimer NOT avec des AND et des OR.

---

si il existe au moins un minterme de valeur 1 ; ce minterme ne peut valoir 1 que si les valeurs des variables correspondent à une rangée de la table de vérité ayant la valeur 1.

✦ **Exemple 12.8.** Construisons une expression du type « somme de produits » pour la fonction d de retenue sortante définie par la table de vérité de la figure 12.8. Les rangées ayant la valeur 1 sont numérotés 3, 5, 6, et 7. Le minterme de la rangée 3, pour lequel $x = 0$, $y = 1$, et $c = 1$, vaut $\bar{x} \text{ AND } y \text{ AND } c$, ce que l'on peut abréger en $\bar{x}yc$. De même, le minterme de la rangée 5 vaut $x\bar{y}c$, celui de la rangée 6 vaut $xy\bar{c}$, et celui de la rangée 7 vaut xyc. L'expression voulue pour d est le OR logique de ces expressions, à savoir

$$\bar{x}yc + x\bar{y}c + xy\bar{c} + xyc \tag{12.6}$$

Cette expression est plus complexe que (12.5). Toutefois, on verra dans le prochain paragraphe comment on a pu en déduire l'expression (12.5).

On peut de la même façon construire une expression logique pour le bit de somme z, en prenant la somme des mintermes pour les rangées 1, 2, 4, et 7, pour obtenir

$$\bar{x}\bar{y}c + \bar{x}y\bar{c} + x\bar{y}\bar{c} + xyc$$

✦

EXERCICES

12.5.1 : La figure 12.10 est une table de vérité qui définit deux fonctions booléennes a et b, en fonctions des variables p, q, et r. Ecrivez les expressions de type « somme de produits » pour ces deux fonctions.

p	q	r	a	b
0	0	0	0	1
0	0	1	1	1
0	1	0	0	1
0	1	1	0	0
1	0	0	1	0
1	0	1	1	0
1	1	0	1	0
1	1	1	1	0

Figure 12.10 : Deux fonctions booléennes pour les exercices.

12.5.2 : Ecrivez des expressions de type « produit de sommes » (voir l'encadré sur les expressions « produits de sommes ») pour

a) La fonction a de la figure 12.10.
b) La fonction b de la figure 12.10.
c) La fonction z de la figure 12.8.

12.5.3 : ** Parmi les opérateurs logiques suivants, lesquels forment un ensemble complet par eux-mêmes ? (a) $\equiv$ (b) $\to$ (c) NOR? Prouvez votre réponse dans chaque cas.

12.5.4 : ** Parmi les 16 fonctions booléennes de deux variables, combien sont complètes par elles-mêmes ?

12.5.5 : Montrez que le AND et le OR de fonctions monotones donnent une fonction monotone. Puis montrez qu'une expression quelconque formée uniquement des opérateurs AND et OR est monotone.

12.6   Construction d'expressions logiques à l'aide des tables de Karnaugh

Dans ce paragraphe, nous présentons une technique tabulaire permettant de trouver les expressions « sommes de produits » des fonctions booléennes. Les expressions produites sont souvent plus simples que celles construites au paragraphe précédent en se contentant de prendre le OR logique de tous les mintermes nécessaires de la table de vérité.

Expressions « produits de sommes »

Il existe une autre façon de convertir une table de vérité en une expression mettant en jeu AND, OR, et NOT ; cette fois, l'expression sera un produit (AND logique) de sommes (OR logiques) de littéraux. Cette forme s'appelle « produit de sommes » ou **forme normale conjonctive**.

Pour chaque rangée d'une table de vérité, on peut définir un **maxterme**, qui est la somme des littéraux qui sont en désaccord avec la valeur de l'une des variables de la rangée. Autrement dit, si la rangée contient la valeur 0 pour la variable p, on utilise le littéral p, et si la valeur de cette rangée pour p est 1, on utilise $\bar{p}$. La valeur du maxterme est donc 1 à moins que chaque variable p ait la valeur spécifiée pour p dans cette rangée.

Du coup, si l'on regarde toutes les rangées de la table de vérité pour lesquelles la valeur est 0, et que l'on prend le AND logique des maxtermes de toutes ces rangées, notre expression vaudra 0 si et seulement si les entrées correspondent à l'une des rangées pour lesquelles la fonction vaut 0. L'expression a donc la valeur 1 pour toutes les autres rangées, c'est-à-dire celles pour lesquelles la table de vérité donne la valeur 1. Par exemple, les rangées ayant la valeur 0 pour d dans la figure 12.8 sont numérotées 0, 1, 2, et 4. Le maxterme pour la rangée 0 est $x + y + c$, et celui de la rangée 1 vaut $x + y + \bar{c}$, par exemple. Le « produit de sommes » pour d est

$$(x + y + c)(x + y + \bar{c})(x + \bar{y} + c)(\bar{x} + y + c)$$

Cette expression est équivalente à (12.5) et (12.6).

Ainsi, dans l'exemple 12.6, nous avions conçu sur mesure une expression pour la fonction de retenue sortante d'un additionneur un-bit. Nous avions vu qu'il était possible d'utiliser un produit de littéraux qui n'était pas un minterme ; autrement dit, des littéraux manquaient pour certaines variables. Par exemple, nous avions utilisé le produit de littéraux xy pour *couvrir* les sixième et septième de la figure 12.8, au sens où xy prend la valeur 1 exactement quand les variables x, y, et c ont les valeurs indiquées par l'une de ces deux rangées.

De même, dans l'exemple 12.6, nous avons utilisé l'expression xc pour couvrir les rangées 5 et 7, et yc pour couvrir les rangées 3 et 7. Vous remarquerez que la rangée 7 est couverte par les trois expressions. Ce n'est pas un problème. En fait, si nous n'avions utilisé que les mintermes des rangées 5 et 3, qui valent respectivement $x\bar{y}c$ et $\bar{x}yc$, à la place de xc et yc, nous aurions obtenu une expression correcte, mais qui aurait eu deux occurrences d'opérateurs en plus que dans l'expression $xy + xc + yc$ obtenue dans l'exemple 12.6.

Ici, le concept essentiel est que si nous avons deux mintermes qui ne diffèrent que par la négation d'une seule variable, comme $xy\bar{c}$ et xyc pour les rangées 6 et 7, on peut combiner ces deux mintermes en prenant les littéraux communs et en éliminant la variable qui change de l'un à l'autre. Cette observation est issue de la loi générale

$$(pq + \bar{p}q) \equiv q$$

Pour comprendre cette équivalence, on notera que si q est vrai, alors soit pq est vraie, soit $\bar{p}q$ est vraie, et inversement, lorsque pq est vraie ou que $\bar{p}q$ est vraie, alors q doit être vrai.

Nous verrons une technique permettant de vérifier ces lois dans le paragraphe suivant, mais pour le moment, on peut se contenter de la signification intuitive de notre loi pour justifier son emploi. On remarquera aussi que l'utilisation de cette loi n'est pas limitée aux mintermes. p pourrait être par exemple une variable propositionnelle et q un produit de littéraux. On peut donc combiner deux produits quelconques de littéraux ne différant que d'une seule variable (l'un des produit comporte la variable elle-même, et l'autre comporte son complément), en remplaçant les deux produits par le produit unique des littéraux communs.

Tables de Karnaugh

Il existe une technique graphique permettant d'établir des expressions de type « somme de produits » à partir des tables de vérité ; la méthode fonctionne bien pour les fonctions booléennes jusqu'à quatre variables. L'idée est d'écrire une table de vérité comme un tableau à deux dimensions, que l'on appelle *table de Karnaugh* (prononcer « *car*-no »), et dont les entrées, ou « points », représentent chacune une rangée de la table de vérité. En gardant adjacents les points qui représentent les rangées ne différant que d'une seule variable, on peut « voir » les produits de littéraux utiles prendre la forme de rectangles, dont tous les points ont la valeur 1.

Tables de Karnaugh à deux variables

Les tables de Karnaugh les plus simples sont ceux utilisés pour représenter les fonctions booléennes à deux variables. Les rangées correspondent aux valeurs de l'une des variables, et les colonnes correspondent aux valeurs de l'autre. Les entrées de la table prennent les valeurs 0 ou 1, selon que la combinaison des valeurs des deux variables donne à la fonction la valeur 0 ou 1. La table de Karnaugh est donc une représentation en deux dimensions de la table de vérité d'une fonction booléenne.

✦ **Exemple 12.9.** Dans la figure 12.11, on peut voir la table de Karnaugh pour la fonction « implique », $p \to q$. Il comporte quatre points, qui correspondent aux valeurs possibles de p et q. Vous noterez que « implique » a la valeur 1 sauf quand $p = 1$ et $q = 0$, et donc que le seul point de la table de Karnaugh à avoir la valeur 1 est à l'intersection de $p = 1$ et $q = 0$; tous les autres points ont la valeur 1. ✦

Impliquants

Un *impliquant* pour une fonction booléenne f est un produit x de littéraux pour lesquels aucune valeur des variables de f ne peut rendre en même temps x vrai et f fausse. Par exemple, tout minterme pour lequel la fonction f a la valeur 1 est un impliquant de f. Il existe d'autres produits qui peuvent aussi être des impliquants, et nous apprendrons à les reconnaître à partir de la table de Karnaugh de f.

✦ **Exemple 12.10.** Le minterme pq est un impliquant de la fonction « implique » de la

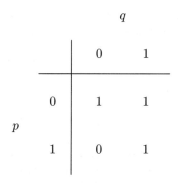

Figure 12.11 : Table de Karnaugh pour $p \to q$.

figure 12.11, car les seules valeurs pour p et q qui rendent pq vrai, c'est-à-dire $p = 1$ et $q = 1$, rendent également la fonction « implique » vraie.

Autre exemple, $\bar{p}$ est en lui-même un impliquant de la fonction « implique » car les deux valeurs de p et q qui rendent $\bar{p}$ vrai rendent aussi $p \to q$ vraie. Ces deux affectations sont $p = 0$, $q = 0$ et $p = 0$, $q = 1$. ✦

On dit qu'un impliquant **couvre** les points pour lesquels il a la valeur 1. Une expression logique peut être construite à partir d'une fonction booléenne en prenant le OR d'un ensemble d'impliquants qui, ensemble, couvrent tous les points pour lesquels cette fonction a la valeur 1.

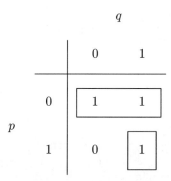

Figure 12.12 : Les deux impliquants $\bar{p}$ et pq de la table de Karnaugh
pour $p \to q$.

✦ **Exemple 12.11.** La figure 12.12 montre deux impliquants de la table de Karnaugh pour la fonction « implique ». Le plus grand, qui couvre deux points, correspond au littéral unique, $\bar{p}$. Cet impliquant courvre les deux points supérieurs de la table, qui contiennent tous les deux 1. Le plus petit impliquant pq, couvre le point correspondant à $p = 1$ et $q = 1$. Comme ces deux impliquants couvrent ensemble tous les points qui contiennent la valeur 1, leur somme, $\bar{p} + pq$, est une expression équivalente à $p \to q$; autrement dit, $(p \to q) \equiv (\bar{p} + pq)$. ✦

Les rectangles qui correspondent aux impliquants des tables de Karnaugh doivent avoir un « aspect » particulier. Pour les tables simples produites à partir de fonctions à deux variables, ces rectangles ne peuvent être que

1.   des points isolés,

2.   des rangées ou des colonnes, ou

3.   la table toute entière.

Un point isolé de la table de Karnaugh correspond à un minterme, dont on peut retrouver l'expression en prenant le produit des littéraux pour chaque variable correspondant à la rangée et à la colonne dont le point est l'intersection. Autrement dit, si le point se trouve dans la rangée ou la colonne de la valeur 0, on prend la négation de la variable correspondant à cette rangée ou cette colonne. Si le point se trouve dans la rangée ou la colonne de la valeur 1, on prend la variable telle quelle, sans la complémenter. Par exemple, le plus petit impliquant de la figure 12.12 se trouve dans la rangée où $p = 1$ et dans la colonne où $q = 1$, et c'est pourquoi nous avons pris directement le produit des littéraux p et q pour cette impliquant.

Une rangée ou une colonne d'une table de Karnaugh à deux variables correspond à un couple de points qui sont en accord pour l'une des variables et en désaccord pour l'autre. Le « produit » de littéraux correspondant se réduit à un seul littéral. Le littéral restant possède la variable dont les points partagent une valeur commune. Le littéral est nié si cette valeur commune est nulle, et non-nié si la valeur partagée est 1. Les points du plus grand impliquant de la figure 12.12 — la première rangée — ont donc une valeur commune pour p. Cette valeur est 0, ce qui justifie l'utilisation du « produit de littéraux » $\bar{p}$ pour cet impliquant.

Un impliquant constitué de la table toute entière est un cas particulier. En principe, il correspond à un produit réduit à la constante 1, c'est-à-dire TRUE. Manifestement, la table de Karnaugh pour l'expression logique TRUE contient 1 dans tous les points de la table.

Impliquants premiers

Un *impliquant premier* x d'une fonction booléenne f est un impliquant de f qui cesse d'être un impliquant si un littéral quelconque de x est supprimé. En pratique, un impliquant premier est un impliquant qui a le moins de littéraux possible.

On notera que plus le rectangle est grand, moins les littéraux qui composent le produit sont nombreux. On préférera généralement remplacer un produit composé de nombreux littéraux par un autre avec moins de littéraux, ce qui implique moins d'occurrences d'opérateurs, et donc une plus grande « simplicité ». Nous avons donc une bonne raison pour ne considérer que les impliquants premiers, lorsque l'on choisit un ensemble d'impliquants pour couvrir une table.

Il faut se souvenir que tout impliquant d'une table de Karnaugh donnée n'est composé que de points ayant la valeur 1. Un impliquant est un impliquant premier parce que son extension par doublement de sa taille nous obligerait à couvrir un point ayant la valeur 0.

✦ **Exemple 12.12.** Dans la figure 12.12, le plus grand impliquant, $\bar{p}$, est premier, puisque la seule possibilité d'avoir un impliquant plus grand serait de couvrir la table toute entière, ce qui ne peut pas se faire puisqu'il contient un 0. L'impliquant plus petit, pq, n'est pas premier, puisqu'il se trouve dans la seconde colonne, qui n'est composée que de 1, et il est donc un impliquant pour la table de Karnaugh de la fonction « implique ». La figure 12.13 nous montre le seul choix possible d'impliquants premiers pour la table de la fonction « implique »[1]. Ils correspondent aux produits $\bar{p}$ et q, et ils engendrent l'expression $\bar{p} + q$, dont nous avions vu au paragraphe 12.3 qu'elle était équivalente à $p \rightarrow q$. ✦

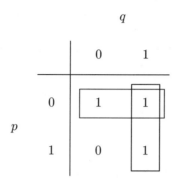

Figure 12.13 : Les impliquants premiers $\bar{p}$ et q pour la fonction « implique ».

Tables de Karnaugh à trois variables

Lorsque l'on dispose de trois variables dans notre table de vérité, on peut utiliser une table à deux rangées et quatre colonnes, comme celui de la figure 12.14, qui correspond à la table de vérité de la retenue sortante de la figure 12.8. Vous noterez l'ordre inhabituel dans lequel les colonnes sont placées par rapport aux couples de valeurs des deux variables (y et c dans cet exemple). En effet, nous souhaitons que les colonnes adjacentes correspondent à des affectations de valeurs de vérité qui ne diffèrent que d'une seule variable. Si nous avions choisi l'ordre naturel, 00, 01, 10, 11, les deux colonnes du milieu auraient été différentes pour y comme pour c. On remarquera aussi que la première et la dernière colonne sont « adjacentes », au sens où elles ne diffèrent que par la variable y. Quand on choisit des impliquants, on peut donc voir la première et la dernière colonne comme un rectangle 2×2, et on peut voir le premier et le dernier point de chaque rangée comme un rectangle 1×2.

On doit deviner quels sont les rectangles de la table à trois variables qui représentent les impliquants possibles. D'abord, un rectangle possible doit correspondre à un produit de littéraux. Dans un produit quelconque, chaque variable apparaît de l'une des trois façons suivantes : niée, non-niée, ou pas du tout. Lorsqu'une variable apparaît, niée ou pas, elle divise par deux le nombre de points de l'impliquant correspondant, puisque

---

[1] En général, il peut y avoir plusieurs ensembles d'impliquants premiers couvrant une table de Karnaugh donné.

$$yc$$

	00	01	11	10
0	0	0	1	0
1	0	1	1	1

x

Figure 12.14 : Table de Karnaugh pour la fonction de retenue sortante, avec les impliquants premiers xc, yc, et xy.

seuls les points possédant la bonne valeur de cette variable appartiennent à l'impliquant. Le nombre de points d'un impliquant sera donc toujours une puissance de 2. Chaque impliquant possible est donc constitué d'une collection de points qui, pour chaque variable, soit

a)   ne comprennent que les points pour lesquels cette variable est égale à 0, soit

b)   ne comprennent que les points pour lesquels cette variable est égale à 1, soit encore

c)   ne dépendent pas de la valeur de cette variable.

Pour les tables à trois variables, on peut énumérer les impliquants possibles de la manière suivante :

1.   Un point quelconque.

2.   Une colonne quelconque.

3.   Un couple de points adjacents horizontalement, y compris près des extrémités, c'est-à-dire un couple dans les colonnes 1 et 4 de l'une des rangées.

4.   Une rangée quelconque.

5.   Un carré 2×2 quelconque constitué de deux colonnes adjacentes, y compris les colonnes des extrémités, c'est-à-dire les colonnes 1 et 4.

6.   La table toute entière.

✦ **Exemple 12.13.** Les trois impliquants premiers de la fonction de retenue sortante apparaissent à la figure 12.14. On pourrait tous les convertir en un produit de littéraux ; voir l'encadré « Reconnaître les impliquants dans une table de Karnaugh ». Les produits correspondants sont xc pour l'impliquant le plus à gauche, yc pour l'impliquant vertical, et xy pour l'impliquant le plus à droite. La somme de ces trois expressions est la « somme de produits » que nous avons obtenue informellement à l'exemple 12.6 ; on comprend maintenant l'origine de cette expression. ✦

Reconnaître les impliquants dans une table de Karnaugh

Quel que soit le nombre de variables impliquées, on peut prendre un rectangle quelconque qui représente un impliquant et en déduire le produit de littéraux qui aura la valeur TRUE exactement pour les points de ce rectangle. Si p est une variable quelconque, on a :

1. Si pour tout point du rectangle $p = 1$, alors p est un littéral du produit.

2. Si pour tout point du rectangle $p = 0$, alors $\bar{p}$ est un littéral du produit.

3. Si le rectangle contient certains points avec $p = 0$ et d'autres avec $p = 1$, alors le produit n'a pas de littéral pour la variable p.

◆ **Exemple 12.14.** La figure 12.15 montre la table de Karnaugh pour la fonction booléenne à trois variables NAND (p, q, r). Les premiers impliquants sont

1. La première colonne, qui correspond à $\bar{p}$.

2. Les deux premières colonnes, qui correspondent à $\bar{q}$.

3. Les colonnes 1 et 4, qui correspondent à $\bar{r}$.

L'expression « somme des produits » de cette table est donc $\bar{p} + \bar{q} + \bar{r}$. ◆

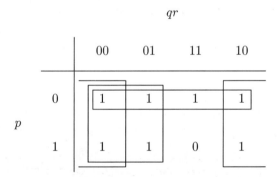

Figure 12.15 : Table de Karnaugh avec pour impliquants premiers $\bar{p}$, $\bar{q}$, et $\bar{r}$ pour NAND(p, q, r).

Tables de Karnaugh à quatre variables

Une fonction à quatre arguments peut être représentée par une table de Karnaugh 4×4, dans lequel deux variables correspondent aux rangées, et deux variables correspondent aux colonnes. Pour les rangées et les colonnes, on doit utiliser l'ordre particulier qui nous avait servi pour ordonner les colonnes des tables à trois variables, comme on le voit sur la figure 12.16. Pour les tables à quatre variables, l'adjacence des rangées comme des colonnes doit être interprétée au sens cyclique. Autrement dit, les rangées haute et basse sont adjacentes, de même que les colonnes gauche et droite. On remarque en particulier que les points des quatres coins forment un rectangle 2×2; dans la figure 12.16, ils correspondent au produit des littéraux $\bar{q}\bar{s}$ (qui n'est pas un impliquant pour la figure 12.16, puisque le coin en bas à droite vaut 0).

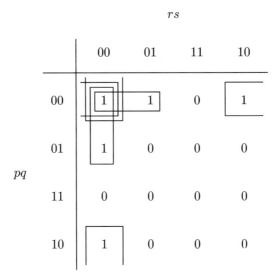

Figure 12.16 : Table de Karnaugh avec des impliquants premiers pour la fonction « au plus un 1 ».

Les rectangles d'une table de Karnaugh à quatre variables correspondant aux produits de littéraux peuvent être :

1. Un point quelconque.

2. Deux points quelconques, adjacents horizontalement ou verticalement, y compris ceux qui sont adjacents au sens cyclique.

3. Une rangée ou une colonne quelconque.

4. Un carré 2×2 quelconque, y compris ceux associant deux extrémités, par exemple les deux points adjacents de la rangée supérieure et ceux de la rangée inférieure qui sont dans la même colonne. Les quatre coins forment également, comme nous l'avons dit, un cas particulier de « carré ».

5. Un rectangle 2×4 ou 4×2 quelconque, y compris au sens cyclique, par exemple les première et dernière colonnes.

6. La table toute entière.

◆ **Exemple 12.15.** La figure 12.16 montre la table de Karnaugh d'une fonction booléenne à quatre variables, p, q, r, et s, qui prend la valeur 1 lorsqu'au plus une de ses entrées est à 1. Il contient quatre impliquants premiers, et deux d'entre eux sont à cheval sur deux extrémités. L'impliquant constitué des premier et dernier points de la rangée supérieure comporte des points qui sont en accord pour les variables p, q, et s ; la valeur commune est 0 pour chaque variable. Le produit des littéraux pour cet impliquant est donc $\bar{p}\bar{q}\bar{s}$. De la même façon, les autres impliquants ont les produits $\bar{p}\bar{q}\bar{r}$, $\bar{p}\bar{r}\bar{s}$, et $\bar{q}\bar{r}\bar{s}$. L'expression de la fonction est donc

$$\bar{p}\bar{q}\bar{r} + \bar{p}\bar{q}\bar{s} + \bar{p}\bar{r}\bar{s} + \bar{q}\bar{r}\bar{s}$$

✦

	rs			
pq	00	01	11	10
00	1	1	0	1
01	0	0	0	1
11	1	0	0	0
10	1	0	1	1

Figure 12.17 : Table de Karnaugh avec un impliquant premier à cheval
sur les quatre coins.

✦ **Exemple 12.16.** La table de la figure 12.17 a été choisi pour le motif dessiné par ses 1, plutôt que pour la signification réelle de la fonction. Il illustre un point important. Cinq impliquants premiers, qui couvrent ensemble tous les points 1, y sont représentés, y compris l'impliquant recouvrant les quatre coins (en pointillés), pour lequel le produit des littéraux est $\bar{q}\bar{s}$; les quatre autres impliquants ont pour produits $\bar{p}\bar{q}\bar{r}$, $\bar{p}\bar{r}\bar{s}$, $p\bar{q}r$, et $p\bar{r}\bar{s}$.

On pourrait penser, d'après les exemples rencontrés jusqu'à présent, que former l'expression logique demanderait de prendre le OR logique des cinq impliquants. Cependant, une petite réflexion nous indique que l'impliquant le plus grand, $\bar{q}\bar{s}$, est superflu, puisque tous les points qu'il couvre sont déjà couverts par d'autres impliquants premiers. Par ailleurs, c'est le seul impliquant premier que l'on peut éliminer, puisque tous les autres impliquants premiers ont un point qu'ils sont seuls à posséder. Par exemple, $\bar{p}\bar{q}\bar{r}$ est le seul impliquant premier à couvrir le point d'intersection entre la première rangée et la deuxième colonne. Donc,

$$\bar{p}\bar{q}\bar{r} + \bar{p}\bar{r}\bar{s} + p\bar{q}r + p\bar{r}\bar{s}$$

est la meilleure « somme de produits » que l'on puisse obtenir à partir de la table de la figure 12.17. ✦

EXERCICES

12.6.1 : Dessinez les tables de Karnaugh pour les fonctions suivantes des variables p, q, r, et s.

a) La fonction qui vaut TRUE si une, deux ou trois parmi p, q, r, et s sont à TRUE, mais pas si zéro ou toutes sont à TRUE.

b) La fonction qui vaut TRUE si au plus deux parmi p, q, r, et s valent TRUE, mais pas si trois ou quatre sont à TRUE.

c) La fonction qui vaut TRUE si une, trois, ou quatre parmi p, q, r, et s sont à TRUE, mais pas si zéro ou deux sont à TRUE.

d) La fonction représentée par l'expression logique $pqr \to s$.

e) La fonction qui vaut TRUE si $pqrs$, vu comme un nombre binaire, a une valeur inférieure à dix.

12.6.2 : Trouvez les impliquants — autres que les mintermes — pour chacun de vos tables de Karnaugh de l'exercice 12.6.1. Lesquels sont premiers ? Pour chaque fonction, trouvez une somme d'impliquants premiers qui couvre tous les 1 de la table. Avez-vous besoin de tous les impliquants premiers ?

12.6.3 : Montrez que tout produit d'une expression « somme de produits » pour une fonction booléenne est un impliquant pour cette fonction.

12.6.4 : * On peut également construire une expression « produit de sommes » à partir d'une table de Karnaugh. On commence par trouver des rectangles du type de ceux qui forment des impliquants, mais avec uniquement des 0, à la place des 1. Ces rectangles sont appelés « **anti-impliquants** ». On peut construire pour chacun une somme de littéraux qui vaut 1 pour tous les points hors de l'anti-impliquant. Pour chaque variable x, cette somme contient le littéral x si l'anti-impliquant inclut uniquement les points pour lesquels $x = 0$, et elle contient le littéral $\bar{x}$ si l'anti-impliquant inclut uniquement les points pour lesquels $x = 1$. Sinon, la somme ne contient aucun littéral impliquant x. Trouvez tous les anti-impliquants premiers de vos tables de Karnaugh de l'exercice 12.6.1.

12.6.5 : A l'aide de votre réponse à l'exercice 12.6.4, écrivez des expressions « produits de sommes » pour chaque fonction de l'exercice 12.6.1. Insérez le moins de sommes possible.

12.6.6 : ** Combien de rectangles (a) 1×2 (b) 2×2 (c) 1×4 (d) 2×4 formant des impliquants y a-t-il dans une table de Karnaugh 4×4 ? Décrivez leurs impliquants comme des produits de littéraux, en supposant que les variables sont p, q, r, et s.

12.7   Tautologies

Une *tautologie* est une expression logique dont la valeur est toujours vraie, quelles que soient les valeurs de ses variables propositionnelles. Pour une tautologie, toutes les rangées de la table de vérité, ou tous les points de la table de Karnaugh, ont la valeur 1. Des exemples simples de tautologies sont

TRUE

$p + \bar{p}$

$(p + q) \equiv (p + \bar{p}q)$

Les tautologies ont de nombreuses applications importantes. Par exemple, supposons que l'on ait une expression de la forme $E_1 \equiv E_2$, qui est une tautologie. Alors, chaque fois que E_1 apparaît dans une expression, on peut remplacer E_1 par E_2, et l'expression résultante continuera à représenter la même fonction booléenne.

La figure 12.18(a) montre l'arbre d'expression d'une expression logique F qui contient E_1 comme sous-expression. La figure 12.18(b) montre la même expression, où E_1 est remplacée par E_2. Si $E_1 \equiv E_2$, les valeurs des racines des deux arbres doivent être les mêmes, quelles que soit les valeurs de vérité affectées aux variables. En effet, on sait que les nœuds marqués n sur les deux arbres, qui sont les racines des arbres d'expression pour E_1 et E_2, doivent avoir la même valeur pour les deux arbres, puisque $E_1 \equiv E_2$. L'évaluation des arbres au-dessus de n engendrera sûrement la même valeur dans les deux cas, démontrant ainsi que les deux arbres sont équivalents. La possibilité d'interchanger des expressions équivalentes est connue familièrement sous le nom de «substitution d'égal à égal». On notera que dans les autres algèbres, comme l'arithmétique, l'ensembliste, la relationnelle, ou celles des expressions régulières, on peut également substituer une expression par une autre ayant la même valeur.

(a) Expression contenant E_1 (b) Expression contenant E_2

Figure 12.18 : Arbres d'expression montrant la substition d'égal à égal.

✦ **Exemple 12.17.** Considérons la loi d'associativité pour l'opérateur logique OR, que l'on peut traduire par l'expression

$$\big((p + q) + r\big) \equiv \big(p + (q + r)\big) \tag{12.7}$$

La table de vérité des diverses sous-expressions est montrée en figure 12.19. La dernière colonne, d'étiquette E, représente l'expression toute entière. On observe que toutes les rangées ont la valeur 1 pour E, ce qui prouve que l'expression (12.7) est une tautologie. Le résultat est que, chaque fois que l'on rencontre une expression de la forme $(p + q) + r$, on peut librement la remplacer par $p + (q + r)$. Vous noterez que p,

q, et r peuvent représenter des expressions quelconques, aussi longtemps que la même expression est utilisée pour les deux occurrences de p, et que q et r sont également traitées de manière cohérente. ✦

p	q	r	$p+q$	$(p+q)+r$	$q+r$	$p+(q+r)$	E
0	0	0	0	0	0	0	1
0	0	1	0	1	1	1	1
0	1	0	1	1	1	1	1
0	1	1	1	1	1	1	1
1	0	0	1	1	0	1	1
1	0	1	1	1	1	1	1
1	1	0	1	1	1	1	1
1	1	1	1	1	1	1	1

Figure 12.19 : Table de vérité qui prouve la loi d'associativité pour le OR.

Le principe de substitution

Comme nous l'avions remarqué à l'exemple 12.17, quand on dispose d'une loi mettant en jeu un ensemble particulier de variables propositionnelles, la loi s'applique non seulement telle qu'elle est écrite, mais aussi pour n'importe quelle substitution de chaque variable par une expression. La raison en est que les tautologies restent des tautologies quand on procède à n'importe quelle substitution d'une ou plusieurs de ses variables. Cet état de fait est connu sous le nom de *principe de substitution*[2]. Bien entendu, il faut substituer la même expression à chaque occurrence d'une variable donnée.

✦ **Exemple 12.18.** La loi de commutativité pour l'opérateur logique AND peut être vérifiée en montrant que l'expression logique $pq \equiv qp$ est une tautologie. Pour obtenir quelques exemples de cette loi, on peut effectuer des substitutions sur cette expression. On pourrait par exemple substituer $r+s$ à p et $\bar{r}$ à q, pour obtenir l'équivalence

$$(r+s)(\bar{r}) \equiv (\bar{r})(r+s)$$

On notera que nous avons entouré chaque expression substituée à l'aide de parenthèses, pour éviter des regroupements d'opérateurs malencontreux, en désaccord avec les conventions de préséance des opérateurs. Dans ce cas, les parenthèses autour de $r+s$ sont essentielles, mais celles qui entourent $\bar{r}$ pourraient être omises.

Suivent quelques autres substitutions pour cette loi de commutativité. On pourrait remplacer p par r et ne pas remplacer q, pour obtenir $rq \equiv qr$. On pourrait laisser p isolé, et remplacer q par l'expression constante 1 (TRUE), pour obtenir p AND $1 \equiv 1$ AND p. Cela dit, il est impossible de substituer r à la première occurrence de p et

---

[2]   On ne devra pas confondre le principe de substitution avec la «substitution d'égal à égal». Le principe de substitution ne s'applique qu'aux tautologies, alors qu'il est possible de substituer d'égal à égal n'importe quelle expression.

de substituer une expression différente, $r + s$ par exemple, pour la seconde. Autrement dit, $rq \equiv q(r + s)$ n'est pas une tautologie (sa valeur est 0 si $s = q = 1$ et $r = 0$). ✦

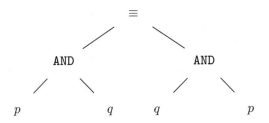

Figure 12.20 : Arbre d'expression pour la tautologie $pq \equiv qp$.

La raison de la validité du principe de substitution peut être comprise si l'on pense aux arbres d'expression. Imaginez un arbre d'expression pour une certaine tautologie, comme celle étudiée à l'exemple 12.18, tel que représenté à la figure 12.20. Comme l'expression est une tautologie, on sait que, quelles que soient les valeurs de vérité affectées aux variables propositionnelles situées sur les feuilles, la valeur de la racine est TRUE (pourvu que l'on affecte la même valeur à chaque feuille étiquetée par une variable donnée).

Supposons à présent que l'on remplace p par une expression d'arbre T_p, et que l'on remplace q par une expression d'arbre T_q ; en général, on choisit un arbre pour chaque variable de la tautologie, et on remplace toutes les feuilles contenant cette variable par l'arbre choisi pour cette variable[3]. On se retrouve alors avec un nouvel arbre d'expression, semblable à celui présenté à la figure 12.21. Lorsque l'on affecte des valeurs de vérité aux variables du nouvel arbre, les valeurs de chaque nœud qui est racine d'un arbre T_p ont la même valeurs, car les mêmes étapes d'évaluation sont effectuées sous ce type de nœud.

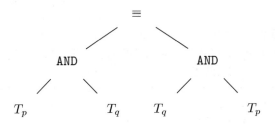

Figure 12.21 : Une substitution pour les variables de la figure 12.20.

Une fois que les racines des arbres comme T_p et T_q de la figure 12.21 sont évaluées,

---

[3] A titre de cas particulier, l'arbre choisi pour une variable x peut être une nœud unique d'étiquette x, ce qui revient à ne faire aucune substitution pour x.

on se retrouve avec des valeurs cohérentes pour les variables des feuilles de l'arbre initial, qui était représenté par la figure 12.20. Autrement dit, on prend n'importe quelle valeur calculée pour les occurrences de T_p, qui doivent toutes avoir la même valeur, et on l'affecte à toutes les feuilles étiquetées par p dans l'arbre initial. On fait la même chose pour q, et de façon générale, pour toute variable apparaissant dans l'arbre initial. Comme ce dernier représente une tautologie, on sait que l'évaluation engendrera une valeur TRUE pour la racine. Mais au-dessus des arbres substitués, le nouvel arbre et l'ancien sont identiques, donc le nouvel arbre produit lui aussi la valeur TRUE à la racine. Comme ce raisonnement est valable quelle que soit la substitution de valeurs effectuée pour les variables du nouvel arbre, on en conclut que l'expression représentée par cet arbre est également une tautologie.

Le problème de la tautologie

Le problème de la tautologie consiste à tester si une expression logique donnée est équivalente à TRUE, autrement dit, si c'est une tautologie. Il existe un moyen direct de résoudre ce problème. On construit une table de vérité avec une rangée pour chaque affection possible de valeurs de vérité aux variables de l'expression. On crée une colonne pour chaque nœud intérieur de l'arbre, on évalue chaque nœud pour chaque affectation de valeurs de vérité aux variables, du bas vers le haut. L'expression est une tautologie si et seulement si la valeur de l'expression entière est 1 (TRUE) pour chaque affectation de valeurs. L'exemple 12.17 illustrait cette démarche.

Temps d'exécution du test de tautologie

Si l'expression comporte k variables et n occurrences d'opérateur, alors la table contient 2^k rangées, et il faut remplir n colonnes. On s'attend donc à ce que l'implémentation directe de cet algorithme ait un coût en $O(2^k n)$. Ce n'est pas trop long pour les expressions à deux ou trois variables, ni même disons pour 20 variables, où le test peut prendre entre quelques secondes et quelques minutes. Cependant, pour 30 variables, il existe un milliard de rangées, et il est beaucoup moins simple d'effectuer ce test, même en utilisant un ordinateur. Ces observations sont habituelles lorsque l'on met en œuvre un algorithme de coût exponentiel. Pour les exemples réduits, on ne voit généralement aucun problème. Mais soudain, lorsque les exemples deviennent plus importants, on s'aperçoit qu'il n'est plus possible, dans un temps raisonnable, de résoudre le problème, même avec les ordinateurs les plus rapides.

EXERCICES

12.7.1 : Parmi les expressions suivantes, lesquelles sont des tautologies ?

a) $pqr \rightarrow p + q$

b) $\big((p \rightarrow q)(q \rightarrow r)\big) \rightarrow (p \rightarrow r)$

c) $(p \rightarrow q) \rightarrow p$

d) $\big(p \equiv (q + r)\big) \rightarrow (\bar{q} \rightarrow pr)$

Infaisabilité intrinsèque

Le problème de la tautologie, « *E* est-elle une tautologie ? », est un exemple important d'un problème qui apparaît intrinsèquement exponentiel. Autrement dit, si *k* est le nombre de variables de l'expression *E*, tous les algorithmes connus pour résoudre le problème de tautologie ont un temps d'exécution qui est une fonction exponentielle de *k*.

Il existe une famille de problèmes, appelés **NP-complets**, qui comprend de nombreux problèmes d'optimisation importants, que personne ne sait résoudre plus vite qu'avec un temps exponentiel. De nombreux mathématiciens et scientifiques ont travaillé dur et longtemps pour essayer de trouver pour au moins l'un de ces problèmes un algorithme qui s'exécute plus vite qu'avec un temps exponentiel, mais aucun algorithme de ce type n'a encore été trouvé, et nombreux sont ceux qui soupçonnent qu'il n'en existe pas.

L'un des problème NP-complet classique est le *problème de satisfiabilité* : « Existe-t-il une affectation de valeurs de vérité qui rend vraie l'expression logique *E* ? ». La satisfiabilité se rapproche beaucoup du problème de la tautologie, et comme pour ce dernier problème, aucune solution vraiment meilleure au problème de satisfiabilité n'a été trouvée, autre que le parcours de toutes les valeurs possibles.

Soit tous les problèmes NP-complets ont des solutions « moins qu'exponentielles », soit aucune. Le fait que chaque problème NP-complet apparaisse comme ayant un coût exponentiel nous renforce dans notre sentiment qu'ils sont tous intrinsèquement exponentiels. Nous avons donc une forte présomption que le test direct de satisfiabilité soit le meilleur possible.

Soit dit en passant, « NP » signifie « polynomial non-déterministe ». De façon informelle, « non-déterministe » signifie « la possibilité de deviner juste », comme nous l'avons vu au paragraphe 10.3. Un problème peut être « soluble dans un temps polynomial non-déterministe » si, étant donnée une solution supposée pour une instance de taille *n*, on peut vérifier que cette supposition est correcte dans un temps polynomial, autrement dit, dans un temps n^c pour une certaine constante *c*.

La satisfiabilité est un exemple d'un tel problème. Si quelqu'un nous donne une affectation de valeurs de vérité pour des variables, et qu'il affirme, ou suppose que cette affectation rend vraie l'expression *E*, on pourra évaluer *E* avec cette affectation particulière, et vérifier dans un temps au pire quadratique par rapport à la longueur de *E*, que l'expression peut être satisfaite.

La classe de problèmes qui — comme la satisfiabilité — peuvent être résolus en supposant, puis en vérifiant la supposition en un temps polynomial, s'appelle *NP*. Certains problèmes de *NP* sont en fait très simples, et peuvent être résolus sans supposition particulière, mais en prenant quand même un temps polynomial par rapport à la longueur de l'entrée. Cela dit, nombreux sont les problèmes de *NP* dont on peut prouver qu'ils sont aussi difficile à résoudre que n'importe quel autre dans *NP*, et ils forment les problèmes NP-complets. (Ne confondez pas ce sens de « complets », qui signifie « les plus difficiles de la classe », avec « la complétude d'un ensemble d'opérateurs », c'est-à-dire « sa capacité à exprimer toute fonction booléenne ».)

La famille des problèmes solubles en un temps polynomial sans supposition est souvent appelée P. La figure 12.22 montre la relation entre P, NP, et les problèmes NP-complets. Si tout problème NP-complete est dans P, alors $P = NP$, ce dont nous doutons énormément dans ce cas, puisque tous les problèmes NP-complets connus, et certains autres problèmes de NP, semble ne pas appartenir à P. On pense que le problème de la tautologie ne fait pas partie de NP, mais il est aussi difficile ou plus difficile que n'importe quel problème de NP (appelé problème **NP-difficile**), et si le problème de la tautologie est dans P, alors $P = NP$.

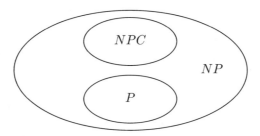

Figure 12.22 : P est la famille des problèmes solubles en un temps polynomial, NP est la famille soluble en un temps polynomial non-déterministe, et NPC est la famille des problèmes NP-complets.

12.7.2 : * Supposons que nous disposions d'une procédure qui résolve le problème de la tautologie pour une expression logique. Montrez que cette procédure pourrait servir à

a) déterminer si deux expressions sont équivalentes ;
b) résoudre le problème de satisfiabilité (voir l'encadré sur « L'infaisabilité intrinsèque »).

12.8   Des lois algébriques pour les expressions logiques

Dans ce paragraphe, nous passerons en revue quelques tautologies utiles. Dans chaque cas, nous établirons la loi, et nous laisserons au lecteur le soin de faire le test de tautologie en construisant la table de vérité.

Lois d'équivalence

Commençons par quelques observations sur la manière dont fonctionne l'équivalence. Le lecteur devra comprendre le double rôle joué par l'équivalence. C'est l'un des opérateurs que l'on utilise dans les expressions logiques. Mais c'est également l'indication que deux expressions sont « égales », et que l'une peut être remplacée par l'autre. Une tautologie de la forme $E_1 \equiv E_2$ nous apprend quelque chose concernant E_1 et E_2, à savoir que chacune peut remplacer l'autre à l'intérieur d'expressions plus grandes, en vertu du principe selon lequel « deux choses égales peuvent se substituer l'une à l'autre ».

Par ailleurs, on peut utiliser les équivalences pour démontrer d'autres équivalences. Si nous possédons une séquence d'expressions $E_1, E_2, \ldots, E_k$, telles que chacune s'obtient à partir de la précédente par substitution d'égal à égal, alors chacune de ces expressions donne la même valeur lorsqu'on les évalue avec les mêmes valeurs de vérité. En conséquence, $E_1 \equiv E_k$ sera obligatoirement une tautologie.

12.1. *Réflexivité de l'équivalence*: $p \equiv p$.

Comme pour toutes les lois que nous allons établir, le principe de substitution s'applique, et on peut remplacer p par n'importe quelle expression. Cette loi nous apprend donc que toute expression est équivalente à elle-même.

12.2. *Loi de commutativité pour l'équivalence*: $(p \equiv q) \equiv (q \equiv p)$.

Informellement, p est équivalent à q si et seulement si q est équivalent à p. D'après le principe de substitution, si une expression E_1 quelconque est équivalente à une autre expression E_2, alors E_2 est équivalente à E_1. Donc E_1 et E_2 pourront être substituées indifféremment l'une à l'autre.

12.3. *Loi de transitivité pour l'équivalence*: $\big((p \equiv q) \text{ AND } (q \equiv r)\big) \to (p \equiv r)$.

Informellement, si p est équivalent à q, et q est équivalent à r, alors p est équivalent à r. Une conséquence importante de cette loi est que si nous avons démontré que $E_1 \equiv E_2$ et $E_2 \equiv E_3$ étaient des tautologies, alors $E_1 \equiv E_3$ est une tautologie.

12.4. *Equivalence des négations*: $(p \equiv q) \equiv (\bar{p} \equiv \bar{q})$.

Deux expressions sont équivalentes si et seulement si leurs négations sont équivalentes.

Lois analogues à l'arithmétique

Il existe une analogie entre les opérateurs arithmétiques $+$, $\times$, et le moins unaire d'une part, et OR, AND, et NOT d'autre part. Les lois suivantes ne surprendront donc pas.

12.5. *La loi de commutativité pour* AND: $pq \equiv qp$.

Informellement, pq est vraie si et seulement si qp est vraie.

12.6. *La loi d'associativité pour* AND: $p(qr) \equiv (pq)r$.

Informellement, on peut regrouper le AND de trois variables (ou expressions) soit en commençant par prendre le AND des deux premières, soit en commençant par prendre le AND des deux dernières. Mieux, grâce à la loi (5), on peut voir que le AND d'une série de propositions ou d'expressions peut être permuté et regroupé librement — le résultat sera le même.

12.7. *La loi de commutativité pour* OR: $(p + q) \equiv (q + p)$.

12.8. *La loi d'associativité pour* OR: $\big(p + (q + r)\big) \equiv \big((p + q) + r\big)$.

Cette loi ainsi que la précédente, nous dit que le OR de n'importe quel ensemble d'expressions peut être regroupé librement.

12.9. *La loi de distributivité du* AND *sur le* OR: $p(q + r) \equiv (pq + pr)$.

Autrement dit, si l'on souhaite prendre le AND de p et le OR de deux propositions ou expressions, on peut soit prendre le OR en premier, soit commencer par prendre le AND de p avec chaque expression ; le résultat sera le même.

12.10. 1 (TRUE) *est l'identité pour* AND: $(p \text{ AND } 1) \equiv p$.

On notera que $(1 \text{ AND } p) \equiv p$ est également une tautologie. Il n'est pas nécessaire de l'établir, car elle se déduit du principe de substitution et des lois précédentes. Autrement dit, on pourra substituer simultanément 1 à p et p à q dans la loi (5), la loi de commutativité pour le AND, pour obtenir la tautologie $(1 \text{ AND } p) \equiv (p \text{ AND } 1)$. Alors une application de (3), la transitivité de l'équivalence, nous dit que $(1 \text{ AND } p) \equiv p$.

12.11. 0 (FALSE) *est l'identité pour* OR: $p \text{ OR } 0 \equiv p$.

De même, on peut déduire que $(0 \text{ OR } p) \equiv p$, à l'aide du même argument que dans (10).

12.12. 0 *est absorbant pour le* AND: $(p \text{ AND } 0) \equiv 0$.[4]

Souvenez-vous que d'après le paragraphe 10.7, un élément absorbant pour un opérateur est une constante telle que l'opérateur, appliqué à cette constante et n'importe quelle valeur, produit comme résultat l'élément absorbant lui-même. Notons qu'en arithmétique, 0 est un élément absorbant pour la multiplication, mais que l'addition ne possède pas d'élément absorbant. En revanche, nous verrons que 1 est absorbant pour OR.

12.13. *Elimination des doubles négations*: $(\text{NOT NOT } p) \equiv p$.

En quoi AND et OR diffèrent de + et ×

Il existe aussi un certain nombre de lois qui montrent la différences entre AND et OR d'un côté, et les opérateurs arithmétiques × et + de l'autre. Quelques-unes sont passées en revue ici.

12.14. *La loi de distributivité de* OR *sur* AND: $(p + qr) \equiv \big((p + q)(p + r)\big)$.

De même que AND peut être distribué sur OR, OR se distribue sur AND. On notera que l'égalité analogue en arithmétique, $x + yz = (x + y)(x + z)$, est en général fausse.

12.15. 1 *est absorbant pour* OR: $(1 \text{ OR } p) \equiv 1$.

On notera que l'égalité analogue en arithmétique $1 + x = 1$ est en général fausse.

12.16. *Idempotence de* AND: $pp \equiv p$.

Rappelez-vous qu'un opérateur est idempotent si, quand il est appliqué à deux copies de la même valeur, il produit cette valeur comme résultat.

---

[4] Bien entendu, $(0 \text{ AND } p) \equiv 0$ est également vraie. Nous ne mentionnerons plus à partir de maintenant toutes les conséquences des lois commutatives.

Exploitation des analogies entre les opérateurs arithmétiques et logiques

Lorsque l'on utilise la notation abrégée pour AND et OR, on peut souvent faire comme si l'on travaillait avec la multiplication et l'addition, quand on utilise les lois (5) à (12). C'est un avantage, car nous sommes parfaitement familiarisés avec les lois correspondantes de l'arithmétique. Par exemple, le lecteur pourra remplacer rapidement $(p + q)(r + s)$ par $pr + ps + qr + qs$ ou par $q(s + r) + (r + s)p$.

Ce qui est plus difficile, et requiert plus de pratique, c'est l'application des lois qui ne ressemblent pas à celles de l'arithmétique. Par exemple les lois de DeMorgan et la distributivité de OR sur AND. Ainsi, le remplacement de $pq + rs$ par $(p + r)(p + s)(q + r)(q + s)$ est valide, mais demande de la réflexion, pour voir qu'il se déduit de l'application des (14), c'est-à-dire de la loi de distributivité de OR sur AND, et des lois de commutativité et d'associativité.

12.17. *Idempotence de* OR : $p + p \equiv p$.

Vous remarquerez que ni $\times$ ni $+$ ne sont idempotents. Autrement dit, ni $x \times x = x$ ni $x + x = x$ ne sont en général vraie.

12.18. *Sous-sommation.*

Il existe deux versions de cette loi, selon que le terme superflu éliminé est un produit ou une somme.

a) $(p + pq) \equiv p$.

b) $p(p + q) \equiv p$.

On remarque que si l'on substitue un produit de littéraux arbitraire à p, et un autre produit de littéraux à q dans (a), on affirme que dans une somme de produits, on peut éliminer tout produit qui contient un sur-ensemble des littéraux d'un autre produit. On dit alors que l'ensemble le plus petit *sous-somme* le sur-ensemble. Dans (b), on affirme une chose analogue au sujet d'un produit de sommes ; on peut éliminer une somme qui est un sur-ensemble des littéraux d'une autre somme du produit.

12.19. *Élimination de certaines négations.*

a) $p(\bar{p} + q) \equiv pq$.

b) $p + \bar{p}q \equiv p + q$.

On notera que (b) est la loi qui nous avait servi au paragraphe 12.2 à expliquer pourquoi la condition sur Sophie pouvait remplacer la condition sur Samuel.

Lois de DeMorgan

Il existe deux lois qui nous permettent de distribuer des NOT dans une expression de AND et de OR, pour obtenir une expression dans laquelle toutes les négations s'appliquent aux variables propositionnelles. L'expression résultante est une expression AND-OR appliquée aux littéraux. Intuitivement, si l'on complémente une expression contenant des AND et des OR, on peut faire descendre la négation le long de l'arbre d'expression, en « inversant » les opérateurs au fur et à mesure. Autrement dit, chaque AND devient un OR, et vice versa. Enfin, les négations atteignent les feuilles, et elles y restent, à moins qu'elles ne tombent sur un littéral complémenté, auquel cas, on peut annuler deux négations en appliquant la loi 12.13. Il faut prendre garde, lorsque l'on construit la nouvelle expression, de placer les parenthèses correctement, car la préséance des opérateurs change lorsque l'on intervertit AND et OR.

Les règles de bases portent le nom de « Lois de DeMorgan ». Ce sont les deux tautologies suivantes.

12.20. *Lois de DeMorgan.*

a) $\text{NOT } (pq) \equiv \bar{p} + \bar{q}$.

b) $\text{NOT } (p + q) \equiv \bar{p}\bar{q}$.

La partie (a) dit que p et q ne sont pas vrais tous les deux si et seulement si au moins l'un d'entre eux est faux, et (b) dit que ni p ni q ne sont vrais si et seulement si ils sont tous les deux faux. On peut généraliser ces deux lois pour prendre en compte n'importe quel nombre de variables propositionnelles.

c) $\big(\text{NOT } (p_1 p_2 \cdots p_k)\big) \equiv (\bar{p_1} + \bar{p_2} + \cdots + \bar{p_k})$.

d) $\big(\text{NOT } (p_1 + p_2 + \cdots + p_k)\big) = (\bar{p_1}\bar{p_2} \cdots \bar{p_k})$.

Par exemple, (d) affirme qu'aucune expression issue d'une collection d'expressions quelconque est vraie si et seulement si elles sont toutes fausses.

◆ **Exemple 12.19.** Nous avons vu aux paragraphes 12.5 et 12.6 comment construire les expressions « somme de produits » à partir d'expressions logiques arbitraires. Supposons que nous commencions avec une telle expression quelconque E, que l'on pourrait écrire $E_1 + E_2 + \cdots + E_k$, où chaque E_i est un AND de littéraux. On peut construire une expression « produit de sommes » pour NOT E, en commençant avec

$$\text{NOT } (E_1 + E_2 + \cdots + E_k)$$

et en appliquant la loi de DeMorgan (d), pour obtenir

$$\big(\text{NOT } (E_1)\big)\big(\text{NOT } (E_2)\big) \cdots \big(\text{NOT } (E_k)\big) \tag{12.8}$$

Soit à présent E_i le produit des littéraux $X_{i1} X_{i2} \cdots X_{ij_i}$, où chaque X est soit une variable, soit sa négation. On peut alors appliquer (c) à NOT (E_i) pour la transformer en

$$\bar{X}_{i1} + \bar{X}_{i2} + \cdots + \bar{X}_{ij_i}$$

Si un littéral X est une variable complémentée, disons $\bar{q}$, alors $\bar{X}$ devra être remplacé par q lui-même, à l'aide de la loi 12.13, qui dit que les doubles négations peuvent être éliminées. Lorsque toutes ces modifications ont été apportées, (12.8) devient un produit de sommes de littéraux.

Par exemple, $rs + \bar{r}\bar{s}$ est une expression « somme de produits » qui est vraie si et seulement si $r \equiv s$; autrement dit, on peut la voir comme une définition de l'équivalence en termes de AND, OR, et NOT. La formule suivante, la négation de la précédente, est vraie lorsque r et s ne sont pas équivalents, c'est-à-dire si exactement un seul est vrai.

$$\text{NOT } (rs + \bar{r}\bar{s}) \tag{12.9}$$

Appliquons à présent une substitution à la loi de DeMorgan (b), dans laquelle p est remplacé par r, et q est remplacé par $\bar{r}\bar{s}$. Le membre gauche de (b) devient exactement(12.9), et on sait d'après le principe de substitution que (12.9) est équivalente au membre droit de (b), auquel on a appliqué la même substitution, à savoir

$$\text{NOT } (rs) \text{ AND NOT } (\bar{r}\bar{s}) \text{ NOT } (rs + \bar{r}\bar{s}) \tag{12.10}$$

On peut maintenant appliquer (a), avec la substitution de r pour p et s pour q, en remplaçant NOT (rs) par $\bar{r} + \bar{s}$. La loi (a) nous dit également que NOT $(\bar{r}\bar{s})$ équivaut à NOT $(\bar{r})+$ NOT $(\bar{s})$. Mais NOT $(\bar{r})$ équivaut à NOT $\big(\text{NOT } (r)\big)$, qui est équivalent à r, puisque les doubles négations peuvent être supprimées. De même, on peut remplacer NOT $(\bar{s})$ par s. Donc, (12.10) est équivalente à $(\bar{r}+\bar{s})(r+s)$. Cela représente l'expression « produit de sommes » pour dire « parmi r et s, un et un seul est vrai ». De manière informelle, cela signifie : « parmi r et s, au moins un est faux, et au moins un est vrai ». Evidemment, la seule façon d'y satisfaire est qu'exactement un seul parmi r et s soit vrai. ✦

Le principe de dualité

Pendant que nous parcourons les lois de ce paragraphe, on constate un curieux phénomène. Les équivalences semblent aller par paires, dans lesquelles les rôles de AND et OR sont intervertis. Par exemple, les parties (a) et (b) de la loi 12.19 forment une telle paire, de même que les lois 12.9 et 12.14 ; la seconde est composée des deux lois de distributivité. Lorsque les constantes 1 et 0 sont impliquées, elles doivent être interverties, comme pour la paire constituée des lois 12.10 et 12.11 sur l'identité.

L'explication de ce phénomène réside dans les lois de DeMorgan. Commençons avec une tautologie $E_1 \equiv E_2$, où E_1 et E_2 sont des expressions mettant en jeu les opérateurs AND, OR, et NOT. D'après la loi 12.4, NOT $(E_1) \equiv$ NOT (E_2) est également une tautologie. On applique alors la loi de DeMorgan pour faire descendre les négations sur les AND et les OR. Ce faisant, on « inverse » chaque AND en un OR et vice versa, et on déplace la négation devant chacun des opérandes. Si l'on rencontre un opérateur NOT, on se contente de faire passer le NOT « voyageur », jusqu'au prochain AND ou OR. Une exception survient lorsque l'on rencontre un littéral complémenté, par exemple $\bar{p}$. Alors, on combine le NOT voyageur avec le sédentaire, pour produire l'opérande p. Cas particulier : si un NOT voyageur rencontre une constante, 0 ou 1, on nie la constante ; autrement dit, (NOT 0) $\equiv 1$ et (NOT 1) $\equiv 0$.

✦ **Exemple 12.20.** Considérons la tautologie 12.19(b). On commence par complémenter les deux membres, ce qui nous donne l'arbre de la figure 12.23(a). On fait ensuite descendre les négations le long des OR de chaque côté de l'équivalence, en les changeant en AND ; des signes NOT apparaissent au-dessus de chaque argument des deux OR, comme montré à la figure 12.23(b). Trois des nouveaux NOT se retrouvent au-dessus des variables, et leur voyage s'arrête donc ici. Celui au-dessus d'un AND le fait se changer en OR, et génère des NOT sur ses deux arguments. L'argument de droite devient NOT q, tandis que celui de gauche, qui valait NOT p, devient NOT NOT p, ou simplement p. L'arbre résultant est montré à la figure 12.23(c).

L'arbre de la figure 12.23(c) représente l'expression $\bar{p}(p + \bar{q}) \equiv \bar{p}\bar{q}$. Pour obtenir une expression conforme à la loi 12.19(a), il faut complémenter les variables. Autrement dit, on substitue l'expression $\bar{p}$ à p et $\bar{q}$ à q. Lorsque l'on élimine les doubles négations, on se retrouve exactement avec l'expression 12.19(a). ✦

Lois mettant en jeu l'implication

Il existe de nombreuses tautologies qui nous donnent des propriétés de l'opérateur $\rightarrow$.

12.21. $\big((p \rightarrow q)\ \text{AND}\ (q \rightarrow p)\big) \equiv (p \equiv q)$.

Autrement dit, deux expressions sont équivalentes si et seulement si elles s'impliquent mutuellement.

12.22. $(p \equiv q) \rightarrow (p \rightarrow q)$.

L'équivalence de deux expressions nous dit que chacune d'elle implique l'autre.

12.23. *Transitivité de l'implication* : $\big((p \rightarrow q)\ \text{AND}\ (q \rightarrow r)\big) \rightarrow (p \rightarrow r)$.

Autrement dit, si p implique q, qui implique r, alors p implique r.

12.24. Il est possible d'exprimer l'implication uniquement avec AND et OR. La forme la plus simple est :

a) $(p \rightarrow q) \equiv (\bar{p} + q)$.

Nous verrons qu'il existe de nombreuses situations où l'on aura à faire avec une expression de la forme « si ceci et ceci et $\cdots$, alors cela ». Par exemple, le langage Prolog et de nombreux langages « d'intelligence artificielle » sont construits autour de « règles » de cette forme. Ces règles s'écrivent formellement $(p_1 p_2 \cdots p_n) \rightarrow q$. Elles peuvent être exprimées uniquement à l'aide de AND et de OR, à partir de l'équivalence

b) $(p_1 p_2 \cdots p_n \rightarrow q) \equiv (\bar{p_1} + \bar{p_2} + \cdots + \bar{p_n} + q)$.

Autrement dit, les deux membres de l'équivalence sont vrais chaque fois que q est vrai, où que l'un ou plusieurs des p sont faux ; autrement, les deux membres sont faux.

EXERCICES

12.8.1 : Vérifiez, à l'aide de tables de vérités, que les lois 12.1 à 12.24 sont toutes des tautologies.

12.8.2 : On peut substituer des expressions pour n'importe quelle variable propositionnelle d'une tautologie, pour obtenir une nouvelle tautologie. Substituez $x + y$ à p, yz à q, et $\bar{x}$ à r dans chacune des tautologies 12.1 à 12.24, pour obtenir de nouvelles

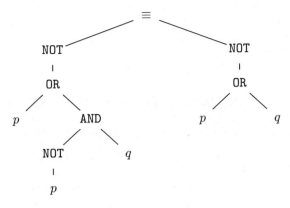

(a) Arbre d'expression initial

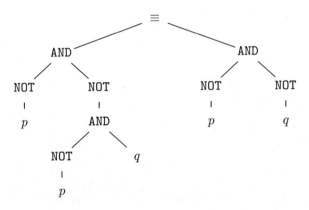

(b) Première « descente » des négations

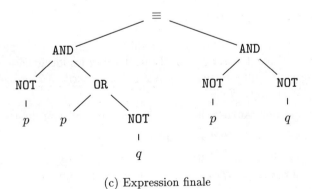

(c) Expression finale

Figure 12.23 : Construction de l'expression duale.

tautologies. N'oubliez pas de placer des parenthèses autour des expressions substituées si besoin est.

12.8.3 : Prouvez que

a) $p_1 + p_2 + \cdots + p_n$ est équivalent à la somme (OR logique) des p_i dans n'importe quel ordre.

b) $p_1 p_2 \cdots p_n$ est équivalent au produit (AND logique) des p_i dans n'importe quel ordre.

Une indication : Un résultat semblable a été établi pour l'addition au paragraphe 2.4.

12.8.4 : * Utilisez les lois données dans ce paragraphe pour transformer la première de chaque paire d'expressions en la seconde. Pour vous simplifier la tâche, vous pourrez omettre les étapes faisant appel aux lois 12.5 à 12.13, qui sont analogues à celles de l'arithmétique. Par exemple, la commutativité et l'associativité de AND et OR pourront être admises *a priori*.

a) Transformez $pq + rs$ en $(p+r)(p+s)(q+r)(q+s)$.

b) Transformez $pq + p\bar{q}r$ en $p(q+r)$.

c) Transformez $pq + p\bar{q} + \bar{p}q + \bar{p}\bar{q}$ en 1. (Cette transformation requiert la loi 12.25 du prochain paragraphe).

d) Transformez $pq \to r$ en $(p \to r) + (q \to r)$.

e) Transformez NOT $(pq \to r)$ en $pq\bar{r}$.

12.8.5 : Montrez que les lois de sous-sommation, 12.18(a) et (b), se déduisent des lois données précédemment, au sens où il est possible de transformer $p + pq$ en p et de transformer $p(p+q)$ en p en ne se servant que des lois 12.1 à 12.17.

12.8.6 : Appliquez les lois de DeMorgan pour transformer les expressions suivantes en expressions où les NOT ne sont appliqués qu'aux variables propositionnelles (autrement dit, les NOT apparaissent dans les littéraux uniquement).

a) NOT $(pq + \bar{p}r)$

b) NOT (NOT $p + q($NOT $(r + \bar{s})))$

12.8.7 : † Prouvez les lois de DeMorgan généralisées 12.20(c) et (d) par récurrence sur k, à l'aide des lois de base 12.20(a) et (b). Puis, justifiez les lois généralisées de manière informelle en décrivant à quoi ressemblent les tables de vérité à 2^k rangées pour chaque expression et ses sous-expressions.

12.8.8 : * Regroupez par paires les lois de ce paragraphe qui sont duales l'une de l'autre.

12.8.9 : * Démontrez la loi 12.24(b) par récurrence sur k.

12.8.10 : * Montrez que la loi 12.24(b) est valide en décrivant les 2^n rangées de la table de vérité pour l'expression et chacune de ses sous-expressions.

12.8.11 : Simplifiez les expressions suivantes en vous servant des lois de sous-sommation

a) $w\bar{x} + w\bar{x}y + \bar{z}\bar{x}w$

b) $(w + \bar{x})(w + y + \bar{z})(\bar{w} + \bar{x} + \bar{y})(\bar{x})$

12.8.12 : Montrez que les lois arithmétiques analogues aux lois 12.14 à 12.20 sont fausses, en donnant des nombres particuliers pour lesquelles les égalités analogues ne sont pas valables.

12.9   Tautologies et méthodes de preuve

Dans les trois derniers paragraphes, nous avons vu un seul aspect de la logique : son utilisation lors des phases de conception. Au paragraphe 12.6, nous avons vu comment utiliser les tables de Karnaugh pour construire des expressions à partir d'une fonction booléenne, et au chapitre 13, nous verrons comment cette méthodologie nous permet de concevoir les circuits de bascule qui sont à la base des ordinateurs et des autres machines numériques. Les paragraphes 12.7 et 12.8 nous ont fait rencontrer les tautologies, qui peuvent être utilisées pour simplifier des expressions, et donc être un outil important quand il s'agit de concevoir des expressions correctes pour une fonction booléenne donnée.

Une deuxième utilisation importante de la logique sera abordée dans ce paragraphe. Lorsque nous raisonnons, ou que nous prouvons des assertions mathématiques, nous utilisons diverses techniques pour mettre au point nos arguments. Parmi ces techniques, on trouve

1.   l'analyse de cas,

2.   la démonstration de la contre-apposée,

3.   la preuve par l'absurde,

4.   la preuve par réduction

Dans ce paragraphe, nous définirons ces techniques, en montrant comment chacune peut servir lors de démonstrations. On montrera également comment l'emploi de ces techniques est justifié par certaines tautologies de la logique propositionnelle.

La loi du tiers exclu

On commence avec plusieurs tautologies qui représentent des faits basiques sur notre manière de raisonner.

12.25.   *La loi du tiers exclu* : $(p + \bar{p}) \equiv 1$ est une tautologie.

Autrement dit, une chose est soit vraie soit fausse ; le juste milieu n'existe pas.

✦ **Exemple 12.21.** En appliquant la loi 12.25, ou d'autres lois étudiées jusqu'à présent, on peut prouver la loi $(pq + \bar{p}q) \equiv q$ utilisée au paragraphe 12.6. On commence par

$$(1 \text{ AND } q) \equiv (1 \text{ AND } q)$$

qui se déduit de la loi 12.1, la réflexivité de l'équivalence, en substituant $1 \text{ AND } q$ à p. Puis, d'après la loi 12.25, on peut remplacer 1 par $p + \bar{p}$ dans le membre gauche ci-dessus, en employant la substitution « d'égal à égal ». Donc

$$\big((p + \bar{p})q\big) \equiv (1 \text{ AND } q)$$

est une tautologie. Sur le membre droit de l'équivalence, on utilise la loi 12.10 pour remplacer 1 AND q par q. Puis, dans le membre droit, on fait appel à 12.9, la distributivité de AND sur OR, précédée et suivie de la loi 12.5, la commutativité du AND, pour montrer que le membre gauche est équivalent à $pq + \bar{p}q$. On a donc

$$(pq + \bar{p}q) \equiv q$$

comme on le souhaitait. ✦

Une généralisation de la loi du tiers exclu est une technique de preuve appelée « analyse de cas », dans laquelle on souhaite prouver une expression E. On prend une autre expression F et sa négation, NOT F, et on démontre que F et NOT F impliquent toutes deux E. Comme F doit être soit vraie soit fausse, on peut en déduire que E est vraie. La base formelle pour l'analyse de cas est la tautologie suivante.

12.26. *Analyse de cas* : $\big((p \rightarrow q) \text{ AND } (\bar{p} \rightarrow q)\big) \equiv q$.

Autrement dit, les deux cas surviennent quand p est soit vrai soit faux. Si q est impliqué dans ces deux cas, alors q doit être vrai. On laisse en exercice la démonstration que 12.26 se déduit de 12.25 et d'autres loi que nous avons prouvées.

12.27. $p\bar{p} \equiv 0$.

Une proposition et sa négation ne peuvent pas être vraie simultanément. Cette loi est vitale lorsque l'on fait une « preuve par l'absurde ». Nous étudions cette technique rapidement avec la loi 12.29, et également au paragraphe 12.11, quand on abordera les preuves de résolution.

Preuve de la contre-apposée

Parfois, on souhaite prouver une implication, comme $p \rightarrow q$, mais on trouve plus facile de prouver $\bar{q} \rightarrow \bar{p}$, qui est une expression équivalente appelée *contre-apposée* de $p \rightarrow q$. Ce principe est formalisé dans la loi suivante.

12.28. *La loi de la contre-apposée* : $(p \rightarrow q) \equiv (\bar{q} \rightarrow \bar{p})$.

✦ **Exemple 12.22.** Considérons un simple exemple d'une preuve qui montre comment on peut se servir de la contre-apposée. Cet exemple montre aussi les limites de la logique propositionnelle en matière de preuves. La logique nous accompagne sur un bout du chemin, en nous permettant de raisonner sur les assertions sans faire référence à leur signification. Toutefois, pour obtenir une preuve complète, il faut savoir ce que signifient des concepts concernant les entiers, comme « premier », « impair », et « plus grand que ».

On considérera trois propositions sur l'entier positif x :

a	« $x > 2$ »
b	« x est premier »
c	« x est impair »

Le théorème que nous souhaitons prouver est $ab \rightarrow c$, autrement dit,

ASSERTION « Si x est plus grand que 2 et si x est premier, alors x est impair ».

On commence par appliquer certaines des lois que nous avons étudiées pour transformer l'expression $ab \to c$ en une expression équivalente qui sera plus facile à démontrer. D'abord, on utilise la loi 12.28, pour la transformer en sa contre-apposée, $\bar{c} \to \text{NOT}\,(ab)$. On utilise ensuite la loi de DeMorgan 12.20(a) pour convertir $\text{NOT}\,(ab)$ en $\bar{a} + \bar{b}$. Autrement dit, on a transformé le théorème à prouver en $\bar{c} \to (\bar{a} + \bar{b})$. En d'autres termes, il s'agit de prouver que

ASSERTION « Si x n'est pas impair, alors ou bien x n'est pas supérieur à 2, ou bien x n'est pas premier ».

On peut remplacer « pas impair » par « pair », « pas supérieur à 2 » par « inférieur ou égal à 2 », et « non premier » par « composé ». On veut donc prouver

ASSERTION « Si x est pair, alors ou bien $x \leq 2$, ou bien x est composé ».

Nous sommes à présent allés aussi loin que possible avec la logique propositionnelle, et il faut commencer à parler de la signification de nos termes. Si x est pair, alors $x = 2y$ pour un certain entier y ; voilà ce que signifie pour x d'être pair. Comme on suppose durant cette preuve que x est un entier positif, y doit valoir 1 ou plus.

On utilise à présent l'analyse de cas, en considérant les cas où y vaut 1, et ceux où y est supérieur à 1, qui constituent les deux seules possibilités, puisque nous venons juste d'établir que $y \geq 1$. Si $y = 1$, alors $x = 2$, et nous avons prouvé $x \leq 2$. Si $y > 1$, alors x est le produit de deux entiers, 2 et y, tous deux plus grands que 1, ce qui signifie que x est composé. Nous avons donc montré que si x est pair, alors soit $x \leq 2$ (dans le cas où $y = 1$), soit x est composé (dans le cas où $y > 1$). ✦

Preuve par l'absurde

Souvent, au lieu de prouver « directement » une expression E, on trouve plus pratique de commencer par supposer $\text{NOT}\ E$, et d'en déduire une *contradiction*, c'est-à-dire l'expression **FALSE**. La tautologie suivante est la base de ce type de preuves.

12.29. *Preuve par l'absurde*: $(\bar{p} \to 0) \equiv p$.

De manière informelle, si en commençant avec $\bar{p}$, on peut conclure 0, c'est-à-dire conclure **FALSE** ou déduire une contradiction, alors cela revient à prouver p. Cette loi découle en fait d'autres que nous avons établies. On commence avec la loi 12.24, pour remplacer p par $\bar{p}$, et q par 0, de façon à obtenir l'équivalence

$$(\bar{p} \to 0) \equiv \big(\text{NOT}\,(\bar{p}) + 0\big)$$

La loi 12.13, l'élimination des doubles négations, nous permet de remplacer $\text{NOT}\,(\bar{p})$ par p, et donc

$$(\bar{p} \to 0) \equiv (p + 0)$$

A présent, la loi 12.11 nous dit que $(p+0) \equiv p$, et donc une substitution supplémentaire nous donne

$$(\bar{p} \to 0) \equiv p$$

✦ **Exemple 12.23.** Reconsidérons les propositions a, b, et c de l'exemple 12.22, qui parlent d'un entier positif x, et affirment respectivement que $x > 2$, x est premier, et x est impair. On souhaite prouver le théorème $ab \to c$, et nous substituons donc cette expression à p dans 12.29. Alors $\bar{p} \to 0$ devient $(\text{NOT } (ab \to c)) \to 0$.

Si nous utilisons 12.24 sur la première de ces implications, on obtient

$$\Big(\text{NOT } \big(\text{NOT } (ab) + c\big)\Big) \to 0$$

La loi de DeMorgan appliquée au NOT interne donne $\big(\text{NOT } (\bar{a} + \bar{b} + c)\big) \to 0$. Une deuxième utilisation de la loi de DeMorgan, suivie par 12.13 deux fois pour éliminer les doubles négations transforme cette expression en $(ab\bar{c}) \to 0$.

C'est le maximum que la logique propositionnelle puisse nous apporter ; il faut à présent raisonner sur les entiers. On doit commencer avec a, b, et $\bar{c}$, et en déduire une contradiction. En d'autres termes, on commence par supposer que $x > 2$, que x est premier, et que x est pair, et il s'agit d'en déduire une contradiction.

Comme x est pair, on peut dir que $x = 2y$ pour un certain entier y. Comme $x > 2$, on a obligatoirement $y \geq 2$. Mais alors x, qui est égal à $2y$, est le produit de deux entiers, chacun étant plus grand que 1, et donc x est composé. Nous avons donc prouvé que x n'est pas premier, autrement dit l'assertion $\bar{b}$. Comme nous avions donné b, c'est-à-dire que x est premier, et qu'à présent nous avons également $\bar{b}$, on se retrouve avec $b\bar{b}$, qui d'après 12.27 est équivalent à 0, ou **FALSE**.

Nous avons donc prouvé que $(\text{NOT } (ab \to c)) \to 0$, ce qui est équivalent à $ab \to c$ d'après 12.29. Ce qui complète notre preuve par l'absurdc. ✦

Réduction

Notre méthode de preuve suivante nous permet de prouver qu'une expression est une tautologie, en la transformant par substitution d'égal à égal, jusqu'à ce que l'expression soit réduite à 1 (**TRUE**).

12.30.   *Preuve par réduction* : $(p \equiv 1) \equiv p$.

✦ **Exemple 12.24.** L'expression $rs \to r$ dit que le AND de deux expressions implique la première (et, par commutativité du AND, implique également la seconde). On peut montrer que $rs \to r$ est une tautologie à l'aide de la séquence suivante d'équivalences.

$$
\begin{array}{rcl}
 & & rs \to r \\
1) & \equiv & \text{NOT } (rs) + r \\
2) & \equiv & (\bar{r} + \bar{s}) + r \\
3) & \equiv & 1 + \bar{s} \\
4) & \equiv & 1
\end{array}
$$

(1) se déduit de l'application de la loi 12.24, la définition de $\to$ en fonction de AND et OR. (2) est une application de la loi de DeMorgan. (3) découle de l'utilisation de 12.7 et 12.8 pour réorganiser les termes, et donc remplace $r + \bar{r}$ par 1 d'après la loi 12.25. Enfin, (4) est une application de la loi 12.12, le fait que 1 soit élément absorbant pour l'opérateur OR. ✦

EXERCICES

12.9.1 : Montrez que les lois 12.25 et 12.27 sont duales l'une de l'autre.

12.9.2 : * On souhaiterait prouver que le théorème « Si x est un carré parfait et que x est pair, alors x est divisible par 4 ».

a) Créez des variables propositionnelles pour représenter les trois conditions sur x mentionnées dans le théorème.

b) Ecrivez le théorème de façon formelle, en fonction de ces propositions.

c) Etablissez la contre-apposée de votre réponse à (b), à la fois en fonction de vos variables propositionnelles, et en langage courant.

d) Prouvez l'assertion (c). *Une indication* : Il est utile de remarquer que si x n'est pas divisible par 4, alors soit x est impair, soit $x = 2y$ avec y est impair.

12.9.3 : * Donnez une preuve par l'absurde du théorème de l'exercice 12.9.2.

12.9.4 : * Refaites les exercices 12.9.2 et 12.9.3 pour l'affirmation portant sur l'entier x : « Si x^3 est impair, alors x est impair ».

12.9.5 : * Prouvez que les expressions suivantes sont des tautologies, en montrant qu'elles valent 1 (**TRUE**).

a) $pq + r + \bar{q}\bar{r} + \bar{p}\bar{r}$

b) $p + \bar{q}\bar{r} + \bar{p}r + q\bar{r}$

12.9.6 : * Prouvez la loi 12.26, l'analyse de cas, par substitution d'égal à égal dans (des instances) des lois démontrées précédemment.

12.9.7 : * Généralisez la loi d'analyse de cas à la situation où les cas sont définis par k variables propositionnelles, qui peuvent être vraies ou fausses pour les 2^k combinaisons. Quelle est la tautologie qui justifie le cas $k = 2$? Et pour un k quelconque ? Montrez pourquoi cette tautologie doit être vraie.

12.10   Déduction

Nous avons vu la logique comme outil d'aide à la conception aux paragraphes 12.6 à 12.8, et comme formalisation des techniques de preuve au paragraphe 12.9. A présent, nous abordons un troisième aspect de cette représentation ; l'utilisation de la logique dans la *déduction*, c'est-à-dire la suite d'affirmations qui constitue une preuve complète. La déduction devrait être familière pour le lecteur, depuis l'étude de la géométrie plane au lycée, où l'on apprend à commencer avec certaines **hypothèses** (les « données »), et à démontrer une *conclusion* au moyen d'une série d'étapes, chacune d'elles découlant de la précédente grâce à une raison parmi un nombre limité d'autres, appelées **règles d'inférence**. Dans ce paragraphe, nous expliquerons ce qui constitue une preuve de déduction, et nous donnerons un certain nombre d'exemples.

Malheureusement, découvrir une preuve déductive pour une tautologie n'est pas chose facile. Comme nous l'avons mentionné au paragraphe 12.7, c'est un exemple de problème « intrinsèquement infaisable », appartenant à la classe NP-complet. Nous ne pouvons donc pas nous attendre à trouver des preuves déductives, sauf par chance, ou après une recherche exhaustive. Dans le paragraphe 12.11, nous étudierons les preuves de résolution, qui se trouvent être de bonnes heuristiques pour trouver des preuves, bien que dans le pire des cas, cette technique, comme les autres, demande un temps exponentiel.

De quoi est constituée une preuve ?

Supposons que nous disposions de certaines expressions logiques $E_1, E_2, \ldots, E_k$ comme hypothèses, et que nous souhaitions en tirer une conclusion sous la forme d'une autre expression logique E. En général, ni la conclusion, ni aucune des hypothèses ne sera une tautologie, mais ce que l'on veut montrer, c'est que

$$(E_1 \text{ AND } E_2 \text{ AND } \cdots \text{ AND } E_k) \to E \tag{12.11}$$

est une tautologie. Autrement dit, on veut montrer qu'en supposant que $E_1, E_2, \ldots, E_k$ sont vraies, il s'ensuit que E.

Une manière de montrer (12.11) est de construire sa table de vérité et de tester si sa valeur est 1 dans chaque rangée — le test habituel pour une tautologie. Toutefois, cela peut s'avérer insuffisant pour deux raisons.

1. Comme nous l'avons mentionné, le test d'une tautologie devient infaisable si l'expression comporte trop de variables.

2. Plus important, alors que le test de tautologie fonctionne pour la logique propositionnelle, on ne peut pas l'utiliser pour tester des tautologie dans des systèmes logiques plus complexes, comme la logique des prédicats, étudiée au chapitre 14.

On peut souvent montrer que (12.11) est une tautologie en présentant une **preuve**. Une preuve est une séquence de lignes dont chacune est soit une hypothèse, soit est construite à partir des lignes précédentes par une règle d'inférence. Si la dernière ligne est E, on dit que nous avons une preuve pour E à partir de $E_1, E_2, \ldots, E_k$.

Il existe de nombreuses règles d'inférence que l'on peut utiliser. La seule contrainte est que si une règle d'inférence nous permet d'écrire une expression F comme ligne de preuve dès que les expressions $F_1, F_2, \ldots, F_n$ sont aussi des lignes de la preuve, alors

$$(F_1 \text{ AND } F_2 \text{ AND } \cdots \text{ AND } F_n) \to F$$

doit être une tautologie. Par exemple,

a) Une tautologie quelconque pourra être utilisée comme ligne de preuve, quelles que puissent être les lignes précédentes. Cette règle se justifie par le fait que si F est une tautologie, alors le AND logique de zéro ligne de la preuve implique F. Notez que, par convention, le AND de zéro expression vaut 1, et que $1 \to F$ est une tautologie lorsque F est une tautologie.

b) La règle du **modus ponens** dit que si E et $E \to F$ sont des lignes d'une preuve, alors F peut être ajoutée comme ligne de la preuve. Le modus ponens découle de la tautologie $(p \text{ AND } (p \to q)) \to q$; ici, l'expression E est substituée à p et F à q. La seule subtilité est que nous n'avons pas besoin d'une ligne contenant $E \text{ AND } (E \to F)$, mais de deux lignes séparées, l'une avec E, et l'autre avec $E \to F$.

Applications de la déduction

En plus d'être la matière dont sont finalement faites toutes les preuves en mathématiques, la déduction ou preuve formelle a de nombreuses utilisations en informatique. L'une de ses applications est la **démonstration automatisée de théorèmes**. Il existe des systèmes qui trouvent tout seuls des preuves de théorèmes, en recherchant les séquences d'étapes qui mènent des hypothèses à la conclusion. Certains systèmes recherchent des preuves tout seuls, et d'autres travaillent de façon interactive, en demandant des conseils à l'utilisateur permettant de combler les petites lacunes apparaissant dans la séquence d'étapes formant une preuve. Certains pensent que ces systèmes finiront par être utiles pour prouver la validité des programmes, bien qu'il y ait encore beaucoup de progrès à faire pour que de telles facilités soient mises en pratique.

Une autre utilisation de la déduction ou de la preuve se rencontre dans les langages de programmation qui associent la déduction au calcul. Un exemple très simple : un robot qui trouve son chemin à travers un labyrinthe pourrait représenter ses états possibles par un ensemble fini de positions au milieu des couloirs. On pourrait dessiner un graphe dans lequel les nœuds représentent les positions, et un arc $u \to v$ signifierait qu'il est possible pour le robot de se déplacer facilement d'une position u à une position v, puisque u et v représentent des couloirs adjacents.

On pourrait aussi voir les positions comme des propositions, où u représenterait « Le robot peut atteindre la position u ». Dans ce cas, $u \to v$ peut être interprétée non seulement comme un arc, mais également comme une implication logique, c'est-à-dire, « Si le robot peut atteindre u, alors il peut atteindre v ». (Détail amusant : la flèche peut représenter un arc ou une implication). Une question vient naturellement : « Quelles sont les positions qui peuvent être atteintes à partir de la position a ? ».

On peut représenter cette question par une déduction si l'on prend l'expression a, et toutes les expressions $u \to v$ traduisant les positions adjacentes u et v, comme des hypothèses, pour voir quelles variables propositionnelles x sont démontrables à partir de ces hypothèses. Dans ce cas, nous n'avons pas vraiment besoin d'un outil aussi puissant que la déduction, car la recherche en profondeur d'abord suffit, comme on l'a vu au paragraphe 9.7. Cependant, il existe de nombreuses situations où les méthodes de la théorie des graphes ne sont pas utilisables, alors qu'en considérant le problème comme une déduction, une solution raisonnable peut être trouvée.

c) Si E et F sont deux lignes d'une preuve, alors, on peut ajouter la ligne E AND F. En effet, $(p$ AND $q) \to (p$ AND $q)$ est une tautologie ; on pourrait substituer une expression quelconque E à p et F à q.

d) Si nous avons des lignes E et $E \equiv F$, alors, on pourrait ajouter une ligne F, pour la même raison que le modus ponens, puisque $E \equiv F$ implique $E \to F$. Donc,

$$\big(p \text{ AND } (p \equiv q)\big) \to q$$

Le bruit que fait aucun applaudissement

Il faut souvent comprendre le cas limite où un opérateur ne s'applique à aucun opérande, comme nous l'avons fait pour la règle d'inférence (a). Nous avons affirmé qu'il était normal de voir le AND de zéro expression (ou zéro ligne d'une preuve) comme ayant la valeur de vérité 1. L'idée est que F_1 AND F_2 AND $\cdots$ AND F_n est vraie sauf s'il existe au moins un des F_i qui est faux. Mais si $n = 0$, autrement dit, s'il n'existe aucun F_i, il est impossible que l'expression soit fausse, et il est donc naturel de donner au AND de zéro expression la valeur 1.

On adopte la convention que lorsque l'on applique un opérateur à zéro opérande, le résultat est l'identité pour cet opérateur. On peut donc s'attendre à ce que le OR de zéro expression soit 0, puisqu'un OR d'expression est vrai uniquement si l'une des expressions est vraie ; s'il n'existe aucune expression, il est impossible de rendre le OR vrai. De même, la somme de zéro nombre vaut 0, et le produit de zéro nombre vaut 1.

est une tautologie, et la règle d'inférence (d) est une instance substituée de cette tautologie.

◆ **Exemple 12.25.** Supposons que nous ayons les variables propositionnelles suivantes, avec les significations intuitives suggérées.

r	« Il pleut. »
u	« Jean prend son parapluie. »
w	« Jean est mouillé. »

On suppose les hypothèses suivantes.

$r \rightarrow u$	« S'il pleut, Jean prend son parapluie. »
$u \rightarrow \bar{w}$	« Si Jean a un parapluie, il n'est pas mouillé. »
$\bar{r} \rightarrow \bar{w}$	« S'il ne pleut pas, Jean ne prend pas son parapluie. »

On nous demande de prouver $\bar{w}$, c'est-à-dire que Jean n'est jamais mouillé. En un sens, cela paraît évident, puisque le lecteur peut vérifier que

$$\big((r \rightarrow u) \text{ AND } (u \rightarrow \bar{w}) \text{ AND } (\bar{r} \rightarrow \bar{w})\big) \rightarrow \bar{w}$$

est une tautologie. Toutefois, il est aussi possible de prouver $\bar{w}$ à partir des hypothèses, en utilisant certaines lois algébriques du paragraphe 12.8, et quelques-unes des règles d'inférence que nous venons de voir. L'approche consistant à trouver une preuve est celle que nous aurions à prendre si nous étions confrontés à une forme de logique plus complexe que le calcul propositionnel, ou avec une expression logique mettant en jeu de nombreuses variables. Une preuve possible, de même que la justification de chacune de ses étapes, est montrée à la figure 12.24.

L'idée est de se servir de l'analyse de cas, en considérant en même temps le cas où il pleut, et celui où il ne pleut pas. Grâce à la ligne (5), nous avons prouvé que s'il pleuvait, Jean n'était pas mouillé, et à la ligne (6), une hypothèse de départ dit que s'il ne pleut pas, Jean n'est pas mouillé. Les lignes (7) à (9) combinent les deux cas pour établir la conclusion souhaitée. ✦

1)	$r \rightarrow u$	Hypothèse
2)	$u \rightarrow \bar{w}$	Hypothèse
3)	$(r \rightarrow u) \text{ AND } (u \rightarrow \bar{w})$	(c) appliqué à (1) et (2)
4)	$((r \rightarrow u) \text{ AND } (u \rightarrow \bar{w})) \rightarrow (r \rightarrow \bar{w})$	Substitution dans la loi (12.23)
5)	$r \rightarrow \bar{w}$	Modus ponens, avec (3) et (4)
6)	$\bar{r} \rightarrow \bar{w}$	Hypothèse
7)	$(r \rightarrow \bar{w}) \text{ AND } (\bar{r} \rightarrow \bar{w})$	(c) appliqué à (5) et (6)
8)	$((r \rightarrow \bar{w}) \text{ AND } (\bar{r} \rightarrow \bar{w})) \equiv \bar{w}$	Substitution dans la loi (12.26)
9)	$\bar{w}$	(d) avec (7) et (8)

Figure 12.24 : Exemple de preuve.

Pourquoi une preuve fonctionne-t-elle ?

Une preuve, souvenez-vous, commence par les hypothèses $E_1, E_2, \ldots, E_k$ et ajoute des lignes supplémentaires (autrement dit, des expressions), chacune d'elles étant impliquée par $E_1 \text{ AND } E_2 \text{ AND } \cdots \text{ AND } E_k$. Chaque ligne ajoutée est impliquée par le AND de zéro ou plus des lignes, ou bien est l'une des hypothèses. On peut montrer que $E_1 \text{ AND } E_2 \text{ AND } \cdots \text{ AND } E_k$ implique chaque ligne de la preuve, par récurrence sur le nombre de lignes ajoutées jusque-là. Pour cela, nous avons besoin de deux familles de tautologies mettant en jeu des implications. La première famille est une loi transitive généralisée pour $\rightarrow$. Quel que soit n :

$$\Big((p \rightarrow q_1) \text{ AND } (p \rightarrow q_2) \text{ AND } \cdots \text{ AND } (p \rightarrow q_n)$$
$$\text{AND } \big((q_1 q_2 \cdots q_n) \rightarrow r \big) \Big) \rightarrow (p \rightarrow r) \tag{12.12}$$

Autrement dit, si p implique chacun des q_i, et que les q_i tous ensemble impliquent r, alors p implique r.

On montre (12.12) est une tautologie d'après le raisonnement suivant. La seule façon de rendre (12.12) fausse, serait si $p \rightarrow r$ était faussse, et le membre gauche vrai. Mais $p \rightarrow r$ ne peut être fausse que si p est vrai et si r est faux, et nous supposerons donc dans ce qui suit p et $\bar{r}$. On doit montrer que le membre gauche de (12.12) est alors faux.

Si le membre gauche de (12.12) est vrai, chacune de ses sous-expressions reliées par AND est vraie. Par exemple, $p \rightarrow q_1$ est vraie. Comme nous supposons que p est vrai, le seule moyen pour que $p \rightarrow q_1$ soit vraie est que q_1 soit vrai. De même, on peut conclure que les $q_2, \ldots, q_n$ sont tous vrais. Donc $q_1 q_2 \cdots q_n \rightarrow r$ doit être fausse, puisque l'on suppose que r est faux, et que nous venons de découvrir que tous les q_i sont vrais.

Nous avons commencé par supposer que (12.12) était fausse et nous avons constaté que le membre droit était donc forcément vrai, et donc que p et $\bar{r}$ devait être vrais. Nous en concluons alors que le membre gauche de (12.12) est faux lorsque p est vrai et

r faux. Mais si le membre gauche de (12.12) est faux, alors (12.12) elle-même est vraie, et nous aboutissons à une contradiction. Donc (12.12) ne peut jamais être fausse, et est donc une tautologie.

On notera que si $n = 1$ dans (12.12), alors on se retrouve avec la loi de transitivité habituelle pour $\rightarrow$, à savoir la loi 12.23. Par ailleurs, si $n = 0$, alors (12.12) devient $(1 \rightarrow r) \rightarrow r$, qui est une tautologie. Rappelez-vous que lorsque $n = 0$, $q_1 q_2 \cdots q_n$ prend par convention la valeur de l'identité pour AND, c'est-à-dire 1.

Nous avons également besoin d'une famille de tautologies pour justifier le fait que l'on peut ajouter les hypothèses à la preuve. C'est une généralisation d'une tautologie étudiée à l'exemple 12.24. Nous affirmons que pour chaque m et i tels que $1 \leq i \leq m$,

$$(p_1 p_2 \cdots p_m) \rightarrow p_i \tag{12.13}$$

est une tautologie. Autrement dit, le AND d'une ou plusieurs propositions implique n'importe laquelle d'entre elles.

L'expression (12.13) est une tautologie car la seule possibilité de la rendre fausse serait que le membre gauche soit vrai, et le membre droit, p_i, soit faux. Mais si les p_i étaient faux, alors le AND des p_i et d'autre p serait sûrement faux, et donc le membre gauche de (12.13) serait faux. Or, (12.13) est vraie dès que son membre gauche est faux.

On peut à présent prouver que, étant donné

1.   les hypothèses $E_1, E_2, \ldots, E_k$, et

2.   un ensemble de règles d'inférence tel que, si elles nous permettent d'écrire une ligne F, soit cette ligne est l'une des E_i, soit il existe une tautologie

$$(F_1 \text{ AND } F_2 \text{ AND } \cdots \text{ AND } F_n) \rightarrow F$$

pour un certain ensemble de lignes précédentes $F_1, F_2, \ldots, F_n$,

alors $(E_1 \text{ AND } E_2 \text{ AND } \cdots \text{ AND } E_k) \rightarrow F$ est une tautologie pour chaque ligne F. La récurrence se fait sur le nombre de lignes ajoutées à la preuve.

LA BASE. Pour la base, on prend zéro ligne. L'assertion est valable, puisqu'elle affirme quelque chose au sujet de toutes les lignes F d'une preuve, et qu'il n'existe aucune ligne à étudier. Autrement dit, notre hypothèse de récurrence est en réalité de la forme « si F est une ligne, alors $\cdots$ », et nous savons que ce type d'affirmation si-alors est vraie si la condition est fausse.

LA RÉCURRENCE. Pour la récurrence, supposons que pour chaque ligne précédente G,

$$(E_1 \text{ AND } E_2 \text{ AND } \cdots \text{ AND } E_k) \rightarrow G$$

soit une tautologie. Soit F la prochaine ligne ajoutée. Il existe deux cas.

Cas 1: F est l'une des hypothèses. Alors $(E_1 \text{ AND } E_2 \text{ AND } \cdots \text{ AND } E_k) \rightarrow F$ est une tautologie puisqu'elle découle de (12.13) avec $m = k$ lorsque l'on substitue E_j à chaque p_j, pour $j = 1, 2, \ldots, k$.

Cas 2: F est ajoutée parce qu'il existe une règle d'inférence

$$(F_1 \text{ AND } F_2 \text{ AND } \cdots \text{ AND } F_n) \to F$$

où chaque F_j est l'une des lignes précédentes. D'après l'hypothèse de récurrence,

$$(E_1 \text{ AND } E_2 \text{ AND } \cdots \text{ AND } E_k) \to F_j$$

est une tautologie pour chaque j. Donc, si l'on substitue F_j à q_j dans (12.12), si l'on substitue

$$E_1 \text{ AND } E_2 \text{ AND } \cdots \text{ AND } E_k$$

à p, et F à r, on sait qu'une substitution quelconque de valeurs de vérité aux variables des E et des F rendra le membre gauche de rend vrai le membre gauche (12.12) vrai. Puisque (12.12) est une tautologie, chaque affectation de valeurs de vérité doit également rendre vrai le membre droit. Mais le membre droit est $(E_1 \text{ AND } E_2 \text{ AND } \cdots \text{ AND } E_k) \to F$. On en conclut que cette expression est vraie pour toute affectation de valeurs de vérité; autrement dit, c'est une tautologie.

Nous avons à présent terminé la récurrence, et nous avons montré que

$$(E_1 \text{ AND } E_2 \text{ AND } \cdots \text{ AND } E_k) \to F$$

pour toutes les lignes F de la preuve. En particulier, si la dernière ligne de la preuve est notre but E, on sait que $(E_1 \text{ AND } E_2 \text{ AND } \cdots \text{ AND } E_k) \to E$.

EXERCICES

12.10.1: * Donnez des preuves des conclusions suivantes à partir des hypothèses ci-dessous. Vous pourrez utiliser les règles d'inférence (a) à (d). Pour les tautologies, vous pourrez n'utiliser que les lois établies aux paragraphes 12.8 et 12.9, ainsi que les tautologies qui suivent en utilisant des instances de ces lois à substituer « d'égal à égal ».

a) Hypothèses: $p \to q$, $p \to r$; conclusion: $p \to qr$.
b) Hypothèses: $p \to (q + r)$, $p \to (q + \bar{r})$; conclusion: $p \to q$.
c) Hypothèses: $p \to q$, $qr \to s$; conclusion: $pr \to s$.

12.10.2: Justifiez pourquoi ce qui suit est une règle d'inférence. Si $E \to F$ est une ligne, et que G est une expression quelconque, on peut ajouter la ligne $E \to (F \text{ OR } G)$.

12.11   Preuves par résolution

Comme nous l'avons dit plus haut dans ce chapitre, trouver des preuves est un problème difficile, et puisque le problème des tautologies a de fortes chances d'être intrinsèquement exponentiel, il n'existe pas de méthode générale pour faciliter la quête de preuves. Toutefois, il existe de nombreuses techniques qui sont utiles pour les tautologies « classiques » lors de l'exploration qui préside à la recherche d'une preuve. Dans ce paragraphe, nous étudierons une règle d'inférence utile, appelée *résolution*, et qui est peut-être la plus fondamentale de ces techniques. La résolution est basée sur la tautologie suivante.

$$\big((p + q)(\bar{p} + r)\big) \to (q + r) \tag{12.14}$$

La validité de cette règle d'inférence est facile à vérifier. Le seul moyen de la rendre fausse serait que $q + r$ soit fausse, et que le membre gauche soit vrai. Si $q + r$ est faux, alors q et r sont tous les deux faux. Supposons que p soit vrai, et donc que $\bar{p}$ soit faux. Alors $\bar{p} + r$ est faux, et le membre gauche de (12.14) doit être faux. De même, si p est faux, alors $p + q$ est faux, ce qui nous apprend là encore que le membre gauche est faux. Il est donc impossible pour le membre droit d'être faux alors que le membre gauche est vrai, et on en conclut que (12.14) est une tautologie.

La manière habituelle d'appliquer la résolution est de convertir nos hypothèses en **clauses**, qui sont des sommes (des OR logiques) de littéraux. On convertit chacune des hypothèses en un produit de clauses. Notre preuve commence avec chacune de ces clauses sur une ligne de la preuve, puisqu'elles sont toutes des « données ». On applique ensuite la règle de résolution pour construire des lignes supplémentaires, qui se révèleront toutes être des clauses. Autrement dit, si q et r sont tous les deux remplacés dans (12.14) par une somme de littéraux, alors $q + r$ sera également une somme de littéraux.

En pratique, on simplifiera les clauses en éliminant les duplications. Autrement dit, si q et r contiennent tous deux un littéral X, on enlèvera une copie de X de $q + r$. Cette simplification se justifie avec les lois 12.17, 12.7, et 12.8, l'idempotence, la commutativité, et l'associativité de OR. En général, il est utile de considérer une clause comme un ensemble de littéraux, plutôt que comme une liste. Les lois d'associativité et de commutativité nous permettent d'ordonner les littéraux comme on le souhaite, et la loi d'idempotence nous autorise à éliminer les duplications.

On élimine aussi les clauses qui contiennent des littéraux contradictoires. Autrement dit, si X et $\bar{X}$ se trouvent tous les deux dans une clause, alors, d'après les lois 12.25, 12.7, 12.8, et 12.15, la clause est équivalente à 1, et il est inutile de l'inclure dans une preuve. Autrement dit, d'après la loi 12.25, $(X + \bar{X}) \equiv 1$, et d'après la loi 12.15 sur l'élément absorbant, 1 OR n'importe quoi équivaut à 1.

✦ **Exemple 12.26.** Considérons les clauses $(a + \bar{b} + c)$ and $(\bar{d} + a + b + e)$. On pourra faire jouer à b le rôle de p dans (12.14). Dans ce cas, q vaut $\bar{d} + a + e$, et r vaut $a + c$. On remarquera que nous avons procédé à quelques réarrangements, de manière à faire correspondre nos clauses avec (12.14). D'abord, notre seconde clause a été mise en conformité avec la première, $p + q$, de (12.14), et notre première clause est maintenant conforme à la seconde de (12.14). D'autre part, la variable qui joue le rôle de p n'apparaît pas en premier dans nos deux clauses, ce qui n'a aucune importance, puisque les lois de commutativité et d'associativité de OR justifient la réorganisation libre des clauses.

La nouvelle clause $q + r$, qui pourra apparaître comme ligne de preuve si nos deux clauses font déjà partie de la preuve, est $(\bar{d} + a + e + a + c)$. On pourrait simplifier cette clause en éliminant le doublon a, ce qui nous laisse $(\bar{d} + a + e + c)$.

Autre exemple : on considère les clauses $(a + b)$ et $(\bar{a} + \bar{b})$. On pourrait faire jouer à a le rôle de p dans (12.14) ; q vaut b, et r vaut $\bar{b}$, ce qui nous donne la nouvelle clause $(b + \bar{b})$. Cette clause équivaut à 1, et n'a donc pas besoin d'être générée. ✦

Transformation des expressions logiques en forme normale conjonctive

Pour que la résolution fonctionne, on doit transformer toutes les hypothèses, ainsi que la conclusion, dans une forme « produit de sommes », c'est-à-dire en « forme normale conjonctive ». On peut prendre ce problème sous diverses approches. Celle qui suit est peut être la plus simple.

1. D'abord, on élimine tous les opérateurs hormis AND, OR, et NOT. On remplace $E \equiv F$ par $(E \to F)(F \to E)$, d'après la loi 12.21. Puis, on remplace $G \to H$ par

    $$\text{NOT } (G) + (H)$$

    d'après la loi 12.24. NAND et NOR se remplacent facilement respectivement par AND ou OR, suivi de NOT. En fait, comme AND, OR, et NOT forment un ensemble complet d'opérateurs, on sait que tout autre opérateur logique, y compris ceux qui ne sont pas étudiés dans ce livre, peut être remplacé par des expressions ne mettant en jeu que AND, OR, et NOT.

2. Ensuite, on applique les lois de DeMorgan pour faire descendre toutes les négations jusqu'à ce que soit elles s'annulent avec d'autres négations par la loi 12.13 du paragraphe 12.8, soit elles s'appliquent uniquement à des variables propositionnelles.

3. On applique à présent la loi de la distributivité de OR sur AND, pour faire descendre tous les OR sous tous les AND. L'expression qui en résulte contient des littéraux, connectés par des OR, qui sont ensuite connectés par des AND ; nous avons obtenu une expression en forme normale conjonctive.

✦ **Exemple 12.27.** Considérons l'expression

$$p + \Big(q \text{ AND NOT } \big(r \text{ AND } (s \to t) \big) \Big)$$

Remarquez que pour équilibrer concision et clarté, nous utilisons la barre supérieure, le +, et la juxtaposition, mélangés avec leurs équivalents — NOT, OR, et AND — dans cette expression comme dans celles qui suivent.

L'étape (1) nous impose de remplacer $s \to t$ par $\bar{s}+t$, ce qui nous donne l'expression AND-OR-NOT suivante :

$$p + \Big(q \text{ AND NOT } \big(r(\bar{s} + t) \big) \Big)$$

Pour l'étape (2), on doit faire descendre le premier NOT à l'aide des lois de DeMorgan. La séquence d'étapes, au cours desquelles NOT atteint les variables est :

$$p + \Big(q\big(\bar{r} + \text{ NOT } (\bar{s} + t)\big) \Big)$$
$$p + \Big(q\big(\bar{r} + (\text{NOT } \bar{s})(\bar{t})\big) \Big)$$
$$p + \Big(q\big(\bar{r} + (s\bar{t})\big) \Big)$$

On applique à présent la loi 12.14 pour faire descendre le premier OR sous le premier AND.

$$(p+q)\Big(p+\big(\bar{r}+(s\bar{t})\big)\Big)$$

Ensuite, on regroupe, à l'aide de la loi 12.8 du paragraphe 12.8, de manière à pouvoir faire descendre les deuxième et troisième OR sous le second AND.

$$(p+q)\big((p+\bar{r})+(s\bar{t})\big)$$

Enfin, on utilise la loi 12.14 une nouvelle fois, et tous les OR se trouvent sous les AND. L'expression résultante

$$(p+q)(p+\bar{r}+s)(p+\bar{r}+\bar{t})$$

est de la forme normale conjonctive. ✦

Inférences à l'aide de la résolution

On voit à présent se dessiner le moyen de trouver une preuve de E à partir des hypothèses $E_1, E_2, \ldots, E_k$. On convertit E et chacune des $E_1, \ldots, E_k$ respectivement en leurs formes normales conjonctives F et $F_1, F_2, \ldots, F_k$. Notre preuve est une liste de clauses, et on commence par écrire toutes les clauses des hypothèses $F_1, F_2, \ldots, F_k$. On applique la règle de résolution aux paires de clauses, et on ajoute ensuite de nouvelles clauses comme lignes de notre preuve. Alors, si l'on ajoute toutes les clauses de F à notre preuve, nous avons démontré F, et nous avons donc démontré E.

✦ **Exemple 12.28.** Supposons que l'on prenne comme hypothèse l'expression

$$(r \rightarrow u)(u \rightarrow \bar{w})(\bar{r} \rightarrow \bar{w})$$

On remarque que cette expression est le AND des hypothèses utilisées à l'exemple 12.25.[5] Soit $\bar{w}$ la conclusion recherchée, comme dans l'exemple 12.25. On convertit l'hypothèse en forme normale conjonctive, en remplaçant les $\rightarrow$ selon la loi 12.24. A ce stade, le résultat est déjà une forme normale conjonctive, et ne nécessite pas de manipulation supplémentaire. La conclusion recherchée, $\bar{w}$, est déjà en forme normale conjonctive, puisque tout littéral unique est une clause, et qu'une clause est un produit de clauses. On commence donc avec les clauses

$$(\bar{r}+u)(\bar{u}+\bar{w})(r+\bar{w})$$

1)	$(\bar{r}+u)$	Hypothèse
2)	$(\bar{u}+\bar{w})$	Hypothèse
3)	$(r+\bar{w})$	Hypothèse
4)	$(u+\bar{w})$	Résolution de (1) et (3)
5)	$(\bar{w})$	Résolution de (2) et (4)

Figure 12.25 : Preuve par résolution de $\bar{w}$.

---

[5] Vous aurez peut-être remarqué qu'il revient au même d'écrire de nombreuses hypothèses ou de les connecter toutes avec des AND pour n'en écrire qu'une seule.

Pourquoi la résolution fonctionne-t-elle ?

En général, la découverte d'une preuve demande de la chance ou de l'habileté pour construire la séquence de lignes qui conduisent des hypothèses à la conclusion. Vous vous rendrez compte que, bien qu'il soit facile de vérifier que les preuves données aux paragraphes 12.10 et 12.11 sont effectivement des preuves valides, résoudre des exercices demandant de découvrir une preuve est beaucoup plus difficile. Imaginer la séquence de résolutions à effectuer pour produire une clause à partir d'autres, comme dans l'exemple 12.28, n'est pas beaucoup plus facile que de découvrir une preuve en général.

Cela dit, lorsque l'on associe la résolution et la preuve par l'absurde, comme dans l'exemple 12.29, on voit la magie de la résolution. Puisque notre clause but est 0, la « plus petite clause », on sent tout d'un coup la direction dans laquelle chercher. Autrement dit, on essaie de démontrer des clauses de plus en plus petites, en espérant finir par démontrer 0. Bien sûr, cette heuristique ne garantit pas le succès. Parfois, il faut prouver de très grandes clauses avant de pouvoir commencer à réduire les clauses, et finir par démontrer 0.

En fait, une résolution est une procédure de preuve *complète* pour le calcul propositionnel. Chaque fois que $E_1 E_2 \cdots E_k \to E$ est une tautologie, on peut déduire 0 de $E_1, E_2, \ldots, E_k$ et NOT E, exprimées sous forme de clauses. (Eh oui, c'est la troisième signification que les logiciens donnent au mot « complet ». Vous vous souvenez sans doute que les deux autres sont « un ensemble d'opérateurs capables d'exprimer n'importe quelle fonction logique », et « un problème parmi les plus durs d'une classe de problèmes », comme dans « NP-complet »). Encore une fois, ce n'est pas parce que la preuve existe qu'il est facile de la découvrir.

Supposons maintenant que nous résolvions la première et la dernière clause, en se servant de r dans le rôle de p. La clause résultante est $(u + \bar{w})$. Cette clause pourra se résoudre avec la deuxième clause de l'hypothèse, avec u dans le rôle de p, pour obtenir la clause $(\bar{w})$. Comme cette clause est la conclusion souhaitée, c'est terminé. La figure 12.25 montre la preuve comme une série de ligne, chacune étant une clause.
◆

Résolution de preuves par l'absurde

La façon dont on utilise habituellement la résolution comme mécanisme de preuve est quelque peu différente de celle de l'exemple 12.28. Au lieu de commencer avec les hypothèses et d'essayer de prouver la conclusion, on commence à la fois par les hypothèses et la négation de la conclusion, et on essaie d'en déduire 0 — c'est-à-dire une clause sans littéral. Par exemple, si nous avons les clauses (p) et $(\bar{p})$, on peut appliquer (12.14) avec $q = r = 0$, pour obtenir la clause 0.

La justification de cette approche se trouve dans la loi de contradiction 12.29 du paragraphe 12.9, ou $(\bar{p} \to 0) \equiv p$. Ici, soit p l'assertion à prouver : $(E_1 E_2 \cdots E_k) \to E$, pour les hypothèses $E_1, E_2, \ldots, E_k$ et la conclusion E. Alors $\bar{p}$ vaut NOT $(E_1 E_2 \cdots E_k \to$

E), ou NOT $\big($NOT $(E_1 E_2 \cdots E_k) + E\big)$, d'après la loi 12.24. Plusieurs applications de la loi de DeMorgan nous disent que p est équivalente à $E_1 E_2 \cdots E_k \bar{E}$. Donc, pour prouver p, on peut à la place prouver $\bar{p} \to 0$, ou encore $(E_1 E_2 \cdots E_k \bar{E}) \to 0$. Autrement dit, on prouve que les hypothèses et la négation de la conclusion impliquent ensemble une contradiction.

✦ **Exemple 12.29.** Reconsidérons l'exemple 12.28, mais en commençant à la fois avec les trois clauses d'hypothèse et la négation de la conclusion souhaitée, c'est-à-dire avec la clause (w). La preuve par résolution de 0 est montrée à la figure 12.26. En utilisant la loi de la contradiction, on peut conclure que les hypothèses impliquent $\bar{w}$, la conclusion. ✦

1)	$(\bar{r} + u)$	Hypothèse
2)	$(\bar{u} + \bar{w})$	Hypothèse
3)	$(r + \bar{w})$	Hypothèse
4)	(w)	Négation de la conclusion
5)	$(u + \bar{w})$	Résolution de (1) et (3)
6)	$(\bar{w})$	Résolution de (2) et (5)
7)	0	Résolution de (4) et (6)

Figure 12.26 : Preuve par résolution, à l'aide de la loi de contradiction.

EXERCICES

12.11.1 : Utilisez la méthode de la table de vérité pour vérifier que l'expression (12.14) est une tautologie.

a	Une personne est du groupe sanguin A.
b	Une personne est du groupe sanguin B.
c	Une personne est du groupe sanguin AB.
o	Une personne est du groupe sanguin O.
t	Le test T est positif sur l'échantillon de sang d'une personne.
s	Le test S est positif sur l'échantillon de sang d'une personne.

Figure 12.27 : Propositions pour l'exercice 12.11.2

12.11.2 : Soit les propositions possédant les significations intuitives données dans la figure 12.27. Ecrivez une clause ou un produit de clauses qui exprime les idées suivantes.

a) Si le test T est positif, cette personne est du groupe sanguin A ou AB.

b) Si le test S est positif, cette personne est du groupe sanguin B ou AB.

c) Si une personne est du groupe A, alors le test T sera positif.

d) Si une personne est du groupe B, alors le test S sera positif.

e) Si une personne est du groupe AB, alors le test T et le test S seront positifs. *Une indication* : On remarquera que $(\bar{c} + st)$ n'est pas une clause.

f) Une personne est du groupe sanguin A, B, AB, ou O.

12.11.3 : Servez-vous de la résolution pour découvrir toutes les clauses non-triviales qui découlent de celles de l'exercice 12.11.2. Vous pourrez omettre les clauses triviales qui se simplifient en 1 (TRUE), et également une clause C si ses littéraux sont des sur-ensembles propres de littéraux d'une autre clause D.

12.11.4 : Donnez des preuves à l'aide de la résolution et de la preuve par l'absurde pour les implications de l'exercice 12.10.1.

12.12   Résumé du chapitre 12

Dans ce chapitre, nous avons vu des éléments de logique propositionnelle, notamment :

✦ Les principaux opérateurs, AND, OR, NOT, →, ≡, NAND, et NOR.

✦ L'utilisation de tables de vérité pour représenter la signification d'une expression logique, ainsi que des algorithmes de construction d'une table de vérité à partir d'une expression, et vice versa.

✦ Quelques-unes des nombreuses lois algébriques qui s'appliquent aux opérateurs logiques.

Nous avons également étudié la logique comme outil de conception, en voyant :

✦ En quoi les tables de Karnaugh pouvaient aider à concevoir des expressions simples à partir de fonctions logiques ayant jusqu'à quatre variables.

✦ Comment les lois algébriques peuvent parfois servir à simplifier des expressions logiques.

Puis, nous avons vu que la logique nous permettait d'exprimer et de comprendre les techniques de preuve habituelles, comme :

✦ la preuve par analyse de cas,

✦ la preuve par la contre-apposée,

✦ la preuve par l'absurde, et

✦ la preuve par réduction.

Enfin, nous avons étudié la déduction, c'est-à-dire la construction de preuves ligne par ligne, ce qui nous a permis de voir que :

✦ De nombreuses règles d'inférence existent, comme le « modus ponens », qui nous permettent de construire une ligne de preuve à partir des lignes précédentes.

✦ La technique de résolution est souvent utile pour trouver des preuves rapidement en représentant les lignes d'une preuve par des sommes de littéraux, et en combinant les sommes de manière pertinente.

✦ Toutefois, il n'existe aucun algorithme connu qui garantisse que la preuve soit trouvée en un temps moins qu'exponentiel par rapport à la taille de l'expression.

✦ Mieux, comme le problème de la tautologie est « NP-difficile », il y a de fortes chances pour qu'il n'existe aucun algorithme moins qu'exponentiel pour ce problème.

12.13   Notes bibliographiques du chapitre 12

L'étude de la déduction en logique remonte à Aristote. Boole [1854] a développé l'algèbre des propositions, et l'algèbre booléenne est issue de ce travail.

Lewis et Papadimitriou [1979] aborde la logique de manière un peu plus approfondie. Enderton [1972] et Mendelson [1987] sont des ouvrages célèbres sur la logique mathématique. Manna et Waldinger [1990] présentent le sujet sous l'angle des preuves de validité des programmes.

Genesereth et Nilsson [1987] traitent la logique du point de vue des applications à l'intelligence artificielle. Là, vous pourrez trouver plus de choses sur les heuristiques permettant de découvrir des preuves, notamment des techniques similaires à la résolution. L'article initial sur la résolution en tant que méthode de preuve est de Robinson [1965].

Pour plus de détails sur la théorie des problèmes infaisables, lire Garey et Johnson [1979]. Le concept de NP-complétude est dû à Cook [1971], et l'article de Karp [1972] a mis en lumière l'importance du concept pour les problèmes rencontrés habituellement.

Boole, G. [1854]. *An Investigation of the Laws of Thought*, McMillan; réimprimé par Dover Press, New York, en 1958.

Cook, S. A. [1971]. « The complexity of theorem proving procedures », *Proc. Third Annual ACM Symposium on the Theory of Computing*, pp. 151–158.

Enderton, H. B. [1972]. *A Mathematical Introduction to Logic*, Academic Press, New York.

Garey, M. R. et D. S Johnson [1979]. *Computers and Intractability: A Guide to the Theory of NP-Completeness*, W. H. Freeman, New York.

Genesereth, M. R. et N. J. Nilsson [1987]. *Logical Foundations for Artificial Intelligence*, Morgan-Kaufmann, San Mateo, Calif.

Karp, R. M. [1972]. « Reducibility among combinatorial problems », in *Complexity of Computer Computations* (R. E. Miller and J. W. Thatcher, eds.), Plenum, New York, pp. 85–103.

Lewis, H. R. et C. H. Papadimitriou [1981]. *Elements of the Theory of Computation*, Prentice-Hall, Englewood Cliffs, New Jersey.

Manna, Z. et R. Waldinger [1990]. *The Logical Basis for Computer Programming* (two volumes), Addison Wesley, Reading, Mass.

Mendelson, E. [1987]. *Introduction to Mathematical Logic*, Wadsworth and Brooks, Monterey, Calif.

Robinson, J. A. [1965]. « A machine-oriented logic based on the resolution principle », *J. ACM* **12**:1, pp. 23–41.

CHAPITRE 13

La logique
au service
de la conception
des composants d'ordinateur

Au chapitre 4, nous avons appris que les principaux composants d'un ordinateur sont fabriqués à partir de circuits électroniques. Dans ce chapitre, nous verrons que la logique propositionnelle étudiée dans le chapitre précédent peut être utilisée pour concevoir des circuits électroniques *numériques*. De tels circuits, existant dans tout ordinateur, utilisent deux niveaux de tensions (« haut » et « bas ») pour représenter les valeurs binaires 1 et 0. En plus du caractère valorisant pour le processus de conception, nous verrons que les techniques de conception d'algorithme, comme « diviser-pour-régner », peuvent aussi être appliquées au matériel. En fait, il est important de réaliser que le processus de la conception d'un circuit numérique pour mettre en œuvre une fonction logique donnée est presque similaire dans l'esprit au processus de conception d'un programme informatique pour effectuer une tâche précise. Les modèles de donnée diffèrent de manière significative, et les circuits sont fréquemment conçus pour faire beaucoup de choses **en parallèle** (en même temps) alors que les langages de programmation traditionnels sont conçus pour exécuter leurs étapes *séquentiellement* (une à la fois). Cependant, des techniques de programmation générales, telles que la modularisation, sont applicables aux circuits comme aux programmes.

13.1 Le propos de ce chapitre

Ce chapitre aborde les notions sur la conception de circuit numérique suivantes :

✦ La notion de porte, un circuit électronique qui exécute une opération logique (paragraphe 13.2).

✦ Comment des portes sont organisées en circuits (paragraphe 13.3).

✦ Certains types de circuits, appelés combinatoires, qui sont un équivalent électronique aux expressions logiques (paragraphe 13.4).

✦ Les contraintes physiques sous lesquelles les circuits sont conçus, et quelles propriétés doivent avoir les circuits pour produire rapidement leurs réponses (paragraphe 13.5).

✦ Deux exemples intéressants de circuits : additionneur et multiplexeur. Les paragraphes 13.6 et 13.7 montrent comment un circuit rapide peut être conçu pour chaque problème en utilisant une technique diviser-pour-régner.

✦ L'élément mémoire comme un exemple de circuit qui mémorise ses entrées. Au contraire, un circuit combinatoire ne peut mémoriser des entrées postérieures (paragraphe 13.8).

13.2   Portes

Une *porte* est un composant électronique ayant une ou plusieurs entrées, dont chacune peut admettre soit la valeur 0, soit la valeur 1. Comme on l'a précédemment dit, les valeurs logiques 0 et 1 sont généralement représentées électroniquement par deux niveaux de tension différents, mais la représentation physique ne nous concerne pas. Une porte a normalement une sortie, qui varie en fonction des entrées, et qui est aussi 0 ou 1.

Chaque porte calcule une fonction booléenne particulière. La plupart des technologies électroniques (techniques de fabrication des circuits électroniques) favorisent la construction de portes pour certaines fonctions booléennes et non pour d'autres. En particulier, les portes ET et OU sont habituellement faciles à réaliser, comme le sont les portes NON, qui sont appelées *inverseurs*. Les portes ET et OU peuvent avoir un nombre quelconque d'entrées, bien que comme nous le verrons au paragraphe 13.5, il existe traditionnellement une limitation pratique sur le nombre d'entrées d'une porte. La sortie d'une porte ET est 1 si toutes ses entrées sont 1, et sa sortie est 0 si une ou plusieurs entrées valent 0. De même, la sortie d'une porte OU est 1 si une ou plusieurs entrées sont 1, et la sortie est 0 si toutes ses entrées valent 0. La porte inverseur NON a une seule entrée ; sa sortie est 1 si son entrée est 0 et 0 si son entrée est 1.

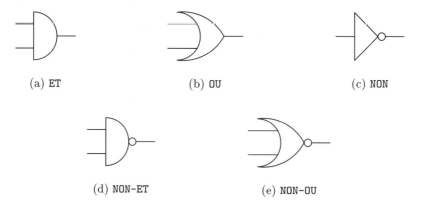

(a) ET   (b) OU   (c) NON

(d) NON-ET   (e) NON-OU

Figure 13.1 : Symboles pour une porte.

Il est aussi facile de réaliser les portes NON-ET et NON-OU dans la plupart des technologies. La porte NON-ET produit la sortie 1 à moins que toutes ses entrées valent 1, auquel cas elle produit la sortie 0. La porte NON-OU produit la sortie 1 lorsque toutes ses entrées sont 0 et produit 0 autrement. Un exemple de fonction logique plus difficile à implémenter en électronique est l'équivalence, qui prend deux entrées x et y et produit une sortie 1 si x et y sont tous deux à 1 ou tous deux à 0, et une sortie 0 lorsque x et y valent tous les deux 1. Cependant, on peut réaliser des circuits équivalents à partir de portes ET, OU et NON, en construisant un circuit qui réalise la fonction logique $xy + \bar{x}\bar{y}$.

Les symboles des portes que nous venons de présenter sont montrés dans la figure 13.1. Dans chaque cas, excepté la porte inverseur NON, nous avons montré des portes ayant deux entrées. Cependant, on pourrait facilement montrer plus de deux entrées, en ajoutant des lignes supplémentaires. Une porte ET ou OU à une entrée est possible, mais ne fait pas grand chose; elle passe juste en sortie ce qu'elle reçoit en entrée. Une porte NON-ET ou NON-OU à une entrée est vraiment un inverseur.

13.3   Circuits

Les portes sont combinées pour former des circuits en connectant les sorties de certaines portes aux entrées d'autres portes. Un circuit a une ou plusieurs entrées, chacune pouvant être l'entrée de diverses portes comprises dans le circuit. Les sorties d'une ou de plusieurs portes sont appelées les **sorties du circuit**. Si plusieurs sorties existent, un ordre des portes de sorties doit être également spécifié.

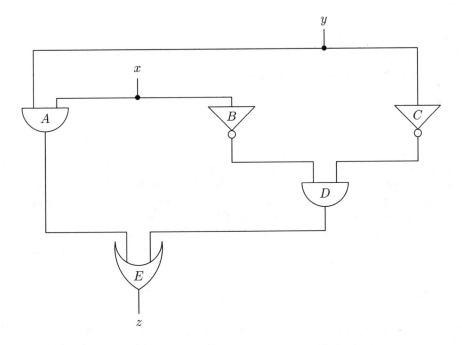

Figure 13.2 : Circuit équivalent : z est l'expression $x \equiv y$.

◆ **Exemple 13.1.** La figure 13.2 montre un circuit qui produit en sortie z, la fonction d'équivalence de ses entrées x et y. Par convention, on dessine les entrées en haut. Les deux entrées x et y alimentent la porte A, qui est une porte ET, et par conséquent produit une sortie 1 si (et seulement si) $x = y = 1$. De même, x et y sont inversées par les portes NON respectivement B et C, et les sorties de ces inverseurs alimentent la porte ET D. Donc, la sortie de la porte D est 1 si et seulement si à la fois x et y valent 0. Puisque les sorties des portes A et D alimentent la porte OU E, nous voyons que la sortie de la porte est 1 si et seulement si $x = y = 1$ ou bien $x = y = 0$. La table 13.3 présente une expression logique pour la sortie de chaque porte.

PORTE	SORTIE DE LA PORTE
A	xy
B	$\bar{x}$
C	$\bar{y}$
D	$\bar{x}\bar{y}$
E	$xy + \bar{x}\bar{y}$

Figure 13.3 : Sortie des portes de la figure 13.2.

Ainsi, la sortie z d'un circuit, qui est la sortie de la porte E, vaut 1 si et seulement si l'expression logique $xy + \bar{x}\bar{y}$ vaut 1. Puisque cette expression est équivalente à l'expression $x \equiv y$, on voit que la sortie du circuit est la fonction d'équivalence de ses deux entrées. ◆

Circuits combinatoires et séquentiels

Il existe une relation étroite entre d'une part, les expressions logiques, que l'on peut écrire en utilisant une collection d'opérateurs logiques tels que AND, OR et NOT, et d'autre part, les circuits construits à partir de portes qui réalisent les mêmes opérations. Avant de continuer, focalisons notre attention sur une classe importante de circuits appelés *circuits combinatoires*. Ces circuits sont acycliques, dans le sens où la sortie d'une porte ne peut atteindre son entrée, même par le biais de portes intermédiaires.

On peut utiliser notre connaissance des graphes pour définir précisément ce que nous voulons dire par circuit combinatoire. D'abord, on dessine un graphe orienté dont les sommets correspondent aux portes du circuit. Ensuite, on ajoute un arc $u \to v$ si la sortie d'une porte u est connectée à l'entrée d'une porte v. Si le graphe du circuit n'a pas de cycle, alors le circuit est *combinatoire* ; autrement, il est *séquentiel*.

◆ **Exemple 13.2.** Sur la figure 13.4, on voit un graphe orienté provenant du circuit de la figure 13.2. Par exemple, il y a un arc $A \to E$ car la sortie de la porte A est connectée à l'entrée de la porte E. Le graphe de la figure 13.4, n'a de toute évidence pas de cycle ; en fait, c'est un arbre de racine E, dessiné à l'envers. Ainsi, on conclut que le circuit de la figure 13.2 est combinatoire.

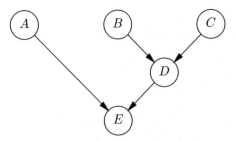

Figure 13.4 : Graphe orienté construit à partir du circuit de la figure 13.2.

D'autre part, considérons le circuit de la figure 13.5(a). Ici, la sortie de la porte A est l'entrée de la porte B, et la sortie de B est une entrée de A. Le graphe de ce circuit est montrée dans la figure 13.5(b). Il a de toute évidence un cycle, donc ce circuit est séquentiel.

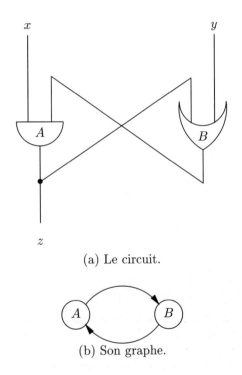

(a) Le circuit.

(b) Son graphe.

Figure 13.5 : Circuit séquentiel et son graphe.

Supposons que les entrées x et y de ce circuit valent toutes deux 1. Alors la sortie de B est sûrement 1, et par conséquent, les deux entrées de la porte **ET** A est 1. Donc, cette porte produira 1 en sortie. Maintenant, on peut laisser l'entrée y devenir 0, et la sortie de la porte **OU** B restera 1, car son autre entrée (l'entrée venant de la sortie de A) vaut 1. Donc, les deux entrées de A restent 1, et sa sortie vaut également 1.

Circuits séquentiels et automates

Il existe une relation étroite entre l'automate fini déterministe présenté au chapitre 10 et les circuits séquentiels. Bien que ce propos soit au-delà de la portée de ce livre, étant donné un automate déterministe, on peut concevoir un circuit séquentiel dont la sortie est 1 exactement lorsque la séquence des entrées de l'automate est acceptée. Pour être plus précis, les entrées de l'automate, qui peuvent être un ensemble quelconque de caractères, doivent être codées par le nombre approprié d'entrées logiques (dont chacune prend la valeur 0 ou 1) ; k entrées logiques du circuit peuvent être codées en 2^k caractères.

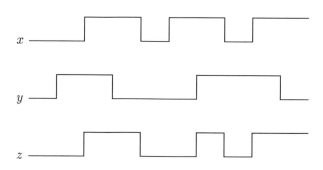

Figure 13.6 : Sortie en fonction du temps, pour le circuit de la figure 13.5(a).

Cependant, supposons que x devienne 0, quelle que qoit la valeur de y. Alors la sortie de la porte A, et par conséquent la sortie du circuit z, doit être 0. On peut décrire la sortie z du circuit par 1 si, à un instant dans le passé, à la fois x et y valaient 1 et puisque x (mais pas nécessairement y) est resté à 1. La figure 13.6 montre la sortie en fonction du temps pour les divers combinaisons de valeurs en entrée ; le niveau bas représente 0 et le niveau haut représente 1. ✦

Nous verrons brièvement des circuits séquentiels à la fin de ce chapitre. Comme nous venons de le voir dans l'exemple 13.2, les circuits séquentiels ont la capacité de mémoriser des choses importantes sur la séquence d'entrées déjà reçues, et par conséquent ils sont nécessaires pour des composants primordiaux d'ordinateurs tels que la mémoire principale ou les registres. Les circuits combinatoires, quant à eux, peuvent calculer les valeurs de fonctions logiques, mais ils ne peuvent que travailler sur les entrées courantes, et ne peuvent pas mémoriser ce qu'étaient les entrées antérieures. Néanmoins, les circuits combinatoires sont aussi des composants vitaux des ordinateurs. Il sont nécessaires pour additionner des nombres, décoder des instructions en signaux électroniques ce qui entraîne leur exécution par l'ordinateur, etc... Dans les paragraphes suivants, nous insisterons sur la conception de circuits combinatoires.

EXERCICES

13.3.1 : Concevez des circuits qui produisent les entrées suivantes. Il est permis d'utiliser tous les portes de la figure 13.1.

a) La **parité**, ou somme modulo 2, en fonction des entrées x et y, vaut 1 si et seulement si une et une seule de x et y vaut 1.

b) La **majorité**, fonction des entrées w, x, y, et z, vaut 1 si et seulement si trois entrées ou plus valent 1.

c) La fonction des entrées w, x, y, et z vaut 1 à moins que toutes les entrées ou aucune ne valent 1.

13.3.2 : * Supposons que le circuit de la figure 13.5(a) soit modifié tel que les deux portes A et B soient des portes **ET**, et les deux entrées x et y soient initialement à 1. Comme les entrées changent, sous quelles circonstances la sortie vaudra 1 ?

13.3.3 : * Refaites l'exercice 13.3.2 lorsque les deux portes sont des portes **OU**.

13.4 Expressions logiques et circuits

Il est relativement simple de réaliser un circuit dont la sortie, en fonction de ses entrées, est la même que celle d'une expression logique donnée. Réciproquement, étant donné un circuit combinatoire, on peut trouver une expression logique pour chaque sortie du circuit, en fonction de ses entrées. Ce n'est pas le cas d'un circuit séquentiel, comme nous le voyons dans l'exemple 13.2.

Des expressions aux circuits

Etant donnée une expression logique avec un ensemble d'opérateurs logiques, on peut construire un circuit combinatoire qui utilise des portes ayant le même ensemble d'opérateurs et réalisant la même fonction booléenne. Le circuit que l'on construira aura toujours la forme d'un arbre. On construit le circuit par induction structurelle sur l'arbre d'expression.

LA BASE. Si l'arbre d'expression est un nœud isolé, l'expression peut seulement être une entrée, disons x. Le « circuit » pour cette expression sera l'entrée du circuit x.

LA RÉCURRENCE. Comme hypothèse de récurrence, on suppose que l'arbre d'expression en question ressemble à la figure 13.7. Il existe un opérateur logique quelconque, que nous appelons θ, à la racine ; θ pourrait être **ET** ou **OU**, par exemple. La racine a n sous-arbres pour un n quelconque, et l'opérateur θ est appliqué aux résultats de ces sous-arbres pour produire un résultat pour l'arbre complet.

Puisque nous réalisons une induction structurelle, nous allons admettre que l'hypothèse de récurrence s'applique aux sous-expressions. Ainsi, il y a un circuit C_1 pour une expression E_1, un circuit C_2 pour E_2, et ainsi de suite.

Pour construire le circuit pour E, nous fabriquons une porte pour l'opérateur θ et lui donnons n entrées, une pour chaque sortie des circuits $C_1, C_2, \ldots, C_n$, dans cet

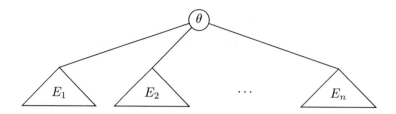

Figure 13.7 : Arbre expression pour l'expression $\theta(E_1, E_2, \ldots, E_n)$.

ordre. La sortie du circuit pour E est prise de la porte θ, que nous venons de présenter. On peut voir cette construction dans la figure 13.8.

Le circuit que nous venons de construire calcule l'expression d'une manière évidente. Cependant, il est possible de concevoir des circuits produisant la même fonction de sortie ayant moins de portes ou moins de niveaux. Par exemple, si l'expression donnée est $(x + y)z + (x + y)\bar{w}$, le circuit que l'on construit aura deux occurrences du sous-circuit qui réalise l'expression commune $x + y$. On peut revoir la conception du circuit afin de n'utiliser qu'une seule occurrence de ce sous-circuit, et de connecter ses sorties partout où l'expression commune est utilisée.

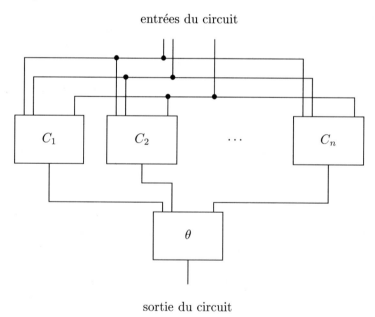

Figure 13.8 : Le circuit pour $\theta(E_1, \ldots, E_n)$ où C_i est le circuit pour E_i.

Il y a d'autres transformations radicales que l'on peut faire pour améliorer la conception de circuits. La conception de circuits, comme la conception d'algorithmes efficaces, est un art, et nous verrons quelques techniques importantes de cet art plus loin dans ce chapitre.

Des circuits aux expressions logiques

Maintenant, considérons le problème inverse, construire une expression logique pour une sortie d'un circuit combinatoire. Puisque l'on sait que le graphe du circuit est acyclique, on peut prendre un ordre topologique de ses nœuds (autrement dit, de ses portes), avec la propriété que la sortie de la $i^{ème}$ porte alimente une entrée de la $j^{ème}$ porte, alors i doit être inférieur à j.

✦ **Exemple 13.3.** Un ordre topologique possible des portes du circuit de la figure 13.2 est $ABCDE$, et un autre est $BCDAE$. Cependant, $ABDCE$ n'est pas un ordre topologique, puisque la porte C alimente la porte D, mais D apparaît avant C en séquence. ✦

Pour construire l'expression à partir du circuit, on utilise une construction récursive. Nous allons montrer cette affirmation par récurrence sur i.

ASSERTION $S(i)$: Pour les i premières portes dans l'ordre topologique, on a des expressions logiques pour les sorties de ces portes.

LA BASE. L'hypothèse initiale est $i = 0$. Puisque qu'il y a zéro porte à considérer, il n'y a rien à prouver, donc l'hypothèse de départ est correcte.

LA RÉCURRENCE. En ce qui concerne la récurrence, regardons la $i^{\{graveeme}$ porte dans l'ordre topologique. Supposons que les entrées de la $i^{ème}$ porte sont $I_1, I_2, \ldots, I_k$. Si I_j est une entrée d'un circuit, disons x, alors l'expression E_j pour l'entrée I_j est x. Si l'entrée I_j est la sortie d'une autre porte, cette porte doit précéder la $i^{ème}$ porte dans l'ordre topologique, qui signifie que nous avons déjà construit une expression E_j pour la sortie de cette porte. Soit θ, l'opérateur associé à la porte i. Alors une expression pour la porte i est $\theta(E_1, E_2, \ldots, E_k)$. Généralement, ce θ est un opérateur binaire dont la notation infixe est conventionnellement utilisée, l'expression pour la porte i peut être $(E_1)\theta(E_2)$. Les parenthèses sont placées à cet endroit par sécurité, bien que selon la précédence des opérateurs, elles sont ou ne sont pas nécessaires.

✦ **Exemple 13.4.** Déterminons l'expression de la sortie du circuit de la figure 13.2, en utilisant l'ordre topologique $ABCDE$ pour les portes. D'abord, regardons la porte ET A. Ses deux entrées proviennent des entrées x et y, et donc l'expression de la sortie de A est xy.

La porte B est un inverseur avec l'entrée x, donc sa sortie est $\bar{x}$. De même, l'expression de sortie de la porte C est $\bar{y}$. Maintenant, on peut étudier la porte D, qui est une porte ET dont les entrées sont prises sur les sorties de B et C. Donc, l'expression de la sortie de D est $\bar{x}\bar{y}$. Finalement, la porte E est une porte OU, dont les entrées sont les sorties de A et D. On connecte donc les expressions de sortie de ces portes par l'opérateur OR, pour obtenir l'expression $xy + \bar{x}\bar{y}$ comme expression de sortie de la porte E. Puisque e est la seule porte de sortie du circuit, cette expression est aussi la sortie du circuit. Rappelons que le circuit de la figure 13.2 était conçu pour réaliser la fonction booléenne $x \equiv y$. Il est facile de vérifier que l'expression que nous avons déduite pour la porte E est équivalente à $x \equiv y$. ✦

Convention sur les diagrammes de circuits

Lorsque les circuits sont complexes, comme celui de la figure 13.10, il existe une convention utile, qui aide à simplifier pour les dessiner. Souvent, on a besoin que des « fils » (les lignes entre une sortie et le(s) entrée(s) à laquelle elle est connectée) se croisent, sans que cela implique qu'ils forment le même fils. Donc, la convention dit que des fils ne sont pas connectés, jusqu'à ce qu'au point d'intersection, on place une marque (un point). Par exemple, la ligne verticale de l'entrée du circuit y n'est pas connectée aux lignes horizontales étiquetées x ou $\bar{x}$, même si l'on pense qu'elle croise ces lignes. Elle est connectée à la ligne horizontale étiqueté y, car il y a un point à l'intersection.

◆ **Exemple 13.5.** Dans les exemples précédents, nous avions seulement une sortie de circuit, et le circuit lui-même était un arbre. Ni l'une ni l'autre de ces conditions n'est généralement tenue. Nous allons maintenant prendre un exemple important de conception d'un circuit ayant plusieurs sorties et dont les sorties de certaines portes sont les entrées de plusieurs autres. Rappelons qu'au chapitre 1, nous avons étudié l'utilisation d'un **additionneur un-bit** pour construire un circuit additionnant des nombres binaires. Un circuit additionneur un-bit a deux entrées x et y qui représentent les séquences de bits des deux nombres additionnés. Il possède une troisième entrée, c, qui représente le bit de retenue obtenu à partir de l'addition des bits à sa droite (selon un ordre des bits de droite à gauche, du plus petit au plus significatif). L'additionneur un-bit produit comme sortie les bits suivants :

1. le *bit de somme* z, qui vaut 1 si un nombre impair de x, y, et c vaut 1, et

2. le bit de *retenue sortante* d, qui est 1 si deux ou plus de x, y, et c sont égaux à 1.

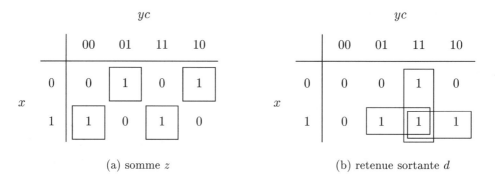

(a) somme z (b) retenue sortante d

Figure 13.9 : Tables de Karnaugh des fonctions somme et retenue.

La figure 13.9 montre les tables de Karnaugh pour z et d, les fonctions somme et retenue d'un additionneur un-bit. Parmi les huit combinaisons de bits possibles, sept apparaissent dans les fonctions pour z et d, et seulement un, xyc, apparaît dans les deux.

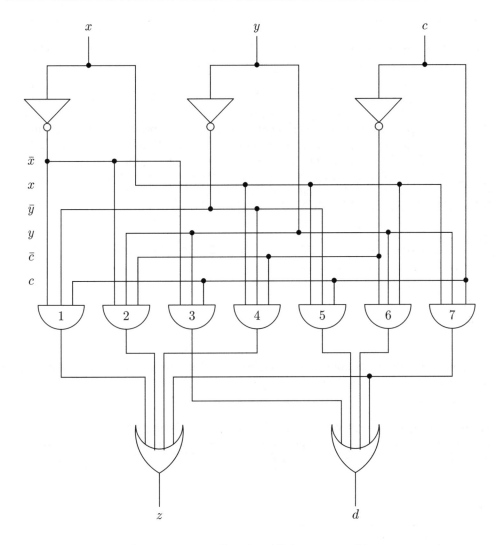

Figure 13.10 : Circuit additionneur un-bit.

Un circuit conçu systématiquement pour l'additionneur un-bit est représenté sur la figure 13.10. On commence par prendre les entrées du circuit et les inverser, en utilisant les trois inverseurs du haut. On crée alors des portes **ET** pour chacune des combinaisons de bits dont on a besoin pour une ou plusieurs sorties. Ces portes sont numérotées de 1 à 7, et chaque entier indique quelles sont les entrées qui sont « vraies », x, y, ou c, et quelles sont celles qui sont « complémentaires », $\bar{x}$, $\bar{y}$, ou $\bar{c}$; c'est-à-dire, écrire l'entier comme un nombre binaire sur 3 bits, et considérer les bits représentant x, y, et c, dans cet ordre. Par exemple, la porte 4, ou $(100)_2$, a l'entrée x positionnée à vrai et les entrées y et c complémentaires ; c'est-à-dire, qu'elle produit l'expression de sortie $x\bar{y}\bar{c}$. Notons qu'il n'y a pas de porte 0 ici, car la combinaison de bits $\bar{x}\bar{y}\bar{c}$ n'est pas nécessaire pour ces entrées.

Finalement, les sorties z et d sont assemblées avec les portes OU, en bas. La porte OU pour z a des entrées venant de la sortie de chaque porte ET donc une combinaison de bits rend z vrai, et les entrées de la porte OU pour d sont sélectionnées de manière similaire.

Calculons les expressions de sortie du circuit de la figure 13.10. L'ordre topologique, que nous allons utiliser, est d'abord les inverseurs, puis les portes ET $1, 2, \ldots, 7$, et finalement les portes OU pour z et d. D'abord, les trois inverseurs ont évidemment des expressions de sortie $\bar{x}$, $\bar{y}$, et $\bar{c}$. Puis nous avons déjà mentionné comment les entrées des portes ET étaient sélectionnées et comment l'expression pour la sortie de chacune est associée avec la représentation binaire du numéro de porte. Ainsi, l'expression de sortie de la porte 1 est $\bar{x}\bar{y}c$. Finalement, la sortie de la porte OU z est un OR entre la sortie des expressions des portes 1, 2, 4, et 7, c'est-à-dire

$$\bar{x}\bar{y}c + \bar{x}y\bar{c} + x\bar{y}\bar{c} + xyc$$

De même, la sortie de la porte OU pour d est un OR entre les expressions de sortie des portes 3, 5, 6, et 7, qui est

$$\bar{x}yc + x\bar{y}c + xy\bar{c} + xyc$$

Nous laissons à titre d'exercice, la démonstration que cette expression est équivalente à l'expression

$$yc + xc + xy$$

que nous obtiendrions si nous travaillions à partir des tables de Karnaugh pour d. ✦

EXERCICES

13.4.1 : Concevez des circuits pour les fonctions booléennes suivantes. Il n'est pas nécessaire de se restreindre à des portes à 2 entrées si on peut grouper trois ou plus d'opérandes connectés par le même opérateur.

a) $x + y + z$. *Une indication*: Pensez à cette expression comme $\mathrm{OR}(x, y, z)$.
b) $xy + xz + yz$
c) $x + (\bar{y}\bar{x})(y + z)$

13.4.2 : Pour chaque circuit de la figure 13.11, calculez l'expression logique de chaque porte. Quelles sont les expressions pour les sorties des circuits ? Pour le circuit (b) construisez un circuit équivalent, utilisant seulement des portes ET, OU, et NON.

13.4.3 : Démontrez les tautologies suivantes, utilisées dans les exemples 13.4 et 13.5 :

a) $(xy + \bar{x}\bar{y}) \equiv (x \equiv y)$
b) $(\bar{x}yc + x\bar{y}c + xy\bar{c} + xyc) \equiv (yc + xc + xy)$

13.5   Quelques contraintes physiques des circuits

Aujourd'hui, la plupart des circuits sont fabriqués en «puces», ou **circuits intégrés**. De nombreuses portes, peut-être plusieurs millions de portes et de fils les interconnectant, sont construits avec des semi-conducteurs et des matériaux métalliques

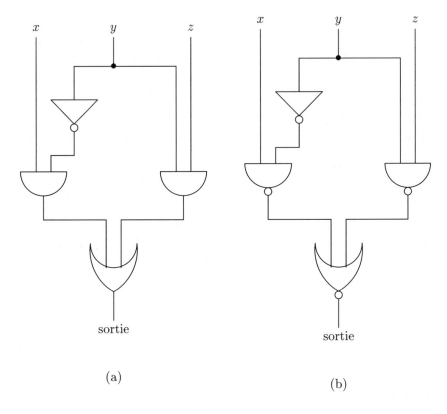

(a)

(b)

Figure 13.11 : Circuits pour l'exercice 13.4.2.

dans une superficie d'un centimètre carré. Les diverses « technologies », ou méthodes de construction de circuits intégrés, imposent un certain nombre de contraintes sur la façon dont des circuits efficaces peuvent être conçus. Par exemple, nous avons mentionné précédemment que certains types de portes, tels que ET, OU, et NON, sont plus faciles à construire que d'autres types.

Rapidité d'un circuit

Un délai est associé à chaque porte, entre le moment où les entrées deviennent actives et le temps où les sorties deviennent disponibles. Ce délai pourrait être seulement de quelques nanosecondes (une nanoseconde signifiant 10^{-9} secondes), mais dans un circuit complet, tel que l'unité centrale d'un ordinateur, les informations se propagent à travers plusieurs niveaux de portes, même pendant l'exécution d'une seule instruction. Comme les ordinateurs modernes exécutent des instructions en beaucoup moins qu'une micro-seconde (i.e. 10^{-6} secondes), il est évidemment impératif que le nombre de portes à travers laquelle une valeur se propage soit minimal.

Donc, pour un circuit combinatoire, le nombre maximum de portes faisant partie d'un chemin d'une entrée à une sortie est analogue au temps d'exécution d'un programme. C'est-à-dire, si on veut que nos circuits calculent leurs sorties rapidement, on

Puces

Les puces sont généralement structurées en plusieurs « couches », qui peuvent être utilisées de manière combinée, pour construire des portes. Les fils peuvent aller dans n'importe quelle couche, pour interconnecter les portes ; les fils sur des couches différentes peuvent se croiser sans interagir. Le « facteur taille », la plus petite largeur qu'un fil peut avoir, est souvent en dessous d'un **micron** (un *micron* vaut 0,001 millimètre). Les portes peuvent être construites sur une superficie de plusieurs microns carrés. La figure 13.12 montre l'image d'une puce.

Le processus par lequel les puces sont fabriquées est complexe. Par exemple, une étape dépose une fine couche d'une certaine substance, appelée *photo-résistance*, sur la surface entière de la puce. On utilise alors un négatif photographique possédant les caractéristiques désirées sur une certaine couche. En l'exposant à la lumière ou à un rayon d'électrons à travers le négatif, la couche supérieure peut être « brûlée » aux endroits que le rayon atteint, laissant seulement les parcelles adéquates au circuit.

---

doit minimiser la longueur du plus long chemin dans le graphe du circuit. Le **délai** d'un circuit est le nombre de portes faisant partie du plus long chemin — c'est-à-dire, le délai est égal à 1 fois la longueur du chemin. Par exemple, l'additionneur de la figure 13.10 a un délai de 3, puisque le plus long chemin entre une entrée et une sortie traverse un des inverseurs, puis une des portes ET, et finalement une des portes OU ; il y a plusieurs chemins de longueur 3.

Notons que, comme le temps d'exécution, le délai d'un circuit n'a de sens qu'en « ordre de grandeur » d'une quantité. Différentes technologies nous donneront différentes valeurs du temps pris pour affecter l'entrée d'une porte à la sortie de cette porte. Donc, si on a deux circuits, respectivement de délai 10 et 20, on sait que s'ils sont réalisés dans la même technologie et si tous les autres facteurs sont égaux, alors le temps du premier circuit sera la moitié du temps du second. Cependant, si on réalise le second circuit dans une technologie plus rapide, il pourrait battre le premier circuit réalisé dans la technologie d'origine.

Limitations sur la taille

Le coût de fabrication d'un circuit est plus ou moins proportionnel au nombre de portes dans ce circuit, et par conséquent on aimerait réduire le nombre de portes. De plus, la taille d'un circuit influence également sa rapidité, et de petits circuits ont tendance à aller plus vite. En général, plus un circuit a de portes, plus la surface de la puce consommée est grande. Il y a au moins deux effets négatifs à utiliser une grande superficie.

1. Si la superficie est grande, la connexion de portes éloignées nécessite de longs fils. Plus un fil est long, plus un signal prend du temps pour voyager d'une extrémité à l'autre. Ce **délai de propagation** est une autre source de délai dans un circuit, en plus du temps qu'il faut à une porte pour « calculer » ses entrées.

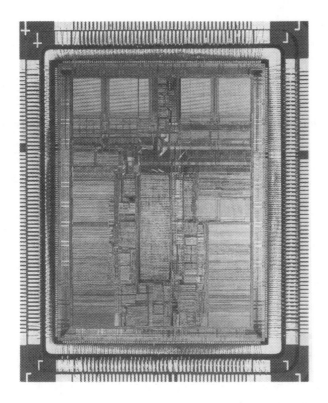

Figure 13.12 : Une puce de circuit intégré : le microprocesseur MIPS R4000 64-bit. ©MIPS Computer Systems Inc., 1991.

2. Il y a une limite à la taille des puces, car plus la taille est importante, plus la fréquence d'imperfections augmente, entraînant le rejet de la puce. Si on divise un circuit à travers plusieurs puces, alors les fils connectant les puces introduiront un sévère délai de propagation.

Notre conclusion est qu'il existe un bénéfice significatif à garder petit le nombre de portes dans un circuit, petit.

Limitations d'entrance et de sortance

Une troisième contrainte sur la conception de circuits provient des réalités physiques. On paie une pénalité pour les portes qui ont trop d'entrées ou qui ont leurs sorties connectées à trop d'entrées. Le nombre d'entrées d'une porte est appelé son *entrance*, et le nombre d'entrées auxquelles est connectée la sortie d'une porte est la *sortance* de cette porte. Alors qu'en principe, il n'y a pas de limite sur l'entrance ou la sortance, en pratique, des portes avec de grandes entrances et/ou sortances seront plus lentes que des portes en possédant de plus petits. Donc, nous allons essayer de concevoir nos circuits avec des entrances et sortances raisonnables.

✦ **Exemple 13.6.** Supposons qu'un ordinateur particulier possède des registres de 32 bits, et que l'on veuille réaliser par des circuits l'instruction machine COMPARE. Une des choses que nous devons fabriquer est un circuit qui teste si un registre a tous les bits à 0. Ce test est réalisé par une porte OU ayant 32 entrées, une pour chaque bit du registre. Une sortie 1 signifie que le registre ne contient pas 0, tandis qu'une sortie 0 signifie qu'il contient 0.[1] Si l'on veut que 1 signifie une réponse positive à la question, « le registre contient-il 0 », alors nous devrions ajouter à la sortie un inverseur ou utiliser une porte NON-OU.

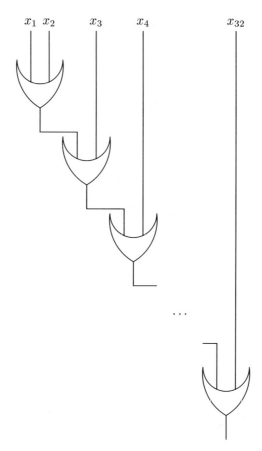

Figure 13.13 : Façon inefficace de réaliser un OR sur 32 bits.

Cependant, une entrance de 32 est généralement supérieur à ce que nous aimerions. Supposons que nous voulions nous limiter à des portes avec une entrance de 2, ce qui est probablement une limite trop petite, mais servira à titre d'exemple. D'abord, combien de portes OU à deux entrées avons-nous besoin pour calculer le OR de n entrées ? De toute évidence, chaque porte à deux entrées combine deux valeurs en une seule (sa

---

[1]   En fait, cette observation n'est vraie qu'en notation complément à 2. Dans d'autres notations, il y aurait deux façons de représenter 0. Par exemple, dans la notation grandeur signée, on pourrait seulement tester si les derniers 31 bits sont à 0.

sortie), et donc réduit de un le nombre de valeurs dont on doit calculer le OR des n entrées. Après que l'on ait utilisé $n-1$ portes, il n'y a plus qu'une seule valeur, et si on a conçu le circuit proprement, cette valeur sera le OR des n valeurs d'origine. Donc, on a besoin d'au moins 31 portes pour calculer OR de 32 bits, $x_1, x_2, \ldots, x_{32}$.

La figure 13.13 montre une façon naïve de réaliser un OR sur 32 bits. On regroupe les bits d'une façon associative-à-gauche. Comme chaque porte alimente la suivante, le graphe du circuit possède un chemin ayant 31 portes, et le délai de ce circuit est 31.

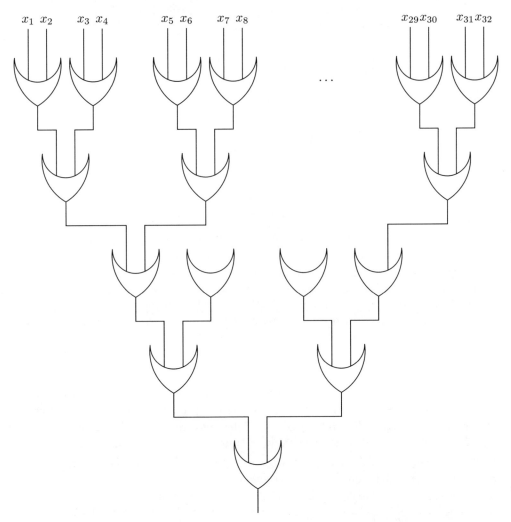

Figure 13.14 : Arbre binaire complet de portes OU.

La figure 13.14 montre une meilleure façon. Un arbre binaire complet ayant cinq niveaux utilise les 31 mêmes portes, mais le délai est seulement de 5. Nous pourrions nous attendre à ce que le circuit de la figure 13.14 aille par conséquent six fois plus vite que le circuit de la figure 13.13. D'autres facteurs influençant la rapidité pourraient réduire le facteur de six, mais même pour un « petit » nombre de bits tel que 32, la conception plus intelligente est bien plus rapide que la conception plus naïve.

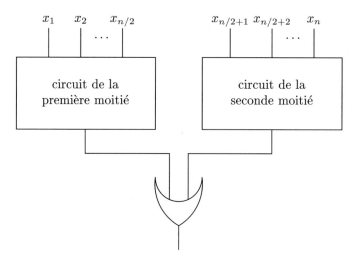

Figure 13.15 : Approche « diviser-pour-régner » pour concevoir des circuits.

Si on ne voit pas immédiatement l'astuce d'utiliser un arbre binaire complet comme circuit, on peut obtenir le circuit de la figure 13.14 en appliquant le paradigme « diviser-pour-régner ». C'est-à-dire, pour réaliser un OR de 2^k bits, on divise les bits en deux groupes de 2^{k-1} bits chacun. Les circuits de chaque groupe sont combinés par une porte OU finale, tel que dans la figure 13.15. Naturellement, le circuit pour le cas de base $k = 1$ (autrement dit, deux entrées) est fourni non pas par diviser-pour-régner, mais en utilisant une seule porte OU à deux entrées. ✦

EXERCICES

13.5.1 : * Supposons que l'on puisse utiliser des portes OU avec une entrance de k, et que l'on espère effectuer un OR sur n entrées, où n est une puissance de k. Quel est le délai minimum possible d'un tel circuit ? Quel devrait être le délai si nous avions utilisé un naïf circuit en cascade comme celui de la figure 13.13 ?

13.5.2 : * Concevez des circuits diviser-pour-régner pour réaliser les opérations suivantes. Quel est le délai de chacun de ces circuits ?

a) Etant données les entrées $x_1, x_2, \ldots, x_n$, une sortie vaut 1 si et seulement si toutes les entrées sont à 1.

b) Etant données les entrées $x_1, x_2, \ldots, x_n$ et $y_1, y_2, \ldots, y_n$, une sortie vaut 1 si et seulement si chaque x_i est égale à y_i, pour $i = 1, 2, \ldots, n$. *Une indication*: Prendre le circuit de la figure 13.2 pour tester si deux entrées sont égales.

13.5.3 : * L'approche diviser-pour-régner de la figure 13.15 est correcte même lorsque le nombre d'entrées n'est pas une puissance de deux. Alors la base doit comprendre des ensembles de deux ou trois entrées ; des ensembles 3 entrées sont gérés par deux portes OU, l'une alimentant l'autre, en admettant que nous voulons conserver strictement notre limitation d'entrance à deux, quel est le délai de tels circuits, en fonction du nombre d'entrées ?

13.5.4 : * Concevez des circuits pour tester zéro dans les notations suivantes :

a) grandeur signée,

b) complément à 1,

c) excès 2^{n-1}.

13.6   Circuit addition « diviser-pour-régner »

Une des parties fondamentales de l'unité arithmétique d'un ordinateur est un circuit qui additionne deux nombres. Le circuit addition pourrait également avoir besoin de détecter les débordements. Pour simplifier le problème de conception, nous allons créer un circuit pour additionner deux nombres non signés. Ce problème est assez instructif comme exemple de conception de diviser-pour-régner.

On peut construire un additionneur pour des nombres de n-bit à partir de n additionneurs un-bit, connectés d'une certaine façon. Supposons que l'on utilise le circuit de la figure 13.10 comme un circuit additionneur-un-bit. Ce circuit a un délai de 3, qui est proche du meilleur que l'on puisse faire.[2] L'approche la plus simple pour construire un circuit additionneur est *l'additionneur retenue-en-cascade* que nous avons vu au paragraphe 1.3. Dans ce circuit, une sortie de l'additionneur un-bit devient une entrée de l'additionneur un-bit suivant, et par conséquent additionner deux nombres n-bit prend un délai de $3n$. Par exemple, dans le cas où $n = 32$, le délai du circuit est 96.

Circuit addition récursif

On peut concevoir un circuit additionneur ayant un délai moins important si on utilise la stratégie diviser-pour-régner pour concevoir un circuit de $n/2$ bits et si on en utilise deux, ensemble avec d'autres petits circuits supplémentaires, pour faire un additionneur n-bit. Dans l'exemple 13.6, on présentait un circuit diviser-pour-régner pour réaliser l'opération OR de beaucoup de bits en utilisant des portes à deux entrées. C'était un exemple particulièrement simple de la technique diviser-pour-régner, puisque chaque circuit plus petit exécute exactement la fonction désirée (OR), et la combinaison des sorties des sous-circuits était très simple (elles alimentaient une porte OU). Les deux « moitiés de circuits » fonctionnaient en même temps (en parallèle), donc leurs délais ne s'additionnaient pas.

Pour l'additionneur, nous devons être plus subtils. Une manière naïve de commencer est d'ajouter la moitié gauche des bits (bits plus-élevés) et additionner la moitié droite des bits (bits moins-élevés), en utilisant des « moitiés de circuit » identiques. Cependant, à la différence de l'exemple du OR de n bits, où on pouvait travailler séparément sur les moitiés gauche et droite, il semble que pour l'additionneur, l'addition pour la moitié

---

[2] On peut néanmoins concevoir un circuit additionneur un-bit plus compliqué ayant un délai de 2 en complémentant toutes les entrées à l'extérieur de l'additionneur complet et en calculant à la fois la retenue et son complément à l'intérieur de l'additionneur.

gauche ne peut pas commencer tant que la moitié droite n'a pas terminé et passé la retenue du bit le plus à droite à la moitié gauche, comme sur la figure 13.16. Dans ce cas, nous trouvons que le circuit diviser-pour-régner est vraiment identique à l'additionneur retenue-en-cascade, et nous n'avons pas améliorer du tout le délai.

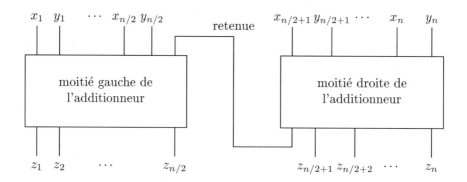

Figure 13.16 : Une conception diviser-pour-régner efficace pour un additionneur.

L'astuce supplémentaire, dont nous avons besoin, consiste à commencer le calcul de la moitié gauche sans connaître la retenue de la moitié droite, à condition que l'on ne calcule pas uniquement la somme. Nous devons répondre à deux questions. Premièrement, que serait la somme s'il n'y avait pas de retenue sur le bit le plus à droite de la moitié de gauche, et deuxièmement, quelle serait la somme s'il y a une « retenue entrante »?[3] On peut alors permettre aux circuits des moitiés gauche et droite de calculer leurs deux résultats en même temps. Une fois que les deux ont terminé, on peut dire s'il y a une retenue à passer de la moitié droite à celle de gauche. Ce qui nous dit si le résultat est correct, et avec trois niveaux de plus de délai, on peut sélectionner la réponse correcte pour la moitié gauche. Donc, le délai pour additionner n bits sera juste trois fois plus que celui pour additionner $n/2$ bits, conduisant à un circuit de délai $3(1 + \log_2 n)$. Ceci se compare très bien avec l'additionneur retenue-en-cascade pour $n = 32$; l'additionneur diviser-pour-régner aura un délai $3(1 + \log_2 32) = 3(1 + 5) = 18$, comparé à 96 pour l'additionneur retenue-en-cascade.

Plus précisément, on définit un **additionneur-n**, un circuit ayant pour entrées $x_1, x_2, \ldots, x_n$ et $y_1, y_2, \ldots, y_n$, représentant deux entiers n-bits, et pour sorties

1. $s_1, s_2, \ldots, s_n$, la somme n-bits (à l'exception du bit le plus à gauche, autrement dit, x_1 et y_1, qui ne génère pas de retenue) des entrées, en supposant que la retenue n'intervienne pas dans l'addition des bits les plus à droite (i.e, l'entrée x_n and y_n).

2. $t_1, t_2, \ldots, t_n$, la somme n-bits des entrées, en supposant qu'il y ait une retenue sur l'addition un-bit la plus à droite.

---

[3] Nous notons par « retenue entrante », une retenue provenant de l'addition des bits de droite que l'on doit comptabiliser dans l'addition courante ; et par « retenue sortante », une retenue sur l'addition qu'il faudra comptabiliser dans l'addition des bits de gauche. Enfin, « pas de retenue » signifie que la retenue est égale à 0.

3. p, le *bit propage-retenue*, qui est 1 s'il y a une retenue sur l'addition un-bit la plus à gauche, en supposant une retenue dans l'addition un-bit la plus à droite.

4. g, le *bit génère-retenue*, qui est 1 s'il y a une retenue sur l'addition un-bit la plus à gauche, même s'il n'y a pas de retenue dans l'addition un-bit la plus à droite.

Notons que $g \to p$; c'est-à-dire, si g est 1, alors p doit être 1. Cependant, g peut être 0, et p être encore 1. Par exemple, si les x sont $1010\cdots$, et les y sont $0101\cdots$, alors $g = 0$, car il n'y a pas de retenue, la somme vaut 1 partout et il n'y a pas de retenue sur l'addition la plus à gauche. D'autre part, s'il y a une retenue dans l'addition la plus à droite, alors les derniers n bits de la somme sont tous des 0, et il y a une retenue sur l'addition la plus à gauche ; donc $p = 1$.

On pourrait construire un additionneur-n récursivement, où n est une puissance de 2.

LA BASE. Considérons le cas $n = 1$. Nous avons deux entrées, x et y, et on doit calculer quatre sorties, s, t, p, et g, données par les expressions logiques

$$s = x\bar{y} + \bar{x}y$$
$$t = xy + \bar{x}\bar{y}$$
$$g = xy$$
$$p = x + y$$

Pour justifier pourquoi ces expressions sont correctes, admettons d'abord qu'il n'y a pas de retenue dans l'addition un-bit en question. Ensuite, le bit de somme, qui sera 2 s'il y a un nombre impair de 1 parmi x, y et la retenue entrante, et sera 1 si exactement un seul de x ou y vaut 1. L'expression de s ci-dessus possède clairement cette propriété. De plus, sans retenue entrante, il ne peut y avoir une retenue sortante que si x et y valent tous deux 1, ce qui explique l'expression pour g ci-dessus.

Maintenant, supposons qu'il y ait une retenue entrante. Alors pour un nombre impair de 1 parmi x, y et la retenue entrante égale à 1, il faut que soit les deux soit aucun de x et y ne soit égal à 1, expliquant l'expression pour t. De même, il y aura maintenant une retenue sortante si l'un ou les deux x et y valent 1, ce qui justifie l'expression pour p. La figure 13.17 montre un circuit pour le cas de base. L'esprit est identique à celui de l'additionneur complet, figure 13.10, mais il est vraiment plus simple, car il n'a que deux entrées au lieu de trois.

LA RÉCURRENCE. L'étape résursive est illustrée à la figure 13.18, où l'on construit un additionneur-$2n$ à partir de deux additionneurs-n. Un additionneur-$2n$ est composé de deux additionneur-n, suivis de deux parties de circuits étiquetées FIX sur la figure 13.18, pour gérer deux problèmes :

1. Calculer les bits propage-retenue et génère-retenue pour l'additionneur-$2n$

2. Ajuster la moitié gauche des s et des t pour prendre en compte s'il y a ou non une retenue dans la seconde moitié gauche venant de la droite.

D'abord, supposons qu'il y ait une retenue à l'extrémité droite du circuit tout entier pour l'additionneur-$2n$. Alors il y a une retenue sortante à l'extrémité gauche du circuit entier si une de ces propositions tient :

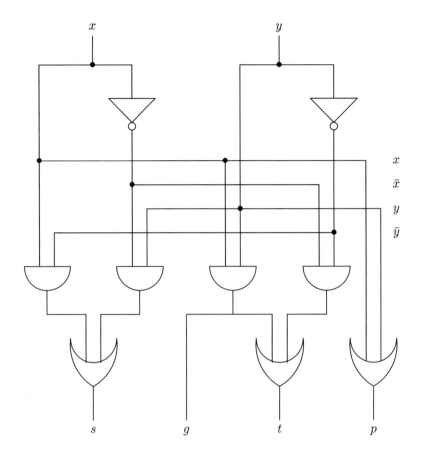

Figure 13.17 : Cas de base : un additionneur-1.

a) Les deux moitiés de l'additionneur propage une retenue ; c'est-à-dire $p^L p^R$ est vraie. Notez que cette expression comprend le cas où la moitié droite génère une retenue et la moitié gauche la propage. Alors $p^L g^R$ est vraie mais $g^R \to p^R$, donc $(p^L p^R + p^L g^R) \equiv p^L p^R$.

b) La moitié gauche génère une retenue ; c'est-à-dire g^L est vrai. Dans ce cas, l'existence d'une retenue sortante sur la gauche ne dépend pas de l'existence ou non d'une retenue dans l'extrémité droite, ou si la moitié droite génère une retenue.

Ainsi, l'expression pour p, le bit de propage-retenue pour l'additionneur-$2n$, est

$$p = g^L + p^L p^R$$

Maintenant, admettons qu'il n'y ait pas de retenue entrante à l'extrémité droite de l'additionneur-$2n$. Dans ce cas, il y a une retenue sortante à l'extrémité gauche de l'additionneur-$2n$ si

a) soit la moitié droite génère une retenue et la moitié gauche la propage,

b) soit la moitié gauche génère une retenue.

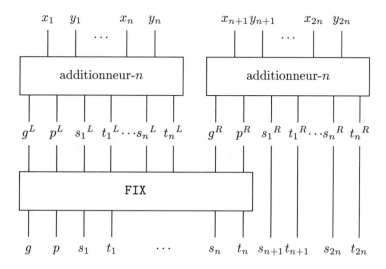

Figure 13.18 : Schéma de l'additionneur diviser-pour-régner.

Donc, l'expression logique pour g est

$$g = g^L + p^L g^R$$

Maintenant, portons notre attention sur les s_i et t_i. D'abord, les bits de la moitié droite sont inchangés à la sortie de l'additionneur-n droit, car la présence de la moitié gauche n'a pas d'effet sur la moitié droite. Donc, $s_{n+i} = s_i{}^R$, et $t_{n+i} = t_i{}^R$, pour $i = 1, 2, \ldots, n$.

Ensuite, les bits de la moitié gauche doivent être modifiés, pour prendre en compte les façons dont la moitié droite peut générer une retenue. Supposons qu'il n'y ait pas de retenue entrante à l'extrémité droite de l'additionneur-$2n$. C'est la situation que les s_i sont supposés indiquer, tel que l'on puisse développer des expressions pour les s_i de la gauche, c'est à dire $s_1, s_2, \ldots, s_n$. Puisque il n'y a pas de retenue entrante pour la moitié droite, il y a une retenue entrante pour la moitié gauche seulement si une retenue est générée par la moitié droite. Donc, si g^R est vraie, alors $s_i = t_i{}^L$ (puisque les $t_i{}^L$ indiquent ce qui arrive lorsqu'il y a une retenue dans la moitié gauche). Si g^R est fausse, alors $s_i = s_i{}^L$ (puisque les $s_i{}^L$ indiquent ce qui arrive lorsqu'il n'y a pas de retenue dans la moitié gauche). On peut alors écrire l'expression logique

$$s_i = s_i{}^L \bar{g}^R + t_i{}^L g^R$$

pour $i = 1, 2, \ldots, n$.

Finalement, considérons ce qui arrive lorsque il y a une retenue entrante à l'extrémité droite de l'additionneur-$2n$. Maintenant on peut s'intéresser à la question des valeurs pour les t_i sur la gauche comme suit. Il y aura une retenue dans la moitié gauche si la moitié droite propage une retenue, c'est-à-dire si $p^R = 1$. Donc, t_i prend sa valeur à partir de $t_i{}^L$ si p^R est vraie et de $s_i{}^L$ si p^R est fausse. Soit l'expression logique,

$$t_i = s_i{}^L \bar{p}^R + t_i{}^L p^R$$

En résumé, les circuits représentés par la boîte étiquetée FIX, dans la figure 13.18 calculent les expressions suivantes :

$$p = g^L + p^L p^R$$
$$g = g^L + p^L g^R$$
$$s_i = s_i{}^L \bar{g}^R + t_i{}^L g^R, \text{ for } i = 1, 2, \ldots, n$$
$$t_i = s_i{}^L \bar{p}^R + t_i{}^L p^R, \text{ for } i = 1, 2, \ldots, n$$

Chacune de ces expressions peut être réalisée par un circuit d'au moins trois niveaux. Par exemple, la dernière expression nécessite seulement le circuit de la figure 13.19.

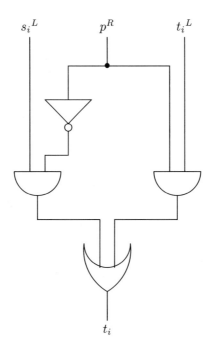

Figure 13.19 : Partie du circuit FIX.

Délai d'un additionneur diviser-pour-régner

Soit $D(n)$, le délai de l'additionneur-n que nous venons juste de concevoir. On peut écrire une relation de récurrence pour D comme suit. Pour hypothèse de base $n = 1$, examinons le circuit de la figure 13.17 et concluons que le délai est 3. Donc, $D(1) = 3$.

Maintenant examinons la construction récursive du circuit, figure 13.18. Le délai du circuit est le délai de l'additionneur-n plus le délai du circuit FIX. Les additionneurs-n ont un délai $D(n)$. Chacune de ces expressions développées pour le circuit FIX fait place à un circuit simple ayant au moins trois niveaux. La figure 13.19 est un exemple classique. Donc, $D(2n)$ est trois de plus que $D(n)$. La relation de récurrence pour $D(n)$ est donc

$$D(1) = 3$$
$$D(2n) = D(n) + 3$$

La solution pour des nombres de bits puissances de 2 est $D(1) = 3$, $D(2) = 6$, $D(4) = 9$, $D(8) = 12$, $D(16) = 15$, $D(32) = 18$ et ainsi de suite. La solution à cette récurrence est

$$D(n) = 3(1 + \log_2 n)$$

pour n une puissance de 2, comme le lecteur peut vérifier en utilisant la méthode du paragraphe 3.11. En particulier, notons que pour un additionneur 32-bit, le délai de 18 est nettement inférieur au délai de 96 pour l'additionneur retenue-en-cascade.

Nombre de portes en utilisant l'additionneur diviser-pour-régner

Nous devrions également vérifier que le nombre de portes est raisonnable. Soit $G(n)$ le nombre de portes utilisées dans un circuit d'un additionneur-n. L'hypothèse de base est $G(1) = 9$, comme on peut le voir en comptant les portes dans le circuit de la figure 13.17. Puis on observe que le circuit de la figure 13.18, le cas récursif, a $2G(n)$ portes dans les deux sous-circuits additionneur-n. A cette quantité, on doit ajouter le nombre de portes des circuits FIX. Comme on pourrait inverser une fois g^R et p^R, chaque n s_i et t_i peut être calculé avec trois portes (deux ET et un OU), soit $6n$ portes au total. A cette quantité on ajoute deux inverseurs pour g^R et p^R, on doit ajouter les deux portes chaque fois que l'on doit calculer g et p. Le nombre total de portes dans les circuits FIX est donc $6n + 6$. La récurrence pour G est par conséquent

$$G(1) = 9$$
$$G(2n) = 2G(n) + 6n + 6$$

A nouveau, notre fonction est définie seulement lorsque n est une puissance de 2. Les six première valeurs de G sont dans la table 13.20. Pour $n = 32$, on voit que 954 portes sont nécessaires. L'expression de la forme la plus proche pour $G(n)$ est $3n \log_2 n + 15n - 6$, où n est une puissance de 2, comme le lecteur pourra le démontrer en appliquant les techniques du paragraphe 3.11.

n	$G(n)$
1	9
2	30
4	78
8	186
16	426
32	954

Figure 13.20 : Nombres de portes utilisées par divers additionneur-n.

En fait, on peut utiliser un peu moins de portes, si tout ce que nous voulons est un additionneur 32-bit. Pour cela, on sait qu'il n'y a pas de retenue entrante à la droite du $32^{\text{ème}}$ bit, et donc la valeur de p, et les valeurs de $t_1, t_2, \ldots, t_{32}$ ont besoin d'être calculées au dernier étage du circuit. De même, la moitié droite de l'additionneur-16 n'a pas besoin de calculer son bit propage-retenue ou ses 16 valeurs-t ; La moitié droite de l'additionneur-8 de l'additionneur-16 de droite n'a pas besoin de calculer ses p ou t et ainsi de suite.

Il est intéressant de comparer le nombre de portes utilisées par l'additionneur diviser-pour-régner avec celui de l'additionneur retenue-en-cascade. Le circuit d'un additionneur complet que nous avons conçu à la figure 13.10 comporte 12 portes. Donc, un additionneur n-bit retenue-en-cascade a $12n$ portes, et pour $n = 32$, ce nombre est 384 (on peut économiser quelques portes si on se souvient que la retenue dans le bit le plus à droite vaut 0).

On voit que pour le cas intéressant, $n = 32$, l'additionneur retenue-en-cascade bien que plus lent, utilise moitié moins de portes que l'additionneur diviser-pour-régner. De plus, le taux de croissance du dernier, $O(n \log n)$, est plus grand que celui de l'additionneur retenue-en-cascade, $O(n)$, tel que la différence dans le nombre de portes s'agrandit au fur et à mesure que n croît. Cependant, le rapport est seulement $O(\log n)$, donc la différence dans le nombre de portes n'est pas sévère. Comme la différence de temps requis par les deux classes de circuits est plus significative $[O(n) \text{ vs.} O(\log n)]$, une sorte d'additionneur diviser-pour-régner est utilisé dans essentiellement tous les ordinateurs modernes.

EXERCICES

13.6.1 : Dessinez le circuit diviser-pour-régner, décrit dans ce paragraphe, pour additionner des nombres sur 4 bits.

13.6.2 : Concevez des circuits identiques à celui de la figure 13.19 pour calculer les autres sorties de l'additionneur de la figure 13.18 qui est, p, g, et les s_i.

13.6.3 : ** Concevez un circuit qui prend en entrée un nombre décimal, dont chaque chiffre représenté par quatre entrées donnant l'équivalent binaire de ce chiffre décimal. La sortie est le nombre équivalent en binaire. On peut admettre que le nombre de chiffres est une puissance de 2 et utiliser une approche diviser-pour-régner. *Une indication*: Quelle information la moitié droite du circuit doit donner à la moitié gauche ?

13.6.4 : * Montrez que la solution de l'équation de récurrence

$$D(1) = 3$$
$$D(2n) = D(n) + 3$$

est $D(n) = 3(1 + \log_2 n)$ où n est une puissance de 2.

13.6.5 : * Montrez que la solution de l'équation de récurrence

$$G(1) = 9$$
$$G(2n) = 2G(n) + 6n + 6$$

est $G(n) = 3n \log_2 n + 15n - 6$ où n est une puissance de 2.

13.6.6 : ** Nous avons observé que si l'on veut un additionneur 32-bit, nous n'avons pas besoin des 954 portes, comme sur la figure 13.20. La raison est que l'on peut admettre qu'il n'y a pas de retenue dans la place la plus à droite des 32 bits. De combien de portes avons-nous réellement besoin ?

13.7   Conception d'un multiplexeur

Un *multiplexeur,* ayant souvent pour abréviation MUX, est une forme commune de circuit d'un ordinateur qui prend d **entrées de contrôle,** disons $x_1, x_2, \ldots, x_d$, et 2^d **entrées de données,** disons $y_0, y_1, \ldots, y_{2^d-1}$, comme dans la figure 13.21. La sortie du MUX est une entrée de données particulière, l'entrée $y_{(x_1 x_2 \cdots x_d)_2}$. C'est-à-dire, on traite les entrées de contrôle comme un entier binaire dans l'intervalle de 0 à $2^d - 1$. Cet entier est le scénario des entrées de données que l'on passe en sortie.

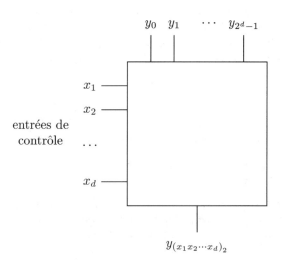

Figure 13.21 : Schéma d'un circuit multiplexeur.

✦ **Exemple 13.7.** Les circuits calculant s_i et t_i dans l'additionneur diviser-pour-régner sont des multiplexeurs avec $d = 1$. Par exemple, la formule pour s_i est $s_i{}^L \bar{g}^R + t_i{}^L g^R$ et son schéma de circuit est montré dans la figure 13.22. Ici, g^R joue le rôle de l'entrée de contrôle x_1, $s_i{}^L$ est l'entrée de donnée y_0, et $t_i{}^L$ est l'entrée de donnée y_1.

A titre de second exemple, la formule pour la sortie d'un MUX avec deux entrées de contrôle, x_1 et x_2, et quatre entrées de données, y_0, y_1, y_2, et y_3, est

$$y_0 \bar{x}_1 \bar{x}_2 + y_1 \bar{x}_1 x_2 + y_2 x_1 \bar{x}_2 + y_3 x_1 x_2$$

Notez qu'il y a un terme pour chaque entrée de donnée. Le terme avec l'entrée de donnée y_i a aussi chacune des entrées de contrôle, soit valide, soit non valide. On peut dire qu'elles sont valides en écrivant i comme un entier binaire de d bits. Si la $j^{ème}$ position de i en représentation binaire est 0, alors x_j est valide, et si la $j^{ème}$ position est 1, alors x_j est non négative. Notez que cette règle marche pour tout nombre d'entrées de contrôle d. ✦

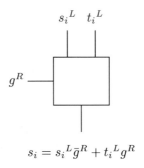

$$s_i = s_i{}^L \bar{g}^R + t_i{}^L g^R$$

Figure 13.22 : Un multiplexeur-1.

La conception simpliste d'un multiplexeur est un circuit à trois niveaux de portes. Au premier niveau, on calcule les validations des bits de contrôle. Le niveau suivant est une rangée de portes ET. La $i^{ème}$ porte combine l'entrée de données y_i avec la combinaison appropriée des entrées de contrôle et des entrées de contrôle valides. Donc, la sortie de la $i^{ème}$ porte est toujours 0 à moins que les bits de contrôle soient affectés par la représentation binaire de i, auquel cas la sortie est égale à y_i. Le dernier niveau est une porte OU avec des entrées venant de chaque porte ET. Comme toutes les portes ET sauf une ont une sortie 0, la porte qui reste, la $i^{ème}$ dont la sortie est y_i, réalise la sortie du circuit égale à ce qu'est y_i. Un exemple de ce circuit pour $d = 2$ est montré sur la figure 13.23.

Multiplexeur diviser-pour-régner

Le circuit de la figure 13.23 a une entrance maximum de 4, ce qui est généralement acceptable. Cependant, lorsque d augmente, l'entrance de la porte OU, qui est 2^d, croît trop vite. Même les portes ET, avec $d + 1$ entrées chacune, commencent à avoir une entrance un peu trop grande. Heureusement, il y a l'approche diviser-pour-régner basée sur le découpage des bits de contrôle en deux, qui permet de construire le circuit avec des portes d'entrance de 2 au plus. De plus, ce circuit utilise beaucoup moins de portes et est néanmoins aussi rapide que la généralisation de la figure 13.23, à condition que l'on requiert que tous les circuits soient construits avec des portes ayant la même limite d'entrance.

Une construction récursive d'une famille de circuits de multiplexeurs est la suivante : on appelle le circuit pour un multiplexeur avec d entrées de contrôle et 2^d entrées de données, un MUX-d.

LA BASE. Un circuit multiplexeur pour $d = 1$ est MUX-1, représenté dans la figure 13.24. Il est composé de quatre portes et son entrance n'est pas plus grand que 2.

LA RÉCURRENCE. La récurrence est réalisée avec le circuit de la figure 13.25 qui construit un MUX-$2d$ à partir de $2^d + 1$ copies des MUX-d. Notons que lorsque l'on double le nombre d'entrées de contrôle, le nombre d'entrées de données s'élève au carré, puisque $2^{2d} = (2^d)^2$.

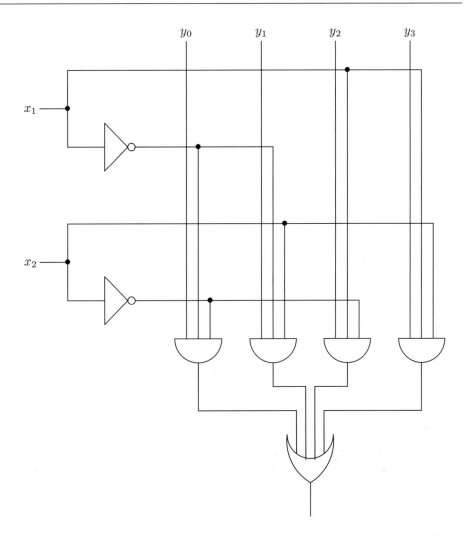

Figure 13.23 : Circuit multiplexeur pour $d = 2$.

Supposons que les entrées de contrôle du MUX-2d passent pour l'entrée de données y_i; c'est-à-dire

$$i = (x_1 x_2 \cdots x_{2d})_2$$

Chaque MUX-d dans la rangée du haut de la figure 13.25, prend un groupe de 2^d entrées de données, partant d'un quelconque y_j, où j est un multiple de 2^d. Donc, si l'on utilise les d bits de contrôle de poids faible, $x_{d+1}, \ldots, x_{2d}$, pour contrôler chacun de ces MUX-d, l'entrée sélectionnée est la $k^{\text{ème}}$ de chaque groupe (comptant le plus à gauche de chaque groupe comme entrée 0), où

$$k = (x_{d+1} \cdots x_{2d})_2$$

C'est-à-dire, k est l'entier représenté par la moitié contenant les bits de poids faible.

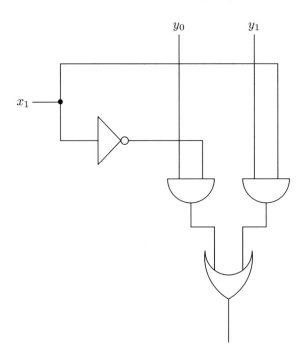

Figure 13.24 : Circuit de base, le multiplexeur pour $d = 1$.

Les entrées de données du MUX-d du bas sont les sorties des rangs du haut des MUX-d, qui nous venons juste de découvrir, sont $y_k, y_{2^d+k}, y_{2\times 2^d+k}, \ldots, y_{(2^d-1)2^d+k}$. Le MUX-$d$ du bas est contrôlé par $x_1 \cdots x_d$, qui représente un entier j en binaire ; c'est-à-dire, $j = (x_1 \cdots x_d)_2$. Le MUX du bas sélectionne donc en sortie la $j^{ème}$ de ses entrées (en comptant les plus à gauche comme entrée 0). La sortie sélectionnée est donc y_{j2^d+k}.

On peut montrer que $j2^d + k = i$, comme suit. Notons que multiplier j par 2^d a pour effet de décaler la représentation binaire de j à gauche de d places. C'est-à-dire, $j2^d = (x_1 \cdots x_d 0 \cdots 0)_2$, où la chaîne de 0 est de longueur d. Donc la représentation binaire de $j2^d + k$ est $(x_1 \cdots x_d x_{d+1} \cdots x_{2d})_2$. En effet, la représentation binaire de k est $(x_{d+1} \cdots x_{2d})_2$, et il n'y a à évidemment pas de retenue à la $d^{ème}$ place en partant de la droite, quand ce nombre est ajouté au nombre $j2^d$, qui se finit par les d 0. On voit maintenant que $j2^d + k = i$, parce qu'ils ont les mêmes représentations binaires. Ainsi, le MUX-$2d$ de la figure 13.25 sélectionne correctement y_i, où $i = (x_1 \cdots x_{2d})_2$.

Délai du MUX diviser-pour-régner

On peut calculer le délai du circuit multiplexeur que nous avons conçu en posant la récurrence appropriée. Soit $D(d)$ le délai d'un MUX-d. L'inspection de la figure 13.24 montre que pour $d = 1$, le délai est 3. Cependant, pour se fixer une limite plus étroite, on admettra que toutes les entrées de contrôle sont passées à travers les inverseurs en

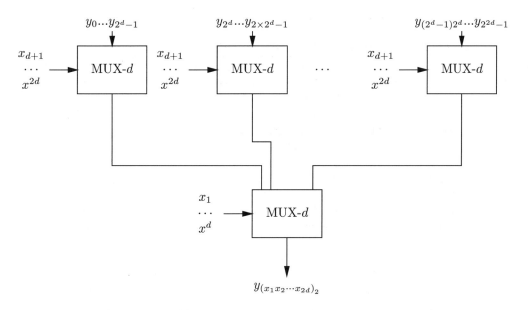

Figure 13.25 : Multiplexeur diviser-pour-régner.

dehors du MUX, sans compter le niveau pour les inverseurs de la figure 13.24. Nous allons alors ajouter 1 au délai total, pour expliquer l'inversion de toutes les entrées de contrôle, après on détermine le délai du reste du circuit. Ainsi, on commence la récurrence avec $D(1) = 2$.

Pour la récurrence, on note que le délai au travers du circuit de la figure 13.25 est la somme des délais à travers n'importe lequel des MUX dans la rangée du haut, et le délai à travers le dernier MUX. Donc, $D(2d)$ est le double $D(d)$, et nous avons notre récurrence.

$$D(1) = 2$$
$$D(2d) = 2D(d)$$

La solution est facile à trouver. Nous avons $D(2) = 4$, $D(4) = 8$, $D(8) = 16$, et en général, $D(d) = 2d$. Naturellement, techniquement cette formule tient seulement lorsque d est une puissance 2, mais la même idée peut être utilisée pour un nombre arbitraire de bits de contrôle d. Puisque nous devons ajouter 1 au délai pour l'inversion des entrées de contrôle, le délai total du circuit est $2d + 1$.

Maintenant, considérons le circuit multiplexeur simple (un ET pour chaque entrée de données, alimentant toutes une porte OU). Comme on l'a déjà mentionné, son délai est de 3, indépendamment de d, mais on ne peut généralement le fabriquer car l'entrance de la porte OU finale n'est pas réaliste. Que se passe-t-il si nous insistons à limiter l'entrance à 2 ? Alors la porte OU, avec 2^d entrées, est remplacée par un arbre binaire complet à d niveaux. Rappelons qu'un tel arbre aura 2^d feuilles, exactement le bon nombre. Le délai de cet arbre est d.

Nous avons aussi à remplacer les portes ET par des arbres de portes d'entrance 2, puisqu'en général les portes ET ont $d + 1$ entrées. Rappelons qu'en utilisant des portes

Multiplexeurs en tant que composant d'ordinateur

Les multiplexeurs jouent un rôle important dans un ordinateur. Par exemple, un circuit « **contrôleur disque** » peut contrôler quatre disques. Une instruction peut être envoyée au contrôleur pour lire un des disques. Ainsi, deux bits de l'instruction sont passés au contrôleur disque comme bits de contrôle d'un MUX. Les quatre entrées de données du MUX viennent des quatre disques, et les bits de contrôle sélectionnent l'un des quatre disques, dont la sortie passe par le disque contrôleur vers le bus de l'ordinateur.

En fait, le bus lui-même peut être vu comme un tableau de multiplexeurs. Si un bus 32-bit est utilisé, alors le bus consiste de 32 fils. Le $i^{ème}$ fil peut être lu ou écrit par le $i^{ème}$ bit des divers éléments d'un ordinateur : registres, tampon mémoire, périphériques d'entrées/sorties, contrôleurs de disques, etc. L'ordinateur sélectionne l'élément qui a accès au bus à un instant donné en positionnant des bits de contrôle ; s'il y a d bits de contrôle, on peut sélectionner jusqu'à 2^d éléments. S'il y a 50 éléments ayant accès au bus, alors $d = 6$, par exemple. Les mêmes bits de contrôle peuvent (et doivent) être utilisés pour contrôler le MUX pour chaque fil du bus. Les bits d'entrée pour chaque MUX viennent de chaque élément qui pourrait être autorisé à écrire sur le bus.

---

ayant deux entrées, chaque utilisation d'une porte réduit le nombre d'entrées par 1, tel qu'il faut d portes d'entrance 2 pour réduire $d + 1$ entrées à une sortie. Si on arrange les portes comme un arbre binaire balancé de portes ET il faut $\lceil \log_2 d + 1 \rceil$ niveaux. Lorsque l'on ajoute un niveau de plus pour inverser les entrées de contrôle, on a un délai total de $d + 1 + \lceil \log_2(d + 1) \rceil$. Cette figure se compare favorablement avec le délai $2d + 1$ du MUX diviser-pour-régner, bien que la différence ne soit pas élevée, comme le montre la figure 13.26.

	DELAI	
d	MUX Diviser-pour-régner	MUX Simple
1	3	3
2	5	5
4	9	8
8	17	13
16	33	22

Figure 13.26 : Délai de plusieurs constructions de multiplexeurs.

Nombre de portes

Dans ce paragraphe on compare le nombre de portes entre le simple MUX et le MUX diviser-pour-régner. On verra que le MUX diviser-pour-régner a étonnamment moins de portes lorsque d croît. Pour compter le nombre de portes du MUX diviser-pour-régner, on peut temporairement ignorer les inverseurs. On sait que chaque entrée de contrôle d est inversée une seule fois, tel que l'on peut juste ajouter d au compte final. Soit $G(d)$ le nombre de portes (sans compter les inverseurs) utilisées dans le MUX-d. On peut imaginer un raisonnement par récurrence pour G comme suit :

LA BASE. Comme hypothèse de base, $d = 1$, le circuit de la figure 13.24 est composé de trois portes, à l'exception de l'inverseur. Ainsi, $G(1) = 3$.

LA RÉCURRENCE. Quant au raisonnement récursif, le MUX-$2d$ de la figure 13.25 est construit entièrement à partir des $2^d + 1$ MUX-d. Ainsi, la relation de récurrence est

$$G(1) = 3$$
$$G(2d) = (2^d + 1)G(d)$$

Comme nous l'avons vu au paragraphe 3.11, la solution de cette récurrence est

$$G(d) = 3(2^d - 1)$$

Les premières petites valeurs de la récurrence sont $G(2) = 9$, $G(4) = 45$ et $G(8) = 765$.

Maintenant, considérons le nombre de portes utilisées dans le simple MUX, converti pour n'utiliser que des portes d'entrance 2. Comme avant, nous allons ignorer les d inverseurs nécessaires aux entrées de contrôle. La porte OU finale est remplacée par un arbre de $2^d - 1$ portes OU. Chacune des 2^d portes ET est remplacée par un arbre de d portes ET. Ainsi, le nombre total de portes est $2^d(d + 1) - 1$. Cette fonction est plus grande que le nombre de portes pour le MUX diviser-pour-régner, approximativement, d'un rapport $(d + 1)/3$. La figure 13.27 compare les nombres de portes des deux types de MUX (sans compter les d inverseurs dans chaque cas).

	PORTE NOMBRE	
d	MUX Diviser-pour-régner	MUX Simple
1	3	3
2	9	11
4	45	79
8	765	2303
16	196605	1114111

Figure 13.27 : Nombre de portes pour des constructions de multiplexeurs (sans les inverseurs).

EXERCICES

13.7.1 : En utilisant la technique diviser-pour-régner de ce paragraphe, construisez un

a) MUX-2

b) MUX-3

13.7.2 : * Comment construire un multiplexeur pour lequel le nombre d'entrées de données n'est pas une puissance de deux ?

13.7.3 : * Utilisez la technique diviser-pour-régner pour concevoir un **décodeur un-positionné**. Ce circuit prend d entrées, $x_1, x_2, \ldots, x_d$ et a 2^d sorties $y_0, y_1, \ldots, y_{2^d-1}$. Exactement une des sorties vaudra 1, spécifiquement le y_i tel que $i = (x_1, x_2, \ldots, x_d)_2$. Quel est le délai de ce circuit en fonction de d ? Combien de portes, en fonction de d, sont utilisées ? *Une indication*: Plusieurs approches sont possibles. La première consiste à concevoir le circuit pour d en prenant un décodeur un-positionné pour les $d-1$ premières entrées et en découpant chaque sortie de ce décodeur en deux sorties basées sur la dernière entrée, x_d. La seconde considère d comme une puissance de 2 et commence avec deux décodeurs un-positionné, un pour les $d/2$ premières entrées et l'autre pour les dernières. Combinez alors les sorties de ces décodeurs de manière appropriée.

13.7.4 : * Comment le délai et le nombre de portes du circuit conçu pour l'exercice 13.7.3 se comparent-ils avec un décodeur-un-positionné simple qui serait construit en créant une porte ET pour chaque sortie, et alimenté par les entrées appropriées et des entrées inversées ? Comment le circuit de l'exercice 13.7.3 se compare-t-il avec celui-ci, lorsque l'on remplace les portes ET ayant une grande entrance par des arbres de portes 2-entrées ?

13.7.5 : * Un **circuit majorité** prend $2d - 1$ entrées et possède une seule sortie. Son entrée vaut 1 si d ou plus des entrées valent 1. Concevez un circuit majorité diviser-pour-régner. Quel est son délai et son nombre de portes, en fonction de d ? *Une indication*: Comme l'additionneur du paragraphe 13.6, ce problème est mieux résolu par un circuit qui calcule plus que ce que l'on a besoin. En particulier, on peut concevoir un circuit qui prend n entrées et a $n + 1$ sorties, $y_0, y_1, \ldots, y_n$. La sortie y_i vaut 1 si exactement i des entrées valent 1. On peut alors construire le circuit majorité de manière récursive en utilisant l'une des approches indiquées pour l'exercice 13.7.3.

13.7.6 : * Il existe un circuit majorité naïf qui est construit en ayant une porte ET porte pour chaque ensemble de d entrées. La sortie du circuit majorité est le OR de toutes ces portes ET. Comparez le délai et le nombre de portes du circuit naïf avec le circuit diviser-pour-régner de l'exercice 13.7.5. Que dire si les portes du circuit naïf sont remplacées par des portes 2 entrées ?

13.8   Composant mémoire

Avant de terminer avec les circuits logiques, considérons un type de circuit très important qui est séquentiel plutôt que combinatoire. Un *composant mémoire* est une collection de portes qui peuvent mémoriser leur dernière entrée et produire cette entrée en sortie, quel que soit l'instant auquel cette entrée a été donnée. Par exemple, un registre 32 bits est réellement un tableau de 32 composants mémoire (ou **flip-flops** tels qu'on les appelle souvent). Lorsque l'on place un mot dans un registre, on attend que ce mot soit là jusqu'à ce qu'il soit remplacé par un autre. De même, la mémoire

Du nouveau au sujet de diviser-pour-régner

L'algorithme diviser-pour-régner représenté par notre construction du multiplexeur est rare mais puissant. La plupart des exemples de diviser-pour-régner découpent le problème en deux parties. Des exemples sont le tri fusion, l'additionneur rapide présenté au paragraphe 13.6 et l'arbre binaire complet utilisé pour calculer les AND ou OR d'un grand nombre de bits. Dans le multiplexeur, on construit un MUX-2d à partir de $d+1$ MUX plus petits. Dit d'une autre façon, un MUX pour $n = 2^{2d}$ entrées de données est construit à partir de $\sqrt{n}+1$ MUX plus petits.

principale de l'ordinateur est composée de bits, organisés en octets, qui peuvent être stockés et qui conservent leur valeur jusqu'à ce qu'une autre valeur soit stockée.

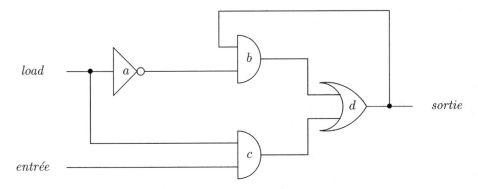

Figure 13.28 : Un composant mémoire.

La figure 13.28 montre un simple composant mémoire, contrôlé par une entrée appelée *load*. D'ordinaire, *load* vaut 0. Dans ce cas, la sortie de l'inverseur *a* est 1. Puisque une porte ET donne la sortie 0 chaque fois qu'une ou plus de ses entrées est 0, la sortie de la porte ET *c* doit être 0 lorsque *load* vaut 0.

Si *load* = 0 et la sortie de la porte *d* (qui est aussi la sortie du circuit) vaut 1, les deux entrées de la porte *b* valent 1, et donc sa sortie vaut 1. Donc, une des entrées de la porte OU *d* vaut 1, et dont sa sortie reste 1. D'autre part, supposons la sortie de *d* vaut 0. Alors une entrée de la porte ET *b* vaut 0, qui signifie que sa sortie vaut 0. Ce qui fait que les deux entrées de *d* valent 0, et donc la sortie reste 0 aussi longtemps que *load* = 0. Nous concluons que tant que *load* = 0, la sortie du circuit reste ce qu'elle était.

Maintenant, considérons ce qui arrive lorsque *load* = 1. La sortie de l'inverseur *a* est maintenant 0, tel que la sortie de la porte ET *b* sera 0 également. D'autre part, la première entrée de la porte ET *c* vaut 1, tel que la sortie de *c* sera ce qu'est l'entrée *in*. De même, comme la première entrée de la porte OU *d* vaut 0, la sortie de *d* sera la même que la sortie de *c*, qui à son tour est la même entrée *in*. Ainsi, mettre *load* à 1 fait passer la sortie à la valeur courante de *in*. Lorsque l'on remet *load* à 0, cette sortie

Puces mémoires réelles

Nous ne devrions pas imaginer que la figure 13.28 représente précisément un bit de registre classique, mais ce n'est pas si faux. Bien qu'il représente aussi un bit de mémoire principale, au moins en principe, il y a des différences significatives, et beaucoup de problèmes de conception d'un puce mémoire nécessite un niveau de connaissances en électronique bien au-delà de la portée de ce livre.

Parce que les puces mémoires sont utilisées en grandes quantités, à la fois dans les ordinateurs et dans d'autres types de matériels, leur production à grande échelle a rendu faisables quelques conceptions subtiles de puces stockant un million de bits ou plus. Pour obtenir une idée de la compacité d'une puce mémoire, rappelons que sa surface est environ un centimètre carré (10^{-4} mètres carré). S'il y a un million de bits sur une puce, chaque bit occupe une surface égale à 10^{-10} mètres carré ou une surface de 10 microns carré (rappel, un micron est 10^{-6} mètre). Si la largeur minimale d'un fil, ou l'espace entre les fils, est un micron, il ne reste pas beaucoup de place pour les circuits devant construire un composant mémoire.

Pour empirer les choses, on n'a besoin non seulement de stocker des bits, mais aussi de sélectionner un des millions de bits pour recevoir une valeur ou un des millions pour lire cette valeur. Le circuit de sélection prend une fraction significative de l'espace sur la puce, laissant encore moins de place pour le composant mémoire lui-même.

---

continue de circuler entre les portes b et d, comme nous l'avons étudié.

On conclut que le circuit de la figure 13.28 se comporte comme un composant mémoire, si on interprète «entrée circuit» comme signifiant ce que la valeur *in* vaut au moment où *load* vaut 1. Si *load* vaut 0, on dit qu'il n'y a pas d'«entrée circuit», quelle que soit la valeur de *in*. En mettant *load* à 1, on peut forcer le composant mémoire à accepter une nouvelle valeur. Il contiendra cette valeur tant que *load* vaut 0, c'est-à-dire aussi longtemps qu'il n'y a pas d'«entrée circuit».

EXERCICES

13.8.1 : Dessinez un diagramme de temps similaire à celui de la figure 13.6 pour le composant mémoire de la figure 13.28.

13.8.2 : Décrivez le comportement du composant mémoire de la figure 13.28 si une particule alpha frappe l'inverseur et, pour un court instant, mais suffisant tout de même pour que les signaux qui se propagent dans le circuit, fait passer la sortie de la porte a identique à l'entrée.

13.9 Résumé du chapitre 13

Après avoir lu ce chapitre, le lecteur devrait être plus familier avec les circuits d'un ordinateur, ainsi qu'avec la logique à utiliser pour aider à concevoir ces circuits. En particulier, les points suivants ont été examiné :

✦   Qu'est ce qu'une porte et comment elles sont combinées pour former des circuits.

✦   La différence entre un circuit combinatoire et un circuit séquentiel.

✦   Comment un circuit combinatoire peut être conçu à partir d'expressions logiques, et comment une expression logique peut être utilisée pour modéliser des circuits combinatoires.

✦   Comment des techniques de conception d'algorithme comme diviser-pour-régner peuvent être employées pour concevoir des circuits tels que additionneurs et multiplexeurs.

✦   Certains des facteurs qui font partie de la conception de circuits rapides.

✦   Une indication sur la façon dont un ordinateur stocke les bits dans ses circuits électroniques.

13.10   Notes bibliographiques du chapitre 13

Shannon [1938] était le premier à observer que l'algèbre de Boole pouvait être utilisé pour décrire le comportement des circuits combinatoires. Nous conseillons de se reporter à Friedman et Menon [1975], pour un traité plus compréhensif sur la théorie et la conception de circuits combinatoires, Mead et Conway [1980] décrivent des techniques utilisées pour construire des circuits intégrés à grande échelle. Hennessy et Patterson [1990] décrivent l'architecture des ordinateurs et des techniques pour organiser leurs composants.

Friedman, A. D., et P. R. Menon [1975]. *Theory and Design of Switching Circuits*, Computer Science Press, New York.

Hennessy, J. L., et D. A. Patterson [1990]. *Computer Architecture: A Quantitative Approach*, Morgan Kaufmann, San Mateo, Calif.

Mead, C., et L. Conway [1980]. *Introduction to VLSI Systems*, Addison Wesley, Reading, Mass.

Shannon, C. E. [1938]. « Symbolic analysis of relay and switching circuits », *Trans. of AIEE* **57**, pp. 713–723.

CHAPITRE 14

Logique
des prédicats

Nous allons maintenant porter notre attention sur une généralisation de la logique propositionnelle, appelée logique de « prédicat » ou de « premier ordre ». Un prédicat est une fonction de zéro ou de plusieurs variables qui retourne une valeur booléenne. Donc, un prédicat peut être vrai ou faux, selon les valeurs de ses arguments. Par exemple, nous allons trouver dans la logique des prédicats des opérandes atomiques tels que $cen(C, E, N)$. Ici, cen est le nom du prédicat. C, E, et N sont des arguments. On peut voir cette expression comme une représentation de la logique des relations de base de données Cours-Etudiant-Note de la figure 8.1. Elle retourne la valeur VRAI quand les valeurs de C, E, et N sont telles que l'étudiant E a obtenu la note N au cours C, et retourne FAUX dans le cas contraire.

L'utilisation des prédicats comme des opérandes atomiques, au lieu de variables propositionnelles, nous donne un langage plus puissant que des expressions impliquant seulement des propositions. En fait, la logique des prédicat est suffisamment expressive pour former la base de langages de programmation utiles, tels que Prolog (qui signifie « *Programmer avec log*ique ») et SQL, mentionné au paragraphe 8.7. La logique des prédicats est aussi utilisée dans les systèmes intelligents ou systèmes « experts », tels que des programmes de diagnostics médicaux automatiques et de preuves de théorèmes.

14.1   Le propos de ce chapitre

Nous présentons les prédicats au paragraphe 14.2. Comme nous le verrons, les prédicats fournissent bien plus de puissance pour exprimer formellement des idées que les variables propositionnelles. Une grande partie du développement de la logique des prédicats est analogue à celui de la logique propositionnelle du chapitre 12, bien qu'il y ait des différences importantes.

✦   Les expressions de la logique des prédicats peuvent être construites sur des prédicats en utilisant les opérateurs de la logique propositionnelle (paragraphe 14.3).

◆ Les « quantificateurs » sont des opérateurs de la logique des prédicats qui n'ont pas d'équivalent en logique propositionnelle (paragraphe 14.4). On peut utiliser des quantificateurs pour déclarer qu'une expression est vraie quelle que soit la valeur d'un argument ou bien qu'il y a au moins une valeur de l'argument qui rend l'expression vraie.

◆ Les « interprétations » d'une expression de la logique des prédicats sont des significations possibles des prédicats et des variables (paragraphe 14.5). Elles sont analogues aux affectations de la logique propositionnelle.

◆ Les tautologies de la logique des prédicats sont des expressions qui sont vraies pour toute interprétation. Certaines tautologies de la logique des prédicats sont analogues aux tautologies de la logique propositionnelle (paragraphe 14.6), tandis que d'autres ne le sont pas (paragraphe 14.7).

◆ Les preuves de la logique des prédicats peuvent être effectuées d'une manière similaire aux preuves de la logique propositionnelle (paragraphes 14.8 et 14.9).

Au paragraphe 14.10, nous examinons certaines implications de la logique de prédicat dans notre capacité à répondre aux questions. Nous découvrirons que :

◆ Une affirmation est une tautologie, mais cela ne signifie pas qu'elle peut être démontrée dans certains systèmes de preuves.

◆ Le théorème d'incomplétude de Gödel dit en particulier qu'il y a une forme spécialisée en logique de prédicat traitant des entiers, dans laquelle aucun système de preuve ne peut fournir de preuves de toutes les tautologies.

◆ Le théorème de Turing dit de plus qu'il existe des problèmes que nous pouvons affirmer mais pas résoudre par ordinateur. Par exemple, est-ce qu'un programme Pascal donné entre dans une boucle infinie pour certaines entrées ou non ?

14.2   Prédicats

Un prédicat est une généralisation d'une variable propositionnelle. En rappel au paragraphe 12.10, on suppose trois propositions : r (« Il pleut »), u (« Jean prend son parapluie »), et w (« Jean est mouillé »). Supposons de plus que nous ayons trois hypothèses ou expressions que l'on considère vraies : $r \to u$ (« S'il pleut, alors Jean prend son parapluie »), $u \to \bar{w}$ (« Si Jean prend son parapluie, alors il ne sera pas mouillé »), et $\bar{r} \to \bar{w}$ (« S'il ne pleut pas, Jean n'est pas mouillé »).

Ce qui est vrai pour Jean, l'est aussi pour Marie, Susie, Boris, etc. Donc, nous pouvons imaginer la proposition u comme u_{Jean}, de même que w est la proposition w_{Jean}. Dans ce cas, nous avons les hypothèses

$$r \to u_{Jean}, \quad u_{Jean} \to \bar{w}_{Jean}, \quad \text{et} \quad \bar{r} \to \bar{w}_{Jean}$$

Si l'on définit la proposition u_{Marie} signifiant Marie prend son parapluie, et w_{Marie} signifiant Marie est mouillée, alors nous avons le même ensemble d'hypothèses

$$r \to u_{Marie}, \quad u_{Marie} \to \bar{w}_{Marie}, \quad \text{et} \quad \bar{r} \to \bar{w}_{Marie}$$

Nous pourrions continuer cette réflexion, inventant des propositions se référant à chaque personne X que l'on connaît et affirmant les hypothèses qui établissent un rapport entre la proposition r et de nouvelles propositions u_X et w_X, c'est-à-dire,

$$r \to u_X,\ u_X \to \bar{w}_X,\ \text{et}\ \bar{r} \to \bar{w}_X$$

Nous sommes arrivés maintenant à la notion de prédicat. Au lieu d'une collection infinie de propositions u_X et w_X, nous pouvons définir un symbole u comme un prédicat prenant un argument X. L'expression $u(X)$ peut être interprétée comme disant « X prend son parapluie ». Eventuellement, pour certaines valeurs de X, $u(X)$ est vraie, et pour d'autres valeurs de X, $u(X)$ est fausse. De même, w peut être un prédicat ; de manière informelle, $w(X)$ dit « X est mouillé ».

La variable propositionnelle r peut aussi être traitée comme un prédicat ayant zéro argument. C'est-à-dire, le fait de pleuvoir ne dépend pas de la façon dont la personne X effectue u et w.

Nous pouvons maintenant écrire nos hypothèses en termes de prédicats comme suit :

1. $r \to u(X)$. (Pour toute personne X, s'il pleut alors X prend son parapluie.)

2. $u(X) \to \texttt{NOT}\ w(X)$. (Peu importe qui vous êtes, si vous prenez votre parapluie, alors vous ne serez pas mouillé.)

3. $\texttt{NOT}\ r \to \texttt{NOT}\ w(X)$. (S'il ne pleut pas, personne n'est mouillé.)

Formules atomiques

Une *formule atomique* est un prédicat ayant zéro ou plusieurs arguments. Par exemple, $u(X)$ est une formule atomique ayant le prédicat u et un argument, qui est ici la variable X. En général, un argument est soit une **variable** soit une **constante**.[1] Alors, qu'en principe nous devons permettre toute sorte de valeur pour une constante, nous imaginerons traditionnellement que ces valeurs sont des nombres entiers ou réels, ou des chaînes de caractères.

Une variable est un symbole capable de prendre la valeur d'une constante quelconque. Il ne faut pas confondre le sens présent de « variable » avec celui de « variable propositionnelle » présentée au chapitre 12. En fait, une variable propositionnelle est équivalente à un prédicat sans argument, et nous écrirons p, la formule atomique ayant le nom du prédicat p et zéro argument.

Une formule atomique dont tous les arguments sont des constantes est appelée une **formule atomique constante**. Une formule atomique non constante peut avoir des constantes ou des variables comme arguments, mais au moins un argument doit être une variable. Notez que toute proposition, qui est une formule atomique sans argument, peut être considérée comme une proposition dont tous les arguments sont des constantes, et par conséquent, est une formule atomique constante.

---

[1] La logique des prédicats autorise également des arguments qui sont des expressions plus complexes que de simples variables ou constantes. Ceci est important pour certaines finalités non abordées dans ce livre. Par conséquent, dans ce chapitre, nous ne verrons que des variables ou des constantes comme arguments de prédicats.

Distinguer constante et variable

Nous allons utiliser la convention suivante pour distinguer les constantes et les variables. Le nom d'une variable commencera toujours par une lettre capitale. Les constantes sont représentées, soit par

1.   des chaîne de caractères commençant par une lettre minuscule,

2.   des nombres, tels que 12 ou 14,3, ou bien

3.   des chaînes de caractères entre guillemets.

Donc, si l'on veut représenter le cours CS101 par une constante, nous devrions l'écrire par exemple « CS101 » ou $cs101$.[2]

Un prédicat, comme une constante, sera représenté par une chaîne de caractères commençant par une lettre minuscule. On ne peut pas confondre un prédicat avec une constante, puisqu'une constante ne peut apparaître que dans une liste d'arguments d'une formule atomique, alors qu'un prédicat ne le peut pas.

✦ **Exemple 14.1.** On pourrait inventer un nom de prédicat cen pour représenter les informations contenues dans la relation Cours-Etudiant-Note relatée au paragraphe 8.2. On peut imaginer que la formule atomique $cen(C, E, N)$ disant, pour les variables C, E, et N, que l'étudiant E a suivi le cours C et obtenu la note N. Dit d'une autre façon, lorsque l'on substitue les constantes C par c, E par e, et N par n, la valeur de $cen(c, e, n)$ est VRAI si et seulement si l'étudiant e a suivi le cours c et obtenu la note n.

On peut aussi exprimer les faits particuliers (i.e., tuples) de la relation en formule atomique constante prenant des constantes comme arguments. Par exemple, le premier tuple de la figure 8.1 pourrait être écrit $cen(cs101, 12345, « A »)$, déclarant que l'étudiant identifié par 12345 a obtenu un A dans CS101. Finalement, on peut mélanger constantes et variables en arguments, de telle sorte que la formule atomique devienne $cen(cs101, E, N)$. Cette formule atomique est vraie si les variables E et N prennent toute paire de valeurs (e, n) telles que e est un étudiant qui a suivi le cours CS101 et obtenu la note n, et fausse sinon. ✦

EXERCICES

14.2.1 : Identifiez ce qui suit comme constante, variable, formule atomique constante, formule atomique non constante, selon les conventions utilisées dans ce paragraphe.

a)   CS205

b)   cs205

c)   205

d)   « cs205 »

e) $p(X, x)$

---

[2]   Les constantes sont souvent appelées « atomes » en logique. Malheureusement, ce que nous avons dénommé « formule atomique », est aussi appelé parfois « atome ». Nous éviterons généralement le terme « atome ».

f) $p(3, 4, 5)$

g) « $p(3, 4, 5)$ »

14.3   Expressions logiques

Les notions que nous avons utilisées au chapitre 12 pour la logique propositionnelle — littéraux, expressions logiques, clauses, et ainsi de suite — s'étendent à la logique des prédicats. Au prochain paragraphe, nous présentons deux opérateurs supplémentaires pour former des expressions logiques. Cependant, l'idée de base derrière la construction d'expressions logiques reste essentiellement la même à la fois en logique propositionnelle et des prédicats.

Littéraux

Un *littéral* est soit une formule atomique soit sa négation. S'il n'y a pas de variable parmi les arguments de la formule atomique, le littéral est un ***littéral constant***

◆ **Exemple 14.2.** $p(X, a)$ est une formule atomique avec un littéral. Elle est non constante à cause de l'argument X, qui est une variable selon la convention. NOT $p(X, a)$ est un littéral, et non pas une formule atomique constante ou un littéral constant. Les expressions $p(a, b)$ et NOT $p(a, b)$ sont des littéraux constants ; seule la première est une formule atomique (constante). ◆

Tout comme en logique propositionnelle, on peut utiliser une barre de négation à la place de l'opérateur NOT. Cependant, ces barres troublent la lecture lorsqu'elles s'appliquent à de longues expressions, et nous verrons moins fréquemment NOT dans ce chapitre que dans le chapitre 12.

Expressions logiques

On peut construire des expressions avec des formules atomiques de la même façon que l'on construit des expressions au paragraphe 12.3 avec des variables propositionnelles. Nous continuerons d'utiliser les opérateurs AND, OR, NOT, $\rightarrow$, et $\equiv$, ainsi que les autres conjonctions logiques vues au chapitre 12. Au prochain paragraphe, on présente les « quantificateurs », des opérateurs qui peuvent être utilisés pour construire des expressions en logique des prédicats, mais qui n'ont pas d'équivalent en logique propositionnelle.

De même que la barre horizontale pour NOT, on pourrait utiliser le caractère de juxtaposition (pas un opérateur) pour AND et + pour OR. Cependant, on utilisera exceptionnellement ces caractères car ils tendent à complexifier la compréhension des longues expressions de la logique des prédicats.

L'exemple suivant devrait éclairer le lecteur sur la signification des expressions logiques. Notons cependant que dans cet exemple, la signification est beaucoup simplifiée, et qu'il nous faudra attendre le paragraphe 14.5 pour parler des « interprétations » et du sens qu'elles transmettent aux expressions logiques en logique de prédicat.

◆ **Exemple 14.3.** Supposons les prédicats *cen* et *enat*, interprétés comme les relations

Cours-Etudiant-Note et Etudiant-Nom-Adresse-Téléphone présentées au chapitre 8. Supposons également que nous voulions trouver la note d'un étudiant nommé « A. Talon » au cours CS101. On peut définit l'expression logique

$$\big(csg(\text{« CS101 »}, E, N)\ \texttt{AND}\ enat(S, \text{« A. Talon}, A, P)\big) \to r\acute{e}ponse(G) \tag{14.1}$$

Ici, *réponse* est un autre prédicat supposé vrai pour une note N si N est la note d'un étudiant nommé « A. Talon » en CS101.

Lorsque nous « définissons » une expression, cela signifie que sa valeur est **VRAI** quelles que soit les valeurs attribuées à ses variables. De manière informelle, une expression telle que (14.1) peut être interprétée comme suit. Si nous remplaçons chaque variable par une constante, alors chaque formule atomique devient une formule atomique constante. Nous pouvons décider si une formule atomique constante est vraie ou fausse soit en se référant au « monde réel », soit en la cherchant dans une relation qui donne les vraies formules atomiques constantes étant donné un prédicat. Lorsque l'on remplace chaque formule atomique constante par 0 ou 1, on peut évaluer l'expression elle-même, comme nous l'avons fait pour les expressions logiques propositionnelles au chapitre 12.

Dans le cas de l'expression (14.1), on peut prendre les tuples des figures 8.1 et 8.2(a), comme vrais. En particulier,

$$cen(\text{« CS101 »}, 12345, \text{« A »})$$

et

$$enat(12345, \text{« A. Talon »}, \text{« 12 rue des pommiers »}, \text{« 44 64 23 22 »})$$

sont vrais. Puis, posons

$$E = 12345$$
$$N = \text{« A »}$$
$$A = \text{« 12 rue des pommiers »}$$
$$T = \text{« 44 64 23 22 »}$$

Ce qui fait que la partie gauche de (14.1) devient 1 **AND** 1, qui a la valeur 1, naturellement. En principe, nous ne savons rien au sujet du prédicat *réponse*. Cependant, nous avons défini (14.1), qui signifie que quelles que soient les valeurs par lesquelles on remplace ses variables, sa valeur est **VRAI**. Puisque sa partie droite est rendue **VRAI** par la précédente substitution, la partie droite ne peut être **FAUX**. Donc, nous déduisons que *réponse*(« A ») est vraie. ✦

Autre terminologie

Nous allons utiliser d'autres termes également associés à la logique propositionnelle. En général, lorsqu'au chapitre 12, nous parlions de variables propositionnelles, nous parlons dans ce chapitre de formule atomique, y compris un prédicat ayant zéro argument (i.e., une variable propositionnelle) comme cas spécial. Par exemple, une *clause* est une collection de littéraux, connectés par des **OR**. De même, une expression est dite en *forme « produit-des-sommes »* si elle est le **AND** de clauses. Nous parlerons également de *forme « somme-des-produits »* où l'expression est le **OR** de termes et chaque terme est le **AND** de littéraux.

EXERCICES

14.3.1 : Ecrivez une expression similaire à (14.1) pour la question suivante : « Quelle note M. N'Guyen a obtenu en PH100 ? » Pour quelle valeur de ses arguments, *réponse* est sans aucun doute vraie, en admettant les faits, figures 8.1 et 8.2 ? Quelle substitution de variables avez-vous réalisé pour démontrer la véracité de cette réponse ?

14.3.2 : Soit cjh un prédicat qui passe pour la relation Cours-Jour-Heure de la figure 8.2 (c), et cs, un prédicat pour la relation Cours-Salle de la figure 8.2 (d). Ecrivez une expression similaire à (14.1) pour la question « Où est A. Talon le lundi matin à 9 heures ? » (Plus précisément, dans quelle salle A. Talon suit un cours le Lundi à 9 heures ?) Pour quelle valeur de cet argument, *réponse* est sans aucun doute vraie, en admettant les faits des figures 8.1 et 8.2 ? Quelle substitution de variables avez-vous fait pour démontrer la véracité de cette réponse ?

14.3.3 : ** Chaque opération d'algèbre relationnelle étudiée au paragraphe 8.7 peut être exprimée en logique des prédicats, en utilisant une expression telle que (14.1). Par exemple, (14.1) est elle-même équivalente à l'expression d'algèbre relationnelle

$$\pi_{\text{Note}}\left(\sigma_{Cours=\text{« CS101 »}}\text{AND}_{Name=\text{« A. Talon »}}(CEN \bowtie ENAT)\right)$$

Montrez comment l'effet de chaque opération, sélection, projection, fusion, union, intersection, et différence, peut être exprimé en logique des prédicats sous la forme « expression implique réponse ». Ensuite, traduisez en logique chaque expression d'algèbre relationnelle donnée dans les exemples du paragraphe 8.7.

14.4 Quantificateurs

Revenons sur notre exemple impliquant le prédicat à zéro argument r (« il pleut ») et les prédicats à un argument $u(X)$ (« X prend son parapluie ») et $w(X)$ (« X est mouillé »). Nous voudrions affirmer que « S'il pleut, alors quelqu'un est mouillé ». Nous pourrions essayer

$$r \rightarrow w(\text{« Jean »}) \text{ OR } w(\text{« Sophie »}) \text{ OR } w(\text{« Susie »}) \text{ OR } w(\text{« Samuel »}) \text{ OR } \cdots$$

Mais sans succès car

1. On peut écrire comme expression le OR de tout ensemble fini d'expressions, mais on ne peut pas écrire le OR d'un ensemble infini d'expressions.

2. On ne connaît pas l'ensemble complet de personnes à propos desquelles nous parlons.

Pour exprimer le OR d'une collection d'expressions formées par substitution d'une variable X par toutes les valeurs possibles, nous avons besoin une manière supplémentaire pour créer des expressions en logique de prédicat. L'opérateur est $\exists$, lire « **il existe** ». Nous l'utilisons dans des expressions telles que $(\exists X)w(X)$, ou de manière informelle, « Il existe une personne X telle que X est mouillé ». En général, si E est une expression logique, alors $(\exists X)(E)$ est aussi une expression logique.[3] Sa signification informelle est qu'il y au moins une valeur de X qui rend E vrai. Plus précisément, pour chaque valeur des autres variables de E, nous pouvons trouver une valeur de X (pas nécessairement la même valeur dans tous les cas) qui rende E vrai.

De même, nous ne pouvons pas écrire un AND infini d'expressions telles que

$$u(\text{« Jean »}) \text{ AND } u(\text{« Sophie »}) \text{ AND } u(\text{« Susie »}) \text{ AND } u(\text{« Samuel »}) \text{ AND } \cdots$$

Nous avons besoin à la place un symbole $\forall$ (lire « **pour tous les** ») nous permettant de construire le AND de la collection d'expressions provenant d'une expression donnée en substituant toutes les valeurs possibles d'une variable donnée. Nous écrivons $(\forall X)u(X)$ dans cet exemple pour signifier « Quel que soit X, X prend son parapluie ». En général, pour toute expression logique E, l'expression $(\forall X)(E)$ signifie que pour toutes les valeurs possibles des autres variables de E, chaque constante que nous pouvons substituer pour X rend E vrai.

Les symboles $\forall$ et $\exists$ sont appelés *quantificateurs*. Nous appelons parfois $\forall$ le **quantificateur universel** et $\exists$ le **quantificateur existentiel**.

◆ **Exemple 14.4.** L'expression $r \rightarrow (\forall X)\big(u(X) \text{ OR } w(X)\big)$ signifie « S'il pleut, alors pour toutes les personnes X, soit X prend un parapluie ou bien X est mouillé ». Notez que des quantificateurs peuvent s'appliquer à des expressions arbitraires, et pas seulement à des formules atomiques comme c'était le cas dans les exemples précédents.

Afin d'étudier un autre exemple, nous pouvons interpréter l'expression

$$(\forall C)\Big(\big((\exists E)cen(C, E, \text{« A »})\big) \rightarrow \big((\exists F)cen(C, F, \text{« B »})\big)\Big) \tag{14.2}$$

comme disant, « Pour tous les cours C, s'il existe un étudiant E qui obtient un A au cours, alors il doit exister un étudiant F qui obtient un B ». Moins formellement, « Si vous donnez des A, alors vous devez aussi donner des B ».

Un troisième exemple d'expression est

$$\big((\forall X) \text{ NOT } w(X)\big) \text{ OR } \big((\exists Y)w(Y)\big) \tag{14.3}$$

De manière informelle, « Soit toutes les personnes X restent sèches ou au moins une personne Y est mouillée ». L'expression (14.3) est différente des deux autres dans cet exemple, dans le sens où l'on a ici une tautologie — c'est-à-dire, une expression qui est vraie, quel que soit le sens du prédicat w. La véracité de (14.3) n'a rien à voir avec les propriétés du fait « d'être mouillé ». Peu importe quel est l'ensemble S de valeurs qui rendent le prédicat w vrai, soit S est vide (c'est-à-dire, pour tous les X, $w(X)$ est faux) ou S n'est pas vide (i.e., il y a un Y pour lequel $w(Y)$ est vrai). ◆

Définition récursive d'expressions logiques

En guise de revue, nous allons donner une définition récursive de classe d'expressions logiques en logique des prédicats.

---

[3] Les parenthèses autour de E sont parfois nécessaires et parfois elles ne le sont pas, selon l'expression. Le propos sera clair lorsque nous parlerons de précédence et d'associativité des opérateurs plus loin dans le paragraphe. Les parenthèses autour de $\exists X$ font partie de la notation et sont toujours requises.

LA BASE. Chaque formule atomique est une expression.

LA RÉCURRENCE. Si E et F sont des expressions logiques, alors les expressions suivantes le sont aussi

1. NOT E, E AND F, E OR F, $E \to F$, et $E \equiv F$. De manière informelle, nous autoriserons également l'utilisation d'autres opérateurs de logique propositionnelle, tel que AND.

2. $(\exists X)E$ et $(\forall X)E$, pour toute variable X. En principe, X n'a même pas besoin d'apparaître dans E, bien qu'en pratique de telles expressions aient rarement un « sens ».

Précédence d'opérateurs

En général, nous avons besoin de mettre des parenthèses autour de toute utilisation des expressions E et F. Cependant, comme avec les autres algèbres que nous avons rencontrées, il est souvent possible d'enlever des parenthèses à cause de la précédence des opérateurs. Nous continuons d'utiliser la précédence d'opérateur définie au paragraphe 12.4, NOT (la plus élevée), AND, OR, $\to$, et $\equiv$ (la moins élevée). Cependant, les quantificateurs ont la plus grande priorité.

◆ **Exemple 14.5.** $(\exists X)p(X)$ OR $q(X)$ pourrait être groupé

$$\big((\exists X)p(X)\big) \text{ OR } q(X).$$

De même, les paires extérieures de parenthèses dans (14.3) sont redondantes, et nous pourrions écrire

$$(\forall X) \text{ NOT } w(X) \text{ OR } (\exists Y)w(Y)$$

Nous pourrions également éliminer les deux paires de parenthèses de (14.2) et l'écrire comme suit

$$(\forall C)\big((\exists E)cen(C, E, \text{« A »}) \to (\exists F)cen(C, F, \text{« B »})\big)$$

La paire de parenthèses autour de l'expression entière après $(\forall C)$ est nécessaire de telle façon que « Pour tout C » sera appliqué à l'expression entière. ◆

Notez que les parenthèses autour des quantificateurs $(\forall X)$ et $(\exists X)$ ne sont pas utilisées pour grouper, et devraient être vues comme faisant partie du symbole indiquant un quantificateur. De même, rappelons que les quantificateurs et NOT sont des opérateurs préfixés unaires, et le seul moyen de les grouper est à partir de la droite.

◆ **Exemple 14.6.** Ainsi l'expression $(\forall X)$ NOT $(\exists Y)p(X, Y)$ est groupée

$$(\forall X)\Big(\text{NOT } \big((\exists Y)p(X, Y)\big)\Big)$$

et signifie « Quel que soit X, il n'existe pas de Y tel que $p(X, Y)$ soit vrai ». Dit d'une autre façon, il n'y a pas de paire de valeurs X et Y qui rendent $p(X, Y)$ vrai. ◆

Ordre des quantificateurs

Une erreur logique fréquente est de confondre l'ordre des quantificateurs — comme croire que $(\forall X)(\exists Y)$ signifie la même chose que $(\exists Y)(\forall X)$, ce qui est faux. Par exemple, si nous interprétons de manière non formelle, $aime(X, Y)$ comme « X aime Y », alors $(\forall X)(\exists Y)aime(X, Y)$ signifie que « Tout le monde aime quelqu'un », c'est-à-dire pour toute personne X, il y a au moins une personne Y que X aime. D'autre part, l'expression $(\exists Y)(\forall X)aime(X, Y)$ signifie qu'il y a une personne Y qui est aimée par tout le monde — une Y très chanceuse, si une telle personne existe.

Variables liées et libres

Les quantificateurs interagissent avec les variables qui apparaissent dans une expression d'une manière subtile. Afin d'étudier ce point, rappelons d'abord la notion de **variables locales** en Pascal. Supposons qu'une procédure P définisse en interne les procédures Q et R, comme dans la figure 14.1. Si Q déclare une variable locale X, alors cet X est distinct d'une variable X déclarée par P ou R. Si Q fait référence à une variable Y dans son code, et Q déclare également Y, c'est à cet Y que la référence est faite. Cependant, si Q ne déclare pas de variable Y, alors la référence à Y est « globale », et elle fait référence à la déclaration de Y dans la procédure englobante la plus proche. Donc, nous devrions d'abord voir si P déclare Y, et si c'est le cas, c'est cet Y qui est référencé. Sinon, nous examinons la procédure dans laquelle P est déclaré, et l'on voit si la procédure déclare Y, et ainsi de suite. Nous ne regardons jamais R, car R n'englobe pas P.

```
procedure P;
   ...
   procedure Q;
      ...
   end; (* Q *)
   procedure R;
      ...
   end; (* R *)
   ...
end; (* P *)
```

Figure 14.1 : Déclarations de procédures emboîtées.

Il existe une analogie similaire entre d'une part, une déclaration de X, et d'autre part, un quantificateur $(\forall X)$ ou $(\exists X)$. Si nous avons une expression $(\forall X)E$ or $(\exists X)E$, alors le quantificateur sert à déclarer X pour l'expression E, comme si E était une procédure.

Dans ce qui suit, le symbole Q est utilisé pour dénoter tout quantificateur. En particulier, nous prenons (QX) signifiant « Un quantificateur appliqué à X », c'est-à-dire, soit $(\forall X)$, soit $(\exists X)$.

Si E a une sous-expression de la forme $(QX)F$, alors cette sous-expression est comme une procédure déclarée dans E qui a sa propre déclaration de X. Des références à X internes à F font référence au X « déclaré » par (QX), tandis que des utilisations de X à l'intérieur de E mais à l'extérieur de F font référence à une autre déclaration de X — un quantificateur associé soit à E, soit à une expression contenue dans E mais englobant l'utilisation du X en question.

✦ **Exemple 14.7.** Considérons l'expression

$$(\forall X)u(X) \text{ OR } (\forall X)w(X) \tag{14.4}$$

De manière informelle, « Soit tout le monde prend un parapluie, soit tout le monde est mouillé ». Nous ne devrions pas croire à la vérité de cette affirmation, mais considérons-la comme un exemple. La figure 14.2 montre l'arbre d'expression pour l'expression (14.4). Notez que le premier quantificateur $(\forall X)$ ne peut utiliser que X à l'intérieur de u comme son descendant, tandis que le second $(\forall X)$ ne peut utiliser que X à l'intérieur de w comme un descendant. Pour dire à quel quantificateur une utilisation de X fait référence, il suffit de suivre la trace en partant de son utilisation et de remonter jusqu'à ce que l'on rencontre un quantificateur (QX). Ainsi, les deux utilisations de X font référence à différentes « déclarations », et il n'y a pas de relation entre elles. C'est analogue aux déclarations de X internes aux deux procédures Q et R de la figure 14.1 dans notre présentation informelle ci-dessus. ✦

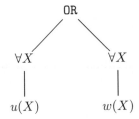

Figure 14.2 : Arbre d'expression pour $(\forall X)u(X)$ OR $(\forall X)w(X)$.

Notez que l'on pourrait utiliser différentes variables pour les deux « déclarations » de X dans (14.4), peut-être écrite $(\forall X)u(X)$ OR $(\forall Y)w(Y)$. En général, nous pouvons toujours renommer des variables d'une expression de la logique des prédicats, de telle façon qu'aucune variable n'apparaisse dans deux quantificateurs. La situation est analogue à un langage de programmation comme Pascal, dans lequel on peut renommer des variables dans un programme, de telle façon que le même nom ne soit pas utilisé dans deux déclarations.

✦ **Exemple 14.8.** Comme second exemple, considérons l'expression

$$(\forall X)\big(u(X) \text{ OR } (\exists X)w(X)\big)$$

De manière informelle, « Pour chaque personne, soit cette personne prend son parapluie, soit il existe une personne (éventuellement plusieurs) qui est mouillée ». La figure 14.3

montre l'arbre pour cette expression. Notez que l'utilisation de X dans w fait référence à la déclaration englobante la plus près de X, qui est le quantificateur existentiel. En d'autres termes, si l'on parcourt l'arbre de $w(X)$, on rencontre le quantificateur existentiel avant de rencontrer le quantificateur universel. Cependant, l'utilisation de X dans u n'est pas à la « portée » du quantificateur existentiel. Si nous continuons à remonter l'arbre de $u(X)$, on rencontre d'abord le quantificateur universel. Cette situation tient des déclarations de X à l'intérieur de la procédure P, figure 14.1 (analogue au quantificateur universel) et à l'intérieur de la procédure Q (analogue au quantificateur existentiel). Nous pouvons réécrire l'expression de la manière suivante

$$(\forall X)\big(u(X) \text{ OR } (\exists Y)w(Y)\big)$$

de façon à ce qu'aucune variable ne soit quantifiée plus d'une fois. ✦

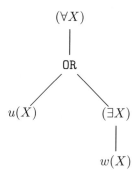

Figure 14.3 : Arbre d'expression pour $(\forall X)\big(u(X) \text{ OR } (\exists X)w(X)\big)$.

Nous disons qu'une occurrence d'une variable X dans l'expression logique E est *liée* à un quantificateur (QX) si dans l'arbre d'expression pour E, ce quantificateur est l'ancêtre le plus bas de cette occurrence de X qui est un quantificateur impliquant X. Si une occurrence de X n'est pas limitée par un quantificateur, alors cette occurrence de X est dite *libre*. Ainsi, les quantificateurs ressemblent aux « déclarations » qui sont locales au sous-arbre T dont la racine est le sommet du quantificateur. Ils s'appliquent partout à l'intérieur de T, sauf dans le sous-arbre dont la racine est un autre quantificateur ayant la même variable. Les variables libres sont comme des variables globales à une procédure, dans le sens où leur « déclaration », si elle existe, est quelque part à l'extérieur de l'expression en question.

✦ **Exemple 14.9.** Considérons l'expression

$$u(X) \text{ OR } (\exists X)w(X)$$

c'est-à-dire, « Soit X prend son parapluie, ou bien il y a une personne qui est mouillée ». La figure 14.4 montre l'arbre. Comme dans les exemples précédents, les deux occurrences de X font référence à des personnes différentes. L'occurrence de X dans w est liée au quantificateur existentiel. Cependant, il n'existe pas de quantificateur pour X au-dessus de l'occurrence de X, et par conséquent cette occurrence de X est libre dans l'expression donnée. Cet exemple indique le fait qu'il peut y avoir à la fois des occurrences libres et liées d'une même variable, tel que nous devons parler d'«occurrences liées» plutôt que de «variables liées» dans de telles situations. Les expressions dans les exemples (14.10) et (14.9) illustrent qu'il est également possible que différentes occurrences soient liées à différentes occurrences de quantificateurs. ◆

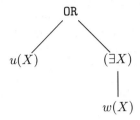

Figure 14.4 : Arbre d'expression pour $u(X)$ OR $(\exists X)w(X)$.

EXERCICES

14.4.1 : Enlevez les paires de parenthèses redondantes des expressions suivantes.

a) $(\forall X)\Big((\exists Y)\Big(\text{NOT }\big(p(X)\text{ OR }(p(Y)\text{ AND }q(X))\big)\Big)\Big)$

b) $(\exists X)\Big(\big(\text{NOT }p(X)\big)\text{ AND }\big((\exists Y)(p(Y))\text{ OR }\big(\exists X)(q(X,Z))\big)\Big)$

14.4.2 : Dessinez les arbres d'expression pour les expressions de l'exercice 14.4.1. Indiquez pour chaque occurrence d'une variable, à quel quantificateur, s'il existe, cette variable est liée.

14.4.3 : Réécrivez l'expression de l'exercice 14.4.1 (b) tel qu'il n'existe pas deux fois un quantificateur pour la même variable.

14.4.4 : * Dans l'encadré intitulé «Ordre des quantificateurs», nous avons présenté le prédicat $aime(X,Y)$, et nous lui avons donné l'interprétation informelle attendue. Cependant, comme nous le verrons au paragraphe 14.5, des prédicats n'ont pas d'interprétation spécifique, et nous pourrions juste avoir pris $aime$ pour parler de nombres entiers plutôt que de personnes, et pour $aime(X,Y)$ avoir l'interprétation informelle que $Y = X + 1$. D'après cette interprétation, comparez le sens des expressions $(\forall X)(\exists Y)aime(X,Y)$ et $(\exists Y)(\forall X)aime(X,Y)$. Quelles sont leurs interprétations informelles ? Laquelle croyez-vous (éventuellement aucune) ?

14.4.5 : * En utilisant le prédicat *cen* dans notre exemple courant, écrivez les expressions qui affirment ce qui suit.

a) A. Talon est un bon étudiant (i.e., il obtient des A dans tous les cours).

b) A. Talon est un étudiant moyen (i.e., il n'obtient des A dans tous les cours).

14.4.6 : * Concevez une grammaire qui décrit les expressions légales de la logique des prédicats. Vous pourriez utiliser des symboles terminaux tels que *constant* ou *variable*, et vous n'avez pas besoin d'éviter les parenthèses redondantes.

14.5   Interprétations

Jusqu'à présent, nous avons été plutôt vagues en ce qui concerne la signification d'une expression en logique des prédicats, ou bien l'imputation d'une signification à une expression. Nous allons aborder ce sujet en rappelant d'abord la « signification » d'une expression logique propositionnelle E. Sa signification est une fonction qui prend une « affectation d'une valeur de vérité » (attribution de valeurs booléennes 0 et 1 aux variables propositionnelles à E) comme argument et produit 0 ou 1 en résultat. Le résultat est déterminé en évaluant E avec les opérandes atomiques remplacés par 0 ou 1, selon la proposition logique donnée. En d'autres termes, la signification d'une expression logique E est une table de vérité, qui rend la valeur de E (0 ou 1) pour chaque proposition logique.

Une proposition logique, à son tour, est une fonction qui prend des variables propositionnelles comme argument et qui retourne 0 ou 1 pour chaque argument. On peut aussi voir une proposition logique comme une table qui rend pour chaque variable propositionnelle, une valeur booléenne 0 ou 1. La figure 14.5 indique le rôle de ces deux types de fonctions.

$$p \quad \xrightarrow{\;\;\dfrac{affectation\ d'une}{valeur\ de\ vérité}\;\;} \quad 0 \text{ ou } 1$$

(a) Une affectation est une fonction de prédicats retourant des valeurs booléennes (vraie ou fausse).

$$\begin{array}{c} \text{affectation} \\ \text{d'une valeur} \\ \text{de vérité} \end{array} \xrightarrow{\;\;signification\;\;} \quad 0 \text{ ou } 1$$

(b) La signification d'une affectation est une fonction d'une proposition logique en valeurs booléennes (vraie ou fausse).

Figure 14.5 : La signification d'expression en logique propositionnelle.

En logique des prédicats, il n'est pas suffisant d'affecter une constante 0 ou 1 (VRAI ou FAUX) à des prédicats (à moins qu'ils n'aient pas d'argument, dans quel cas ce sont essentiellement des variables propositionnelles). En revanche, la valeur attribuée à un prédicat est elle-même une fonction qui prend les valeurs des arguments du prédicat comme sa propre entrée, et produit 0 ou 1 en sortie.

Plus précisément, nous devons prendre un **domaine** non-vide D de valeurs, duquel on peut sélectionner des valeurs pour les variables. Ce domaine peut être n'importe quoi : des entiers, des réels, ou un ensemble quelconque de valeurs sans nom ou signification particuliers. Nous admettons, cependant, que le domaine contient toute constante apparaissant dans l'expression elle-même. Alors, une **interprétation d'un prédicat** p ayant k arguments est une fonction qui prend en entrée une attribution d'éléments d'un domaine pour chaque argument k de p, et qui retourne 0 ou 1 (VRAI ou FAUX). De manière équivalente, on peut voir l'interprétation de p comme une relation avec k colonnes. Pour chaque attribution de valeur aux arguments qui, d'après l'interprétation, rendent p vrai, il existe un tuple pour la relation.[4]

Maintenant, on peut définir une **interprétation d'une expression** E comme étant

1. un domaine non-vide D, contenant toute constante apparaissant dans E,

2. une interprétation pour chaque prédicat p apparaissant dans E, et

3. une valeur dans D pour chaque variable libre de E, s'il en existe.

Une interprétation et une « interprétation d'un prédicat » sont illustrées respectivement dans les figures 14.6(a) et (b). Notez qu'une interprétation joue le rôle en logique des prédicats, d'une affectation d'une valeur de vérité en logique propositionnelle. En fait, si tous les prédicats dans une expression E ont zéro argument, on peut voir une interprétation de E comme une affectation. Comme justification, notons d'abord que le domaine est inopportun, puisqu'il n'y a pas de variable pour y attribuer ses valeurs. De plus, l'interprétation d'un prédicat 0-aire p est simplement une valeur, 0 ou 1, puisqu'il n'y a pas d'argument duquel l'interprétation de p pourrait dépendre. Finalement, il n'y a pas de variable dans l'expression E, de sorte qu'il serait nécessaire d'interpréter E pour spécifier des valeurs pour toute variable libre.

◆ **Exemple 14.10.** Considérons l'expression en logique des prédicats suivante :

$$p(X,Y) \rightarrow (\exists Z)\big(p(X,Z) \text{ AND } p(Z,Y)\big) \qquad (14.5)$$

Une interprétation possible du prédicat p, que nous appellerons interprétation l_1, est

1. Le domaine D est l'ensemble des nombres réels.

2. $p(U,V)$ est vrai lorsque $U < V$. C'est-à-dire, l'interprétation de p est la relation constituée de l'ensemble infini des paires (U,V) telles que U et V sont des nombres réels, et U soit inférieur à V.

Alors (14.5) implique que quels que soient les nombres réels X et Y, si $X < Y$, alors il existe un Z se trouvant strictement entre X et Y; c'est-à-dire, $X < Z < Y$. Pour l'interprétation I_1, (14.5) est toujours vraie. Si $X < Y$, nous prenons $Z = (X+Y)/2$ — c'est-à-dire, la moyenne de X et Y — et nous pouvons être certains que $X < Z$ et $Z < Y$. Si $X \geq Y$, alors la partie gauche de l'implication est fausse, donc (14.5) est sûrement vraie.

Nous pouvons construire un nombre infini d'interprétations pour (14.5) basées sur l'interprétation l_1 du prédicat p, en prenant un nombre réel pour les variables libres x et Y. A partir de ce que nous venons de dire, chacune de ces interprétations pour (14.5) rendra (14.5) vraie.

Une seconde interprétation possible I_2, pour p est

1. D est l'ensemble des entiers.

2. $p(U,V)$ est vrai si et seulement si $U < V$.

---

[4] La seule différence entre les relations présentées au chapitre 8 et celles-ci est que la relation associée à l'interprétation d'un prédicat peut avoir un ensemble infini de tuples.

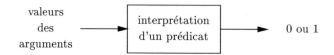

(a) Interprétation d'un prédicat attribuant des valeurs booléennes à des tuples de valeurs pour les arguments.

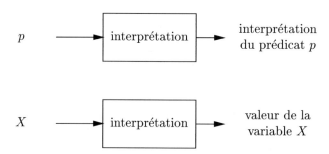

(b) Interprétation attribuant à chaque prédicat une interprétation de prédicat et une valeur à chaque variable (analogue à une affectation d'une valeur de vérité).

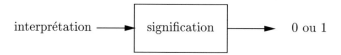

(c) Signification d'une expression attribuant une valeur booléenne à chaque interprétation (analogue à une table de vérité).

Figure 14.6 : La signification d'expressions en logique des prédicats.

Maintenant, on affirme que (14.5) est vraie à moins que $Y = X + 1$. Si Y dépasse X de deux ou plus, alors Z peut être $X + 1$. Ce sera alors le cas où $X < Z < Y$. Si $Y \leq X$, alors $p(X, Y)$ est faux, et donc (14.5) est encore vrai. Cependant, si $Y = X + 1$, alors $p(X, Y)$ est vrai, mais il n'y a pas d'entier Z compris strictement entre X et Y. Donc, pour chaque entier Z, soit $p(X, Z)$, soit $p(Z, Y)$ sera faux, et la partie droite de l'implication — c'est-à-dire, $(\exists Z)\big(p(X, Z) \text{ AND } p(Z, Y)\big)$ — n'est pas vraie.

Nous pouvons étendre I_2 à une interprétation pour (14.5) en attribuant des entiers aux variables libres X et Y. L'analyse ci-dessus montre que (14.5) sera vrai pour une telle interprétation, excepté lorsque $Y = X + 1$.

Notre troisième interprétation pour p, I_3, est abstraite, sans un sens commun en mathématiques, à l'instar des interprétations I_1 and I_2 :

1. D est l'ensemble des trois symboles a, b, c.

2. $p(U, V)$ est vrai si UV est l'une des six paires

   aa, ab, ba, bc, cb, cc

et faux pour les trois autres paires, *ac*, *bb*, et *ca*. Alors, il apparaît que (14.5) est vrai pour chacune des neuf paires XY. Dans chaque cas, soit $p(X, Y)$ est faux, soit il y a un Z qui rend vraie la partie droite de (14.5). Les neuf cas sont énumérés dans la figure 14.7. On peut étendre I_3 à une interprétation pour (14.5) de neuf façons, en attribuant aux variables libres x et Y toutes les combinaisons de a, b, et c. Chaque interprétation transmet la valeur vraie à (14.5). ✦

X	Y	Pourquoi vraie
a	a	$Z = a$ ou b
a	b	$Z = a$
a	c	$p(a, c)$ faux
b	a	$Z = a$
b	b	$p(b, b)$ faux
b	c	$Z = c$
c	a	$p(c, a)$ faux
c	b	$Z = c$
c	c	$Z = b$ ou c

Figure 14.7 : Valeur de (14.5) selon l'interprétation I_3.

Signification d'une expression

Rappelons que la signification d'une expression en logique propositionnelle est une fonction d'une affectation d'une valeur de vérité en valeur booléenne 0 et 1, comme illustré dans la figure 14.5(b). C'est-à-dire, une proposition logique déclare tout ce qu'il y a à connaître des valeurs des opérandes atomiques de l'expression, et l'expression est alors évaluée en 0 ou 1. De même, en logique des prédicats, la signification d'une expression est une fonction d'une interprétation, qui est ce que nous avons besoin pour évaluer les opérandes atomiques et qui retourne 0 ou 1. Cette notion de signification est illustrée dans la figure 14.6(c).

✦ **Exemple 14.11.** Considérons l'expression (14.5) de l'exemple 14.9. Les variables libres de (14.5) sont X et Y. Etant donnée l'interprétation I_1 de l'exemple 14.9 pour p (p est $<$ sur des réels), et étant données les valeurs $X = 3,14$ et $Y = 3,5$, la valeur de (14.5) est 1. En fait, avec l'interprétation I_1 pour p et n'importe quelles valeurs pour X et Y, l'expression a la valeur 1, comme il a été expliqué dans l'exemple 14.9. Il en est de même de l'interprétation I_3 pour p ; toutes valeurs pour X et Y choisies dans le domaine $\{a, b, c\}$ donnent à (14.5) la valeur 1.

D'autre part, étant donnée l'interprétation l_2 (p est $<$ sur des entiers) et les valeurs $X = 3$ et $Y = 4$, alors (14.5) a la valeur 0 comme dit dans l'exemple 14.9. Si nous avons l'interprétation l_2 et les valeurs $X = 3$ et $Y = 5$ pour les variables libres, alors (14.5) a la valeur 1. ✦

Pour compléter la définition de la « signification » d'une expression, nous devons définir formellement comment les valeurs booléennes pour des opérandes atomiques sont traduites en valeurs booléennes pour l'expression complète. Nous avons précédemment utilisé notre sens intuitif, basé sur notre compréhension du fonctionnement des conjonctions logiques en logique propositionnelle et notre intuition en ce qui concerne les quantificateurs. La définition formelle de la valeur d'une expression, étant donnée une interprétation l dans le domaine D, est une induction structurelle sur l'arbre d'expression pour l'expression logique E donnée.

LA BASE. Si l'arbre d'expression est une feuille, alors E est une formule atomique $p(X_1, \ldots, X_k)$. Les X_i sont tous soit des constantes, soit des variables libres de l'expression E. L'interprétation I nous donne une valeur pour chaque variable, donc nous avons les valeurs pour tous les arguments de p. De même, l nous dit si p, avec ces valeurs comme argument, est vrai ou faux. Cette valeur booléenne est la valeur de l'expression E.

LA RÉCURRENCE. Maintenant, nous devons admettre qu'étant donnée une expression E cet arbre d'expression a un opérateur à la racine. Il y a plusieurs cas, selon la nature de l'opérateur à la racine de E.

D'abord, considérons le cas où E est de la forme E_1 AND E_2; c'est-à-dire, l'opérateur à la racine est AND. L'hypothèse inductive peut être appliquée aux sous-expressions E_1 et E_2. On peut donc évaluer E_1 selon l'interprétation I.[5] De même, on peut évaluer E_2 selon l'interprétation l. Si l'évaluation des deux vaut 1, alors l'évaluation de E vaut 1; sinon, l'évaluation de E vaut 0.

L'induction pour d'autres opérateurs logiques tels que OR ou NOT est effectuée de la même façon. Pour OR, nous évaluons les deux sous-expressions et produisons la valeur 1 si chaque sous-expression produit la valeur 1; pour NOT, nous évaluons l'unique sous-expression et produisons la négation de la valeur de cette expression, et ainsi de suite pour les autres opérateurs de logique propositionnelle.

Maintenant, supposons que E soit de la forme $(\exists X)E_1$. L'opérateur racine est le quantificateur universel, et nous pouvons appliquer l'hypothèse inductive à la sous-expression E_1. Les prédicats dans E_1 apparaissent tous dans E, et les variables libres dans E_1 sont les variables libres de E, plus (éventuellement) X.[6] Par conséquent, nous pouvons construire pour chaque valeur v dans le domaine D, une interprétation de E_1 qui est l, avec en plus, l'affectation de la valeur v à la variable X; appelons cette interprétation J_v. Nous demandons pour chaque valeur v si E_1 est vraie selon l'interprétation J_v. S'il existe au moins une telle valeur v, alors nous disons que $E = (\exists X)E_1$ est vraie; sinon, nous disons que E est fausse.

Enfin, supposons que E soit de la forme $(\forall X)E_1$. De nouveau, l'hypothèse inductive s'applique à E_1. Maintenant, nous demandons si pour chaque valeur v dans le domaine D, E_1 est vraie selon l'interprétation J_v. Si oui, nous disons que E vaut 1; sinon, E vaut 0.

---

[5] Franchement parlé, nous devons exclure de l l'interprétation pour tout prédicat p qui apparaît dans E mais pas dans E_1. Nous devons aussi laisser tomber la valeur pour toute variable libre qui apparaît dans E mais dans E_1. Cependant, il n'y a pas de difficulté conceptuelle si nous incluons dans une interprétation des informations supplémentaires qui ne sont pas utilisées.

[6] Techniquement, E_1 ne devrait avoir aucune occurrence libre de X, même si nous appliquons un quantificateur conduisant X en E_1. Dans ce cas, le quantificateur pourrait également ne pas y être, mais nous n'avons pas interdit sa présence.

Peut-on calculer les valeurs d'une expression ?

Vous pourriez attendre de notre définition qu'une expression E a la valeur 1, dans les cas où E est $(\exists X)E_1$ ou $(\forall X)E_1$. Si le domaine D est infini, le test que nous avons proposé, évaluer E_1 selon chaque interprétation J_v, ne nécessite pas un algorithme pour son exécution. Essentiellement, on nous demande d'exécuter un programme tel que

```
réponse := FAUX;
for tout v dans D do
    if E₁ est vraie selon l'interprétation Jᵥ then
        réponse := VRAI;
```

pour un quantificateur existentiel et un programme tel que

```
réponse := VRAI;
for chaque v dans D do
    if E₁ est fausse selon l'interprétation Jᵥ then
        réponse := FAUX;
```

pour un quantificateur universel.

Bien que l'intention de ces programmes devrait être apparente, ce ne sont pas des algorithmes, puisque lorsque le domaine D est infini, on boucle un nombre infini de fois. Cependant, bien que nous ne pourrions pas être capables de dire si E est vraie ou fausse, nous offrons néanmoins la définition correcte lorsque E est vraie ; c'est-à-dire, nous imputons la signification intentionnelle aux quantificateurs $\forall$ et $\exists$. Dans beaucoup de situations pratiques et utiles, nous serons capables de dire si E est vraie ou fausse. Dans d'autres situations, impliquant en général la transformation d'expressions en des formes équivalentes, nous verrons qu'il n'est pas important de savoir si E est vraie ou fausse. Nous serons capables de déduire que deux expressions sont équivalentes à partir des définitions de leurs valeurs, sans savoir si une valeur v qui rend vraie une sous-expression telle que E_1 existe ou non.

✦ **Exemple 14.12.** Evaluons l'expression (14.5) selon l'interprétation I_2 pour p ($<$ sur des entiers) et les valeurs 3 et 7 respectivement pour les variables libres X et Y. L'arbre d'expression pour (14.5) est montré dans la figure 14.8. Nous observons que l'opérateur à la racine est $\rightarrow$. Nous n'avons pas couvert ce cas explicitement, mais le principe devrait être clair. Nous pouvons écrire l'expression entière comme $E_1 \rightarrow E_2$, où E_1 est $p(X, Y)$, et E_2 est $(\exists Z)(p(X, Z) \text{ AND } p(Z, Y))$. A cause de la signification de $\rightarrow$, l'expression entière (14.5) est vraie, sauf dans le cas où E_1 est vraie et E_2 est fausse.

E_1, qui est $p(X, Y)$, est facile à évaluer. Puisque $X = 3$, $Y = 7$, et $p(X, Y)$ est vraie si et seulement si $X < Y$, on conclut que E_1 est vraie. Evaluer E_2 est plus difficile. Nous devons considérer toutes les valeurs possibles de v pour Z, pour voir s'il existe au moins une valeur qui rend vraie $p(X, Z) \text{ AND } p(Z, Y)$. Par exemple, si nous essayons $Z = 0$, alors $p(Z, Y)$ est vraie, mais $p(X, Z)$ est faux, puisque $X = 3$ n'est pas inférieur à Z.

Si nous réfléchissons à la question, nous voyons que pour rendre vraie $p(X, Z) \text{ AND }$

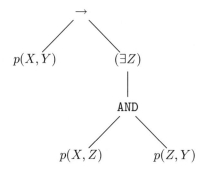

Figure 14.8 : Arbre d'expression pour (14.5).

$p(Z, Y)$, nous avons besoin d'une valeur de v telle que $3 < v$ [donc $p(X, Z)$ sera vraie] et que $v < 7$ [donc $p(Z, Y)$ sera vraie]. Par exemple, $v = 4$ rend vraie $p(X, Z)$ AND $p(Z, Y)$ et par conséquent montre que E_2, ou $(\exists Z)\big(p(X, Z)$ AND $p(Z, Y)\big)$, est vraie pour l'interprétation donnée.

Nous savons maintenant que E_1 et E_2 sont vraies. Puisque $E_1 \rightarrow E_2$ est vraie lorsqu'à la fois E_1 et E_2 sont vraies, nous concluons que (14.5) vaut 1 pour l'interprétation selon laquelle le prédicat p a l'interprétation l_2, $X = 3$, et $Y = 7$. ✦

EXERCICES

14.5.1 : Pour chaque expression, donnez une interprétation qui la rend vraie et une interprétation qui la rend fausse.

a) $(\forall X)(\exists Y)(aime(X, Y))$

b) $p(X) \rightarrow$ NOT $p(X)$

c) $(\exists X)p(X) \rightarrow (\forall X)p(X)$

d) $\big(p(X, Y)$ AND $p(Y, Z)\big) \rightarrow p(X, Z)$

14.5.2 : Expliquez pourquoi chacune des interprétations précédentes rend vraie l'expression $p(X) \rightarrow p(X)$.

14.6   Tautologies

Rappelons qu'en logique propositionnelle, nous appelons une expression une tautologie si pour chaque proposition logique, la valeur de l'expression est 1. La même idée reste « vraie » en logique des prédicats. Une expression E est appelée une *tautologie* si pour chaque interprétation de E, la valeur de E est 1.

✦ **Exemple 14.13.** Comme en logique propositionnelle, il est rare qu'une expression « aléatoire » en logique des prédicats soit une tautologie. Par exemple, l'expression (14.5) ou

$$p(X, Y) \rightarrow (\exists Z)\big(p(X, Z) \text{ AND } p(Z, Y)\big)$$

étudiée dans l'exemple 14.9, est toujours vraie selon des interprétations du prédicat p, mais il existe des interprétations, telle que l_2 de l'exemple 14.9 — p est $<$ sur des entiers — pour lesquelles cette expression n'est pas toujours vraie (e.g., elle est fausse pour $X = 1$ et $Y = 2$). Donc cette expression n'est pas une tautologie.

Un exemple de tautologie est l'expression

$$q(X) \text{ OR NOT } q(X)$$

Ici, il n'est pas important de savoir quelle interprétation nous utilisons pour le prédicat q ou la valeur de la variable libre X. Si notre choix d'interprétation rend $q(X)$ vraie, alors l'expression est vraie. Si notre choix rend $q(X)$ fausse, alors il doit rendre NOT $q(X)$ vraie, et l'expression est à nouveau vraie. ✦

Le principe de substitution

Les tautologies en logique propositionnelle sont une source riche de tautologies en logique des prédicats. Le principe de substitution, présenté au paragraphe 12.7, déclare que nous pouvons prendre toute tautologie en logique propositionnelle, faire toute substitution sur les variables propositionnelles et le résultat est encore une tautologie. Ce principe sera encore vrai si nous permettons la substitution de variables propositionnelles par des expressions de logique des prédicats. Par exemple, la tautologie $q(X)$ OR NOT $q(X)$, mentionnée dans l'exemple 14.2, est la substitution de la variable propositionnelle p par l'expression $q(X)$ dans la tautologie p OR NOT p.

Le principe de substitution est vrai lorsque des expressions de logique des prédicats se substituent à des variables propositionnelles pour une raison très similaire à celle affirmant que ce principe est vrai lorsque des expressions propositionnelles sont substituées. Lorsque nous remplaçons toutes les occurrences d'une variable propositionnelle, telle que p, par une expression comme $q(X)$, nous savons que pour toute interprétation, la valeur de l'expression substituée sera la même partout où elle intervient. Puisque l'expression originelle en logique propositionnelle, dans laquelle la substitution est faite, est une tautologie, c'est toujours le cas lorsqu'une substitution cohérente par 0 ou une substitution par 1 est faite à l'une de ses variables propositionnelles.

Par exemple, dans l'expression $q(X)$ OR NOT $q(X)$, peu importe l'interprétation de q ou la valeur de X, $q(X)$ est soit vraie soit fausse. Donc, l'expression devient soit 1 OR NOT 1, soit 0 OR NOT 0, et est évaluée dans les deux cas à 1.

Equivalence d'expressions

Comme en logique propositionnelle, nous pouvons définir que deux expressions en logique des prédicats, E et F, sont équivalentes si $E \equiv F$ est une tautologie. Le « principe de substitution d'égal par égal », également présenté au paragraphe 12.7, tient toujours lorsque nous avons des expressions équivalentes en logique des prédicats. C'est-à-dire, si E_1 est équivalente à E_2, alors nous pouvons substituer E_1 par E_2 dans toute F_1, et l'expression résultante F_2 sera équivalente ; c'est-à-dire $F_1 \equiv F_2$.

✦ **Exemple 14.14.** La commutativité pour AND dit $(p \text{ AND } q) \equiv (q \text{ AND } p)$. On peut substituer p par $p(X)$ et q par $q(Y, Z)$, nous donnant la tautologie en logique des prédicats

$$\big(p(X) \text{ AND } q(Y,Z)\big) \equiv \big(q(Y,Z) \text{ AND } p(X)\big)$$

Donc les expressions $p(X)$ AND $q(Y,Z)$ et $q(Y,Z)$ AND $p(X)$ sont équivalentes. Maintenant, si nous avons une expression comme $\big(p(X) \text{ AND } q(Y,Z)\big)$ OR $q(X,Y)$, on peut substituer $p(X)$ AND $q(Y,Z)$, par $q(Y,Z)$ AND $p(X)$ pour produire une autre expression,

$$\big(q(Y,Z) \text{ AND } p(X)\big) \text{ OR } q(X,Y)$$

et savoir que

$$\Big(\big(p(X) \text{ AND } q(Y,Z)\big) \text{ OR } q(X,Y)\Big) \equiv \Big(\big(q(Y,Z) \text{ AND } p(X)\big) \text{ OR } q(X,Y)\Big)$$

Il existe des cas plus subtiles d'expressions équivalentes en logique des prédicats. Normalement, nous devrions nous attendre à ce que des expressions équivalentes aient les mêmes variables libres et prédicats, mais il y a des cas où les variables libres et/ou les prédicats peuvent être différents. Par exemple, l'expression

$$\big(p(X) \text{ OR NOT } p(X)\big) \equiv \big(q(Y) \text{ OR NOT } q(Y)\big)$$

est une tautologie, simplement parce que les deux côtés de $\equiv$ sont des tautologies, comme nous avons argumenté dans l'exemple 14.2. Ainsi, dans l'expression $p(X)$ OR NOT $p(X)$ OR $q(X)$ nous pouvons substituer $p(X)$ OR NOT $p(X)$, par $q(Y)$ OR NOT $q(Y)$ pour déduire l'équivalence

$$\big(p(X) \text{ OR NOT } p(X) \text{ OR } q(X)\big) \equiv \big(q(Y) \text{ OR NOT } q(Y) \text{ OR } q(X)\big)$$

Puisque la partie gauche de $\equiv$ est une tautologie, nous pouvons aussi déduire que

$$q(Y) \text{ OR NOT } q(Y) \text{ OR } q(X)$$

est une tautologie. ✦

EXERCICES

14.6.1 : Expliquez pourquoi les équivalences suivantes sont des tautologies. C'est-à-dire, par quelle(s) expression(s) de logique des prédicats avons-nous substitué les tautologies de logiques propositionnelles ?

a) $\big(p(X) \text{ OR } q(Y)\big) \equiv \big(q(Y) \text{ OR } p(X)\big)$

b) $\big(p(X,Y) \text{ AND } p(X,Y)\big) \equiv p(X,Y)$

c) $\big(p(X) \rightarrow \text{FAUX}\big) \equiv \text{NOT } p(X)$

14.7   Tautologies impliquant des quantificateurs

Les tautologies en logique des prédicats qui nécessitent des quantificateurs n'ont pas d'équivalent direct en logique propositionnelle. Ce paragraphe explore ces tautologies et montre comment elles peuvent être utilisées pour manipuler des expressions. Le résultat essentiel de ce paragraphe est que l'on peut convertir toute expression en une expression équivalente avec tous les quantificateurs au début.

Renommage de variable

En Pascal, on peut changer le nom d'une variable locale, à condition de changer toutes les utilisations de cette variable de manière cohérente. De manière analogue, on peut changer la variable utilisée dans un quantificateur, à condition de changer aussi toutes les occurrences de cette variable liées au quantificateur. De même qu'en Pascal à nouveau, nous devons faire attention aux noms de variable que l'on prend, car si l'on choisit un nom qui est défini à l'extérieur de la procédure en question, alors on peut changer la signification du programme, commettant ainsi une erreur grave.

✦ **Exemple 14.15.** Comme suggéré dans la figure 14.9, supposons que nous ayons une procédure P qui définit la variable x ainsi que la procédure Q ; Q définit à son tour la variable locale y. Finalement, supposons qu'il y ait une affectation x := y dans Q. Si nous changeons y en z, à la fois dans sa déclaration et son utilisation, alors l'affectation devient x := z, qui a la même signification : on affecte la valeur de la variable locale de Q à la variable x appartenant à P.

```
procedure P;
x: integer;
    ...
    procedure Q;
    y: integer;
        ...
        x := y;
        ...
    end (* Q *)
    ...
end (* P *)
```

Figure 14.9 : Procédures contenant des déclarations locales.

Cependant, si nous changeons y par x, l'affectation dans Q devient x := x. Ici, à la fois x fait référence au x local de Q, et l'affectation ne concerne plus le x appartenant à P. En fait, en utilisant le même nom que la variable x, déclaré à l'extérieur de Q, dans P, nous avons x de P inaccessible par Q, et nous avons « volé » toute référence à cet x dans Q. La morale est que nous ne devons pas utiliser comme nom de variable locale un nom de variable qui est aussi utilisée comme globale et référencée à l'intérieur de la procédure en question. ✦

En ayant à l'esprit l'exemple 14.14, nous pouvons considérer le type d'équivalence suivant et les conditions selon lesquelles il est une tautologie

$$(QX)E \equiv (QY)E' \tag{14.6}$$

où E' est E avec toutes les occurrences de X qui sont liées au quantificateur explicite, (QX) remplacé par Y. Nous prétendons que (14.6) est une tautologie, à condition qu'aucune occurrence de Y ne reste libre dans E. Pour voir pourquoi, considérons toute interprétation l pour $(QX)E$ (ou de manière équivalente, pour $(QY)E'$, puisque les variables libres et prédicats de chaque expression quantifiée sont les mêmes). Si une extension de l, en donnant à X la valeur v, rend E vraie, alors l avec la valeur v pour Y rendra E' vraie. Réciproquement, si une extension de l, en utilisant v pour X rend fausse E, alors une extension de I avec v pour Y rend E' fausse.

Si le quantificateur Q est $\exists$, alors il devrait y avoir une valeur v pour X qui rend E vraie, et une valeur, nommée v, pour Y qui rend E' vraie, et réciproquement. Si Q est $\forall$, alors toutes les valeurs de X rendront E vraie, si et seulement si toutes les valeurs de Y rendent E' vraie. Donc, pour chaque quantificateur, $(QX)E$ est vraie selon n'importe quelle interprétation l si et seulement si $(QY)E'$ est vraie selon la même interpretation, montrant que

$$(QX)E \equiv (QY)E'$$

est une tautologie.

✦ **Exemple 14.16.** Considérons l'expression

$$\big((\exists X)p(X,Y)\big) \text{ OR NOT } \big((\exists X)p(X,Y)\big) \tag{14.7}$$

qui est justement une tautologie. Nous allons montrer comment renommer un des deux X, pour former une autre tautologie avec des variables distinctes utilisées dans les deux quantificateurs.

Si nous définissons E dans (14.6) par $p(X,Y)$, et si nous choisissons la variable Z pour jouer le rôle de Y dans (14.6), alors nous avons la tautologie $\big((\exists X)p(X,Y)\big) \equiv \big((\exists Z)p(Z,Y)\big)$. C'est-à-dire, pour construire l'expression E' nous substituons X par Z dans $E = p(X,Y)$, pour obtenir $p(Z,Y)$. Ainsi nous pouvons substituer « égal par égal », remplaçant la première occurrence de $(\exists X)p(X,Y)$ dans (14.7) par $(\exists Z)p(Z,Y)$, pour obtenir l'expression

$$\big((\exists Z)p(Z,Y)\big) \text{ OR NOT } \big((\exists X)p(X,Y)\big).$$

Cette expression est équivalente à (14.7), et par conséquent est aussi une tautologie.

Notons que nous pourrions aussi remplacer X dans la seconde moitié de (14.7) par Z ; que nous le faisons ou non n'a pas d'importance, car les deux quantificateurs définissent des variables distinctes et indépendantes, dont chacune était nommée X dans (14.7). Cependant, nous devrions comprendre qu'on ne peut pas remplacer chaque occurrence de $\exists X$ par $\exists Y$, car Y est libre dans chaque sous-expression $p(X,Y)$.

C'est-à-dire, $\big((\exists X)p(X,Y)\big) \equiv \big((\exists Y)p(Y,Y)\big)$ n'est pas une instance de (14.6), qui est une tautologie, car Y est libre dans l'expression $p(X,Y)$. Pour voir que ce n'est pas une tautologie, interprétons p comme $<$ sur des entiers. Alors, pour toute valeur de la variable libre Y, disons $Y = 10$, l'expression $(\exists X)p(X,Y)$ est vraie, car on peut avoir $X = 9$, par exemple. Pourtant la partie droite de l'équivalence, $(\exists Y)p(Y,Y)$ est fausse, car aucun entier n'est strictement plus petit que lui-même.

De même, on ne peut pas substituer $(\exists Y)p(Y,Y)$ pour $(\exists X)p(X,Y)$ dans (14.7). L'expression résultante,

$$\big((\exists Y)p(Y,Y)\big) \text{ OR NOT } \big((\exists X)p(X,Y)\big) \tag{14.8}$$

peut aussi être vue comme n'étant pas une tautologie. Soit l'interprétation de p comme $<$ sur des entiers, et soit, par exemple, la variable libre Y valant 10. Notez que dans

Rendre unique une variable quantifiée

Une conséquence intéressante de (14.6) est que nous pouvons toujours tourner une expression E de logique des prédicats en une expression équivalente dans laquelle deux quantificateurs n'utilisent jamais la même variable, et de plus, aucun quantificateur n'utilise une variable qui est aussi libre dans E. Une telle expression est appelée **expression rectifiée**.

Dans la démonstration, nous pouvons commencer avec la tautologie $E \equiv E$. Alors, nous utilisons (14.6) sur l'occurrence de E sur la droite pour renommer, tour à tour, chaque variable quantifiée par une nouvelle variable, non utilisée ailleurs dans E. Le résultat est une expression $E \equiv E'$, où tous les quantificateurs QX de E' impliquent des X distincts, et ces X n'apparaissent pas libres dans E ou E'. Parce que l'équivalence en logique propositionnelle est transitive, $E \equiv E'$ est une tautologie; c'est-à-dire, E et E' sont des expressions équivalentes.

(14.8), les deux premières occurrences de Y, dans $p(Y,Y)$, sont des occurrences liées, et liées au quantificateur $(\exists Y)$. Seule la dernière occurrence de Y, dans $p(X,Y)$ est libre. Alors $(\exists Y)p(Y,Y)$ est fausse selon cette interprétation, car aucune valeur de Y est inférieure à elle-même. D'autre part, $(\exists X)p(X,Y)$ est vraie lorsque $Y = 10$ (ou tout autre entier, pour ce propos), et donc $\mathrm{NOT}\left((\exists X)p(X,Y)\right)$ est fausse. En résultat, (14.8) est fausse selon cette interprétation. ✦

Quantification universelle de variables libres

Une expression avec des variables libres ne peut être une tautologie que si la même expression avec ses variables libres quantifiées universellement est une tautologie. De manière formelle, pour chaque tautologie T et variable X, $(\forall X)T$ est aussi une tautologie. Techniquement, cela n'a pas d'importance si X apparaît libre dans T ou non.

Pour voir pourquoi $(\forall X)T$ est une tautologie, soit $Y_1, \ldots, Y_k$ les variables libres de T; X peut être ou ne pas être l'une d'elles. D'abord, supposons que $X = Y_1$. Nous devons montrer que pour chaque interprétation I, $(\forall X)T$ est vraie. Nous devons aussi montrer que pour chaque valeur v dans le domaine de l, l'interprétation J_v formée par I en donnant à X la valeur v rend T vraie. Mais T est une tautologie, et donc chaque interprétation la rend vraie.

Si X est une des autres variables libres Y_i de T, l'argument que $(\forall X)T$ est une tautologie est essentiellement le même. Si X est aucune des Y_i, alors sa valeur ne change pas que T soit vraie ou fausse. Donc T est vraie pour tout X, simplement parce que T est une tautologie.

Expressions fermées

Une conséquence intéressante est que nous pouvons admettre qu'il n'y a pas de variable libre pour les tautologies. Nous pouvons appliquer la transformation précédente pour quantifier universellement une variable libre à la fois. Une expression sans variable libre est appelée une expression *fermée*.

✦ **Exemple 14.17.** Nous savons que $p(X,Y)$ OR NOT $p(X,Y)$ est une tautologie. Nous pourrions ajouter des quantificateurs universels pour les variables libres X et Y, pour obtenir la tautologie

$$(\forall X)(\forall Y)\big(p(X,Y) \text{ OR NOT } p(X,Y)\big)$$

✦

Déplacer des quantificateurs à travers NOT

Il y a une version infinie de la loi de DeMorgan qui nous permet de remplacer $\forall$ par $\exists$ ou vice versa, tout comme la loi DeMorgan « normale » nous permet d'intervertir AND et OR, pendant le passage en NOT. Supposons que nous ayons une expression telle que

$$\text{NOT }\big((\forall X)p(X)\big)$$

Si le domaine de valeurs est fini, disons $v_1, \ldots, v_n$, alors nous pourrions écrire cette expression NOT $\big(p(v_1) \text{ AND } p(v_2) \text{ AND } \cdots \text{ AND } p(v_n)\big)$. Nous pourrions alors appliquer la loi de DeMorgan pour réécrire cette expression en NOT $p(v_1)$ OR NOT $p(v_2)$ OR $\cdots$ OR NOT $p(v_n)$. Dans l'hypothèse d'un domaine fini, cette expression est la même que $(\exists X)\big(\text{NOT } p(X)\big)$ — c'est-à-dire, pour une valeur de X, $p(X)$ est fausse.

En fait, cette transformation ne dépend pas du caractère fini ou non fini du domaine ; elle tient pour chaque interprétation possible. C'est-à-dire l'équivalence suivante est une tautologie pour tout expression E.

$$\Big(\text{NOT }\big((\forall X)E\big)\Big) \equiv \big((\exists X)(\text{NOT } E)\big) \tag{14.9}$$

De manière informelle, (14.9) dit que E n'est pas vraie pour tout X exactement lorsqu'il y a une valeur de X qui rend E fausse.

Il existe une tautologie similaire qui nous permet d'empiler un NOT dans un quantificateur existentiel.

$$\Big(\text{NOT }\big((\exists X)E\big)\Big) \equiv \big((\forall X)(\text{NOT } E)\big) \tag{14.10}$$

De manière informelle, il n'existe pas de X qui rend E vraie exactement lorsque E est fausse pour tout X.

✦ **Exemple 14.18.** Considérons la tautologie

$$(\forall X)p(X) \text{ OR NOT }\big((\forall X)p(X)\big) \tag{14.11}$$

que nous obtenons par le principe de substitution de la tautologie en logique propositionnelle p OR NOT p. Nous pourrions utiliser (14.9) avec $E = p(X)$, pour remplacer NOT $\big((\forall X)p(X)\big)$ dans (14.11) par $(\exists X)\big(\text{NOT } p(X)\big)$, pour produire la tautologie

$$(\forall X)p(X) \text{ OR } (\exists X)\big(\text{NOT } p(X)\big).$$

C'est-à-dire, soit $p(X)$ est vraie quelle que soit X, soit il existe un X pour lequel $p(X)$ est fausse. ✦

Déplacer des quantificateurs à travers AND et OR

Les lois (14.9) et (14.10), quand elles sont appliquées de gauche à droite, ont pour effet de déplacer un quantificateur à l'extérieur d'une négation, « inversant » le quantificateur comme nous le faisons donc, c'est-à-dire, intervertir $\forall$ et $\exists$. De manière similaire, nous pouvons déplacer les quantificateurs à l'extérieur de AND ou OR, mais nous devons faire attention à ne changer la liaison d'aucune occurrence de variable. De même, nous n'inversons pas des quantificateurs changés lors de AND ou OR. Les expressions de ces lois sont

$$\big(E \text{ AND } (QX)F\big) \equiv (QX)(E \text{ AND } F) \tag{14.12}$$

$$\big(E \text{ OR } (QX)F\big) \equiv (QX)(E \text{ OR } F) \tag{14.13}$$

où E et F sont des expressions, et Q est chaque quantificateur. Cependant, nous exigeons que X ne soit pas libre dans E.

Puisque AND et OR sont commutatifs, nous pouvons également utiliser (14.12) et (14.13) pour déplacer les quantificateurs attachés à l'opérande gauche AND ou OR. Par exemple, une forme de tautologie qui découle de (14.12) et de la commutativité de AND est

$$\big((QX)E \text{ AND } F\big) \equiv (QX)(E \text{ AND } F)$$

Ici, nous exigeons que X ne soit pas libre dans F.

✦ **Exemple 14.19.** Transformons la tautologie développée dans l'exemple 14.7, c'est-à-dire

$$(\forall X)p(X) \text{ OR } (\exists X)\big(\text{NOT } p(X)\big)$$

de façon que les quantificateurs soient à l'extérieur de l'expression. D'abord, nous avons besoin de renommer la variable utilisée par un des deux quantificateurs. D'après la loi (14.6), nous pouvons remplacer la sous-expression $(\exists X) \text{ NOT } p(X)$ par $(\exists Y) \text{ NOT } p(Y)$, nous donnant la tautologie

$$(\forall X)p(X) \text{ OR } (\exists Y)\big(\text{NOT } p(Y)\big) \tag{14.14}$$

Maintenant, on peut utiliser (14.13), dans sa variante où le quantificateur de l'opérande gauche du OR est déplacé, pour prendre le $\forall$ à l'extérieur de OR. L'expression résultante est

$$(\forall X)\Big(p(X) \text{ OR } (\exists Y)\big(\text{NOT } p(Y)\big)\Big) \tag{14.15}$$

L'expression (14.15) diffère de (14.14) par sa forme, mais pas par sa signification : (14.15) déclare que pour toute valeur de X, au moins une des propositions tient.

1. $p(X)$ est vraie.

2. Il existe une valeur de Y qui rend $p(Y)$ fausse.

Pour connaître pourquoi (14.15) est une tautologie, considérons une valeur v pour X. Si l'interprétation considérée rend $p(v)$ vraie, alors $p(X) \text{ OR } (\exists Y)\big(\text{NOT } p(Y)\big)$ est vraie.

Si $p(v)$ est vraie, alors selon cette interprétation, (2) doit tenir. En particulier, lorsque $Y = v$, NOT $p(Y)$ est vraie, et donc $(\exists Y)\big(\text{NOT } p(Y)\big)$ est vraie.

Finalement, nous pouvons appliquer (14.13) pour déplacer $\exists Y$ à l'extérieur de OR. L'expression qui en résulte est

$$(\forall X)(\exists Y)(p(X) \text{ OR NOT } p(Y))$$

Cette expression doit aussi être une tautologie. De manière informelle, elle déclare que pour chaque valeur de X, il existe une valeur de Y qui rend $p(X)$ OR NOT $p(Y)$ vraie. Pour se l'expliquer, prenons v comme une valeur possible de X. Si $p(v)$ est vraie selon l'interprétation donnée I, alors

$$p(X) \text{ OR NOT } p(Y)$$

est sûrement vraie, quelle que soit Y. Si $p(v)$ est fausse dans l'interprétation I, alors nous pouvons prendre v pour Y, et $(\exists Y)\big(p(X) \text{ OR NOT } p(Y)\big)$ sera vraie. ✦

Forme prénexe

Une conséquence des lois (14.9), (14.10), (14.12), et (14.13) est que, étant donnée une expression avec des quantificateur et les opérateurs logiques AND, OR, et NOT, on peut trouver une expression équivalente qui a tous ses quantificateurs en dehors (tout en haut de l'arbre expression). C'est-à-dire, nous pouvons trouver une expression équivalente de la forme

$$(Q_1 X_1)(Q_2 X_2) \cdots (Q_k X_k) E \tag{14.16}$$

où chaque $Q_1, \ldots, Q_k$ représente un des quantificateurs $\forall$ or $\exists$, et la sous-expression E est **libre de quantificateur** — c'est-à-dire, qu'elle n'a pas de quantificateur. L'expression (14.16) est dite de la *forme prénexe*.

Nous pouvons transformer une expression dans une forme prénexe en deux étapes.

1. Rectifier l'expression. C'est-à-dire, utiliser la loi (14.6) pour que chaque quantificateur fasse référence à une variable distincte, qui n'apparaît jamais dans un autre quantificateur et qui ne soit pas libre dans l'expression.

2. Puis, déplacer chaque quantificateur lors de NOT par les lois (14.9) et (14.10), lors de AND par (14.12), et lors de OR par (14.13).

✦ **Exemple 14.20.** Les exemples 14.17 et 14.18 sont des exemples de ce cheminement. Nous avons commencé dans l'exemple 14.17 avec l'expression $(\forall X)p(X)$ OR NOT $\big((\forall X)p(X)\big)$. En déplaçant le second $\forall$ à travers le NOT, nous obtenons l'expression

$$(\forall X)p(X) \text{ OR } (\exists X)\big(\text{NOT } p(X)\big)$$

avec laquelle nous avons commencé dans l'exemple 14.18. Nous avons renommé la seconde utilisation de x, ce que nous pourrions avoir fait initialement. En déplaçant les deux quantificateurs pendant le OR, nous avons obtenu $(\forall X)(\exists Y)\big(p(X) \text{ OR NOT } p(Y)\big)$, qui est de la forme prénexe. ✦

Notons que des expressions avec des opérateurs logiques autres que AND, OR, et NOT peuvent aussi être mises sous forme prénexe. Chaque opérateur logique peut être écrit

Programmes dans la forme prénexe

En principe, nous pouvons mettre un programme Pascal dans la « forme prénexe », si nous renommons toutes les variables locales de telle manière qu'elles soient distinctes, et alors déplacer leur déclaration dans le programme principal. Nous ne voulons généralement pas faire cela ; nous préférons déclarer des variables localement, de telle façon que nous n'avons pas à nous soucier, par exemple, d'inventer des noms différents pour une variable i utilisée comme index de boucle dans dix procédures différentes. Pour les expressions logiques, il y a souvent une raison de les mettre sous une forme prénexe. Ce propos est au-delà de la portée de ce livre.

en terme de AND, OR, et NOT, comme nous l'avons vu au chapitre 12. Par exemple, $E \rightarrow F$ peut être remplacé par NOT E OR F. Si nous écrivons chaque opérateur logique en termes de AND, OR, and NOT, nous sommes alors capables d'appliquer la transformation esquissée pour trouver une expression équivalente dans la forme prénexe.

Réordonner les quantificateurs

Notre famille finale de tautologies provient du fait qu'en appliquant un quantificateur universel à deux variables, l'ordre dans lequel nous écrivons les quantificateurs n'importe pas. De même, nous pouvons écrire deux quantificateurs existentiels dans tout ordre. Formellement, les équivalences suivantes sont des tautologies.

$$(\forall X)(\forall Y)E \equiv (\forall Y)(\forall X)E \tag{14.17}$$

$$(\exists X)(\exists Y)E \equiv (\exists Y)(\exists X)E \tag{14.18}$$

Notons que par (14.17), nous pouvons permuter toute chaîne de caractères des $\forall$, $(\forall X_1)$ $(\forall X_2)$ $(\cdots)$ $(\forall X_k)$ dans tout ordre choisi. En effet, (14.17) est la loi commutative pour $\forall$. Des observations analogues tiennent pour la loi (14.18), qui est la loi commutative pour $\exists$.

EXERCICES

14.7.1 : Transformez les expressions suivantes en expressions rectifiées, c'est-à-dire, des expressions pour lesquelles il n'existe pas deux occurrences de quantificateurs qui partagent la même variable.

a) $(\exists X)\left(\big(\text{NOT } p(X)\big) \text{ AND } \big((\exists Y)(p(Y)) \text{ OR } \big(\exists X\big)(q(X,Z))\big)\right)$

b) $(\exists X)((\exists X)p(X) \text{ OR } (\exists X)q(X) \text{ OR } r(X))$

14.7.2 : Transformez les expressions suivantes en expressions fermées en quantifiant universellement chaque variable libre. Si nécessaire, renommer des variables de façon qu'il n'y ait pas deux occurrences de quantificateur utilisant la même variable.

a) $p(X, Y)$ AND $(\exists Y)q(Y)$

b) $(\forall X)\big(p(X, Y) \text{ OR } (\exists X)p(Y, X)\big)$

14.7.3 : * La loi (14.12) implique-t-elle que $p(X, Y)$ AND $(\forall X)q(X)$ soit équivalent à

$$(\forall X)\big(p(X, Y) \text{ AND } q(X)\big)$$

Justifiez votre réponse.

14.7.4 : Transformez les expressions de l'exercice 14.7.1 en une forme prénexe.

14.7.5 : * Montrez comment déplacer des quantificateurs durant un opérateur $\rightarrow$. C'est-à-dire, tourner l'expression $\big((Q_1 X)E\big) \rightarrow \big((Q_2 Y)F\big)$ en une expression dans une forme prénexe. De quelles contraintes sur des variables libres dans E et F avez-vous besoin ?

14.7.6 : * Nous pouvons utiliser des tautologies (14.9) et (14.10) pour déplacer des NOT à l'intérieur de quantificateurs aussi bien que pour les déplacer en dehors. En utilisant ces lois, plus les lois de DeMorgan, nous pouvons déplacer tous les NOT tel qu'elles s'appliquent directement à des formules atomiques. Appliquez cette transformation aux expressions suivantes.

a) NOT $\big((\forall X)(\exists Y)p(X, Y)\big)$

b) NOT $\Big((\forall X)\big(p(X) \text{ OR } (\exists Y)q(X, Y)\big)\Big)$

14.7.7 : * Est-il vrai que E est une tautologie lorsque $(\exists X)E$ est une tautologie ?

14.8   Preuves en logique des prédicats

Dans ce chapitre et le suivant, nous discuterons de preuves en logique des prédicats. Nous ne donnons cependant pas d'extension de la méthode de résolution du paragraphe 12.11 pour les prédicats logiques, bien que cela pourrait être fait. Les mécanismes de preuve ont été présentés au paragraphe 12.10. Rappelons que dans une preuve en logique propositionnelle, étant données des expressions $E_1, E_2, \ldots, E_k$ comme hypothèses, ou « axiomes », nous construisons une séquence d'expressions (lignes) telle que chaque expression

1.   est une des E_i, ou bien

2.   suit zéro ou plusieurs expressions précédentes par une quelconque règle d'inférence.

Des règles d'inférences doivent avoir la propriété que lorsque l'on peut ajouter F à la liste des expressions grâce à la présence de $F_1, F_2, \ldots, F_n$ dans la liste,

$$(F_1 \text{ AND } F_2 \text{ AND } \cdots \text{ AND } F_n) \rightarrow F$$

est une tautologie.

  Les preuves en logique des prédicats sont très semblables. Naturellement, les expressions qui sont des hypothèses et des lignes de preuve sont des expressions de logique des prédicats, et non pas de logique propositionnelle. De plus, on ne peut avoir dans une expression de variable libre qui ont une relation avec une variable libre du même nom dans une autre expression. Ainsi, il faudrait que les hypothèses et les lignes de la preuve soit des formules fermées.

Quantificateurs universels implicites

Cependant, il est courant d'écrire des expressions de preuves sans montrer explicitement les quantificateurs universels les plus à l'extérieur. Par exemple, considérons l'expression dans l'exemple 14.3,

$$\big(cen(\text{«\,CS101\,»}, E, N) \text{ AND } enat(S, \text{«\,A. Talon\,»}, A, T)\big) \to réponse(N) \qquad (14.19)$$

L'expression (14.19) pourrait être une des hypothèses d'une preuve. Dans l'exemple 14.3, nous l'avons vue intuitivement comme une définition du prédicat *réponse*. Nous pourrions utiliser (14.19) dans une preuve de, disons, *réponse*(«\,A\,») — c'est-à-dire, A. Talon a eu un A au cours CS101.

Dans l'exemple 14.3, nous avons expliqué la signification de (14.19) en disant que pour toutes les valeurs de E, N, A, et T, si l'étudiant E a obtenu la note N au cours CS101 — c'est-à-dire, si $cen(\text{«\,CS101\,»}, E, N)$ est vraie — et l'étudiant E a pour nom «\,A. Talon\,», adresse A, et téléphone T — c'est-à-dire, si $enat(S, \text{«\,A. Talon\,»}, A, T)$ est vraie — alors N est une réponse (i.e., *réponse*(N) est vraie). Dans cet exemple, nous n'avions pas la notion formelle de quantificateurs. Cependant, maintenant nous voyons que ce que nous voulons réellement affirmer est

$$(\forall E)(\forall N)(\forall A)(\forall T)\Big(\big((cen(\text{«\,CS101\,»}, E, N) \text{ AND } enat(S, \text{«\,A. Talon\,»}, A, T)\big)$$
$$\to réponse(N)\Big)$$

Parce qu'il est fréquemment nécessaire de présenter une chaîne de quantificateurs universels autour d'une expression, nous adopterons la notation abrégée $(\forall *)E$ pour dénoter une chaîne de quantificateurs $(\forall X_1)(\forall X_2)(\cdots)(\forall X_k)E$, où $X_1, X_2, \ldots, X_k$ sont toutes des variables libres de l'expression E. Par exemple, (14.19) pourrait être écrite

$$(\forall *)\Big(\big(cen(\text{«\,CS101\,»}, E, N) \text{ AND } enat(E, \text{«\,A. Talon\,»}, A, T)\big) \to réponse(N)\Big)$$

Cependant, nous continuerons de faire référence à des variables qui sont libres dans E comme «\,libres\,» dans $(\forall *)E$. Cette utilisation du terme «\,libre\,» est strictement incorrecte, mais assez utile.

Substitution de variables comme règle d'inférence

En plus des règles d'inférence présentées au chapitre 12 en logique propositionnelle, telles que modus ponens, et la substitution de égal par égal dans une ligne précédente de preuve, il existe une règle d'inférence entraînant des substitutions de variables qui sont assez utiles pour des preuves en logique des prédicats. Si nous avons défini une expression E, soit comme hypothèse soit comme ligne de preuve, et si E' est formée à partir de E par substitution de variables ou constantes pour certaines variables libres de E, alors $E \to E'$ est une tautologie et on peut ajouter E' comme ligne de preuve. Il est important de se souvenir que nous ne pouvons pas substituer des variables de E liées, mais seulement des variables libres de E.

Formellement, nous pouvons représenter une substitution de variables par une fonction *sub*. Pour chaque variable libre X de E, nous pouvons définir $sub(X)$ comme

Expressions dans de preuves

Rappelons que lorsque nous voyons une expression E dans une preuve, c'est la forme raccourcie de l'expression $(\forall*)E$. Notons que $E \equiv (\forall*)E$ n'est pas en général une tautologie. Nous utilisons donc sans aucun doute une expression à la place d'une autre. Il est aussi utile de rappeler que lorsque E apparaît dans une preuve, nous n'affirmons pas que $(\forall*)E$ est une tautologie. Au contraire, nous affirmons que $(\forall*)E$ découle des hypothèses. C'est-à-dire, si $E_1, E_2, \ldots, E_n$ sont les hypothèses, et nous écrivons correctement la ligne de preuve E, alors on sait que

$$\big((\forall*)E_1 \text{ AND } (\forall*)E_2 \text{ AND } \cdots \text{ AND } (\forall*)E_n\big) \to (\forall*)E$$

est une tautologie.

---

variable ou constante. Si nous ne spécifions pas de valeur pour $sub(X)$, alors nous admettons que $sub(X) = X$ est intentionnelle. Si E est une expression de logique des prédicats, l'expression $sub(E)$ est E avec toutes les occurrences libres d'une variable X remplacée par $sub(X)$.

La *loi de substitution de variable* dit que $E \to sub(E)$ est une tautologie. Ainsi, si E est une ligne de preuve, nous pouvons ajouter $sub(E)$ comme ligne de la même preuve.

✦ **Exemple 14.21.** Considérons l'expression (14.19)

$$\big(cen(\text{« CS101 »}, E, N) \text{ AND } enat(S, \text{« A. Talon »}, A, T)\big) \to réponse(N)$$

pour O. Une éventuelle substitution sub est définie par

$$sub(N) = \text{« B »}$$
$$sub(T) = E$$

C'est-à-dire, nous substituons la variable N par la constante « B », et la variable T par la variable E. Les variables E et A restent inchangées. L'expression $sub(O)$ est

$$\big(cen(\text{« CS101 »}, E, \text{« B »}) \text{ AND } enat(S, \text{« A. Talon »}, A, S)\big) \to réponse(\text{« B »})\ (14.20)$$

De manière informelle, (14.20) dit que s'il y a un étudiant E qui a obtenu un B dans CS101, que le nom de l'étudiant est A. Talon, et que le numéro de téléphone et l'ID de l'étudiant sont identiques, alors « B » est une réponse.

Notons que (14.20) est un cas spécial de la règle plus générale décrite par (14.19). C'est-à-dire, on peut seulement déduire de (14.20) que la réponse correcte, dans le cas d'un B et de A. Talon, a par une étrange coïncidence, le même ID d'étudiant et même numéro de téléphone ; sinon on ne peut rien déduire de (14.20). ✦

✦ **Exemple 14.22.** L'expression

$$p(X, Y) \text{ OR } (\exists Z)q(X, Z) \tag{14.21}$$

comprend les variables libres X et Y, et la variable liée Z. Rappelons que techniquement, (14.21) représente l'expression fermée $(\forall*)\big(p(X, Y) \text{ OR } (\exists Z)q(X, Z)\big)$, et qu'ici $(\forall*)$ représente la quantification des variables libres X et Y, c'est-à-dire

Substitution comme cas particulier

L'exemple 14.20 est classique, dans le sens où quelle que soit la substitution *sub* appliquée à une expression O, nous obtenons un cas particulier de O. Si *sub* remplace la variable X par une constante c, alors l'expression *sub*(O) s'applique uniquement lorsque $X = c$, et non pas le contraire. Si *sub* rend identiques deux variables, alors *sub*(O) s'applique uniquement dans le cas particulier où ces deux variables ont la même valeur. Néanmoins, une substitution de variable est souvent exactement ce que vous avons besoin pour une preuve, car elle nous permet d'appliquer une règle générale dans un cas particulier, et elle nous permet de combiner des règles pour en faire de nouvelles. Nous étudierons cette forme de preuve au prochain paragraphe.

$$(\forall X)(\forall Y)\big(p(X, Y) \text{ OR } (\exists Z)q(X, Z)\big)$$

Dans (14.21), nous pourrions substituer $sub(X) = a$, et $sub(Y) = b$, donnant l'expression $p(a, b)$ OR $(\exists Z)q(a, Z)$. Cette expression, qui n'a pas de variable libre car nous avons choisi de substituer chaque variable libre par une constante, peut facilement être vue comme un cas spécial de (14.21); elle établit que soit $p(a, b)$ est vraie, soit pour chaque valeur de Z, $q(a, Z)$ est vraie. Formellement,

$$\Big((\forall X)(\forall Y)\big(p(X, Y) \text{ OR } (\exists Z)q(X, Z)\big)\Big) \to \big(p(a, b) \text{ OR } (\exists Z)q(a, Z)\big)$$

est une tautologie.

On peut se demander ce qui est arrivé aux quantificateurs impliqués dans (14.21), lorsque nous avons substitué X et Y par a et b. La réponse est que dans une expression résultante, $p(a, b)$ OR $(\exists Z)q(a, Z)$, il n'y a pas de variable libre, et donc l'expression impliquée $(\forall *)(p(a, b)$ OR $(\exists Z)q(a, Z))$ n'a pas de préfixe de quantificateurs universels; c'est-à-dire,

$$p(a, b) \text{ OR } (\exists Z)q(a, Z)$$

s'auto-représente dans ce cas. Nous ne remplaçons pas $(\forall *)$ by $(\forall a)(\forall b)$, qui n'a pas de sens, puisque des constantes ne peuvent être quantifiées. ◆

EXERCICES

14.8.1 : Prouvez les conclusions des hypothèses suivantes, en utilisant les règles d'inférence présentées au paragraphe 12.10, ainsi que les règles de substitution de variable que nous venons de voir. Notez que vous pouvez utiliser, comme ligne de preuve, toute tautologie de calcul propositionnelle ou de prédicat. Cependant, essayez de restreindre vos tautologies à celles énumérées aux paragraphes 12.8, 12.9, et 14.7.

a) De l'hypothèse $(\forall X)p(X)$ prouvez la conclusion $(\forall X)p(X)$ OR $q(Y)$.

b) De l'hypothèse $(\exists X)p(X, Y)$ prouvez la conclusion NOT $\Big((\forall X)\big(\text{NOT } p(X, a)\big)\Big)$.

c) De l'hypothèse $p(X)$ et $p(X) \to q(X)$ prouvez la conclusion $q(X)$.

14.9   Preuves à partir de règles et de faits

La forme la plus simple de preuve en logique des prédicats implique peut-être des hypothèses se séparant en deux classes.

1.   Les *faits*, qui sont des formules atomiques constantes.

2.   Les *règles*, qui sont des expressions « si-alors ». La requête (14.19) au sujet de la note de A. Talon au cours CS101, en est un exemple

$$\big(cen(\text{« CS101 »}, E, N) \text{ AND } enat(S, \text{« A. Talon »}, A, T)\big) \rightarrow r\acute{e}ponse(N)$$

présentée dans l'exemple 14.20. Les règles consistent au AND d'une ou plusieurs formules atomiques sur la partie gauche du signe d'implication, et d'une formule atomique sur la partie droite. Nous admettons que toute variable apparaissant en tête apparaît également quelque part dans le corps.

La partie gauche d'une règle est appelée le **corps**, et la partie droite, la **tête**. Toute formule atomique du corps est appelée un ***sous-but***. Par exemple, dans (14.19), la règle donnée ci-dessus, les sous-buts sont $cen(\text{« CS101 »}, E, N)$ et $enat(S, \text{« A. Talon »}, A, T)$. La tête est $r\acute{e}ponse(N)$.

L'idée générale derrière l'utilisation de règles est que des règles sont des principes généraux que nous pouvons appliquer à des faits. Nous essayons de faire correspondre les sous-buts du corps d'une règle à des faits qui sont soit donnés, soit déjà prouvés, en substituant des variables dans la règle. Lorsque nous pouvons le faire, la substitution rend la tête une formule atomique constante, car nous avons admis que chaque variable de la tête apparaît dans le corps. Nous pouvons ajouter cette formule atomique constante à la collection de faits qui sont à notre disposition pour les preuves suivantes.

✦ **Exemple 14.23.** Une application simple de preuves à partir de règles et de faits est de répondre aux requêtes dans le modèle relationnel présenté au chapitre 8. Chaque relation correspond à un symbole de prédicat, et chaque tuple, à une formule atomique constante contenant ce symbole et des arguments égaux aux composantes du tuple dans le même ordre. Par exemple, de la relation Cours-Etudiant-Note de la figure 8.1, nous pourrions obtenir les faits

$$cen(\text{« CS101 »}, 12345, \text{« A »}) \qquad cen(\text{« CS101 »}, 67890, \text{« B »})$$
$$cen(\text{« EE200 »}, 12345, \text{« C »}) \qquad cen(\text{« EE200 »}, 22222, \text{« B+ »})$$
$$cen(\text{« CS101 »}, 33333, \text{« A- »}) \qquad cen(\text{« PH100 »}, 67890, \text{« C+ »})$$

De même, de la relation Etudiant-Nom-Adresse-Téléphone de la figure 8.2(a), on obtient les faits

$$enat(12345, \text{« A. Talon »}, \text{« 12 rue des pommiers »}, 44642322)$$
$$enat(67890, \text{« M. N'Guyen »}, \text{« 34 avenue des cerisiers »}, 71115678)$$
$$enat(22222, \text{« A. Balarmé »}, \text{« 56 boulevard des vignes »}, 42764040)$$

A ces faits, nous pouvons ajouter la règle (14.19),

$$\big(cen(\text{« CS101 »}, E, N) \text{ AND } enat(S, \text{« A. Talon »}, A, T)\big) \rightarrow r\acute{e}ponse(N)$$

pour compléter la liste des hypothèses.

Supposons que nous voulions que *réponse*(« A ») soit vraie, c'est-à-dire que A. Talon obtienne un A dans CS101. Nous pourrions commencer notre preuve avec tous les faits et la règle bien que dans ce cas nous ayons seulement besoin de la règle, du premier fait *cen* et du premier fait *enat*. C'est-à-dire, les trois premières lignes de la preuve sont

1. $\big(cen(\text{« CS101 »}, E, N)$ AND $enat(S, \text{« A. Talon »}, A, T)\big) \rightarrow réponse(N)$

2. $cen(\text{« CS101 »}, 12345, \text{« A »})$

3. $enat(12345, \text{« A. Talon »}, \text{« 12 rue des pommiers »}, 44642322)$

L'étape suivante consiste à combiner les deuxième et troisième lignes, en utilisant la règle d'inférence qui dit que si E_1 et E_2 sont des lignes de preuves alors E_1 AND E_2 peut être écrite comme une ligne de preuve. Donc, nous avons la ligne

4. $cen(\text{« CS101 »}, 12345, \text{« A »})$ AND
       $enat(12345, \text{« A. Talon »}, \text{« 12 rue des pommiers »}, 44642322)$

Ensuite, utilisons la loi de substitution de variables libres pour spécialiser notre règle — ligne (1) — telle qu'elle s'applique aux constantes à la ligne (4). C'est-à-dire, nous faisons la substitution

$$sub(E) = \text{« CS101 »}$$
$$sub(N) = \text{« A »}$$
$$sub(A) = \text{« 12 rue des pommiers »}$$
$$sub(T) = 44642322$$

dans (1) pour obtenir la ligne

5. $\big(cen(\text{« CS101 »}, 12345, \text{« A »})$ AND
       $enat(12345, \text{« A. Talon »}, \text{« 12 rue des pommeirs »}, 44642322)\big)$
           $\rightarrow réponse(\text{« A »})$

Finalement, modus ponens appliqué à (4) et (5) nous donne les sixième et dernière lignes de la preuve,

6. $\rightarrow réponse(\text{« A »})$

◆

Une règle d'inférence simplifiée

Si nous regardons la preuve de l'exemple 14.22, nous pouvons observer la stratégie suivante pour construire une preuve à partir de formules atomiques constantes et de règles logiques.

1. Nous sélectionnons une règle à appliquer et nous sélectionnons une substitution qui change chaque sous-but en une formule atomique constante qui est soit un fait donné, soit quelque chose que nous avons déjà prouvé. Dans l'exemple 14.22, nous avons substitué E par 12345, et ainsi de suite. Le résultat apparaît à la ligne (4) de l'exemple 14.22.

2. Nous créons des lignes de preuve pour chaque sous-but substitué, soit parce que ce sont des faits, soit en les déduisant d'une manière quelconque. Cette étape apparaît aux lignes (2) et (3) dans l'exemple 14.22.

Interpréter des règles

Des règles, comme toutes les expressions qui apparaissent dans des preuves, sont implicitement quantifiées universellement. Donc, nous pouvons lire (14.19) comme « quels que soient E, N, A et T, si $cen($« CS101 »$, E, N)$ est vraie, et $enat(E,$ « A. Talon »$, A, T)$ est vraie, alors $réponse(N)$ est vraie ». Cependant, nous pouvons traiter les variables qui apparaissent dans le corps mais pas dans la tête, telles que E, A et T, comme quantifiées existentiellement pour la portée du corps. Formellement, (14.19) est équivalente à

$$(\forall N)\Big((\exists E)(\exists A)(\exists T)\big(cen(\text{« CS101 »}, E, N) \ \texttt{AND} \ enat(E, \text{« A. Talon »}, A, T)\big)$$
$$\rightarrow réponse(N)\Big)$$

C'est-à-dire, quel que soit N, s'il existe E, A, et T tels que $cen($« CS101 »$, E, N)$ et $enat(S,$ « A. Talon »$, A, T)$ sont toutes deux vraies, alors $réponse(N)$ est vraie.

Cette phrase correspond plus précisément à notre manière de penser l'application d'une règle. Elle dénote que pour chaque valeur de la variable ou des variables qui apparaissent dans la tête, nous pourrions essayer de trouver des valeurs de variables apparaissant seulement dans le corps, qui rendent le corps vrai. Si nous trouvons de telles valeurs, alors la tête est vraie pour les valeurs données de ses variables.

Afin de l'expliquer, nous pouvons traiter les variables qui sont locales au corps comme quantifiées existentiellement, commencer par une règle de la forme $B \rightarrow H$, où B est le corps, et H est la tête. Soit X une variable qui apparaît seulement dans B. Implicitement, cette règle est

$$(\forall *)(B \rightarrow H)$$

et par la loi (14.17), nous pouvons faire que le quantificateur pour X soit le plus interne, en écrivant l'expression : $(\forall *)(\forall X)(B \rightarrow H)$. Ici, $(\forall *)$ inclut toutes les variables sauf X. Maintenant, nous remplaçons l'implication par son expression équivalente en utilisant $\texttt{NOT}$ et $\texttt{OR}$, c'est-à-dire $(\forall *)(\forall X)\big((\texttt{NOT} \ B) \ \texttt{OR} \ H\big)$. Puisque X n'apparaît pas dans H, nous pouvons appliquer la loi (14.13), à l'envers, pour que $(\forall X)$ s'applique à $\texttt{NOT} \ B$, seulement comme $(\forall *)\big(((\forall X) \ \texttt{NOT} \ B) \ \texttt{OR} \ H\big)$. Ensuite, nous utilisons la loi (14.10) pour déplacer $(\forall X)$ à l'intérieur de la négation, donnant

$$(\forall *)\big((\texttt{NOT} \ (\exists X)(\texttt{NOT NOT} \ B)) \ \texttt{OR} \ H\big)$$

ou, après élimination de la double négation, $(\forall *)\big((\texttt{NOT} \ (\exists X)B) \ \texttt{OR} \ H\big)$. Finalement, nous rétablissons l'implication pour obtenir $(\forall *)\big(((\exists X)B) \rightarrow H\big)$.

---

3.   Nous créons une ligne qui est le $\texttt{AND}$ des lignes correspondantes à chaque sous-but substitué. Cette ligne est le corps de la règle substituée. Dans l'exemple 14.22, cette étape apparaît à la ligne (5).

4. Nous utilisons modus ponens, avec le corps substitué par (3) et la règle substituée par (1) pour en déduire la tête substituée. Cette étape apparaît à la ligne (6) dans l'exemple 14.22.

Nous pouvons combiner ces étapes en une seule règle d'inférence, comme suit. S'il existe une règle R parmi les hypothèses et une substitution sub telle que dans l'instance substituée $sub(R)$, chaque sous-but est une ligne de la preuve, alors nous pouvons ajouter la tête de $sub(R)$ comme une ligne de la preuve.

◆ **Exemple 14.24.** Dans l'exemple, 14.22, la règle R est (14.19), ou

$$\left(cen(\text{« CS101 »}, E, N) \text{ AND } enat(E, \text{« A. Talon »}, A, T)\right) \to réponse(N)$$

La substitution sub est comme dans cet exemple, et les sous-buts de $sub(R)$ sont aux lignes (2) et (3) de l'exemple 14.22. Par la nouvelle règle d'inférence, nous pourrions immédiatement écrire la ligne (6) de l'exemple 14.22 ; nous n'avons pas besoin des lignes (4) et (5). En fait, la ligne (1), la règle R elle-même, peut être omise de la preuve, pourvu que ce soit une hypothèse donnée. ◆

◆ **Exemple 14.25.** Pour étudier un autre exemple de la façon d'appliquer des règles dans des preuves, considérons la relation Cours-Pré-requis de la figure 8.2(b), dont les huit faits peuvent être représentés par huit formules atomiques constantes avec le prédicat cp,

$$cp(\text{« CS101 »}, \text{« CS100 »}) \qquad cp(\text{« EE200 »}, \text{« EE005 »})$$
$$cp(\text{« EE200 »}, \text{« CS100 »}) \qquad cp(\text{« CS120 »}, \text{« CS101 »})$$
$$cp(\text{« CS121 »}, \text{« CS120 »}) \qquad cp(\text{« CS205 »}, \text{« CS101 »})$$
$$cp(\text{« CS206 »}, \text{« CS121 »}) \qquad cp(\text{« CS206 »}, \text{« CS205 »})$$

Nous pourrions vouloir définir un autre prédicat $avant(X, Y)$ qui signifie que le cours Y doit être suivi avant le cours X. Soit Y est un pré-requis de X, soit un pré-requis d'un pré-requis de X, et ainsi de suite. Nous pouvons définir la notion « avant » de manière récursive, en disant

1. Si Y est un pré-requis de X, alors Y vient avant X.

2. Si X a un pré-requis Z, et Y vient avant Z, alors Y vient avant X.

Les règles (1) et (2) peuvent être exprimées comme les règles de logique des prédicats suivantes.

$$cp(X, Y) \to avant(X, Y) \tag{14.22}$$

$$\left(cp(X, Z) \text{ AND } avant(Z, Y)\right) \to avant(X, Y) \tag{14.23}$$

Examinons maintenant quelques faits *avant* que nous pouvons prouver avec les huit faits Cours-Pré-requis donnés au début de l'exemple, ainsi que les règles (14.22) et (14.23). D'abord, nous pouvons appliquer la règle (14.22) pour changer chacun des faits cp en un fait *avant* correspondant, donnant

$$avant(\text{« CS101 »}, \text{« CS100 »}) \qquad avant(\text{« EE200 »}, \text{« EE005 »})$$
$$avant(\text{« EE200 »}, \text{« CS100 »}) \qquad avant(\text{« CS120 »}, \text{« CS101 »})$$
$$avant(\text{« CS121 »}, \text{« CS120 »}) \qquad avant(\text{« CS205 »}, \text{« CS101 »})$$
$$avant(\text{« CS206 »}, \text{« CS121 »}) \qquad avant(\text{« CS206 »}, \text{« CS205 »})$$

Par exemple, nous pouvons utiliser la substitution

$$sub_1(X) = \text{« CS101 »}$$
$$sub_1(Y) = \text{« CS100 »}$$

de (14.22) pour obtenir l'instance de règle substituée

$$cp(\text{« CS101 »}, \text{« CS100 »}) \rightarrow avant(\text{« CS101 »}, \text{« CS100 »})$$

Cette règle, avec l'hypothèse $cp(\text{« CS101 »}, \text{« CS100 »})$, nous donne

$$avant(\text{« CS101 »}, \text{« CS100 »})$$

Nous pouvons utiliser la règle (14.23) avec l'hypothèse $cp(\text{« CS120 »}, \text{« CS101 »})$ et le fait $avant(\text{« CS101 »}, \text{« CS100 »})$, que nous venons de prouver, pour prouver

$$avant(\text{« CS120 »}, \text{« CS100 »})$$

C'est-à-dire, nous appliquons la substitution

$$sub_2(X) = \text{« CS120 »}$$
$$sub_2(Y) = \text{« CS100 »}$$
$$sub_2(Z) = \text{« CS101 »}$$

à (14.23) pour obtenir la règle

$$\big(cp(\text{« CS120 »}, \text{« CS101 »}) \text{ AND } avant(\text{« CS101 »}, \text{« CS100 »})\big)$$
$$\rightarrow avant(\text{« CS120 »}, \text{« CS100 »})$$

Nous pouvons alors déduire la tête de la règle substituée, pour prouver

$$avant(\text{« CS120 »}, \text{« CS100 »})$$

De même, nous pouvons appliquer la règle (14.23) aux formules atomiques constantes

$$cp(\text{« CS121 »}, \text{« CS120 »})$$

et $avant(\text{« CS120 »}, \text{« CS100 »})$ pour prouver $avant(\text{« CS121 »}, \text{« CS100 »})$. Nous utilisons alors (14.23) sur $cp(\text{« CS206 »}, \text{« CS121 »})$ et $avant(\text{« CS121 »}, \text{« CS100 »})$ pour prouver

$$avant(\text{« CS206 »}, \text{« CS100 »})$$

Il y a bien d'autres faits *avant* que nous pourrions prouver d'une façon similaire ◆

EXERCICES

14.9.1 : * Nous pouvons montrer que le prédicat *avant* de l'exemple 14.24 est la fermeture transitive du prédicat *cp* comme suit. Supposons qu'il existe une séquence de cours $c_1, c_2, \ldots, c_n$, pour un $n \geq 2$, et c_1 est un pré-requis de c_2, qui est un pré-requis de c_3, et ainsi de suite ; en général, $cp(c_i, c_{i+1})$ est un fait donné pour $i = 1, 2, \ldots, n-1$.

Chemins dans un graphe

L'exemple 14.24 consiste en une forme commune de règles qui définissent des chemins dans un graphe orienté, étant donnés les arcs du graphe. Imaginons les cours en tant que sommets, et l'existence d'un arc $a \to b$ si le cours b est un pré-requis du cours a. Alors $avant(a, b)$ correspond à l'existence d'un chemin de longueur 1 ou plus de a vers b. La figure 14.10 montre le graphe basé sur les informations Cours-Pré-requis de la figure 11.2(b).

Lorsque le graphe présente des pré-requis, nous nous attendons à ce qu'il soit acyclique, car il ne devrait pas y avoir un cours devant être pris avant lui-même. Cependant, même si le graphe contient des cycles, le même type de règles logiques définit des chemins en termes d'arcs. Nous pouvons écrire ces règles

$$arc(X, Y) \to chemin(X, Y)$$

c'est-à-dire, s'il existe un arc du sommet X au sommet Y, alors il existe un chemin de X à Y, et

$$\big(arc(X, Z) \text{ AND } chemin(Z, Y)\big) \to chemin(X, Y)$$

C'est-à-dire, s'il existe un arc de X vers un quelconque Z, et un chemin de Z à Y, alors il existe un chemin de X à Y. Notons que ce sont les mêmes règles que (14.22) et (14.23), avec le prédicat arc à la place de cp, et $chemin$ à la place de $avant$.

Démontrez que c_1 vient avant c_n en montrant que $avant(c_1, c_i)$ pour tout $i = 2, 3, \ldots, n$, par récurrence sur i.

14.9.2 : En utilisant les règles et faits de l'exemple 14.24, démontrez les faits suivants.

a) $avant(\text{« CS120 »}, \text{« CS100 »})$
b) $avant(\text{« CS206 »}, \text{« CS100 »})$

14.9.3 : Nous pouvons accélérer le processus des chaînes de pré-requis suivantes en ajoutant à l'exemple 14.24, la règle

$$\big(avant(X, Z) \text{ AND } avant(Z, Y)\big) \to avant(X, Y)$$

C'est-à-dire, le premier sous-but peut être n'importe quel fait $avant$, et pas seulement un fait pré-requis. En utilisant cette règle, trouvez une preuve plus courte pour l'exercice 14.9.2(b).

14.9.4 : * Combien de faits $avant$ pouvons-nous prouver dans l'exemple 14.24 ?

14.9.5 : Soit cen un prédicat qui représente la relation Cours-Etudiant-Note de la figure 8.1, cjh un prédicat qui représente la relation Cours-Jour-Heure de la figure 8.2(c), et cs un prédicat pour la relation Cours-Salle de la figure 8.2(d). Soit $location(E, J, H, S)$ un prédicat qui signifie l'étudiant E dans la salle S à l'heure H du jour J. Plus précisément, E suit un cours qui a lieu dans cette salle à cette heure.

a) Ecrivez une règle qui définit $location$ en termes de cen, cjh, et cr.

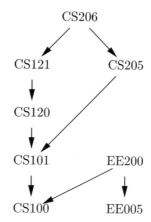

Figure 14.10 : Information pré-requise à un graphe orienté.

b) Si les faits pour les prédicats *cen*, *cjh*, et *cr* sont comme ceux donnés dans les figures 8.1 et 8.2, quels faits *location* pouvez-vous déduire ? Donnez une preuve de deux tels faits.

14.10   Vérité et déductibilité

Nous terminons notre discussion sur la logique des prédicats par une présentation d'une des plus subtiles questions de logique : la distinction entre ce qui peut être prouvé et ce qui est vrai. Nous avons vu des règles d'inférence qui nous permettent de prouver des choses en logique soit propositionnelle, soit de prédicat, cependant nous ne pourrions pas être sûrs qu'un ensemble de règles données était complet, dans le sens qu'elles nous permettent de prouver toute proposition vraie. Nous avons déclaré, par exemple, que la résolution telle que nous l'avons présentée au paragraphe 12.11 est complète en logique propositionnelle. Une forme généralisée de résolution, que nous n'abordons pas ici, est aussi complète en logique des prédicats.

Modèles

Cependant, pour comprendre la complétude d'une stratégie de preuve, nous avons besoin de comprendre la notion de « vérité ». Pour s'intéresser à la « vérité », nous avons besoin de comprendre la notion de *modèle*. Tout type de logique à une notion de modèle pour une collection d'expressions. Ces modèles sont les interprétations qui rendent les expressions vraies.

◆ **Exemple 14.26.** En logique des propositions, les interprétations sont des affectations d'une valeur de vérité. Considérons les expressions $E_1 = p$ AND q et $E_2 = \bar{p}$ OR r. Il y a huit affectations pour les expressions contenant les variables p, q, et r, que nous pourrions dénoter par une chaîne de trois bits, respectivement pour les valeurs de vérité de chaque variable.

L'expression E_1 n'est rendue vraie que par ces affectations qui rendent à la fois p et q vraies, c'est-à-dire, par 110 et 111. L'expression E_2 est rendue vraie par six affectations : 000, 001, 010, 011, 101, et 111. Ainsi, il n'y a qu'un modèle pour l'ensemble d'expressions $\{E_1, E_2\}$, 111, puisque ce modèle seulement apparaît dans les deux listes. ◆

◆ **Exemple 14.27.** En logique des prédicats, une interprétation est la structure définie au paragraphe 14.5. Considérons une expression telle que

$$E: (\forall X)(\exists Y)p(X, Y)$$

C'est-à-dire, pour chaque valeur de X, il y a au moins une valeur de Y pour laquelle $p(X, Y)$ est vraie.

Une interprétation rend E vraie si pour chaque élément a du domaine D, il y a un élément b dans D — pas nécessairement le même b pour chaque a — tel que la relation qui est l'interprétation pour le prédicat p a comme élément la paire (a, b). Ces interprétations sont les modèles de E ; d'autres interprétations ne le sont pas. Par exemple, si le domaine D est l'ensemble des entiers et l'interprétation pour le prédicat p rend $p(X, Y)$ vraie si et seulement si $X < Y$, alors nous avons un modèle pour l'expression E. Cependant, l'interprétation qui a le domaine D égal à l'ensemble des entiers et a l'interprétation de p dans laquelle $p(X, Y)$ est vraie si et seulement si $X = Y^2$, n'est pas un modèle pour l'expression E. ◆

Conséquence sémantique

Nous pouvons affirmer ce que signifie pour une expression E d'être vraie, étant donnée une collection d'expressions $\{E_1, E_2, \ldots, E_n\}$. Nous disons que l'expression E est la conséquence sémantique de $\{E_1, E_2, \ldots, E_n\}$ si chaque modèle M pour $\{E_1, E_2, \ldots, E_n\}$ est aussi un modèle pour E. L'opérateur **double tourniquet** $\models$ dénote la conséquence sémantique, comme

$$E_1, E_2, \ldots, E_n \models E$$

L'intuition nécessaire est que chaque interprétation est un mot possible. Lorsque nous disons $E_1, E_2, \ldots, E_n \models E$, nous disons que E est vraie dans chaque monde possible où les expressions $E_1, E_2, \ldots, E_n$ sont vraies.

La notion de conséquence sémantique pourrait être distinguée de la notion de déduction. Si nous avons un système de preuve particulier, alors on peut utiliser l'opérateur **simple tourniquet** $\vdash$ pour dénoter la preuve d'une même façon. C'est-à-dire,

$$E_1, E_2, \ldots, E_n \vdash E$$

signifie que, pour l'ensemble de règles d'inférences, il y a une preuve de E selon les hypothèses $E_1, E_2, \ldots, E_n$. Noter que $\vdash$ peut avoir différentes significations pour différents systèmes de preuve. Rappelons également que $\models$ et $\vdash$ n'ont pas forcément les mêmes relations, bien que nous aimerions généralement avoir un système de preuve dans lequel l'une est vraie si et seulement si l'autre est vraie.

Il y a une relation étroite entre tautologie et conséquence sémantique. En particulier, supposons $E_1, E_2, \ldots, E_n \models E$. Nous déclarons alors

$$(E_1 \text{ AND } E_2 \text{ AND } \cdots \text{ AND } E_n) \rightarrow E \tag{14.24}$$

est une tautologie. Considérons une interprétation *l*. Si *l* rend la partie gauche de (14.24) vraie, alors *l* est un modèle de $\{E_1, E_2, \ldots, E_n\}$. Puisque $E_1, E_2, \ldots, E_n \models E$, l'interprétation *I* doit aussi rendre *E* vraie. Donc *I* rend (14.24) vraie.

L'unique autre possibilité est que *l* rende la partie gauche de (14.24) fausse. Alors, parce qu'une implication est toujours vraie lorsque la partie gauche est fausse, nous savons que (14.24) est encore vraie. Donc (14.24) est une tautologie.

En revanche, si (14.24) est une tautologie, alors on peut prouver $E_1, E_2, \ldots, E_n \models E$. Nous laissons cette preuve à titre d'exercice.

Notons que notre argument ne dépend pas du fait que les expressions considérées soient des expressions de logique propositionnelle, des prédicatS ou d'un autre type de logique que nous n'avons pas étudié. Nous avons seulement besoin de savoir que les tautologies sont les expressions qui rendent vrai pour chaque « interprétation » et qu'un modèle pour une expression ou ensemble d'expressions est une interprétation rendant l'expression(s) vraie(s).

Comparer déductibilité et conséquence sémantique

Nous aimerions savoir qu'un système de preuve donné nous permet de prouver tout ce qui est vrai et rien qui soit faux. C'est-à-dire, nous voulons que les simple et double tourniquets signifient la même chose. Un système de preuve est dit **cohérent**, si chaque fois qu'une chose est prouvée, elle est aussi modélisée. C'est-à-dire $E_1, E_2, \ldots, E_n \vdash E$ implique $E_1, E_2, \ldots, E_n \models E$. Par exemple, nous avons examiné au paragraphe 12.10 pourquoi nos règles d'inférence pour la logique propositionnelle étaient cohérentes. Pour être exact, nous avons montré que chaque fois que nous commencions avec des hypothèses $E_1, E_2, \ldots, E_n$ et écrivions une ligne *E* dans notre preuve, alors (E_1 AND E_2 AND $\cdots$ AND E_n) $\rightarrow E$ était une tautologie. Par ce que nous venons d'argumenter, cela revient à dire $E_1, E_2, \ldots, E_n \models E$.

Nous aimerions aussi que notre système de preuve soit complet. Alors nous pourrions prouver tout ce qui était modélisé par nos hypothèses, même si trouver cette preuve était difficile. Il s'avère que les règles d'inférences, que nous avons données au paragraphe 12.10, ou la règle de résolution au paragraphe 12.11, sont toutes deux des systèmes de preuve complets. C'est-à-dire, si $E_1, E_2, \ldots, E_n \models E$, alors $E_1, E_2, \ldots, E_n \vdash E$ dans chacun de ces systèmes de preuve. Il y a aussi des systèmes de preuve complets en logique deS prédicats, bien que nous ne les présenterons pas.

Théorème d'incomplétude de Gödel

Un des plus saisissants résultats des mathématiques modernes est souvent vu comme contredisant ce que nous venons de dire à propos de la complétude des systèmes de preuve en logique des prédicats. Ce résultat concerne en fait non pas la logique des prédicats comme nous l'avons dit, mais plutôt une spécialisation de cette logique qui nous amène à parler des entiers et des opérations traditionnelles sur les entiers. En particulier, nous devons modifier la logique des prédicats pour présenter des prédicats pour les opérations arithmétiques, telles que

1. $plus(X, Y, Z)$, dont nous voulons qu'elle soit vraie si et seulement si $X + Y = Z$,

2. $fois(X, Y, Z)$, vraie exactement si $X \times Y = Z$, et

3. *inférieur*(X, Y), vraie exactement si $X < Y$.

De plus, nous avons besoin de restreindre le domaine des interprétations aux entiers naturels. Nous pouvons le faire de deux manières. La première est de présenter un ensemble d'expressions que nous affirmons comme vraies. En sélectionnant ces expressions convenablement, le domaine pour toute interprétation satisfaisant les expressions doit « ressembler » aux entiers, et des prédicats spéciaux tels que *plus* ou *inférieur* doivent agir comme le feraient les opérations de même nom qui nous sont familières.

✦ **Exemple 14.28.** Nous pouvons affirmer des expressions telles que

$$plus(X, Y, Z) \rightarrow plus(Y, X, Z)$$

qui est la commutativité de l'addition, ou

$$\big(inférieur(X, Y) \text{ AND } inférieur(Y, Z)\big) \rightarrow inférieur(X, Z)$$

qui est la transitivité de $<$. ✦

Une manière peut-être plus simple, pour comprendre la restriction de la logique des prédicats qu'adresse le théorème de Gödel, consiste à supposer que la logique ne permet qu'un seul modèle, celui dans lequel le domaine est l'ensemble des entiers naturels, et les prédicats spéciaux sont des relations données correspondantes à leur signification conventionnelle. Par exemple, nous définirons l'interprétation du prédicat *plus* comme

$$\{(a, b, c) \mid a + b = c\}$$

Le théorème de Gödel déclare que quel soit le système de preuve cohérent que l'on choisit, il y a une expression E qui est vraie mais improuvable ! Plus précisément, si $E_1, E_2, \ldots, E_n$ est un ensemble d'expressions, dont tous les modèles se comportent comme les entiers naturels, alors $E_1, E_2, \ldots, E_n \models E$ est vraie, pourtant $E_1, E_2, \ldots, E_n \vdash E$ est fausse. C'est-à-dire, il n'y a pas de preuve de E par $\{E_1, E_2, \ldots, E_n\}$ dans le système que nous avons choisi.

L'expression improuvable E peut être différente pour différents systèmes de preuve choisis. En fait, l'expression E choisie peut être vue comme une manière de coder sur des entiers le fait que l'expression elle-même n'a pas de preuve dans le système de preuve donné.

Limites sur ce qu'un ordinateur peut faire

Une conséquence importante du théorème de Gödel est qu'il y a une limite dans notre capacité à répondre aux questions mathématiques. Si nous avons un modèle mathématique aussi complexe que les entiers (et beaucoup de modèles mathématiques sont bien plus complexes que les entiers, comme nous l'avons vu dans ce livre), alors il n'existe pas de façon mécanique permettant de distinguer les affirmations vraies des fausses. Le mieux que l'on puisse faire est d'utiliser des systèmes de preuve cohérents pour nous permettre de chercher des preuves. Si nous en trouvons une, nous avons de la chance, et nous pouvons être sûrs que l'affirmation prouvée est vraie. Cependant, notre recherche peut durer une éternité sans trouver de preuve, même si l'affirmation est vraie ; c'est-à-dire, l'affirmation est une conséquence des hypothèses que nous avons faites pour définir le modèle mathématique manuellement.

Philosophiquement, cette situation indique que les mathématiques resteront pour toujours un sujet intéressant et un défi. En pratique, elle indique qu'il y a des limites à ce que nous pouvons faire avec un ordinateur. En particulier, nous ne pouvons pas écrire des programmes qui permettent de trouver des preuves dans des systèmes suffisamment complexes, bien que nous le puissions dans des systèmes simples, telle que la logique propositionnelle et même la logique des prédicats, sans prédicat ou restriction particulier. Le lecteur devrait observer l'encadré sur l'« indécidabilité », où un théorème apparenté à Gödel est présenté. La théorie d'indécidabilité nous permet de désigner des problèmes spécifiques dont on peut montrer qu'aucun ordinateur ne peut résoudre.

Donc, plutôt que de terminer ce livre sur un point négatif, la théorie d'indécidabilité nous rappelle que, comme les mathématiques, l'informatique est destinée à fournir un défi aux meilleurs esprits que l'humanité peut produire. L'étudiant qui poursuit le sujet apprendra l'art et la manière d'éviter l'indécidable (et aussi l'infaisable).

Il peut alors rejoindre les rangs de ces scientifiques et ingénieurs repoussant les frontières de ce que nos ordinateurs peuvent faire.

EXERCICES

14.10.1 : Soit $E_1 = p$, $E_2 = q$, et $E_3 = qr + p\bar{r}$. Décrivez les modèles (propositions logiques des variables propositionnelles p, q, et r) qui rendent $\{E_1, E_2\}$ vraie. Décrivez les modèles pour E_3. $E_1, E_2 \models E_3$ est-elle vraie ? Pourquoi ?

14.10.2 : ** Considérons les expressions de logique des prédicats suivantes.

a) $E_1 = (\forall X)p(X, X)$

b) $E_2 = (\forall X)(\forall Y)\big(p(X, Y) \rightarrow p(Y, X)\big)$

c) $E_3 = (\forall X)(\forall Y)(\forall Z)\Big(\big(p(X, Y) \text{ AND } p(Y, Z)\big) \rightarrow p(X, Z)\Big)$

d) $E_4 = (\forall X)(\forall Y)\big(p(X, Y) \text{ OR } p(Y, X)\big)$

e) $E_5 = (\forall X)(\exists Y)p(X, Y)$

Lesquelles de ces cinq expressions sont impliquées par les quatre autres ? Dans chaque cas, donnez soit un argument pour toutes les interprétations possibles pour montrer la modélisation, soit une interprétation particulière qui est un modèle de quatre expressions mais pas de la cinquième. *Une indication* : Commencez par imaginer que le prédicat p représente les arcs d'un graphe orienté, et regardez chaque expression comme une propriété des graphes. Le paragraphe 7.10 devrait donner des indications soit pour trouver des modèles appropriés dans lesquels le domaine est formé par les sommets d'un certain graphe et le prédicat p les arcs de ce graphe, soit pour montrer pourquoi il doit y avoir modélisation. Notez cependant qu'il n'est pas suffisant de montrer qu'il y a modélisation en soutenant que l'interprétation est un graphe.

14.10.3 : * Soit S_1 et S_2 les deux ensembles d'expressions de logique des prédicats (ou logique propositionnelle — sans importance), et soit M_1 et M_2, leurs ensembles de modèles correspondants respectifs.

a)   Montrez que l'ensemble de modèles pour l'ensemble d'expressions $S_1 \cup S_2$ est $M_1 \cap M_2$.

Indécidabilité

Alan Turing a développé une théorie formelle sur les ordinateurs dans les années 1930, bien avant qu'il n'existe des ordinateurs électroniques pour mettre en pratique cette théorie. Son résultat le plus important est la découverte que certains problèmes sont *indécidables*; tout ordinateur n'a pas la moindre intelligence pour les résoudre.

Une pièce principale de la théorie est la **machine de Turing**, un ordinateur abstrait qui consiste en un automate fini et une bande infinie divisée en carrés. Dans un seul mouvement, la machine de Turing peut lire le caractère sur le carré vu par la *tête de lecture de la bande*, et selon ce caractère et son état courant, remplacer le caractère par un autre, changer son état, et déplacer la tête sur le carré gauche ou droit. Un fait observé est que tout ordinateur réel, ainsi que tout autre modèle mathématique décrivant un ordinateur fictif, peut exécuter exactement la même chose que la machine de Turing. Ainsi, nous prenons la machine de Turing comme modèle abstrait standard d'un ordinateur.

Cependant, nous n'avons pas à apprendre les détails de ce que la machine de Turing peut faire pour se conformer à la théorie de Turing. Il suffit de prendre comme modèle d'ordinateur une sorte de programme Pascal qui lit un caractère en entrée et a seulement deux instructions d'écriture possible : `writeln('oui')` et `writeln('non')`. De plus, après avoir produit une sortie, quelconque, le programme doit se terminer, tel qu'il ne puisse pas produire une sortie contradictoire plus tard. Comprenons qu'un programme de ce type pourrait, sur certaines entrées, ne pas répondre « oui » ou « non » ; il pourrait tourner dans une boucle à l'infini.

Nous allons prouver qu'il n'y a pas de programme comme D, le programme « décideur » de la figure 14.11(a). D prend en entrée un programme P du type ci-dessus, et dit « oui » si P dit « oui » lorsque P est lui-même donné en entrée. D dit « non » si — lorsque l'entrée de P est P — P soit dit « non » soit P ne peut prendre de décision. Comme nous le verrons, c'est cette condition qui fait que D arrive à trouver des occasions lorsque P n'est jamais prêt à rendre une décision qui rend D impossible à écrire.

Cependant, en supposant que D existe, il suffit d'écrire un programme C qui « complémente », comme sur la figure 14.11(b). C est formé à partir de D en changeant chaque instruction qui écrit « non » en une qui écrit « oui », et vice versa.

Maintenant, nous nous demandons ce qui arrive lorsque C reçoit lui-même en entrée, comme sur la figure 14.11(c) ? Si C dit « oui » alors, comme le rappelle la figure 14.11(b), C déclare que « C ne dit pas 'oui' avec C en entrée ». Si C dit « non », alors C déclare que « C dit 'oui' avec C en entrée ». Nous avons maintenant une contradiction similaire au paradoxe de Russel, où C ne peut jamais dire « oui » ou « non » d'une manière sûre. La conclusion est que le programme décideur n'existe pas réellement. C'est-à-dire, le problème résolu par D, qu'un programme Pascal donné du type restreint dit « oui » ou ne peut dire « oui » (en disant « non » ou rien du tout) lorsqu'il reçoit lui-même en entrée, ne peut être résolu par ordinateur. C'est un problème indécidable.

Depuis les résultats de Turing à l'origine, une grande variété de problèmes ont été découverts indécidables. Par exemple, on ne peut décider si un programme Pascal entre dans une boucle infinie, ou bien que deux programmes Pascal produisent la même sortie pour la même entrée.

b) L'ensemble de modèles pour l'ensemble d'expressions $S_1 \cap S_2$ est-il toujours égal à $M_1 \cup M_2$?

14.10.4 : * Montrez que si $(E_1 \text{ AND } E_2 \text{ AND } \cdots \text{ AND } E_n) \rightarrow E$ est une tautologie, alors $E_1, E_2, \ldots, E_n \models E$.

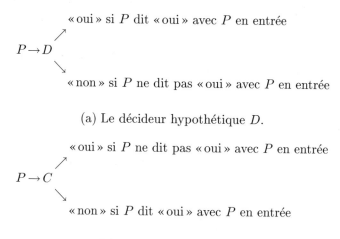

«oui» si P dit «oui» avec P en entrée

$P \rightarrow D$

«non» si P ne dit pas «oui» avec P en entrée

(a) Le décideur hypothétique D.

«oui» si P ne dit pas «oui» avec P en entrée

$P \rightarrow C$

«non» si P dit «oui» avec P en entrée

(b) Le complémenteur C.

$C \rightarrow C$

?

?

(c) Que fait C avec lui-même comme entrée ?

Figure 14.11 : Pièces de la construction de Turing.

14.11 Résumé du chapitre 14

Le lecteur devrait avoir appris dans ce chapitre les points suivants.

✦ La logique des prédicats utilise des formules atomiques, c'est-à-dire des prédicats avec des arguments, comme des opérandes atomiques et les opérateurs de la logique propositionnelle, ainsi que les deux quantificateurs, «quel que soit» et «il existe».

✦ Des variables dans une expression en logique des prédicats sont liées par des quantificateurs d'une manière analogue à la liaison des variables aux déclarations dans un programme.

✦ Au lieu de propositions logiques en logique propositionnelle, en logique des prédicats, nous avons une structure complexe appelée un «interprétation». Une interprétation consiste en un domaine de valeurs, des relations sur ce domaine pour les prédicats, et des valeurs du domaine pour toute variable libre.

◆ Les interprétations rendant un ensemble d'expressions vraies sont les « modèles » de cet ensemble d'expressions.

◆ Les tautologies de calcul de prédicat sont celles qui évaluent à VRAI pour toute interprétation. Bien que beaucoup de tautologies soient obtenues par substitutions en tautologie de logique propositionnelle, il y a d'importantes tautologies comprenant des quantificateurs.

◆ Il est possible de mettre chaque expression de logique des prédicats dans une « forme prénexe », consistant en une expression quantificateur libre à laquelle des quantificateurs sont appliqués comme les derniers opérateurs.

◆ Les preuves en logique des prédicats sont construites d'une manière similaire aux preuves en logique propositionnelle.

◆ La substitution de variables par des constantes dans des tautologies entraîne une autre tautologie, et cette règle d'inférence est utile dans des preuves, spécialement lorsque l'on travaille sur une base de données de faits et une collection de règles.

◆ Un ensemble d'expressions $\{E_1, \ldots, E_n\}$ « modélise » une expression E si tout modèle de la première est aussi un modèle dans la seconde. Nous regardons E comme « vraie » étant donnée $E_1, \ldots, E_n$ comme hypothèses si E est modélisée par $E_1, \ldots, E_n$.

◆ Le théorème de Gödel déclare que si nous prenons des expressions décrivant la théorie des nombres (i.e., arithmétique pour les entiers positifs) comme hypothèses, alors pour tout système de preuve, il existe une expression modélisée par les hypothèses mais ne pouvant pas être prouvées à partir d'elles.

◆ Le théorème de Turing décrit un modèle formel d'un ordinateur que l'on appeelle une « machine de Turing ». Ce modèle dit qu'il existe des problèmes qui ne peuvent être résolus par un ordinateur.

14.12   Notes bibliographiques du chapitre 14

Les livres sur la logique, incluant Enderton [1972], Mendelson [1987], Lewis & Papadimitriou [1981] et Manna & Waldinger [1990] que nous avons cités au paragraphe 12.14, couvrent également la logique des prédicats.

Le théorème d'incomplétude de Gödel apparaît dans Gödel [1931]. L'article de Turing sur l'indécidabilité est dans Turing [1936].

Gödel, K. [1931]. « Ueber formal unentscheidbare Sätze der Principia Mathematica und verwander Systeme », *Monatschefte für Mathematik und Physik* **38**, pp.173–198.

Turing, A. M. [1936]. « On computable numbers with an application to the *entscheidungsproblem* », *Proc.London Math.Soc.* **2**:42, pp.230–265.

Index

A

ABE
  voir Arbre binaire de recherche
Absorbant 736
Abstraction 1, 3
Abstraction (d'ensemble) 369
Addition 13, 220, 223
Additionneur 11, 779
  voir aussi Additionneur par propagation
      de retenue
Additionneur par propagation de retenue 12
Additionneur un-bit 11, 714, 770
Additonneur par propagation de retenue 779
Adressage immédiat 193
Adressage indexé 193
Adresse
  voir Adresse mémoire
Adresse de base 206
Adresse de retour 196, 217
Adresse mémoire 168
Adresse symbolique 188, 194
Affectation d'une valeur de vérité 704, 812,
    815
Aho, A. V. 162, 308, 365, 492, 574, 644
Aleph-zéro 433
Algèbre 6, 374
  voir aussi Loi algébrique, Expression, Lo-
      gique propositionnelle, Expression ré-
      gulière, Algèbre relationnelle
Algèbre booléenne 699
Algèbre de relation 468
Algol 697
Algorithme 5, 22
Algorithme de Dijkstra 547, 573
Algorithme de Floyd 559, 574
Algorithme de Kruskal 521, 574
Algorithme gourmand 525
Allocation de stockage 183, 194, 203
Anagramme partielle 590, 594
Analyse 667, 673
Analyse de cas 744
Analyse lexicale 616
Analyse LR 697
Analyse par descente récursive 674
Analyseur LL
  voir Analyseur par table
Analyseur par table 681
Ancêtre 238, 268
  propre 238

Ancêtre commun le plus proche 252
AND 702, 708, 715, 717, 735, 762, 825
Anti-impliquant 728
Antisymétrie 423
APO
  voir Arbre partiellement ordonné
Appel de procédure 132, 196, 216, 339
Arborescence de recherche en profondeur d'abord
    534
Arbre 125, 235, 515
  voir aussi Arbre couvrant minimal, Arbre
      d'analyse, Arbre non ordonné, Arbre
      sans racine, Trie
Arbre binaire 267
  voir aussi Arbre binaire de recherche, Arbre
      partiellement ordonné
Arbre binaire de recherche 281, 452
Arbre complet
  voir Arbre plein
Arbre couvrant 521
  minimum 521, 573
Arbre d'analyse 657, 675, 687
Arbre d'expression 240, 256, 474, 665, 809
Arbre de recherche en profondeur d'abord 532
Arbre de syntaxe
  voir Arbre d'expression
Arbre non-ordonné 521
Arbre ordonné 239
Arbre partiellement ordonné 294
Arbre partiellement ordonné équilibré 294, 550
Arbre plein 272, 291
Arbre sans-racine 521
Arbre vide 269
Arc 2, 236, 494
Arc appelant 532
Arc arrière 533
Arc avant 533
Arc transverses 533
Arête 498
Arité 399
ASCII 40, 169, 584
Assembleur 187
Assertion inductive
  voir Invariant de boucle
Astrahan, M. M. 492
Atome 368
  voir aussi Formule atomique
Attribut 440
Automate 575, 766

Imprimerie Arts Graphiques du Perche 28240 Meaucé
Dépôt légal : avril 1993 — N° d'Imprimeur 93648
Imprimé en France